J. RIZZI

DER BROCKHAUS IN FÜNFZEHN BÄNDEN

DER BROCKHAUS

in fünfzehn Bänden

Fünfter Band

Fre – Gt

F.A. BROCKHAUS
Leipzig · Mannheim

Redaktionelle Leitung: Marianne Strzysch, Dr. Joachim Weiß

In Band 15 ist die Redaktion vollständig genannt.

Einbandgestaltung: James Rizzi

Einbandtypographie: Jürgen Sauerhöfer

Herstellung: Günter Schwab

Typographische Konzeption: Norbert Wessel

Satz: Bibliographisches Institut & F. A. Brockhaus AG
(PageOne Siemens Nixdorf)
und Mannheimer Morgen Großdruckerei
und Verlag GmbH

Druck: Neue Stalling GmbH, Oldenburg

Bindearbeit: Großbuchbinderei Lachenmaier, Reutlingen

Papier: 120 g/m^2 holzfrei, mattgestrichen, chlorfrei
der Papierfabrik Aconda Paper S. A., Spanien

Die Deutsche Bibliothek – CIP-Einheitsaufnahme
Der **Brockhaus**: in 15 Bänden /
[red. Leitung: Marianne Strzysch; Joachim Weiß]. –
Leipzig; Mannheim: Brockhaus.
Bd. 5. Fre – Gt. – 1999
ISBN 3-7653-2355-1

ISBN für das Gesamtwerk 3-7653-2350-0
Band 5: 3-7653-2355-1

Printed in Germany

Freak [fri:k, engl.] *der,* 1) jemand, der sich nicht ins normale bürgerl. Leben einfügt; 2) jemand, der sich übertrieben für etwas begeistert, z. B. Computerfreak.

Frears ['fri:əz], Stephen, brit. Filmregisseur, *Leicester 20. 6. 1941; seine Filme sind sozialkrit. Tragikomödien (u. a. »Mein wunderbarer Waschsalon«, 1985; »Gefährliche Liebschaften«, 1989; nach C. de Laclos).

Frechen, Stadt im Erftkreis, NRW, in der Ville, 45 700 Ew.; Keramikmuseum; Braunkohlenverarbeitung, Steinzeugfabriken und Quarzsandgewinnung; Maschinenbau. – 887 erstmals erwähnt.

Freckenhorst, Stadtteil von → Warendorf.

Fredegunde, fränk. Königin, *um 550, †597; Nebenfrau, dann Gemahlin des fränk. Königs Chilperich I., der 567 seine erste Frau Galswintha ermorden ließ und dadurch den Blutrachekrieg Brunhildes (Schwester Galswinthas) entfachte. Nach der Ermordung Chilperichs (584) regierte sie zeitweilig für ihren Sohn Chlotar II.

Fredensborg ['fre:ðənsbɔr], Sommerresidenz der dän. Königsfamilie am Esrumsee im N Seelands, im 18. Jh. erbaut.

Fredericia [freðə'resja], Hafenstadt in Jütland, Dänemark, am Kleinen Belt, 47 000 Ew.; Erdölraffinerie, chem., Eisen-, Textilind.; seit 1970 Beltbrücke zur Insel Fünen.

Fredericton ['fredrıktn], Hptst. der Prov. New Brunswick, Kanada, am Saint John River, 46 500 Ew.; Univ.; Schuhindustrie. – Gegr. 1783.

Frederik ['frɛðrəg], dän. Könige, → Friedrich.

Frederiksberg [freðrəgs'bɛr], Stadt auf Seeland, Dänemark, 88 000 Ew.; als Enklave im Innenstadtbereich von Kopenhagen gelegen, bildet mit diesem und Gentofte die dän. Hauptstadt.

Frederiksborg [freðrəgs'bɔr], dän. Renaissanceschloss bei Hillerød in N-Seeland, 1602–20 erbaut, seit den 1880er-Jahren nationalhistor. Museum. Im **Frieden von F.** (3. 7. 1720) beendeten Dänemark und Schweden den 2. Nord. Krieg.

Frederikshavn [freðrəgs'haʊn], Stadt in N-Jütland, Dänemark, 35 100 Ew.; bed. Fischereihafen, Schiffswerft, Eisen-, Fischkonservenind.; Fährverkehr u. a. nach Oslo und Göteborg. – Ab 1627 als Stadt um eine Festung angelegt.

Fredholm, Erik Ivar, schwed. Mathematiker, *Stockholm 7. 4. 1866, †Mörby (bei Stockholm) 17. 8. 1927; begründete 1903 die moderne Theorie der Integralgleichungen **(fredholmsche Theorie)** und lieferte grundlegende Arbeiten zu partiellen Differenzialgleichungen.

Fredrikstad ['frɛdrigsta], Hafenstadt in S-Norwegen, an der Mündung der Glomma in den Oslofjord, 65 100 Ew.; Ausfuhr von Holz, Chemikalien, Granit; Schiffbau, Papier- und Kunststoffind.; Fährverkehr nach Frederikshavn (Dänemark). – 1567 wurde der histor. Kern von F., die Festungsstadt **Gamlebyen** mit dem vorgelagerten Fort Kongsten (1685; unter Denkmalschutz), angelegt.

Fredro, Aleksander Graf, poln. Dramatiker, *Surochów (bei Jarosław) 20. 6. 1793, †Lemberg 15. 7. 1876; bed. Lustspieldichter, v. a. seine gesellschaftskrit. Sittenkomödien (»Pan Geldhab«, 1821; »Damen und Husaren«, 1825) gehören bis heute zum Repertoire des poln. Theaters.

Stephen Frears

Frechen
Stadtwappen

Frederiksborg: Das Schloss, ein 1602–20 auf drei kleinen Inseln erbauter Backsteinbau im niederländischen Renaissancestil (1859 teilweise abgebrannt, 1875–84 wiederhergestellt), war bis 1840 Krönungsschloss der dänischen Könige

Gottlob Frege

Freetown
Stadtwappen

Freiberg 2)
Stadtwappen

Freejazz ['fri:dʒæz; engl. »freier Jazz«] *der,* um 1960 aufgekommene Spielart des Jazz, die in der völlig freien Verwendung des Tonmaterials u.a. Ausdrucksmittel besteht und auf herkömml. Stilkriterien verzichtet.

Freese, Heinrich, Unternehmer, *Hamburg 13. 5. 1853, †Strausberg 29. 9. 1944; einer der ersten dt. Industriellen, die sozialpolit. Maßnahmen einführten (1884 Arbeitervertretung und Tarifvertrag, 1889/91 Gewinnbeteiligung, 1892 Achtstundentag).

Freesie *die* (Freesia), Gattung der Schwertliliengewächse im südl. Afrika, Stauden mit glockigen Blüten in nach einer Seite gerichteten Wickeln; beliebte Schnittblume.

Freetown ['fri:taʊn], Hptst. von Sierra Leone, an der Westküste Afrikas, am NW-Ende der Halbinsel Sierra Leone, 470 000 Ew.; Erzbischofssitz; Univ. (gegr. 1967); Ind.zentrum; bed. Handelshafen; internat. Flughafen (Lungi). Erdölraffinerie und -hafen in Kissy. – 1787 als erste Siedlung für freigelassene Sklaven gegründet.

Fregatte [italien.] *die,* im 17. Jh. entstandenes, schnell segelndes Kriegsschiff zur Unterstützung der Linienschiffe. Die F. des 2. Weltkriegs waren zerstörerähnl. Geleitfahrzeuge zur U-Boot- und Luftabwehr. Heute erreichen F. Zerstörergröße und sind mit Lenkwaffen ausgerüstet.

Fregattenkapitän, Marineoffizier im Range eines Oberstleutnants.

Fregattvögel (Fregatidae), Familie trop., zu den Ruderfüßern gehörender Küstenvögel, die ausgezeichnete Segler sind. Größte Art ist der **Prachtfregattvogel** mit bis zu 2,3 m Flügelspannweite; sie ernähren sich von fliegenden Fischen, jagen aber auch Vögeln die Beute ab. Das Männchen besitzt einen roten Kehlsack, den es während der Balz aufbläst.

Fregatte: Die »Schleswig-Holstein« (F 216) gehört zu den vier von der Bundesmarine 1995/96 neu in Dienst gestellten Kriegsschiffen der Klasse 123 (»Brandenburg«)

Frege, Gottlob, Mathematiker, Logiker und Philosoph, *Wismar 8. 11. 1848, †Bad Kleinen 26. 7. 1925; verfasste grundlegende Untersuchungen zum Verhältnis von Logik und Mathematik; begründete die mathemat. Logik als selbstständige Disziplin; von bedeutendem Einfluss auf B. Russell, E. Husserl, L. Wittgenstein.

Werke: Begriffsschrift (1879); Die Grundlagen der Arithmetik (1884); Grundgesetze der Arithmetik (2 Bde., 1893–1903).

📖 KUTSCHERA, F. VON: *G. F. Eine Einführung in sein Werk. Berlin u. a. 1989.*

Fregattvögel: Prachtfregattvogel in Balzhaltung

Freia, nordische Göttin, →Freyja.

Freiballon [-ba'lɔŋ], bemannter Ballon, der sich frei (d.h. ungefesselt) und beschränkt steuerbar im Luftraum bewegen kann. Er wird überwiegend für sportl. Zwecke verwendet, früher auch für meteorolog. und astronom. Beobachtungen (Ballonastronomie). Die beim **Wasserstoff-** oder **Heliumballon** mit Gas gefüllte Ballonhülle trägt am unteren Pol den Füllansatz und am oberen Pol ein Ventil zum Ablassen von Gas. Mittels Reißleine und einer über einen Schlitz der Hülle geklebten Reißbahn kann das Gas bei der Landung schnell entleert werden. Ein Netz über der Hülle verteilt das Gewicht des daran aufgehängten Korbes, der die Besatzung und den Ballast aufnimmt. Durch Ablassen von Gas kann das Sinken und durch Abwurf von Ballast das Steigen bewirkt werden. Bei **Heißluftballons** wird der Auftrieb durch period. Aufheizen der in der Ballonhülle enthaltenen Luft mit einem Propangasbrenner erzeugt. Heißluftballons waren die ersten Luftfahrzeuge (→Montgolfier).

Freiberg, 1) Landkreis im RegBez. Chemnitz, Sachsen, (1996) 913 km² und 155 800 Einwohner.

2) Krst. von 1) in Sachsen, auf der N-Abdachung des Osterzgebirges, 47 400 Ew.; älteste Bergakademie der Erde (1765 gegr.); Forschungsinstitute; Bergbaumuseum, Naturkundemuseum, Besucherbergwerk; Maschinen- und Präzisionsinstrumentenbau, Porzellanwerk, Leder-, Elektroindustrie. – Der Dom (1185–1200, 1512 vollendet) besitzt eine reiche Innenausstattung (Tulpenkanzel von H. Witten, wettinische Fürstengräber) und die →Goldene Pforte; spätgot. Sakral- (Petrikirche, Nikolaikirche) und Profanbauten (Domherrnhof, Rathaus), Reste der Stadtbefestigung. – Seit 1168 bed. Silberbergbau, bis Ende 12. Jh. Ansiedlung v.a. von Harzer Bergleuten; ab 1296 Stadtrechtsaufzeichnung. F. wurde mit dem **Freiberger Berg-**

recht (1346) die erste Freie Bergstadt Deutschlands.

📖 *Geschichte der Bergstadt F., hg. v.* H.-H. Kasper *u.* E. Wächtler. *Weimar 1986.*

Freiberge (frz. Franches-Montagnes), Landschaft und Bezirk im schweizer. Kt. Jura; karge Hochfläche mit bed. Pferde-, auch Rinderzucht; Uhrenherstellung. Hauptort ist Saignelégier.

Freibetrag, steuerfreier Betrag, der bei der Ermittlung der Steuerbemessungsgrundlage unberücksichtigt bleibt. Im Ggs. zur →Freigrenze bleibt der F. in jedem Fall von der Besteuerung ausgenommen, unabhängig davon, wie hoch die Steuerbemessungsgrundlage ist. F. gibt es aus wirtschafts-, sozial- und steuerpolit. Gründen v.a. bei der Einkommen- und der Erbschaftsteuer.

Freibeuter, früher bewaffnetes Schiff, das ohne Kaperbrief Handelsschiffe aufbrachte (→Kaper); auch synonym mit **Seeräuber, Pirat, Korsar** verwendete Bez. für den auf einem F. fahrenden Seemann.

Freibeweis, *Prozessrecht:* Beweisverfahren, in dem sich der Richter seine Überzeugung auf beliebigem Weg ohne Bindung an die sonst für die Beweisaufnahme vorgeschriebenen Regeln und Förmlichkeiten (sog. Strengbeweis) verschaffen kann; bes. zur Ermittlung verfahrensrechtlich bedeutsamer Umstände möglich, nicht aber bei solchen, die als Grundlage für die Urteilsfindung dienen.

freibleibend (ohne Obligo), Klausel im Geschäftsverkehr, die die Bindung des Anbietenden an das Angebot oder an einzelne vertragl. Zusagen (z.B. Lieferfristen, Preis) ausschließt.

Freibord, Abstand zw. Schwimmwasserlinie und oberstem Deck (F.-Deck) von Seeschiffen. Die **F.-Marke** ist eine gesetzlich festgelegte Markierung des höchstzulässigen Tiefgangs von Handelsschiffen, die auf beiden Schiffsseiten angegeben ist.

Freibrief, *mittelalterl. Recht:* 1) königl. oder fürstl. Privileg, das einzelnen Personen oder Körperschaften Vorrechte gewährt; 2) Urkunde über die Freilassung aus der Leibeigenschaft.

Freiburg, 1) RegBez. in Bad.-Württ., 9357 km², (1996) 2,087 Mio. Ew.; umfasst den Stadtkreis F. im Breisgau sowie die Landkreise Breisgau-Hochschwarzwald, Emmendingen, Konstanz, Lörrach, Ortenaukreis, Rottweil, Schwarzwald-Baar-Kreis, Tuttlingen, Waldshut.

2) (frz. Fribourg), Kanton der Schweiz, 1591 km², (1995) 224600 überwiegend frz.-sprachige Ew.; umfasst die Bezirke (Districtes) La Broye, La Glâne, La Gruyère, La Sarine, See/Lac, Sense/La Singine und La Veveyse. F. gehört zum größten Teil zum schweizer. Mittelland, das hier ein von der Saane und Broye tief zerschnittenes, im Mont Gibloux 1206 m ü.M. hohes Molasseplateau bildet,

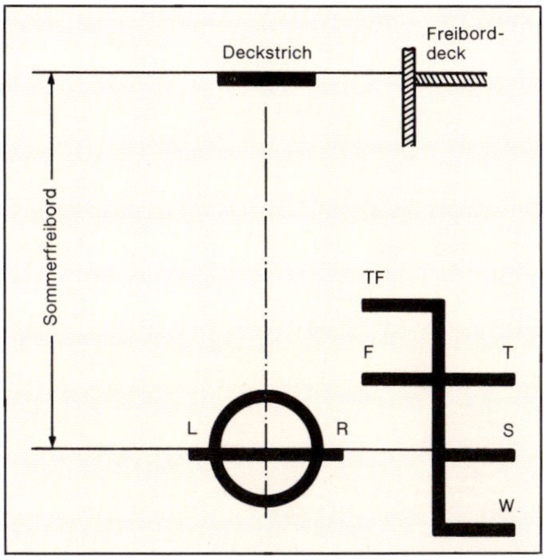

Freibord: Freibordmarke; LR Klassifikationsgesellschaft, die den Freibord erteilt (hier Lloyd's Register of Shipping), S Sommerfreibord, W Winterfreibord, T Tropenfreibord, F Freibord in Frischwasser, TF Tropenfreibord in Frischwasser

zum kleineren Teil zu den Kalk- und Flyschketten der Voralpen (Préalpes romandes, im Vanil Noir 2389 m ü.M.). Milchwirtschaft bildet die Grundlage für die Käserei und die Schokoladeherstellung. Am Neuenburger See werden auch Obst und Wein angebaut. Wichtigste Ind.branchen sind Nahrungs- und Genussmittelind. sowie Holzverarbeitung.

3) (frz. Fribourg, dt. auch F. im Üechtland), Hptst. von 2), auf einem Talsporn der tief eingeschnittenen Saane, 32500 Ew.; Bischofssitz (seit 1613), zweisprachige Univ. (gegr. 1889) mit kath. theolog. Fakultät, Technikum, Musikschule; Maschinen-, Kartonagen-, Nahrungsmittel-, Holz-, Metall-, Bekleidungs-, chem. Industrie. – Die hoch gelegene Altstadt hat mit ihren zahlr. Kirchen, Toren, Türmen und Brunnen das mittelalterl. Gepräge bewahrt; got. Kathedrale Saint-Nicolas (im 13. Jh. begonnen), got. Franziskanerkirche (13. Jh., im 18. Jh. erneuert), Rathaus (1501–21). – F. wurde 1157 von Herzog Berthold IV. von Zähringen gegründet, kam 1218 an die Kyburger und stand 1277–1452 unter der Herrschaft der Habsburger. 1481 in die Eidgenossenschaft aufgenommen.

4) dt. **Erzbistum,** 1821 gegr., mit den Suffraganbistümern Rottenburg-Stuttgart und Mainz (bis 1929 auch Fulda und Limburg); Sitz F. im Breisgau.

5) Freiburg im Breisgau, kreisfreie Stadt, Verw.sitz des RegBez. F. und des Landkr. Breisgau-Hochschwarzwald, Bad.-Württ., am Ausgang des Dreisamtales aus dem Schwarzwald in die Oberrheinebene, 199300 Ew.; Albert-Ludwigs-Univ. (1457 von Erzherzog Albrecht VI. gestiftet, 1460 eröffnet), Staatl. Hochschule für Musik, PH, kath. und evang. FH für Sozialwesen, Max-Planck-Institute für Immunbiologie, für ausländ. und in-

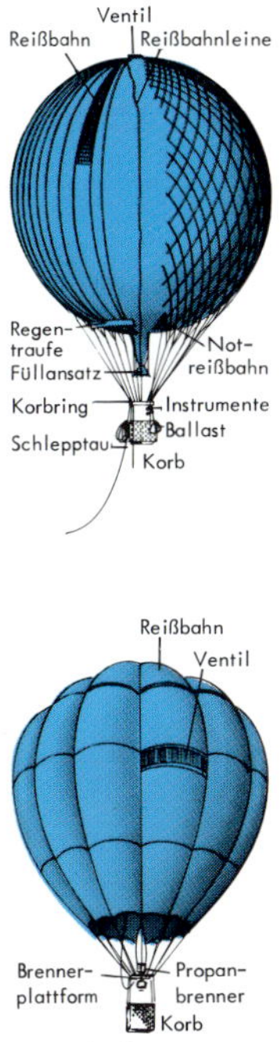

Freiballon: Wasserstoffballon (oben) und Heißluftballon

Freiburg 2) Kantonswappen

Freiburg im Breisgau: Das Freiburger Münster, ein Denkmal gotischer Baukunst, wurde zum großen Teil im 13. und 14. Jh. errichtet (der in durchbrochenem Maßwerk konstruierte Westturm mit achteckigem Turmhelm hat eine Höhe von 115 m); das Martinstor (unten) stammt ebenfalls aus dem 13. Jahrhundert

Freiburg i. Breisgau Stadtwappen

ternat. Strafrecht, Fraunhofer-Institute; Theater, Museen; Oberfinanzdirektion, Landesbergamt, Geolog. Landesamt; kath. Erzbischofssitz; chem., Holz verarbeitende, elektrotechn., pharmazeut. Ind., Bau medizinisch-techn. Apparate, Verlage. F. ist ferner führender Handels-, Banken- und Versicherungsplatz Südbadens. – Das Münster mit spätroman. Querhaus (um 1200) und gotisch umgebauten Chortürmen, den Hahnentürmen, mit dreischiffigem got. Langhaus (13./14. Jh.) und spätgot. Chor (1354–1536) ist der einzige große got. Dombau Dtls., der im MA. vollendet wurde. Sein Wahrzeichen ist der 115 m hohe Westturm mit durchbrochenem steinernem Helm. Weitere Bauwerke: got. Martinskirche (Chor 1262; Langhaus 14. Jh.), Martins- und Schwabentor (13. Jh.), Basler Hof, Rathaus und das »Kaufhaus« (alle 16. Jh.).

Geschichte: F. wurde 1120 von Zähringer Herzögen gegr.; eigene Stadtrechtsfamilie. Rascher wirtsch. Aufstieg im MA. 1218 an die Grafen von Urach (seitdem Grafen von F.), 1368 an die Habsburger. 1679–97 frz. Festung (Ausbau durch S. Vauban; 1744 geschleift). 1805 an Baden.

📖 *Geschichte der Stadt F. im Breisgau, hg. v.* H. Haumann *u.* H. Schadek, *3 Bde. Stuttgart 1992–96.*

6) F. in Schlesien, Stadt in Polen, →Świebodzice.

Freiburger Schule, an der Univ. Freiburg im Breisgau um 1930 von W. Eucken, H. Grossmann-Doerth und F. Böhm begründete wirtschaftspolit. Lehre. (→Neoliberalismus, →soziale Marktwirtschaft)

Freidank [mhd. Vrîdanc »Freidenker«], Spruchdichter aus der 1. Hälfte des 13. Jh.; Verfasser des Lehrgedichts »Bescheidenheit«, einer Sammlung von Kernsprüchen und Sprichwörtern über moralisch und religiös richtiges Verhalten.

Freidenker, ein frei von religiösen Dogmen Denkender, der aber auch der Religion und ihren Erscheinungs- und Lebensformen überhaupt ablehnend gegenübersteht. F. (freethinker) nannten sich die engl. Deisten des 17. Jh. (→Deismus). In Frankreich gaben einige Enzyklopädisten wie Diderot, d'Alembert und Voltaire dem Begriff F. eine atheist. Wendung. In Dtl. zunächst als **Freigeister** bezeichnet, gewannen die F. unter dem Einfluss der Entwicklung der Naturwiss. und der krit. Theologie im 19. Jh. starken Einfluss (Darwinismus, Monismus, sozialrevolutionäre Strömungen). In vielen Teilen der Welt verbreitet, sind die F. in zahlr. Verbänden zusammengeschlossen. In der Bundesrep. Dtl. besteht seit 1951 der »Deutsche F.-Verband«.

Freideutsche Jugend, Zusammenschluss von Studenten- und Älterengruppen der Jugendbewegung auf dem Hohen Meißner im Okt. 1913; aufgelöst 1919. Zu den Nachfolgebünden gehörte u. a. der **Freideutsche Bund.**

Freie (Frilinge), in den german. Volksrechten der Stand derer, die allein Rechtsfähigkeit und politische Rechte besaßen **(Gemeinfreie, Altfreie, Volksfreie).** Aus ihnen ragten die →Edelfreien hervor; zw. F. und Unfreien entwickelte sich der Stand der **Minder-** oder **Halbfreien (Liten, Barschalken),** die zwar Rechtsfähigkeit, aber keine polit. Rechte innehatten. Unfreie konnten durch Freilassung in den Stand der Halbfreien oder den der F. erhoben werden. Im Fränk. Reich führten

Königsdienst und Grundherrschaft zur Ausbildung eines Dienst- und Grundadels, der sich als bevorrechtigter Stand der **Hochfreien** über die Gemeinfreien erhob. Im MA. sonderte sich ein Berufskriegerstand (Ritterstand) ab, der sich als niederer →Adel gegenüber den Gemeinfreien abschloss. Deren größter Teil sank seit dem 8. Jh. durch Eintritt in ein Schutzverhältnis gegenüber einem Herrn in die Hörigkeit **(Muntmannen)** ab, die eine Art von Minderfreiheit war. Dieser Vorgang dauerte bis zur →Bauernbefreiung. Nur in einzelnen dt. Landschaften erhielten sich die alten F. (→Bauer). In den mittelalterl. Städten wurde die rechtl. Unfreiheit durch das Bürgerrecht beseitigt (»Stadtluft macht frei«).

freie Benutzung, ohne Zustimmung des Urhebers zulässige Benutzung eines urheberrechtlich geschützten Werkes zur Herstellung eines neuen, selbstständigen Werkes. Das neue Werk muss eine eigenschöpfer. Leistung darstellen, die ihrerseits urheberrechtsfähig ist (§ 24 Urheberrechtsgesetz).

freie Berufe, besondere Gruppe der Selbstständigen, die nicht Gewerbetreibende im übl. Sinne sind und deren Einkommen (Honorar) häufig nach Gebührenordnungen berechnet wird (z. B. Ärzte, Heilpraktiker, Hebammen, medizinische Therapeuten, Apotheker; Wirtschaftsprüfer, Rechtsanwälte, Steuerberater, Unternehmensberater; Kunstmaler, Dramaturgen, freie Schriftsteller, Designer, Übersetzer, Journalisten; Architekten, Sachverständige). Die Ausbildung zu f. B. erfolgt an Univ., Fachhochschulen und speziellen Fachschulen. Die meisten f. B. sind in gesetzlich vorgeschriebenen Standesorganisationen (Ärzte-, Rechtsanwaltskammern usw.) eingebunden und unterliegen deren Ehren- und Berufsgerichtsbarkeit, die bei Verstößen die Berufsausübung untersagen kann. Soweit eine gesetzlich geschützte Berufsbez. geführt wird, müssen entsprechende Prüfungen, Bestallungen (Approbation) und staatl. Genehmigungen vorausgehen. **Freiberufler** sind nicht sozialversicherungspflichtig und unterliegen einem weitgehenden Werbeverbot.

F. B. in Europa. Materialien zur Struktur u. Lage der f. B. in der Europ. Gemeinschaft, in Österreich u. der Schweiz, hg. v. R. Wasilewski *u. a. Bonn 1993.*

Freie Bühne, Theaterverein, wurde nach dem Vorbild von A. Antoines »Théâtre Libre« von T. Wolff, M. Harden, den Brüdern H. und J. Hart u. a. 1889 in Berlin gegründet, stand bis 1893 unter O. Brahms Leitung; führte in geschlossenen Vorstellungen v. a. (von der Zensur verbotene) naturalist. Dramen auf (G. Hauptmann, A. Holz, J. Schlaf, M. Halbe u. a.). Die von Brahm seit 1890 herausgegebene Ztschr. »Freie Bühne« hieß später »Neue Rundschau«. Ähnl. Vereine entstanden in Berlin (»Freie Volksbühne«, 1890), München (»Akademisch-dramat. Verein«, 1894), Leipzig, London und Wien.

Freie Demokratische Partei, Abk. **FDP,** seit 1968/69 parteioffiziell **F.D.P.,** eine polit. Partei, 1948 aus dem Zusammenschluss national-liberaler und linksliberaler Gruppen in den westl. Besatzungszonen Dtl.s und in den Westsektoren Berlins entstanden; wurde gegründet, als sich die →Liberaldemokratische Partei Deutschlands (LDPD) in der SBZ der SED annäherte. – Die FDP spielte bei der Bildung von Bundes- und Landesreg. oft eine Schlüsselrolle; sie stellte mit ihrem ersten Vors. T. Heuss 1949–59 den ersten Bundespräs. und war 1949–56 an der CDU/CSU-geführten Bundesreg. beteiligt. Vors. waren 1949–54 F. Blücher, 1954–57 T. Dehler, 1957–60 R. Maier. Unter E. Mende (1960–68) ging die FDP 1961–66 erneut ein Bündnis mit der CDU/CSU ein. 1966–69 stand sie in der Opposition. 1968 setzte eine linksliberale Umorientierung ein, die unter dem neuen Vors. W. Scheel weiterverfolgt wurde. Unter dem Titel »Freiburger Thesen« verabschiedete sie 1971 ein Grundsatzprogramm, das u. a. die Sozialbindung des Eigentums und die innerbetriebl. Mitbestimmung hervorhob. 1969–82 bildete die FDP mit der SPD eine sozialliberale Koalitionsregierung. Ausgehend von Gemeinsamkeiten mit der SPD in der Außen-, Deutschland- und Rechtspolitik verstand sich die FDP in der Regierungskoalition als entschiedene Verfechterin der Marktwirtschaft. Der innerparteilich gegen Ende der 1970er-Jahre erstarkte wirtschaftsliberale Flügel um seinen Sprecher O. Graf Lambsdorff brachte im Herbst 1982 mit seinen wirtschafts- und sozialpolit. Vorstellungen die FDP in Gegensatz zum Koalitionspartner SPD. Der Wechsel zur Koalition mit der CDU/CSU im Okt. 1982 wurde in der Bundestagswahl vom März 1983 von den Wählern bestätigt. Nach der Wahl W. Scheels 1974 zum Bundespräs. waren 1974–85 H.-D. Genscher, 1985–88 M. Bangemann und 1988–93 O. Graf Lambsdorff Vors. der Partei. Im Zuge der dt. Vereinigung traten am 12. 8. 1990 die liberalen Gruppierungen der DDR der FDP bei, und zwar die Liberaldemokrat. Partei (LDP), die Deutsche Forumspartei (DFP, gegr. im Jan. 1990) und die FDP der DDR (gegr. im Febr. 1990), außerdem die Nationaldemokrat. Partei Deutschlands (NDPD). Vors. blieb O. Graf Lambsdorff, 1993 gefolgt von K. Kinkel, 1995 von W. Gerhardt. Nach den Bundestagswahlen von 1990 und 1994 blieb die FDP Mitglied der Regierungskoalition. Nahe stehende Jugendorganisation sind die Jungen Liberalen. Stimmenanteile der FDP bei den Bundestagswahlen →deutsche Geschichte (Übersicht).

F.D.P. Das Programm der Liberalen ... 1980 bis 1990, hg. v. der Friedrich-Naumann-Stiftung. Baden-

F.D.P. Die Liberalen

Freie Demokratische Partei

Baden 1990. – LÖSCHE, P. *u.* WALTER, F.: *Die FDP. Richtungsstreit u. Zukunftszweifel. Darmstadt 1996.*

Freie Deutsche Jugend, Abk. **FDJ,** kommunist. Jugendorganisation, gegr. am 7. 3. 1946 in der sowjet. Besatzungszone Dtl.s, in der DDR bis 1989/90 einzige, der SED eng verbundene staatl. Massenorganisation für Jugendliche vom 14. Lebensjahr an (1988 etwa 2 Mio. Mitgl.). In der Bundesrep. Dtl. war sie seit dem 26. 6. 1951 verboten.

Dem Ziel, die Jugend im Sinne der DDR-Staatsdoktrin zu erziehen, dienten v.a. das »FDJ-Studienjahr«, die »Messen der Meister von morgen«, »FDJ-Aufgebote«, die vormilitär. Ausbildung der Jugend, ein organisiertes jugendl. Verbandsleben (z.B. FDJ-Nachmittage) und die Durchführung von Massenfesten: Pfingsttreffen, III. und X. Weltfestspiele in Berlin (Ost) 1951 bzw. 1973.

Organisation: Es bestanden »Grundeinheiten« an allen Schulen, Universitäten, Betrieben und Einrichtungen. Oberstes Organ war das alle fünf Jahre zusammentretende »Parlament«; es wählte den »Zentralrat der FDJ«, dessen Büro das eigentl. Führungsorgan war. An der Spitze stand der »Erste Sekretär des Zentralrats«. Vorstufe der FDJ war die von ihr geleitete Pionierorganisation »Ernst Thälmann«. Seit 1990 besteht – mit verändertem Programm – unter der Abk. **fdj** auf Länderebene ein linker Jugendverband.

📖 MÄHLERT, U. *u.* STEPHAN, G.-R.: *Blaue Hemden – rote Fahnen. Die Geschichte der F. D. J. Opladen 1996.*

freie Energie (Helmholtz-Funktion), Formelzeichen F, nach neuen Empfehlung A, thermodynam. Zustandsgröße (-funktion), die bei konstantem Volumen durch $F = U - TS$ gegeben ist (T = Temperatur, S = Entropie). Sie ist derjenige Teil der →inneren Energie U eines Systems, der bei einem reversiblen isothermen Prozess als Arbeit nach außen abgegeben werden kann, im Ggs. zu dem als **gebundene Energie** verbleibenden Rest.

freie Enthalpie, thermodynam. Zustandsgröße (→Enthalpie).

Freie evangelische Gemeinden, von staatl. und (landes)kirchl. Bindung freie Gemeinden, die aus der schweizer. Erweckungsbewegung Anfang des 19. Jh. hervorgingen. Die dt. Gemeinden sind im »Bund F. e. G.« vereint; Sitz: Witten.

freie Herren, im Hoch-MA. diejenigen Angehörigen des alten (Geburts-)Adels, die nicht in den Reichsfürsten- oder Grafenstand aufgestiegen waren, sich aber auch eindeutig von den urspr. unfreien Ministerialen abhoben. In der Heerschildordnung waren sie zus. mit den Grafen dem vierten →Heerschild zugewiesen. Mit der Bildung der Territorialstaaten sind die F. H. teils landsässig, teils reichsunmittelbar geworden (→Freiherr).

freie Künste (Artes liberales), in der röm. Antike die Kenntnisse bzw. Wiss.(en), über die der freie Bürger verfügen sollte. In der Spätantike bildete sich für die f. K. ein fester Kanon von sieben Fächern heraus, drei sprachl. (Grammatik, Rhetorik, Dialektik) und vier mathemat. (Arithmetik, Geometrie, Astronomie, Musik), später **Trivium** (»Dreiweg«) und **Quadrivium** (»Vierweg«) genannt. Die f. K. wurden an den mittelalterl. Univ. in der Artistenfakultät gelehrt; sie bildeten die Propädeutik für die höheren Fakultäten (Theologie, Recht, Medizin).

Freienwalde (Oder), Bad, →Bad Freienwalde (Oder).

Freier Deutscher Gewerkschaftsbund, Abk. **FDGB,** Einheitsgewerkschaft in der DDR, entstanden 1945, umfasste 15 Industrie- u.a. Gewerkschaften. 1949 wurde er Mitgl. des Weltgewerkschaftsbundes.

Aufgaben: die Arbeitnehmer im Sinne und unter Führung der SED zur Bejahung des Gesellschafts- und Staatssystems zu erziehen, die Produktionssteigerung zu fördern (Ablehnung des Streikrechts), die Interessen der Arbeiter und Angestellten in den Betrieben zu vertreten. Er war zuständig für Sozialversicherung, Gesundheits- und Arbeitsschutz sowie für die Organisierung des Wettbewerbs. 1989 hatte der FDGB etwa 9,5 Mio. Mitgl. Nach den demokrat. Veränderungen in der DDR 1989 löste er sich als Dachverband im Sept. 1990 selbst auf; die Einzelgewerkschaften verschmolzen mit Industriegewerkschaften des DGB.

freie Rhythmen, metrisch ungebundene, reimlose Verse mit wechselnder Anzahl der Hebungen und Senkungen, bestimmt vom Rhythmus, häufig sinngemäß in Versgruppen gegliedert. In der dt. Lit. u.a. bei F. G. Klopstock, dem jungen Goethe, Novalis, H. Heine, R. M. Rilke, G. Benn, B. Brecht.

freies Christentum, →Weltbund für religiöse Freiheit.

Freies Deutsches Hochstift – Frankfurter Goethe-Museum, 1859 gegründetes Institut zur Pflege von Wiss., Kunst und Bildung. 1863 wurde Goethes Geburtshaus erworben (seitdem Sitz der Stiftung) und 1932 um einen Museumsbau erweitert (1996/97 umgebaut); Spezialbibliothek (rd. 120 000 Bde.) zur Lit. (bes. von 1720–1840), Handschriftenarchiv (30 000–40 000 Autographen, z.B. Nachlässe von Novalis, C. Brentano) und graf. Sammlung; das F. D. H. ediert u.a. krit. Ausgaben (Brentano, H. von Hofmannsthal).

Freies Frankreich (France libre), von C. de Gaulle gewählte Bez. für die Teile des frz. Kolonialreichs, der frz. Streitkräfte sowie der Gesamtheit der Einzelpersonen, die sich nach seinem Aufruf (18. 6. 1940) zur Fortsetzung des Krieges gegen Dtl. und zum Kampf gegen das Vichy-Regime in

Frankreich seiner Führung unterstellten. (→Résistance)

freies Geleit, →Geleit.

Freie Städte (Freistädte), urspr. bischöfl. Städte, die die geistl. Herrschaft im 13./14.Jh. abgeschüttelt hatten, z.B. Köln, Augsburg, Worms, Speyer, Straßburg, Basel. Anders als die →Reichsstädte waren sie von bestimmten Reichspflichten (Heerfahrt, Jahressteuer) frei; später wurden sie auch **Freie Reichsstädte** genannt. – Davon zu unterscheiden sind die vier Stadtrepubliken Hamburg, Bremen, Lübeck, Frankfurt am Main als Mitgl. des Dt. Bundes (1815–66). Frankfurt fiel 1866 an Preußen; Hamburg, Lübeck **(Freie und Hansestädte)** und Bremen **(Freie Hansestadt)** wurden Glieder des Norddt. Bundes (1867) und 1871 des Dt. Reichs. Lübeck kam am 1. 4. 1937 an Preußen; Bremen unterstand dem nat.-soz. Reichsstatthalter in Oldenburg. 1949 wurden Bremen und Hamburg Länder der Bundesrep. Deutschland. – Danzig war als F. S. 1920–39 Freistaat unter Oberhoheit des Völkerbundes.

Freie Universität Berlin, Abk. **FU,** die 1948 in Berlin (West) eröffnete Univ.; gegr. von Studenten und Dozenten der Humboldt-Univ., die ihre im Ostsektor liegende Univ. aus polit. Gründen verließen; betont körperschaftl. Verfassung mit Sitz und Stimme der Studenten in allen Organen; die Hochschullehrer sind Beamte der Körperschaft.

freie Verse (frz. Vers libres), gereimte, meist jamb. oder trochäische Verse verschied. Länge und mit freier Zahl der Hebungen; zuerst im italien. Madrigal, später u.a. in frz. Fabeln und Komödien des 17.Jh., in der dt. Fabeldichtung des 18.Jh. – Bei manchen frz. Symbolisten (A. Rimbaud) und dt. Expressionisten (F. Werfel, E. Stadler) freirhythmische Verszeilen, die sich nur durch den Reim von den →freien Rhythmen unterscheiden.

Freie Volkspartei, Abk. **FVP,** rechtsliberale Partei, 1956 von der FDP abgespalten, verschmolz 1957 mit der Dt. Partei.

freie Wohlfahrtsverbände, Verbände, die neben dem Staat und öffentlichen Trägern (Gemeinden und Kommunalverbände) Wohlfahrtspflege und soziale Fürsorge betreiben und für ihre Arbeit Anspruch auf staatl. Unterstützung haben; Spitzenverbände in Dtl.: Arbeiterwohlfahrt e.V., Dt. Caritasverband e.V., Dt. Parität. Wohlfahrtsverband e.V., Dt. Rotes Kreuz, Diakon. Werk – Innere Mission und Hilfswerk der Evang. Kirche in Dtl. e.V., Zentralwohlfahrtsstelle der Juden in Dtl. e.V.

Freifrau, Freifräulein, →Freiherr.

Freigeister, die →Freidenker.

Freigerichte, →Femgerichte.

Freigrafschaft Burgund, →Franche-Comté.

Freigrenze, Höchstbetrag, bis zu dem keine Besteuerung erfolgt; überschreitet die Steuerbemessungsgrundlage die F., wird im Ggs. zum →Freibetrag der gesamte Betrag besteuert.

Freihafen, Teil eines See- oder Flusshafengebietes, in den als Zollausland Waren ohne Zahlung eines Ein- oder Ausfuhrzolls ein- und ausgeführt werden können. Zoll ist erst zu zahlen, wenn die Waren in das gegen den F. **(F.-Grenze)** abgegrenzte Zollinland gebracht werden. Die F. dienen dem Umschlag und der Lagerung von Waren für Zwecke des Außenhandels sowie dem Schiffbau; die rechtl. Grundlage in Dtl. sind die §§59–66 Zoll-Ges. vom 18. 5. 1970. Im F. erzielte Umsätze unterliegen nicht der nat. Umsatzsteuer. F. besitzen Hamburg, Bremen, Bremerhaven, Emden, Kiel und Cuxhaven, Deggendorf und Duisburg.

Freihandbücherei (Freihandbibliothek), eine Bibliotheksform, bei der der systematisch aufgestellte Buchbestand direkt, ohne Katalogsuche und Bestellschein, eingesehen und ausgeliehen werden kann.

Freihandel (engl. Freetrade), im Rahmen der klass. Außenhandelstheorie entwickeltes Prinzip der vollkommenen Handelsfreiheit. Die Entstehung des F. ist auf der Grundlage des Wirtschaftsliberalismus in Abkehr vom Protektionismus der Merkantilisten zu sehen. Nach der F.-Lehre führen die Befreiung des internat. Güteraustausches von Kontrollen und Regulierungen (z.B. Zölle, Kontingente, Devisenbewirtschaftung) und die Durchsetzung des freien Wettbewerbs zu einer internat. Arbeitsteilung mit optimaler Produktion und größtmögl. Wohlstand. Theoret. Grundlage dabei ist die **Theorie der komparativen Kosten** von D. Ricardo, nach der sich die einzelnen Länder bei freier internat. Konkurrenz auf die Produktion der Güter mit den – internat. gesehen – relativ größten Kostenvorteilen spezialisieren. Die F.-Idee erlangte v.a. im 19. Jh. große Bedeutung. Nach 1945 entstanden neue Ansätze in den Liberalisierungsbemühungen des GATT und der OECD sowie in der wirtsch. Integration der EG und EFTA.

Freihandelszone, Vereinigung mehrerer Staaten zu einem einheitlichen Zollgebiet; Form der wirtsch. Integration von Volkswirtschaften (z.B. EFTA, LAFTA), bei der Zölle u.a. Handelsrestriktionen zw. den Mitgl.ländern abgeschafft werden. Gegenüber Drittländern werden die nat. Außenzölle jedoch aufrechterhalten. Die Bestimmungen der Welthandelsorganisation lassen F. als Ausnahmen von der →Meistbegünstigung zu.

frei Haus, Handelsklausel, wonach der Verkäufer die Kosten und die Gefahren für die Lieferung bis zum Haus des Käufers trägt.

Freie Universität Berlin: Siegel

Freiheit *ist immer Freiheit der Andersdenkenden.*

Rosa Luxemburg

Nur der verdient sich Freiheit wie das Leben, der täglich sie erobern muss.

Goethe, Faust II

Freiheit, 1) Unabhängigkeit von äußerem, innerem oder durch Menschen oder Institutionen (Staat, Gesellschaft, Kirche usw.) bedingtem Zwang; 2) die Entscheidungs- oder →Willensfreiheit. Definition und prakt. Auswirkungen der Idee der F. seit der Antike sind sehr unterschiedlich, je nachdem, ob der Gedanke der Befreiung des Individuums aus institutionellen Bindungen und Bevormundungen (»F. wovon«) oder der Aufruf zur selbstverantwortl. Stellungnahme (»F. wozu«) überwiegt. Das philosoph. Denken stellt sowohl die Frage nach der Möglichkeit von F. als auch nach dem Inhalt des F.-Begriffs. Die Ethik steckt die Grenzen der F. gegenüber der Willkür ab; insbesondere für den dt. Idealismus und die Aufklärung ist F. die Grundlage der →Humanität. – Platon war Anhänger der Willensfreiheit; der Mensch wähle sich sein Lebensmuster selbst, das dann für sein Handeln Notwendigkeit besitzt. Nach Aristoteles heißt frei handeln, vernunftgeleitet zu handeln. Im stoischen Denken bewahrt der Mensch gegenüber dem unabwendbaren Schicksal seine innere F., indem er Herr über seine Vorstellungen ist, seine äußere F., indem er sein Schicksal bejaht (Seneca). Gegenüber der Kausalität und dem Zwang des Fatums ist für Epikur ein Handeln aus F. ursachloses, eigenschöpferisches Tun. Im MA. wird der Widerspruch zwischen Gesetz und Vorsehung Gottes und der menschl. Freiheit dadurch gelöst, dass das ewige Gesetz dem Menschen gegenüber den Charakter eines Gebotes annimmt, das bei unbedingter Geltung doch keine phys. Nötigung mit sich führt. – Aus dem verbindl. mittelalterl. Weltbild tritt die freie, unabhängige Persönlichkeit der Renaissance hervor. Die Aufklärung fasste F. als Naturrecht auf, das es gegen vernunftwidrige Herrschaft zu verwirklichen gilt. Für Kant ist die F. ein Faktum der prakt. Vernunft: Sie bestehe darin, dass der reine Wille unabhängig von den sinnlichen Trieben einzig von der Vernunft bestimmt werde; dieser Wille folge dem Sittengesetz, als empir. Wille erfahre er es als kategor. Imperativ, als Forderung sittl. Handelns. Da der Mensch der körperl. und der geistigen Welt angehöre, unterliege er sowohl dem Gesetz der F. als dem der Naturnotwendigkeit. Für Fichte ist die Willens-F. absolut; die spontane Tathandlung des Ich schafft die gesamte Wirklichkeit. Für Hegel ist F. ein Attribut des absoluten Geistes, Weltgeschichte ist »Fortschritt im Bewusstsein der F.«. Die Sittlichkeit der F. betont v.a. N. Hartmann. Sie müsse gegenüber dem Natur- wie dem Sittengesetz als Selbstbestimmung der Person bestehen. Die Existenzphilosophie sieht den Menschen als zur F. verurteilt und damit als in »absolute Verantwortlichkeit« für die Welt und sich selbst gestellt an (Sartre). Die analyt. Philosophie äußerte dagegen vielfach den Verdacht, F. gehöre zu den Illusionen des Menschen. Für den Marxismus ist F. durch soziale Emanzipation, durch bewusste, selbstbestimmte Kontrolle über die materiellen Existenzbedingungen zu erlangen; sie bedarf dabei der Einsicht in die gesellschaftl. Gesetzmäßigkeiten. – In den gegenwärtigen westl. Ind.gesellschaften sind die existenznotwendigen Bedürfnisse als Voraussetzung realer F. für die überwiegende Mehrheit der Bev. im Wesentlichen befriedigt. Zudem sind bestimmte Grundrechte und Freiräume institutionell abgesichert.

Politik: F. bedeutet hier die äußere Unabhängigkeit und die unter das Völkerrecht gestellte Gleichberechtigung eines Staats (→Souveränität) wie das Recht eines Volkes, über seine staatl. Ordnung selbst zu entscheiden (→Selbstbestimmungsrecht), auch das Recht der Staatsbürger, an der Ausübung der Staatsgewalt teilzuhaben (→Demokratie) und die Sicherung bestimmter Rechte des Einzelnen (Grundrechte). – Die bürgerlich-liberale Bewegung hat in lang dauernden Verfassungskämpfen die Sicherung der individuellen Freiheiten im Staat, Gewaltenteilung, Grundrechte und unabhängige Gerichtsbarkeit als institutionelle Garantie der F. erreicht.

📖 HEGGE, H.: *F., Individualität u. Gesellschaft. Eine philosoph. Studie zur menschl. Existenz. A.d. Norweg. Stuttgart 1992.* – *F., Verantwortung u. Folgen in der Wissenschaft, hg. v.* H. J. SANDKÜHLER. *Frankfurt am Main u.a. 1994.* – STEINVORTH, U.: *Freiheitstheorien in der Philosophie der Neuzeit. Darmstadt* ^{2}*1994.* – BERLIN, I.: *F. Vier Versuche. A.d. Engl. Frankfurt am Main 1995.* – *F.: Die unbequeme Idee. Argumente zur Trennung von Staat u. Gesellschaft, hg. v.* D. DOERING *u.a. Stuttgart 1995.* – WOLF, J.-C.: *F. – Analyse u. Bewertung. Wien 1995.*

Freiheit der Meere, völkerrechtl. Grundsatz, nach dem das freie Meer keiner einzelstaatl. Hoheit unterliegt und die Benutzung des offenen Meeres allen Personen und Staaten zu Schifffahrt und Fischerei oder zur Ausbeutung des Meeresgrundes in Friedenszeiten offen steht. In neuerer Zeit ist er durch die Ausdehnung der →Territorialgewässer bis 12 Seemeilen oder darüber hinaus, durch die Zulassung begrenzter Hoheitsrechte der Küstenstaaten in angrenzenden Fischerei- und Wirtschaftszonen und am Festlandsockel (→Schelf) zunehmend eingeschränkt worden. Im Seekrieg erleidet die F.d. M. Einschränkungen. – Der Grundsatz der F.d. M. wurde 1609 von H. Grotius aufgestellt und in der Seerechtsdeklaration von Paris (1856) sowie in der Genfer Seerechtskonferenz von 1958 anerkannt. (→Seerecht)

Freiheit der Person, →Persönlichkeitsrecht.

Freiheit, Gleichheit, Brüderlichkeit, →Liberté, Égalité, Fraternité.

freiheitliche demokratische Grundordnung, in Dtl. der Inbegriff der Elemente, auf denen die demokrat. und rechtsstaatl. Ordnung des GG beruht. Sie kommt v. a. in der Volkssouveränität, der Achtung der Menschenrechte, der Gewaltenteilung, der Gesetzmäßigkeit der Verwaltung, der Unabhängigkeit der Richter und dem Mehrparteienprinzip zum Ausdruck. Bei Missbrauch bestimmter Grundrechte für den Kampf gegen die f. d. G. kann das Bundesverfassungsgericht die Verwirkung der Grundrechte aussprechen (Art. 18 GG). Zur Abwehr einer drohenden Gefahr für die f. d. G. des Bundes oder eines Landes ist die Bundesregierung nach Art. 87a GG befugt, Streitkräfte zur Unterstützung der Polizei und des Bundesgrenzschutzes einzusetzen. Die f. d. G. kann auch durch eine Verfassungsänderung nicht aufgehoben werden (Art. 79 GG).

Freiheitliche Partei Österreichs, Abk. **FPÖ,** österr. Partei, gegr. 1955/56, hervorgegangen aus dem nationalliberalen »Verband der Unabhängigen« und anderen gleich gesinnten Gruppen. Durch die zunächst rechtsgerichtete Politik isoliert, seit den 1960er-Jahren stärker liberal orientiert, bejaht sie die Eigenstaatlichkeit Österreichs und bekennt sich zugleich zur dt. Kulturgemeinschaft. 1983–86 bestand eine Reg.koalition mit der SPÖ. Bundesobmann (Vors.): A. Rheinthaler (1955–58), F. Peter (1958–78), A. Götz (1978–79), N. Steger (1979–86). Unter dem Vorsitz von J. Haider (seit Sept. 1986) entwickelte die Partei fremdenfeindlich-nationalist. Tendenzen, die zur Abspaltung der liberalen Kräfte und zur Gründung des →Liberalen Forums führten. Seit den Nationalratswahlen von 1990 konnte die Partei ihre Mandatszahl im Nationalrat erheblich steigern. Auf einem Sonderparteitag lehnte sie 1994 den Beitritt Österreichs zur Europ. Union ab. 1995 beschloss sie, sich unter dem Namen »Die Freiheitlichen« in eine »Bürgerbewegung« umzuwandeln.

Freiheitsberaubung, der vorsätzliche, widerrechtl. Entzug der Bewegungsfreiheit eines Menschen durch Einsperren oder auf andere Weise (Gewalt, Hypnose); wird mit Geld- oder Freiheitsstrafe, in schweren Fällen (Freiheitsentziehung von über einer Woche, F. mit schwerer Körperverletzung) mit Freiheitsstrafe nicht unter einem Jahr bestraft (§ 239 StGB). – Ähnliche Regelungen sind im *österr.* (§ 99) und *schweizer.* (Art. 183) StGB enthalten.

Freiheitsentziehung, befristete oder unbefristete Unterbringung einer Person gegen ihren Willen oder im Zustand der Willenlosigkeit in einem eng umgrenzten Raum (Gefängnis, Haftraum). Nach Art. 104 GG kann die Freiheit der Person nur aufgrund eines förml. Gesetzes und unter Beachtung der darin vorgeschriebenen Formen beschränkt werden. Über die Zulässigkeit und Fortdauer einer F. hat nur ein Richter zu entscheiden. Bei jeder nicht auf richterl. Anordnung beruhenden F. (z. B. vorläufige Festnahme) ist unverzüglich die richterl. Entscheidung herbeizuführen.

Freiheitsglocke (Liberty Bell), eine 1753 in der Town Hall in Philadelphia aufgehängte Glocke, die 1776 die Unabhängigkeit der USA verkündete. Die **F. von Berlin** ist eine 1950 von L. D. Clay als Nachbildung der F. von Philadelphia dem Regierenden Bürgermeister von Berlin (West), E. Reuter, übergebene Glocke.

Freiheitsgrad, Anzahl der frei wählbaren, voneinander unabhängigen Parameter eines physikal. Systems, die dessen Zustand eindeutig bestimmen. – Der F. bezeichnet in der *Mechanik* die Möglichkeit, im Raum unabhängige Bewegungen auszuführen. Ein im Raum freier Massepunkt hat drei F. der Translation **(Translations-F.);** er besitzt zwei F. bei der Bewegung längs einer Fläche und einen F. bei der Bewegung auf einer Kurve. Bei einem freien starren Körper kommen noch drei F. der Rotation **(Rotations-F.)** hinzu. Eine kontinuierl., nichtstarre Masseverteilung (z. B. Flüssigkeit) hat unendlich viele Freiheitsgrade. – In der *Thermodynamik* bezeichnet die Anzahl der F. die Gesamtanzahl der Phasenkoordinaten (d. h. der Orts- und Impulskoordinaten), von denen im gegebenen Zustand die Energie abhängt. Je mehr F. ein Molekül hat, umso mehr Möglichkeiten zur Speicherung kinet. Energie bestehen. Bei nichtstarren mehratomigen Molekülen treten noch **Schwingungs-F.** auf. Nach der Quantentheorie werden vom absoluten Nullpunkt ansteigend zuerst die translator., dann die rotator. und schließlich die Schwingungs-F. angeregt.

Freiheitskriege, →Befreiungskriege.

Freiheitsstatu|e (Statue of Liberty), auf Liberty Island an der Hafeneinfahrt von New York 1886 aufgestelltes Standbild (Höhe 46 m, Granitsockel 47 m) von F. A. Bartholdi; als Symbol der Freiheit den USA von Frankreich geschenkt; von der UNESCO zum Weltkulturerbe erklärt. (BILD Bartholdi)

Freiheitsstrafe, eine Strafe, die in der teilweisen oder völligen Entziehung der persönl. Freiheit besteht. Das StGB kennt seit 1969 nur noch eine einheitl. F., d. h. keine Unterteilung in Gefängnis, Zuchthaus u. a. mehr. Das Höchstmaß der zeitigen F. beträgt 15 Jahre, ihr Mindestmaß einen Monat. Daneben wird für schwerste Verbrechen die lebenslange F. angedroht. Die Strafen des Wehrstrafrechts sind F. und Strafarrest. Die F. des Jugendstrafrechts ist die Jugendstrafe, Zuchtmittel ist der Jugendarrest. – Im *österr.* StGB gibt es wie in Dtl. nur noch die einheitl. F. (zeitig bis höchstens 20 Jahre oder lebenslänglich). Das *schweizer.* StGB kennt als F. Zuchthaus (ein bis zwanzig Jahre oder lebenslänglich), Gefängnis (drei Tage bis drei Jahre) und Haft (bis drei Monate).

Freiheitssymbole, meist in Verbindung mit polit. Freiheitsbestrebungen (Nordamerikan. Unabhängigkeitskrieg, Frz. Revolution u.a.) entstandene Symbole: Freiheitsbaum, Jakobinermütze, Trikolore, Freiheitsglocke, Freiheitsstatue.

Freiherr, Angehöriger des niederen Adels, im Rang nach dem Grafen; seit dem 16. Jh. als »Baron« angeredet; entsprach urspr. dem Geburtsstand der →freien Herren, wurde später die Adelsbez. für die durch kaiserl. oder landesherrl. Diplom in den F.-Stand Erhobenen. – **Freifrau, Freiin,** die Frau des F.; **Freifräulein,** dessen unverheiratete Tochter.

Freikirche, frei konstituierte Kirche; im Unterschied zur Staats- oder Volkskirche freiwilliger Zusammenschluss von Christen aufgrund ausdrückl. Willenserklärung. Die Finanzierung der F. erfolgt ausschließlich über freiwillige Beiträge der Mitglieder. Glaubensgrundlage ist die Bibel in der Gesamtheit ihrer Aussagen. Die Ursprünge der F. liegen im Täufertum. Heute sind F. bes. stark in Großbritannien und den USA zu finden. Zu den dt. F. gehören u.a.: Altkath. Kirche, Bund Evang.-Freikirchl. Gemeinden (Baptisten), Bund Freier evang. Gemeinden in Dtl., Evang. Brüder-Unität in Dtl., Evang.-methodist. Kirche, die Vereinigung der Dt. Mennonitengemeinden.

📖 HEINRICHS, W. E.: *Freikirchen – eine moderne Kirchenform. Gießen u.a. [2]1990.* – NIETHAMMER, H.-M.: *Kirchenmitgliedschaft in der F. Göttingen 1995.*

Freikolbenmotor (Freikolbenverdichter), ein Doppelkolbenmotor ohne Pleuel und Kurbelwelle, bei dem die Kolben eines Zweitakt-Dieselmotors mit den Stufenkolben eines Verdichters verbunden sind. Ein unbelastetes Gestänge sorgt für den Gleichlauf der Kolben. Der F. dient zur Erzeugung von Druckluft oder als Gaserzeuger für Turboanlagen.

Freikonservative Partei, preuß. Partei; entstand 1866 durch Abspaltung der die großpreußische Einigungspolitik Bismarcks befürwortenden agrarkonservativen, industriellen und bürokrat. Führungsgruppen von der preuß. Konservativen Partei; ihre Reichstagsfraktion nannte sich 1871 Dt. Reichspartei; an der ab 1876 eingeleiteten Wendung zur Schutzzollpolitik maßgeblich beteiligt; 1918 in der DNVP aufgegangen.

frei konvertierbare Währung, →Konvertierbarkeit.

Freikörperkultur, Abk. **FKK** (Nacktkultur, Naturismus, Nudismus), gemeinsames Sporttreiben in der Natur ohne Bekleidung und ohne Trennung der Geschlechter. In Dtl. sind die Vereine für F. im »Dt. Verband für F.« (DFK) zusammengefasst, in Österreich im »Österr. Naturistenverband«. In der Schweiz besteht die »Schweizer. Naturistenunion«. Auf internat. Ebene existiert die »Internationale Naturisten-Föderation/Fédération Naturiste Internationale«.

Freikorps [-ko:r], →Freiwilligenverbände.

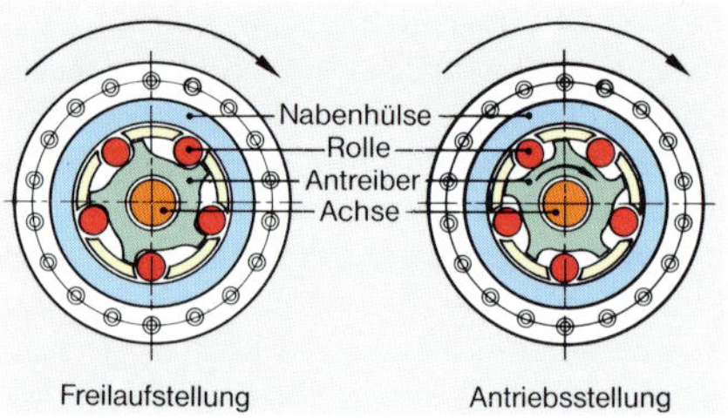

Freilauf beim Fahrrad

Freilandversuch (Freisetzungsversuch), das genehmigungspflichtige Aussetzen gentechnisch veränderter Organismen. Der erste F. wurde 1990 gemacht und diente der Untersuchung springender Gene (bewegl. Strukturen in der Erbmasse). F. stoßen in Dtl. bei der Bev. auf Widerstand.

Freilạssing, Stadt im Kr. Berchtesgadener Land, Oberbayern, am Zusammenfluss von Saalach und Salzach, 15 000 Ew.; Holzind., Maschinenbau; Eisenbahnknotenpunkt an der Grenze zu Österreich.

Freilassung, die Aufhebung von Herrschaftsrechten über Menschen minderen Rechts (Sklaven, Unfreie). – Im *Alten Orient* war die F. nicht selten, die vorgesehenen Fälle wurden durch die Gesetzessamml. Hammurapis überliefert. Die F. war v.a. durch Freikauf oder mittels einer Adoption durch den Herrn möglich (Letzteres in Ägypten üblich). In der *grch. Polis* konnte die F. durch das Gemeinwesen oder durch den Eigentümer des Sklaven erfolgen; es gab die Möglichkeit des Loskaufs; ein Sonderfall war die theoret. Weihung des Sklaven an einen Gott (»Tempelfreigelassener«). Der Freigelassene bekam in Griechenland i.d.R. nicht das Bürgerrecht, sondern wurde →Metöke. In *Rom* erhielt die F. (»manumissio«) durch Zustimmung des Prätors rechtl. Anerkennung; der Freigelassene (»libertus«) blieb jedoch unter dem Patronat seines früheren Herrn, dessen Gentilnamen er bekam und dem gegenüber er gewisse Pflichten zu erfüllen hatte. Im *Früh-MA.* wurden von den meisten Germanenstämmen die röm. F.-Formen übernommen. Die F. nach fränk. Recht durch Schatzwurf wurde in Dtl. die wichtigste Form: Der Herr (oder König) schlug als Symbol der F. dem Freizulassenden den Kopfzins aus der Hand. Der Freigelassene war nunmehr »frei«, aber von abgestufter Freiheit in einem Schutz- und Abhängigkeitsverhältnis milderer Art zum bisherigen Herrn. Seit der *Neuzeit* (bis zur Aufhebung der Leibeigenschaft) erfolgte die F. durch Ausstellung einer Urkunde (Freibrief), wofür oft erhebl. Gelder gefordert wurden. Hieraus entwickelte sich meist ein Recht der Leibeigenen auf Loskauf. – Im *Islam* galt die F. eines Sklaven als frommes Werk. Sie war durch eine Erklärung seitens des Eigentümers (häufig für den Fall seines Todes) oder durch einen F.-Vertrag möglich, der dem Sklaven nach Zahlung eines Betrages oder nach anderen Leistungen den vollen Status eines Freien zusicherte. (→Sklaverei)

Freilauf, *Technik:* Vorrichtung, die die Verbindung zw. zwei Wellen löst, wenn die angetriebene Welle sich schneller dreht als die treibende. Beim Fahrrad befinden sich in der Nabenhülse in einem Ring geführte Rollen, die beim Vorwärtstreten gegen die Hülse gepresst werden, das Hinterrad mitnehmen und beim Nichttreten das Rad lose rollen lassen.

Freileitung, im Freien an Isolatoren aus Hartporzellan oder Glas an (F.-)Masten aus Stahl, Stahlbeton oder Holz aufgehängte, fast immer blanke (nicht isolierte) elektr. Leitung zur elektr. Energie- und Informationsübertragung. Als Leiter werden Stahl-Aluminium-Seile (sog. Staluseile) mit Stahlseele für die mechan. Festigkeit und Aluminiummantel für die gute Leitfähigkeit verwendet. Zur Herabsetzung der Koronaverluste werden Hohlleiter und bei höheren Spannungen mehrere Leiterseile (z. B. Zweier- oder Viererbündel, →Bündelleiter) montiert. Hochspannungsleitungen (Fernleitungen) bestehen aus zwei Systemen (Stromkreisen) mit je drei Bündelleitern. Über den Leitersystemen werden ein bis drei Erdseile zur Abschirmung atmosphärischer Entladungen gespannt, die leitend mit den Stahlmasten und dadurch mit der Erde verbunden sind.

Freilichtbühne (Freilichttheater), ein Theater unter freiem Himmel, das in Anknüpfung an das antike Theater oder das höf. Naturtheater des 17. und 18. Jh. einem gegebenen Gelände angepasst ist, wie in Epidauros, Syrakus, Verona (Arena) u. a., oder das als Hintergrund histor. Bauwerke, Kirchen (Salzburg) Schloss- und Burgruinen hat; es wurde im 20. Jh. wieder belebt.

Freilichtkino, Vorführung von Filmen unter freiem Himmel. (→Autokino)

Freilichtmalerei (Pleinairmalerei), das Malen unter freiem Himmel (frz. »plein air«) im Ggs. zur Ateliermalerei; eine im 19. Jh. v. a. mit den Landschaftsbildern von J. Constable und R. P. Bonington aufgekommene Richtung der Malerei, die helle Farben bevorzugt, unmittelbar nach der Natur gestaltet und die Wirkungen des natürl. Lichts wiederzugeben sucht. Die F. wurde zu einer der wichtigsten Forderungen des →Impressionismus.

Freilichtmuse|um, volkskundliche Museumsanlage, in der in freiem Gelände wieder aufgebaute Wohnhäuser, Stallungen, Handwerksbetriebe oder techn. Betriebe usw. frühere Wohn- und Wirtschaftsformen veranschaulichen. Als erstes F. wurde 1891 Skansen in Stockholm eröffnet. ÜBERSICHT S. 16

Freiligrath, Ferdinand, Dichter, *Detmold 17. 6. 1810, †Cannstatt (heute zu Stuttgart) 18. 3. 1876; urspr. Bankangestellter; wirkte als Schriftsteller mit polit. und sozialen Gedichten (»Ça ira!«, 1846) für freiheitl., demokrat. Ideale. Seiner Gesinnung wegen verfolgt, ging er nach Belgien, der Schweiz, 1846 nach England. 1848 zurückgekehrt, wurde er wegen des Gedichts »Die Todten an die Lebenden« verhaftet, jedoch freigesprochen. Mit K. Marx übernahm er die Redaktion der »Neuen Rheinischen Zeitung«, Köln (bis 1849); 1851–68 erneute Emigration nach England. F. brachte mit Schilderungen exot. Welten (»Der Löwenritt«, »Der Mohrenfürst«) einen neuen Ton in die dt. Lyrik. Seine Kriegslieder von 1870 zeigen die Wandlung des einstigen Revolutionärs zum patriot. Dichter der Bismarckzeit.

Ferdinand Freiligrath

📖 FLEISCHHACK, E.: *Bibliographie F. F.s 1829–1990. Bielefeld 1993.*

Freilichtmalerei: Éduard Manet, »Die Barke« (1874; München, Neue Pinakothek)

Freimachung (Frankierung), Vorausentrichten des Entgelts durch Aufkleben von Postwertzeichen, durch →Freistempelung oder durch Bar-F. (Barzahlung oder Überweisung).

Freimaurerei [Lehnübersetzung von engl. freemasonry], internat. verbreitete Bewegung

Freilichtmuseen in Deutschland (Auswahl)

Name	*gegr.*	*eröffnet*	*Größe*	*Angaben zur Anlage*
Baden-Württemberg:				
Freilichtmuseum Neuhausen ob Eck		1988	17 ha	bäuerl. Baudenkmäler der Schwäbischen Alb, des Ostschwarzwaldes, der Baar, des Hegaus und des Bodenseegebietes mit Mühle und Sägewerk; Tierhaltung mit regionalen Tierarten
Hohenloher Freilandmuseum – Museumsdorf Wackershofen	1979	1983	40 ha	bäuerl. und techn. Baudenkmäler zur ländl. Kulturgeschichte Nordwürttembergs in 5 Baugruppen
Schwarzwälder Freilichtmuseum Vogtsbauernhof, Gutach (Schwarzwaldbahn)	1964	1964	4 ha	bäuerl. und techn. Baudenkmäler aus dem mittleren Schwarzwald (Gutacher, Kinzigtaler Haustyp, Hochschwarzwaldhaus)
Bayern:				
Freilichtmuseum des Bezirks Oberbayern an der Gentleiten über Großweil bei Murnau	1972	1976	30 ha	bäuerl., bürgerl., techn. und religiöse Baudenkmäler aus dem Gebiet des Regierungsbezirks Oberbayern
Bauernhausmuseum des Bezirks Oberbayern, Amerang bei Wasserburg am Inn	1972	1977	7 ha	bäuerl. Baudenkmäler aus dem östl. Oberbayern
Schwäbisches Bauernhofmuseum Illerbeuren, Kronburg, Landkreis Unterallgäu	1948	1955	4 ha	bäuerl. Baudenkmäler und umfangreiche Sachgutsammlungen der ländl. Kultur und Lebensweise im Allgäu
Fränkisches Freilandmuseum, Bad Windsheim	1976	1982	40 ha	bäuerl. Baudenkmäler aus Franken, Altmühlgebiet
Berlin:				
Museumsdorf Düppel, Berlin-Zehlendorf		1975	12 ha	Rekonstruktion auf originalen Grundrissen einer Siedlung aus der Zeit um 1200
Brandenburg:				
Freilichtmuseum Lehde, Lübbenau/Spreewald	1954	1956	3 ha	3 niedersorb. Gehöfte in typ. Blockbauweise
Bremen:				
Deutsches Schifffahrtsmuseum, Bremerhaven		1975	7,5 ha	Hochseeschiffe des 19. und 20. Jh.
Freilichtmuseum des Bauernhausvereins Lehe e.V. im Stadtpark Speckenbüttel, Bremerhaven	1909	1911	18 ha	bäuerl. und techn. Baudenkmäler aus der Geest- und Marschlandschaft im Elbe-Weser-Gebiet
Hamburg:				
Freilichtmuseum am Kiekeberg	1953	1953	2,5 ha	bäuerl. und techn. Baudenkmäler aus der nördl. Lüneburger Heide und deren nördl. Randgebieten
Hessen:				
Freilichtmuseum ›Hessenpark‹, Neu-Anspach	1974	1978	60 ha	nach Siedlungsformen regional gegliederte Baugruppen bäuerl. Kulturdenkmäler und alter Handwerksstätten Hessens
Mecklenburg-Vorpommern:				
Freilichtmuseum Klockenhagen bei Ribnitz-Damgarten	1969	1970	7 ha	Haus- und Gehöftformen in Mecklenburg, v. a. niederdt. Hallenhäuser und landwirtschaftl. Arbeitsgeräte
Niedersachsen:				
Museumsdorf Cloppenburg, Niedersächsisches Freilichtmuseum	1934	1936	18 ha	bäuerl. Baudenkmäler und techn. Kulturdenkmäler Niedersachsens, v. a. niederdt. Hallenhaus, Gulfhaus und mitteldt. Gehöft (16.–19. Jh.), Handwerksbetriebe und Mühlen
Nordrhein-Westfalen:				
Rheinisches Freilichtmuseum und Landesmuseum für Volkskunde, Mechernich-Kommern in der Eifel	1958	1961	77 ha	bäuerl., techn. und religiöse Baudenkmäler in 4 Baugruppen: Niederrhein, Eifel und Köln-Bonner Bucht, Westerwald-Mittelrhein, Berg. Land
Westfälisches Freilichtmuseum bäuerl. Kulturdenkmäler, Detmold	1960	1971	80 ha	bäuerl., handwerklich-ackerbürgerl. und religiöse Baudenkmäler aus Westfalen, dem Sauerland und dem Siegerland
Mühlendorf-Freilichtmuseum, Münster		1963	4 ha	bäuerl. und techn. Baudenkmäler, u. a. eine Bockwindmühle
Rheinland-Pfalz:				
Freilichtmuseum Sobernheim	1972	1987	35 ha	4 Baugruppen bäuerl. Baudenkmäler: Hunsrück-Nahe, Rheinhessen-Pfalz, Westerwald-Taunus-Mittelrhein, West- und Südeifel
Sachsen:				
Vogtländisches Bauernmuseum, Landwüst/Eubabrunn bei Klingenthal	1972/ 1992	1987	1 ha	bäuerl. Baudenkmäler des oberen Vogtlandes, Gutsarbeiterhaus (›Tripfhäusel‹) und Kleinbauerngehöft (Umgebindehaus), mit bäuerl. Hausgerät, Dorfhandwerk; Vierseitenhof
Freilichtmuseum Seiffen		1973	5 ha	funktionstüchtiges Wasserkraft-Drehwerk aus dem 18. Jh. sowie techn. Anlagen traditioneller Holzberufe (u. a. Reifendreher)
Sachsen-Anhalt:				
Freilichtmuseum Diesdorf		1911	3 ha	bäuerl. Baudenkmäler der Altmark, u. a. ein niederdt. Hallenhaus und eine Bockwindmühle
Schleswig-Holstein:				
Schleswig-Holsteinisches Freilichtmuseum, Molfsee bei Kiel	1958	1965	60 ha	bäuerl. und techn. Baudenkmäler aus Schleswig und Holstein, aus Marsch- und Geestlandschaften, einschließlich bäuerl. Gärten
Thüringen:				
Volkskundemuseum ›Thüringer Bauernhäuser‹, Rudolstadt	1914	1915	1 ha	bäuerl. Baudenkmäler aus Thüringen, Wohnhaus eines Saalebauern sowie eines Wäldlers; bäuerl. Hausgerät
Hennebergisches Museum Kloster Veßra bei Hildburghausen		1975	6 ha	bäuerl. Wohn- und Wirtschaftsgebäude, z. T. aus dem 17. Jh., auf dem Gelände des um 1331 gegründeten Prämonstratenserklosters

(Bruderschaft) von humanitärer, der Toleranz und Menschenwürde verpflichteter Geisteshaltung. Die Freimaurer treten für freie Entfaltung der Persönlichkeit, Hilfsbereitschaft, Brüderlichkeit und ein friedl., sozial gerechtes Zusammenleben der Menschen ein. Das (außerhalb der F. nicht bekannte) Ritual der Freimaurer, das in seinen wesentl. Bestandteilen überall auf der Welt gleich ist, wird als ein dynam. Symbol des kosm. Geschehens gedeutet. Das teilnehmende Logenmitgl. ordnet sich mithilfe der Symbolik der rituellen Handlungen bewusst in die Gesetzmäßigkeit des Universums ein und soll durch diese lebendige Beziehung lernen, sein Leben in zunehmendem Maß aus einem übergeordneten Bewusstsein heraus zu gestalten. – Die Vereinigungen der Freimaurer heißen **Logen.** In jedem Land gibt es eine oder mehrere Großlogen. Die Logen wählen Logenmeister **(Meister vom Stuhl).** Die Logenmitgl. (Brüder) können in **Grade** (Erkenntnisstufen) aufsteigen. Die ersten drei Grade sind: Lehrling, Geselle, Meister. Hierauf bauen die Hochgrade auf.

Geschichte: Die F. ist aus der alten engl. Werkmaurerei entstanden. 1717 gründeten vier Londoner Bauhütten die 1. Großloge. 1723 verfasste der Presbyterianer J. Anderson das »Konstitutionsbuch«, das die »Alten Pflichten« enthält (eine Art freimaurer. Sittengesetz). Die christl. F. entstand in Schweden. Nach Dtl. kam sie 1737 durch die Gründung der Loge »Absalom« in Hamburg. Einen gewaltigen Auftrieb erhielt die F. in Dtl. durch die Aufnahme (1738) des preuß. Kronprinzen und späteren Königs Friedrich des Großen. – In allen autoritär regierten Staaten ist die F. verboten. Die F. erregte von Anfang an auch das Missfallen der kath. Kirche, die sie zw. 1738 und 1918 in 12 päpstl. Stellungnahmen verurteilte.

Die nach dem Verbot im nat.-soz. Staat nach 1945 in der Bundesrep. Dtl. wieder entstandenen Logen schlossen sich 1958 zu den »Vereinigten Großlogen von Dtl.« zusammen (rd. 20 500 Mitgl.). Seit 1990 sind die Freimaurer wieder in ganz Dtl. zugelassen. Weltweit gibt es fast 7 Mio. Freimaurer in über 30 000 Logen.

📖 *Freimaurer u. Geheimbünde im 18. Jh. in Mitteleuropa, hg. v.* H. REINALTER. *Frankfurt am Main* ²*1986.* – SCHNEIDER, H.: *Dt. Freimaurer-Bibliothek, 2 Tle. Frankfurt am Main u. a. 1993.* – KISCHKE, H.: *Die Freimaurer. Fiktion, Realität u. Perspektiven. Wien 1996.*

Freiname, *Chemie:* Warenname, der nicht für einen einzelnen Hersteller oder Verteiler geschützt ist, z. B. Trivialnamen wie Alizarin, Carbolineum. Sie dienen als chem. Kurzbez. zur einfachen Benennung der meist kompliziert zusammengesetzten Verbindungen. F. sind bes. für Arznei- und Schädlingsbekämpfungsmittel eingeführt.

Freimaurerei: Verschiedene Riten bei der Aufnahme eines neuen Bruders, Stahlstich (19. Jh.)

2 B 15/5 E D C B

Freising 2): Teilansicht des Dombergs; im Vordergrund der Dom St. Maria und Korbinian, eine 1160-1205 erbaute fünfschiffige Backsteinbasilika, die Anfang des 18. Jh. barockisiert wurde

Freising 2) Stadtwappen

FDP Freisinnig-Demokratische Partei

Freisinnig-Demokratische Partei der Schweiz

Freinet [fre'nɛ], Célestin, frz. Schulreformer, *Gars (bei Saint-Auban, Dép. Alpes-Maritimes) 15. 10. 1896, †Vence 8. 10. 1966; entwickelte seit 1920 prakt. Unterrichtstechniken zur Förderung des selbstständigen Lernens (bes. Schuldruckerei und Arbeitsmittel); gründete das »Institut coopératif de l'école moderne«.

Freirechtslehre, vor dem 1. Weltkrieg entstandene Richtung innerhalb der Rechtswissenschaft, die von der Kritik gegenüber der →Begriffsjurisprudenz ausging und die sich gegen eine übertriebene Anwendung »förml.« Rechts richtete. Ihr zufolge soll der Richter die Parteibelange im Einzelfall gegeneinander abwägen und ist nicht an die rein deduktive Befolgung des Gesetzes gebunden. Die F. konnte sich in der Rechtstheorie nicht durchsetzen.

Freireligiöse, Gemeinschaften, deren Mitglieder sich zur religiösen Bindung des Menschen ohne dogmat. Vorgaben bekennen; seit 1950 im **Bund Freireligiöser Gemeinden Dtl.** (Abk. BFGD; rd. 75 000 Mitgl.) vereinigt.

Freisasse, bis zur Bauernbefreiung ein Bauer persönlich freien Standes, der nach einem freien Leiherecht auf grundherrl. Boden siedelte und somit nicht als Höriger galt.

Freischaren, →Freiwilligenverbände.

Freischlag, *Fußball:* →Freistoß.

Freischütz, in Volksglauben und Sage ein Schütze, der sich mithilfe des Teufels sieben **Freikugeln** verschafft, von denen sechs unfehlbar treffen, die siebte aber vom Teufel gelenkt wird. – Danach Oper von C. M. von Weber (1821).

Freisetzungstheorie, in der Wirtschaftstheorie Grundthese von D. Ricardo, dass durch techn. Fortschritt Arbeitskräfte verdrängt, d.h. freigesetzt werden. Die mit der Herstellung der Maschinen verbundenen Beschäftigungsgewinne gleichen die mit der Verwendung der Maschinen verbundenen Beschäftigungsverluste nicht aus, sodass die Beschäftigungsrate insges. sinkt **(Ricardo-Effekt).**

Freising, 1) Landkreis im RegBez. Oberbayern, 800 km², (1996) 141 000 Einwohner.

2) Krst. von 1), Große Kreisstadt in Bayern, in fruchtbarer Umgebung zw. dem Erdinger Moos und dem Tertiärhügelland an der Isar, 38 700 Ew.; Bibliotheken, Museen; Motoren-, Maschinenbau, Textilindustrie. – In der ehem. Benediktinerabtei **Weihenstephan** (1020–1803) Sitz der Fakultät für Landwirtschaft und Gartenbau und der Fakultät für Brauwesen, Lebensmitteltechnologie und Milchwissenschaft der TU München sowie einer FH; Brauerei (1140 erstmals erwähnt). – Die Stadt ist reich an schönen Kirchen: auf dem das Stadtbild beherrschenden Domberg der Dom St. Maria und Korbinian, eine 1160–1205 erbaute fünfschiffige Backsteinbasilika, 1710–24 barockisiert und 1723/24 durch die Brüder C. und E. Asam stuckiert und ausgemalt. – 744 als **Castrum Frigisinga** erstmals genannt, erhielt 996 Stadtrecht. Um 739 errichtete Bonifatius das Bistum F. (1818 in das Erzbistum München und F. überführt).

Freisinn, in Dtl. und der Schweiz eine liberale, später auch sozialreformer. polit. Richtung, die sich nach 1870 in Parteien organisierte. Im *Dt. Reich* fusionierte 1884 die dt. Fortschrittspartei mit der Liberalen Vereinigung in der Dt. Freisinnigen Partei, die sich 1893 in die Freisinnige Vereinigung und die Freisinnige Volkspartei spaltete. In der *Schweiz* entstand der F. nach 1815, bildete jedoch erst 1894 eine Parteiorganisation.

Freisinnig-Demokratische Partei der Schweiz, häufige Abk. **FDP,** schweizer. polit. Partei, gegr. 1894, bekennt sich in ihrem Grundsatzprogramm u.a. zur »Pflege und Förderung des eidgenöss. Staatsgedankens«, zur »demokratisch-fortschrittl. Entwicklung der Institutionen des Bundes« und zur Notwendigkeit sozialer Reformen. Hervorgegangen aus der um 1830 entstandenen demokrat. Freiheitsbewegung, des 1873 gegründeten »Schweizer Volksvereins« sowie der 1878 gebildeten »radikaldemokrat.« Fraktion der Bundesversammlung, waren freisinnige Politiker auf Bundesebene seit der ersten Hälfte des 19. Jh.s bis in das 20. Jh. hinein die entscheidende polit. Kraft. Mit dem Übergang vom Mehrheits- zum Verhältniswahlrecht und der Abspaltung der Bauern-, Gewerbe- und Bürgerpartei (→Schweizerische Volkspartei) 1919 verlor die Partei ihre absolute Mehrheit in beiden Kammern. Im Bundesrat seit 1959 mit zwei Repräsentanten (von 7) vertreten. Bei den Wahlen zum Nationalrat gewann die Partei 1971–95 zw. 20 und 24% der Stimmen.

Freisinnige Vereinigung, liberale dt. Partei (1893–1910), entstand aus der Spaltung der Dt. Freisinnigen Partei; vertrat die Tradition der Liberalen Vereinigung.

Freisinnige Volkspartei, liberale dt. Partei (1893–1910), gegr. bei der Spaltung der Dt. Freisinnigen Partei; vertrat einen strengen Wirtschaftsliberalismus.

Freisler, Roland, Politiker (NSDAP) und Jurist, * Celle 30. 10. 1893, † (Luftangriff) Berlin 3. 2. 1945; seit 1925 Mitgl. der NSDAP, 1933–34 Staatssekretär im preuß. Justizministerium, 1934–42 im Reichsjustizministerium, war als Präs. des »Volksgerichtshofs« (1942–45) einer der extremsten Vollstrecker des nat.-soz. Justizterrors.

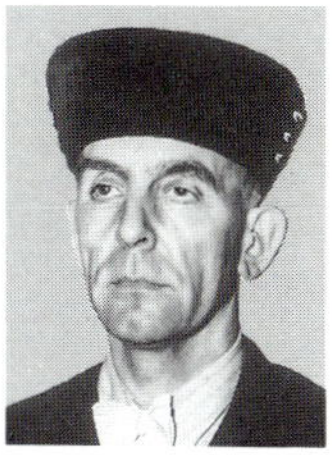
Roland Freisler

📖 BUCHHEIT, G.: *Richter in roter Robe. F., Präsident des Volksgerichtshofes. München 1968.* – ORTNER, H.: *Der Hinrichter. R. F. – Mörder im Dienste Hitlers. Neuausg. Göttingen 1995.*

Freispiegelleitung, Flüssigkeitsleitung, deren Querschnitt nicht voll durchflossen wird, sodass stets eine freie Flüssigkeitsoberfläche bleibt; Ggs.: Druckleitung.

Freispruch, im Strafprozess, Disziplinar- und Ehrengerichtsverfahren die gerichtl. Feststellung, dass der Angeklagte von dem Vorwurf der Anklage befreit wird. Nur aus den Urteilsgründen, nicht aber aus dem Urteilsspruch selbst muss sich ergeben, ob der Angeklagte zu Unrecht angeklagt, für nicht überführt oder ob und aus welchen Gründen die als erwiesen angesehene Tat für nicht strafbar erachtet worden ist. Die Verfahrenskosten hat stets die Staatskasse zu tragen (§ 467 StPO). Ähnliches gilt auch in *Österreich* und der *Schweiz.*

Freistaat, im 19. Jh. entstandenes dt. Synonym für Republik (im Sinne eines »freien Volksstaates« im Unterschied zur Monarchie); innerhalb der Weimarer Republik amtl. Name der dt. Länder (außer Baden und Hessen); nach 1945 amtl. Bez. für Baden (bis 1953), Bayern sowie Sachsen (1947–52 und seit 1990) und Thüringen (seit 1993).

Freistaat (engl. Free State, afrikaans Vrystaat, bis 1995 Oranjefreistaat), Prov. der Rep. → Südafrika.

Freistadt, Bezirkshauptstadt im Mühlviertel, Oberösterreich, 6900 Ew.; Textil-, Möbelind., Brauerei. – Die Altstadt mit zahlr. Bürgerhäusern des 14.–16. Jh. und der spätgot. Pfarrkirche ist von mittelalterl. Mauern und Türmen umgeben. – Nach 1242 erstmals genannt.

Freistädte, 1) → freie Städte.

2) (königl. F.) privilegierte Städte in Ungarn (bis 1848) mit dem Recht der Teilnahme am Reichstag (seit 1405) und mit Selbstverwaltung; im 13. Jh. aus dt. Siedlungen mit dt. Stadtrecht entstanden.

Freistempelung, vereinbarungspflichtige Art der → Freimachung von Postsendungen durch Freistempelabdruck anstelle von Postwertzeichen. Die Stempelabdrucke dürfen nur mit von der Post zugelassenen Freistempelmaschinen hergestellt werden.

Freistoß (Freischlag, Freiwurf), *Fußball:* als Strafe bei Regelverstoß ein der Gegenpartei zustehender unbehinderter Stoß (Schlag, Wurf) des ruhenden Balles. Mit einem **direkten F.** (z. B. nach Foulspiel) kann unmittelbar ein Tor erzielt werden; beim **indirekten F.** muss mindestens ein weiterer Mitspieler den Ball berührt haben.

Freitag [nach der Göttin Frija], der 5. Tag der Woche.

Freital, Stadt im Weißeritzkreis, Sachsen, am Nordfuß des Osterzgebirges, in einem Kessel des Weißeritztales, 37600 Ew.; Heimat- und Bergbaumuseum; Stahlwerk, Glas-, Porzellan-, Papierind., Maschinenbau, Spinnerei. Bis 1959 wurde Steinkohle abgebaut.

Freitreppe, der Fassade eines Gebäudes, auch Plätzen u. a. vorgelegte offene Treppenanlage.

Freiverkehr, i. w. S. der außerbörsliche Wertpapierhandel, i. e. S. der Handel mit Wertpapieren, die nicht zum amtl. Handel oder zum geregelten Markt zugelassen sind.

Freivorbau, Montageverfahren beim Brückenbau, bei dem 3–6 m lange Teile vorgefertigt und versetzt werden. BILD S. 20

Freitreppe: Die 1723–26 erbaute Spanische Treppe in Rom mit einem ägyptischen Obelisken vor der Kirche Trinità dei Monti (1495–1585)

Freiwillige, *Militärwesen:* die freiwillig in einer Streitmacht Wehrdienst Leistenden, im Ggs. zu den gesetzlich zum Militärdienst Verpflichteten. **Kriegsfreiwillige** treten im Kriegsfall in die Streitkräfte ein, **Zeitsoldaten,** um ihren Wehrdienst zu verlängern.

freiwillige Gerichtsbarkeit, Teil der ordentlichen Gerichtsbarkeit, für den es ein bes. geregeltes Verfahren zur Erledigung bestimmter, kraft Ges. zugewiesener Rechtsangelegenheiten meist privatrechtl. Art gibt. Urspr. zählten zur f. G. nur Angelegenheiten der Rechtsfürsorge (z. B. Vormundschafts-, Nachlass-, Register- und Beurkundungssachen). Heute sind ihr auch bestimmte Streitsachen des privaten und z. T. des öffentl. Rechts zugewiesen, wie Hausratsverteilung, Versorgungsausgleich im Zuge der Ehescheidung, Wohnungseigentumssachen und Landwirtschaftssachen, sodass eine Abgrenzung von gewöhnl. Zivilsachen nur nach gesetzl. Zuordnung möglich ist. Die f. G. ist im Ges. über die Angelegenheiten der f. G. vom 17. 5. 1898 und in zahlr. Nebenges. geordnet. Zuständig sind in 1. Instanz die Amtsgerichte; es herrschen weitgehend Amtsbetrieb und Untersuchungsgrundsatz, es gibt keine Parteien, sondern »Beteiligte«; sofern mündl. Verhandlungen stattfinden, sind sie nicht öffentlich. – F. G. ist auch die Amtstätigkeit der Notare. In *Österreich* ist die Materie der f. G. hauptsächlich im Ges. über das gerichtl. **Verfahren in Rechtsangelegenheiten außer Streitsachen** von 1854 enthalten. In der *Schweiz* gibt es keine umfassende einheitl. Regelung der f. G., deren Aufgaben teilweise durch Verw.behörden wahrgenommen werden.

Freivorbau beim Bau der 1979 fertig gestellten Kochertalbrücke bei Schwäbisch Hall; Höhe 185 m, Länge 1128 m

Freiwilligenverbände, *Militärwesen:* **1)** (Freikorps) Truppen von Freiwilligen, die mit Ermächtigung des Kriegsherrn nur für die Dauer des Krieges oder eines Feldzugs aufgestellt wurden.

2) (Freischaren) Formationen, die sich im Kriege im Unterschied zu den Freikorps ohne Ermächtigung des Kriegsherrn auf Veranlassung einzelner Persönlichkeiten oder polit. Gruppen bilden. Nach der Haager Landkriegsordnung (1899) werden sie unter bestimmten Bedingungen als Bestandteil der regulären Streitkräfte behandelt.

Freiwillige Selbstkontrolle der Filmwirtschaft, Abk. **FSK,** Einrichtung der dt. Filmwirtschaft, gegr. 1949, Sitz: Wiesbaden; prüft Kinofilme und Videoangebote im Hinblick auf die Eignung zur öffentl. Vorführung und auf die Anforderungen des Jugendschutz-Ges. (Kennzeichnung der Filme mit der entsprechenden Altersfreigabe).

freiwilliges ökologisches Jahr, seit 1993 mögl. freiwilliger Hilfsdienst junger Menschen in Einrichtungen des Natur- und Umweltschutzes.

freiwilliges soziales Jahr, freiwilliger Hilfsdienst junger Menschen zw. dem 17. und dem 25. Lebensjahr in Einrichtungen der Sozial- einschl. Jugendhilfe sowie der Gesundheitshilfe in Dtl. (Ges. vom 17. 8. 1964). Es geht auf Initiativen kirchl. u. a. Kreise zur Milderung des Personalmangels in sozialpfleger. und sozialpädagog. Einrichtungen zurück.

freiwillige Versicherung, Versicherung ohne gesetzl. Zwang. Zur f. V. gehört i. d. R. die Individualversicherung (Ausnahmen in der Feuer- und Kfz-Versicherung). Auch in der Sozialversicherung gibt es die f. V.: a) in der Krankenversicherung für Personen, die aus der Versicherungspflicht ausgeschieden sind; Familienversicherte, für die die Familienversicherung endet; Personen mit erstmaliger Arbeitsaufnahme bei Überschreitung der Jahresentgeltgrenze; Schwerbehinderte; Arbeitnehmer, deren Mitgliedschaft durch Beschäftigung im Ausland endete; b) in der Pflegeversicherung nur als Weiterversicherung bei Ausscheiden aus der Familienversicherung; c) in der Rentenversicherung für Personen, die nicht versicherungspflichtig sind, ab dem 17. Lebensjahr; für Beamte unter bestimmten Voraussetzungen; d) in der Unfallversicherung für Unternehmer und deren im Unternehmen tätige Ehegatten unter bestimmten Voraussetzungen.

Freiwurf, *Fußball:* → Freistoß.

Freizeichen, 1) *Fernmeldetechnik:* meist ein Dauerton, zeigt an, dass die Leitung frei ist. Ggs.: Besetztzeichen (Punktfolge).

2) *Handel:* durch das neue Markenrecht überholte Bez. für Warenzeichen, die sich im freien Gebrauch mehrerer Gewerbetreibender befanden.

Freizeichnungsklausel, der vertragl. Ausschluss von gesetzl. Haftungstatbeständen. Von F. wird bes. in allgemeinen → Geschäftsbedingungen (AGB) Gebrauch gemacht. F. können allerdings die Haftung für vorsätzliches, Schaden stiftendes Handeln nicht ausschließen (§ 276 BGB), in allgemeinen Geschäftsbedingungen auch nicht die Haftung für grob fahrlässige Vertragsverletzungen.

Freizeit, der (im Einzelnen unterschiedlich definierte) Zeitraum, der dem arbeitenden Menschen neben seinen berufl. oder berufsähnl. Verpflichtungen verbleibt. F. wird entweder als Gesamtheit dieser »Nicht-Arbeitszeit« oder nur als die darin enthaltene »Mußezeit« definiert; häufig wird F. auch in reproduktive oder regenerative (Ernährung, Schlaf, Körperpflege) und frei disponible, »verhaltensbeliebige« Zeit (z.B. Vergnügen, Tätigkeiten zur Selbstverwirklichung) unterteilt.

Seit den 1990er-Jahren haben die Menschen in Dtl. erstmals mehr Stunden zur eigenen Verfügung, als sie für den Erwerb ihres Lebensunterhaltes aufwenden müssen. Im Zusammenhang damit und angesichts eines Wertewandels in Bezug auf die (Erwerbs-)Arbeit entstand die These vom Beginn einer **Freizeitgesellschaft.** Deren Gültigkeit ist jedoch umstritten, nicht zuletzt deshalb, weil auch weiterhin ein beträchtl. Teil der F. auf die Zeit entfällt, die für familäre und soziale Verpflichtungen, aufwendige Konsumentscheidungen und zur Entfernungsüberbrückung aufgewendet wird.

Mit der gewachsenen Bedeutung der F. ist in der letzten Zeit mit der **Freizeitforschung** ein interdisziplinärer wiss. Ansatz entstanden. Die Zunahme der F. hat Angebot an und Nachfrage nach Dienstleistungen und Produkten, die in der F. konsumiert werden, wachsen lassen. Die aus verschiedensten Wirtschaftszweigen zusammengefasste **Freizeitwirtschaft** (in engerer Abgrenzung auch als F.industrie bezeichnet) gilt daher als eine ausgesprochene Wachstumsbranche.

📖 *Arbeit – F. – Lebenszeit. Grundlagenforschungen zu Übergängen im Lebenszyklus, hg. v.* L. ROSENMAYR *u.* F. KOLLAND. *Opladen 1988.* – OPASCHOWSKI, H. W.: *Einf. in die Freizeitwissenschaft. Opladen* [2]*1994.* – SCHULZE, GERHARD: *Die Erlebnis-Gesellschaft. Kultursoziologie der Gegenwart. Frankfurt am Main u. a.* [6]*1996.*

Freizügigkeit, das Recht der freien Wahl des Aufenthaltsortes, des freien Wegzugs und der freien Niederlassung. Die F. ist in Dtl. allen Deutschen durch Art. 11 GG als Grundrecht gewährleistet; sie kann nur durch Gesetz und nur in engen Grenzen eingeschränkt werden, z.B. zur Bekämpfung von Seuchen oder Naturkatastrophen, zur Abwehr schwerer Gefahren oder Straftaten. Die F. garantiert nicht die Ausreisefreiheit, die sich aus dem Recht auf allgemeine Handlungsfreiheit (Art. 2 Abs.1 GG) herleitet. Die F. gilt nicht für Ausländer, deren Einreise und Aufenthalt aufgrund des Ausländer-Ges. im Interesse der nat. Sicherheit und der öffentl. Ordnung beschränkt werden kann. Arbeitnehmer aus Mitgl.staaten der EU genießen jedoch die →Arbeitnehmerfreizügigkeit. Gewerbetreibende dürfen sich auf die →Niederlassungsfreiheit berufen. – In *Österreich* ist F. grundsätzlich durch Art. 4 StaatsGG von 1867 und durch Art. 5 des Ges. zum Schutze der persönl. Freiheit von 1862, in der *Schweiz* durch Art. 45 der Bundesverf. (Niederlassungsfreiheit, die auch das Ausreiserecht garantiert) gewährleistet.

Fréjus [fre'ʒys], **1)** Stadt an der Côte d'Azur, im Dép. Var, Frankreich, 42 600 Ew.; Kunststoff- und Textilind.; Gärtnereien; Seebäder (F.-Plage, Saint-Aygulf); Flughafen. – Von der ehem. röm. Hafenstadt **Forum Julii** (49 v.Chr.) sind zahlr. Baureste erhalten; Kathedrale (11. und 12. Jh.) mit frühchristl. Taufkapelle (5.Jh.). – F. war 360–1957 Bischofssitz. Der Bruch einer Staumauer oberhalb der Stadt (1959) forderte mehr als 400 Todesopfer und verursachte große Schäden.

2) Pass in den Westalpen, 2 542 m ü.M., verbindet die frz. Tallandschaft Maurienne mit dem italien. Piemont; Eisenbahntunnel, Straßentunnel (12,8 km lang, seit 1980).

Viel **Freizeit** *kann ermüdend wirken, wenn die Menschen sich nicht vernünftig und interessant beschäftigen können.*

Bertrand Russell

FRELIMO, Abk. für **Fre**nte de **Li**bertaçâo de **Mo**çambique, polit. Partei in Moçambique, gegr. 1962 als Befreiungsbewegung, führte ab 1964 den bewaffneten Kampf gegen die portugies. Kolonialherrschaft. Nach der Revolution in Portugal (1974) übertrug die portugies. Regierung 1975 die Staatsgewalt in Moçambique direkt an die FRELIMO. Diese organisierte sich nunmehr als Einheitspartei nach marxistisch-leninist. Vorbild, ging aber seit etwa Mitte der 1980er-Jahre außenpolitisch zu einem gemäßigten prowestl. Kurs über und bekannte sich mit der Verf. von 1990 innenpolitisch zu einem Mehrparteiensystem. Aus den Wahlen von 1994 ging sie als Siegerin hervor.

Fremantle ['fri:mæntl], Stadt in Western Australia, Hafen von Perth am Ind. Ozean, 23 800 Ew.; zus. mit dem südlich gelegenen **Kwinana** ein wichtiger Ind.standort (Verarbeitung landwirtsch. Produkte, petrochem. Ind., Maschinenbau u.a.); auch Fischereihafen.

Fremdatome, dem Idealkristall chemisch fremde Atome. Durch →Dotierung mit F. können Kristalleigenschaften gezielt geändert werden.

Fremddepot [-po] (Anderdepot), von Rechtsanwälten, Notaren, Wirtschaftsprüfern, Treuhandgesellschaften für Klienten bei einer Bank eingelieferte Effekten.

Fremdenfeindlichkeit (Xenophobie), feindselige Einstellungen und Handlungen gegenüber Menschen(gruppen), die als »fremd« empfunden werden. F. kann von Ablehnung und Ausgrenzung bis hin zur Bekämpfung und phys. Vernichtung von Fremden reichen. Begrifflich nicht scharf abgrenzbar, wird F. sowohl als Oberbegriff wie auch als Synonym für **Ausländerfeindlichkeit,** (die Diskriminierung macht sich u.a. an der Staatsbürgerschaft fest) gebraucht. In seinen schlimmsten Formen tritt F. als →Antisemitismus (gegen »die« Juden als Fremde par excellence) und als →Rassismus auf. Ursachen von F. sieht die Individual- und

Sozialpsychologie in der Ichschwäche, repressiven Sozialisationsmodellen und mangelnder Gruppenidentität bzw. fehlenden sozialen Stabilisierungen. Die Soziologie nennt als Bedingungen, die F. und Gewaltbereitschaft auslösen, die sich auflösenden familiären Bindungen, berufl. Chancenlosigkeit, die Auflösung traditioneller Milieus, Wohnformen und Handlungsräumen im Zuge beschleunigten sozialen Wandels und die Pluralisierung bzw. den Verlust von gesellschaftl. Normen und Werten. Die Politikwiss. interpretiert F. als Mangel an polit. Bildung, die die Unabdingbarkeit von Toleranz und universellen Menschenrechten gegenüber dem oder den Fremden in einer offenen, immer mobileren und pluralist. Gesellschaft nicht genügend vermittelt. Psychoanalytisch wird F. als Ausdruck einer Abwehr des eigenen Unbewussten und der damit verbundenen Gefährdung der mühsam erworbenen Ichbalance samt aller Unterdrückungsmechanismen verstanden.

Vor dem Hintergrund von Globalisierung, Migration und schärferen Verteilungskämpfen nimmt die F. auch in den hoch entwickelten Ind.gesellschaften zu. Es sind nicht nur Einzelne oder bestimmte soziale Gruppen (z.B. Skinheads), die zur Kompensation eigener Misserfolge oder zur Mobilisierung im Sinne eigener Interessendurchsetzung F. nutzen, sondern auch kulturelle Eliten, polit. Gruppierungen und Massenmedien, die F. als Mittel der Selbststabilisierung instrumentalisieren (z.B. in der Debatte um Asyl und Einwanderung). Seit der dt. Einigung von 1990 haben auch in Dtl. ausländerfeindl. Straftaten und fremdenfeindl. Einstellungen in erhebl. Maße und mit besonderer Brutalität (u.a. Hoyerswerda 1991; Rostock-Lichtenhagen 1992; Solingen 1993) zugenommen.

📖 *Migration u. Ausländerfeindlichkeit, hg. v.* G. Böhme *u.a. Darmstadt 1994.* – *Thema heute: F. u. Rechtsextremismus. Lübeck 1994.* – Silbermann, S. *u.* Hüsers, F.: *Der »normale« Haß auf die Fremden. Berlin u.a. 1995.*

Fremdenlegion (frz. Légion étrangère), zum frz. Heer gehörende Freiwilligentruppe (etwa 8500 Mann), 1831 von König Louis-Philippe geschaffen; in fast allen Kolonialkriegen Frankreichs eingesetzt, v.a. in N-Afrika und (bes. 1946–54) in Indochina. Angeworben und aufgenommen werden Diensttaugliche jegl. Nationalität im Alter von 18 bis 40 Jahren, die sich zunächst auf fünf Jahre verpflichten müssen. Die Einheiten sind hoch spezialisiert und ohne Zustimmung des Parlaments einsetzbar. Die Masse der F. ist in Frankreich stationiert, Teile in Frz.-Guayana, Djibouti und auf den frz. Inseln im Pazifik (Atomversuchszentrum Polynesien).

Fremdenrecht, die völkerrechtl. und innerstaatl. Vorschriften, die die Rechtsstellung der Fremden regeln. Der Zugang zum Staatsgebiet (Einreise, Niederlassung, Aufenthalt) kann nach Ermessen geregelt werden, soweit nicht vertragl. Bindungen bestehen. Fremde unterliegen der Rechtsordnung des Aufenthaltsstaates; das Völkerrecht weist ihnen ein Mindestmaß an Rechten (Menschenrechte) zu, jedenfalls aber den Schutz von Leben, Freiheit, Gewissen und Eigentum, das Verbot willkürl. Behandlung und das Recht auf faire Behandlung vor Gericht. Die privatrechtlichen Beziehungen von Fremden unterliegen der Rechtsordnung, die das internat. Privatrecht bestimmt. Darüber hinaus bestehen z.T. weitergehende Sicherungen durch internat. Abkommen und zweiseitige Verträge. Die Ausreise darf nach Völkergewohnheitsrecht Fremden nicht verweigert werden. Eine Befugnis zur Ausweisung besteht nicht nach freiem Ermessen, sondern nur bei einem hinreichenden rechtfertigenden Grund und in rechtsstaatlich geordnetem Verfahren (in Dtl. §§ 45 ff. Ausländer-Ges.); zusätzl. Schutz kommt Flüchtlingen und heimatlosen Ausländern zu.

Fremder, 1) *Philosophie:* Die Spannweite der philosoph. Definitionen des F. reicht von Positionen, die den F. oder Anderen als originär Unzugänglichen fassen (E. Lévinas) über eine Sicht, die das Fremde als Abwandlung des Eigenen, als Projektion des Ichs begreift (J. G. Fichte), bis zu einer logozentr. Interpretation, die Fremdes und Eigenes unter ein umfassendes Ordnungsschema und Deutungsmuster subsumiert (G. W. F. Hegel).

2) *Staats- und Völkerrecht:* eine Person, die nicht die Staatsangehörigkeit des Aufenthaltsstaates besitzt. (→ Ausländer, → Fremdenrecht)

Fremdgeld (fremde Gelder), *Bankwesen:* Einlagen und aufgenommene Gelder, die ein Kreditinstitut seinen Kunden sowie anderen Kreditinstituten schuldet.

Fremdheitsquantenzahl, *Physik:* → Strangeness.

Fremdkapital, die Positionen der Passivseite einer Unternehmensbilanz, die Gläubigeransprüche (Tilgungs- und Zinszahlungen) darstellen. Neben den Verbindlichkeiten zählen dazu auch Rückstellungen für ungewisse Verbindlichkeiten. Das F. kann gegliedert werden nach Gläubigergruppen (z.B. Lieferanten), Laufzeiten (kurz-, mittel-, langfristig) und Art der Sicherung (gesichertes, ungesichertes F.).

Fremdkörper, *Medizin:* von außen in Gewebsteile (bes. durch Wunden) oder in Hohlorgane des Körpers eingedrungener oder künstlich (Implantate, Transplantate) eingebrachter Gegenstand oder Stoff. Sind die in das Gewebe eingedrungenen F. keimfrei, so können sie einheilen und werden vom Körper in einer bindegewebigen Schale abgekapselt. Im anderen Fall wird der F. durch Eitern abgestoßen oder muss operativ entfernt werden. Verschluckte F. gehen auf natürl. Weg meist von selbst ab. In Ohr und Nase gelangte F. dürfen wegen Verletzungsgefahr nur vom Arzt entfernt werden.

Fremdlingsfluss, Bez. für einen ein Trockengebiet durchfließenden (und nicht versiegenden) Flusslauf, dessen Oberlauf in einem niederschlagsreicheren Klimabereich liegt. Ein F. ist z. B. der Nil in Ägypten.

Fremdrenten, Renten der gesetzl. Unfall- oder Rentenversicherung, die aufgrund des F.-Gesetzes i. d. F. v. 25. 2. 1960 an Vertriebene und Spätaussiedler gewährt werden. Das F.-Gesetz erkennt bestimmte bei einem Versicherungsträger außerhalb der Bundesrep. Dtl. zurückgelegte Beschäftigungs- bzw. Versicherungszeiten an. Das F.-Gesetz gilt seit 1992 auch in den neuen Bundesländern.

Fremdwort, aus einer Fremdsprache übernommenes Wort, das sich in Schreibung, Lautung und Flexion der aufnehmenden Sprache nicht angepasst hat. Hierdurch unterscheidet es sich vom →Lehnwort, dessen fremde Herkunft dem Normalsprecher nicht bekannt ist, und vom Erbwort, das dem heim. Sprachbereich entstammt. Eine strikte Trennung zw. F. und Lehnwort ist jedoch nicht möglich. Dasselbe Wort kann in einer Sprache als F. und als Lehnwort vorkommen, z. B. im Deutschen lat. »signare« als »signieren« (F.) und »segnen« (Lehnwort). Alle Lehnwörter waren ursprünglich F., jedoch werden nicht alle F. zu Lehnwörtern.

Ursache für die Übernahme von F. ist bes. die Übernahme der durch sie bezeichneten Sache (z. B. bei den durch das Italienische vermittelten Wörtern aus dem Geldverkehr: Giro, Agio, Storno). An F. lassen sich kulturelle Strömungen ablesen, die auf einen bestimmten Sprachraum einwirken. Die Haltung der Sprachgemeinschaften oder ihrer einzelnen Schichten F. gegenüber ist unterschiedlich. Neben der bewussten Aufnahme von F. (z. B. ritterl. Gesellschaft des MA., die zahlr. Ausdrücke ritterlich-höf. Kultur aus dem Französischen übernahm) stehen Bestrebungen nat. Selbstbehauptung, wie sie schon im 1. Jh. v. Chr. in Rom auftraten, wo sie gegen den Einfluss der grch. Kultur gerichtet waren. In Dtl. waren nach dem Dreißigjährigen Krieg (→Sprachgesellschaften) und erneut um die Wende vom 18. zum 19. Jh. (J. H. Campe) purist. Tendenzen zu beobachten. In neuerer Zeit hat die Entwicklung bes. von Wiss. und Technik die Anzahl der F. stark vergrößert; eine wichtige Rolle spielen F. im Rahmen der zunehmend von Internationalisierung und Standardisierung gekennzeichneten Fachsprachen.

Freneau [frɪˈnəʊ], Philip, amerikan. Lyriker, *New York 2. 1. 1752, †Middletown Point (N. J.) 18. 12. 1832; schrieb Gedichte über den amerikan. Unabhängigkeitskrieg, Naturlyrik.

Freni, Mirella, italien. Sängerin (lyr. Sopran), *Modena 27. 2. 1935; wurde bes. in Partien aus Opern von G. Puccini, G. Verdi und W. A. Mozart bekannt.

Mirella Freni

Frenkel-Defekt [nach dem russ. Physiker J. I. Frenkel, *1894, †1952], Gitterfehler in einem Kristall, verursacht durch das Abwandern eines im Kristall eingebauten Atoms bzw. Ions von seinem normalen Platz im Kristallgitter auf einen Zwischengitterplatz bei therm. Anregung.

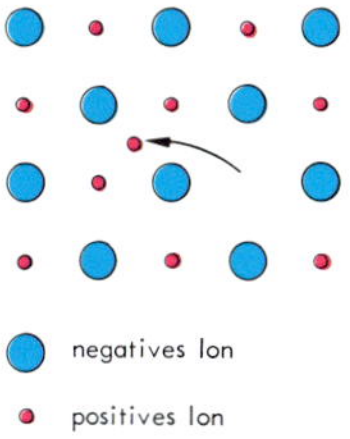

Frenkel-Defekt
in einem Ionenkristall

Frente de Libertação de Moçambique [-libɛrtaˈsãʊ di musamˈbikə], →FRELIMO.

Freon®, Warenzeichen für bestimmte Fluorchlorkohlenwasserstoffe.

Frequenz [lat.] *die, Physik, Technik:* Formelzeichen f oder ν, bei period. Vorgängen (z. B. elektromagnet. oder Schallwellen) der Quotient aus der Anzahl n der Schwingungen und der zugehörigen Zeit t: $f = n/t$. Die F. ist der reziproke Wert der Zeitdauer T (Periode) einer vollen Schwingung, $f = 1/T$. Einheit der F. ist das Hertz ($1\,\text{Hz} = 1\,\text{s}^{-1}$). Das 2π-fache der F. wird als **Kreis-F.** ω bezeichnet: $\omega = 2\pi f$. Jedes schwingungsfähige System geht bei Anstoß von außen in Schwingungen über (→Eigenschwingung). Die für das System charakterist. F. dieser Schwingungen heißen **Eigen-F.;** erfolgt die Anregung periodisch mit der Eigen-F., tritt eine →Resonanz auf.

Frequenzband, *Nachrichtentechnik:* zusammenhängender Frequenzbereich des Spektrums elektromagnet. Wellen. Die Wellenbereiche sind für bestimmte Anwendungen (Rundfunk, Richtfunk, Fernsehen u. a.) in F. unterteilt, die durch Frequenzlage und Bandbreite gekennzeichnet sind. Zur Übertragung eines Signals ist ein F. mit einer Mindestbandbreite erforderlich, z. B. Telefongespräch: 3,1 kHz. Die Frequenzlage, die durch die Trägerfrequenz bestimmt wird, ist für das Signal von sekundärer Bedeutung.

Frequenzbereich, *Nachrichtentechnik:* frequenzmäßige Einteilung des Spektrums elektromagnet. Wellen, die für die Funktechnik verwendet werden, entsprechend ihrem Ausbreitungsverhalten. Die nachrichtentechn. F. erstrecken sich vom Längstwellenbereich (Frequenzen 10–30 kHz) bis zum Submillimeterwellenbereich (Frequenzen 300–3 000 GHz). Für sie gibt es internat. Bezeichnungen und Abkürzungen sowie innerhalb ihrer Einteilung internat. vereinbarte Zuordnungen der versch. Funkdienste zu diesen Bereichen. (ÜBERSICHT →elektromagnetische Wellen)

Frequenzgang, allg. der Verlauf einer physikal. Größe als Funktion der Frequenz, auch Bez. für diese Funktion selbst; i. e. S. Frequenzabhängigkeit des Ausgangssignals eines linearen Über-

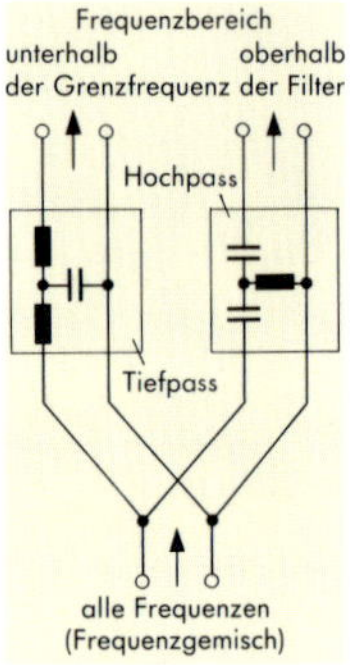

Frequenzweiche

tragungsglieds (z. B. Verstärker, Filter) vom Eingangssignal. Der F. ist mathematisch als komplexe Funktion beschreibbar und grafisch als Kurvenzug (Ortskurve) darstellbar; der Betrag des F. heißt **Amplitudengang,** seine Phase **Phasengang.**

Frequẹnzmesser, Geräte zur Messung der Frequenz von Wechselspannungen oder -strömen, meist unter Anwendung des Resonanzprinzips (Zungen-F., direkt anzeigender F., Resonanzwellenmesser, Schwingungszähler u. a.). In digitalen F. wird die Messung auf die Zählung von Impulsen in einer bestimmten Zeit zurückgeführt.

Frequẹnzmodulation, Abk. **FM,** →Modulation.

Frequẹnzumsetzer, Gerät zur Änderung einer gegebenen Frequenz durch Frequenzteilung oder -vervielfachung oder (z. B. in Rundfunkempfängern) durch Zwischenfrequenzbildung.

Frequẹnzumwandler, elektr. Maschine zur Änderung einer Ausgangsfrequenz (z. B. der Netzfrequenz) in eine niedrigere oder höhere Frequenz. Man unterscheidet rotierende (z. B. asynchroner Einankerumformer, Induktionsumformer) und ruhende F. (z. B. Umrichter).

Frequẹnzweiche, elektron. Filteranordnung, die meist zum Aussondern eines Frequenzbandes aus einem breiteren oder zur Trennung zweier Frequenzbereiche dient.

Carl Remigius Fresenius

Frescobạldi, Girolamo, italien. Komponist, *Ferrara vermutlich 12. 9. 1583, †Rom 1. 3. 1643; seit 1608 Organist an der Peterskirche in Rom; Virtuose und Lehrer im Orgel- und Cembalospiel; zahlr. Orgelwerke, Arien, Messen, Madrigale.

Fresẹnius, Carl Remigius, Chemiker, *Frankfurt am Main 28. 12. 1818, †Wiesbaden 11. 6. 1897; errichtete 1848 in Wiesbaden ein chem. Untersuchungslaboratorium, das zu einer Lehranstalt für Chemotechniker (heute private FH) ausgebaut wurde. F. entwickelte wichtige Grundlagen und Methoden der chem. Analyse; ab 1861 Hg. der »Zeitschrift für analyt. Chemie«.

Frẹsko [italien.] *der* (Fresco), strapazierfähiges, poröses Gewebe in Leinwandbindung mit guten Trage- und Gebrauchseigenschaften für Oberbekleidung. Leichte und dem F. ähnl. Gewebe heißen **Tropical.**

Augustin Jean Fresnel

Frẹskomalerei [italien. a fresco »auf das Frische«] (Fresko), abschnittsweise (»Tagwerk«) auf noch feuchtem gipsfreiem Kalkputz ausgeführte Wandmalerei; infolge des schnellen wasserunlösl. Auftrocknens sind Korrekturen nicht möglich. Das Fresko zeichnet sich durch feinen Glanz aus und ist außerordentlich haltbar. F. findet sich bereits in Çatal Hüyük. Bed. Zeugnisse sind auch für Kreta und Mykene, bei den Etruskern, in Pompeji und Herculaneum belegt. Die F. gelangte dann im Abendland zu einer Hochblüte in der karoling., roman. und in der Renaissancekunst (Reichenau-Oberzell, Giotto, Masaccio, Michelangelo). Im 17./18. Jh. wurde das Kaseinfresko (Kasein- statt Wasserfarben) auf trockenem oder wieder angefeuchtetem Kalkputz (»Kalkkaseinfresko«) angewendet. Nach dem letzten großen Freskomaler des Barock, G. B. Tiepolo, verfiel die F. bis zu ihrer Wiederbelebung im 19. Jh. Im 20. Jh. wurde die F. u. a. von den mexikan. Malern J. Orozco und D. Rivera wieder aufgenommen.

📖 *Reclams Hb. der künstler. Techniken, Bd. 2: Wandmalerei, Mosaik. Beiträge v.* A. KNOEPFLI *u. a. Stuttgart 1990.*

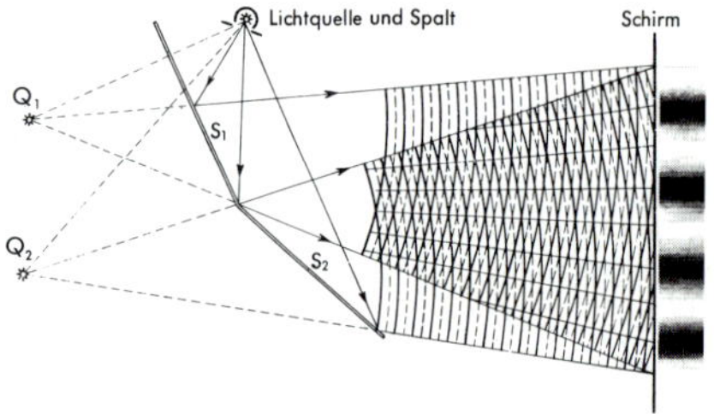

fresnelscher Spiegelversuch mit Darstellung der sich überlagernden Wellenzüge und des entstehenden Interferenzsystems (rechts neben dem Schirm); S_1 und S_2 Spiegel, Q_1 und Q_2 virtuelle Spiegelbilder der Lichtquelle

Fresnel [frɛˈnɛl], Augustin Jean, frz. Physiker und Ingenieur, *Broglie (Dép. Eure) 10. 5. 1788, †Ville d'Avray (bei Sèvres) 14. 7. 1827; seit 1823 Mitgl. der Académie des sciences; begründete ab 1815 die Wellentheorie des Lichtes (→fresnelscher Spiegelversuch), untersuchte die Polarisation des Lichts und die Doppelbrechung; erfand den nach ihm ben. Doppelspiegel und das Doppelprisma; er konstruierte ferner Linsen (→Fresnel-Linse), die noch heute verwendet werden.

Fresnel-Linse [frɛˈnɛl-; nach A. J. Fresnel], rotationssymmetr. Stufenlinse mit großem Öffnungsverhältnis; sie besteht aus einer zentralen Linse und nach außen anschließenden ringförmigen Kegelzonen, deren Krümmungsradien so gewählt sind, dass die Brennpunkte aller Zonen zusammenfallen; verwendet in opt. Geräten als Sammellinse, z. B. in Scheinwerfern, Seezeichen.

fresnelscher Spiegelversuch [frɛˈnɛl-; nach A. J. Fresnel], klass. Interferenzversuch (1816) zum

Frettchen

Freskomalerei

1

2

3

4

| **1** Thronsaal mit Greifenfresko aus dem Palast von Knossos (1550-1400 v. Chr.) | **2** »Tänzerin und Tänzer«, Ausschnitt aus einem Wandfresko aus dem »Grab des Löwen« in Tarquinia (um 510 v. Chr.) | **3** Piero della Francesca, »Die Königin von Saba verehrt das Holz des hl. Kreuzes«, Ausschnitt aus dem Freskenzyklus der Legende des hl. Kreuzes (1452-66; Arezzo, San Francesco) | **4** Joseph Anton Koch, »Dantes Traum von den wilden Tieren und seine Rettung durch Vergil«, Fresko im Dantesaal des Casino Massimo in Rom (1824-29)

Nachweis der Wellennatur des Lichtes. Zwei nur gering zueinander geneigte Spiegel S_1 und S_2 entwerfen je ein virtuelles Bild Q_1 und Q_2 einer punkt- oder linienförmigen monochromat. Lichtquelle. Die von diesen Bildern ausgehend gedachten Strahlenbündel überlagern sich zu einem Interferenzsystem von hellen und dunklen Streifen, die auf einem Schirm beobachtet werden können.

fresnelsche Zonen [frɛˈnɛl-; nach A. J. Fresnel], ringförmige Bereiche in einer beugenden Kreisöffnung, in denen sich der Gangunterschied der Wellenlänge λ des Lichtes um jeweils $\lambda/2$ ändert. F. Z. werden z. B. zur Konstruktion von Beugungsgittern (fresnelsche →Zonenplatte) ausgenutzt.

Fresno [ˈfreznəʊ], Stadt in Kalifornien, USA, im Tal des San Joaquin River, 402 100 Ew.; Univ.; Fremdenverkehr; Handelszentrum inmitten reicher Bewässerungskulturen (Baumwolle, Wein, Obst und Gemüse).

Fresszellen, Phagozyten (→Phagozytose).

Frettchen (Frett, Mustela putorius furo), domestizierte Albinoform einer Iltisart. Mit dem F. werden Wildkaninchen aus ihrem Bau gejagt **(frettiert).**

Freud, 1) Anna, brit. Psychoanalytikerin österr. Herkunft, *Wien 3. 12. 1895, †London 9. 10. 1982, Tochter von 2); verfasste Arbeiten zur Psychoanalyse des Kindes; lehrte vorwiegend in England.

Freudenstadt 2): Die um einen großen arkadenumzogenen Marktplatz mühlebrettartig angelegte, im April 1945 zerstörte Altstadt wurde 1949-54 orginalgetreu wiederaufgebaut; vorne im Bild ist die ursprünglich 1601-14 erbaute evangelische Stadtkirche zu erkennen, die mit ihren zwei Türmen und den zwei winkelhakenförmigen Schiffen eine Ecke des Marktplatzes bildet, in der Ecke direkt gegenüber steht das Rathaus

Werke: Das Ich und die Abwehrmechanismen (1936); Wege und Irrwege der Kinderentwicklung (1968).

Anna Freud

2) Sigmund, österr. Nervenarzt, *Freiberg (heute Příbor, Nordmähr. Gebiet) 6. 5. 1856, †London 23. 9. 1939, Vater von 1); seit 1902 Prof. in Wien, dort psychotherapeut. Tätigkeit, emigrierte 1938 nach London. F. betrieb zuerst hirnanatom. Forschungen und entdeckte vor K. Koller die schmerzbetäubende Wirkung des Kokains. In Zusammenarbeit mit J. Breuer entwickelte er ein Verfahren zur Heilung seel. Erkrankungen durch »Abreaktion« verdrängter traumat. Erfahrungen, den ersten Ansatz zu der von ihm dann entwickelten →Psychoanalyse, mit der er trotz vielfacher Anfeindungen weltweiten Einfluss auf die Entwicklung der psychotherapeut. Behandlung gewann. Die theoret. Bedeutung liegt in der Erweiterung der älteren Psychologie durch die Einbeziehung des →Unbewussten und den daraus folgenden neuen Einsichten in die Triebdynamik. Als Haupttrieb menschl. Verhaltens nahm er die →Libido an, später als Gegenspieler zusätzlich den stark umstrittenen Todes- oder Destruktionstrieb. F. behandelte auch Probleme der Völkerkunde, der Religionswiss. und Mythologie, soziolog. und ästhet. Fragen. Seine Wirkung erstreckte sich auf weite Gebiete des Geisteslebens, bes. Philosophie, Literatur und Kunst.

Sigmund Freud

Werke: Studien über Hysterie (1895, mit J. Breuer); Die Traumdeutung (1900); Zur Psychopathologie des Alltagslebens (1901); Der Witz und seine Beziehung zum Unbewußten (1905); Totem und Tabu (1913); Vorlesungen zur Einführung in die Psychoanalyse (1916/17); Jenseits des Lustprinzips (1920); Massenpsychologie und Ich-Analyse (1921); Das Ich und das Es (1923); Das Unbehagen in der Kultur (1930); Neue Folge der Vorlesungen zur Einführung in die Psychoanalyse (1933); Warum Krieg? (1933, mit A. Einstein).

🕮 BALLY, G.: *Einführung in die Psychoanalyse S. F.s. Reinbek 85.–87. Tsd. 1979.* – LOHMANN, H.-M.: *F. zur Einführung. 1986.* – MANNONI, O.: *S. F. mit Selbstzeugnissen u. Bilddokumenten. A. d. Frz. Reinbek 1996.*

Freudenberg, Stadt und Luftkurort im Kreis Siegen-Wittgenstein, NRW, im Siegerland, 18100 Ew.; Eisen verarbeitende Ind., Behälter- und Apparatebau. – Der Stadtkern »Alter Flecken« mit zahlr. Fachwerkhäusern ist Baudenkmal von internat. Bedeutung. – F. ist seit 1456 Stadt.

Freudenstadt, 1) Landkreis im RegBez. Karlsruhe, Bad.-Württ., 871 km², (1996) 119200 Einwohner.

2) Krst. von 1) (Große Kreisstadt) in Bad.-Württ., im nördl. Schwarzwald, 595–940 m ü. M., 23800 Ew.; heilklimat. Kurort und Wintersportplatz mit bed. Fremdenverkehr; Maschinenbau, elektron., Lederwaren-, Kosmetikind., Druckerei. – Mühlebrettartiger Grundriss mit arkadenumzogenem Marktplatz; Stadtkirche (1601–14). – F. wurde 1599 gegründet (Ansiedlung vertriebener österr. Protestanten). Der 1945 völlig zerstörte Stadtkern ist wieder aufgebaut.

Freudenthal, →Bruntál.

Freund [frø:nd], Gisèle, frz. Fotografin dt. Herkunft, *Berlin 19. 12. 1908; emigrierte 1933 nach Paris, arbeitete ab 1936 für die Ztschr. »Life«; Porträts

Otto Freundlich: Komposition (1939; Privatbesitz)

insbesondere von Schriftstellern und Künstlern und schrieb u.a. »Photographie und Gesellschaft« (1974).

Freund-Feind-Kennung, →Kennung.

Freundlich, Otto, Maler, Grafiker und Bildhauer, *Stolp (heute Słupsk) 10. 7. 1878, †im KZ Majdanek 9. 3. 1943; lebte ab 1924 in Paris. Seine Malerei rhythmisiert flächige geometr. Felder durch Farbdifferenzierung; 1929–33 schuf er auch abstrakte Plastiken.

Die Journalisten.
Lustspiel in vier Akten
von
Gustav Freytag.
Leipzig
Verlag von S. Hirzel
1862.

Gustav Freytag: Titelblatt einer 1862 erschienenen Ausgabe des Lustspiels »Die Journalisten«

Freundschaftsinseln, →Tonga.

Frevel [ahd. fravili »Kühnheit«], urspr. das schwere Vergehen; seit dem 14./15. Jh. Bez. für minder schwere Delikte, die mit Geldstrafe oder mit Strafe an »Haut und Haar« (d.h. Züchtigung, Haarscheren) geahndet wurden; seit dem 18. Jh. leichtere Übertretungen ohne Kriminalcharakter (z.B. Jagdfrevel).

Freyburg (Unstrut), Stadt im Burgenlandkreis, Sa.-Anh., an der unteren Unstrut, 4 700 Ew.; Jahn-Museum (im ehem. Wohnhaus von F. L. Jahn); Weinbau, Sektkellerei; Kalksteinindustrie. – Spätroman. Stadtkirche St. Marien (um 1220), im Inneren spätgotisch; Neuenburg (im Kern romanisch, Umbauten 16.–18. Jh.) mit rundem Bergfried (»Dicker Wilhelm«) und spätroman. Doppelkapelle. – Im 13. Jh. als Stadt bezeugt.

Freycinet [frɛsiˈnɛ], Charles Louis de Saulces de, frz. Politiker, *Foix 14. 11. 1828, †Paris 14. 5. 1923; war 1870 Mitarbeiter Gambettas bei der Aufstellung neuer Heere, seit 1879 mehrmals MinPräs.; hatte großen Anteil am Zustandekommen des frz.-russ. Bündnisses von 1893/94.

Freyer, Hans, Philosoph und Soziologe, *Leipzig 31. 7. 1887, †Ebersteinburg (heute zu Baden-Baden) 18. 1. 1969; begründete eine soziolog. Schule, die die Sozialstrukturen als geschichtlich gewachsen ansieht. Später wandte sich F. universalgeschichtl. und kulturkrit. Studien zu.

Werke: Theorie des objektiven Geistes (1923); Soziologie als Wirklichkeitswissenschaft (1930); Weltgeschichte Europas, 2 Bde. (1948); Theorie des gegenwärtigen Zeitalters (1955); Schwelle der Zeiten (1965); Gedanken zur Industriegesellschaft (1970); Herrschaft, Planung und Technik (1987).

Freyja (Freia) [altnord. »Herrin«], altnord. Göttin der Liebe und Fruchtbarkeit, Tochter des Vanen →Njörd; Schwester des Freyr, Gemahlin Odins.

Gustav Freytag (Ausschnitt aus einem Gemälde von Karl Stauffer-Bern, 1886)

Freyr (Freir) [altnord. »Herr«], altnord. Gott, Sohn des Vanen →Njörd, Bruder der Freyja; als Fruchtbarkeitsgott verehrt.

Freyre [ˈfrɛjre], Gilberto de Mello, brasilian. Soziologe und Schriftsteller, *Recife 15. 3. 1900, †ebd. 18. 7. 1987; schrieb grundlegende Werke zur Kultur und Gesellschaft Brasiliens (»Herrenhaus und Sklavenhütte«, 1933), auch Literaturkritik, Lyrik, Erzählungen.

Freystadt in Niederschlesien, Stadt in Polen, →Kożuchów.

Freytag, Gustav, Kulturhistoriker und Schriftsteller, *Kreuzburg (heute Kluczbork, Wwschaft Opole) 13. 7. 1816, †Wiesbaden 30. 4. 1895; war 1839–44 Privatdozent für dt. Literatur in Breslau. 1848–61 und 1867–70 Mithg. der einflussreichen nationalliberalen Wochenschrift »Die Grenzboten«. 1867–70 war F. Vertreter der nationalliberalen Partei im Norddt. Reichstag. Seine Aufgabe sah er in der Stärkung des bürgerl. Standesbewusstseins und der bürgerl. Tugenden.

Werke: Die Journalisten (Lustspiel, 1853); Soll und Haben (Roman, 3 Bde., 1855); Bilder aus der dt. Vergangenheit (5 Bde., 1859–67); Technik des Dramas (1863); Die Ahnen (Roman-Zyklus, 6 Bde., 1872–80); Erinnerungen aus meinem Leben (1887).

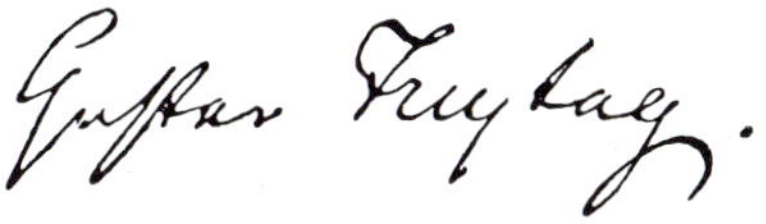

Freyung, Krst. des Kr. Freyung-Grafenau, Reg.Bez. Niederbayern, am Nationalpark Bayerischer Wald, 655 m ü.M., 7 400 Ew.; Holz-, Elektro-, Textil-, Kunststoffind.; Fremdenverkehr. – 1525 erhielt F. Marktrecht, 1954 wurde es Stadt.

Freyung-Grafenau, Landkreis im RegBez. Niederbayern, 984 km², (1996) 81 900 Einwohner.

Friaul Wappen

Friaul (italien. Friuli), Landschaft in NO-Italien, zw. den Karnischen Alpen und der Adria, umfasst etwa das Stromgebiet des Tagliamento und des unteren Isonzo; bildet mit einem Teil von Julisch-Venetien (Görz, Triest) die Region **Fri-**

aul=Julisch-Venetien, insges. 7844 km^2, (1995) 1,19 Mio. Ew.; Hptst. ist Triest. Die zu großen Teilen aus bündnerroman. Friulani (Furlani) bestehende Bev. hat bis heute ihre Sprache und zahlr. alte Bräuche bewahrt. F., nach der röm. Stadt **Forum Julii** genannt (heute Cividale del Friuli), wurde im 6. Jh. ein langobard. Herzogtum, durch Karl d. Gr. eine fränk. Markgrafschaft, das Gebiet um Cividale kam 952 an Bayern, 976 an Kärnten; Heinrich IV. verlieh das übrige F. 1077 an den Patriarchen von Aquileja. 1420 wurde F. größtenteils von Venedig erobert; der Rest fiel an die Grafschaft Görz und 1500 an Österreich. Das venezian. F. gehörte 1797–1866 ebenfalls zu Österreich. Der östl. Teil gehört seit 1947 zu Slowenien. 1976 richtete ein Erdbeben große Schäden an.

Fribourg [fri'bu:r], frz. Name von Kt. und Stadt →Freiburg in der Schweiz.

Ferenc Fricsay

Frick, Wilhelm, Jurist und Politiker (NSDAP), *Alsenz (Donnersbergkreis) 12. 3. 1877, †(hingerichtet als Kriegsverbrecher) Nürnberg 16. 10. 1946; seit 1924 MdR, hatte als Reichsinnenmin. (1933–43) auf administrativem Gebiet wesentl. Anteil am Aufbau der NS-Diktatur und an der Durchführung der nat.-soz. Rassengesetze. 1943 bis 1945 war er Reichsprotektor von Böhmen und Mähren.

Fricsay ['fritʃɔj], Ferenc, österr. Dirigent ungar. Herkunft, *Budapest 9. 8. 1914, †Basel 20. 2. 1963; Dirigent u. a. in Budapest, Wien, Berlin und München; interpretierte bes. Werke der Wiener Klassik und der italien. Oper.

Alfred Hermann Fried

Friderichs, Hans, Politiker (FDP), *Wittlich 16. 10. 1931; Jurist, 1964–69 Bundesgeschäftsführer der FDP, 1965–69 MdB, vertrat als Bundeswirtschaftsmin. (1972–77) einen betont marktwirtsch. Kurs. 1974–77 war er stellv. Vors. der FDP und 1978–85 Vorstandssprecher der Dresdner Bank AG. (→Parteispendenaffäre)

Fridericus Rex [lat.], →Friedrich II., d. Gr., von Preußen.

Fridman, Alexander Alexandrowitsch, russ. Mathematiker und Physiker, →Friedmann, Alexander Alexandrowitsch.

Erich Fried

Fried, 1) Alfred Hermann, österr. Pazifist, *Wien 11. 11. 1864, †ebd. 4. 5. 1921; gründete 1892 in Berlin die Dt. Friedensgesellschaft, gab seit 1899 die »Friedenswarte« heraus; wirkte für die Schaffung einer internat. Friedensorganisation; 1911 Friedensnobelpreis mit T. M. C. Asser.

2) Erich, österr. Schriftsteller, *Wien 6. 5. 1921, †Baden-Baden 22. 11. 1988; lebte seit 1938 in London; schrieb zeitkrit., politisch und gesellschaftlich stark engagierte Lyrik (»Und Vietnam und«, 1966; »Die Freiheit, den Mund aufzumachen«, 1972; »Das Nahe suchen«, 1982; »Vorübungen für Wunder«, 1987) sowie Erzählungen, Hörspiele, Essays; Übersetzungen (D. Thomas, T. S. Eliot, Shakespeare u. a.).

Friedan [fri:dn], Betty Naomi, amerikan. Sozialwissenschaftlerin, *Peoria (Ill.) 4. 2. 1921; führende Vertreterin der amerikan. Frauenbewegung, gründete 1966 die »National Organization for Women« (NOW), schrieb »Der Weiblichkeitswahn« (1963), »Mythos Alter« (1993).

Friedberg, 1) Stadt im Landkreis Aichach-F., Bayern, grenzt im W an Augsburg, 28900 Ew.; Möbel-, Metall-, Textilindustrie, Textilmaschinenbau. – Barockrathaus, Schloss (13.–16. Jh.) mit Museum, barocke Wallfahrtskirche (1731–53). – 1264 als Stadt gegründet.

2) **Friedberg (Hessen),** Krst. des Wetteraukreises, Hessen, 26000 Ew.; Zweige der Fachhochschule Gießen-F. (Maschinenbau u. a.), Theolog. Seminar der Evang. Kirche in Hessen und Nassau, Blinden- und Gehörlosenschule, Wetterau-Museum; Elektro-, Farbenind., Zuckerfabrik, Maschinenbau. – Die wie eine kleine Stadt wirkende stauf. Burg (um 1250) wurde im 14.–16. Jh. befestigt. Liebfrauenkirche (um 1260–1410), Adolfsturm (um 1350), Judenbad (1260). – Röm. Kastell, bis etwa 260 röm. Stadt. Gründung der mittelalterl. Stadt 1264. Die Burggrafschaft F. war im 14./15. Jh. Adelsrepublik. Die Stadt fiel 1802, die mediatisierte Burggrafschaft 1806 an Hessen-Darmstadt (1834 Zusammenschluss).

Friedeburg, Ludwig von, Sozialwissenschaftler und Politiker (SPD), *Wilhelmshaven 21. 5. 1924; war 1969–74 Kultusmin. in Hessen, ab 1974 Direktor des Inst. für Sozialforschung an der Univ. Frankfurt am Main. Seine Schulpolitik (integrierte Gesamtschule, Rahmenrichtlinien) stieß auf heftige Kritik. F. arbeitet bes. auf dem Gebiet der Jugend-, Bildungs- und Betriebssoziologie.

Friedel-Crafts-Reaktion [-kra:fts-; nach dem frz. Chemiker C. Friedel, *1832, †1899, und dem amerikan. Chemiker J. M. Crafts, *1839, †1917], 1877 entwickelte Methode zur Alkylierung und Acylierung von aromat. Ringsystemen in Gegenwart von wasserfreiem Aluminiumchlorid, Bortrifluorid oder anderen Katalysatoren. Eine der wichtigsten organisch-chem. Synthesemethoden.

Friedell, Egon, österr. Schriftsteller, *Wien 21. 1. 1878, †(Selbstmord nach dem Einmarsch der dt. Truppen in Wien) ebd. 16. 3. 1938; Theaterkritiker, Schauspieler, Kulturhistoriker (»Kulturgesch. der Neuzeit«, 3 Bde., 1927–31 ; »Kulturgesch. des Altertums«, 1. Bd. 1936, 2. Bd. hg. 1950); ferner Essays, Aphorismen.

Frieden [ahd. fridu »Schutz«, »Sicherheit«, »Freundschaft«], Zustand eines verträglichen und gesicherten Zusammenlebens von Menschen auf versch. Ebenen. Da F. ohne ein Minimum an Ordnung und Einvernehmen nicht lange bestehen kann, ist der Begriff des F. eng mit dem des Rechts verknüpft, der seinerseits Freiheit voraussetzt. Strittig ist, ob F. nur das äußere, vor willkürl. Gewalteinwirkung geschützte Verhältnis bezeichnet oder auch eine über die Friedfertigkeit hinausgehende innere Anteilnahme meint. F. ist in keiner historisch bezeugten Gesellschaft von Natur aus gegeben. Stets ist er ein geschaffener Zustand, der mehr oder weniger ausdrückl. Sicherungen durch Macht und Vereinbarung bedarf.

Bereits in den ältesten polit. Zeugnissen der Kulturen spiegeln sich die Gefährdungen und Kämpfe, die mit der Durchsetzung eigener Lebensvorstellungen verbunden sind. Entsprechend groß ist die Betonung krieger. Selbstbehauptung nach außen. Im Innenverhältnis aber wird von den herrschenden göttl. und menschl. Mächten die Sicherung der Ordnung, also F., erwartet. In diesem Sinne sind auch die großen Religionen, v.a. dort, wo sie sich mit der polit. Herrschaft verbunden haben, kriegsbereit nach außen, aber friedfertig nach innen. Der F. im A.T. (schalom) meint das heilsame Intaktsein einer Gemeinschaft, das als Gabe der Gerechtigkeit ihres gnädigen Schöpfers erfahren wird. F. ist göttl. Geschenk, kaum menschl. Aufgabe. Das N.T. verstärkt diese Auffassung, da seine gesamte Heilsbotschaft als Verkündigung des F. verstanden wird. In Jesus Christus ist der F. der ganzen Welt beschlossen, und wer ihm folgt, wird zum F.-Stifter. Augustinus hat im 19. Buch von »De civitate Dei« streng unterschieden zw. dem innerweltl. Bereich, in dem der F. mit Macht und Herrschaft und notfalls auch durch »gerechten Krieg« (bellum iustum) gesichert wird, und dem Bereich eschatolog. F.-Erwartung, der den Möglichkeiten ird. Politik entzogen ist.

Trotz dieser Trennung von Welt-F. und Gottes-F. war im MA. das Streben unübersehbar, christl. Ordnungsvorstellungen der Welt des Politischen aufzuprägen. »Pax et Justitia« (F. und Recht) lautete über Jh. die Zielbestimmung der öffentl. Ordnung: Das Recht diente dem F. und war selbst Ausdruck des Friedens. In der Epoche des Gottes- und Land-F. entwickelten sich die Herrschaftsinstanzen zu Trägern der Rechts- und F.-Idee. Im Ewigen Landfrieden von 1495 erreichte diese Entwicklung ihren Höhepunkt.

Globale Bedeutung gewannen die Prinzipien einer rechtlich verfassten F.-Ordnung im Zeitalter von Renaissance und Humanismus. Erasmus von Rotterdam verwarf den Krieg als naturwidrig und forderte zwischenstaatl. Garantieerklärungen und Schiedsgerichte. Die Zweifel an der Unvermeidbarkeit von Kriegen wuchsen bes. seit der Zeit der Aufklärung. I. Kant umriss in seinem Entwurf »Zum ewigen F.« (1795) die Bedingungen einer globalen Rechtsordnung als F.-Ordnung und postulierte eine unbedingte sittl. F.-Pflicht, die eine Rechtfertigung des Krieges als »Ultima Ratio« ausschloss. In der Folge ging jedoch aus der Euphorie der Befreiungskriege und dem Nationalismus der europ. Völker eine neue Kriegsbereitschaft hervor.

Friedberg 2): Blick auf die über der Stadt gelegene staufische Burg (um 1250) mit dem 50 m hohen Adolfsturm (um 1350)

Im 20. Jh., insbesondere nach dem 2. Weltkrieg, wuchs die Einsicht, dass sich Kriege in der Konsequenz gegen die Menschheit als Ganzes richten. Daraufhin engagierten sich die Friedensbewegung und die →Friedensforschung in verstärktem Maße. Auch nach Auflösung des östl. Militärbündnisses drohen weiterhin um wirtsch. und polit. Interessen geführte Kriege sowie Nationalitäten- und Glaubenskonflikte.

Das *Völkerrecht* definiert F. als Zustand nichtkrieger. Beziehungen zw. Staaten (»äußerer F.«). Im internat. Leben ist F. der Normalzustand, der seinen Ausdruck in gegenseitigen diplomat. Beziehungen, im Abschluss und der Durchführung von Staatsverträgen, in Handels-, Kultur- und Rechtsbeziehungen und im gegenseitigen Schutz der Staatsangehörigen findet. Der F. wird durch →Krieg unterbrochen und klassischerweise durch einen F.-Vertrag wiederhergestellt, i.d.R. bereits durch ausdrückl. Erklärungen oder die Aufnahme diplomat. Beziehungen oder des Handelsverkehrs (»F.-Zustand de facto«). Der Gedanke eines »dauernden F.« ist die treibende Kraft in der →Friedenssicherung. Nach der UN-Satzung ist jede Verletzung des F. untersagt. Bereits die Gefahr einer krieger. Auseinandersetzung oder sonstiger Gewalthandlungen löst als F.-Bedrohung die in der Charta vorgesehenen Maßnahmen aus (Abwehr einer Gewaltmaßnahme nur in begrenztem Umfang, Sanktionen).

Egon Friedell

📖 *Auf dem Weg zu einer europ. Friedensordnung. Perspektiven u. Probleme nach dem Ende des Kalten Krieges, hg. v.* T. Hoppe. *Mainz 1994.* – Weizsäcker, C. F. von: *Der bedrohte Friede – heute. Neu-*

ausg. München u. a. 1994. – Friedl. Konfliktbearbeitung in der Staaten- u. Gesellschaftswelt, hg. v. N. Ropers *u.* T. Debiel. *Bonn 1995. – Vom Krieg zum F., hg. v.* V. Matthies. *Bremen 1995.*

Friedensbewegung, Sammelbez. für eine Vielfalt von Organisationen und Initiativen, deren Mitgl. aus eth., religiösen, ideolog. oder polit. Gründen für die Abrüstung und ein friedl. Zusammenleben der Völker eintreten und auf die Gefahren der militär. Nutzung der Kernkraft aufmerksam machen. Mit öffentl. Aktionen sollen die Regierungen zu polit. Handeln veranlasst werden. Die geistigen Wurzeln der F. reichen bis ins MA. zurück (die Idee des ewigen Friedens). Getragen von christl. Gedankengut und den humanitären Ideen der Aufklärung entwickelten die »histor. Friedenskirchen«, die Mennoniten, die Quäker und die Church of Brethren eine Haltung unbedingter Friedensbereitschaft und Ablehnung des Kriegsdienstes. Zu Beginn des 19. Jh. gründeten die Quäker in Amerika und Großbritannien Peace societies (Friedensgesellschaften). Mit ihrer programmat. Schrift »Die Waffen nieder« (1889) begründete Bertha von Suttner die bürgerlich-liberale Bewegung des Pazifismus. Mit der Organisation von Friedensgesellschaften (z.B. »Dt. Friedensgesellschaft«), die 1891 in einem Internat. Friedensbüro zusammengeschlossen wurden (Sitz: Genf), und der Veranstaltung von Kongressen entwickelte der Pazifismus starke Aktivitäten. Im Vorfeld des Ersten Weltkrieges bemühte sich der frz. Sozialist Jean Jaurès um die Beilegung der Spannungen in Europa. Vertreter der dt. F. waren – bes. unter dem Eindruck des 1. Weltkrieges – u. a. T. Lessing, C. v. Ossietzky und K. Tucholsky; enge Verbindung gab es zw. der F. und der Frauenbewegung sowohl ihres bürgerl. als auch ihres sozialist. Flügels (Helene Stöcker, Anita Augspurg; Clara Zetkin, Rosa Luxemburg).

Nach 1945 gewann die F. starken Auftrieb durch die Bedrohung durch Atomwaffen, auch bestärkt durch die Folgen der Atombombenabwürfe über Hiroshima und Nagasaki. Vor diesem Hintergrund entstand in Großbritannien die →Ostermarschbewegung. Anfang der 1980er-Jahre bildete sich in zahlreichen westl. Staaten eine neue, auf breiter Basis mit der Umwelt- und Frauenbewegung sowie alternativen Bewegungen verbundene F., die gegen die Realisierung des →NATO-Doppelbeschlusses (1979) protestierte und darüber hinaus eine allgemeine Abrüstung forderte.

Die seit Mitte der 1980er-Jahre in der DDR vielfach unter dem Leitwort »Schwerter zu Pflugscharen« wirkenden Gruppen waren staatl. Repressionen ausgesetzt; sie waren Bestandteil der Oppositionsbewegung, die den späteren gesellschaftl. und polit. Umbruch (1989/90) einleitete. Neue Wirkungsfelder (z.B. zivile Konfliktbewältigung) entstanden infolge der Umwälzungen in der Weltpolitik (1989/91), bes. in Mittel- und O-Europa.

🕮 Riesenberger, D.: *Geschichte der F. in Deutschland. Von den Anfängen bis 1933. Göttingen 1985. – Kriege beenden – Gewalt verhüten – Frieden gestalten. Zur Neupositionierung der F., hg. v.* B. Schindler-Saefkow *u.* P. Strutynski. *Kassel 1996. – ... Ultima ratio?! Die F. im Streit um Militäreinsätze, hg. v. Pax Christi, Dt. Sekretariat. Redaktion:* R. Ascheberg *u. a. Idstein 1996.*

Friedensburg, Ferdinand, Politiker (CDU), *Schweidnitz (heute Swidnica) 17. 11. 1886, †Berlin (West) 11. 3. 1972; Jurist und Bergbaufachmann, ab 1920 Mitgl. der DDP, 1927–33 Reg.Präs. in Kassel, 1945 Mitbegründer der CDU in der SBZ. Als stellv. Oberbürgermeister von Berlin (1946–51) suchte F. im Verlauf der Spaltung Berlins (Nov./Dez. 1948) die Ansprüche der verfassungsgemäß gewählten Stadtregierung aufrechtzuerhalten. Seit 1953 war er Prof. an der TU Berlin.

Friedensforschung (Friedens- und Konfliktforschung), interdisziplinäre wiss. Forschungsrichtung, die die Bedingungen des Friedens, die Ursachen von Kriegen und die Möglichkeiten der friedl. Konfliktlösung im nat. und internat. Bereich systematisch untersucht. Vertreter der F. fordern oft zugleich eine **Friedenspädagogik.**

Die unterschiedl. Definition des Begriffs →Frieden bestimmte im Kern die Entwicklung der F.; ihre ältere Forschungsrichtung geht von der Annahme aus, dass Frieden »Abwesenheit von Krieg« bedeutet. Sie analysiert internat. Beziehungen, erforscht Kriegsursachen im Rahmen des Völkerrechts und die Behandlung von Krisen; sie entwickelt Strategien zur friedl. Konfliktregelung. Rüstungsdynamik, Rüstungskontrolle und Abrüstung stehen im Zentrum ihrer Betrachtungen.

Die jüngere F. zielt in ihren Analysen nicht nur auf Mechanismen und Strukturen, die die Gefahr krieger. Auseinandersetzungen vermindern, sondern auch auf die Beseitigung internat. Interessenkonflikte und systemimmanenter Unterdrückungsapparate, zumindest insofern sie kriegsträchtig sind. Seit dem Ende der bipolaren Weltordnung 1989/90 verlagerten sich die Schwerpunkte der F. zum einen auf die Untersuchung wirtsch. und gesellschaftl. Entwicklungsprozesse sowie ökolog. Probleme, die den Frieden gefährden können, zum anderen auf die Konzeption neuer multilateraler Sicherheitssysteme und den Aufbau bzw. die Reform intermediärer und supranat. Organisationen zur Konfliktbewältigung (UNO, KSZE, OSZE). Außerdem konzentriert man sich verstärkt auf innergesellschaftl. Prozesse wie soziale Desintegration (etwa durch Arbeitslosigkeit) und deren gesellschaftl. Hintergründe sowie auf die ideolog. Grundlagen und Ausdrucksformen sozialer Konflikte, wie sie als Nationalismus und Fremdenfeindlichkeit, als ethnisch oder religiös radikale Einstellung zum Ende des Jahrtausends erneut und verstärkt zu beobachten sind.

Mit F. befassen sich neben dem Völkerbund und dem Internat. Gerichtshof u.a. das »Journal of Peace Research« (gegr. 1964), die »International Peace Research Association« (Groningen) und das »Stockholm International Peace Research Institute«. In Dtl. entstanden die »Dt. Gesellschaft für Friedens- und Konfliktforschung«, die »Hess. Stiftung für Friedens- und Konfliktforschung« und das »Max-Planck-Inst. zur Erforschung der Lebensbedingungen in der wissenschaftlich-techn. Welt« (seit 1980 »Max-Planck-Inst. für Sozialwiss.«).

📖 Jaberg, S.: *KSZE 2001. Profil einer europ. Sicherheitsordnung. Hamburg 1992.* – Alfs, M.: *Wissenschaft für den Frieden? Das schwierige Theorie-Praxis-Verhältnis der Friedens- u. Konfliktforschung. Münster 1995. – Eine Welt oder Chaos?, Redaktion:* Berthold Meyer. *Frankfurt am Main 1996.*

Friedenskorps [-ko:r], → Peace Corps.

Friedenspfeife (Kalumet), zeremonielle, mit Federn geschmückte Pfeife, später Tabakspfeife der nordamerikan. Indianer, bei feierl. Gelegenheiten durch den Häuptling angeraucht, dann an die Anwesenden weitergegeben.

Friedenspflicht, im kollektiven Arbeitsrecht das Verbot von Arbeitskämpfen während des Bestehens eines geltenden Tarifvertrags.

Friedenspreis des Deutschen Buchhandels, 1950 als »Friedenspreis Dt. Verleger« gestifteter und 1951 vom Börsenverein des Dt. Buchhandels, Frankfurt am Main, in Form einer Stiftung übernommener Preis von 10 000 (seit 1979: 25 000) DM, mit dem alljährlich eine Persönlichkeit, Institution oder Organisation ausgezeichnet werden soll für die »Förderung des Gedankens des Friedens, der Menschlichkeit und der Verständigung der Völker untereinander«. Bisherige Preisträger: M. Tau, A. Schweitzer, R. Guardini, M. Buber, C. J. Burckhardt, H. Hesse, R. Schneider, T. Wilder, K. Jaspers, T. Heuss, V. Gollancz, S. Radhakrishnan, P. Tillich, C. F. von Weizsäcker, G. Marcel, N. Sachs, A. Bea und W. A. Visser't Hooft (gemeinsam), E. Bloch, L. S. Senghor, A. Mitscherlich, G. und A. Myrdal (gemeinsam), M. Gräfin Dönhoff, J. Korczak, Club of Rome, R. Schutz, A. Grosser, M. Frisch, L. Kołakowski, A. Lindgren, Y. Menuhin, E. Cardenal, L. Kopelew, G. F. Kennan, M. Sperber, O. Paz, T. Kollek, W. Bartoszewski, H. Jonas, S. Lenz, V. Havel, K. Dedecius, G. Konrád, A. Oz, F. Schorlemmer, J. Semprún, A. Schimmel, M. Vargas Llosa, Yaşar Kemal.

Friedenspreise, Preise zur Würdigung des Wirkens für die Verständigung unter den Völkern, der Friedensarbeit u. a. im polit., humanitären, sozialen, religiösen, ökolog. Bereich. Zu ihnen zählen z. B. der Friedensnobelpreis, der Alternative Nobelpreis der Right Livelihood Award Foundation, der F. der UNO, der Albert-Einstein-F., das Praemium Erasmianum, versch. Europapreise, der Niwano-F. (Japan), der F. der Stiftungen von A. Carnegie (USA), der F. des Deutschen Buchhandels sowie der F. des Papstes.

Friedensresolution des Reichstages, das am 19. 7. 1917 von der Reichstagsmehrheit aus Sozialdemokraten, Zentrum und Fortschrittl. Volkspartei unter Führung M. Erzbergers beschlossene Bekenntnis zum Verständigungsfrieden ohne Annexionen und Kriegsentschädigungen; auf ihr fußte die spätere Weimarer Koalition.

Friedensrichter, *Recht:* **1)** in einigen Kantonen der Schweiz vor dem eigentl. Zivilprozess tätig werdende Institution, die im Sühneverfahren auf eine gütl. Einigung der Parteien hinwirken soll; das Scheitern wird in einer Urkunde (Weisung, Leit-, Akzessschein) festgestellt.

2) in England Richter (meist ohne jurist. Ausbildung), der über Zivil- und Strafsachen geringerer Bedeutung entscheidet und gewisse Verwaltungsaufgaben wahrnimmt.

Friedenssicherung, internat. Bemühungen, den Weltfrieden zu sichern. – Die Bestrebungen zur F. wurzeln im Friedensgedanken der mittelalterl. Reichsidee (→ Landfrieden). In dieser Tradition stehend, bemühten sich die Friedensschlüsse von Münster und Osnabrück (1648) und Utrecht (1713) um einen dauerhaften Frieden. In der Aufklärungsphilosophie weitete sich die Idee des »ewigen Friedens« zu einem im Rechtsgedanken gegründeten universalen Friedensprogramm (I. Kant) aus. Seit der Herausbildung des europ. Staatensystems im 18. und 19. Jh. suchten die europ. Mächte in einem Wechselspiel von Gleichgewichts- und Hegemonialpolitik den Frieden zu sichern. Um 1900 fand der Gedanke der Abrüstung und der Schlichtung von Streitigkeiten Eingang in die Tagesordnung internat. Konferenzen. Nach dem 1. Weltkrieg verstärkten sich v. a. mit der Errichtung des → Völkerbundes (1919) und der Konstituierung eines → Ständigen Internationalen Gerichtshofes (1920) die Bemühungen, Streitigkeiten zu schlichten und unterschiedl. Interessen friedlich auszugleichen. Mit dem → Briand-Kellogg-Pakt (1928) wurde der Angriffskrieg als Mittel der Politik geächtet. Als Folge der aggressiven, auf Revision der Pariser Vorortverträge gerichteten Politik v. a. des nat.-soz. Dtl. und des faschist. Italien scheiterten in den 30er-Jahren die Bemühungen um einen Ausgleich der Interessen (z. B. auf der Genfer Abrüstungskonferenz (→ Genfer Konferenzen).

Friedhof (von links): Teilansichten des Jüdischen Friedhofs in Worms und des Dorotheenstädtischen Friedhofs in Berlin

Nach dem 2. Weltkrieg gründeten die Siegermächte 1945 die →UNO als Instrument der F., zur Abwehr militär. Aggressionen, zur friedl. Konfliktlösung, Forcierung der Abrüstung sowie zur wirtsch. und kulturellen Zusammenarbeit. Angesichts des nach dem 2. Weltkrieg ausbrechenden →Ost-West-Konflikts suchten die Mächte, die sich in dieser ideologisch und interessenpolitisch bestimmten Auseinandersetzung gegenüberstanden, durch den Abschluss von Bündnissen den Frieden zu sichern, die von den USA geführten Mächte durch die Gründung der →NATO, die von der UdSSR gelenkten Staaten durch den Abschluss des →Warschauer Paktes. Unter dem Eindruck der Waffenentwicklung v.a. auf thermonuklearem Gebiet setzten nach dem Abflauen des →Kalten Krieges seit der zweiten Hälfte der 60er-Jahre Bemühungen um eine →Entspannung des Ost-West-Konflikts ein. Gestützt auf ein gleichgewichtiges militär. Drohpotenzial (»Abschreckung«) kam es zw. 1963 und 1993 zu zwei- oder mehrseitigen internat. Verträgen über Abrüstung und Rüstungsbegrenzung (→Abrüstung). Die Konferenz über Sicherheit und Zusammenarbeit in Europa (→KSZE, 1973–75) und ihre Nachfolgekonferenzen sollten den Entspannungsprozess vorantreiben, u.a. durch vertrauensbildende Maßnahmen, und dadurch maßgeblich zur F. beitragen. Ausgehend von der Tatsache, dass Hunger, Armut und Überbevölkerung eine wesentliche Ursache für den Ausbruch von Kriegen sein können, sollen die Entwicklungspolitik und der Ausgleich des sozioökonom. Gefälles im →Nord-Süd-Konflikt in die Politik der F. einbezogen werden.

Nach Ende des Ost-West-Konfliktes (1989/91) trat bei den zahlreich auftretenden regionalen Konflikten die Bedeutung der UNO, deren Möglichkeiten zur F. bis dahin oft stark eingeschränkt worden waren, wieder stärker hervor. Infolge des polit. Zusammenbruchs des Ostblocks, v.a. der Auflösung des Warschauer Paktes (1991), und des Zerfalls der UdSSR (1991), veränderte sich die Rolle der NATO als Faktor der Sicherheit und der F. in ganz Europa. Um dem russ. Unbehagen an der »Osterweiterung« der NATO Rechnung zu tragen, unterzeichneten NATO-Gen.-Sekr. J. Solana und der russ. Präs. B. Jelzin am 27. 5. 1997 einen Sicherheitsvertrag zw. NATO und Russland. Unter den in den 1990er-Jahren herrschenden polit. Bedingungen in Europa wandelte sich die KSZE zum 1. 1. 1995 in die →Organisation für Sicherheit und Zusammenarbeit in Europa (OSZE) um.

Friedensverrat, Störung des friedl. Zusammenlebens der Völker, bes. durch die Vorbereitung eines Angriffskrieges. Gemäß § 80 StGB wird mit lebenslanger oder mit Freiheitsstrafe nicht unter zehn Jahren bestraft, wer einen Angriffskrieg, an dem Dtl. beteiligt sein soll, vorbereitet und dadurch die Gefahr eines Krieges für Dtl. herbeiführt.

Friedensvertrag, eine völkerrechtl. Vereinbarung, die den Kriegszustand zw. Staaten beendet. Diese Wirkung kommt einem →Waffenstillstand und einer →Kapitulation nicht zu. Die Hauptregelung eines F. ist die rechtl. Wiederherstellung des Friedens, verbunden mit Vereinbarungen über territoriale und polit. Verhältnisse, Entschädigungen, Abrüstung, Entmilitarisierung von Gebietsteilen, Besetzung durch den Sieger, Beendigung des Wirtschaftskriegs u.a. Ein F. kann nur zw. Staaten geschlossen werden; die Beendigung eines Bürgerkriegs, sofern dieser nicht zur Loslösung eines Gebietsteils als selbstständiger Staat führt (z.B. Frieden von Paris 1783 nach dem amerikan. Unabhängigkeitskrieg), erfolgt durch innerstaatl. Regelung. Ein F. entfällt ebenfalls, wenn der eine Gegner vollständig niedergeworfen wird und aufhört, als Staat fortzubestehen. Gemeinsam Krieg Führende verpflichten sich oft, keinen **Sonderfrieden (Se-**

paratfrieden) einzugehen. Zuweilen werden die entscheidenden Forderungen und Zugeständnisse, die für den F. bindend bleiben, in einem **Vorfrieden (Präliminarfrieden)** festgelegt.

Nach dem 2. Weltkrieg kamen F. nach Friedenskonferenzen zustande, in Paris am 10. 2. 1947 zw. den Alliierten und Italien, Bulgarien, Rumänien, Ungarn, Finnland, am 8. 9. 1951 in San Francisco zw. 48 Alliierten (ohne UdSSR) und Japan, zw. den Alliierten und Österreich durch Staatsvertrag vom 15. 5. 1955 in Wien. Der Kriegszustand mit Dtl. ist durch gegenseitige Erklärungen beendet worden.

Friedenthal, Richard, Schriftsteller, *München 9. 6. 1896, †Kiel 19. 10. 1979; emigrierte 1938 nach London, schrieb Gedichte, Novellen, Romane, Biographien zu Goethe (1960), Luther (1967), »Jan Hus« (1972), »Karl Marx« (1981).

Friedhof [ahd. frithof »Zufluchtsort«, zu friten »hegen«], etwa seit dem 15./16. Jh. Bezeichnung für die Ruhestätte der Toten (auch **Gottesacker** gen.); urspr. ein umfriedeter Raum um die Kirche, der häufig als Begräbnisstätte diente **(Kirchhof).** – Die Errichtung von Grabdenkmälern erwuchs vermutlich abergläub. Vorstellungen (Abwehrzauber). Tote vornehmer Herkunft wurden oft in der Kirche bestattet. – In Europa treten die ersten F. gegen Ende der Jungsteinzeit (7. Jt. v. Chr.) auf. Auch im ältesten Ägypten finden sich bereits Friedhöfe. Die antiken F. lagen außerhalb der Städte an den Landstraßen (z. B. in Rom: Via Appia). Die ersten Christen bestatteten ihre Toten auf freiem Feld, dann in Katakomben.

Friedland 1): Das Anklamer Tor (14. Jh.)

Friedland, 1) Stadt im Landkreis Mecklenburg-Strelitz, Meckl.-Vorp., 8 000 Ew.; Nahrungsmittelind., Fliesenwerk. – Marienkirche (14.–18. Jh.), weitgehend erhaltene Stadtmauer mit zwei Stadttoren, dem Anklamer Tor (14. Jh.) und dem Neubrandenburger Tor (15. Jh.). – 1244 als planmäßige gitterförmige Anlage gegründet.

2) Gemeinde im Landkreis Göttingen, Ndsachs., 9 400 Ew.; Brotmuseum (im Ortsteil Mollenfelde); seit 1945 Grenzdurchgangs- und Notaufnahmelager für Kriegsgefangene, Vertriebene, Flüchtlinge und Aussiedler.

3) Stadt in der Tschech. Rep. →Frýdlant.

4) Friedland (Ostpreußen), →Prawdinsk.

Max Friedländer

Friedländer, Max Jakob, Kunsthistoriker, *Berlin 5. 6. 1867, †Amsterdam 11. 10. 1958; war 1896–1933 an der Berliner Gemäldegalerie tätig, ab 1924 als Erster Direktor; 1908–28 gleichzeitig Direktor des Kupferstichkabinetts. 1938 emigrierte er in die Niederlande; u. a. Arbeiten über niederländ. und altdt. Malerei.

Friedlosigkeit, →Acht.

Jerome Isaac Friedman

Friedman ['fri:dmən], **1)** Jerome Isaac, amerikan. Physiker, *Chicago (Ill.) 28. 3. 1930; seit 1967 Prof. am Massachusetts Institute of Technology. F. bestätigte zus. mit H. W. Kendall und R. E. Taylor erstmals durch unelast. Streuung von Elektronen an Protonen und gebundenen Neutronen die Theorie vom Aufbau der Hadronen aus Quarks; dafür erhielten sie 1990 den Nobelpreis für Physik.

2) Milton, amerikan. Volkswirtschaftler, *New York 31. 7. 1912; führender Vertreter des →Monetarismus, entwickelte die Quantitätstheorie weiter. Er vertritt in seiner Geldtheorie v. a. die These, dass der Prozentsatz der Geldmengenänderung sich an der langfristigen Wachstumsrate des realen Sozialprodukts orientieren müsse, um ein Höchstmaß an Geldwertstabilität und Wirtschaftswachstum zu erreichen. F. wurde auch als Berater versch. Politiker bekannt (u. a. R. Nixon, A. Pinochet); bes. R. Reagan (»Reaganomics«) und M. Thachter (»Thatcherism«) haben Elemente seiner wirtschaftspolit. Auffassung übernommen. F. erhielt 1976 den Nobelpreis für Wirtschaftswissenschaften.

Milton Friedman

Werke: Kapitalismus und Freiheit (1962); Die optimale Geldmenge (1969); Es gibt nichts umsonst (1975); Die Tyrannei des Status Quo (1984; mit R.D. Friedman).

Friedmann (Fridman), Alexander Alexandrowitsch, russ. Mathematiker und Physiker, *Sankt Petersburg 17. 6. 1888, †ebd. 16. 9. 1925; verfasste bed. Beiträge zur dynam. Meteorologie, Turbulenztheorie und Hydrodynamik. Auf den Lösungen der von ihm aus den Einstein-Gleichungen der allg. Relativitätstheorie hergeleiteten **F.-Gleichungen** basieren seine Modelle des expandierenden Weltalls **(F.-Weltmodelle),** die Grundlage der relativist. Kosmologie sind.

Friedrich, Herrscher:

Hl. Röm. Reich: **1) F. I. Barbarossa** (Rotbart), Röm. König (1152), Kaiser (1155–90), als Herzog von Schwaben **F. III.**, *Waiblingen (?) 1122, † (ertrunken) im Saleph (heute Göksu, Türkei) 10. 6. 1190; Staufer, 1152 als Nachfolger seines Onkels, Konrads III., zum Röm. König gewählt; 1155 Kaiserkrönung in Rom. In Italien kam es zu Spannungen mit dem Papsttum und den nach Autonomie strebenden lombard. Städten, die er in den Italienfeldzügen von 1158 (Eroberung und Zerstörung Mailands), 1163 und 1166–68 (Eroberung ganz N-Italiens und Roms) zunächst bezwang; er musste aber schließlich nach der Niederlage bei Legnano (1176) den Frieden von Venedig 1177 mit Papst Alexander III. und den von Konstanz 1183 mit dem Lombardenbund schließen; daraufhin erkannte er die Selbstverwaltung der lombard. Städte an, die jedoch im Lehnsverband des Reichs verblieben. In Dtl. enthob F. den allzu eigenmächtig gewordenen Heinrich den Löwen nach zwei Prozessen (1178–81) seiner Lehen (Sachsen, Bayern), vermochte aber den Dualismus zw. Staufern und Welfen nicht zu überwinden; er baute durch zielstrebige Hausmachtpolitik den süddt. Stauferbesitz vom Elsass bis ins Egerland aus und stützte sich in der Reichsverwaltung bes. auf den aufstrebenden Stand der Reichsministerialen. F. ertrank beim Baden während des 1189 begonnenen (3.) Kreuzzuges. – F. galt schon den Zeitgenossen als Verkörperung ritterl. Ideale und als Erneuerer des Reichs. Erstmals 1519 wurde die urspr. mit F. 2) verbundene Kyffhäusersage (→Kaisersage) auf F. übertragen. Im 19. Jh. wurde er zur volkstüml. Gestalt (z. B. Kyffhäuser-Denkmal).

Friedrich I. Barbarossa

Kaiser Friedrich I. Barbarossa widerspricht in einem Rundschreiben vom Oktober 1157 dem Oberherrschaftsanspruch des Papstes:
»Da wir das Königtum und Kaisertum durch Wahl der Fürsten allein von Gott empfangen haben, ... so befindet sich jeder, der behauptet, wir hätten die kaiserliche Krone als ein Lehen vom Papst empfangen, im Widerspruch mit der göttlichen Ordnung und der Lehre des Petrus und ist der Lüge schuldig.«

Friedrich III., Kaiser des Heiligen Römischen Reiches (Ausschnitt aus einem Gemälde eines unbekannten steirischen Malers, um 1450)

📖 *Kaiser F. Barbarossa. Landesausbau – Aspekte seiner Politik – Wirkung,* hg. v. E. Engel *u.* B. Töpfer. *Weimar 1994.* – Opll, F.: *F. Barbarossa. Darmstadt* ^{2}*1994.*

2) F. II., Röm. König (1196), Kaiser (1220–50), *Jesi 26. 12. 1194, † Castel Fiorentino (bei San Severo) 13. 12. 1250, Enkel von 1), Sohn Kaiser Heinrichs VI. und der normannisch-sizil. Thronerbin Konstanze. Obgleich 1196 zum Röm. König gewählt, wurde F. beim Tode seines Vaters (1197) nicht anerkannt. Seine Mutter ließ ihn 1198 zum König von Sizilien krönen und stellte ihn unter die Vormundschaft des Papstes Innozenz III. Dieser betrieb nach dem Feldzug Kaiser Ottos IV. (Welfe) nach S-Italien die Wahl F.s zum Gegenkönig in Dtl. (1211; Krönung erstmals Mainz 1212, erneut Aachen 1215). Für diese Förderung musste F. die Erweiterung des Kirchenstaates anerkennen, auf Beeinflussung der Bischofswahlen und andere Rechte in der Kirche verzichten (Egerer Goldbulle 1213). 1220 ließ er seinen Sohn Heinrich (VII.) zum dt. König krönen, um selbst nach Italien zurückzukehren und zum Kaiser gekrönt zu werden (22. 11. 1220). Nach der Niederwerfung des Aufstands Heinrichs VII. (Mainzer Reichslandfrieden, 1235) ließ er den jüngeren Sohn Konrad (IV.) zum Röm. König wählen. 1220 und 1232 (→Reichsgrundgesetze) ordnete F. das Verhältnis zw. Königtum, Städten und Fürsten und festigte damit die entstehenden fürstl. Territorien. In Sizilien dagegen schuf er einen straff zentralisierten, finanzkräftigen Beamtenstaat ohne feudale Zwischengewalten (Konstitution von Melfi, 1231). Als F. auch die Lombardei unterwerfen wollte und den 1220 gelobten Kreuzzug mehrfach verschob, belegte ihn Papst Gregor IX. mit dem Kirchenbann (1231 wieder gelöst). 1228 zog F. nach Jerusalem, zu dessen König er sich 1229 krönte (5. Kreuzzug). Als F. nach seinem Sieg über den Lombardenbund bei Cortenuova 1237 die Unterwerfung Mailands und der Lombardei forderte, verhängte Gregor IX. über ihn 1239 erneut den Bann. F. brachte weite Teile Italiens unter seine Herrschaft. Innozenz IV. erklärte 1245 (Konzil von Lyon) den Kaiser für abgesetzt und ließ in Dtl. Gegenkönige wählen

Friedrich I. Barbarossa, Kaiser des Heiligen Römischen Reichs: Kopfreliquiar aus dem Kirchenschatz des ehemaligen Prämonstratenserklosters Cappenberg in Selm, vergoldete Bronze (nach 1155)

(Heinrich Raspe, Wilhelm von Holland); F. konnte sich jedoch behaupten. – Der letzte bed. Staufer galt schon den Zeitgenossen als »stupor mundi« (»der die Welt in Erstaunen versetzt«). Er beschäftigte sich mit Philosophie, Naturwiss. und Lyrik. Sein Buch über die Falkenjagd (um 1246) gilt als frühes Meisterwerk beobachtender Naturwiss.; an seinem Hof in Palermo entwickelte sich die sizilian. Dichterschule (→italienische Literatur). BILD S. 36

🕮 ABULAFIA, D.: *F. II. von Hohenstaufen. Herrscher zwischen den Kulturen. A. d. Engl. Neuausg. München 1994.* – KANTOROWICZ, E. H.: *Kaiser F. der Zweite, 2 Bde. Neuausg. Stuttgart* [4–7]*1994.* – RÖSCH, E. S. *u.* RÖSCH, G.: *Kaiser F. II. u. sein Königreich Sizilien. Sigmaringen 1995.*

3) F. der Schöne, als **F. III.** Herzog von Österreich (1308), König (1314–30), *1289, †Burg Gutenstein (NÖ) 13. 1. 1330; Sohn König Albrechts I., 1314 zum Gegenkönig Ludwigs (IV.) des Bayern gewählt, 1322 bei Mühldorf am Inn besiegt und gefangen genommen. Im Vertrag von München (1325) erkannte Ludwig ihn als Mitkönig an.

4) F. III., Röm. König (1440), Kaiser (1452–93), *Innsbruck 21. 9. 1415, †Linz 19. 8. 1493; Sohn Herzogs Ernst des Eisernen von Österreich, letzter in Rom gekrönter Kaiser (1452); war politisch entschlusslos, sodass er Böhmen an Georg von Podiebrad, Ungarn und 1485–90 sogar Wien an Matthias Corvinus verlor. F. war ein Gegner der Reichsreform und blieb seit 1445 allen Reichstagen fern, behauptete sich jedoch gegen die Versuche, ihn abzusetzen oder einen Gegenkönig zu wählen. Mit der Verheiratung seines Sohnes Maximilian (I.) 1477 mit der Tochter Karls des Kühnen, Maria, gewann er Burgund für das Haus Habsburg.

Dt. Reich: **5) F.,** Kaiser und als **F. III.** König von Preußen (1888), als Kronprinz **F. Wilhelm,** *Potsdam 18. 10. 1831, †ebd. 15. 6. 1888; Sohn Wilhelms I., ⚭ 1858 mit der brit. Prinzessin Viktoria, die ihn stark beeinflusste. Seiner liberalen Einstellung gemäß lehnte er die Innenpolitik Bismarcks ab. F. starb nach nur 99 Tagen Regierung an Kehlkopfkrebs.

Baden: **6) F. I.,** Großherzog (1856–1907), *Karlsruhe 9. 9. 1826, †Insel Mainau 28. 9. 1907; 1852 Prinzregent, vertrat eine ausgesprochen liberale Politik. Im Dt. Krieg 1866 auf österr. Seite, schloss er sofort nach der Niederlage ein Bündnis mit Preußen und setzte sich für die Reichsgründung 1870/71 ein.

Brandenburg: **7) F. I.,** Kurfürst (1417–25), als **F. VI.** (seit 1397) Burggraf von Nürnberg, *1371, †Cadolzburg (Kr. Fürth) 20. 9. 1440; unterstützte die Bewerbung Sigismunds um die Röm. Königskrone und erhielt dafür 1411 die Regentschaft in der Mark Brandenburg (offiziell 1415, Belehnung mit der Kur und dem Erzkämmereramt 1417), wurde damit Stammvater der brandenburg. Hohenzollern; er übergab 1426 die Regentschaft seinem Sohn Friedrich (II).

Friedrich II.

Das Absetzungsurteil des Konzils von Lyon gegen Kaiser Friedrich II. (1245) endet mit folgenden Worten:

»Da wir nun, obwohl unwürdig, die Stellvertretung Jesu Christi auf Erden innehaben, ... so setzen wir den genannten Fürsten, der sich im Reich und in seinen Königtümern als unwürdig erwies aller Ehren und Würde, der auch wegen seiner Missetaten von Gott verworfen wurde, auf dass er nicht mehr herrsche und regiere, ... mit diesem unserem Urteil ab. Alle, die ihm durch Lehnseid verbunden sind, lösen wir für immer von diesem Eid, und kraft apostolischer Autorität verbieten wir nachdrücklich, dass ihm irgendjemand fernerhin als Kaiser oder König gehorche ... und wir setzen fest, dass alle, die ihm hinfort als Kaiser oder König Rat und Hilfe gewähren, ipso facto dem Kirchenbann verfallen sollen.«

8) F. Wilhelm, der Große Kurfürst, Kurfürst (1640–88), *Berlin 16. 2. 1620, †Potsdam 9. 5. 1688; suchte Brandenburg zu einem kalvinist. Modellstaat zu machen. Kulturelles und polit. Vorbild war ihm dabei Frankreich. Im Westfäl. Frieden von 1648 erzielte F. Wilhelm in geschickter Schaukelpolitik große Gewinne (Cammin, Minden, Halberstadt, Magdeburg). 1660 erlangte er die Souveränität seines Herzogtums Preußen und erwarb auch kolonialen Besitz (→Groß-Friedrichsburg). Trotz seines Sieges bei Fehrbellin (28. 6. 1675) über die Schweden gelang es ihm nicht, Stettin und Vorpommern (seit 1648 zu Schweden) zu erwerben. 1686 vollzog F. Wilhelm die Wendung vom frz.

Friedrich II.

Schon allein die Art seines Forschens war ein Affront für das mittelalterliche Wissenschaftsverständnis. Denn obschon sich Kaiser Friedrich II. rege mit antiker und arabischer Naturphilosophie beschäftigte, beobachtete er doch auch die Natur direkt: Er studierte ebenso gern den Vogelflug wie die Schriften von Aristoteles, Galen oder Ibn Sina. Ein Fehler war das nicht, denn er verfasste eine hervorragende Studie über die Falknerei, in der er sehr genau Morphologie und Biologie des Falken beschreibt. So hat er mit seinen Beobachtungen zum Beispiel entdeckt, dass die Vogelknochen Luft enthalten und der Vogel dadurch leicht bleibt.

Trotz seiner Vorliebe für den direkten Kontakt mit der Natur schätzte er die alten Autoritäten doch nicht gering. So ließ er etwa einige Schriften des Aristoteles ins Lateinische übertragen. Er nahm aber noch auf andere Weise Einfluss auf Wissenschaft und Medizin seiner Zeit – und legte sich dabei einmal mehr mit dem kirchlichen Machtanspruch an: 1238 erlaubte er der Schule von Salerno, erstmals im christlichen Abendland Leichen zu öffnen – was die Kirche freilich nach seinem Tode rasch wieder mit Verbot belegte.

zum habsburg. Bündnis, das die brandenburgisch-preuß. Außenpolitik bis 1740 bestimmte. Durch das Edikt von Potsdam (1685) nahm er die aus Frankreich vertriebenen Hugenotten in Brandenburg auf. Das seit 1643/44 aufgebaute Heer, finanziert durch Subsidien und Steuern, war das Instrument seiner Außenpolitik wie seines Absolutismus. In seinen 1618–48 völlig verwüsteten Ländern baute er eine einheitl. Kriegs-, Steuer- und Domänenverw. auf; seine Politik legte den Grundstein für den Aufstieg Brandenburg-Preußens.

📖 NEUMANN, H.-J.: *F. Wilhelm der Große Kurfürst. Der Sieger von Fehrbellin. Berlin 1995.*

9) F. III., als **F. I.** König in Preußen, →Friedrich 23).

Dänemark: **10) F. I.**, König von Dänemark (1523–33) und Norwegen (1524–33), Herzog von Schleswig und Holstein, *7. 10. 1471, †Gottorf 10. 4. 1533; jüngster Sohn Christians I., wurde 1523 nach der Absetzung seines Neffen Christian II. zum König gewählt; führte die luther. Reformation in Dänemark ein; 1532 trat er dem Schmalkald. Bund bei.

11) F. II., König von Dänemark und Norwegen (1559–88), Herzog von Schleswig und Holstein, *Haderslevhus (bei Hadersleben) 1. 7. 1534, †Antvorskov (bei Slagelse) 4. 4. 1588; Sohn Christians III., eroberte 1559 Dithmarschen; konnte im Dreikronenkrieg (1563–70) gegen Schweden die Vorherrschaft im Ostseeraum nicht erlangen; verbesserte die Staatsfinanzen durch Neuordnung des Sundzolls.

Friedrich VI., König von Dänemark und Norwegen (Ausschnitt aus einem Kupferstich, um 1815)

12) F. III., König von Dänemark und Norwegen (1648–70), Herzog von Schleswig und Holstein, *Haderslevhus (bei Hadersleben) 18. 3. 1609, †Kopenhagen 9. 2. 1670; Sohn Christians IV., erklärte 1657 Schweden den Krieg, musste aber, nachdem der schwed. König Karl X. Gustav fast ganz Dänemark erobert hatte, 1658 den für sein Land sehr ungünstigen Frieden zu Roskilde schließen. Der Friede zu Kopenhagen (1660) brachte geringfügige Gebietskorrekturen zugunsten Dänemarks. F. führte die Erbmonarchie ein und konnte die absolute Königsgewalt durchsetzen.

13) F. IV., König von Dänemark und Norwegen (1699–1730), Herzog von Schleswig und Holstein, *Kopenhagen 11. 10. 1671, †Odense 12. 10. 1730, Enkel von 12); begann 1700 mit Polen und Russland den 2. Nord. Krieg gegen Karl XII. von Schweden und musste am 8. 8. 1700 den Frieden von Traventhal schließen. Nach der Niederlage Karls XII. bei Poltawa (1709) eröffnete F. den Kampf von neuem und erreichte, dass Schweden im Frieden von Frederiksborg 1720 den gottorp. Teil Schleswigs an Dänemark abtrat.

Friedrich IX., König von Dänemark

14) F. VI., König von Dänemark (1808–39) und Norwegen (1808–14), *Kopenhagen 28. 1. 1768, †ebd. 3. 12. 1839; übernahm 1784 die Regentschaft (leitender Min. bis 1797 Graf A. P. Bernstorff); setzte soziale Reformen (Aufhebung des Heimatzwangs der dän. Bauern 1788 und der Leibeigenschaft in Schleswig und Holstein 1804). Das nach zweimaligem Angriff der brit. Flotte auf Kopenhagen mit Napoleon I. geschlossene Bündnis führte zum Verlust Norwegens und Helgolands (Frieden von Kiel, 1814); dafür fiel das Herzogtum Lauenburg an die dän. Krone (1815).

Friedrich II., Kaiser des Heiligen Römischen Reichs: Ausschnitt aus dem Dedikationsbild zu seiner Schrift über die Falkenjagd (13. Jh.; Rom, Vatikanische Sammlungen)

15) F. IX., König (1947–72), *Schloss Sorgenfri (bei Lyngby) 11. 3. 1899, †Kopenhagen 14. 1. 1972; folgte seinem Vater Christian X. am 20. 4. 1947 auf den Thron. Mit ihm starb das Haus Schleswig-Holstein-Sonderburg-Glücksburg im Mannesstamm aus.

Hessen-Homburg: **16) F. II.**, Landgraf (1680 bis 1708), bekannt als **Prinz von Homburg,** *Homburg (heute Bad Homburg v. d. Höhe) 30. 3. 1633, †ebd. 24. 1. 1708; diente seit 1654 im schwed. Heer, trat nach seiner Heirat (1670) mit einer Nichte des Großen Kurfürsten (→Friedrich 8) als General der Kavallerie in das brandenburg. Heer ein und hatte am Sieg bei Fehrbellin (1675) wesentl. Anteil. Nach seinem Abschied vom Militär (1678) widmete er sich mit großem Erfolg der Entwicklung seines Landes und siedelte u. a. Hugenotten und Waldenser an. – H. von Kleists Schauspiel »Prinz Friedrich von Homburg« (gedr. 1821) hat mit der histor. Persönlichkeit wenig mehr als den Namen und die Zeitumstände gemein.

Hessen-Kassel: **17) F. I.,** Landgraf, König von Schweden, →Friedrich 40).

18) F. II., Landgraf (1760–85), *Kassel 14. 8. 1720, †Schloss Weißenstein (heute Wilhelmshöhe, zu Kassel) 31. 10. 1785; förderte die Wirtschaft und entfaltete eine reiche Bautätigkeit in Kassel, die er zum größten Teil aus Subsidienverträgen mit Großbritannien finanzierte (1776–84 Entsendung von etwa 12 000 hess. Soldaten nach Nordamerika).

19) F. Wilhelm I., Kurfürst (1847–66), *Schloss Philippsruhe (heute zu Hanau) 20. 8. 1802, †Prag 6. 1. 1875; 1831–47 Mitregent seines Vaters Wilhelm II., aber faktisch Alleinherrscher, musste die Aufhebung der Verf. (1851) und die Beschneidung der Rechte des Landtages 1862 rückgängig machen. Im Dt. Krieg 1866 stand er auf österr. Seite, was zur Annexion seines Landes durch Preußen und zum Thronverlust führte.

Niederlande: **20) F. Heinrich,** Prinz von Oranien, Statthalter der Rep. der Vereinigten Niederlande (1625–47), *Delft 29. 1. 1584, †Den Haag 14. 3. 1647, jüngster Sohn Wilhelms I. von Oranien; bed. Heerführer, eroberte im Kampf gegen Spanien zahlr. Festungen (u. a. Herzogenbusch 1629, Maastricht 1632, Breda 1637) und schuf damit die Verteidigungslinie der Rep., die im Westfäl. Frieden behauptet werden konnte; er verschaffte dem Haus Oranien europ. Geltung.

Österreich: **21) F. II., der Streitbare,** Herzog von Österreich und Steiermark (1230–46), Herr in Krain (seit 1232), *um 1210, †15. 6. 1246; verfolgte eine gegen Kaiser Friedrich II. gerichtete Politik, um seine Länder aus dem Hl. Röm. Reich zu lösen. 1236 ächtete ihn der Kaiser. Die Aussicht auf ein Erbkönigreich Österreich brachte wieder eine Annäherung (1239), doch zerschlug sich der Plan. F. starb nach einer Schlacht gegen Béla IV. von Ungarn; mit ihm erloschen die Babenberger.

Pfalz: **22) F. V.,** Kurfürst (1610–23), als **F. I.** König von Böhmen (sog. »Winterkönig« 1619/20), *Amberg 26. 8. 1596, †Mainz 29. 11. 1632; Schwiegersohn Jakobs I. von England und Schottland. Als Haupt der prot. Union wurde er 1619 von den böhm. Ständen zum Nachfolger des abgesetzten Ferdinand II. gewählt. Nach der Niederlage am Weißen Berg bei Prag (1620) floh er in die Niederlande. (→Dreißigjähriger Krieg)

Preußen: **23) F. I.,** König in Preußen (1701–13), als **F. III.** Kurfürst von Brandenburg (seit 1688), *Königsberg (Pr) 11. 7. 1657, †Berlin 25. 2. 1713, Sohn von 8); von E. von Danckelman erzogen (dieser wurde später sein leitender Min.); lehnte sich außenpolitisch an Kaiser Leopold I. an, den er bes. im Span. Erbfolgekrieg unterstützte. Der Kaiser erkannte dafür F.s Selbstkrönung (Königsberg 18. 1. 1701) zum König in Preußen (d. h. für das nicht zum Hl. Röm. Reich gehörende Herzogtum Preußen) an; F. berief A. Schlüter nach Berlin, der den Hauptbau des Schlosses schuf. Seine zweite Frau Sophie Charlotte von Hannover sowie Danckelman förderten Kunst und Wiss. (1694 Gründung der Univ. Halle, 1696 der Akademie der Künste, 1700 der Gesellschaft der Wissenschaften).

24) F. Wilhelm I., König in Preußen (1713–40), *Cölln (heute zu Berlin) 14. 8. 1688, †Potsdam 31. 5. 1740, Sohn von 23), Vater von 25); führte einen bürgerlich-einfachen Hof. Seine Hingabe an Arbeit und Pflichterfüllung wurde bes. durch den v. a. von A. H. Francke vertretenen Pietismus geprägt. Aus der Einsicht der territorialen Zersplitterung Preußens leitete er die Notwendigkeit einer starken Armee ab (auch »Soldatenkönig« gen.). Er schuf einen Einheitsstaat mit einer zentralen obersten Verw.behörde, dem Generaldirektorium (1723), beseitigte die Reste stänḋ. Vorrechte und vollendete damit die absolute Monarchie. Die Wirtschaft lenkte er im Sinn des Merkantilismus und förderte die innere Kolonisation (Ansiedlung von Salzburger Emigranten). Im Utrechter Frieden (1713) erwarb er Obergeldern, im Frieden von Stockholm (1720) Stettin und das östl. Vorpommern. F. W. schuf die Voraussetzungen für den Aufstieg Preußens zur europ. Großmacht.

🕮 VENOHR, W.: *Der Soldatenkönig. Revolutionär auf dem Thron. Frankfurt am Main u. a. 1988.*

25) F. II., der Große, König (1740–86), *Berlin 24. 1. 1712, †Potsdam 17. 8. 1786, Sohn von 24); intellektuell und musisch begabt, geriet er in Gegensatz zu seinem Vater, der ihn militärisch streng erziehen ließ und dem er sich nach einem Fluchtversuch nach England (1730), der Hinrichtung seines an den Fluchtplänen beteiligten Freundes H. →Katte und seiner Festungshaft in Küstrin unterwarf. Nach sorglosen Jahren in Rheinsberg (1736–40; dort Entstehung des →Antimachiavell) bot er nach seinem Regierungsantritt der frz. Aufklärung in der Berliner Akademie eine Stätte zur Ausbreitung selbst ihrer krit. Ideen (Voltaire, P.-L. M. de Maupertuis, J. O. de Lamettrie). Das seinen Vernunft- und Humanitätsideen wider-

Friedrich V., Kurfürst von der Pfalz (Ausschnitt aus einer Radierung, 1632)

Friedrich I., König in Preußen (Ausschnitt aus einem Kupferstich, 1701)

Friedrich Wilhelm I., König in Preußen (Ausschnitt aus einem Gemälde von Antoine Pesne, um 1733)

Friedrich II., der Große

Der Fürst ist der erste Diener seines Staates

Friedrich II. verstand sich, besonders von Voltaire beeinflusst, als Repräsentant eines aufgeklärten Absolutismus. Bereits im ersten Regierungsjahr (1740) setzte er sich die Maxime »Der Fürst ist der erste Diener seines Staates«, die er im Original stets französisch formulierte: »Un prince est le premier serviteur et le premier magistrat de l'État«. Heute wird mit diesem Zitat ausgedrückt, dass Macht und damit verbundene Rechte nicht von Pflichten und Fürsorge anderen gegenüber getrennt werden dürfen.

Friedrich II., der Große, König in Preußen: Gemälde von Anton Graff (1781; Potsdam, Sanssouci)

streitende Machtinteresse führte ihn zur vertragsbrüchigen Annexion Schlesiens während der →Schlesischen Kriege 1740–42 und 1744/45. In der Überzeugung, dass der Dualismus mit Österreich ohnehin im offenen Konflikt enden würde, begann F. 1756 den →Siebenjährigen Krieg (Einmarsch in Kursachsen), in dem er sich v.a. durch die Führung seiner auf mehr als 180 000 Mann gebrachten Armee auszeichnete. Nach dem Frieden von Hubertusburg (1763) war Preußen europ. Großmacht. Territorial erwarb F. 1744 durch Erbfall Ostfriesland und 1772 Westpreußen (ohne Danzig und Thorn) und das Netzegebiet durch die 1. Poln. Teilung.

F. festigte die ständ. Ordnung, indem er jedem Stand bestimmte Aufgaben zuwies. Der Adel stellte die Offiziere und höheren Beamten. Den Bürgern blieben Handel und Gewerbe überlassen. Die Reg. wurde von ihm persönlich und absolut mithilfe seiner Kabinettsräte geführt. Dabei baute er das Werk seines Vaters in zunehmender Zentralisierung durch Fachdepartements bürokratisch aus. Vor allem nach 1763 suchte er rigoros durch Monopole, straffe Steuerpolitik, scharfen Merkantilismus die Volkswirtschaft und die Staatseinnahmen zu heben, förderte die Landwirtschaft u.a. durch Separationen und Kreditkassen und siedelte mehr als 57 000 Familien an. Erfolge erzielten die Entwicklung der 1772 erworbenen poln. Gebiete, seine Meliorationen und Kanalbauten. Seine bildungspolit. Maßnahmen (Landschulreglement 1763) verbesserten Lehrerbildung und Volksschulwesen. Er selbst blieb zeitlebens allein der frz. Kultur verbunden, die dt. Literatur war ihm fremd. Groß war seine Liebe zur Musik (J. S. und C. P. E. Bach, J. G. und K. H. Graun), die er als bewunderter Flötenspieler und Komponist selbst ausübte (Lehrer J. J. Quantz), und zur bildenden Kunst (G. W. von Knobelsdorff). Obwohl bis zuletzt unter der Spannung zw. humanitärem Idealismus und Staatsräson stehend, wurde der oft schroffe, gleichwohl volkstüml. »Fridericus Rex« oder »Alte Fritz« doch zunehmend von einem oft zyn. polit. Realismus und Skeptizismus beherrscht

📖 Duffy, C.: *F. der Große. Ein Soldatenleben. A. d. Engl. Neuausg. Augsburg 1994.* – Schieder, T.: *F. der Große. Ein Königtum der Widersprüche. Neudruck Berlin 1996.*

26) F. Wilhelm II., König (1786–97), *Berlin 25. 9. 1744, †Potsdam 16. 11. 1797, Neffe von 25), Sohn von Prinz August Wilhelm (→August 2); näherte sich Österreich an (Konvention von Reichenbach 1790), doch brachten die Gebietserweiterungen der 2. und 3. Poln. Teilung neue österr.-preuß. Gegensätze, sodass er sich im Basler Frieden (1795) aus der Koalition zurückzog. Innenpolitisch lockerte er den Zentralismus und bereitete der friderizianisch-rationalist. Aufklärung durch das Religions- und das Zensuredikt (1788) ein Ende. Er förderte Kunst und Wiss.; seine Günstlings- und Mätressenwirtschaft verschuldete Preußen enorm.

27) F. Wilhelm III., König (1797–1840), *Potsdam 3. 8. 1770, †Berlin 7. 6. 1840, Sohn von 26); ⚭ 1793 mit Prinzessin Luise von Mecklenburg-Strelitz; neigte zu bürgerl. Einfachheit, daher volkstümlich. Bis 1806 in Abhängigkeit von Napoleon I., konnte er Preußen 1803 und 1805/06 erheblich vergrößern; trat 1806 in den Krieg gegen Napoleon I. ein, der ihn nach der Niederlage von Jena und Auerstedt zum Frieden von Tilsit (1807; enorme Gebietsverluste) zwang. Ermöglichte die

Friedrich Wilhelm III., König von Preußen: Miniaturaquarell von Jean-Baptiste Isabey

→preußischen Reformen, doch schloss er sich nur zögernd dem Bündnis Russlands und Österreichs gegen Napoleon I. an. Nach dem Wiederaufstieg Preußens zum Großstaat verzichtete er auf die Fortführung der Reformen (Entlassung W. von Humboldts und A. von Boyens 1819) zugunsten einer Restauration der Bürokratie im Zeichen der Heiligen Allianz und der Ideen des Fürsten von Metternich.

🕮 STAMM-KUHLMANN, T.: *König in Preußens großer Zeit. F. Wilhelm III., der Melancholiker auf dem Thron. Berlin 1992.*

28) F. Wilhelm IV., König (1840–61), *Berlin 15. 10. 1795, †Potsdam 2. 1. 1861, Sohn von 27); künstlerisch und wissenschaftlich hoch begabt, geprägt durch die Romantik (»Romantiker auf dem Thron«) und ein christlich-german. Staatsideal, ging er von der Restaurationspolitik seines Vaters ab. Durch die Berufung des Vereinigten Landtags 1847 suchte er einen ständ. Staatsaufbau zu verwirklichen, versagte sich aber einer Gesamtverfassung. Die dt. Kaiserkrone, die ihm die Frankfurter Nationalversammlung antrug, lehnte er am 3. 4. 1849 ab. Sein Versuch einer Union der dt. Fürsten unter Preußen scheiterte (Olmützer Punktation, 1850). Die oktroyierte Verf. von 1848, 1850 in konservativem Sinn revidiert, wahrte dem von der »Kamarilla« (L. von Gerlach, O. von Manteuffel) beratenen F. W. trotz bedeutender liberaler Konzessionen erhebl. Machtpositionen. Eine schwere Erkrankung machte den König 1858 regierungsunfähig; seitdem vertrat ihn sein Bruder Wilhelm (I.) als Regent.

🕮 BLASIUS, D.: *F. Wilhelm IV. 1795–1861. Psychopathologie u. Geschichte. Göttingen 1992.* – BARCLAY, D. E.: *Anarchie u. guter Wille. F. Wilhelm IV. u. die preuß. Monarchie. A. d. Amerikan. Berlin 1995.*

Sachsen: **29) F. III., der Weise,** Kurfürst (1486–1525), *Torgau 17. 1. 1463, †Schloss Lochau (bei Torgau) 5. 5. 1525; regierte mit seinem Bruder Johann dem Beständigen. Er bemühte sich um die Reichsreform, lehnte aber 1519, nach dem Tod Maximilians I., die Kaiserkrone ab. 1502 gründete er die Univ. Wittenberg. Ohne sich öffentlich zur Lehre Luthers zu bekennen, gewährte er ihm Schutz, erwirkte 1521 freies Geleit für ihn nach Worms und verbarg ihn auf der Wartburg. Seine tolerante Politik förderte die Ausbreitung der Reformation.

30) F. August I., Kurfürst, →August 4).

31) F. August II., Kurfürst, →August 5).

32) F. August I., der Gerechte, König (1806 bis 1827), als Kurfürst **F. August III.** (seit 1763), *Dresden 23. 12. 1750, †ebd. 31. 5. 1827; trat im Vertrag zu Posen (1806), der sein Land zum Königreich erhob, dem Rheinbund bei. Durch den Tilsiter Frieden (1807) erhielt er das aus preuß. Gebiet gebildete neue Herzogtum Warschau. In Leipzig geriet F. August nach der Völkerschlacht in preuß. Gefangenschaft. Nachdem er in die Abtretung des größten Teils Sachsens an Preußen eingewilligt hatte (Wiener Kongressakte von 1815) kehrte F. August nach Dresden zurück.

33) F. August III., König (1904–18), *Dresden 25. 5. 1865, †Schloss Sibyllenort (heute Szczodre, bei Oleśnica) 18. 2. 1932; regierte streng konstitutionell; dankte am 13. 11. 1918 ab.

Sachsen-Gotha-Altenburg: **34) F. III.,** Herzog (1732–72), *Gotha 14. 4. 1699, †ebd. 10. 3. 1772; machte mit seiner Frau Luise Dorothea seinen Hof zu einem Zentrum der Aufklärung; pflegte persönl. oder briefl. Umgang mit J.-J. Rousseau, C. v. Wolff, Friedrich d. Gr., Voltaire u. a.

Schleswig-Holstein-Sonderburg-Augustenburg: **35) F. Christian II.,** Herzog (1794–1814), *Augustenburg (auf Alsen) 28. 9. 1765, †ebd. 14. 6. 1814; verhinderte 1806 den dän. Versuch, Holstein zu annektieren. 1791 gewährte er dem verarmten Schiller ein dreijähriges Stipendium.

36) F. VIII., Herzog, *Augustenburg (auf Alsen) 6. 7. 1829, †Wiesbaden 14. 1. 1880; Sohn Herzog Christian Augusts, machte 1863 seine Erbansprüche in Schleswig und Holstein geltend, wurde in den Herzogtümern auch anerkannt, die aber 1866 preuß. Provinz wurden.

Schwaben: **37) F. I.,** Herzog (1079–1105), *um 1050, †1105; Sohn Graf Friedrichs von Büren, Stammvater der Staufer, Parteigänger Kaiser Heinrichs IV., der ihm 1079 das Herzogtum Schwaben gab und seine Tochter Agnes mit ihm verheiratete.

38) F. III., F. Barbarossa, Herzog, →Friedrich 1).

39) F. IV. von Rothenburg, Herzog, *um 1144, †Rom 19. 8. 1167, Sohn Konrads III.; bei der Königswahl 1152 zugunsten seines Vetters F. III. von Schwaben (→Friedrich 1) übergangen, dafür von diesem mit dem Herzogtum Schwaben und anderem stauf. Hausgut belehnt. F. nahm am 3. und 4. Italienfeldzug Kaiser Friedrichs I. teil und wurde Opfer einer in Rom grassierenden Malariaepidemie.

Schweden: **40) F. I.,** König (1720–51), Landgraf von Hessen-Kassel (1730–51), *Kassel 28. 4. 1676, †Stockholm 5. 4. 1751; Sohn des Landgrafen Karl, kam durch seine Ehe mit Ulrika Eleonora, der Schwester Karls XII., auf den Thron. Als Landgraf von Hessen-Kassel überließ er die Regentschaft seinem Bruder Wilhelm (VIII.).

Württemberg: **41) Friedrich I.,** Kurfürst (1803–06), König (1806–16), als **Friedrich II.** Herzog (1797–1803), *Treptow am Rega (heute Trzebiatów, bei Gryfice) 6. 11. 1754, †Stuttgart 30. 10. 1816; am Hof Friedrichs d. Gr. erzogen, stand zunächst in preuß. und russ. Militär- und Verwaltungsdienst. Als Landesherr schloss er sich nach 1802 Frankreich an und erreichte im Reichsdeputationshauptschluss (1803), im Frieden von Preßburg (1805) und durch den Beitritt zum Rheinbund (1806) die Verdoppelung seines Territoriums und die Erhebung Württembergs zum Königreich,

Friedrich Wilhelm II., König von Preußen (Ausschnitt aus einem Holzschnitt, 1850)

Friedrich Wilhelm IV., König von Preußen (Ausschnitt aus einem Gemälde von Franz Krüger)

Friedrich I., König von Württemberg (Ausschnitt aus einem Kupferstich des zeitgenöss. Zeichners und Kupferstechers Christian Schule, um 1815)

Caspar David Friedrich: »Abtei im Eichenhain« (um 1809; Berlin, Schloss Charlottenburg)

dessen Bestand er durch den Austritt aus dem Rheinbund (1813) und seine Beteiligung am Feldzug (1814) gegen Napoleon I. sicherte. 1815 trat er widerstrebend dem Dt. Bund bei.

Caspar David Friedrich (Selbstporträt, Kreidezeichnung; Berlin, Kupferstichkabinett)

Friedrich, **1)** Carl Joachim, amerikan. Politologe, *Leipzig 5. 6. 1901, †Lexington (Mass.) 22. 9. 1984; Prof. an der Harvard University (Cambridge, Mass.), 1956–66 zugleich in Heidelberg. F. befasste sich mit den Grundlagen und der Entwicklung des heutigen Verfassungsstaates.

Werke: Totalitäre Diktatur (1956); Pathologie der Politik (1972); Tradition und Autorität (1972).

2) Caspar David, Maler, *Greifswald 5. 9. 1774, †Dresden 7. 5. 1840; studierte 1794–98 an der Akademie von Kopenhagen, 1798 ging er nach Dresden. Ein gesteigertes, aus sorgfältiger Beobachtung erwachsenes Gefühl für die Stimmungen der Natur löst bei F. die Schemata der idealen (italien.) Landschaft ab. Die neuen Inhalte romant. Erlebens sind Spiegelungen subjektiver Empfindung und einer individuellen Gefühlswelt, deren Vorstellungen v. a. um Werden und Vergehen kreisen.

Friedrichshafen Stadtwappen

Werke: Tetschener Altar (»Kreuz im Gebirge«, 1808; Dresden, Staatl. Kunstsammlungen), Der Mönch am Meer (1809; Berlin, Schloss Charlottenburg), Kreidefelsen auf Rügen (um 1818; Winterthur, Stiftung Oskar Reinhart), Zwei Männer in Betrachtung des Mondes (um 1819/20; Dresden, Staatliche Kunstsammlungen), Riesengebirgslandschaft (um 1820; München, Neue Pinakothek), Harzlandschaft (1823; Berlin, Nationalgalerie).

📖 JENSEN, J. C.: *C. D. F. Leben u. Werk. Köln* [9]*1991.* – SCHMIED, W.: *C. D. F. Neuausg. Köln 1992.* – *C. D. F., bearb. v.* W. GEISMEIER. *Neuausg. Augsburg 1994.*

3) Götz, Opernregisseur, *Naumburg (Saale) 4. 8. 1930; 1968–72 Oberspielleiter an der Kom. Oper Berlin (Ost). Als Schüler W. Felsensteins übernahm er das Prinzip des realist. Musiktheaters; 1973–81 Oberspielleiter der Hamburg. Staatsoper, seit 1981 Generalintendant der Dt. Oper Berlin (West), leitete daneben 1984–93 auch das Theater des Westens in Berlin.

4) Hugo, Romanist, *Karlsruhe 24. 12. 1904, †Freiburg im Breisgau 25. 2. 1978; ab 1937 Prof. in Freiburg im Breisgau; schrieb u. a. maßgebl. Werke zu den roman. Literaturen »Drei Klassiker des frz. Romans. Stendhal, Balzac, Flaubert« (1939), »Montaigne« (1949), »Die Struktur der modernen Lyrik« (1956), »Epochen der italien. Lyrik« (1964).

Friedrich-Ebert-Stiftung, 1925 gegr. Stiftung zur Förderung des demokrat. Bewusstseins in allen Schichten des dt. Volkes und der internat. Verständigung; 1933 verboten, 1947 neugegr., Sitz: Bonn-Bad Godesberg; betreibt Studienförderung, Erwachsenenbildung, Ausbildungshilfe für Entwicklungsländer; Forschungsinstitut; die Stiftung steht der SPD nahe.

Friedrich-Naumann-Stiftung, eine Stiftung, gegr. 1958 von T. Heuss, zur Pflege der polit. Erwachsenenbildung und des Dialogs mit dem Ausland (Theodor-Heuss-Akademie in Gummersbach); Sitz: Königswinter.

Friedrichroda, Stadt im Landkreis Gotha, Thür., 5700 Ew.; Erholungsort und Wintersportplatz im Thüringer Wald; Holz-, Kunststoff verarbeitende Industrie. – In einem Landschaftspark das neugot. Schloss Reinhardsbrunn (1827–35, heute Hotel). – 1209 erstmals erwähnt, seit 1597 Stadt.

Friedrichsdorf, Stadt im Hochtaunuskreis, Hessen, am O-Hang des Taunus, 24300 Ew.; Philipp-Reis-Museum; Glashütte, chem. Ind., Zwiebackherstellung. – 1687 von Hugenotten gegr., erhielt 1771 Stadtrecht.

Friedrichshafen, Große Kreisstadt in Bad.-Württ., Verw.sitz des Bodenseekreises und der Region Bodensee-Oberschwaben, am N-Ufer des Bodensees, 56300 Ew.; Forschungsstätte für Luft- und Raumfahrt (Dornier-Werke), Multimedia-Berufsakademie, Bodensee-Museum mit Zeppelinmuseum, Motorradmuseum; Herstellung von Zahnrädern, Motoren, Turbinen, Getrieben und Flugzeugen; Fremdenverkehr; jährl. Internat. Bodensee-Messe; Fährverkehr nach Romanshorn (Schweiz). – Schlosskirche nach Brand der Klosteranlage Hofen von Ch. Thumb 1695–1701 neu errichtet. – F. entstand 1811 durch Vereinigung von **Buchhorn** (838 ersterwähnt, seit 1275–99 Reichsstadt) und dem Kloster **Hofen** (um 1085 gegr., 1409 aufgehoben).

Friedrichshain, Stadtbezirk von →Berlin.

Friedrichshall, Bad, Stadt im Kreis Heilbronn, →Bad Friedrichshall.

Friedrich von Hausen auf der Überfahrt zum Kreuzzug, Miniatur aus der Manessischen Handschrift (1. Hälfte des 14. Jh.; Heidelberg, Universitätsbibliothek)

Friedrichsruh, Ortsteil von Aumühle, Kr. Herzogtum Lauenburg, Schlesw.-Holst., im Sachsenwald. Das 1763 von Graf Friedrich zur Lippe erbaute Jagdschloss kam 1871 in den Besitz Bismarcks, der hier seit 1890 wohnte; Bismarckmausoleum und -museum. Das 1945 zerstörte Schloss ist verändert wieder aufgebaut.

Friedrichstadt, Stadt im Kr. Nordfriesland, Schlesw.-Holst., am Zusammenfluss von Eider und Treene, 2600 Ew.; kleiner Binnenhafen, Blumenzucht, Fremdenverkehr. – Treppengiebelhäuser im Stil der niederländ. Renaissance. – 1621 für niederländ. Arminianer von Herzog Friedrich III. von Schleswig-Holstein-Gottorf gegründet.

Friedrich von Antiochien, natürl. Sohn Kaiser Friedrichs II., *um 1225, †Foggia 1256; von seinem Vater 1244 zum Generalvikar der Mark Ancona, 1246 zum Podestà von Florenz und Generalvikar der Toskana bestellt, die er bis 1250 (Tod Friedrichs II.) erfolgreich gegen die guelf. (päpstl.) Partei verteidigte. Er blieb bis zu seinem Tod seinem Halbbruder →Manfred treu.

Friedrich von Hausen, mhd. Dichter der 2. Hälfte des 12. Jh.; fiel als Teilnehmer des 3. Kreuzzugs am 6. Mai 1190 in Kleinasien. In der Manessischen Handschrift und in der Weingartner Liederhandschrift sind unter seinem Namen 53 Strophen überliefert, in denen erstmals in der dt. Lyrik das Thema der hohen Minne voll entfaltet wird; F. gilt als der bedeutendste Vertreter des durch provenzal. Einflüsse gekennzeichneten rhein. Minnesangs.

Friel, Brian, irischer Dramatiker, *Omagh (Nordirland) 9. 1. 1929; gestaltet Hoffnungen, Illusionen und Enttäuschungen der irischen Bevölkerung.

Werke: Ich komme, Philadelphia! (1965); Die Liebesaffären der Katty McGuire (1967); Väter und Söhne (1987); Making history (1989); Hörspiele, Kurzgeschichten.

Frieren, Reaktion des Warmblüterorganismus auf eine Erniedrigung der Umgebungstemperatur deutlich unter die Behaglichkeitsgrenze. Nervenendigungen in der äußeren Haut (Kälterezeptoren) registrieren die Kälte und leiten entsprechende Erregungen zu höheren Zentren im Rückenmark und im Gehirn weiter. Als Abwehrmaßnahme wird nun eine erhöhte Wärmeproduktion in Gang gesetzt, die sich v. a. in vermehrter Muskeltätigkeit äußert (Muskelzittern, z. B. als Zähneklappern oder als Gänsehaut).

Fries, *Baukunst:* ein waagerechter bandartiger Streifen zur Gliederung und zum Schmuck einer Wandfläche, als verbindendes Bauteil zw. Architrav und Gesims am grch. Tempel ausgebildet, im dor. Stil in Triglyphen und Metopen gegliedert, im ion. durchlaufend, oft mit Reliefs bedeckt (Parthenon-F.), reich ausgebildet bes. an roman. Bauten (→Bogenfries, Würfel-, Schuppen-, Zickzack-, Tierfries u. a.).

Fries, 1) Ernst, Maler, *Heidelberg 22. 6. 1801, †Karlsruhe 12. 10. 1833; neben C. P. Fohr und C. Rottmann bedeutendster Heidelberger Maler der Romantik, v. a. Landschaftsdarstellungen.

2) Fritz Rudolf, Schriftsteller, *Bilbao (Spanien) 19. 5. 1935; seit 1942 in Dtl.; knüpft mit reflektie-

Friedrichshafen: Die Barockfassade der 1695–1701 von Christian Thumb erbauten Schlosskirche

render vielschichtiger Erzählweise an Jean Paul sowie span. und lateinamerikan. Traditionen an; sein erster Roman »Der Weg nach Oobliadooh« (1966) fand seine themat. Fortsetzung mit »Alexanders neue Welten« (R., 1982); moral. Fragen behandelt »Verlegung eines mittleren Reiches« (1984). Er schrieb ferner u. a. »Das Luftschiff. Biografische Nachlässe zu den Fantasien meines Großvaters« (R., 1974), »Die Väter im Kino« (R., 1989) sowie Reiseberichte. F. übersetzte auch spanischsprachige Autoren.

3) Hans, schweizer. Maler, *Freiburg um 1465, †Bern (?) um 1523; 1501–09 Stadtmaler in Freiburg; seine spätgot. Altarwerke zeigen Einflüsse der niederländ. Malerei und M. Pachers, später auch A. Dürers.

Jakob Friedrich Fries

4) Jakob Friedrich, Philosoph, *Barby (Elbe) 23. 8. 1773, †Jena 10. 8. 1843; Prof. in Jena und Heidelberg, 1819–1824 wegen seiner Teilnahme am Wartburgfest (1817) zwangsemeritiert. F. versuchte, I. Kants Lehre von dem »Vorurteil des Transzendentalen« zu befreien, indem er die Kritik der Vernunft auf Selbstbeobachtung gründete und somit beanspruchte, den vollständigen anthropolog. Nachweis der in der menschl. Vernunft liegenden philosoph. Wahrheiten geführt zu haben.

Werke: Neue oder anthropolog. Kritik der Vernunft, 3 Bde. (1807); Hb. der prakt. Philosophie, 2 Bde. (1818–32); Versuch einer Kritik der Principien der Wahrscheinlichkeitsrechnung (1842).

Friesach, Stadt in Kärnten, Österreich, am O-Rand der Gurktaler Alpen, 5 700 Ew.; Museum; Maschinenbau, Sägewerk; Fremdenverkehr. – Auf dem Petersberg Reste des erzbischöfl. Palais (12. Jh.), u. a. die spätkaroling. Peterskirche; Pfarrkirche St. Bartholomäus mit bed. Glasmalereien (13./14. Jh.), Dominikanerklosterkirche St. Nikolaus von Myra (um 1300); Bürgerhäuser (seit 16. Jh.). – Schon in röm. Zeit besiedelt **(Candalice),** kam F. 860 in salzburg. Besitz; seit 1215 als Stadt bezeichnet.

Friesach: Gabelkruzifix im Mittelschiff der Dominikanerklosterkirche Sankt Nikolaus von Myra (um 1300)

Friesel (Miliaria, Sudamina), Hautausschlag mit kleinen, wasserhellen Bläschen; tritt nach starkem Schwitzen (**Schweiß-F., Hitze-F.,** z. B. bei fieberhaften Krankheiten) auf und verschwindet rasch wieder.

Friesen (lat. Frisii, Frisiones), german. Stamm an der Nordseeküste mit Kerngebiet zw. Niederrhein und Ems; geriet 12 v. Chr. unter röm. Herrschaft, von der er sich nach mehreren Aufständen Ende des 3. Jh. wieder befreite. Unter König Radbod errichteten die F. um 700 ein Großreich, dessen Machtschwerpunkt in W-Friesland lag (Zentren Dorestad und Utrecht). Die F. genossen den Ruf guter Viehzüchter und Händler. Im 8. Jh. wurden sie durch die Franken unterworfen und u. a. von den Missionaren Willibrord und Bonifatius, der 754 bei Dockum den Tod fand, christianisiert; 802 Aufzeichnung der fries. Volksrechte (»Lex Frisionum«). Im 9. Jh. dehnten die F. ihr Siedlungsgebiet bis zu den Nordfriesischen Inseln aus. (→ Friesland, Geschichte)

📖 *F., Sachsen u. Dänen – Kulturen an der Nordsee, 400 bis 1000 n. Chr., hg. v.* J. Dring *u. a. Ausst.-Kat. Fries Museum, Leeuwarden. Franeker u. a. 1996.*

Friesen, Karl Friedrich, Turnpädagoge, *Magdeburg 25. 9. 1784, ⚔ Lalobbe (bei Charleville-Mézières) 15. 3. 1814; seit 1810 F. L. Jahns Mitarbeiter, Mitbegründer des ersten Turnplatzes (Hasenheide, Berlin-Neukölln), Pionier auf dem Gebiet des Pferdturnens, Schwimmens und Fechtens.

Friesische Inseln, die Inselkette entlang der Nordseeküste von den nördl. Niederlanden über Dtl. bis S-Dänemark, gegliedert in die **Westfries. Inseln** von Texel bis zur Emsmündung (Texel, Vlieland, Terschelling, Ameland, Schiermonnikoog, Rottumerplaat und Rottumeroog), die **Ostfries. Inseln** zw. Ems- und Wesermündung (Borkum, Juist, Norderney, Baltrum, Langeoog, Spiekeroog, Wangerooge) und die **Nordfries. Inseln,** zu denen die Halligen, Amrum, Föhr, Sylt, Nordstrand, Pellworm und in Dänemark Rømø und Fanø gehören. Die West- und Ostfries. Inseln sind junge Strandwall- und Dünenbildungen, die Nordfries. Inseln Sylt, Amrum und Föhr enthalten alte Geestkerne. Zw. den Inseln und dem Festland liegt das Wattenmeer. Die Vogelwelt steht teilweise unter Naturschutz. Der sommerl. Fremdenverkehr (viele Badeorte) spielt eine große Rolle.

friesische Literatur. Die fries. Überlieferung setzte, abgesehen von einigen urfries. Runeninschriften (6.–9. Jh.) und einem Psalmenbruchstück (11.–12. Jh.), erst im 13. Jh. (altfries. Zeit) ein. Greifbar wird die f. L. in mittelfries. Zeit (etwa 1550–1800). Einen Höhepunkt literar. Schaffens bildet das Werk des westfries. Dichters G. Japiks (*1603, †1666). Das Ostfriesische wich seit dem 15. Jh. dem Niederdeutschen. Anfang des 19. Jh. erfuhr die neufries. Literatur Anstöße durch die Romantik, bes. mit den Brüdern J. H. Halbertsma (*1789, †1869) und E. H. Halbertsma (*1797, †1858). Um 1915 entstand die »Jungfries. Bewegung«. Führend war D. Kalma (*1896, †1953). Heute sind u. a. A. Wadman (*1919) und T. Riemersma (*1938) zu nennen. Seit dem 19. Jh., eingeleitet durch die Sylter Komödie »Di Gidtshals of die Söl'ring Pid'ersdei« (1809) von J. P. Hansen (*1767, †1855), besteht ein umfangreiches nordfries. Schrifttum, vertreten u. a. durch Werke von S. R. Bohn (*1834, †1879), J. E. Mungard (*1885, †1940), M. Nissen (*1822, †1902), P. Jensen (*1861, †1936) und P. Paulsen (*1883, †1976).

friesische Sprache, eigenständige Sprache des nordseegerman. Zweiges des Westgermanischen

(→germanische Sprachen). Das **Altfriesische** umfasst das **Altwestfriesische** (in der niederländ. Prov. Friesland; v.a. Rechtstexte und Urkunden, 14.–16. Jh.), das **Altostfriesische** (v.a. Rechtstexte, 1300–1450) mit einem emsfries. (im N der Prov. Groningen, Ostfriesland) und einem westerfries. Zweig (Jade- und Wesermündungsgebiet), das **Altnordfriesische** (ohne Sprachdenkmäler) mit dem Inselnordfriesischen (fries. Besiedlung der Geestinseln 8./9. Jh.) und dem Festlandnordfriesischen (seit der emsfries. Besiedlung der Marschen im 10./11. Jh.).

Das **Westfriesische** büßte im 16. Jh. seinen offiziellen Status ein und überlebte nur noch als Sprache der Landbevölkerung. Mit der Nationalromantik des frühen 19. Jh. nahmen die fries. Sprach- und Kulturaktivitäten einen bed. Aufschwung (»De Fryske Beweging«), u.a. durch die Schaffung einer normierten Schriftsprache (»Standertfrysk«). Nach dem 2. Weltkrieg hat das Westfriesische zunehmend Anerkennung als offizielle Sprache (»zweite Landessprache«) erlangt.

Das **Ostfriesische** (von der Prov. Groningen im W bis zum Land Wursten im NO) wurde seit dem 15. Jh., erst als Amts-, dann auch als Volkssprache, vom Niederdeutschen (Niedersächsischen) verdrängt. Nur in Randgebieten konnte es sich länger halten: auf Wangerooge bis um 1900, im Saterland (südöstlich von Leer) bis heute. Das **Nordfriesische,** nie Amtssprache und stark in Dialekte zersplittert, weicht seit dem 16. Jh. (zuerst in Eiderstedt) dem Niederdeutschen, seit geraumer Zeit auch dem Hochdeutschen. Die Festlandmundarten sterben derzeit (außer in der Niebüller Gegend) aus, dasselbe gilt mehr oder weniger auch für die Inseldialekte (Sylt, Amrum, Helgoland; die Situation des auf Föhr gesprochenen Dialekts ist günstiger).

Friesland, **1)** urspr. das von den →Friesen besiedelte Küstengebiet an der Nordsee. – Im MA. gliederte sich F. in West-, Mittel- und Ost-F.; West-F., das vom Sinkfal bei Brügge bis zur Zuidersee reichte (heute bis zum IJsselmeer), ging schon früh in der Grafschaft Holland auf. Mittel-F. (westlich der Lauwers, von Dtl. aus gesehen West-F.) und das sich ihm anschließende Ost-F. (bis zur Weser) zerfielen nach der Zerschlagung (785) des um 700 entstandenen Großreichs Radbods durch Karl d. Gr. in zahlr. kleine, bäuerlich bestimmte Herrschaften, die gegenüber den »Häuptlingen« (Landesherren) ihre Freiheiten zu verteidigen wussten. Das im ständigen gemeinsamen Kampf gegen die Nordsee (Deichbau) entstandene soziale Gefüge, dessen Kennzeichen die persönl. Freiheit aller Stände war, wurde Wurzel der späteren, v.a. durch die Konsulatsverf. der einzelnen »Länder« bestimmten »Fries. Freiheit«. Dorestad wurde zum Zentrum des England- und Skandinavienhandels. Zusammengeschlossen waren die kleinen »Bauernrepubliken« in einer Art Landfriedensbund, im Upstalboomverband (nach dem Upstalboom bei →Aurich). 1464 wurde unter Ulrich Cirksena F. östlich der Ems zum großen Teil vereinigt und bildete die Reichsgrafschaft, später das Fürstentum →Ostfriesland. F. westlich der Ems fiel an Burgund, später an die Niederlande.

2) Landkreis im RegBez. Weser-Ems, Ndsachs., 608 km^2, (1996) 98 200 Ew.; Krst. ist Jever.

3) Provinz der →Niederlande.

Friesoythe, Stadt im Landkreis Cloppenburg, Ndsachs., nördlich der Thülsfelder Talsperre, 19 100 Ew.; pharmazeut., Nahrungsmittel-, Textilindustrie. – Pfarrkirche St. Veit, ein Granit- und Backsteinbau aus dem 12. Jh. mit spätgot. Wandmalereien. – Um 1200 gegr., als Stadt erstmals 1308 bezeugt.

Frigen® *das,* Handelsname für Fluorchlorkohlenwasserstoffe.

Frigidität [lat.] *die,* unpräzise Bez. für eine als sexuelle Gefühlskälte beschriebene Störung der sexuellen Erlebnisfähigkeit der Frau; heute als Libido- oder Orgasmusstörungen bezeichnet.

Frija [german. »Geliebte«, »Gattin«] (altnord. Frigg, langobard. Frea), altgerman. Göttin, vielfach mit →Freyja gleichgesetzt.

Frikadelle [frz. »Gebratenes«] *die* (Bulette, deutsches Beefsteak), flacher, gebratener Kloß aus Hackfleisch, eingeweichtem Weißbrot, Ei und Gewürzen.

Frikassee [frz.] *das,* in kleine Würfel geschnittenes, gekochtes Fleisch von Geflügel, Kalb oder Lamm, mit einer weißen, mit Zitronensaft und Eigelb abgeschmeckten Soße.

Frikativ [lat.] *der* (Frikativlaut), Reibelaut, Spirans (→Laut).

Friktion [lat. »Reibung«] *die,* **1)** *Technik:* Übertragung von Kräften und Drehmomenten durch Reibung zw. gegeneinander bewegten Körpern.

2) *Wirtschaftstheorie:* Widerstände, die der Anpassung der Preise und damit dem Ausgleich von Angebot und Nachfrage bei einer neuen Marktlage entgegenstehen.

Josef Frings

Frings, **1)** Josef, kath. Theologe, *Neuss 6. 2. 1887, †Köln 17. 12. 1978; 1942–69 Erzbischof von Köln, 1945–65 zugleich Vors. der Fuldaer Bischofskonferenz; seit 1946 Kardinal; war maßgeblich am 2. Vatikan. Konzil beteiligt.

2) Theodor, Germanist, *Dülken (heute zu Viersen) 23. 7. 1886, †Leipzig 6. 6. 1968; machte den Zusammenhang von Dialekt- und Kulturgeographie deutlich und veröffentlichte sprachgeschichtl. und literaturhistor. Arbeiten.

Werke: Germania Romana (1932); Heinrich von Veldeke (4 Bde., 1947–52; mit Gabriele Schieb);

Grundlegung einer Geschichte der dt. Sprache (1948).

Karl von Frisch

Frisch, 1) Karl von, österr. Zoologe, *Wien 20. 11. 1886, †München 12. 6. 1982; führte sinnesphysiolog. Forschungen durch, bes. an Fischen und Bienen (Orientierung nach Farben, Formen, Geruch, nach dem Sonnenstand und nach polarisiertem Licht); erhielt 1973 mit K. Lorenz und N. Tinbergen den Nobelpreis für Physiologie oder Medizin.

Werke: Du und das Leben (1936), Tänze der Bienen (1956), Tiere als Baumeister (1974).

2) Max, schweizer. Schriftsteller, *Zürich 15. 5. 1911, †ebd. 4. 4. 1991; urspr. Architekt. Seine Dramen zeigen anfangs Einflüsse von B. Brecht; sie sind vielfältig in der Form (Farce, Moritat, Komödie) und behandeln, oft gleichnishaft, Gegenwartsprobleme, z.B. in »Nun singen sie wieder« (1946), »Herr Biedermann und die Brandstifter« (1958, als Hörspiel 1956) das Zurückweichen des Durchschnittsbürgers vor der Gewalt, in »Andorra« (1961), ebenfalls lehrstückhaft, die Manipulierbarkeit einer Gesellschaft am Beispiel des Antisemitismus. Außer um Schuld, Macht und Gerechtigkeit ging es F. um das Problem der Identität, die Freiheit, sich anders verhalten zu können, und um den Ausbruch aus den Klischees vorgezeichneter Abläufe (»Stiller«, R., 1954; »Homo faber«, R., 1957; »Mein Name sei Gantenbein«, R., 1964; »Biografie. Ein Spiel«, Dr., 1967). Die Spätwerke wie die Erzählung »Montauk« (1975) und »Der Mensch erscheint im Holozän« (1979) sowie das Stück »Triptychon. Drei szenische Bilder« (1978) zeigen Alters- und Todesbewusstsein. Die Tagebücher zeugen von humanem, selbstkrit. Denken (»Blätter aus dem Brotsack«, 1940; »Tagebuch 1946–1949«, 1950; »Tagebuch 1966–1971«, 1972); die Werke sind hier vielfach vorkonzipiert. F. erhielt 1958 den Georg-Büchner-Preis, 1976 den Friedenspreis des Dt. Buchhandels.

Max Frisch

Otto Robert Frisch

📖 REICH-RANICKI, M.: *M. F. Neuausg. Frankfurt am Main 1994.* – TANTOW, K. *u.* TANTOW, L.: *M. F. Ein Klassiker der Moderne. München 1994.* – HAGE, V.: *M. F. mit Selbstzeugnissen u. Bilddokumenten. Reinbek 54.–57. Tsd. 1995.*

Max Frisch

»Mein Name sei Gantenbein«

Dies ist der Titel eines 1964 erschienenen Romans von Max Frisch, in dem der Held und Icherzähler, von seiner Frau verlassen, immer neue Rollen und Gegenspieler für sich entwirft. Auf die erzählerische Grundintention, das Sichbewegen im fiktiven Raum, das Verarbeiten der Wirklichkeit durch Darstellung fingierter Ereignisse und Episoden, weist der Konjunktiv im Titel des Romans bereits hin. Entsprechend auch ist die Verwendung des Titels als Zitat. So dient er beispielsweise als ausweichende Antwort auf eine Frage, die man nicht beantworten kann oder will.

3) Otto Robert, brit. Physiker österr. Herkunft, *Wien 1. 10. 1904, †Cambridge 22. 9. 1979; gab zus. mit Lise Meitner die physikal. Deutung der Uranspaltung; war im 2. Weltkrieg in den USA an der Entwicklung der Atombombe beteiligt.

4) Ragnar, norweg. Volkswirtschaftler, *Oslo 3. 3. 1895, †ebd. 31. 1. 1973; Mitbegründer der Ökonometrie, beschäftigte sich v.a. mit Fragen des Konsumentenverhaltens sowie produktions- und preistheoret. Problemen; erhielt 1969 mit J. Tinbergen den Nobelpreis für Wirtschaftswissenschaften.

Werke: New methods of measuring marginal utility (1932), Maxima et minima (1959).

Frischen, *Technik:* Raffination flüssigen Roheisens zu Stahl durch Oxidation der Beimengungen (Kohlenstoff, Silicium u.a.).

Frisches Haff (poln. Zalew Wiślany, russ. Wislinski saliw), Meeresbucht der Ostsee im ehem. Ostpreußen; der SW-Teil gehört zu Polen, der NO-Teil zu Russland (Exklave Kaliningrad), 840 km^2 groß, bis zu 5 m tief, von der offenen See getrennt durch die **Frische Nehrung (Danziger Nehrung),** einen 56 km langen, 0,5 bis 1,8 km breiten Dünenwall, der im Pillauer Seetief den Zugang des F. H. zur Ostsee freigibt.

Frisch, Fromm, Fröhlich, Frei, Abk. **FFFF,** Turnerwahlspruch, nach einem Studentenspruch des 16. Jh. von F. L. Jahn neu gefügt; die Abk. wurden zum »Turnerkreuz« zusammengestellt.

Frischhaltung, →Konservierung.

Frischlin, Nikodemus, Philologe und Dichter, *Balingen 22. 9. 1547, †(bei Fluchtversuch aus der Festung) Hohenurach (heute zu Bad Urach) 29. 11. 1590; war Prof. in Tübingen. F., ein derb-humorvoller und lebensfreudiger Humanist, schrieb lat. Komödien, so »Julius redivivus« (1582), dt. das Schauspiel »Frau Wendelgard« (1579), ferner lat. und dt. Gedichte.

Frischling, Wildschwein im ersten Lebensjahr.

Frischluftgeräte, Atemschutzgeräte, die den Träger über einen an eine Atemschutzmaske angeschraubten langen Schlauch von außen mit frischer Luft versorgen. Anwendung u.a. bei Arbeiten in Tanks, Kesseln, Silos.

Frischmuth, Barbara, österr. Schriftstellerin, *Altaussee (bei Bad Aussee) 5. 7. 1941; erster literar. Erfolg mit »Die Klosterschule« (Prosa, 1968) über das Thema Macht und Ohnmacht im Erziehungswesen; in der Romantrilogie »Die Mystifikation der Sophie Silber« (1976), »Amy oder Die Metamorphose« (1978), »Kai und die Liebe zu den Modellen« (1979) versuchte sie eine Standortbestimmung der Frau; schrieb neben weiteren Romanen

(»Das Verschwinden des Schattens in der Sonne«, 1973; »Über die Verhältnisse«, 1987) Erzählungen (»Traumgrenze«, 1983), Hörspiele, Übersetzungen (aus dem Türkischen und Ungarischen).

Nikodemus Frischlin: Stahlstich nach einem anonymen zeitgenössischen Ölgemälde

Frischwasser, *seemännisch* für Süßwasser, im Ggs. zu See- bzw. Salzwasser; die Mischung beider ist →Brackwasser.

Frischzellentherapie, Behandlungsmethode, bei der lebende, fetale tier. Zellen auf den menschl. Organismus übertragen werden (→Zelltherapie).

Frisco [-kəʊ], volkstüml. amerikan. Abk. für →San Francisco.

Frist, eine durch Gesetz, richterl. oder verwaltungsbehördl. Verfügung oder durch Rechtsgeschäft festgelegte Zeitspanne, deren Ablauf allein oder zus. mit anderen jurist. Tatsachen (etwa einer Kündigung) Rechtswirkungen herbeiführt, so Entstehung, Untergang oder inhaltl. Änderung von Rechten, den Erwerb rechtserhebl. Eigenschaften (z.B. Volljährigkeit), den Verlust von Rechtsmitteln u.a. Die F. gliedern sich in **Verjährungs-** und **Ausschluss-F.** Bei einer Verjährungs-F. steht dem Schuldner nach F.-Ablauf ein von ihm einredeweise geltend zu machendes Leistungsverweigerungsrecht zu (→Verjährung, §§194ff. BGB). Die Ausschluss-F. fordert, dass ein Recht innerhalb einer F. ausgeübt wird (z.B. Ausschlagung der Erbschaft binnen sechs Wochen, §1944 BGB). Die F.-Berechnung ist einheitlich für das gesamte Privatrecht, Handels-, Wechsel-, Prozessrecht und das öffentl. Recht in den §§186ff. BGB geregelt.

Fristenlösung, →Schwangerschaftsabbruch.

fristlose Entlassung, →Kündigung.

Fritfliege (Oscinella frit), 2 mm lange Halmfliege mit jährlich bis zu drei Generationen. Die Maden fressen bes. in Halmen von Hafer, Sommergerste, Roggen und Mais.

Frithjofssaga, die Liebesgeschichte um den sagenhaften norweg. Helden Friðthiof und die schöne Ingibjörg, um 1300 in Island entstanden; freie Bearbeitung im gleichnamigen Epos durch den schwed. Dichter E. Tegnér (1825).

Fritsch, 1) Katharina, Bildhauerin, *Essen 14. 2. 1956; »inszeniert« Arbeiten von formaler Klarheit, oft in symmetr. Anordnung, die ein Gefühl von Unnahbarkeit oder auch Melancholie vermitteln (»Elefant«, 1987; »Tischgesellschaft«, 1988; »Mann und Maus«, 1991/92; »Rattenkönig«, 1993; »Museum«, 1995).

2) Werner Freiherr von, Generaloberst, *Benrath (heute zu Düsseldorf) 4. 8. 1880, ⚔ vor Warschau 22. 9. 1939; 1934–35 Chef der Heeresleitung, stellte sich in der »Röhmaffäre« (1934) auf die Seite Hitlers. Als Oberbefehlshaber des Heeres (1935 bis 1938) baute er dieses im Rahmen der 1935 verkündeten allg. Wehrpflicht auf. In der Besprechung Hitlers mit den Oberbefehlshabern der Wehrmacht (1937) ließ er seine Bedenken gegenüber der von Hitler angekündigten Politik des »Risikos« und der Expansion durchblicken. Die Verabschiedung F.s 1938 (aufgrund von Bezichtigung homosexueller Neigung, »Blomberg-F.-Krise«; von einem Offiziersehrengericht spätere Rehabilitierung) war zus. mit der Übernahme des Wehrmachtsoberbefehls durch Hitler entscheidend für die Integrierung des Heeres in den nat.-soz. Staat.

Ragnar Frisch

Barbara Frischmuth

Willy Fritsch

Frisch, Fromm, Fröhlich, Frei

*Dieser Turnerwahlspruch früherer Zeiten geht auf den »Turnvater« Jahn (Friedrich Ludwig Jahn) zurück, der in seinem Buch »Die deutsche Turnkunst« (1816) eine ähnliche Formulierung gebrauchte. In der heute bekannten Form eingeführt hat diesen Wahlspruch erst der Germanist und Sportpädagoge Hans Ferdinand Maßmann (*1797, †1874), ein Schüler Jahns. Der Spruch wird kaum noch in seiner ursprünglichen Funktion gebraucht; wenn man heute beispielsweise jemandes Handlungsweise als »frisch, fromm, fröhlich, frei« bezeichnet, so will man damit ausdrücken, dass man sie für »unbekümmert, impulsiv, sorglos, unbedacht« hält.*

3) Willy, Filmschauspieler, *Kattowitz 27. 1. 1901, †Hamburg 13. 7. 1973; wurde in Liebhaberrollen der 1930er- und 40er-Jahre populär: »Die

Drei von der Tankstelle« (1930), »Der Kongreß tanzt« (1931), »Film ohne Titel« (1947).

Gert Fröbe

Fritte [frz.] *die,* ein bei niedriger Temperatur durch Zusammenschmelzen von Quarzsand und Flussmitteln gewonnenes Glas, das wieder pulverisiert wird und als Ausgangsstoff zur Herstellung bestimmter Glasuren dient.

Fritten, das Erhitzen einer pulver- oder körnerförmigen Mischung bis zur oberflächl. Verschmelzung der Teilchen. Das Ergebnis ist eine poröse Masse.

Fritteuse [fri'tøːzə, frz.] *die,* elektr. Gerät zum Frittieren (Garen im heißen Fettbad) von Speisen.

Friedrich Fröbel (Lithographie, um 1840)

Fritzlar, Stadt im Schwalm-Eder-Kr., Hessen, auf dem Steilufer der Eder, 14500 Ew.; Domschatzmuseum; Konserven-, Textilind., Basaltwerk. – Roman. Pfarrkirche, sog. Dom (11.–14. Jh.) mit drei Krypten und reicher Ausstattung, Fraumünsterkirche (12.–17. Jh.); Stadtmauer (13./14. Jh.) mit Wehrtürmen; zahlr. Fachwerkhäuser (15.–18. Jh.). – 741 Klostergründung durch Bonifatius bei einem fränk. Kastell, 774 von den Sachsen zerstört; in karoling. Zeit Kaiserpfalz. Anfang des 12. Jh. Gründung der Stadt durch den Mainzer Erzbischof.

Fröbe, Gert, Filmschauspieler und Rezitator, *Oberplanitz (heute zu Zwickau) 25. 2. 1913, †München 5. 9. 1988; zunächst Bühnenschauspieler und Kabarettist; hatte seine größten Erfolge als »Otto Normalverbraucher« in der »Berliner Ballade« (1948), als Kindermörder in »Es geschah am hellichten Tag« (1958), als Großgangster in dem

Johannes Froben: Kopie eines um 1520 entstandenen Gemäldes von Hans Holbein d. J. (Basel, Öffentliche Kunstsammlung)

James-Bond-Film »Goldfinger« (1964) sowie in »Brennt Paris?« (1965); Morgenstern-Interpret.

Fröbel, 1) Friedrich, Pädagoge, *Oberweißbach/Thür. Wald 21. 4. 1782, †Marienthal (heute zu Schweina, bei Bad Liebenstein) 21. 6. 1852, Onkel von 2); lernte als Hauslehrer die Ideen Pestalozzis kennen, gründete Kindererziehungsheime in Keilhau (1816/17) und 1837 in Blankenburg (Thür.) und wurde Initiator der Kindergartenbewegung (→Kindergarten). In zahlreichen Städten wurden (seit 1839) Kurse für »Kinderführer« (woraus die Berufe der Kinderpflegerin und Kindergärtnerin erwuchsen) eingerichtet. In Preußen waren seine Kindergärten 1851–60 verboten. F. entwickelte Spielzeug (»Fröbel-Bausteine«), mit dem er den kindl. Spieltrieb und die kindl. Selbstständigkeit fördern wollte. Durch Spiel, rhythm. Bewegung, Lied und Sprache förderte er den Sinn der Kinder für die Gemeinschaft. Zentralen erzieher. Wert maß F. dem Erleben von Heimat und Natur, Gartenbau und Tierpflege, Sport und Spiel, Werkarbeit mit Holz und Papier, Musik, persönl. Zusammenleben, Festen und Feiern bei. F. gilt als Begründer des ganzheitl. Denkens in der Pädagogik.

📖 HEILAND, H.: *Die Schulpädagogik F. F.s. Hildesheim u. a. 1993.* – HEILAND, H.: *F. F. in Selbstzeugnissen u. Bilddokumenten. Reinbek 11.–12. Tsd. 1995.*

2) Julius, Pseudonym C. Junius, Publizist und Politiker, *Griesheim (heute zu Ilmtal, bei Stadtilm) 16. 7. 1805, †Zürich 6. 11. 1893, Neffe von 1); 1848 als einer der Führer der demokrat. Linken in die Frankfurter Nationalversammlung gewählt;

Jean Froissart: Die Krönung Heinrichs IV. von England im Jahr 1399, Miniatur aus den »Chroniques de France, d'Angleterre, d'Écosse, d'Espagne, de Bretagne, de Gascogne, de Flandres et lieux circonvoisins« (gedruckt 1495; Paris, Bibliothèque Nationale de France)

wegen seiner Teilnahme am Wiener Oktoberaufstand zum Tod verurteilt, jedoch begnadigt. F. wirkte nach 1857 von Wien aus publizistisch für den großdt. Gedanken.

Froben (Frobenius), Johannes, schweizer. Buchdrucker, Verleger dt. Herkunft, *Hammelburg um 1460, begraben Basel 26. 10. 1527; war bekannt für korrekten Druck, künstler. Ausstattung und wiss. Genauigkeit; u. a. Erstausgaben des Erasmus von Rotterdam.

Frobenius, 1) Ferdinand Georg, Mathematiker, *Berlin 26. 10. 1849, †Charlottenburg (heute zu Berlin) 3. 8. 1917; lieferte u. a. bed. Arbeiten zur Theorie der Gruppen und ihrer Darstellungstheorie, die für viele Phänomene der Physik von Bedeutung ist.

2) Leo, Völkerkundler und Kulturphilosoph, *Berlin 29. 6. 1873, †Biganzolo (heute zu Verbania) 9. 8. 1938; begründete den Begriff des Kulturkreises sowie die Lehre von der Kulturmorphologie. Bei zwölf Forschungsreisen in Afrika zw. 1904 und 1935 sammelte F. Materialien zur traditionellen Kultur, bes. altafrikan. Erzählgut, und erforschte Felsbilder. Im **Frobenius-Institut** in Frankfurt am Main werden die ethnolog. und archäolog. Arbeiten über Afrika weitergeführt.

Werke: Der Ursprung der afrikan. Kulturen (1898); Atlantis. Volksmärchen und Volksdichtungen Afrikas, 12 Bde. (1921–28); Kulturgesch. Afrikas (1933).

Froberger, Johann Jakob, Komponist, getauft Stuttgart 19. 5. 1616, †Schloss Héricourt (bei Montbéliard) 6.(7.?) 5. 1667; verschmolz in Klavierkompositionen italien., frz. und engl. Elemente zu einer eigenen Satzweise; er wurde zum Schöpfer der Klaviersuite.

Frobisher ['frəʊbɪʃə], Sir (seit 1588) Martin, engl. Seefahrer, *Normanton (bei Wakefield) um 1535, †Plymouth 22. 11. 1594; entdeckte auf der Suche nach der Nordwestpassage 1576 den S von Baffin Island. 1578 befuhr er als erster Europäer die Hudsonstraße.

Frobisher Bay ['frəʊbɪʃə 'beɪ], Hauptort von Baffin Island, Kanada, 2500 Ew.; Verwaltungs-, Versorgungszentrum.

Fröding, Gustaf, schwed. Dichter, *Alster (bei Karlstad) 22. 8. 1860, †Stockholm 8. 2. 1911; Lyriker von reicher musikal. Ausdruckskraft, gestaltete zuerst humorvoll-natürl. Bilder, später grübler. Verzweiflung und myst. Wahrheitssuche.

Froelich ['frø-], Carl, Filmregisseur, *Berlin 5. 9. 1875, †ebd. 12. 2. 1953; drehte seit 1912 Stummfilme und 1928 den 1. Tonfilm (»Die Nacht gehört uns«).

Fröhlich-Krankheit [nach dem Wiener Neurologen A. Fröhlich, *1871, †1953] (Dystrophia adiposogenitalis), durch Hypophysen- oder Zwischenhirngeschwülste verursachte, sehr seltene Störung; äußert sich in Fettsucht, vermindertem Wachstum und mangelhafter Entwicklung oder Rückbildung der Keimdrüsen und der sekundären Geschlechtsmerkmale (Hypogenitalismus).

Eugène Fromentin: »Verdurstende in der Wüste« (1869; Paris, Musée d'Orsay)

Frohner, Adolf, österr. Maler und Grafiker, *Groß-Inzersdorf (heute zu Zistersdorf) 12. 3. 1934; gehörte zu den Wegbereitern des →Wiener Aktionismus, der in seinen Arbeiten (u. a. Objekte, Collagen, Materialbilder, Tafelbilder) ebenso nachwirkt wie seine Auseinandersetzung mit der informellen Kunst und der Einfluss J. Dubuffets.

Froissart [frwa'sa:r], Jean, frz. Geschichtsschreiber und Dichter, *Valenciennes 1337 (?), †Chimay (bei Charleroi) um 1410; verfasste »Chroniques de France, d'Angleterre, d'Écosse, d'Espagne, de Bretagne...« über die Zeit des Hundertjährigen Kriegs mit der Episode der Bürger von →Calais; daneben allegor. Lehrgedichte und Minnelieder.

Leo Frobenius

Frombork (dt. Frauenburg), Stadt in der Wwschaft Elbląg (Elbing), Polen, am Frischen Haff, 2500 Ew.; Fischereihafen, Schilfverarbeitung; Kopernikusarchiv und -museum. Über der Stadt der burgartige Dombezirk; im Dom (um 1329–88) Grabmal des Kopernikus. – 1288–1945 Sitz des Domkapitels des Bistums Ermland.

Gustaf Fröding

Fromentin [frɔmɑ̃'tɛ̃], Eugène, frz. Maler und Schriftsteller, *La Rochelle 24. 10. 1820, †Saint-Maurice (bei La Rochelle) 27. 8. 1876; empfing auf mehreren Reisen nach Nordafrika zw. 1846 und 1853 Anregungen für die Darstellung von Straßen-, Volks-, Tier- und Jagdszenen und wurde einer der führenden Vertreter der »Orientmalerei«. Sein psycholog. Roman »Dominik« (1863) lässt noch romant. Traditionen erkennen; auch Kunstkritiker (»Die alten Meister«, 1876); Reisebücher.

Erich Fromm

Fromm, Erich, Psychoanalytiker, *Frankfurt am Main 23. 3. 1900, †Muralto (bei Locarno) 18. 3. 1980; emigrierte 1934 in die USA; Begründer der humanist. Psychoanalyse und der analyt. Sozialpsychologie; berücksichtigte unter dem Einfluss der Frankfurter Schule bes. die sozialen und kulturellen Einflüsse auf die existenzielle Situation des Menschen; Beiträge zur Kritik des freudschen Menschenbilds und zur Aggressionsforschung.

Werke: Die Furcht vor der Freiheit (1941); Die Kunst des Liebens (1956); Analyt. Sozialpsychologie und Gesellschaftstheorie (1970); Anatomie der menschl. Destruktivität (1973); Haben oder Sein (1976).

📖 *E. F. u. die Frankfurter Schule, hg. v.* M. Kessler *u.* R. Funk. *Tübingen 1992.* – Funk, R.: *E. F. mit Selbstzeugnissen u. Bilddokumenten. Reinbek 32.–33. Tsd. 1995.*

Frömmigkeit, in der Religionsgeschichte als äußerliche F. das gottesdienstl. Handeln, als innere F. die seelisch-geistige Haltung religiöser Menschen in Ehrfurcht, Verehrung und Hingabe dem Göttlichen gegenüber, die sein Denken, Handeln und Fühlen prägt.

Fröndenberg: Ausschnitt aus dem Mittelbild »Maria mit Kind« des Fröndenberger Altars (kurz vor 1400; Dortmund, Museum für Kunst und Kulturgeschichte)

Fron [ahd. frono »dem Herrn (Gott) gehörig«] (Fronde, Scharwerk, Robot), bemessene oder unbemessene Dienstleistung, die zwangsweise und unentgeltlich für öffentl. oder private Berechtigte verrichtet wurde. Vor den Agrarreformen des 19. Jh. (→Bauernbefreiung) war bes. die bäuerl. Bevölkerung mit F. belastet. Der Anspruch auf F. war mit dem Besitz eines Grundstücks (Gutsherr, Landesherr) verbunden. Geleistet wurde F. teils als **Spanndienste** (Ackerbestellung, Baufuhren), teils als **Handdienste** (Ernte-, Drescharbeiten, Jagdfronden u. a.). Die Zahl der **F.-Tage** schwankte zw. wenigen Tagen im Jahr und mehreren Tagen in der Woche.

Fronde ['frɔ̃də; frz. »Schleuder« (Spottwort)] *die,* in Frankreich 1648–53 die polit., gegen den Absolutismus der Regentin Anna von Österreich und ihres Ministers Mazarin gerichtete Bewegung des Hochadels und der Parlamente (Gerichtshöfe) während der Minderjährigkeit Ludwigs XIV. Die F. war begleitet von teilweise heftigen Kämpfen in Paris und in der Provinz, bei denen schließlich die absolutist. Zentralgewalt siegte. Die Erfahrungen der Fronde bestimmten Ludwig XIV. in hohem Maß zum Ausbau seiner absoluten Herrschaft.

Fröndenberg, Stadt im Kr. Unna, NRW, an der Ruhr, am S-Fuß des Haarstrangs, 22 200 Ew.; Metall verarbeitende, Papier-, Kartonagenind., Maschinenbau; Fremdenverkehr. – Got. Pfarrkirche mit zwei Tafeln des Fröndenberger Altars (kurz vor 1400; Mittelbild in Dortmund, Museum für Kunst und Kulturgeschichte). – Seit 1952 Stadt.

Fronhof, im MA. ein Herrengut, zu dem abhängige Bauerngüter gehörten, die Abgaben zu liefern hatten und Fronen leisten mussten; im frühen MA. häufig Sitz einer Villikation.

Fronius, Hans, österr. Grafiker, Illustrator und Maler, *Sarajevo 12. 9. 1903, †Wien 21. 3. 1988; schuf graf. Zyklen und illustrierte literar. Werke (u. a. F. Kafka, F. Villon, H. de Balzac, E. A. Poe); auch Porträts, Stadt- und Landschaftsbilder.

Fronleichnam [mhd. vronlīcham »Herrenleib«] (lat. Corpus Domini, Corpus Christi), im MA. Ausdruck für den eucharist. Leib Christi; Fest der kath. Kirche zur Verehrung des Altarsakraments als des leiblich gegenwärtigen Herrn, am Donnerstag nach dem ersten Sonntag nach Pfingsten. Seit 1264 begangen, wurde das F.-Fest seit Mitte des 14. Jh. mit der **F.-Prozession** verbunden, in der die geweihte Hostie in einer Monstranz mitgeführt wird.

Fronleichnamsspiele, geistl. Spiele im MA., die am Fronleichnamsfest aufgeführt wurden. Dargestellt wurden einzelne Stationen der christl. Heilsgeschichte.

Front [frz., von lat. frons »Stirn«], **1)** *allg.:* Stirnseite, Vorderansicht.

2) *Meteorologie:* Grenzfläche zw. warmen und kalten Luftmassen, oft nur wenige Kilometer breit, in Auflösung und Neubildung ständig wechselnd. Nach Art der vordringenden Luftmasse unterscheidet man **Warm-** und **Kalt-F.;** im Verlauf der Vereinigung von beiden (Okklusion) setzt sich in Bodennähe meist die Kalt-F. durch. F. sind bestim-

Froschlöffel: Gemeiner Froschlöffel (Höhe 15–110 cm)

mend für den Wetterablauf (→Tiefdruckgebiet) und i. d. R. mit ausgeprägten Wettererscheinungen verbunden. Über die **Frontalzone,** die Übergangsschicht in größeren Höhen, →Jetstream.

3) *Militärwesen:* Berührungslinie feindl. Streitkräfte; darüber hinaus Bez. für die gesamte vordere Kampfzone im Ggs. zur Etappe.

4) *Politik:* →Block.

Frontantrieb, →Vorderradantrieb.

Front de Libération Nationale [frɔ̃dliberas'jɔ̃ nasjɔ'nal], →FLN.

Front-Fan-Triebwerk ['frʌnt'fæn-; engl. »Vordergebläse«], ein →Strahltriebwerk.

Front Islamique du Salut [frɔ isla'mik dy sa'ly; frz. »Islamische Heilsfront«], Abk. **FIS,** islamistische polit. Partei in Algerien, gegr. 1989, fordert die Einführung des islam. Rechts und die Errichtung einer islam. Gesellschaft, errang im Dez. 1991 beim ersten Wahlgang zum nat. Parlament die Mehrheit der Stimmen, ging nach der Suspendierung des zweiten Wahlgangs und ihrem Verbot 1992 in den Untergrund (→Algerien, Geschichte).

Frontispi̱z [frz.] *das,* **1)** *Architektur:* Giebeldreieck, bes. über vorspringenden Gebäudeteilen (Risaliten), auch über Fenstern **(Fronton).**

2) *Buchdruck:* die dem Titelblatt gegenüberstehende, mit einem Kupferstich geschmückte Vortitelseite **(Titelkupfer),** auch der das Titelblatt verzierende Holzschnitt.

Frontlader, Fahrzeug mit hydraulisch betätigter Frontschaufel oder -gabel zum Heben, Transportieren und Laden von Gütern.

Frontstaaten, →Afrika, Geschichte; Republik →Südafrika, Geschichte.

Frosch, 1) *Biologie:* →Frösche.

2) *Musik:* das Griffende des Bogens von Saiteninstrumenten mit Stellschrauben zum Spannen des Bogenbezuges.

Frọschauer, Christoph, schweizer. Buchdrucker und Verleger, *Kastl (bei Altötting) um 1490, †Zürich 1. 4. 1564; war für die Schweizer Reformatoren (U. Zwingli, H. Bullinger, J. Ökolampad) tätig. Seine Druckerei ging 1585 an die Firma Orell Füssli über.

Froschbissgewächse (Hydrocharitaceae), Familie der Einkeimblättrigen in Süß- und Salzgewässern der wärmeren und gemäßigten Zonen; in Mitteleuropa u. a. der **Froschbiss** (Hydrocharis morsus-ranae), eine Schwimmpflanze stehender oder langsam fließender Süßgewässer.

Frösche (Echte Frösche, Ranidae), Familie der Froschlurche mit glatter Haut; Zähne nur im Oberkiefer und am Gaumen. Die Ochsen-F. und Goliath-F. fressen kleine Wirbeltiere, die kleineren Arten Insekten, Schnecken und Würmer. In Mitteleuropa leben der Wasser-F., See-F., Gras-F., Moor-F. und der Springfrosch.

Froschfische (Batrachoidiformes), Ordnung der Knochenfische mit der einzigen Familie Batrachoididae (etwa 55 Arten); Bewohner trop. und gemäßigter Meere; einige Arten mit Giftdrüsen; manche können Laute erzeugen. Der bis 25 cm lange **F. (Austernfisch,** Opsanus tau) der atlant. Küsten Nordamerikas eignet sich für Aquarien. Tiefseebewohner sind die bis 40 cm langen **Bootsmannsfische** (Gatt. Porichthys) mit zahlr. Leuchtorganen.

Froschlöffel (Alisma), Gattung der einkeimblättrigen **Froschlöffelgewächse** (Familie Alismataceae), Wasser- oder Sumpfpflanzen, in Mitteleuropa häufig der **Gemeine F.** (Alisma plantago-aquatica) mit grundständigen Blättern und weißl. Blüten, in Sümpfen, an Teichen und Gräben.

Froschlurche (Anura, Salientia), Ordnung der Lurche mit gedrungenem Körper und kurzen Vordergliedmaßen; die Hintergliedmaßen sind Sprungbeine mit Schwimmhäuten zw. den Zehen. Die Eier **(Laich)** werden, oft in Schnüren oder Klumpen, ins Wasser abgelegt und vom Männchen befruchtet. Die ausschlüpfende Larve **(Kaulquappe)** hat am fußlosen Körper einen Ruderschwanz mit Flossensaum, ferner Raspelzähne für das anfängl. Abweiden von Algen; sie atmet durch Kiemen. Im Verlauf der Entwicklung bilden sich Beine und Lunge, während Kiemen und Ruderschwanz schwinden. Die F. verlassen dann meist das Wasser und ernähren sich von Kleintieren. Zu den F. gehören u. a. →Scheibenzüngler, Pipakröten (→Pipa), →Kröten, →Laubfrösche und →Frösche.

Froschmann, ein mit Spezialanzug, Tauchgerät, Schwimmflossen u. a. ausgerüsteter, frei schwimmender Taucher für militär. und Noteinsätze.

Froschmäusekrieg, →Batrachomyomachie.

Froschperspektive, →Perspektive.

Froschbissgewächse: Froschbiss (Länge des Blatts einschließlich des Blattstiels 10–40 cm)

Frösche (von oben): Grasfrosch, Moorfrosch, Wasserfrosch

Robert L. Frost

Froschtest, früher gebräuchlicher Schwangerschaftstest, bei dem Tieren Harnproben eingespritzt werden; führen bei positivem Befund zu Veränderungen v. a. an den Geschlechtsorganen.

Frosinone, 1) Provinz in Latium, Mittelitalien, 3264 km², (1995) 489200 Einwohner.

2) Hptst. von 1), Hauptort der durch ihre Trachten bekannten Landschaft Ciociaria, 46300 Ew.; Hubschrauberwerk, Textil-, Elektronik-, Nahrungsmittelind., Weinbau und Ölbaumkulturen. – Vom antiken **Frusino** sind nur wenige Reste erhalten; östlich von F. frühgot. Zisterzienserabtei.

Frost, Auftreten von Temperaturen unter 0 °C und damit Gefrieren des Wassers im Boden oder in mit dem Boden verbundenen Objekten. **Strahlungs-F.** tritt bei klarem, windstillem Wetter meist nachts **(Nacht-F.)** auf; **Boden-F.** ist ein F. am und im Boden; Einströmen ortsfremder Kaltluft führt zu **Advektivfrost.**

Frost [frɔːst], Robert Lee, amerikan. Lyriker, *San Francisco 26. 3. 1875, †Boston 29. 1. 1963; lebte 1912–15 in Großbritannien, wo er durch den Imagismus bed. Impulse erhielt. Seine Naturgedichte zeigen eine Vielfalt von Stimmungslagen, iron. Haltungen und Gefühlsabstufungen.

Frostbeulen (Perniones), rundl., gerötete, bei Erwärmung juckende und brennende Hautschwellungen als Auswirkung eines Kälteschadens bei Durchblutungsstörungen, die auch zu Blasen- und Geschwürbildung führen können. F. treten bes. an Füßen und Händen auf; sie verschwinden in der warmen Jahreszeit.

Frostboden, Boden mit zeitweilig oder dauernd (→Dauerfrostboden) gefrorenem Bodenwasser. Durch die Volumenvermehrung des gefrierenden Wassers entstehen Druckkräfte **(Frosthub, Frostschub),** deren Ausmaß von der Quellfähigkeit, der Wasserdurchtränkung und der Körnung des Bodens abhängig ist. Feinkörnige Böden (Ton, Löss, Lehm) weisen hohe Quellfähigkeit und hohe Frostgefährdung auf. Bei Böden mit unterschiedl. Körnung genügt ein etwa 3%iger Tonanteil, um Frostschäden hervorzurufen. **Frostmusterböden** (Strukturböden) wie Brodelböden und Polygonböden entstehen durch →Kryoturbation.

Frostkeimer, Freilandpflanzen, deren Samen bei niedrigen Temperaturen besser keimen.

Frostresistenz, →Kälteresistenz.

Frostschäden, 1) *Biologie:* bei Pflanzen versch. Krankheitsbilder durch Frost: an Baumstämmen in Längsrichtung **Frostrisse** oder **Frostspalten,** in denen sich Überwallungswülste **(Frostleisten)** bilden, eingesunkene Rindenpartien **(Frostplatten);** an Zweigen herabhängende Rindengewebe **(Frostlappen),** breitkegelförmige Auftreibungen **(Frostbeulen),** erfrorene Zweigspitzen **(Spitzenbrand);** krautige Pflanzen vergilben oder werden bei Auftauen schlaff, wässrig durchscheinend und vertrocknen; an Blättern hebt sich die Oberhaut ab **(Frostblasen),** das Laub fällt vorzeitig ab **(Frostschütten);** an Wintersaaten werden die Spitzen weiß und vertrocknen; an Blüten werden Griffel und Fruchtknoten schwarz. **Indirekte F.** sind das Vertrocknen junger Saaten durch Abreißen der Wurzeln nach wechselndem Gefrieren und Auftauen des Bodens, Eindringen von Pilzparasiten durch Frostrisse u. a. – Frostschutzmaßnahmen sind das **Frosträuchern** (Verhinderung der Wärmeausstrahlung durch Erzeugen von Rauch) oder die direkte Beheizung der Kulturen. Am wirksamsten ist die **Frostschutzberegnung** vor Einsetzen des Frostes, damit bei Eisbildung die frei werdende Erstarrungswärme die Pflanzen schützt.

Frucht 1): Einzelfrüchte; a–d Öffnungsfrüchte: a Balg (Sumpfdotterblume), b Hülse (Wachsbohne), c Kapsel (Mohn), d Schote (Raps); e–i Schließfrüchte: e Nuss (Haselnuss), Beere (Johannisbeere), g Steinfrucht (Kirsche), h Spaltfrucht (Kümmel), i Bruchfrucht (Gliederhülse des Vogelfußklees)

Frottage: Max Ernst, »Blättersitten«, Bleistiftfrottage aus »Histoire naturelle« (1925)

2) *Erdbau:* aufgrund der Volumenvergrößerung feinkörniger Böden mit hoher Kapillarität (Frostboden) durch Gefrieren des Porenwassers entstehende Schäden in Form unregelmäßig verteilter, reiner Eislinsen. An Bauwerken (z. B. Straßen) auf derartigen Böden ergeben sich F. (z. B. an der Straßenoberfläche) in Form von Rissen, Wellen, Beulen infolge unterschiedl. Bodenhebungen.

Frostschutt, →Spaltenfrost.

Frostschutzmittel, die →Gefrierschutzmittel.

Frostschutzschicht, *Straßenbau:* die Kapillarität unterbrechende Schicht aus verwitterungsbeständigem, kornabgestuftem Kiessand oder gebrochenem Gestein zur Verhinderung von Frostschäden.

Frostspanner, im Herbst und Winter auftretende Schmetterlinge aus der Familie Spanner mit geflügelten Männchen und flügellosen oder stummelflügeligen Weibchen. Die Raupen des **Kleinen F.** (Operophthera brumata) zerstören Blätter, Knospen und Früchte an Obstbäumen. Der **Große F.** (Erannis defoliaria) ist bes. Schädling an Eichen.

Frostsprengung (Frostverwitterung), →Spaltenfrost.

Frottage [frɔ'ta:ʒə, frz.] *die* (Abreibung, Durchreibung), graf. Verfahren, bei dem Papier auf prägende Unterlagen (Holz, Metall, Textilien u.Ä.) gedrückt und deren Struktur bildnerisch genutzt wird; 1925 von M. Ernst erstmals angewendet.

Frottee [frz.] *das* oder *der* (Frotté, Kräuselstoff, Noppenstoff), raue, unebene, gekräuselte Baumwoll- oder Viskosestoffe, meist in Leinwandbindung aus dreifädigem Frottee-, Schlingen- und/oder Kräuselzwirn gewebt.

Frottierstoff (Frottiergewebe, Schlingengewebe), aus glatten Zwirnen oder Garnen gewebtes, beidseitig mit Schlingen versehenes Gewebe für Hand- und Badetücher, -mäntel und Strandkleidung. Bei **Frottiervelours** sind die Schlingen auf einer Gewebeseite aufgeschnitten.

Frottola [italien.] *die,* in der italien. Musik seit Ende des 15. Jh. eine vierstimmige Liedform in volkstümlich einfacher Setzweise.

Froward, Kap [- 'frəʊəd], der südlichste Punkt des südamerikan. Festlands, am N-Ufer der Magellanstraße (53° 54' s. Br.).

Fruchtbarkeitskulte: Sumerischer Bronzestier als Fruchtbarkeitssymbol, Höhe 47 cm (um 2500 v. Chr.; London, Britisches Museum)

Frucht, 1) *Botanik:* aus dem F.-Knoten einer Blüte während der Samenentwicklung entstehendes Organ, das den oder die Samen enthält. Es gibt versch. F.-Formen: 1. **Einzelfrüchte:** Aus einer Blüte geht nur eine einzige F. hervor, die sich bei der Reife ganz oder teilweise öffnet und die Samen freigibt (**Öffnungsfrüchte, Streufrüchte;** z.B. Balg-F., Hülse, Schote und Kapsel-F.) oder in geschlossenem Zustand von der Pflanze abfällt (**Schließfrüchte;** z.B. Nuss, Beere, Stein-F.); 2. **Sammelfrüchte:** Aus jedem einzelnen F.-Blatt entsteht eine F. für sich (Früchtchen), jedoch bilden alle Früchtchen dieser Blüte unter Mitwirkung anderer Blütenteile (z.B. der Blütenachse) bei der Reife einen einheitl. Verband **(F.-Verband),** der eine Einzel-F. vortäuscht **(Schein-F.)** und sich als Gesamtheit ablöst. Nach der Ausbildung der Früchtchen werden die Sammelnuss-F. (z.B. Erdbeere), die Sammelstein-F. (z.B. Himbeere) und die Sammelbalg-F. (z.B. Apfel) unterschieden; 3. **F.-Stände:** Ganze Blütenstände, die bei der Reife (unter Mitwirkung zusätzl. Organe) das Aussehen einer Einzel-F. annehmen und als Ganzes verbreitet werden (Scheinfrüchte). F.-Stände können als **Nussfruchtstand** (z.B. Maulbeere), **Beerenfruchtstand** (z.B. Ananas) oder **Steinfruchtstand** (z.B. Feige) ausgebildet sein.

Frostspanner: Männchen (oben) und Weibchen des Kleinen Frostspanners

2) *Recht:* →Früchte.

Fruchtaromen (Fruchtessenzen), Alkohole, Aldehyde, Ketone, niedere und mittlere Fettsäuren sowie deren Ester mit niederen Alkoholen (früher **Fruchtäther** gen.), die die Aromen von Früchten enthalten und wiedergeben; meist künstlich hergestellt und bes. zur Bonbonfabrikation und zur Aromaverstärkung von Fruchtzubereitungen verwendet.

Fruchtbarer Halbmond (engl. Fertile Crescent), von J. Breasted eingeführte Bez. für die noch im Regenfeldbau (ohne Bewässerung) nutzbaren Steppenlandschaften Jordaniens, Libanons, Israels, Syriens, der Türkei, Iraks und Irans. Sie umschließen halbkreisförmig den Nordsaum der Arab. Halbinsel. Funde der Mittelsteinzeit (Natufien) und vom Beginn der Jungsteinzeit lassen den Schluss zu, dass sowohl Getreideanbau als auch Haustierzucht im Bereich des F. H. ihren Ursprung haben. In den höher gelegenen semiariden Gebieten (Kurdistan, Syrien, Palästina) kommen heute noch Wildformen von Weizen und Gerste sowie wild lebende Schafe vor. KARTE S. 52

Fruchtbarkeit (Fertilität), **1)** *Biologie:* die Fähigkeit von Organismen, Nachkommen hervorzubringen. (→Sterilität)

2) *Bodenkunde:* die Fähigkeit des Bodens (Boden-F.) zur ausreichenden Ernährung von Feldfrüchten; durch Melioration erworbene F. steigert den Ertrag langfristig oder macht den Boden überhaupt erst fruchtbar.

Fruchtbarkeitskulte, in den meisten Kulturen der Erde verbreitete Bräuche, die die Vermehrung von Mensch, Tier oder Pflanze fördern sollen. F.

Frucht 1): Sammelfrüchte; k Sammelnussfrucht (Erdbeere), l Sammelsteinfrucht (Brombeere), m Sammelbalgfrucht (Apfel). Fruchtstand: n Beerenfruchtstand (Ananas)

sind meist mit Opferriten **(Fruchtbarkeitsriten)** verbunden; sie werden bes. ausgeübt bei der Hochzeit, bei der Aussaat, bei Dürre und beim Austreiben des Viehs auf die Sommerweide.

Fruchtbecher, *Botanik:* die →Cupula.

Fruchtblase, bei lebend gebärenden Säugetieren (einschl. Mensch) die Hülle, welche die Amnionhöhle mit dem Fruchtwasser umschließt. Die F. besteht aus den Embryonalhüllen Amnion und Chorion (Serosa).

Fruchtblatt, *Botanik:* weibl. Geschlechtsorgan der →Blüte.

Fruchtbringende Gesellschaft (Palmenorden), die älteste und größte der →Sprachgesellschaften, gegr. 1617 bei Weimar von Fürst Ludwig von Anhalt-Köthen und drei Herzögen von Sachsen. Nach dem Vorbild der italien. Accademia della Crusca widmete sie sich der Pflege der dt. Sprache und Literatur und der Hebung ihres Ansehens. Sie förderte die Normierung von Rechtschreibung und Grammatik und bekämpfte das Fremdwort. Die F. G. bestand bis 1680.

Früchte, *Zivilrecht:* die Erzeugnisse einer Sache (z.B. die Milch oder das Kalb einer Kuh) und die sonstige Ausbeute (z.B. Steine aus einem Steinbruch), die aus der Sache ihrer Bestimmung gemäß gewonnen werden (»Sach-F.«) sowie die Erträge eines Rechts (z.B. die Dividende der Aktie), die das Recht seiner Bestimmung gemäß gewährt (»Rechts-F.«, §99 BGB). **Mittelbare** (Sach- und Rechts-) **F.** sind die Erträge, die eine Sache oder ein Recht aufgrund eines Rechtsverhältnisses gewährt (z.B. der Mietzins bei untervermietetem Wohnraum). Von den F. sind die →Nutzungen zu unterscheiden. F. stehen auch nach der Trennung dem Eigentümer der Muttersache zu (Ausnahme: der →Überfall), es sei denn, der Eigentümer hat Dritten das Recht zur F.-Ziehung eingeräumt.

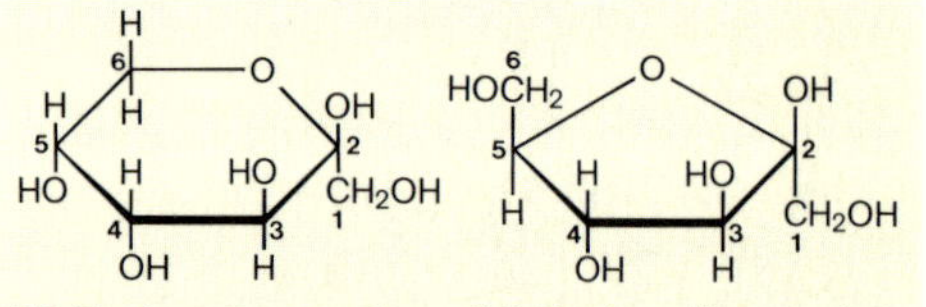

Fructose

Fruchtfäule, Pflanzenkrankheit, bei der die Früchte verfaulen, so →Graufäule, →Moniliakrankheit.

Fruchtfliegen (Bohrfliegen, Trypetidae), Familie der Fliegen mit rd. 2000 Arten; bis 7 mm lange Tiere mit Querbändern oder Fleckenzeichnung auf den Flügeln. Die Larven entwickeln sich in Blütenköpfen, Pflanzenstängeln und in Früchten. Zu den F. gehören Schädlinge wie Kirsch-F., Oliven- und Spargelfliege.

Fruchtfolge (Fruchtwechsel), aufeinander folgender Anbau versch. Feldfrüchte nach bestimmten Grundsätzen **(Fruchtwechselwirtschaft).** F. ist u.a. nötig, um der Bodenermüdung und Ausbreitung von Schädlingen vorzubeugen. Älteste F.-Formen sind die Feld-Gras-Wirtschaft und die Dreifelderwirtschaft.

Fruchtholz, Obstbaumzweige, die Blüten und Früchte tragen. Das Kernobst bildet **Fruchtruten,** bis 30 cm lang, und **Fruchtspieße,** bis 10 cm lang; beide verlängern sich durch eine endständige

Fruchtbarer Halbmond

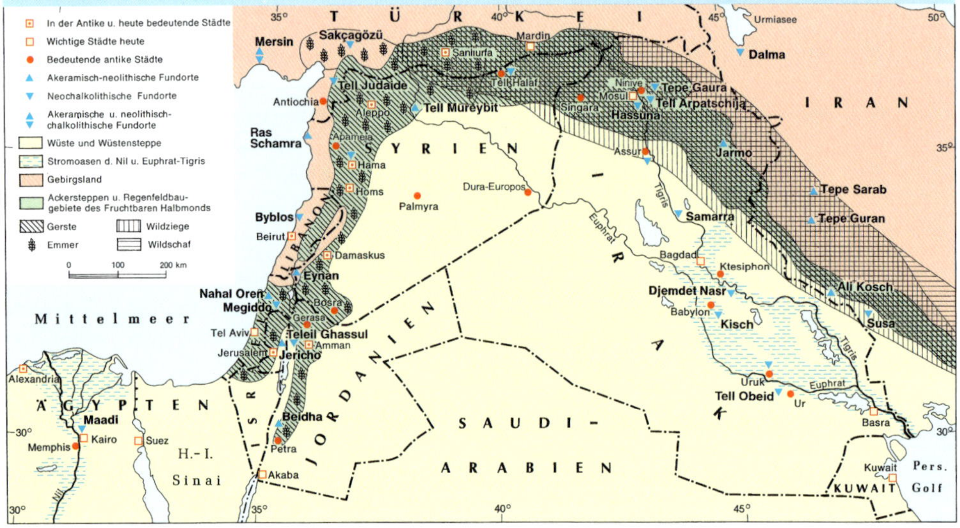

Rueland Frueauf d. Ä.: Bildnis des Jobst Seyfried (undatiert; Wien, Österreichische Galerie)

Holzknospe. Das stark verzweigte F. nennt man auch **Quirlholz.** Der **Ringelspieß** ist ein gestauchter, mehrjähriger Trieb, der mit einer Blattrosette abschließt, in der sich eine Blütenknospe entwickeln kann. Steinobst bildet **Bukettriebe,** Kurztriebe, die rundum Blütenknospen und in deren Mitte eine Blattknospe tragen.

Fruchtknoten, *Botanik:* der aus den Fruchtblättern gebildete, geschlossene Hohlraum, in dem die Samenanlagen eingeschlossen sind.

Fruchtsaft, i.w.S. ein unvergorener, aus Früchten mittels techn. Verfahren gewonnener Saft; auch aus F.-Konzentrat durch Zusatz des bei der Konzentration entzogenen Wassers hergestellter Saft. **Fruchtsaft:** Saftanteil 100%, Fruchtgehalt 50%; **Fruchtnektar:** Saftanteil 50%, Fruchtgehalt 25%; **F.-Getränke:** Saftanteil 6%, Fruchtgehalt 3%. **Fruchtsirup** ist eine dickflüssige Zubereitung aus F., konzentriertem F. oder aus Früchten (mit höchstens 68% Zucker). Dem F. können bis 15 g Zucker pro Liter ohne Kennzeichnung zugesetzt werden.

Fruchtsäuren, organ. Säuren, die in Früchten vorkommen, z.B. Apfel-, Zitronen-, Weinsäure.

Fruchtschiefer, → Kontaktschiefer.

Fruchtschmiere (Käseschmiere, Vernix caseosa), dem Neugeborenen bei der Geburt anhaftende Schutzschicht aus Talg, Epithelien und Wollhaaren; schützt vor Wärmeverlust und erleichtert das Gleiten des Kindes während der Geburt.

Fruchtstand, *Botanik:* aus Einzelfrüchten bestehende Scheinfrucht. (→ Frucht)

Fruchtwasser (lat. Liquor amnii), vom Amnion gebildete Flüssigkeit innerhalb der Amnionhöhle bzw. Fruchtblase. Im F. ist der Embryo (bzw. Fetus) frei beweglich eingebettet und gegen Druck, Stoß und Erschütterungen von außen geschützt. Die F.-Menge beträgt am Ende der Schwangerschaft 200–1 000 ml.

Fruchtwechsel, die → Fruchtfolge.

Fruchtzucker, die → Fructose.

Fructidor [frykti'dɔ:r; frz. »Fruchtmonat«] *der,* im frz. Revolutionskalender der 12. Monat (18. oder 19. 8. bis 16. oder 17. 9.).

Fructose [lat.] *die* (Fruktose, Fruchtzucker), in der Natur weit verbreiteter Zucker, eine optisch aktive Ketohexose (Monosaccharid). Prakt. Bedeutung hat nur die linksdrehende D-Form **(Lävulose),** die sich frei in vielen Früchten und im Honig, chemisch gebunden in Saccharose und im Inulin findet. Das Molekül liegt bei der reinen Substanz als sechsgliedriger Ring **(Pyranose)** vor, im gebundenen Zustand als fünfgliedriger Ring **(Furanose).**

Frueauf ['fry:-], **1)** Rueland, d.Ä., Maler, * Obernberg am Inn (?) 1440/50, † Passau 1507, Vater von 2); 1480 Bürger in Passau, dort und in Salzburg tätig; schuf Tafelbilder und Fresken im linearen Stil der Spätgotik.

2) Rueland, d.J., Maler, * Passau um 1470, † ebd. nach 1545, Sohn von 1). Zu seinem Werk gehören die Flügelbilder eines Leopoldaltars (1505), heute im Stiftsmuseum von Klosterneuburg; mit seinen stimmungsvollen Landschaften ist er ein Wegbereiter der Donauschule.

Frühbeet, zur Anzucht junger Pflanzen angelegtes Beet, das zum Schutz vor der Witterung mit einer Umrandung versehen und mit abnehmbaren Fenstern oder Plastikfolie abgedeckt ist.

frühchristlich (altchristlich), die ersten drei nachchristl. Jahrhunderte (bis zur Entstehung der

Rueland Frueauf d. J.: »Auszug des heiligen Leopold zur Jagd«, linker Flügel des Leopoldaltars (1505; Klosterneuburg, Stiftsmuseum)

Günter Fruhtrunk: »Emotion«, Siebdruck (1973)

Staatskirche im Röm. Reich) betreffend. In der jüngeren Forschung wird die Epoche des Frühchristentums bis zum Beginn der Christianisierung der Germanen (etwa 7. Jh.) ausgedehnt.

frühchristliche Kunst (altchristliche Kunst), die christl. Kunst der Spätantike vom 3. bis 6. Jh., meist unter Abgrenzung der →byzantinischen Kunst und der →armenischen Kunst. Thema der Katakombenmalerei und Mosaikkunst ist der christl. Erlösungsgedanke, ausgedrückt in Symbolen (Pfau, Taube, Fisch) sowie in alt- und neutestamentl. Szenen. Die Bautätigkeit setzte ein im 4. Jh. in Bethlehem mit dem Bau der Grabeskirche (326) und in Rom mit der Erlöserbasilika (San Giovanni in Laterano; 326), Alt-Sankt-Peter, San Paolo fuori le mura und im 5. Jh. Santa Maria Maggiore. Neben diesen röm. Patriarchalbasiliken entstanden Kirchen v. a. in Ravenna (San Vitale, 547; Sant' Apollinare in Classe, 549) und Mailand. Bed. Zeugnisse f. K. sind auch die Elfenbeinarbeiten, z. B. Kathedra des Bischofs Maximian in Ravenna (um 550; Ravenna Erzbischöfl. Museum) sowie die Sarkophagreliefs, z. B. der Junius-Bassus-Sarkophag (359; Rom, Vatikan. Sammlungen), der Zwölf-Apostel-Sarkophag in Sant' Apollinare in Classe in Ravenna (5. Jh.). Von der Buchmalerei ist wenig erhalten, so die aus Konstantinopel oder Antiochia stammende →Wiener Genesis (6. Jh.; Wien, Österr. Nationalbibliothek). – Die f. K. hatte großen Einfluss auf die gesamte abendländ. Entwicklung.

📖 Effenberger, A.: *F. K. u. Kultur. Von den Anfängen bis zum 7. Jh. Leipzig 1986.* – Hutter, I.: *Frühchristl. u. byzantin. Kunst. Sonderausg. Stuttgart u. a. 1991.* – Stützer, H. A.: *F. K. in Rom. Ursprung christlich-europ. Kunst. Köln 1991.*

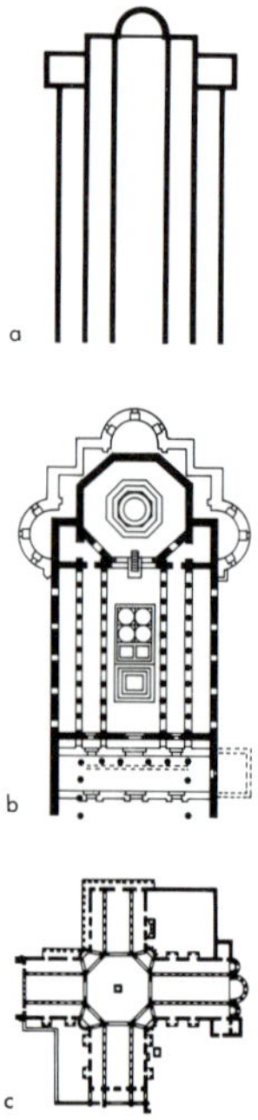

frühchristliche Kunst: Grundrisse von a San Giovanni in Laterano, Rom (324 geweiht), b der konstantinischen und der justinianischen Anlage der Geburtskirche in Bethlehem (326 und 6. Jh.) und c einer Basilika von Kalat Siman in NW-Syrien (5. Jh.)

frühchristliche Literatur, das christl. Schrifttum bis zum Ende der Antike (etwa 6. Jh.), anfangs, in jüd. Tradition und in grch. Sprache, als Evangelien, Apokalypsen, Briefe, seit dem 2. Jh. zunehmend in Formen der weltl., bes. der hellenist. Lit.: zunächst bei den →Apologeten (seit Justinus), später bes. in der alexandrin. Theologenschule (→alexandrinische Schule) und bei den Kirchenvätern. Rhetor. Vollendung erreichte die christl. Kunstpredigt (Johannes Chrysostomos). Im Osten ging die f. L. bruchlos in die byzantin. über; im Westen bildete sich seit etwa 200 n. Chr. neben der grch. eine lat. Literatur (Tertullian, Cyprianus, Lactantius) und erreichte im 4. Jh. durch Hieronymus, Ambrosius und bes. Augustinus einen Höhepunkt. Die Dichtung verherrlichte die neuen Ideale und begründete das christl. Epos (Prudentius).

📖 Dibelius, M.: *Geschichte der urchristl. Literatur. München ³1990.* – Altaner, B. u. Stuiber, A.: *Patrologie. Leben, Schriften u. Lehre der Kirchenväter. Sonderausg. Freiburg im Breisgau u. a. 1993.*

frühchristliche Musik, die Musik der christl. Kirche vom 1. bis 6. Jh., vereint Elemente des jüd. Synagogalgesangs mit Elementen der antiken grch. Musik. Die Kenntnis von der f. M. basiert lediglich auf literar. Zeugnissen. Im Ggs. zum jüd. Kult war im christl. Gottesdienst die Verwendung von Musikinstrumenten verboten. In den grundsätzlich einstimmigen Gesängen herrschte zunächst das Griechische als Kultsprache vor. Es bildeten sich die Traditionen des Ostens (kopt., syr., armen., byzantin.) und des Westens heraus (als →gregorianischer Gesang, →ambrosianischer Gesang, später gallikan. und mozarab. Gesang).

Frühdruck, Erzeugnis des frühen Buchdrucks, i. w. S. Drucke von etwa 1450 bis etwa 1550, i. e. S. Drucke zw. 1501 und 1550; Drucke aus dem 15. Jh. werden als Inkunabeln bezeichnet.

Frühgeburt, vorzeitige Entbindung eines lebenden Neugeborenen zw. der 28. **(Siebenmonatskind)** und der 37. Schwangerschaftswoche (Normalgeburt: nach etwa 40 Schwangerschaftswochen). Ursachen einer spontanen F. sind Erkrankungen der Mutter oder des Kindes. Das Geburtsgewicht des Kindes beträgt 2 500 g oder weniger. **Frühgeborene** sind funktionell unreif, sie sind gefährdet durch Trinkschwäche, Atemstörungen, Unterkühlung, Gelbsucht und Infektionen. (→Inkubator)

Frühgeschichte, der im geschichtl. Verlauf jeweils auf die →Vorgeschichte folgende Zeitabschnitt, für den neben archäolog. Funden auch schriftl. Überlieferungen und sonstige histor. Quellen (Sprachdenkmäler, Ortsnamen, Münzen u. a.) zur Verfügung stehen, ohne dass diese allein für eine verlässliche Bestandsaufnahme ausreichten. Für Mitteleuropa beginnt die F. mit der Zeit Cäsars (Mitte des 1. Jh. v. Chr.), für das

Mittelmeergebiet wesentlich früher, für N-Europa später.

Frühjahrsmüdigkeit, volkstüml. Bez. für die allg. körperl. Abgespanntheit während der Frühjahrsmonate, u.a. möglicherweise Folge eines Vitamin-C-Mangels oder bioklimat. Einflüsse.

Frühling (Frühjahr, Lenz), die →Jahreszeit zunehmender Tageslängen, astronomisch von der Frühlings-Tagundnachtgleiche bis zur Sommersonnenwende.

Frühlingspunkt (Widderpunkt), Schnittpunkt des Himmelsäquators und der Ekliptik, in dem die Sonne beim Frühlingsanfang steht. Der Gegenpunkt heißt **Herbstpunkt.** (→Äquinoktium, →astronomische Koordinaten)

Frühneuhochdeutsch, Entwicklungsabschnitt der dt. Sprache von etwa 1350 bis 1650.

Frühreife, 1) *Anthropologie:* außergewöhnl. Verfrühung in der phys. und/oder psych. Entwicklung bei Kindern und Jugendlichen.

2) *Botanik:* verfrühte Reifung von Früchten.

3) *Zoologie:* bei Haustieren ein erblich bedingter früher Entwicklungsabschluss.

Frühstückskartell, kartellrechtl. Vereinbarung über ein bestimmtes Verhalten am Markt in Form mündl. Absprachen; nach dem Gesetz gegen Wettbewerbsbeschränkungen unzulässig.

Fruhtrunk, Günter, Maler, *München 1. 5. 1923, †ebd. 12. 12. 1982. Entscheidend war seine Begegnung mit F. Léger und H. Arp; einer konstrukti-

frühchristliche Kunst

1

2

3

4

1 Baptisterium im Dom von Ravenna (um 458) | **2** Maria mit dem Kind, Ausschnitt aus einem Wandgemälde in der Priscilla-Katakombe in Rom (um 250) | **3** Vögel mit Fruchtzweigen, Ausschnitt aus einem Mosaik in Santa Costanza in Rom (um 340) | **4** Iunius-Bassus-Sarkophag mit Szenen aus dem Alten und Neuen Testament, Ausschnitt, Marmor (359; Rom, Vatikanische Sammlungen)

Christopher Fry

Elizabeth Fry

vist. Phase folgten farbintensive Bilder aus parallelen, orthogonalen oder diagonalen Farbstreifen.

Frühwarnsystem (engl. early warning system), militär. Radar- und Rechenanlage, zum frühzeitigen Erkennen anfliegender Flugzeuge, Fernlenkwaffen oder Raumwaffen und zum Auslösen der Luftverteidigung. Neben den landgestützten Systemen (z.B. NADGE) werden fliegende Systeme (z.B. AWACS) verwendet. Durch Infrarot- und opt. Sensoren in Erdsatelliten kann der überwachbare Raum über die gesamte Erdoberfläche ausgedehnt werden.

Fruktifikationstheorie, →Zinstheorien.

Frundsberg, Georg von, kaiserl. Feldhauptmann, *Burg Mindelburg (Mindelheim) 24. 9. 1473, †ebd. 20. 8. 1528; diente als Landsknechtsführer den Kaisern Maximilian I. und Karl V. 1519 befehligte er das Fußvolk des Schwäb. Bundes gegen Herzog Ulrich von Württemberg. Im Krieg gegen Frankreich hatte er entscheidenden Anteil an den Siegen bei Bicocca (1522) und bei Pavia (1525); als »Vater der Landsknechte« organisierte er diese zu einer schlagkräftigen Truppe.

Frunse, 1926–91 Name der Stadt →Bischkek.

Frunse, Michail Wassiljewitsch, sowjet. Politiker und Militärfachmann, *Pischpek (heute Bischkek) 2. 2. 1885, †Moskau 31. 10. 1925; seit 1904 Bolschewik, führte im Bürgerkrieg erfolgreich Verbände der Roten Armee gegen die »weißen« Generäle Koltschak und Wrangel und eroberte Turkestan. F. war Begründer der sowjet. Militärwissenschaft, ab 1924 Leiter der Militärakademie. Als Nachfolger Trotzkis war er 1925 Kriegskommissar.

Georg von Frundsberg: anonymer zeitgenössischer Kupferstich

Fruška gora ['fruʃka -], Hügelzug zw. Donau und Save, Serbien, bis 539 m ü. M., mit Laubwald bestanden, an den Hängen Weinberge; z. T. Nationalpark (22 850 ha).

Frustration [lat.] *die, Psychologie:* Nichterfüllung, Enttäuschung einer Erwartung oder der Erfüllung eines Bedürfnisses u. Ä., z. B. bei ausbleibender Triebbefriedigung, bei Scheitern eines persönl. Plans. Bei wiederholten oder starken F. kann es zu Ausweichreaktionen, depressivem oder aggressivem Verhalten kommen.

Fuchs 4): links Großer Fuchs (Spannweite 6–7 cm), rechts Kleiner Fuchs (Spannweite 4–5 cm)

Frutigen, Hauptort des Bezirks F. im Kt. Bern, Schweiz, an der Lötschbergbahn, 803 m ü. M., 6 000 Ew.; Viehmärkte; Fremdenverkehr.

Fry [fraɪ], **1)** Christopher, eigtl. C. Harris, engl. Dramatiker, *Bristol 18. 12. 1907; schrieb spielerisch-geistreiche, ironisch-romant. Dramen in Versen voll kühner Bilder: »Ein Phoenix zuviel« (1946), »Die Dame ist nicht fürs Feuer« (1949), »Venus im Licht« (1949), »Ein Schlaf Gefangener« (1951), »Das Dunkel ist Licht genug« (1954), »König Kurzrock« (1961); Filmdrehbücher (»Die Bibel«, »Ben Hur«) und Libretti (»Das verlorene Paradies«, nach J. Milton; Oper von K. Penderecki).

2) Elizabeth, brit. Sozialreformerin, *Norwich 21. 5. 1780, †Ramsgate 12. 10. 1845; Quäkerin, gründete 1817 den »Frauenverein zur Besserung weibl. Sträflinge« und setzte sich für die Reform des Strafrechts und des Strafvollzugs ein.

Frýdlant ['fri:d-] (dt. Friedland), Stadt in der Tschech.. Rep., am N-Rand des Isergebirges, 6 000 Ew.; Maschinenbau, Textilind.; mit Wallensteins Burg. Nach der Burg F. (13.–19. Jh., mit reicher Ausstattung aus dem 17. und 18. Jh.) wurde Wallensteins, des **Friedländers,** nordböhm. Herzogtum 1627 benannt.

F-Schlüssel, *Musik:* Bassschlüssel, der die Lage der Note F auf der 4. Linie des Notensystems angibt. (→Schlüssel)

FSH, Abk. für **f**ollikel**s**timulierendes **H**ormon, →Geschlechtshormone (ÜBERSICHT Hormone).

F-Sterne, Hauptreihensterne der →Spektralklasse F.

ft, Einheitenzeichen für →Foot.

FTZ, Abk. für **F**orschungs- und **T**echnologie**z**entrum, 1992 aus dem Fernmeldetechnischen Zentralamt hervorgegangenes Institut, das für Entwicklung, Planung, Aufbau und Betrieb von Netzen, Systemen, fernmeldetechn. Einrichtungen und Geräten zuständig ist. Weitere Aufgabenschwerpunkte des FTZ sind Qualitätssicherung und Kontrolle, Marktforschung und Marketing sowie zentrale Dokumentation und Information. Im

Zuge der Postreform wurde das FTZ von der Dt. Telekom AG übernommen, die 1995 mit Gründung des Technologiezentrums (TZ) begonnen hat, das FTZ in 13 Zentren aufzulösen.

Fuchs, 1) *Astronomie:* (lat. Vulpecula, Füchschen) nördl. Sternbild.

2) *Feuerungstechnik:* Abgaskanal, der einen Industrieofen oder einen Dampferzeuger mit dem Schornstein verbindet.

3) *student. Verbindungswesen:* (Fux) Verbindungsstudent in den beiden ersten Semestern.

4) *Zoologie:* 1) Raubtier, →Füchse. 2) fuchsähnlich gestaltete Säugetiere, wie Flug-F. (→Flughunde). 3) Pferd von rötl. Farbe in allen Abstufungen. Mähne und Schweif haben etwa die Farbe der Körperhaare, nicht schwarz wie beim Braunen. 4) Bez. für zwei Schmetterlinge (Eckenflügler): **Großer F.**, ziemlich selten, 6–7 cm spannend, und **Kleiner F.**, 4–5 cm spannend.

Fuchs, 1) Anke, Politikerin (SPD), *Hamburg 5. 7. 1937; Juristin, seit 1980 MdB, war 1982 Bundesmin. für Jugend, Familie und Gesundheit sowie 1987–91 Bundesgeschäftsführerin der SPD; seit 1993 stellv. Vors. der SPD-Bundestagsfraktion.

2) Emil, evang. Theologe, *Beerfelden (Odenwaldkreis) 13. 5. 1874, †Berlin (Ost) 13. 2. 1971, Vater von 6); nach dem 1. Weltkrieg führender religiöser Sozialist, 1949 Prof. in Leipzig; schrieb »Christl. und marxist. Ethik« (1957 ff.).

3) Ernst, österr. Maler und Grafiker, *Wien 13. 2. 1930; Schüler von A. P. Gütersloh, gehört zur →Wiener Schule des fantastischen Realismus.

4) Günter Bruno, Schriftsteller, Grafiker, *Berlin 3. 7. 1928, †ebd. 19. 4. 1977; Lyriker und Prosaist, der hinter seinen verspielten, märchenhaften, fantast. Versen und Texten Zeitkritik versteckt (»Bericht eines Bremer Stadtmusikanten«, R., 1968; »Gemütlich summt das Vaterland«, Gedichte u.a., hg. 1984); auch Hörspiele; Grafiken u.a. zur Gestaltung seiner Bücher.

5) Jürgen, Schriftsteller, *Reichenbach/Vogtl. 19. 12. 1950; studierte Psychologie in Jena, 1975 zwangsexmatrikuliert; nach Protest gegen die Ausbürgerung W. Biermanns 1976 in Haft, 1977 nach Berlin (West) abgeschoben. F. beschreibt v.a. Bedrohung, Unterwerfung und Opportunismus im DDR-Alltag sowie den Alltag im Westen (»Gedächtnisprotokolle«, 1977, »Tagesnotizen«, Ged., 1979; »Fassonschnitt«, R., 1984; »Das Ende einer Feigheit«, Prosa, 1988).

6) Klaus, Physiker, *Rüsselsheim 29. 12. 1911, †Berlin (Ost) 28. 1. 1988, Sohn von 2); 1943–46 als brit. Staatsbürger im amerikan. Atomforschungszentrum Los Alamos, danach im brit. Forschungszentrum Harwell beschäftigt. Wegen Verrats von Geheimnissen an die UdSSR 1950–59 inhaftiert; danach in der DDR tätig.

7) Leonhart, Mediziner und Botaniker, *Wemding (Kr. Donau-Ries) 17. 1. 1501, †Tübingen 10. 5. 1566; gilt als einer der »Väter« der Botanik; er gab in »Historia stirpium« (1542; dt. u.d.T. »New Kreüterbuch«) erstmals eine systematische Darstellung der Pflanzen und führte eine wiss. Benennung ein.

8) [fu:ks], Sir (seit 1958) Vivian Ernest, brit. Geologe und Polarforscher, *Freshwater (Isle of Wight) 11. 2. 1908; leitete 1957/58 die Trans-Antarctic-Expedition, die erstmals die gesamte Antarktis auf dem Landweg durchquerte.

Fuchsbandwurm, →Echinokokken.

Füchse, mehrere verwandte Gattungen aus der Familie Hundeartige; bis mittelgroße, schlanke Tiere mit kurzen Beinen, spitzer Schnauze, großen, spitzen Ohren und langem, buschigem Schwanz. F. sind Kleintierfresser, die sich aber auch von Aas und Pflanzen ernähren. Zu den F. gehören die **Echten F.** (Gattung Vulpes) sowie Fennek, Grau-F., Polar-F. (→Hunde). Die bekannteste Art ist der mit mehreren Unterarten in Eurasien und Nordamerika verbreitete **Rot-F.** (Vulpes vulpes). Der **Polar-F.** (**Eis-F.,** Alopex lagopus) mit im Winter weißem, im Sommer graubraunem Fell lebt in der Arktis. Eine Farbvariante des Polar-F. ist der **Blau-F.** – Als **Edel-F.** gelten im Rauchwarenhandel die Felle der F. außer dem Rot-, Grau-, Kitt-F. und Fennek. Bild S. 58

Fuchsie [nach dem Botaniker L. Fuchs] *die* (Fuchsia), artenreiche Gattung der Nachtkerzengewächse; verschiedenfarbig blühende Sträucher,

Fuchsie

Ernst Fuchs: »Malach« (1961–63; Privatbesitz)

Füchse (von oben): Polarfuchs, Rotfuchs und Fennek

meist im bergigen Süd- und Mittelamerika, einige in Neuseeland; beliebte Zierpflanzen.

Carlos Fuentes

Athol Fugard

Fuchsin [zu Fuchsie] *das,* (fälschlich auch Rosanilin), intensiv roter, aber wenig lichtechter synthet. Farbstoff (Triphenylmethanfarbstoff); früher zum Färben von Textilien, heute für Druckfarben und zur Färbung mikroskop. Präparate verwendet.

Fuchsjagd, *Pferdesport:* →Jagdreiten.

Fuchskauten *der,* höchste Erhebung des Westerwaldes, Rheinl.-Pf., 656 m ü. M.

Fuchsschwanz, 1) die Pflanzengattung →Amarant.

2) eine Säge mit kurzem, breitem Blatt und einem Griff.

Fuchsschwanzgras (Alopecurus), Gattung der Süßgräser mit dichten, weichen Ährenrispen; auf Wiesen, Äckern und an feuchten Stellen.

Fuchtel [zu fechten], Degen mit breiter Klinge, später Bez. für den Schlag mit der flachen Klinge, im preuß. Heer bis 1806 eine oft angewendete Strafe; daher die Redensart »unter der F. stehen«.

Fuciner Becken ['fu:tʃi-] (italien. Conca del Fucino), abflusslose Beckenlandschaft im Hochland der Abruzzen, Mittelitalien, 655 m ü. M.; noch im Altertum von einem Karstsee mit stark schwankendem Wasserspiegel **(Fucinus lacus)** erfüllt; 1854–76 trockengelegt (Versuche in der Antike und im MA. waren gescheitert).

Fuder [mhd. vuoder »Wagenladung«, »Fuhre«], **1)** altes, regional noch gebräuchl. Hohlmaß für Wein; zw. 750 und 1950 l; 1200 l am Rhein, 1000 l an der Mosel, 808 l in Sachsen, 1811 l in Österreich.

2) altes Festkörpermaß, bes. für Erz.

Fudjaira [-dʒ-], Scheichtum der →Vereinigten Arabischen Emirate.

Fudschijama (Fudschisan), →Fuji.

Fudschisawa, Stadt in Japan, →Fujisawa.

Fuentes, Carlos, mexikan. Schriftsteller, *Mexiko 11. 11. 1928; war zunächst im diplomat. Dienst (1975–77 Botschafter in Paris); Prof. an der Harvard University; als Literat, Filmautor und Hg. versch. Zeitschriften von großer Wirkung auf das mexikan. Geistesleben; entwirft in seinen thematisch und erzähltechnisch vielfältigen Romanen ein umfassendes Bild mexikan. Gegenwart mit ihren histor. Wurzeln und kulturellen Zusammenhängen, u. a. in »Der Tod des Artemio Cruz« (1962, auch u. d. T. »Nichts als das Leben«), »Hautwechsel« (1967), »Terra nostra« (1975), »Der alte Gringo« (1985), »Christoph, ungeborn« (1987), »Diana oder die einsame Jägerin« (1994); schrieb auch Erzählungen, Essays und Theaterstücke.

📖 Sauter de Maihold, R. M.: *Del silencio a la palabra. Myth. u. symbol. Wege zur Identität in den Erzählungen von C. F. Frankfurt am Main u. a. 1995.*

Fuero [von lat. forum] *der,* span. Rechtsbegriff: Gericht, Rechtsordnung (sowohl Gewohnheits- als auch geschriebenes Recht), Gesetzessammlung, Urkunde.

Fuerteventura, die zweitgrößte der Kanar. Inseln, 1731 km², 30100 Ew., im Pico de Jandia 807 m ü. M. Das extrem trockene Klima lässt nur dürftige Vegetation zu; in Bewässerungsoasen werden Tomaten und Luzerne angebaut; Küstenfischerei, Meersalzgewinnung; ausgedehnte Sandstrände, Unterwasserparks mit reicher Fauna (Fremdenverkehr). Hauptort ist Puerto del Rosario (Hafen, Flughafen).

Füetrer, Ulrich, Dichter und Maler, *Landshut 1. Hälfte des 15. Jh., †München um 1495; malte für das Kloster Tegernsee um 1457 eine »Kreuzigung Christi« (München, Alte Pinakothek). 1478–81 verfasste er eine »Bayer. Chronik« in Prosa. Sein dichter. Hauptwerk ist das »Buch der Abenteuer« (zw. 1473 und 1484).

Fugard ['fju:gɔ:d], Athol, südafrikanischer Dramatiker, *Middelburg (Prov. Ost-Kap) 11. 6. 1932; schreibt polit., hart analysierende sozialkrit. Stücke (»Sizwe Bansi ist tot«, 1972; »Aussagen nach einer Verhaftung aufgrund des Gesetzes gegen Unsittlichkeit«, 1974; »Master Harold ... und die Boys«, 1983; »My Children! My Africa!«, 1990).

Fugato [italien.] *das, Musik:* die imitierende Verarbeitung eines Themas, die auf die vollständige Entwicklung einer Fuge verzichtet.

Fuge [italien., von lat. fuga »Flucht«] *die, Musik:* die gesetzmäßig am strengsten gebaute Form des mehrstimmigen kontrapunktischen Satzes, bei der das gleiche Thema von jeder Stimme nacheinander ausgeführt wird. Eine Stimme beginnt allein mit dem Thema als **Dux (Führer, Subjekt)** in der Grundtonart, der Tonika. Sobald es beendet ist, nimmt eine 2. Stimme das Thema in der Dominante als **Comes (Gefährte, Antwort)** auf, während die 1. Stimme einen freien Kontrapunkt **(Gegensatz, Kontrasubjekt)** dazu entwickelt. Dann tritt die 3. Stimme mit dem Thema wieder in der Tonika ein, die 2. Stimme nimmt den Gegensatz auf, und die 1. wird frei weitergeführt. Haben sämtl. Stimmen das Thema vorgetragen, so ist die erste **Durchführung (Exposition)** beendet, auf die weitere folgen können. Die letzte Durchführung benutzt meist kunstvolle kontrapunkt. Mittel, z. B. → Engführung, → Vergrößerung, → Verkleinerung, → Umkehrung des Themas. Zwischen die Durchführungen sind oft freie **Zwischenspiele (Episoden)** eingefügt. Die **Doppel-F.** hat zwei Themen, das eine vielfach zugleich als Gegensatz, die **Tripel-F.** drei, die **Quadrupel-F.** vier Themen. – Die F. erreichte durch J. S. Bach ihre höchste Vollendung (»Das Wohltemperierte Klavier«, 1722–44; »Die Kunst der F.«, 1750).

Fuge [mhd. vuoge »Verbindungsstelle«], Zwischenraum zw. aneinander stoßenden Bauteilen; zum Ausgleich von Längenänderungen durch Temperaturschwankungen, Quellen, Setzen oder Schwinden des Baumaterials werden **Trenn-** oder **Dehnungs-F.** angeordnet.

Fügen, Verfahren zur form-, kraft- oder stoffschlüssigen Verbindung zweier oder mehrerer Werkstücke oder von Werkstücken mit einem formlosen Stoff durch z. B. Schrauben, Nieten, Schweißen, Falzen.

Heinrich Friedrich Füger: »Tod des Germanicus« (1789; Wien, Österreichische Galerie)

Füger, Heinrich Friedrich, österr. Maler, * Heilbronn 8. 12. 1751, † Wien 5. 11. 1818; wurde 1795 Direktor der Wiener Akademie; schuf klassizist. Historienbilder und anmutig elegante Bildnisse, v. a. als Miniaturen.

Fugger, schwäb. Geschlecht, seit 1367 in Augsburg ansässig. Jakob I. († 1469) ist der Stammvater der noch heute bestehenden Linie **F. von der Lilie** und der Gründer des Fuggerschen Handelshauses. Seine Söhne, u. a. Jakob II., schufen die Weltstellung und das Vermögen des Hauses; die Neffen von Jakob II., Raimund (* 1489, † 1539) und Anton, begr. die noch bestehenden Hauptlinien **F. von**

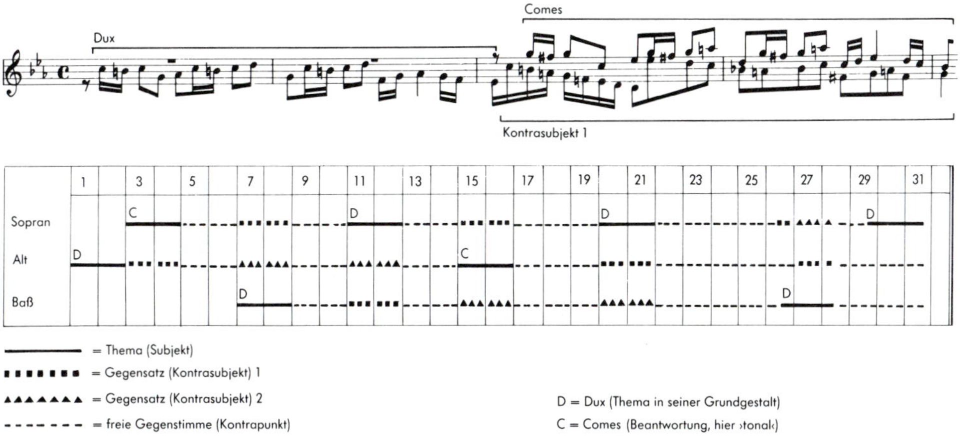

Fuge: Johann Sebastian Bach, schematische Aufzeichnung der Fuge c-Moll aus dem »Wohltemperierten Klavier«, darüber die Notation des Fugenanfangs

Joseph Ritter von Führich: »Jakob und Rahel« (1836; Wien, Österreichische Galerie)

Kirchberg und Weißenhorn (Grafen), **F. von Babenhausen** (seit 1803 Reichsfürsten) und **F. von Glött** (seit 1913 im bayer. Fürstenstand). Die F., 1514 und 1530 in den Reichsgrafenstand erhoben, taten sich auch als Kunstfreunde und Sammler hervor. Bedeutende Vertreter: **1)** Anton, Reichsgraf (seit 1530), Handelsherr, *Augsburg 10. 6. 1493, †ebd. 14. 9. 1560, Neffe von 2); übernahm 1525 die Leitung des Unternehmens und befolgte den politisch-ökonom. Kurs seines Onkels, Jakobs II.; unterstützte Ferdinand I. und Karl V.; konnte mit des Kaisers Hilfe den Handel bis nach Zentral- und Südamerika ausdehnen; gewährte auch Philipp II. von Spanien Kredite; hinterließ 6 Mio. Goldkronen und einen beträchtl. Landbesitz.

Anton Fugger (Ausschnitt aus einem Gemälde von Lucas Cranach d. Ä., um 1540)

2) Jakob II., der Reiche, Reichsgraf (seit 1514), Handelsherr und Bankier, *Augsburg 6. 3. 1459, †ebd. 30. 12. 1525, Onkel von 1); übernahm 1485 die Leitung der Fuggerschen Faktorei in Innsbruck; verbündete sich mit Erzherzog Maximilian, dem späteren Kaiser Maximilian I., dem er 1490 zu Tirol verhalf; errichtete ein europ. Kupfermonopol; wurde zum Bankier des Kaisers, der Päpste und der röm. Kurie; finanzierte 1519 die Wahl Karls I. von Spanien zum Röm. König (Karl V.), wurde weitgehend dessen Geldgeber; schuf 1519 die »Fuggerei«, eine (noch bestehende) Wohnsiedlung für Bedürftige.

Jakob II. Fugger (Ausschnitt aus einem Holzschnitt von Hans Burgkmair d. Ä., um 1510)

📖 PÖLNITZ, G. VON: *Die F.* Tübingen [5]*1990*.

Fühler, Sinnesorgane tragende Kopfanhänge bei niederen Tieren (→Antennen, →Tentakel).

Fühllehre (Fühlerlehre, Spion), ein Messmittel zum Bestimmen der Breite von Rissen und Spalten sowie zum Einstellen des Spiels bei Lagern u. a.; besteht aus Stahlblechzungen versch. Dicke von 0,05 bis 1 mm.

Fuhlsbüttel, Stadtteil von Hamburg; Flughafen.

Fühmann, Franz, Schriftsteller, *Rochlitz an der Iser (heute Rokytnice nad Jizerou, Ostböhm. Gebiet) 15. 1. 1922, †Berlin (Ost) 8. 7. 1984; begann mit psychologisch tiefgründigen, z. T. autobiograph. Erzählungen über Krieg und Nationalsozialismus (»König Ödipus«, 1966). Seit Anfang der 70er-Jahre auf Distanz zu Realität und offizieller Literatur der DDR (»22 Tage oder Die Hälfte des Lebens«, 1973), schuf F. ein vielseitiges Werk um Traum, Mythos und Utopie (u. a. Erz. »Saiäns-Fiktschen«, 1981; »Das Ohr des Dionysios«, 1985). Als Kinderbuchautor bearbeitete er u. a. das »Nibelungenlied« (1971).

Führerprinzip, ein Herrschaftsprinzip, das auf der Basis der totalen Identität von Herrscher und Beherrschten die unbedingte Autorität und Entscheidungskompetenz in einem Staat, einer Partei oder Organisation einem Führer zuweist. Dabei gilt der Grundsatz: unbedingte Autorität nach unten, ausschließl. Verantwortlichkeit nach oben. Der oberste Führer selbst beruft sich bei seinen Entscheidungen auf den (meist manipulierten) »Volkswillen«, auf (rassist. oder sozialrevolutionäre) Doktrinen oder auf eine (im Irrationalen angesiedelte) Autorität (z. B. auf die »Vorsehung«). (→Faschismus, →Nationalsozialismus)

Führerschein, amtl. Dokument, das zum Nachweis des Besitzes einer entsprechenden →Fahrerlaubnis dient und das beim Führen eines Kfz. stets mitzuführen ist. Im Rahmen der EU wird der F. nach einheitl. Muster ausgefertigt. Für abhanden gekommene oder unleserlich gewordene F. hat der F.-Inhaber die Ausstellung eines neuen F. zu beantragen. F., die der Einziehung (§ 69 Abs. 3 StGB) unterliegen oder im Ermittlungsverfahren von Bedeutung sind, können beschlagnahmt werden (§ 94 StPO); hierüber kann der Betroffene gerichtl. Entscheidung beantragen. Das bloße Nichtmitführen des F. bei bestehender Fahrerlaubnis ist lediglich eine Ordnungswidrigkeit.

Führich, Joseph Ritter von (seit 1861), österr. Maler, *Kratzau (heute Chrastava, Nordböhm. Gebiet) 9. 2. 1800, †Wien 13. 3. 1876; hielt sich 1827–29 in Rom auf. Unter dem Eindruck italien. Kunst schuf er Werke von schlichter Klarheit. Seit 1834 in Wien, malte er volkstümlich-religiöse Bilder im Stil der →Nazarener und schuf Illustrationen sowie Entwürfe für Glasfenster.

Fuhrmann (lat. Auriga), nördl. Sternbild in der Milchstraße mit dem Riesenstern Capella.

Führung, 1) *Soziologie:* die planende, leitende, koordinierende und kontrollierende Tätigkeit von übergeordneten oder überlegenen Mitgliedern in einer Gruppe, einer Organisation oder in einem größeren Kollektiv gegenüber untergeordneten, unterlegenen Mitgliedern. F.-Erfolge einer Person hängen von den spezif. Wertorientierungen, Zielen und Aufgaben sowie von der Struktur und dem soziokulturellen Umfeld des zu führenden sozialen Gebildes ab. In der Betriebswirtschaftslehre wird zw. Personal-F. und Unternehmens-F. unterschieden. In der Personal-F. werden die situative (Veränderungen der Unternehmensumwelt berücksichtigende), informationsverarbeitende und zielorientierte Gestaltung sowie die psycholog. und sozialen Fähigkeiten von F.personen betont.

📖 *Handwörterbuch der F., hg. v.* A. KIESER *u. a.* *Stuttgart ²1995.*

2) *Technik:* Teil einer Maschine, das einem bewegl. Teil die Bahn und/oder die Lage bei seiner Bewegung vorschreibt.

Führungsakademie der Bundeswehr, Ausbildungseinrichtung, in der Stabsoffiziere aus- und weitergebildet werden; Sitz: Hamburg.

Führungsaufsicht, Maßregel der Besserung und Sicherung, die das Gericht anordnen kann, wenn der Täter zu einer Freiheitsstrafe von mindestens sechs Monaten verurteilt wird, die verletzte Strafnorm F. vorsieht und die Gefahr besteht, dass der Täter weitere Straftaten begehen wird (§§ 68 ff. StGB). Der Verurteilte wird für zwei bis fünf Jahre einer Aufsichtsstelle und einem Bewährungshelfer unterstellt; das Gericht kann ihm Weisungen erteilen (z. B. sich zu bestimmten Zeiten bei der Aufsichtsstelle zu melden).

Führungstruppen, in der Bundeswehr Truppengattungen, die die militär. Führung im Heer unterstützen: Feldjäger, Fernmelde-, Fernspäh-, Frontnachrichten-, Topographietruppe.

Führungszeugnis (früher polizeil. F.), urkundl. Auszug aus dem →Bundeszentralregister; gibt Auskunft, ob bzw. welche Strafvermerke über eine Person eingetragen sind. Antragberechtigt sind unter bestimmten Voraussetzungen Behörden, Privatpersonen nur in eigener Sache. Dem F. entspricht in *Österreich* die Strafregisterbescheinigung, in der *Schweiz* das Leumundszeugnis.

Fujaira [-dʒ-], Emirat am Golf von Oman, →Vereinigte Arabische Emirate.

Fuji [fudʒi] (Fujisan, Fudschisan, Fujiyama, Fudschijama), kegelförmiger Vulkan auf Honshū, im SW der Ebene von Tokio, mit 3 776 m ü. M. höchster Berg Japans, mit 600 m breitem, 150 m tiefem Krater; letzter Ausbruch 1707. Auf dem Kraterrand stehen Tempel, Herbergen, eine meteorolog. und eine Radarstation. Zu Füßen des Berges liegen fünf Seen. Das Gebiet ist Teil eines Nationalparks. Der F. ist der heilige Berg Japans und das Wahrzeichen des Landes.

Fujian [fudʒiɛn] (Fukien), chines. Küstenprovinz an der Formosastraße, gegenüber Taiwan, 123 100 km², (1994) 31,83 Mio. Ew., Hptst. ist Fuzhou. 90 % der Fläche werden vom südostchines. Bergland eingenommen; der stark gegliederten Küste mit guten Naturhäfen sind 600 Inseln vorgelagert; forstwirtsch. Nutzung. F. ist einer der Hauptproduzenten von Tee und Zuckerrohr; 1979 wurde die Wirtschaftssonderzone Xiamen für Auslandsinvestitionen eingerichtet.

Fuji Bank Ltd. [fudʒi 'bæŋk 'lɪmɪtɪd], eine der größten Banken der Welt, Sitz in Tokio; gegr. 1880 als Yasuda Bank; heutiger Name seit 1948.

Fujimori [fudʒi-, span. fuxi-], Alberto, peruan. Politiker, *Lima 28. 7. 1938; Agrarwissenschaftler, gründete 1989 die Bürgerbewegung »Cambio 90« und wurde als deren Kandidat im Juli 1990 zum Staatspräs. gewählt. Im April 1992 setzte er mithilfe des Militärs die Verf. außer Kraft und unterdrückt seitdem alle oppositionellen Bestrebungen. In seiner Wirtschaftspolitik gelang es ihm, die Inflationsrate zu senken. Gestützt auf eine neue Verf. (1993) wurde er 1995 als Staatspräs. wiedergewählt. Mit großer Entschlossenheit – auch unter Ausrufung des Ausnahmezustandes – bekämpfte er den Terrorismus.

Fujisan [fudʒi-], höchster Berg Japans, →Fuji.

Fujisawa [fudʒi-] (Fudschisawa), Stadt auf Honshū, Japan, an der Sagamibucht, 362 100 Ew.; elektrotechn. Ind.; Bade- und Segelsportzentrum.

Fujiwara [fudʒi-], japan. Adelsgeschlecht, das vom 8. bis 12. Jh. die Politik des Kaiserhauses entscheidend prägte. Ahnherr ist Nakatomi Kamatari (*614, †669). Die Familie, aus der neben hohen Hofbeamten und Militärs auch Künstler und Gelehrte wie der Dichter F. no Sadaie, gen. Teika (*1162, †1241), hervorgingen, erreichte unter dem Regenten und Großkanzler F. no Michinaga

Franz Fühmann

Alberto Fujimori

Führerprinzip
Ein Führer entsteht nur, wenn eine Gefolgschaft bereits da ist.
Ludwig Marcuse

Fuji, Der 3 776 m hohe Vulkan auf der Insel Honshū ist der höchste Berg Japans

Kenichi Fukui

James W. Fulbright

(*966, †1028) den Höhepunkt ihrer Machtentfaltung.

Fujiyama [fudʒi-], höchster Berg Japans, → Fuji.

Fuki|en, chines. Provinz, → Fujian.

Fụks, Ladislav, tschech. Schriftsteller, *Prag 24. 9. 1923, †ebd. 19. 8. 1994; schrieb Romane und Erzählungen, meist aus dem jüd. Milieu, in der Vorkriegszeit und der Zeit dt. Besetzung angesiedelt (»Herr Theodor Mundstock«, R., 1963; »Variationen für eine dunkle Saite«, R., 1966; »Der Leichenverbrenner«, R., 1967); sein vielfältiges Werk umfasst auch Sciencefiction (»Die Mäuse der Natalie Mooshaber«, R., 1970), Kriminal- und histor. Romane (»Der Fall des Kriminalrats«, 1971).

Fukui, Hptst. der Präfektur F., auf der Insel Honshū, Japan, nördlich des Biwasees, 254700 Ew.; Univ.; Seidenweberei. – Ehem. Burgstadt mit alten Stadthäusern. – Seit dem 10. Jh. Mittelpunkt der Seidenindustrie.

Fukui, Kenichi, japan. Chemiker, *Nara 4. 10. 1918; Arbeiten zur Quantenchemie von Reaktionen; erhielt 1981 mit R. → Hoffmann für die (unabhängig voneinander) erstellten Theorien über den Verlauf organisch-chem. Reaktionen den Nobelpreis für Chemie.

Fukujama, Stadt in Japan, → Fukuyama.

Fukuoka, Hptst. der Präfektur F., auf der Insel Kyūshū, Japan, an der Hakatabucht (Seehafen Hakata), 1,27 Mio. Ew.; kath. Bischofssitz, zwei Univ., Maschinenbau, Werften, chem. und Textilind., Herstellung von Porzellanpuppen (»Hakata-Puppen«); Flughafen, U-Bahn. – Ältester Zentempel Japans (1195) mit z. T. erhaltenen Holzbauten, Shintōschreine; auch herausragende Beispiele moderner japan. Architektur.

Fukushima (Fukuschima), Hptst. der Präfektur F. im NO von Honshū, Japan, 282700 Ew.; medizin. Hochschule; traditionelle Seidenind., heute auch Verarbeitung von Chemiefasern; Kernkraftwerk.

Fukuyama (Fukujama), Stadt in Japan, an der S-Küste von W-Honshū, 370900 Ew.; Eisen- und Stahl-, Gummi-, Textil- und Nahrungsmittelindustrie.

Fulda 3) Stadtwappen

Fụlbe (engl. Fulani, frz. Peuls), Stammesgruppe in W- und Zentralafrika (rd. 10 Mio. Menschen) mit einer westatlant. Klassensprache **(Ful);** leben über die ganze westl. Sudanzone verteilt. Die F. gliedern sich kulturell und wirtsch. in äthiopide Nomaden (Bororo) und negride sesshafte Feldbauern, die als fanat. Muslime gelten. Vom 12./13. Jh. an breiteten sie sich von Senegal nach S und O aus. Im 18. Jh. erreichten sie Adamaua. Vom 16. bis 19. Jh. gründeten sie zahlr. Staaten, z. T. als Erben früherer Herrscher in den Staaten des Sudan, so bes. in den großen Hausastaaten Nordnigerias, die sie zu Beginn des 19. Jh. unter der Führung → Osman dan Fodios den Hausa in rascher Folge entrissen.

Fulbright [ˈfʊlbraɪt], James William, amerikan. Politiker, *Sumner (Mo.) 9. 4. 1905, †Washington (D. C.) 9. 2. 1995; Jurist, Mitgl. der Demokrat. Partei, brachte als Abg. 1943 die F.-Resolution ein, die maßgeblich zur Entstehung der UNO beitrug. 1946 initiierte er das → Fulbright-Stipendium. Als Vors. des außenpolitischen Senatsausschusses (1959–74) Gegner der Vietnampolitik der USA.

Fulbright-Stipendium [ˈfʊlbraɪt-], Stipendium für den Austausch von Studenten und Dozenten zw. den USA und europ. Ländern, urspr. nach dem Vorschlag J. W. Fulbrights aus dem Erlös von Heeresgut finanziert. Sitz der Fulbright-Kommission für den Austausch USA–Dtl. ist Bonn-Bad Godesberg.

Fụlda, 1) *die,* Quellfluss der Weser, 218 km lang (109 km schiffbar), entspringt an der Wasserkuppe (Rhön), nimmt die Eder auf und vereinigt sich bei Hann. Münden mit der Werra zur Weser.

2) Landkreis im RegBez. Kassel, Hessen; 1380 km², (1996) 212900 Ew.

Fulda 3): Rotunde und Apsis der im 10. und 11. Jahrhundert umgebauten, nach 1945 restaurierten Michaelskapelle, deren Vorläuferbau eine karolingische Friedhofskapelle aus dem frühen 9. Jahrhundert war

3) Krst. von 2) in Hessen, zw. Rhön und Vogelsberg, an der Fulda, 61300 Ew.; Sitz eines kath. Bischofs, der kath. Dt. Bischofskonferenz und des Präsidiums des Dt. Evang. Kirchentags; Philosophisch-Theolog. Hochschule, FH, Schlossmuseum, Dt. Feuerwehrmuseum, Dommuseum, Vonderau-Museum. Die Ind. stellt Textilien (techn. Gewebe, Filze, Teppiche), Kugellager, Reifen, Thermometer, Papier, Kerzen u. a. her.

Teile der mittelalterl. Stadtmauer blieben erhalten. Die im 10. und 11. Jh. umgebaute Michaelskapelle geht auf eine karoling. Friedhofskapelle (820–22) zurück, von der nur die Krypta erhalten ist. Der Dom wurde anstelle der alten Stiftskirche mit Doppelchoranlage (819 geweiht, im 12. Jh. teilweise erneuert) 1704–12 von J. Dientzenhofer errichtet; in der Krypta das Grabmal des hl. Bonifatius. An den Dom schließt ein Kloster an (17./18. Jh., jetzt Priesterseminar). Spätbarocke Bauten sind u. a. auch das ehem. Schloss der Fürstäbte, Heiliggeist-, Stadtpfarrkirche, Bibliothek und ehem. Univ. (bestand 1734–1803). Vier Bergklöster um F. (frühmittelalterl. Gründungen) bezeichnen symbolisch die Enden eines Kreuzes.

Um 500 fränk. Hof, um 700 von den Sachsen zerstört. 744 gründete Bonifatius das Benediktinerkloster, 765 war es Reichsabtei, unter Hrabanus Maurus (Abt. 822–844) bed. Vermittler abendländ. Kultur in Dtl. Der Abt wurde 968 Primas aller Benediktinerklöster »Germaniens und Galliens«, 1220 wurden die Äbte zu Reichsfürsten erhoben. Die Siedlung erhielt 1019 das Marktrecht, wohl um 1114 Stadtrecht; im 16. Jh. wurde F. geistiges Zentrum der Gegenreformation. 1803 fiel das 1752 errichtete Fürstbistum an Nassau-Oranien, 1806 an Frankreich, 1810 an das Großherzogtum Frankfurt, 1815 an Hessen-Kassel; seit 1821 wieder Bischofssitz. – Das 1821 wieder errichtete **Bistum** kam 1929 zur Kirchenprovinz Paderborn und wurde 1945 geteilt (seit 1973 in Erfurt-Meiningen eine Apostol. Administratur für den thüring. Anteil). 1994 wurde der thür. Teil (mit Ausnahme des Dekanats Geisa) dem neu errichteten Bistum Erfurt eingegliedert.

📖 *Kloster F. in der Welt der Karolinger u. Ottonen, hg. v.* G. SCHRIMPF. *Frankfurt am Main 1996.*

Fulgurit [lat.] *der, Geologie:* → Blitzröhre.

Fulla, L'udovít, slowak. Maler, Grafiker und Illustrator, *Ružomberok 27. 2. 1902, † Preßburg 21. 4. 1980; verband folklorist. Motive mit konstruktivist. und fauvist. Elementen.

Füllen, 1) *Astronomie:* (lat. Equuleus) Sternbild der Äquatorzone.

2) *Biologie:* → Fohlen.

Fuller ['fʊlə], Richard Buckminster, amerikan. Ingenieur und Architekt, *Milton (Mass.) 12. 7. 1895, † Los Angeles (Calif.) 1. 7. 1983; wurde richtungweisend mit geodät. Kuppeln, deren Tragwerk aus an ihren Kreuzungspunkten miteinander verbundenen Stäben (Holz, Aluminium, Spannbeton, Pappe u. a.) besteht, wobei die einzelnen Elemente die Form von Oktaedern oder Tetraedern erhalten. Sein Hauptwerk ist die Kuppel des amerikan. Pavillons auf der Weltausstellung in Montreal 1967.

Fullerene [nach dem amerikan. Architekten R. B. Fuller], ausschl. aus Kohlenstoff bestehende

Richard B. Fuller: Die Kuppel des amerikanischen Pavillons auf der Weltausstellung in Montreal (1967) hat einen Durchmesser von 80 m

Moleküle (Cluster) mit in sich geschlossener, polyedr. Struktur und einer geraden Anzahl von Atomen. Am häufigsten sind die F. aus 60 (C_{60}, »Buckminster-F.«) und 70 Kohlenstoffatomen (C_{70}), bei denen die Atome ein Netzwerk aus jeweils 12 Fünfecken und einer unterschiedl. Zahl von Sechsecken bilden. Feststoffe, die aus einem bestimmten F.-Molekül oder einem Gemisch versch. F.-Moleküle aufgebaut sind, werden als **Fullerite** bezeichnet. Sie stellen eine bisher unbekannte und – neben Graphit und Diamant – dritte Modifikation des Kohlenstoffs dar. – Reines Fullerit ist elektrisch nicht leitend, aber in Verbindung mit Alkalimetallen (Dotierung) wird es leitend bzw. bei tiefen Temperaturen supraleitend. F. wurden 1985 mithilfe der Massenspektrometrie bei der Laserverdampfung von Graphit entdeckt (R. F. Curl, H. W. Kroto, R. E. Smalley; Nobelpreis für Chemie 1996). Der dt. Physiker W. Krätschmer und sein amerikan. Kollege D. R. Huffman stellten 1990 F. erstmals in makroskopischen Mengen her, wodurch der eindeutige Strukturnachweis ermöglicht wurde.

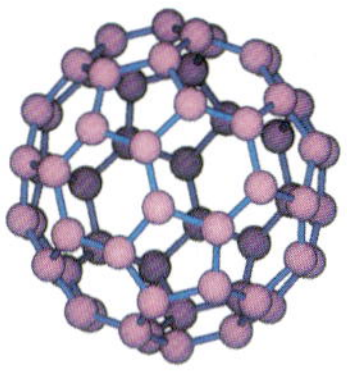

Fullerene: Modell eines »Buckminster-Fullerens« (C_{60}-Fulleren)

📖 DETTMANN, J.: *F. Die Bucky-Balls erobern die Chemie. Basel u. a. 1994. – Von Fuller bis zu F. Beispiele einer interdisziplinären Forschung, hg. v.* W. KRÄTSCHMER *u.* H. SCHUSTER. *Braunschweig u. a. 1996.*

Fullererde [von engl. to full »walken«], → Bleicherde.

Füllfederhalter (Füller), mit Tintenvorrat versehenes Schreibgerät, als Kolben- oder Patronen-F. gebräuchlich. Beim Schreiben fließt die Tinte durch feine Kanäle zur Schreibfeder.

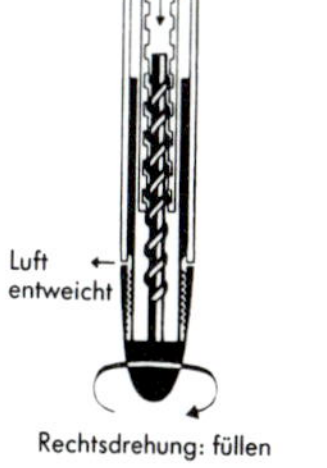

Füllfederhalter: Kolbenfüllfederhalter

Füllhorn, mit Blumen und Früchten gefülltes Horn; in antiken Darstellungen seit dem 4. Jh. v. Chr. Sinnbild des Überflusses; Wiederaufnahme in Renaissance und Barock, bes. Attribut der röm. Göttin Fortuna.

Füllkörper, *Chemie:* meist ring- oder sattelförmige Körper aus Glas, Metall, Keramik u. a., die als lose Schüttungen in →Kolonnen z. B. bei Destillationen oder Extraktionen verwendet werden, um die Grenzfläche zw. den beteiligten Phasen (z. B. Dampf und Flüssigkeit) zu vergrößern und so den Stoffübergang zu beschleunigen (z. B. Raschig-Ringe).

Füllort, *Bergbau:* größerer Grubenbau mit Einrichtungen zum Umschlag des Fördergutes von der waagerechten Streckenförderung auf die senkrechte Schachtförderung.

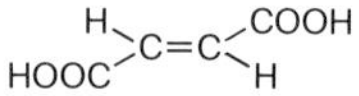

Fumarsäure

Füllstimmen, *Musik:* in einer mehrstimmigen Komposition die Stimmen, die ohne melod. oder rhythm. Eigenprägung nur der Stärkung des harmon. Klanggerüstes dienen.

Füllstoffe, *Chemie:* pulver- oder faserförmige Hilfsstoffe (z. B. Holz- und Gesteinsmehl, Metallpulver, Glasfasern), die bei der Herstellung von Kautschuk, Form- und Dichtungsmassen, Baustoffen, Lacken, Klebern, Papier u. a. verwendet werden. Sie verleihen dem Ausgangsmaterial bestimmte physikal. oder chem. Eigenschaften, z. B. Härte, Festigkeit, Leitfähigkeit und/oder erhöhen sein Volumen **(Streckungsmittel, Extender).**

Füllung, 1) *Botanik:* Vermehrung der Blütenkronblätter über den Normalzustand, z. B. durch Spaltung der Kronblätter (Fuchsie, Flieder) oder durch Umwandlung der Staub- und Fruchtblätter in Kronblätter (Rose, Mohn).

2) *Medizin:* die Zahnplombe, →Zahnfüllung.

Robert Fulton: Die »Clermont« auf ihrer Fahrt im August 1807 in einer zeitgenössischen Darstellung

fully fashioned ['fʊlɪ 'fæʃənd, engl.], bei Trikotagen durch Zu- oder Abnehmen von Maschen formgerecht hergestellt, nicht zugeschnitten.

Fulminate [lat.], die sehr explosiven Salze der →Knallsäure.

Fulton ['fʊltən], Robert, amerikan. Ingenieur, *Little Britain (Pa.) 14. 11. 1765, †New York 24. 2. 1815; erbaute das erste brauchbare Dampfschiff, die »Clermont« (Länge 45,7 m, mit einer 20-PS-Dampfmaschine), die am 17. 8. 1807 erstmals den Hudson von New York nach Albany (240 km) in 32 Stunden befuhr.

Fumarole [italien.] *die,* natürl. Austritt (Exhalation) von heißen vulkan. Gasen, v. a. Wasserdampf, aus Spalten und anderen Öffnungen tätiger Vulkane und erkaltender Lavaströme mit Temperaturen von 200 bis 1 000 °C.

Fumarsäure, $C_4H_4O_4$, einfachste ungesättigte Dicarbonsäure, die in versch. Pilzen und Flechten vorkommt; sie wird aus Maleinsäure hergestellt; verwendet in der Lebensmittelind. und für Polyester.

Funabashi [-ʃi] (Funabaschi), Stadt auf Honshū, Japan, an der Bucht von Tokio, 539 700 Ew.; Trabantenstadt von Tokio; Eisen-, Stahl- und chem. Industrie.

Funchal [fũ'ʃal], Hptst. der portugies. Insel (und Region) Madeira, an der S-Küste der Insel, 44 100 Ew.; Handelsplatz und Ausfuhrhafen, Weinkellereien; Flughafen; Fremdenverkehr. – Kathedrale (1485–1514, im Emanuelstil).

Fund, das Entdecken und An-sich-Nehmen einer verlorenen, aber nicht herrenlosen Sache (§§ 965–984 BGB). Der Finder hat dem Verlierer, Eigentümer oder Empfangsberechtigten, sonst der zuständigen Behörde, von einem F. von mehr als 10 DM unverzüglich Anzeige zu machen. Andernfalls macht er sich einer →Unterschlagung schuldig. Der Finder hat Anspruch auf Ersatz seiner Aufwendungen und auf **Finderlohn;** bis zu einem Wert der Fundsache von 1000 DM beträgt dieser 5 %, vom darüber hinausgehenden Wert weitere 3 %, bei Tieren generell 3 %. Das Eigentum am F.objekt geht sechs Monate nach der F.anzeige und fruchtlosem Abwarten auf den Finder über, unterliegt aber für weitere drei Jahre dem Herausgabeanspruch des ursprüngl. Eigentümers nach den Vorschriften über die ungerechtfertigte Bereicherung. F. in Behörden oder öffentl. Verkehrsmitteln sind dort abzuliefern, der Finderlohn ist geringer, die übrigen Rechte stark eingeschränkt. Über den **Schatz-F.** →Schatz; über den F. von Altertümern →Ausgrabung. – Ähnl. Regelungen sind im *österr.* (§§ 388 ff. ABGB) und im *schweizer.* (Art. 720 ff. ZGB) Recht enthalten.

Fundament [lat.] *das, Bau:* die →Gründung.

Fundamentalartikel, grundlegende Glaubens- und Lehrsätze; in der lutherisch-orth. Dogmatik Bez. der Zentralwahrheiten des christl. Glaubens; die luther. Orthodoxie erreichte jedoch keine Einheitlichkeit in der Bestimmung dessen, was zum Heil notwendig ist.

Fundamentalfolge, die → Cauchy-Folge.

Fundamentalismus *der,* allg. kompromissloses Festhalten an (polit., religiösen) Grundsätzen. – Das Wort F. trat erstmals im Zusammenhang mit einer von prot. Christen (1910–15) in den USA herausgegebenen Schriftenreihe auf. Es waren v.a. vier unverrückbare »Grundwahrheiten« (»fundamentals«), die diese Bewegung charakterisierten: 1) die buchstäbl. Unfehlbarkeit der Hl. Schrift und die unbeirrbare Gewissheit, dass die Hl. Schrift keinen Irrtum enthalten könne; 2) die Nichtigkeit aller modernen Theologie und Wiss., soweit sie dem Bibelglauben widersprechen; 3) die Überzeugung, dass niemand, der vom fundamentalist. Standpunkt abweicht, ein wahrer Christ sein könne, und 4) die Überzeugung, dass die moderne Trennung von Kirche und Staat immer dann zugunsten einer religiösen Bestimmung des Politischen aufgehoben werden muss, wenn polit. Regelungen mit fundamentalen religiösen Überzeugungen kollidieren. Der **prot. F.** tritt neuerdings in den USA bes. mit spektakulären Aktionen gegen Schwangerschaftsabbruch sowie Kampagnen gegen Homosexualität und schul. Sexualerziehung an die Öffentlichkeit.

Der Terminus »F.« wurde dann auf vergleichbare Erscheinungen in anderen Religionen und schließlich auch auf gleichartige Organisations- und Orientierungsformen nichtreligiöser Art übertragen, die ihrerseits auf längere Traditionen zurückgehen.

Als Träger eines **kath. F.** gelten nach dem 2. Vatikan. Konzil versch., durch ein eher vorkonziliar-restauratives Kirchenverständnis geprägte »traditionalist.« (nach eigenem Verständnis traditions- und papsttreue) geistl. Bewegungen innerhalb der kath. Kirche.

Aufsehen erregt hat seit den 1970er-Jahren in Europa v.a. der **islam. F.,** der unter der geistlich-polit. Führung des schiit. Religionsführers R. M. Khomeini mit einer kämpferisch antiwestl. Einstellung im Iran an die Macht gelangte und in einer zunehmenden Reihe islamisch geprägter Länder eine erhebl. polit. Rolle spielt. Anhänger findet der islam. F. bes. bei unterprivilegierten Bevölkerungsschichten, bei denen sich die Rückkehr zum ursprüngl. Islam zunächst in Äußerlichkeiten (z.B. Kleiderordnung) manifestiert. Geprägt durch eine islamist. Ideologie, daher im westl. Sprachgebrauch seit Anfang der 1990er-Jahre auch **Islamismus** gen., wird der islam. F. in starkem Maße durch islam. Bruderschaften (Ägypten, Sudan) und islamist. Parteien, Bewegungen und Gruppen (Algerien, Palästina) getragen, die oftmals die terrorist. Gewalt als ein Mittel zur Durchsetzung ihrer in erster Linie polit. Ziele betrachten. In Indien gewinnt seit dem Ende der 1980er-Jahre der politisch organisierte **Hindu-F.** bestimmenden Einfluss.

Funchal: Blick auf die an einer Bucht der Südküste von Madeira gelegene Stadt

Der seit Mitte der 1980er-Jahre ebenfalls erstarkte **jüd. F.** in Israel ist religiös in Teilen des orth. Judentums verwurzelt.

📖 KEPEL, G.: *Die Rache Gottes. Radikale Moslems, Christen u. Juden auf dem Vormarsch. A. d. Frz. Neuausg. München u. a. 1994.* – *Der polit. Auftrag des Islam. Programme u. Kritik zwischen F. u. Reformen. Originalstimmen aus der islam. Welt, hg. v.* ANDREAS MEIER. *Wuppertal 1994.* – TIBI, B.: *Der religiöse F. im Übergang zum 21. Jh. Mannheim u. a. 1995.* – KIENZLER, K.: *Der religiöse F. Christentum, Judentum, Islam. München 1996.*

Fundamentalkatalog, *Astronomie:* Katalog der Örter von Fixsternen, deren Koordinaten über Jahrzehnte äußerst genau gemessen wurden, sodass ihre Eigenbewegungen berechnet werden können. Die Sterne des F., die **Fundamentalsterne,** werden zur Bestimmung der Zeit, der geograph. Breite, der Örter anderer Sterne verwendet. Nach internat. Übereinkommen wird der F. des »Berliner Astronom. Jahrbuchs« zugrunde gelegt, dessen 1988 als **FK 5** im Astronom. Recheninst. in Heidelberg bearbeitete Ausgabe etwa 4500 Sterne enthält.

Fundamentalkonstanten, → physikalische Konstanten.

Fundamentalpunkte, Bez. für den → Eispunkt (0 °C) und den → Dampfpunkt (100 °C) des Wassers in ihrer Eigenschaft als Festpunkte für die Temperaturmessung. Die Temperaturdifferenz zw. den beiden F. heißt **Fundamentalabstand.**

Fundamentaltheologie, Disziplin der kath. Theologie über die Grundlagen (Fundamente) des christl. Glaubens. Sie untersucht u.a. die Prinzipien der Theologie, die Möglichkeit des Glaubens und der ihn begründenden Offenbarung sowie den Wissenschaftsanspruch der Theologie.

fundiertes Einkommen, auf Vermögen basierendes Einkommen, das dem Steuerpflichtigen

Fünfpass

frei von Risiken wie Krankheit, Arbeitslosigkeit u.a. regelmäßig zufließt.

Fundus [lat. »Boden«, »Grundlage«)] *der,* **1)** *allg.:* Grundlage, Unterbau.

2) *Theater* und *Film:* Bestand an Kostümen, Requisiten u.a. Ausstattungsmitteln.

Fundybai ['fʌndɪ-], 150 km lange Bucht des Atlantiks im SO Kanadas, zw. den Küsten von New Brunswick und Nova Scotia; hat die stärksten Gezeiten der Erde (Tidenhub bei Springflut bis 21 m); Gezeitenkraftwerk geplant; Haupthafen ist Saint John.

funebre [fy'nɛbr, frz.], musikalische Vortragsbezeichnung: traurig, düster.

Fünen (dän. Fyn), zweitgrößte Insel Dänemarks, zw. Großem und Kleinem Belt, 2976 km²; bildet mit Langeland, Ærø, Tåsinge und kleineren Inseln das Amt **Fünen** (3486 km², [1995] 467700 Ew., Hptst. ist Odense). Anbau von Getreide, Zuckerrüben, Gemüse und Obst, Schweine- und Milchviehhaltung; im S waldreiche Moränenhügelkette; zahlr. Seebäder; Hauptindustriestandorte sind Odense, Svendborg und Nyborg. F. ist durch Brücken mit Jütland, Tåsinge und Langeland verbunden, durch Fähren mit Seeland (→Beltsee).

Louis de Funès

Funès [fy'nɛs], Louis de, frz. Schauspieler, *Courbevoie (Dép. Hauts-de-Seine) 31. 7. 1914, †Nantes 27. 1. 1983; Komiker in Unterhaltungsfilmen, u.a. als »Balduin« und »Gendarm von St. Tropez« (1964); außerdem »Die dummen Streiche der Reichen« (1971), »Louis und seine verrückten Politessen« (1982).

fünf, als Ziffer: **5,** Primzahl, die Zahl der Finger an der Hand, daher in alten Kulturen häufig Zähleinheit, bed. auch als Symbolzahl in Mythologie und Religion.

Fünfeck (Pentagon), eine durch fünf Eckpunkte bestimmte ebene Figur; die Summe der Innenwinkel beträgt 540°.

Fünfkampf, *Sport:* Bez. für einen aus fünf Disziplinen bestehenden Mehrkampf in versch. Sportarten, z.B. im Billard und – auf das Vorbild des grch. **Pentathlon** (Diskuswurf, Weitsprung, Speerwurf, Stadionlauf, Ringen) zurückgehend – bis 1980 in der (Frauen-)Leichtathletik (abgelöst durch den Siebenkampf). (→moderner Fünfkampf, →Militärsport)

Fünfkirchen, Stadt in Ungarn, →Pécs.

Fünfpass, *Baukunst:* got. Maßwerkform aus fünf gleich großen Dreiviertelkreisbögen, die um einen mittleren Kreis angeordnet sind und/oder von einem Kreis umschlossen werden.

Fünfprozentklausel, eine gegen Splitterparteien gerichtete Vorschrift in Wahlgesetzen, um arbeitsfähige Mehrheiten im Parlament zu schaffen. Bei der Verteilung der Parlamentssitze nach dem System der Verhältniswahl werden nur solche Parteien berücksichtigt, die mindestens 5% der Stimmen (Quorum) im ganzen Wahlgebiet oder in Teilen desselben errungen haben. In Dtl. verlangt das Bundeswahlgesetz für die Wahlen zum Bundestag, dass 5% der im ganzen Bundesgebiet abgegebenen Zweitstimmen oder drei Direktmandate (Mehrheit der Erststimmen in drei Wahlkreisen) erreicht werden, um den Einzug ins Parlament zu erreichen. Auf Parteien nat. Minderheiten wird die F. nicht angewendet. Auch die meisten Landeswahlgesetze enthalten die Fünfprozentklausel.

Fünfstromland, Landschaft in Vorderindien, →Pandschab.

Fünftagefieber (wolhynisches Fieber), akute, durch Rickettsia wolhynica hervorgerufene Infektionskrankheit, die durch Kopf- und Kleiderläuse übertragen wird; gekennzeichnet durch period., meist im Abstand von fünf Tagen auftretende Fieberschübe, heftige Kopf- und Gliederschmerzen sowie Leber- und Milzvergrößerung.

fünfte Kolonne, polit. Schlagwort, bezeichnet Gruppen, die bei polit. Konflikten oder Kriegen – meist verdeckt – mit dem Gegner des eigenen Staats zusammenarbeiten (u.a. Propaganda, Sabotage, Spionage). Der Ausdruck stammt von General E. Mola, einem Mitkämpfer General F. Francos im Span. Bürgerkrieg (1936–39): Er (Mola) werde vier Kolonnen gegen Madrid führen, aber die f. K. (die Anhänger Francos in Madrid) werde die Offensive beginnen.

Fünfte Republik, der frz. Staat seit 1958 (→Frankreich, Geschichte).

fünf Weise, →Sachverständigenrat zur Begutachtung der gesamtwirtschaftlichen Entwicklung.

Fungizide [zu lat. fungus »Pilz« und caedere »töten«], Wirkstoffe, die Pilze und deren Sporen abtöten. Im Pflanzenbau werden als **anorgan. F.** Schwefel und Kupferoxidchlorid angewendet. Als **organ. F.** finden Derivate der Dithiocarbamidsäure, des Thioharnstoffs und heterozykl. Verbindungen Verwendung. Quecksilberhaltige F. sind in Dtl. verboten. F. werden auch zur Konservierung von Lebensmitteln (z.B. Propionsäure gegen Schimmelpilze) und zum Holzschutz verwendet. Medizin. Präparate werden als →Antimykotika bezeichnet.

Funk, Kw. für alle Gebiete der Funktechnik.

Funk [fʌŋk, engl.] *der,* im Jazz ein aus dem afroamerikan. Slang (funky »stinkig«) abgeleiteter Begriff für die blues- und gospelbetonte Spielweise des Hardbop um 1960; seit den 70er-Jahren auch Richtung im Rockjazz.

Funk, Walther, Politiker (NSDAP), *Trakehnen (heute Jasnaja Polana) 18. 8. 1890, †Düsseldorf 31. 5. 1960; Journalist, 1922–30 Chefredakteur der »Berliner Börsenzeitung«, 1933–38 Pressechef der Reichsregierung, war als Reichswirtschaftsmin. (seit 1938) und Reichsbankpräs. (seit 1939) mitverantwortlich für die wirtsch. und finanzielle Kriegführung. 1946 verurteilte ihn in Nürnberg das Internat. Militärtribunal zu lebenslanger Haft; 1957 wegen Krankheit entlassen.

Funkamateur [-tøːr, frz.], betreibt aus persönl. techn. Interesse mit eigener Sende-Empfangs-Anlage Funkverkehr mit anderen F. in der ganzen Welt (im Ggs. zum CB-Funk). In Dtl. ist der Betrieb einer Funkanlage auf bestimmten Bändern im Kurz- und Ultrakurzwellenbereich nur nach Ablegung einer Prüfung erlaubt.

Funkbild, drahtlos übertragenes Bild. (→Bildtelegrafie, →Fernsehen)

Funkdienst, der von Funkstellen durchgeführte Funkverkehr. In Dtl. gehören zum **festen F.** (alle Funkstellen ortsfest) der kommerzielle Übersee- und Europa-Funkverkehr, die →Richtfunkverbindung und Funkwege über Nachrichtensatelliten. Daneben gibt es nichtöffentl. F. u.a. für Militär, Behörden. Wichtigste **bewegl. F.** sind See-, Land- und Flugfunkdienst. Zum Land-F. gehört der Straßenfunk (Autotelefon), der Hafen-, Binnenschifffahrts- und Zugfunk. Daneben gibt es nichtöffentl. Land-F., z.B. für Polizei, Feuerwehr, Rettungsdienst, Taxiunternehmen (Taxifunk); außerdem zahlr. nichtöffentl. Funkrufdienste. Der See-F. ermöglicht weltweite Fernsprech- und Fernschreibverbindungen zw. den ortsfesten Küsten- und den Seefunkstellen an Bord; außerdem Übertragung von Nachrichten, Wetterberichten, Zeitzeichen, Seenotmeldungen. Der Flug-F. ermöglicht Funksprechverkehr zw. Luftfahrzeugen untereinander und mit Bodenfunkstellen; hauptsächlich zur Sicherung der zivilen und militär. Luftfahrt, steht er auch der Privat- und Sportfliegerei zur Verfügung. – Hauptproblem des F. ist der große Bedarf an Frequenzbändern, der zu intensivster Ausnutzung (z.T. Mehrfachbelegung) der Frequenzbereiche durch moderne Verfahren und Geräte sowie zur Erprobung neuer Möglichkeiten (z.B. See- und Flugfunk über Satelliten) zwingt.

Funke (Funken), **1)** *Chemie:* Glutteilchen, das bei Verbrennungs- oder Reibungsvorgängen entsteht.

2) *Physik:* (elektr. F.) die funkenähnliche Lichterscheinung bei einer →Funkenentladung.

Funke, Gerhard, Philosoph, *Leopoldshall (heute zu Staßfurt) 21. 5. 1914; seit 1959 Prof. in Mainz. Anknüpfend an E. Husserls Spätphilosophie lieferte F. Beiträge zur Phänomenologie des transzendentalen Bewusstseins, daneben Forschungen zur Geistes- und Begriffsgeschichte.

Funkenanalyse (Funkenprobe), Prüfung der Zusammensetzung eines Stahls anhand der Funkenbilder, die beim Anschleifen des Werkstückes entstehen.

Funkenentladung, kurz dauernde, selbstständige →Gasentladung bei Atmosphärendruck, begleitet von lebhaften Licht- und Schallerscheinungen (elektr. Durchbruch). Funkenstrecken werden zur Auslösung extrem kurzzeitiger Schaltvorgänge benutzt. Die Schlagweite des Funkens ist durch Gaszusammensetzung, Druck, Temperatur, Elektrodenform und Spannung bestimmt. Eine bes. Form der F. ist der →Blitz.

Funkenerosion, →Elektroerosion.

Funkeninduktor, Hochspannungstransformator aus zwei über einen stabförmigen Eisenkern gewickelten Zylinderspulen. Durch die Primärspule fließt i.d.R. ein zerhackter Gleichstrom, der durch einen selbsttätigen Unterbrecher (wagnerscher Hammer, Wehnelt-Unterbrecher) erzeugt wird. In der Sekundärspule entsteht eine Wechselspannung zw. 1 und 100 kV von stark unsymmetr. Kurvenform. Nach dem Prinzip des F. arbeiten die Zündspulen der Ottomotoren, die die Hochspannungsimpulse für die Zündkerzen liefern.

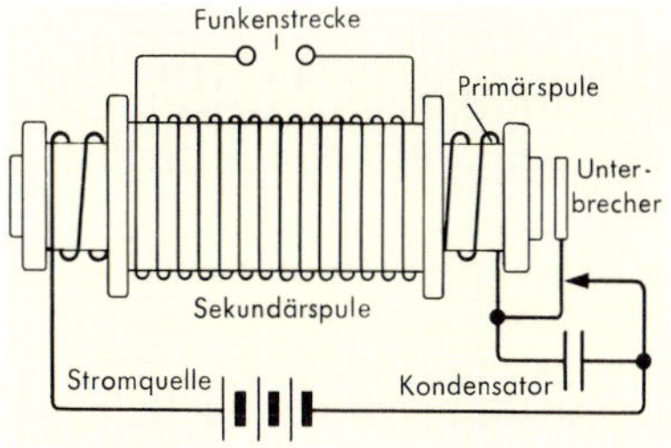

Funkeninduktor: Darstellung des Funktionsprinzips

Funkenkammer, zu den Gasspurkammern zählendes Nachweisgerät für geladene, energiereiche, ionisierende Elementarteilchen; wird zur Untersuchung von Kern- und Elementarteilchenreaktionen benutzt. Die F. besteht aus einem Satz paralleler Platten, die abwechselnd miteinander elektrisch verbunden sind. Der Raum zw. den Platten ist mit einem geeigneten Edelgas (meist Neon-Helium-Gemisch) gefüllt. Kurz nach dem Durchgang eines geladenen Teilchens durch den Plattensatz wird ein Hochspannungsimpuls angelegt. Die entstehenden Funkenüberschläge entlang der Teilchenbahn werden aus zwei Richtungen fotografiert.

Funkenlöschung, Maßnahme zur Vermeidung der beim Öffnen von induktiv belasteten Stromkreisen auftretenden hohen Überspannungen und der dadurch hervorgerufenen Öffnungsfunken an den Schalterkontakten. Üblich ist eine Beschaltung mit einem Kondensator oder, in Gleichstromkreisen, mit einer Halbleiterdiode in Verbindung mit Widerständen.

Funk|entstörung, Maßnahmen zur Verminderung oder Beseitigung von →Funkstörungen, die das störende und/oder das gestörte Gerät betreffen. Für die F. werden v.a. Kondensatoren, Drosselspulen und Widerstände verwendet.

Funkenzähler, Nachweisgerät für geladene, ionisierende Teilchen. Zw. zwei parallelen, isolierten Metallplatten in einem Gas-Dampf-Gemisch liegt eine elektr. Spannung von einigen Kilovolt. Ein hindurchgehendes, energiereiches geladenes Teilchen erzeugt einen Funken, der elektrisch registriert wird. Eine Weiterentwicklung des F. ist die →Funkenkammer.

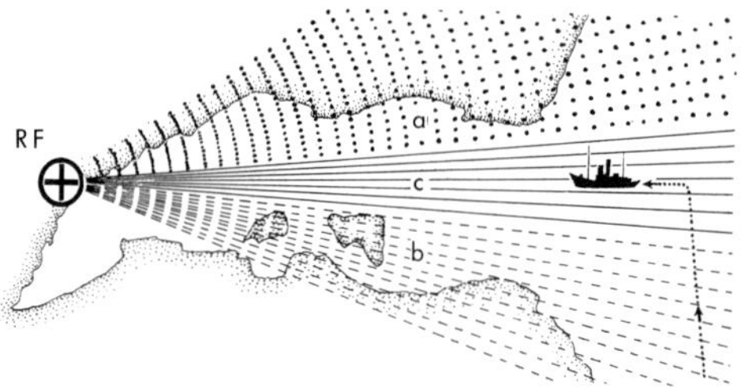

Funkfeuer: Darstellung der Funktionsweise eines Richtfunkfeuers (RF) beim Richtsendeverfahren; punkt- oder strichförmige Funkzeichen kennzeichnen die unbefahrbaren Sektoren (a und b), Dauerzeichen den zu einem Hafen führenden Fahrwassersektor (c)

Funker, *Militärwesen:* Mannschaftsdienstgrad der Fernmeldetruppe, Luftwaffe und Marine.

Funkfeuer, ortsfester Sender, der ausschl. für die Zwecke der Funknavigation von Schiffen und Flugzeugen ein Signal ausstrahlt. Man unterscheidet: **ungerichtete F. (rundstrahlende F.),** die gleichmäßig in alle Richtungen des Azimuts strahlen, z.B. Decca-Navigator-System, **Richt-F.,** die mittels Richtantennen einen oder mehrere Leitstrahlen aussenden, z.B. Markierungsfeuer, sowie die **Dreh-F.** mit einem umlaufenden Richtstrahl, die außer der Ortung auch das Einhalten eines gewählten Kurses ermöglichen, z.B. Consol.

Funkkolleg, das von sieben öffentlich-rechtl. Rundfunkanstalten ausgestrahlte, als Fernstudium konzipierte wiss. Bildungsprogramm. Die Hörfunksendungen – nicht als Vorlesungen, sondern mit den eigenen dramaturg. Möglichkeiten des Mediums Hörfunk gestaltet – werden durch Studienbriefe (erarbeitet vom Dt. Institut für Fernstudien an der Univ. Tübingen, DIFF) vertieft. Über Hausarbeiten und Klausuren können staatlich anerkannte Zertifikate erworben werden.

Funkmesstechnik, →Radar.

Funknavigation, die Navigation von Wasser- oder Luftfahrzeugen mithilfe von Funksignalen, die von Funkfeuern ausgesendet und von bordeigenen Funkpeilern empfangen werden oder von Bordsendern abgestrahlt und als reflektierte Signale empfangen werden. Entsprechend der Reichweite unterscheidet man allg. Kurzstrecken-, Mittelstrecken- und Langstrecken-F.; spezielle Verfahren der Kurzstrecken-F. werden z.B. in der Luftfahrt für den Landeanflug und die Allwetterlandung, in der Schifffahrt für das Befahren schwieriger Küstengewässer verwendet. – Die F.-Verfahren werden in folgende Gruppen eingeteilt: Bei den **Richtempfangsverfahren** wird die Abhängigkeit der Antennenspannung von der Richtung der von einer Land- oder Bodenfunkstelle einfallenden elektromagnet. Wellen ausgenutzt, z.B. beim Radiokompass. Bei den **Richtsendeverfahren** werden von einer oder mehreren ortsfesten Funkstellen modulierte Wellen ausgesendet, wobei die Modulation als Richtungsinformation dient, z.B. beim Instrumentenlandesystem oder beim VOR-Verfahren. Bei den **Differenzentfernungsmessverfahren** werden Entfernungen zu verschiedenen Bodenstationen dadurch ermittelt, dass entweder die Zeitdifferenzen zw. dem Empfangen der von den Stationen gleichzeitig ausgesendeten Impulse (Laufzeitdifferenzen) gemessen werden (z.B. beim LORAN-Verfahren) oder die Phasendifferenzen zw. den gleichfrequenten elektromagnet. Wellen (z.B. beim Decca-Navigator-System). Beide Methoden liefern als Standlinien Hyperbeln (sog. Hyperbelnavigation). Bei den **Entfernungsmessverfahren** wird aus der Laufzeit eines von einem (bordeigenen) Sender ausgestrahlten Impulses zu einem aktiven Rückstrahler und zurück die momentane Entfernung bestimmt. **Radarverfahren** (Radarnavigation) dienen in der Schifffahrt v.a. zur Ermittlung des Standorts und des Kurses bei Nacht und schlechter Sicht. Navigationseinrichtungen unabhängig von Bodenstationen sind z.B. →Doppler-Navigationsverfahren.

Die F. für Luftfahrzeuge findet vor und während der Landung eine Ergänzung durch Leitverfahren. (→Landeführungssysteme)

📖 MARCUS, C.: *F. Grundlagen, Methoden u. richtige Anwendung.* Herford ³1990. – MIES, J.: *F.* Stuttgart 1995.

Funkortung, die Ermittlung von Standort und/oder Bewegungszustand von Land-, See-, Luft- oder Raumfahrzeugen unter Verwendung von Funkwellen. F. ist eine wesentl. Aufgabe der Navigation (→ Funknavigation). Zu unterscheiden sind Eigenortung vom Fahrzeug oder Fremdortung von anderen Stellen aus.

Funkrufdienst, ein Funkdienst mit einseitig gerichteter Übertragung codierter Zeichen von ortsfesten Funkstellen an bewegl. Empfangsgeräte (→ Pager). Die Bedeutung der Zeichen muss verabredet sein; sie übermitteln dem Empfänger eine Information oder veranlassen ihn zur Rückfrage über einen anderen Nachrichtenweg (z.B. Fernsprecher). Vorteil gegenüber einem Funkdienst mit gegenseitiger Verständigung ist die Einfachheit, Preisgünstigkeit und Tragbarkeit des Empfangsgerätes. Der **nichtöffentl. F.** wird zum Rufen von Personen in begrenzten Bereichen (z.B. Krankenhäusern) angewendet. Der **öffentl. F.** gestattet das Rufen von Personen über Fernsprechanschlüsse. Zu den bekanntesten F. gehören u.a. Cityruf, Scall, Quix-Basic.

Funksprechgerät, bewegliche oder tragbare Sende-Empfangs-Anlage für drahtlose Sprachübertragung. Ein kleines, handl. F. wird auch **Walkie-Talkie** genannt. F. haben meist nur eine begrenzte Auswahl an fest eingestellten Kanälen. Die Sendeleistung ist relativ gering, die Reichweite auf kurze und mittlere Entfernungen begrenzt. F. sind meist für Wechsel-, seltener für Gegensprechen eingerichtet, werden für Grenz-, Kurz- und Ultrakurzwellen gebaut und im bewegl. → Funkdienst verwendet.

Funkspruch, drahtlos übermittelte Nachricht, oft verschlüsselt.

Funkstille, Unterbrechung des Funkverkehrs für Notfälle. Für den Seefunkdienst ist zweimal stündlich eine F. von je drei Minuten internat. vereinbart. Bei Empfang eines Notsignals ist sofortige F. vorgeschrieben.

Funkstörungen, Störungen des Funkverkehrs, machen sich beim Hörempfang durch Nebengeräusche, beim Bildempfang durch waagerechte Streifen oder durch Moirémuster bemerkbar. F. werden durch Fehler der Empfangsanlage, durch Sender, deren Wellen in zu dicht besetzten Frequenzbereichen die Welle des zu empfangenden Senders überlagern, atmosphär. Entladungen, kosm. Störungen (Sonnenflecken), elektr. Maschinen, Geräte u.a. verursacht. (→ Funkentstörung)

Funktechnik, Teilgebiet der Nachrichten- und Hochfrequenztechnik. Alle Verfahren und Einrichtungen zur drahtlosen Übermittlung von elektr. Signalen beliebigen Informationsinhaltes mittels entsprechend modulierter Funkwellen. Spezielle Bereiche der F. sind Rundfunktechnik, Fernsehtechnik, Funktelegrafie, Funktelefonie, Funknavigation, Funkmesstechnik, Sprechfunk, Telemetrie und i.w.S. Radioastronomie.

Funktion [lat.] *die,* **1)** *allg.:* Aufgabe, Tätigkeit, Stellung.

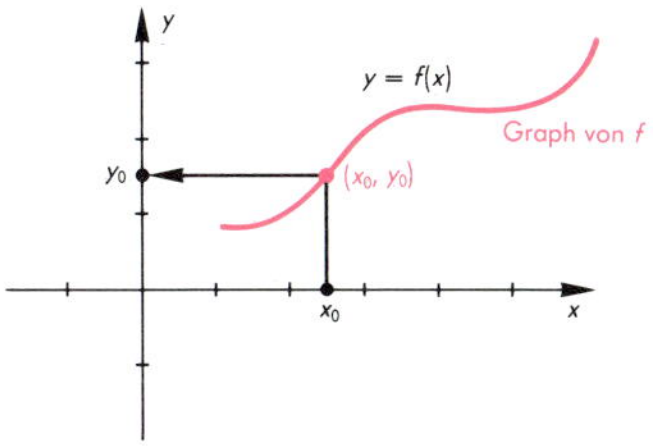

Funktion 2)

2) *Mathematik:* eine Zuordnungsvorschrift (→ Abbildung), die einer Größe x eine zweite Größe y in der Weise → eindeutig zuordnet, dass zu jedem Wert von x ein bestimmter Wert von y gehört. Diese Vorschrift wird explizit durch die Gleichung $y = f(x)$ (gesprochen »y gleich f von x«) oder implizit in der Form $F(x, y) = 0$ ausgedrückt; x heißt unabhängige Variable oder Argument, y abhängige Variable oder F.-Wert. Die Funktion $y = f(x) = 2x + 5$ ist ein Beispiel einer stetigen F. einer Variablen; solche F. lassen sich in einem Koordinatensystem durch Kurven darstellen. Allgemeiner kann man auch F. mit zwei oder mehr Variablen $y = f(x_1, x_2, \ldots)$ betrachten; stetige F. zweier Variabler lassen sich durch Flächen im Raum darstellen. Die F. mit komplexen Variablen behandelt die → Funktionentheorie.

3) *Medizin:* normale (funktionelle) Tätigkeit eines Organs oder Gewebes innerhalb des Gesamtorganismus. Als **funktionelle Störungen** werden Krankheitssymptome bezeichnet, die als organ. Beschwerden in Erscheinung treten, jedoch nicht auf organ. Strukturveränderungen, sondern auf psychosomat. Einflüsse zurückzuführen sind (z.B. vegetative Dystonie).

4) *Philosophie:* Abhängigkeit eines Sachverhaltes, Vorgangs, Begriffs von einem anderen.

5) *Sprache:* Leistung eines sprachl. Elements in einem bestimmten Zusammenhang, z.B. die bedeutungsunterscheidende F. der Phoneme. In der generativen Grammatik bezeichnet F. das Verhältnis von Kategorien in der syntakt. Tiefenstruktur (z.B. »Subjekt von ...«, »Objekt von ...«).

Funktional *das,* Operator, der eine Menge von Elementen (Zahlen, Vektoren u.a.) in eine Menge von reellen oder komplexen Zahlen abbildet, z.B. das bestimmte Integral einer Funktion.

Funktionalanalysis, Teilgebiet der Analysis, das durch Verallgemeinerung von Begriffen der

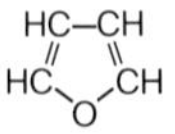
Furan

analyt. Geometrie auf Mengen von Funktionen entstand. Diese bilden in der F. sog. abstrakte Räume **(Funktionenräume),** z.B. die linearen und die topolog. Räume.

funktionale Musik, Musik, in der die autonom musikal. Belange vor einer außermusikal. Zweckbestimmung zurücktreten, z.B. Musik am Arbeitsplatz, in Warenhäusern, Werbemusik.

Funktionalismus *der,* **1)** Gestaltungsprinzip der modernen *Architektur* und des modernen *Designs:* Die Erscheinungsform eines Bauwerks oder eines Gebrauchsgegenstandes wird aus seiner Funktion abgeleitet, d.h., alle Teile eines Baus oder eines Produkts werden ihrem Zweck entsprechend gestaltet. Form und Funktion sollen eine Einheit bilden. Die Theorie des F. geht auf den amerikan. Bildhauer H. Greenough (*1805, †1851) zurück, der um die Mitte des 19. Jh. ein funktionalist. Programm formulierte. Mit seiner These »form follows function« reagierte der Architekt L. Sullivan (*1856, †1924) auf die neuen techn. Möglichkeiten seiner Zeit. Der F. bedeutete die Überwindung des Eklektizismus. Zu den wichtigsten, vom F. ausgehenden Architekten gehören H. Häring, Le Corbusier, L. Mies van der Rohe und F. L. Wright. Die Theorie des F. hat die moderne Architektur entscheidend beeinflusst (Dt. →Werkbund, Gruppe →Stijl, →Bauhaus).

📖 *Design in Deutschland, 1933–1945. Ästhetik u. Organisation des Deutschen Werkbundes im »Dritten Reich«, hg. v.* S. WEISSLER. *Gießen 1990. – Architektur in Deutschland 1919–1939. Die Vielfalt der Moderne, hg. v.* J. ZUKOWSKY. *A. d. Amerikan. München u. a. 1994.*

2) *Philosophie:* Denkweise, die Tatbestände nicht als isolierte Gebilde, sondern in Wechselbeziehung zu anderen auffasst bzw. in Abhängigkeit von den sie konstituierenden Bestandteilen sieht; so versteht z.B. J. G. Fichte die Welt insgesamt als Funktion des Ichs, der Pragmatismus das Denken als Funktion des Handelns, die Existenzphilosophie M. Heideggers das Bewusstsein als Funktion des Besorgens und In-der-Welt-Seins.

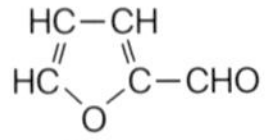
Furfural

3) *Psychologie:* Theorie, die die Prozesshaftigkeit psych. Vorgänge betont; v.a. werden die biologischen Voraussetzungen psychischer Funktionen betrachtet.

4) *Soziologie:* die →strukturell-funktionale Theorie.

5) *Sprachwissenschaft:* →Prager Schule.

6) *Völkerkunde:* von A. Radcliffe-Brown (*1881, †1955) und B. Malinowski (*1884, †1942) um 1922 in Großbritannien entwickelte Lehrmeinung, die von der wiss. Überzeugung ausgeht, dass die menschl. Gesellschaft, ähnlich wie tier. oder pflanzl. Organismen, naturgesetzl. Abhängigkeiten unterliegt, wodurch Voraussagen über bestimmte soziale Erscheinungen oder Entwicklungen möglich sind.

Funktionär *der,* Entscheidungsträger (Beauftragter), der im öffentl. Leben, in Organisationen und Institutionen Führungsaufgaben wahrnimmt, in diktator. Staaten der Beauftragte der regierenden Staatspartei.

funktionelle Gruppe, Atom oder Atomgruppierung, die ein Wasserstoffatom einer Stammverbindung ersetzen kann. Die f. G. verleiht einer Verbindungsklasse charakteristische physikal. und chem. Eigenschaften und wird deshalb auch **charakterist. Gruppe** genannt, z.B. die Aminogruppe $-NH_2$ (bei Aminen).

funktionelle Störungen, *Medizin:* →Funktion.

Funktionentheorie, klass. Bez. für die Theorie der analyt. komplexwertigen Funktionen einer komplexen Variablen. Die F. beeinflusst fast alle Gebiete der klass. Mathematik, wie Zahlentheorie, Reihenlehre, Theorie der Differenzialgleichungen, Potenzialtheorie u.a.; sie ist außerdem Ausgangspunkt zahlreicher moderner Theorien und Begriffsbildungen, hauptsächlich der Topologie.

Funktionsgenerator, elektron. Gerät oder Bauelement, das Wechselspannungen bestimmter Form erzeugt und (z.B. zu Messzwecken) abgibt. **Funktionsgeber** dienen in Analogrechnern zur Umsetzung eines genügend großen Eingangssignals in ein funktionsgerechtes Ausgangssignal.

Funkturm, frei stehendes, nicht abgespanntes Bauwerk zur Aufnahme von Sende- und Empfangsantennen großer vertikaler Ausdehnung oder in großem Abstand vom Erdboden. Mittel- und Langwellensender benutzen statt der F. mit vertikaler Antenne isoliert aufgestellte, abgespannte **Funkmaste,** die selbst als Antenne wirken. **Fernmeldetürme** nehmen die Einrichtungen der Richtfunknetze zum Übertragen von Fernschreiben, Ferngesprächen und Fernsehprogrammen auf.

Funkverkehr, drahtloser Nachrichtenverkehr, der auf der Ausbreitung elektromagnet. Wellen im freien Raum beruht. Im Weltraum ist die Ausbreitung geradlinig, in der Erdatmosphäre infolge der höhen- und wetterabhängigen atmosphär. Brechung (Funkwetter) gekrümmt. Die verschiedenen Vorgänge, die die Wellenausbreitung beeinflussen, hängen stark von der Wellenlänge ab. Der drahtlose Überseeverkehr wird über Satellitenverbindungen oder auf Kurzwellen abgewickelt.

Funkwetter, alle atmosphär. und kosm. Bedingungen, die den →Funkverkehr beeinflussen. **F.-Dienste** geben in internat. Zusammenarbeit versch. Staaten Funkprognosen.

Fur (For), die alteingesessene Bevölkerung von →Darfur, Rep. Sudan, etwa 170 000 Menschen. Die F.-Sprache gehört zu den nilosaharan. Sprachen.

Furan [lat.] *das,* fünfgliedrige heterozykl. Verbindung, eine farblose, chloroformartig riechende Flüssigkeit, Herstellung z.B. aus →Furfural durch Abspaltung von Kohlenmonoxid. F.-Abkömmlinge werden u.a. in Riech- und Aromastoffen verwendet, techn. bedeutsam sind **F.-Harze** zur Herstellung u.a. von Klebstoffen.

Furchenschrift, das →Bustrophedon.

Furchenwale (Balaenopteridae), Familie der Bartenwale mit Längsfurchen an der Unterseite des Vorderkörpers, die eine starke Erweiterung der Mundhöhle bei Aufnahme des nahrungshaltigen Wassers ermöglichen. Die F. umfassen sechs meist weltweit verbreitete Arten in zwei Gattungen; sie ernähren sich von kleinen Krebsen, Schnecken und Fischen, die sie mit Barten abseihen. Zu den **Finnwalen** (Balaenoptera) gehören der **Zwergwal** (Balaenoptera acutorostrata), 8–10 m lang, bis zu 10 t schwer, mit 50–60 Furchen, der **Seiwal** (Balaenoptera borealis), 13–18 m lang, mit 60–100 Furchen, und der seltene **Bryde-** oder **Edenwal** (Balaenoptera edeni), bis 18 m lang. Der eigtl. **Finnwal** (Balaenoptera physalus) wird 18–25 m lang und hat 68–114 Furchen. Der größte Wal ist der **Blauwal** (Balaenoptera musculus); mit bis zu 30 m Länge und 130 t Gewicht das größte gegenwärtig lebende Tier. Zur Gattung **Langflossenwale** (Megaptera) gehört als einzige Art der **Buckelwal** (Megaptera novaeangliae), 11–16 m lang, 20–45 t schwer, 14–20 Furchen; Kopf mit kleinen Knollen (Buckeln).

Furcht, Gefühl des Bedrohtseins. F. ist im Unterschied zur →Angst objektbezogen, d.h., sie tritt nur angesichts einer konkreten Gefahr auf.

Furchung (Blastogenese), erste Phase der Embryonalentwicklung, in der sich die befruchtete Eizelle ohne Volumenzunahme in **F.-Zellen (Blastomeren)** aufteilt. Der F.-Verlauf ist von der Dottermenge des Eies abhängig und äußerlich durch das Auftreten von Furchen gekennzeichnet. (→Entwicklung)

Furfural [Kw., zu lat. furfur »Kleie«] *das* (α-Furfurylaldehyd, früher Furfurol), *Chemie:* farblose, die Schleimhäute reizende Flüssigkeit. F. wird aus landwirtsch. Abfallprodukten, die Pentosen oder Pentosane enthalten (z.B. Haferschalen, Maiskolbenrückstände), durch Umsetzung mit Schwefelsäure und Wasserdampf hergestellt. Es dient als Lösungsmittel für Trennverfahren sowie als chem. Zwischenprodukt für die Herstellung von Furanharzen.

Furgler, Kurt, schweizer. Politiker, *St. Gallen 24. 6. 1924; Rechtsanwalt, Mitgl. der CVP, leitete als Bundesrat 1972–82 das Departement für Justiz und Polizei, 1983–86 das volkswirtsch. Departement. Mit der »Lex F.« schränkte er den Grundstücksverkauf an Ausländer ein. 1977, 1981 und 1985 war er Bundespräsident.

Furiant [lat.] *der,* böhm. Volkstanz in schnellem, scharf akzentuiertem und wechselndem $^2/_4$- und $^3/_4$-Takt.

Furi|en [lat.], röm. Rachegöttinnen, entsprechen den grch. →Erinnyen.

Furchenwale (von oben): Buckelwal (Körperlänge bis 15 m) und Blauwal (Körperlänge bis 30 m)

furioso [italien.], musikal. Vortragsbezeichnung: leidenschaftlich erregt, stürmisch.

Furka *die,* Alpenpass in der Schweiz, →Alpenstraßen, ÜBERSICHT.

Furlanisch, eine →rätoromanische Sprache.

Fürnberg, Louis, Schriftsteller, *Iglau 24. 5. 1909, †Weimar 23. 6. 1957; 1949–52 tschechoslowak. Botschaftsrat in Berlin (Ost). Übersiedelte 1954 nach Weimar und wurde stellv. Direktor der Nat. Forschungs- und Gedenkstätten in Weimar; in seinem literar. Werk steht polit. Pathos in der Lyrik neben feinfühliger Natur- und Landschaftslyrik; F. war Vermittler zw. dt. und tschech. Kultur.

Furness ['fəːnɪs], zur engl. Cty. Cumbria gehörende Halbinsel an der Morecambebai; Kalksteinbrüche; die Eisenerzvorkommen bei Barrow-in-Furness sind erschöpft.

Kurt Furgler

Furniere [frz.], dünne Holzblätter, die nach Art der Herstellung in Säge-, Messer- und Schäl-F. eingeteilt werden. **Messerfurniere** sind dünne Deckblätter aus gutem Holz, das auf weniger wertvolles Holz aufgeleimt wird. **Schälfurniere** werden hauptsächlich für Furnierplatten verwendet. Durch Sägen hergestellte **Sägefurniere** sind etwa 3 mm dick. Nach der Verwendung unterscheidet man Absperr-, Unter-, Gegen- und Deck-F. Furnierstämme müssen u.a. gesund, geradschaftig sein und Jahresringbau aufweisen.

Furnierplatte, →Sperrholz.

Jonas Furrer

Furrer, Jonas, schweizer. Politiker, *Winterthur 3. 3. 1805, †Bad Ragaz 25. 7. 1861; Rechtsanwalt, Führer der Liberalen im Kt. Zürich. 1845 wurde er Bürgermeister von Zürich und 1848 der erste schweizer. Bundespräs. (erneut 1852, 1855, 1858); 1848–61 Bundesrat.

Fürsorge, veraltet für →Sozialhilfe.

Fürsorgeerziehung, frühere Erziehungsmaßnahme bzw. Erziehungsmaßregel, die seit der Neuregelung des Kinder- und Jugendhilferechts durch das Kinder- und Jugendhilfegesetz nicht mehr vorgesehen ist.

Fürsorgepflicht, die auf Gesetz und Recht beruhende, der Treuepflicht des Arbeitnehmers entsprechende Pflicht des Arbeitgebers, im Rahmen des Arbeitsverhältnisses für den Schutz der Rechtsgüter des Arbeitnehmers (bes. Leben, Ehre, Gesundheit und Eigentum) zu sorgen. Unabdingbar ist die F. des Dienstherrn für erkrankte Hausangestellte in §617 BGB geregelt. Die F. umschließt auch die Pflicht des Dienstherrn zur Bereitstellung geeigneter Räumlichkeiten und Gerätschaften (§§618 BGB, 62 HGB) und zur Einhaltung öffentlich-rechtl. Bestimmungen, bes. zur ordnungsgemäßen Entrichtung von Sozialabgaben. Im Beamtenrecht zählt die F. zu den hergebrachten Grundsätzen des dt. Beamtentums; Entsprechendes gilt auch für Soldaten. – Die Rechtslage in *Österreich* und der *Schweiz* ist ähnlich.

Fürspan (Vorspange), Schmuckspange, die in der Männer- und Frauenkleidung des 12. und 13. Jh. den Bruststschlitz der Gewänder zusammenhielt.

Fürsprecher (Fürsprech), in einigen Kantonen der Schweiz Bez. für Rechtsanwalt.

Fürst [ahd. furisto, eigtl. »der Erste«, »der Vornehmste«] (lat. Princeps), allg. Landesherr, monarch. Staatsoberhaupt; schon in frühgeschichtl. Zeit ein Führer von Völkern, insbesondere bei den Germanen höchster Richter und Heerführer im Gau; im Hl. Röm. Reich ein mit königl. (unmittelbaren) Reichslehen (Fürstenlehen) versehener und mit Reichsämtern (→Erzämter) betrauter hoher Adliger mit herzogl. oder herzogsgleicher Stellung (Gebietsherrschaft, später Landesherrschaft). – Im Karolingerreich (8.–10. Jh.) entwickelte sich auf amtsrechtl. Grundlage der sog. **ältere Reichsfürstenstand** (principes, seit dem 10. Jh. principes regni oder imperii), der im Hoch-MA. Gliedschaft am Hl. Röm. Reich und regionale Herrschaft (v.a. durch Übertragung königl. Regalien) erlangte. Seit dem 12. Jh. (Stauferzeit) etablierte sich auf lehnsrechtl. Grundlage durch kaiserl. Privilegierung (→Landesherrschaft, →Reichsgrundgesetze) ein sog. **jüngerer Reichsfürstenstand** aus direkt mit sog. Fahnenlehen (weltl. F.) bzw. Zepterlehen (geistl. F.) versehenen Hochadligen (→Fürstentümer 2). Dadurch verlor die Mehrheit der Grafen ihren bisherigen (alten) Reichsfürstenstand. Aus der sich seit 1180 zunehmend von den freien Herren und Reichsgrafen abschließenden adligen Oberschicht der Reichs-F. sonderte sich im 13. Jh. das Kollegium der vornehmsten Königswähler (→Kurfürsten) ab; seit dem 16. Jh. (bis zum Reichsdeputationshauptschluss 1803) beinhaltete der Begriff Reichs-F. staatsrechtl. wie persönl. ständische Reichsunmittelbarkeit, landesfürstl. Hoheitsrechte sowie Territorialgewalt und Reichsstandschaft (Sitz und Stimme auf dem Reichstag; →Fürstenbank). – Der Titel F. trat außerhalb des Hl. Röm. Reichs auch in Russland (Knjas), Italien (Principe) und seit napoleon. Zeit in Frankreich (Prince) auf. – Seit 1919 ist in Dtl. der Titel F. lediglich Namensbestandteil. (→Titularfürst)

📖 *Europas Fürstenhäuser, bearb. v.* W. Ziehr. *Köln 1995.*

Fürstenberger Porzellan: Potpourrivase (um 1775; Mannheim, Reiss-Museum)

Fürstabt, →geistliche Fürsten.

Fürstbischof, →geistliche Fürsten.

Fürstenabfindung, die rechtl. Regelung der Vermögensverhältnisse zw. den 1918 entthronten dt. Fürsten und ihren früheren Ländern durch 26 Einzelverträge, nachdem eine reichsgesetzl. Regelung und der von KPD und SPD eingeleitete »Volksentscheid auf entschädigungslose Enteignung« der Fürsten 1926 gescheitert waren. Am 6. 10. 1926 schloss z.B. der Freistaat Preußen mit dem Hause Hohenzollern einen Vertrag, demgemäß im Wesentlichen das Kammergut (Domänen) zw. Staat und Fürstenhaus geteilt wurde, die Residenzschlösser, Parks, Theater, Bibliotheken und Museen meist an den Staat übergingen. In Österreich wurde durch das Ges. vom 3. 4. 1919 das gesamte Vermögen des Hauses Habsburg von der Rep. Österreich enteignet.

Fürstenbank (Fürstenrat), Gesamtheit der geistl. und weltl. Reichsfürsten, die auf den Reichs-

Fürstenfeldbruck 2): Die Westfassade der Klosterkirche des ehemaligen Zisterzienserklosters wurde 1747 vollendet

tagen des Hl. Röm. Reiches bis 1806 Sitz und Stimme hatten.

Fürstenberg, 1) Fürstenberg/Havel, Stadt und Luftkurort im Landkreis Oberhavel, Brandenburg, an der oberen Havel, im Bereich der Mecklenburg. Seenplatte; 4900 Ew.; elektrotechn., Möbel-, Futtermittelindustrie. – Erstmals 1278 erwähnt. Im Ortsteil →Ravensbrück bestand 1939–45 ein Konzentrationslager.

2) Fürstenberg/Oder, seit 1961 Teil von →Eisenhüttenstadt.

Fürstenberg, schwäb. Grafen-, seit 1664 Fürstengeschlecht, erwarb die Landgrafschaft Baar und Stühlingen sowie die Grafschaft Heiligenberg. Die Brüder Franz Egon und Wilhelm Egon waren 1663–82 und 1682–1704 Bischöfe von Straßburg und Parteigänger Ludwigs XIV. von Frankreich. Das Fürstentum F. (Hptst.: Donaueschingen) kam 1806 größtenteils unter bad. Landeshoheit.

Fürstenberger Porzellan, Porzellan der 1747 von Herzog Karl I. von Braunschweig in Fürstenberg (heute im Landkr. Holzminden, Ndsachs.) gegründete Manufaktur. Ab 1753 stellte sie Geschirre, Bildnisbüsten und -reliefs sowie figürl. Arbeiten her; bedeutend sind v.a. die Figuren der Commedia dell'Arte und die Bergleute von H. S. Feilner (1753–68 als Modellmeister tätig). Die Blütezeit des F. P. lag zw. 1770 und 1790.

Fürstenfeld, Bezirkshauptstadt in der Steiermark, Österreich, im Oststeir. Hügelland, 6000 Ew.; Tabak-, Textil-, opt. Industrie. – Stadtpfarrkirche (13. Jh., im 18. Jh. umgestaltet). – Um 1170 gegr.; erhielt Anfang des 13. Jh. Stadtrecht.

Fürstenfeldbruck, 1) Landkreis im RegBez. Oberbayern, 435 km², (1996) 186200 Einwohner.

2) Krst. von 1) in Bayern, an der Amper, 32000 Ew.; Bekleidungsind.; Offiziersschule und Fliegerhorst der Bundesluftwaffe. – Klosterkirche (1701–47) des ehem. Zisterzienserklosters (1258 gegr.). – **Bruck** wurde 1306 erstmals als Markt erwähnt, erhielt 1814 Stadtrecht und 1908 den heutigen Namen.

Fürstenfeldbruck 2) Stadtwappen

Fürstengenossen (Fürstenmäßige), im Hl. Röm. Reich bis 1806 Bez. für die den Fürstenhäusern ebenbürtigen Geschlechter, die selbst nicht zum Reichsfürstenstand gehörten.

Fürstengräber (Adelsgräber, Königsgräber), vor- und frühgeschichtl. Gräber, die sich meist schon durch ihre Lage, v.a. aber durch ihren Aufbau (oft bes. hohe Hügel, mächtige Grabkammern, sorgfältige Einbauten u.a.) und ungewöhnl. Beigabenreichtum (u.a. Edelmetalle) deutlich von den übrigen Bestattungen gleicher Kulturzugehörigkeit abheben und dadurch die bes. hohe soziale Stellung des Verstorbenen zum Ausdruck bringen (z.B. in Mykene).

Fürstenhut, *Heraldik:* Rangzeichen der Fürsten; entspricht im Wesentlichen der →Fürstenkrone (statt Kronreif Hermelinstulp).

Fürstenhut

Fürstenkrone, *Heraldik:* Rangkrone der den Fürstentitel tragenden Personen oder Familien (purpurne Mütze, fünfblättriger Kronreif sowie drei Halbbügel mit Reichsapfel).

Fürstenkrone

Fürstenschulen, die drei von dem Kurfürsten Moritz von Sachsen 1543 aus eingezogenen Klostergütern errichteten Gymnasien für prot. Alumnen: Schulpforta bei Naumburg (Saale), St. Afra in Meißen und St. Augustin in Grimma; die amtl. Bez. der sächs. F. lautete später »Fürsten- und Landesschule«.

Fürstenspiegel, Schriften, in denen das Musterbild eines Fürsten vermittelt wird; enthalten eth. Vorstellungen über Rechte und Pflichten, Befugnisse und Grenzen fürstl. Macht; entweder Lebensbeschreibung berühmter Herrscher oder dichter. Idealbild. Frühe F. sind u.a. Xenophons »Die Erziehung des Kyros«, Marc Aurels »Selbstbetrachtungen« und Augustinus' »Vom Gottesstaat«; bekannt v.a. N. Machiavellis »Der Fürst« (1532).

Fürstengräber: Das teilweise rekonstruierte Fürstengrab von Kilchberg bei Tübingen (6. Jh. v. Chr.)

Fürstentum, Herrschaftsgebiet eines Angehörigen des Fürstenstandes, v.a. in O-Europa auch staatsähnl. monarch. Herrschaftsgebiet. Die einzigen noch bestehenden F. in Europa sind Monaco und Liechtenstein. – Im *Hl. Röm. Reich* vor 1806 die reichsunmittelbaren Territorien (Fürstenlehen) mit einem Fürsten als Oberhaupt. Die geistl. F. entstanden nach dem Investiturstreit aus den kirchl. Besitzungen, die schon im Fränk. Reich von der Amtsgewalt der Grafen befreit waren, die weltl. F. aus den alten Stammesherzogtümern. Aufnahmen in den Stand des Fürsten erfolgten seit 1180 durch Erhebung des Territoriums zum Herzogtum, zur Markgrafschaft oder Landgrafschaft. Eine überragende Stellung erlangten im 13. Jh. die Kurfürstentümer. Die geistl. F. wurden 1803 aufgehoben, die weltl. z. T. mediatisiert, oder erlangten 1806 die Souveränität.

Fürstenwalde/ Spree
Stadtwappen

Fürstenwalde/Spree, Stadt im Landkreis Oder-Spree, Brandenburg, an der hier kanalisierten Spree, 33 900 Ew.; Museum; Chemie- und Tankanlagenbau, Reifenwerk, Eisengießerei; Verkehrsknotenpunkt; Binnenhafen. – Pfarrkirche Sankt Marien (begonnen 1446); Rathaus mit Maßwerkgiebel (um 1500). – Zw. 1252 und 1258 als Stadt gegründet; bis 1993 Kreisstadt.

Furt, seichte Übergangsstelle in Gewässern, die ein leichtes Überqueren ermöglicht; war oft ausschlaggebend für die Gründung eines Ortes, z. B. Frankfurt.

Fürth, 1) Landkreis im RegBez. Mittelfranken, Bayern, 308 km², (1996) 110 200 Einwohner.

Fürth 2)
Stadtwappen

2) kreisfreie Stadt und Verw.sitz von 1) in Bayern, am Zusammenfluss von Rednitz und Pegnitz zur Regnitz, ist mit Nürnberg baulich und wirtschaftlich zusammengewachsen (U-Bahn-Verbindung seit 1982), 108 400 Ew.; elektrotechn., Glas-, Spielwaren-, Eisen-, Blech-, Metallwarenind., Druckereien; Hafen am Rhein-Main-Donau-Großschifffahrtsweg. – Got. Kirche St. Michael (um 1100, umgebaut 14./15. Jh.); barocke Patrizierhäuser, Rathaus (Neurenaissancebau, 1840–50). – Um F., 1007 erstmals erwähnt, stritten Ansbach, Bamberg und Nürnberg, bis es 1792 an Preußen, 1806 an Bayern kam. 1808 (endgültig 1818) erhielt F. Stadtrecht. 1835 fuhr zw. Nürnberg und F. die erste dt. Eisenbahn.

Furth i. Wald, Stadt im Landkreis Cham, Bayern, in der **Cham-Further Senke,** zw. Bayer. und Oberpfälzer Wald, 9 600 Ew.; Glas-, Holz-, Leder-, Textilind., Maschinenbau. – Erhielt 1330 Stadtrecht.

Furtwangen, Stadt im Schwarzwald-Baar-Kr., Bad.-Württ., im südöstl. Schwarzwald, 850 m ü. M., 10 100 Ew.; Luftkurort; FH; Dt. Uhrenmuseum; Stempel- und Uhrenfabrikation, Feinwerk- und Elektrotechnik, Maschinenbau. – 1179 erstmals erwähnt; nach 1740 begann die Uhrenherstellung; seit 1873 Stadt.

Wilhelm Furtwängler

Furtwängler, 1) Adolf, Archäologe, * Freiburg im Breisgau 30. 6. 1853, † Athen 11. 10. 1907, Vater von 2); wurde 1884 Prof. in Berlin, 1894 in München; führte Ausgrabungen in Ägina, Amyklä und Orchomenos durch; schuf grundlegende Voraussetzungen für eine kunsthistorische archäolog. Forschung. – *Schriften:* Meisterwerke der grch. Plastik (1893); Grch. Vasenmalerei, Serie I und Serie II, Lfg. 1–3 (1900–06, Mithg.); Die antiken Gemmen (3 Bde., 1900).

2) Wilhelm, Dirigent und Komponist, * Berlin 25. 1. 1886, † Ebersteinburg (heute zu Baden-Baden) 30. 11. 1954, Sohn von 1); leitete die Berliner Philharmoniker (1922–45, 1947–54) und die Gewandhauskonzerte in Leipzig (1922–28), daneben die der Wiener Philharmoniker (1927–30, 1939–40), übernahm 1931 die musikal. Leitung der Bayreuther Festspiele und wurde 1933 Direktor der Berliner Staatsoper. F. war ein hervorragender Interpret der Musik des 19. Jh., bes. von L. van Beethoven, R. Schumann, J. Brahms, R. Wagner und A. Bruckner. Er komponierte u. a. drei Sinfonien.

Furunkel [lat.] *der,* auch *das* (Eiterbeule), durch Eindringen von Bakterien (meist Staphylokokken) verursachte eitrige Entzündung eines Haarbalgs oder der dazugehörigen Talgdrüse mit Entwicklung eines erbsen- bis walnussgroßen, schmerzhaft geröteten Knotens mit zentralem Eiterpfropf und narbiger Abheilung. Treten mehrere F. gleichzeitig an versch. Stellen auf, spricht man von **Furunkulose,** gehen mehrere, nebeneinander liegende F. ineinander über, von **Karbunkel.** Zur Behandlung dienen Antibiotika; mitunter ist eine operative Eröffnung des F. erforderlich.

Fürwort, → Pronomen.

Fusan, japan. Name der korean. Stadt → Pusan.

Fuscher Tal, rechtes Seitental der Salzach in den Hohen Tauern, Österreich, von der **Fuscher Ache** durchflossen, 24 km lang. Das F. T. wird durchzogen von der Großglockner-Hochalpenstraße bis zum Pass **Fuscher Törl** (2 428 m ü. M.).

Fuschlsee, See im salzburg. Salzkammergut, Österreich, 4 km lang, 2,7 km² groß; am F. liegen die Sommerfrische **Fuschl am See** (1 000 Ew., 663 m ü. M.) und das ehem. Jagdschloss der Erzbischöfe von Salzburg, Schloss Fuschl (Hotel).

Fuselöl, Nebenprodukt der alkohol. Gärung, im Wesentl. Gemisch aus n-Propanol, Isobutanol und Pentanolen. F. ist Bestandteil minderwertiger Spirituosen.

Fushun [-ʃ-] (Fuschun), Stadt in der Prov. Liaoning, NO-China, 1,20 Mio Ew.; Zentrum eines bed. Steinkohlengebiets, dessen Flöze mit ergiebigem Ölschiefer bedeckt sind; Stahl-, petrochem. Ind., Schwermaschinenbau.

Füsilier [frz., zu fusil »Gewehr«] *der,* Ende des 17. Jh. mit einem Steinschlossgewehr bewaffneter Soldat, später allg. Bez. für leichte Infanterie.

Fusinit *der,* →Streifenarten der Steinkohle.

Fusion [lat.] *die,* **1)** *Physik:* die →Kernfusion.

2) *Wirtschaft:* Verschmelzung mehrerer Unternehmen, meist Kapitalgesellschaften, zu einer rechtl. und wirtsch. Einheit. Bei der F. durch Aufnahme übernimmt die eine Gesellschaft das gesamte Vermögen der übertragenden Gesellschaft und überlässt dafür dem bisherigen Kapitaleigner einen Teil ihrer Kapitalanteile (Aktien). Bei F. durch Neubildung übertragen die fusionierenden Gesellschaften ihr Kapital auf eine neu gegründete Gesellschaft und erhalten von dieser entsprechende Anteile.

Fusionskontrolle, 1973 in das Gesetz gegen Wettbewerbsbeschränkungen (GWB) eingeführtes Instrument der Wettbewerbspolitik zur Untersagung von wettbewerbspolitisch unerwünschten Unternehmenszusammenschlüssen, um die fortschreitende Unternehmenskonzentration zu begrenzen. Das GWB unterscheidet zwischen Anzeigepflichten, Aufgreifkriterien und Untersagungskriterien. Beim Bundeskartellamt müssen Zusammenschlüsse angemeldet werden, wenn ein beteiligtes Unternehmen mehr als 2 Mrd. Mio. DM, oder beide jeweils mehr als eine Mrd. Umsätze haben. Fusionen werden vom Bundeskartellamt untersagt, wenn dadurch eine marktbeherrschende Stellung entstünde. Marktbeherrschend ist ein Unternehmen, wenn es ohne Wettbewerber ist oder keinem wesentl. Wettbewerb ausgesetzt ist oder eine überragende Marktstellung hat. Weisen Unternehmen nach, dass durch den Zusammenschluss eine Verbesserung der Wettbewerbsbedingungen eintritt und diese die Nachteile der Marktbeherrschung überwiegt, ist der Zusammenschluss zulässig. Bei überragendem Interesse der Allgemeinheit kann der Bundes-Min. für Wirtschaft eine Fusion ausnahmsweise genehmigen (»Ministererlaubnis«), z.B. bei der Übernahme von Messerschmitt-Bölkow-Blohm durch Daimler-Benz). Auf europ. Ebene wurde eine F. bereits mit der Europ. Gemeinschaft für Kohle und Stahl eingeführt. Weiter trat am 21. 9. 1990 in der EG die Fusionskontroll-VO in Kraft.

📖 HERDZINA, K.: *Wettbewerbspolitik. Stuttgart* *⁴1993.* – SCHMIDT, INGO: *Wettbewerbspolitik u. Kartellrecht. Eine Einführung. Stuttgart ⁵1996.*

Fuß, 1) *Biologie:* (Pes) unterster Abschnitt der Beine der Wirbeltiere, beim Menschen und den Affen nur der beiden hinteren (unteren) Gliedmaßen. Der durch das **F.-Gelenk (Sprunggelenk)** mit dem Unterschenkel verbundene F. setzt sich zusammen aus **F.-Wurzel** (Tarsus) mit den **F.-Wurzelknochen** (Tarsalia), dem **Mittel-F.** (Metatarsus) mit den (meist fünf) lang gestreckten, durch straffe Bänder miteinander verbundenen **Mittelfußknochen** (Metatarsalia) und den Zehen. Beim Menschen besteht das F.-Skelett aus den Knochen der fünf Zehen, den sieben F.-Wurzelknochen (Fersenbein, Sprungbein, Kahnbein, Würfelbein sowie äußeres, mittleres und inneres Keilbein) und fünf Mittelfußknochen. An der Unterseite ist ein F.-Gewölbe ausgebildet, das sich an drei durch Ballen gepolsterten Stellen (Fersenbein und die Enden des inneren und äußeren Mittelfußknochens) vom Boden abstützt. Das Sprunggelenk (Articulatio pedis) umfasst ein zw. den beiden Knöcheln gelegenes oberes Sprunggelenk (Knöchelgelenk, ein Scharniergelenk für das Heben und Senken des F.) und ein unteres Sprunggelenk (für drehende F.-Bewegungen).

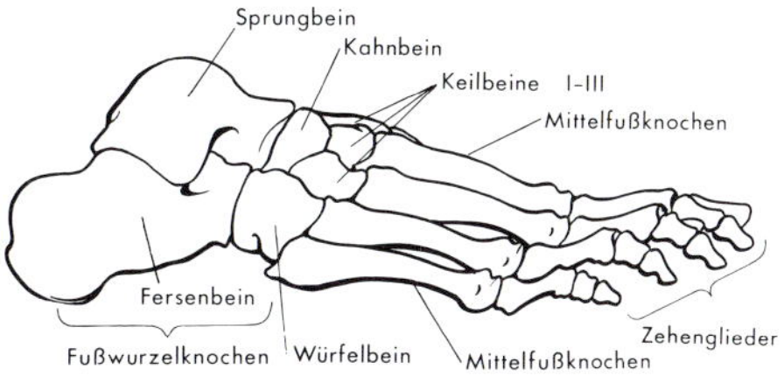

Fuß 1): Fußskelett des Menschen von der Seite

2) *Messwesen:* früheres Längenmaß, das von der Länge des menschl. F. abgeleitet wurde, schwankte landschaftlich etwa zw. 0,25 und 0,34 m, in Großbritanien und den USA noch gebräuchlich (→Foot).

Fußball, Sportspiel zw. zwei Mannschaften, bei dem ein Ball regelgemäß möglichst oft in das gegner. Tor (2,44 m hoch und 7,32 m breit) zu schießen ist, während Tore der gegner. Mannschaft verhindert werden sollen. Anders als die Abmessungen für das Tor, den Tor- und Strafraum und den Mittelkreis sind Länge (90 bis 120 m) und Breite des Spielfelds variabel; üblich ist eine Abmessung von 105 m × 70 m.

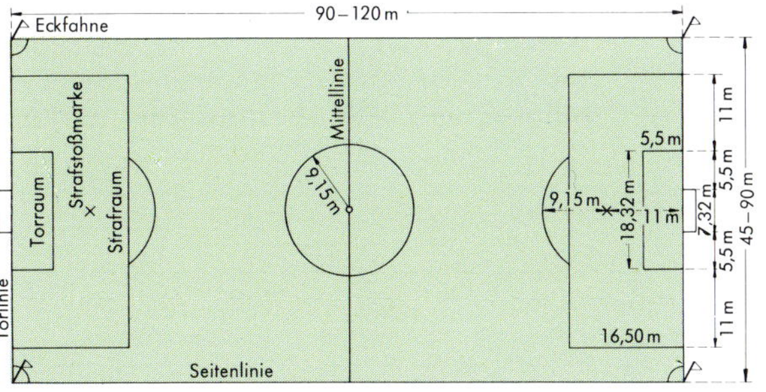

Fußball: Spielfeld

Gespielt wird mit einem Ball (Leder oder Kunststoff) mit 68–70 cm Umfang und 410–450 g Gewicht. Eine Mannschaft besteht aus Torwart und zehn Feldspielern, von denen drei durch Auswechselspieler ersetzt werden können.

Fußballweltmeisterschaft: Endspiele 1930–1995

Jahr	Austragungsland	Ort, Datum	Weltmeister	Vizeweltmeister	Ergebnis
Herren					
1930	Uruguay	Montevideo, 30.7.	Uruguay	Argentinien	4:2
1934	Italien	Rom, 10.6.	Italien	Tschechoslowakei	2:1[1]
1938	Frankreich	Paris, 19.6.	Italien	Ungarn	4:2
1950	Brasilien	Rio de Janeiro, 16.7.	Uruguay	Brasilien	2:1[2]
1954	Schweiz	Bern, 4.7.	BRD	Ungarn	3:2
1958	Schweden	Stockholm, 29.6.	Brasilien	Schweden	5:2
1962	Chile	Santiago de Chile, 17.6.	Brasilien	Tschechoslowakei	3:1
1966	Großbritannien (England)	London, 30.7.	England	BRD	4:2[1]
1970	Mexiko	Mexiko (Stadt), 7.7.	Brasilien	Italien	4:1
1974	BRD	München, 7.7.	BRD	Niederlande	2:1
1978	Argentinien	Buenos Aires, 25.6.	Argentinien	Niederlande	3:1[1]
1982	Spanien	Madrid, 11.7.	Italien	BRD	3:1
1986	Mexiko	Mexiko (Stadt), 29.6.	Argentinien	BRD	3:2
1990	Italien	Rom, 8.7.	BRD	Argentinien	1:0
1994	USA	Pasadena (Calif.), 8.7.	Brasilien	Italien	3:2[3]
Damen					
1991	China	Guangzhou, 30.11.	USA	Norwegen	2:1
1995	Schweden	Stockholm, 18.6.	Norwegen	Deutschland	2:0

[1] nach Verlängerung. – [2] kein Endspiel; entscheidendes Spiel in der Endrunde der Gruppensieger. – [3] nach Verlängerung und Strafstoßschießen.

Die Spielzeit beträgt 2×45 Minuten, die Pause zw. beiden Halbzeiten maximal 15 Minuten. Nach der Halbzeit werden die Spielfeldseiten gewechselt. Durch Verletzungen oder andere Verzögerungen verlorene Spielzeit soll nachgespielt werden. Geleitet wird ein Spiel von einem Schiedsrichter und zwei Schiedsrichterassistenten. Im **Hallenfußball** wie auch im Behindertensport wird auf verkleinertem Spielfeld, mit verkürzter Spielzeit und modifizierten Regeln gespielt.

Seit der Saison 1995/96 wird ein Sieg mit drei Pluspunkten gewertet, bei einem Unentschieden erhalten beide Mannschaften je einen Punkt. In Turnierspielen wird bei unentschiedenem Ausgang die Spielzeit um 2×15 Minuten verlängert, bei erneutem Unentschieden durch Elfmeterschießen entschieden.

Der Ball darf mit allen Körperteilen außer »Hand« (gesamter Arm) gespielt werden. Nur der Torwart kann innerhalb seines Strafraumes den Ball auch mit den Händen aufnehmen, allerdings nicht bei einem mit dem Fuß gespielten Rückpass (Rückgabe) eines Mitspielers (mit indirekten Freistoß geahndet). Um das »Zeitschinden« durch Torhüter zu unterbinden, gilt für sie seit 1997 die »Sechssekundenregel«, d.h., sie dürfen den Ball unbedrängt nicht länger als fünf Sekunden in den Händen halten (ggf. indirekter Freistoß). Jeder Spieler, auch der Torwart, kann Tore schießen. Ein Tor ist erzielt, wenn der Ball in vollem Umfang die Torlinie überquert hat. Geht der Ball über eine Seitenlinie ins »Aus«, wird er mit den Händen wieder ins Spiel eingeworfen (Einwurf). Geht er über die Torauslinie und wurde zuletzt vom Gegner gespielt, wird das Spiel mit einem Abstoß fortgesetzt, wurde er über die eigene Torauslinie gespielt, erhält der Gegner einen Eckstoß (eine »Ecke«). Wenn der Schiedsrichter das Spiel wegen eines Regelverstoßes (z.B. Treten, Halten oder Stoßen des Gegners) unterbrochen hat, wird das Spiel mit einem direkten Freistoß für die gegner. Mannschaft wieder aufgenommen; fand der Regelverstoß im eigenen Strafraum statt, erhält der Gegner einen **Strafstoß (Elfmeter)** zugesprochen. Bei bestimmten Regelverstößen (gefährl. Spiel, Abseitsstellung, Sperren ohne Ball) gibt es einen indirekten Freistoß, der im Ggs. zum direkten Freistoß nicht unmittelbar zum Torschuss führen kann. Bei der Ausführung von Freistößen (und beim Anstoß) müssen die Gegner einen Abstand von 9,15 m zum Ball einhalten. Bei Freistößen in Tornähe stellen sich Spieler der verteidigenden Mannschaft zu einer **Mauer** auf, um die Einschussmöglichkeit zu verringern. Bei wiederholten oder groben Regelverstößen kann der Spieler verwarnt (Zeigen der gelben Karte) oder durch **Platzverweis (Feld-**

Fußball

Fußballspielen haben die Japaner von den Chinesen gelernt, die es wahrscheinlich ihrerseits von Mongolenvölkern übernahmen. In Japan hieß das erstmals im 7. Jahrhundert n. Chr. erwähnte Spiel »kemari« und wurde nur innerhalb der Tempelbezirke gespielt. Als Ball diente eine halbaufgepumpte Lederkugel. Das Spiel begann, indem der älteste Spieler das schlappe Ei in die Luft schlug. Nun versuchten die vier bis sechs Spieler den Ball so lange wie möglich in der Luft zu halten, wobei sie ihn nur mit dem Fuß berühren durften. Es ist überliefert, dass man auf drei- bis vierhundert Fußstöße pro Spielzug kam.

verweis, Hinausstellung) vom weiteren Spiel ausgeschlossen werden (rote Karte). Einem Spieler, der zum zweiten Mal während eines Spiels verwarnt wird, muss die gelbe und die rote Karte (»gelb rot«) gemeinsam gezeigt werden, was ebenfalls Feldverweis bedeutet. Ein Platzverweis bewirkt i.d.R. eine Sperre für das darauf folgende Spiel. Ein Spieler der angreifenden Mannschaft befindet sich im **Abseits,** wenn er sich im Augenblick der Ballabgabe in der gegner. Spielhälfte näher an der Torlinie des Gegners befindet als zwei gegner. Spieler.

Wettbewerbe, Organisationen: In Dtl. werden Meisterschaften für Herren seit 1903 (im Frauen-F. seit 1974) ausgetragen. Der DFB-Vereinspokal wird seit 1935 (Frauen 1981) und nach dem K.-o.-System ausgetragen. Seit 1908 ist F. für Herren eine olymp. Disziplin (Frauen 1996). Seit 1930 (Frauen 1987) werden Weltmeisterschaften (außer 1942 und 1946), seit 1968 (Frauen 1984) Europameisterschaften durchgeführt, die jeweils alle vier Jahre stattfinden. Zu den wichtigsten internat. F.-Wettbewerben für Vereinsmannschaften in Europa zählen die jährlich ausgetragenen Europapokalspiele der Landesmeister (EC I, seit 1956; →Champions League) und der Pokalsieger (EC II, seit 1961), die Spiele um den UEFA-Pokal (EC III, seit 1972) und um den Supercup (seit 1972). In der Bundesrep. Dtl. wurde 1963 als höchste Spielklasse die »Bundesliga« gegründet; darunter besteht seit 1974 (zweigeteilt) bzw. 1981 (eingleisig) die »Zweite Bundesliga«. In Österreich gibt es ebenfalls die Bundesliga und in der Schweiz die »Nationalliga A«. Organisationen sind in Dtl. der →Deutsche Fußball-Bund, DFB, in Österreich der Österr. F.-Bund, ÖFB (gegr. 1904, Sitz: Wien) und in der Schweiz der Schweizer. F.-Verband (SFV, gegr. 1895, Sitz: Muri im Kt. Bern). Die nat. F.-Verbände der europ. Staaten sind zusammengeschlossen in der →UEFA. Internat. Dachverband ist die →FIFA. ÜBERSICHTEN S. 78

Geschichte: Für das Spielen eines Balles mit Fuß, Knie und Oberschenkel gibt es in fast allen Kulturen Zeugnisse, die wohl ältesten aus dem 3. Jt. v. Chr. aus China. Im europ. MA. kannte man v.a. in England, Frankreich und Italien (z.B. Calcio) treibballähnl., ungeregelte Kampfspiele, bei denen ganze Ortschaften gegeneinander antraten und versuchten, einen Ball querfeldein durch das gegner. Dorf- oder Stadttor zu treiben. Aus diesen volkstüml. Wettbewerben entstanden in engl. Schulen Mitte des 19. Jh. die Anfänge des modernen F.-Spiels. Im Bemühen um einheitl. Regeln war die Hauptstreitfrage, ob der Ball auch mit den Händen getragen werden dürfe. Da die Schule in Rugby diese Regel zuließ, wurde sie Schöpferin des Rugbyspiels. Dagegen schlossen sich die Gegner dieser Spielweise 1863 in London zur »Football Association« zusammen und übernahmen als einheitl. Regelwerk die im Prinzip heute noch gültigen »Cambridgeregeln« (erstmals 1848 gedruckt, 1862/63 überarbeitet und ergänzt). Der F. der »Association« (nach der zweiten Silbe auch kurz »Soccer« genannt) fand in Dtl. zuerst an den höheren Schulen in Braunschweig Anhänger. 1878 wurde in Hannover der erste deutsche F.-Verein gegründet.

Fußballeuropameisterschaft: Endspiele 1968–1996

Jahr	Austragungsland	Ort, Datum	Europameister	Vizeeuropameister	Ergebnis
1968	Italien	Rom, 10. 6.	Italien	Jugoslawien	2:0[1]
1972	Belgien	Brüssel, 18. 6.	BRD	UdSSR	3:0
1976	Jugoslawien	Belgrad, 20. 6.	Tschechoslowakei	BRD	5:3[2]
1980	Italien	Rom, 22. 6.	BRD	Belgien	2:1
1984	Frankreich	Paris, 27. 6.	Frankreich	Spanien	2:0
1988	BRD	München, 25. 6.	Niederlande	UdSSR	2:0
1992	Schweden	Göteborg, 26. 6.	Dänemark	Deutschland	2:0
1996	Großbritannien	London, 30. 6.	Deutschland	Tschechische Republik	2:1[3]

[1] im Wiederholungsspiel. – [2] nach Verlängerung und Strafstoßschießen. – [3] in der Verlängerung durch das ›Golden Goal‹.

Fußball

Bereits im 14. Jahrhundert wurde in Italien Fußball unter dem heute noch gebräuchlichen Namen »Calcio« gespielt. Zur festen Einrichtung wurde das Spiel aber erst 1530, als Kaiser Karl V. Florenz belagerte und auf der Piazza Santa Croce zur Demonstration gelassenen Selbstbewusstseins Calcio gespielt wurde. Jede Mannschaft hatte 27 Spieler, von denen allein 15 Stürmer waren. Auch einen Torwart gab es schon, der als einziger den Ball in die Hand nehmen durfte. Die anderen Spieler durften den Ball nur mit Fuß und Faust schlagen. Das Spielfeld war rechteckig, und als Tore dienten Zelte an den Schmalseiten des rechteckigen Spielfeldes. Über drei Jahrhunderte hinweg blieb Calcio als Spiel populär und geriet dann im 18. Jahrhundert in Vergessenheit.

📖 ROHR, B. *u.* SIMON, G.: *F.-Lexikon. München 1993. – F.-Weltgeschichte, hg. v.* K.-H. HUBA. *München* [13]*1996.*

Fußball

Wer schoss die meisten Tore in einem Länderspiel für die deutsche Nationalmannschaft?

*Der Mittelstürmer Gottfried Fuchs (*1889, †1972) vom Karlsruher FV. Beim olympischen Fußballturnier 1912 in Stockholm besiegte Deutschland Russland mit 16:0. Fuchs erzielte dabei zehn Tore. Zar Nikolaus II. war ob der Niederlage so erbost, dass er den russischen Spielern die Gelder strich und sie ihre Heimreise selbst bezahlen mussten.*

Fußball: Deutsche Meister seit Einführung der Bundesliga

1964	1. FC Köln	1981	Bayern München
1965	Werder Bremen	1982	Hamburger SV
1966	TSV 1860 München	1983	Hamburger SV
1967	Eintracht Braunschweig	1984	VfB Stuttgart
1968	1. FC Nürnberg	1985	Bayern München
1969	Bayern München	1986	Bayern München
1970	Borussia Mönchengladbach	1987	Bayern München
1971	Borussia Mönchengladbach	1988	Werder Bremen
1972	Bayern München	1989	Bayern München
1973	Bayern München	1990	Bayern München
1974	Bayern München	1991	1. FC Kaiserslautern
1975	Borussia Mönchengladbach	1992	VfB Stuttgart
1976	Borussia Mönchengladbach	1993	Werder Bremen
1977	Borussia Mönchengladbach	1994	Bayern München
1978	1. FC Köln	1995	Borussia Dortmund
1979	Hamburger SV	1996	Borussia Dortmund
1980	Bayern München	1997	Bayern München

Fußballtoto, staatlich genehmigte, wöchentlich ausgespielte Sportwette auf den Ausgang von Fußballspielen. In Dtl. gibt es 16 Totogesellschaften, die entweder staatl. Betriebe, Körperschaften des öffentl. Rechts oder private Gesellschaften sind. Gespielt werden die **Elferwette** (vorherzusagen sind die Spielausgänge von elf vorgegebenen Treffen) und die **Auswahlwette 6 aus 45** (vorherzusagen sind aus 45 vorgegebenen Treffen sechs, die unentschieden enden). Vom Spieleinsatz entfallen auf die Gewinner 50%, auf die Sportwettsteuer $16\frac{2}{3}$%, auf Sportförderung, soziale und karitative Zwecke etwa 22% und auf die Verwaltung etwa 11%. – Das F. wurde erstmals 1921 in England eingeführt, in der Bundesrep. Dtl. 1948.

Fußball: Pokalsieger in den europäischen Wettbewerben seit 1972

Jahr	Landesmeister	Pokalsieger	UEFA-Pokal
1972	Ajax Amsterdam	Glasgow Rangers	Tottenham Hotspur
1973	Ajax Amsterdam	AC Mailand	FC Liverpool
1974	Bayern München	1. FC Magdeburg	Feyenoord Rotterdam
1975	Bayern München	Dynamo Kiew	Bor. Mönchengladbach
1976	Bayern München	RSC Anderlecht	FC Liverpool
1977	FC Liverpool	Hamburger SV	Juventus Turin
1978	FC Liverpool	RSC Anderlecht	PSV Eindhoven
1979	Nottingham Forrest	FC Barcelona	Bor. Mönchengladbach
1980	Nottingham Forrest	FC Valencia	Eintracht Frankfurt
1981	FC Liverpool	Dynamo Tiflis	Ipswich Town
1982	Aston Villa	FC Barcelona	IFK Göteborg
1983	Hamburger SV	FC Aberdeen	RSC Anderlecht
1984	FC Liverpool	Juventus Turin	Tottenham Hotspur
1985	Juventus Turin	FC Everton	Real Madrid
1986	Steaua Bukarest	Dynamo Kiew	Real Madrid
1987	FC Porto	Ajax Amsterdam	IFK Göteborg
1988	PSV Eindhoven	KV Mechelen	Bayer Leverkusen
1989	AC Mailand	FC Barcelona	SSC Neapel
1990	AC Mailand	Sampdoria Genua	Juventus Turin
1991	Roter Stern Belgrad	Manchester United	Inter Mailand
1992	FC Barcelona	Werder Bremen	Ajax Amsterdam
1993	Olympique Marseille	AC Parma	Juventus Turin
1994	AC Mailand	Arsenal London	Inter Mailand
1995	Real Saragossa	Ajax Amsterdam	AC Parma
1996	Juventus Turin	Paris St. Germain	Bayern München
1997	Borussia Dortmund	FC Barcelona	FC Schalke 04

Fußboden, untere horizontale Innenraumfläche mit unterschiedl. Aufbau, der von Gestaltung, Nutzung und Anforderungen abhängt (begehbar, befahrbar, gleitsicher, abrieb-, druckfest, schall-, wärmedämmend, wasserdicht u.a.). Der F. besteht aus dem **Bodenbelag** und dem Unterboden (Estrich). Der Bodenbelag, also die Nutzfläche, besteht meist aus Stein, Holz, Kunststoff, Kork, Linoleum, Gummi oder textilem Material.

Fußbodenheizung, eine → Flächenheizung.

Fußdeformitäten, angeborene oder erworbene Formabweichungen oder Fehlhaltungen der Füße. Zu den häufigsten F. gehört die Fußsenkung **(Senkfuß),** eine Absenkung des Fußgewölbes infolge Muskel- oder Bindegewebsschwäche. Fließende Übergänge bestehen zw. Senkfuß und **Plattfuß,** bei dem inneres und äußeres Fußgewölbe abgeflacht sind. Bei nicht rechtzeitiger Behandlung kann es durch Veränderung der Gelenkflächen und durch Bänderschrumpfungen zu einer völligen Versteifung kommen. Neben der Abflachung des Längsgewölbes tritt häufig eine Lockerung der Querverspannungen auf, was eine weitere Abplattung und Verbreiterung des Fußes zur Folge hat **(Spreizfuß).** Bei Kindern ist die entstehende Senkung des Fußgewölbes meist mit Abknickung des Fußes nach innen kombiniert **(Knick-Senk-Fuß).** Vorbeugende Maßnahmen gegen die Fußsenkung sind Barfußlaufen und das Tragen passender, weicher Schuhe. – Der **Klumpfuß** ist meist angeboren. Er besteht in einer starken Abknickung der äußeren Fußkante nach unten und einer Einwärtsknickung des Vorderfußes samt den Zehen. Die Behandlung erfolgt durch einen Gipsverband oder operativ. – Der **Spitzfuß** wird durch Lähmung der vorderen Unterschenkelmuskulatur hervorgerufen. Die Fußspitze hängt steil nach unten, beim Auftreten erreicht die Ferse den Boden nicht. Behandlung: orthopäd. Schuhe, operative Verlängerung der Achillessehne. – Der **Hackenfuß,** der durch Lähmung der Wadenmuskulatur oder Abriss der Achillessehne entsteht, ist durch eine abnorme Steilstellung des Fersenbeins gekennzeichnet. – Für den **Hohlfuß** ist ein abnorm hohes Längsgewölbe mit hohem Spann, meist zus. mit Spreizfuß und Hammerzehe, charakteristisch.

📖 RABL, C. R. H. *u.* NYGA, W.: *Orthopädie des Fußes. Stuttgart* [7]*1994.*

Füssen, Stadt im Landkreis Ostallgäu, Bayern, am Lech, der zw. F. und Roßhaupten zum Forggensee aufgestaut ist, 800 m ü.M., 13700 Ew.; der Ortsteil **Bad Faulenbach** ist Schwefelbad und Kneippkurort; Hanfwerke, Spielwaren-, Metallind., Maschinenbau. – Über der mittelalterl. Stadt liegt das »Hohe Schloss« (1486–1505; jetzt staatl. Gemäldegalerie); nahebei die Schlösser → Hohenschwangau und → Neuschwanstein. – F. entstand um das Benediktinerkloster St. Mang (gegr. im 8. Jh., heutige Kirche 1701–26) und einen Königshof. Vögte des Klosters waren die Welfen, seit 1191 die Staufer. 1313 wurde die Stadt F. an die Bischöfe von Augsburg verpfändet, 1803 kam es an Bayern.

Fụssenegger, Gertrud, verheiratete Dorn, österr. Schriftstellerin, *Pilsen 8. 5. 1912; schrieb figuren- und symbolreiche Romane, häufig mit histor. Themen: »Das Haus der dunklen Krüge« (1951), »Das verschüttete Antlitz« (1957), »Zeit des Raben – Zeit der Taube« (1960), »Nur ein Regenbogen« (Erz., 1987).

Gertrud Fussenegger

Fußgängerzonen, Straßenzüge und Plätze in Siedlungen, meist Stadtzentren, die (bis auf Liefer- und Anliegerverkehr) für den motorisierten Verkehr gesperrt sind.

Fụssing, Bad, → Bad Füssing.

Fụ̈ssli, Johann Heinrich (in England Henry Fuseli oder Fusely gen.), engl. Maler schweizer. Herkunft, *Zürich 6. 2. 1741, †Putney Hill (heute zu London) 16. 4. 1825; lebte seit 1779 ständig in London, seit 1804 Akademiedirektor. Er bevorzugte visionäre Bilder und Zyklen meist zu literar. Stoffen; stilistisch sowohl dem Manierismus als auch dem Klassizismus verpflichtet. Er illustrierte u. a. Shakespeare, Milton, das Nibelungenlied, die Bibel, Dante, Vergil.

Johann Heinrich Füssli: »Der Nachtmahr« (1781; Frankfurt am Main, Goethemuseum)

Fụßmann, Klaus, Maler und Grafiker, *Velbert 24. 3. 1938; schuf, beeinflusst von G. Morandi, v. a. Stillleben, karge Interieurs, Porträts und Landschaften.

Fußpilz, eine → Hautpilzkrankheit.

Fußpunkt, 1) *Astronomie:* der → Nadir.

2) *Geometrie:* der Punkt, in dem das auf eine Gerade oder Ebene gefällte Lot diese trifft.

Fußschweiß, vermehrte Absonderung von Schweiß an den Füßen, bes. zw. den Zehen und an der Fußsohle. F. kann v. a. zw. den Zehen zu Hautentzündungen, Ekzemen und Pilzinfektionen führen. F. ist oft anlagemäßig bedingt, aber auch Begleiterscheinung anderer Krankheiten (z. B. vegetativer Störungen) oder unzureichender Körperpflege. – *Behandlung:* Fußhygiene, u. a. Einpudern oder Benutzung adstringierender Fußsprays, häufiges Barfußlaufen, Tragen saugfähiger Strümpfe und luftdurchlässiger Schuhe.

Fußsenkung, → Fußdeformitäten.

Fußtonzahl, bei der Orgel die in Fuß (etwa 30 cm, Zeichen ') angegebene Tonlage eines Registers, ben. nach der Pfeifenlänge des jeweils tiefsten Tones. Nach der 8' (etwa 2,40 m) langen, offenen Labialpfeife mit dem Ton C werden alle Orgelregister, die auf der Taste C den Ton C hervorbringen, achtfüßig genannt. Die z. B. eine Oktave höher als die Tastenlage klingenden Stimmen sind vierfüßig, eine Oktave tiefer sechzehnfüßig.

Fußwaschung, Reinigungssitte und Sklavendienst im Alten Orient und Mittelmeerraum; von Jesus als Zeichen vorbehaltloser Dienstbereitschaft am Nächsten an den Aposteln (Joh. 13, 1–17) geübt. Heute ist die F. Bestandteil der Liturgie des Gründonnerstags.

Fụst, Johann, Verleger und Buchhändler, *Mainz um 1400, †Paris 30. 10. 1466; Geldgeber und Teilhaber J. Gutenbergs, den er 1455 auf Rückzahlung seiner Darlehen verklagte. F. gründete dann mit seinem Schwiegersohn P. Schöffer eine Druckerei, die 1457 das »Psalterium Moguntinum« veröffentlichte, das erste in drei Farben gedruckte und mit voller Angabe der Druckerei erschienene Buch.

Fustanẹlla [italien.] *die,* eng gefältelter, knielanger, weißer Baumwollrock der im frühen 19. Jh. ausgebildeten Nationaltracht der grch. Männer.

Fụsti [italien.], Bez. der Vergütung für Verunreinigungen einer Ware (Blätter, Stängel, Steine u. a.); zur Berechnung der Gewichtseinbuße wird eine **F.-Rechnung** aufgestellt. (→ Refaktie)

Fusụli, türk. Schriftsteller, → Fuzuli.

Fụta-Dschalọn, Gebirge in W-Afrika, → Fouta-Djalon.

Futhark ['fu:θark], Runenreihe, → Runen.

Futschou, chines. Stadt, → Fuzhou.

Futter, 1) *Bauwesen:* Holzverkleidung der Leibung bei Fenstern und Türen.

2) *Landwirtschaft:* (Futtermittel) der tier. Ernährung dienende organ. oder mineral. Stoffe. Nach der ernährungsphysiolog. Aufgabe unterscheidet man **Erhaltungs-F.,** das die zur Erhaltung der Lebensfunktionen notwendigen Nährstoffmengen enthält, und **Leistungs-F.,** durch das dem Tier die Nährstoffmengen zugeführt werden, die zur Erzeugung einer zusätzl. Leistung (Milch, Fleisch)

Füssen Stadtwappen

Futurismus (von links): Umberto Boccioni, »Urform der Bewegung im Raum« (1913; Mannheim, Städtische Kunsthalle); Giacomo Balla, »Der Bann ist gebrochen«, Ausschnitt (1924/25; Privatbesitz)

notwendig werden. Je nach den mengenmäßigen F.-Anteilen spricht man von **Grund-F.** (Haupt-F.) und **Bei-F.** (Zusatz-F.). Zum **Saft-F.** gehören Grün-F. (frische F.-Pflanzen), Gär-F. (Silo-F.) und Hackfrüchte, zum **Rau-F.** getrocknetes Grün-F. (Heu), Stroh und Spreu. Als **Kraft-F.** dienen bes. Abfälle und Nebenerzeugnisse der Nahrungsmittelind., wie Kleie, Trockenschnitzel oder Ölkuchen.

📖 KIRCHGESSNER, M.: *Tierernährung. Frankfurt am Main* [8]*1992.*

3) *Textiltechnik:* Innenauskleidung für Oberbekleidung aus haltbarem Gewebe **(F.-Stoff);** bei Schuhen und Täschnerwaren die Innenverkleidung.

4) *Werkzeugmaschinen:* Vorrichtung zum Einspannen von Werkstücken oder Werkzeugen **(Spann-F.).**

Futteral [mlat., zu fotrum »Überzug«] *das,* der Form angepasste Hülle für einen Gegenstand.

Futterautomat, Vorrichtung, die den Tieren das Futter selbsttätig, periodisch und meist dosiert zuteilt, bes. in der Geflügel-, Schweine- und Rinderhaltung.

Futtermittel, *Landwirtschaft:* → Futter.

Futterpflanzen, zur Futtergewinnung angebaute Pflanzen wie Klee, Futterrüben, Mais oder Futtergräser.

Futterrübe, → Runkelrübe.

Futtersilo (Futterturm), → Silo.

Futur [lat., zu futurus »künftig«] *das* (lat. Futurum), Tempus des Verbs, das ein erwartetes, in der Zukunft ablaufendes Geschehen bezeichnet. Das F. wird im Deutschen mit dem Hilfsverb werden und dem Infinitiv gebildet (»ich werde arbeiten«). Das F. im Dt. drückt nur selten etwas wirklich Zukünftiges aus (»ich werde morgen fahren«), häufiger ist seine Verwendung für modale Abstufungen (»das wird wohl viel kosten«).

Futures ['fju:tʃəz; engl., Pl. von future »Zukunft«], Sammelbez. für standardisierte Terminkontrakte, die an Börsen gehandelt werden und neben dem spekulativen Aspekt hauptsächlich der Absicherung von Wechselkurs-, Aktienkurs- oder Zinsänderungsrisiken dienen. Stark an Bedeutung gewonnen haben die **Financial Futures,** wobei Terminkontrakte auf Devisen (Currency Futures), festverzinsl. Wertpapiere (Interest-Rate-Futures) und Aktienindices (Stock-Index-Futures) unterschieden werden.

Futurismus [zu lat. futurum »Zukunft«] *der,* Anfang des 20. Jh. in Italien aufgekommene, nach Russland ausgreifende revolutionierende, v.a. künstler., aber auch polit. Bewegung mit starken Einflüssen auf Expressionismus, Dadaismus und Surrealismus.

Literatur: Nach dem 1909 im »Figaro« veröffentlichten Gründungsmanifest des zunächst italien. literarischen F. von F. T. Marinetti folgte eine Flut von Manifesten, auch zur Politik (deutlich faschistisch Marinettis »F. und Faschismus«, 1924). Der F. will das moderne Leben, die Welt der Technik als »Bewegung«, als »Dynamik« spiegeln, als »allgegenwärtige Geschwindigkeit, die die Kategorien Raum und Zeit aufhebt«. Eine derartige Literatur musste sich ihre eigene Sprache, Syntax und Grammatik erst einmal schaffen (»Techn. Manifest der futurist. Lit.«, 1912). In den sprachl. und formalen Neuerungen liegt daher die Bedeutung des **italien. F.** Auch die **russ. Futuristen** (1910–20) betonten das Recht des Dichters auf Revolutionierung des poet. Stoffes, des Wortschatzes und der

Syntax (D. Burliuk, W. Chlebnikow, A. J. Krutschonych, W. W. Majakowski).

Malerei, Plastik, Architektur: Mit Marinetti gaben u. a. U. Boccioni, C. Carrà, L. Russolo und G. Balla 1910 das »Manifest der futurist. Malerei« heraus, gefolgt vom »Techn. Manifest der futurist. Malerei«. Bewegung und Energie wurden im **italien. F.** durch den »Komplementarismus«, das ständige Sichdurchdringen und Ergänzen der Formen und Farben (da Licht und Bewegung die Stofflichkeit der Körper zerstören), wiedergegeben, seit 1912 als simultane Darstellung von Bewegungsimpulsen. Boccioni forderte 1912 auch für die Plastik dynam. Simultaneität, A. Sant'Elia eine futurist. Architektur. Auf dem 1920 in Moskau von N. Gabo und A. Pevsner veröffentlichten »Techn. Manifest« basierend, strebte der **russ. F.** in der bildenden Kunst auf konstruktivist. Basis eine absolute Gestaltung ohne Wiedergabe individueller Empfindungen an. Mechan. Bewegungsimpulse und elektr. Licht wurden in dreidimensionale Objekte mit einbezogen.

📖 CALVESI, M.: *Der F. Kunst u. Leben. A. d. Italien. Köln 1987.* – DEMETZ, P.: *Worte in Freiheit. Der italien. F. u. die dt. literar. Avantgarde (1912–1934). Mit einer ausführl. Dokumentation. München 1990.* – WHITE, J. J.: *Literary futurism. Aspects of the first avant garde. Oxford 1990.* – SCHMIDT-BERGMANN, H.: *... F. Geschichte, Ästhetik, Dokumente. Reinbek 1993.*

Futurologie *die,* 1943 von O. K. Flechtheim geprägter Begriff für die systematisch-krit. Behandlung von Zukunftsfragen. (→Zukunftsforschung)

Fux, Johann Joseph, österr. Komponist und Musiktheoretiker, *Hirtenfeld (heute zu Langegg bei Graz) 1660, †Wien 13. 2. 1741; 1696–1702 Organist in Wien, wurde 1698 kaiserl. Hofkomponist und 1715 Hofkapellmeister. Bed. ist sein Lehrbuch des Kontrapunkts (»Gradus ad Parnassum«, 1725). In seinem Schaffen (Instrumentalmusik, Opern) vereinigte er italien. und bodenständige Traditionen mit älteren kontrapunkt. Techniken.

Fuxin [-ç-], Stadt in der Prov. Liaoning, China, in der südwestl. Mandschurei, 635 500 Ew.; Steinkohlenbergbau und Kohlekraftwerke, chem. Industrie.

Fuzhou [fudʒɔʊ] (Futschou, Foochow), Hptst. der Prov. Fujian, in SO-China, in Küstennähe am Min Jiang, 874 800 Ew.; Univ., Schiffbau, elektron., chem. Ind., Kunsthandwerk (Lackarbeiten); Seehafen. 1984 zur »offenen Küstenstadt« erklärt. – Im 19. Jh. Zentrum des chines. Teehandels.

Fuzuli [-z-] (Fusuli), Muhammad ibn Süleiman, türk. Schriftsteller, *Ende 15. Jh., †in Irak (Kerbela?) 1566; bedeutendster Klassiker der türk. Literatur. Über sein Leben ist wenig bekannt. Einem in Irak siedelnden Oghusenstamm zugehörig, schrieb er neben aserbaidschanisch-türk. (Muttersprache) auch arab. und pers. Werke. Sein Weltbild ist von einer sektenfreien Hinwendung zur Mystik geprägt. F. gilt als Meister der Ghaseldichtung.

Fuzz-Booster ['fʌzbu:stə, engl.] *der,* elektron. Einrichtung zur Klangverzerrung (hervorgerufen durch Amplitudenbegrenzung der erzeugten Schwingungen) mit nachfolgendem Verstärker, z. B. für elektr. Gitarren.

Fuzzylogik ['fʌzɪ-; engl. fuzzy »verschwommen«, »unscharf«], Logiksystem, das mehrere bis unendlich viele Wahrheitswerte kennt. Die F. basiert auf der Theorie der **Fuzzymengen,** bei denen man nur sagen kann, mit welchem Grad an Zugehörigkeit irgendwelche Elemente zu ihnen gehören. Dieser Zugehörigkeitsgrad kann prinzipiell jeden Wert zw. null und eins annehmen. Das zz. wichtigste Anwendungsgebiet der F. ist die Regelungstechnik. Dort kommt sie vorzugsweise dann zum Einsatz, wenn Störgrößen nicht exakt quantifiziert werden können, ihre Anzahl zu groß oder ihr Zusammenhang mit einer Regelgröße nicht genau bekannt ist. **Fuzzyregler** kommen heute bereits in vielen Bereichen des tägl. Lebens vor, vom Staubsauger und der Waschmaschine bis zum Betrieb von Schienenfahrzeugen.

📖 GRAUEL, A.: *Fuzzy-Logik. Einführung in die Grundlagen mit Anwendungen. Mannheim u. a. 1995.* – KOSKO, B.: *Fuzzy-logisch. Eine neue Art des Denkens. A. d. Amerikan. Düsseldorf 1995.*

FVP, Abk. für →**F**reie **V**olks**p**artei.

Fyn [fy:n], dän. Name der Insel →Fünen.

Johann Joseph Fux
(Ausschnitt aus einer zeitgenössischen Lithografie)

Jan Fyt: »Vogelkonzert« (um 1650; Privatbesitz)

Fyt [fɛjt], Jan, fläm. Maler, getauft Antwerpen 15. 3. 1611, †ebd. 11. 9. 1661; Schüler von F. Snyders, malte großzügig aufgebaute Jagd- und Tierbilder sowie Stillleben, die sich durch ihre Beleuchtungseffekte auszeichnen.

fz., *Musik:* Abk. für **f**or**z**ato (→sforzato).

g, G, 1) Konsonant (→Laut), der siebente Buchstabe des dt. Alphabets; stimmhafter velarer Verschlusslaut. Eine lat. Umbildung des C, nimmt das G im Alphabet die Stelle des (zwischenzeitlich aufgegebenen) Z ein.

2) Abk. **G** auf Kurszetteln für **G**eld; **G** oder **G.** in röm. Inschriften für **G**aius, **G**ens u.a.

3) *Einheitenzeichen:* **g** für Gramm; ^{g} für Neugrad, **G** für Gauß.

Druckschriftvarianten des Buchstabens **G**

4) *Formelzeichen:* *g* für die Fallbeschleunigung (→Fall), *G* für die freie →Enthalpie und die Gravitationskonstante (→Gravitation).

5) *Münzwesen:* **G,** Kennbuchstabe auf dt. Reichsmünzen seit 1872 und denen der Bundesrep. Dtl. für die Münzstätte Karlsruhe, auf preuß. Münzen 1753–54 Stettin, auf frz. Münzen 1539–1772 Poitiers und auf schweizer. 1799–1805 sowie 1812 Genf, auf österr. Münzen 1761–63 Graz, 1764–69 Günzburg und 1766–1829 Nagybánya (heute Baia Mare, Rumänien).

6) *Musik:* **g** der fünfte Ton der C-Dur-Tonleiter; **g** Zeichen für g-Moll; **G** Zeichen für G-Dur; **G** der G-Schlüssel, Violinschlüssel.

7) *Vorsatzzeichen:* **G** für Giga.

G-7, Bez. für die sieben führenden westlichen Ind.staaten (→Weltwirtschaftsgipfel).

Ga, chem. Symbol für →Gallium.

Ga., Abk. für den Staat **G**eorgi**a**, USA.

Gäa, grch. Göttin, →Gaia.

Gaarder ['gɔ:dər], Jostein, norweg. Schriftsteller, *Oslo 8. 8. 1952; unterrichtete Philosophie; G. verwendet in seinen v.a. für ein jugendl. Publikum geschriebenen Büchern postmoderne Techniken wie die Vermischung von unterschiedl. Realitätsebenen (»Das Kartengeheimnis«, 1990; »Sofies Welt«, 1991; »Das Leben ist kurz«, 1996).

Gạbal [dʒ-], arabisch für Berg, Gebirge; →Djebel.

Gabardine ['gabardi:n, gabar'di:n(ə); frz. von span.] *der,* auch *die,* Gewebe aus Wolle, Baumwolle oder Chemiefaserstoffen, das infolge Steilgratköperbindung feine Schrägrippen aufweist.

Gạbbro [italien.] *der,* dunkles, bas. Tiefengestein v.a. aus Plagioklas, Klinopyroxen und/oder Hornblende. Überwiegt Orthopyroxen, spricht man von **Norit.** Olivin-G. enthalten zusätzlich Olivin. An G. sind wichtige Nickelmagnetkies- und Titanmagnetit-Vorkommen gebunden.

Gabel, als Tischgerät zuerst 1032 in Montecassino erwähnt, diente die G. (mit zwei oder mehreren Zinken) bis ins späte MA. zum Vorlegen v.a. von Fleisch, vom 16. Jh. an zunehmend als Essgerät.

Gabelantilopen (Gabelböcke, Gabelhorntiere, Antilocapridae), wiederkäuende Paarhuferfamilie mit nur einer lebenden Art, dem **Gabelbock** (Antilocapra americana), in den Prärien Nordamerikas. Das Horn ist gegabelt und wird jährlich gewechselt.

Gabelbein (Furcula), die beiden mit ihren medialen Enden verwachsenen Schlüsselbeine der Vögel.

Gabelhirsch, Hirschgattung der südamerikan. Anden, mit Gabelgeweih, so der **Huemul.** (→Trughirsche)

Gabelmücken, die →Fiebermücken.

Franz Xaver Gabelsberger

Gạbelsberger, Franz Xaver, Stenograf, *München 9. 2. 1789, †ebd. 4. 1. 1849; bayer. Kanzleibeamter; schuf die erste kursive Stenografie in Anlehnung an die dt. Schreibschrift.

Gabelschaltung, bei Fernsprech-Übertragungsanlagen eine Schaltung mit festen und veränderl. Dämpfungsgliedern; ein Rückkopplungskreis für den schaltungstechn. Übergang Zweidraht/Vierdraht.

Gabelschwanz (Großer G., Cerura vinula), ein zu den Zahnspinnern gehörender weißgrauer Schmetterling mit rötlich brauner Zeichnung. Die Raupen haben einen gegabelten Anhang, aus dem bei Beunruhigung zwei rote Fäden treten, die ein dünnflüssiges Sekret abgeben.

Gabelantilopen: Gabelbock

Gabelstapler, gleisloses Flurfördermittel, Vier- oder Dreiradkarren mit Elektro- oder Dieselantrieb und einer an einem senkrechten Hubgerüst hydraulisch bewegten Gabel zum Stapeln, Entstapeln oder Verladen von Stückgütern über Höhen von mehreren Metern.

Gabelweihe, Greifvogel, →Milane.

Gabès [ga'bɛs] (arab. Qabis), tunes. Gouvernoratshptst. und Hafenstadt an der Kleinen Syrte (Golf von G.), in einer Dattelpalmenoase, 98 900 Ew.; Handelszentrum; Kunsthandwerk; Erdölraffinerie (vor der Küste Erdöl- und Erdgasförderung); chem., Textilind.; Eisenbahnendpunkt; Fremdenverkehr; Tiefwasserhafen **Ghannouch** (Phosphatexport). – Gegr. als pun. Handelsfaktorei, von den Römern **Tacapae** genannt.

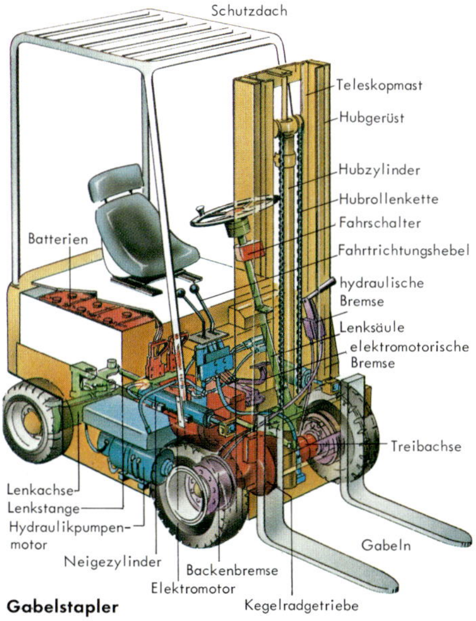

Gabelstapler

Gabin [ga'bɛ̃], Jean, eigtl. Jean Alexis Moncorgé, frz. Filmschauspieler, *Mériel (Dép. Val d'Oise) 17. 5. 1904, †Neuilly-sur-Seine 15. 11. 1976; Charakterdarsteller; spielte u. a. in »Pépé le Moko« (1936), »Der Tag bricht an« (1939), »Wenn es Nacht wird in Paris« (1954), »Die großen Familien« (1958), »Im Kittchen ist kein Zimmer frei« (1959), auch in zahlr. Filmen um Kommissar Maigret (nach G. Simenon).

Jean Gabin

Gabirol, Salomon ben Jehuda ibn, →Ibn Gabirol, Salomon ben Jehuda.

Gable [geɪbl], Clark, amerikan. Filmschauspieler, *Cadiz (Oh.) 1. 2. 1901, †Hollywood 16. 11. 1960; Darsteller von Draufgängertypen u. a. in »Meuterei auf der Bounty« (1935), »Vom Winde verweht« (1939), »Nicht gesellschaftsfähig« (1960).

Clark Gable

Gabler, Rehbock (Gabelbock) oder Rothirsch (Gabelhirsch) mit zweiendiger Stange.

Gablonz an der Neiße (tschech. Jablonec nad Nisou), Stadt im Nordböhm. Bezirk, Tschech. Rep., an der Lausitzer Neiße, am Isergebirge, 46 500 Ew.; Maschinenbau, Kunststoff-, Glas-, Schmuckwarenind. (seit 19. Jh.). – 1356 gegr., im 16. Jh. Wüstung und erneut besiedelt; 1866 Stadt. Bis 1945 überwiegend dt. Bevölkerung (Neugründung der ausgesiedelten und vertriebenen Deutschen: Kaufbeuren-Neugablonz).

Gabo ['gɑːbəʊ], Naum, amerikan. Plastiker russ. Herkunft, eigtl. Neemia Borissowitsch Pevsner, *Brjansk 5. 8. 1890, †Waterbury (Conn.) 23. 8. 1977; Bruder von A. Pevsner, mit dem er das »Realist. Manifest« (1920) verfasste, die Programmschrift des russ. →Konstruktivismus; seit 1946 in den USA. Seine Gebilde aus Metall, Glas, Kunststoff u. a. Materialien wurden bahnbrechend für die moderne Plastik. BILD S. 84

Gabon [ga'bɔ̃], Staat in Afrika, →Gabun.

Gabor ['geɪbə], Dennis, brit. Physiker ungar. Herkunft, *Budapest 5. 6. 1900, †London 9. 2. 1979; arbeitete über Plasmaphysik, Elektronenoptik und Informationstechnik; entwickelte 1948 die →Holographie und erhielt dafür 1971 den Nobelpreis für Physik.

Dennis Gabor

Gaborone (bis 1970 Gaberones), Hptst. und Handelszentrum von Botswana, 133 500 Ew.; Univ.; kath. Bischofssitz; Gerberei, Lederverarbeitung, Brauerei; internat. Flughafen.

Gabriel, einer der Erzengel, in der Bibel (Dan. 8,16 ff.; 9,21 ff.; Lk. 1,26) als Bote Gottes erwähnt. Im nachbibl. jüd. Schrifttum ist er der Straf- und Todesengel; im Islam gilt er als der höchste Engel, von dem Mohammed seine Offenbarung empfing.

Gabriel [gabriˈɛl], **1)** Jacques, frz. Baumeister, *Paris 6. 4. 1667, †Fontainebleau 23. 6. 1742, Vater von 2); ab 1735 Erster königl. Architekt, bedeutend sind v.a. seine städtebaul. Entwürfe, u.a. für Rennes (1728ff.) und Bordeaux (Place de la Bourse, 1733 begonnen, von seinem Sohn 1743 vollendet).

2) Jacques-Ange, frz. Baumeister, *Paris 23. 10. 1698, †ebd. 4. 1. 1782, Sohn von 1); ab 1742 Erster königl. Architekt; bedeutendster Vertreter eines Klassizismus palladian. Prägung in Frankreich vor der Frz. Revolution.

Werke: École militaire (1750–68) und Place de la Concorde (ab 1755, eingeweiht 1763) mit angrenzenden Hauptgebäuden in Paris; Petit Trianon (1764–68) und das Theater (1763–70) in Versailles.

Gabrieli, Andrea, *Venedig um 1510, †ebd. 1586; gehörte mit seinem Neffen Giovanni (*zw. 1553 und 1556, †1612) zu den bahnbrechenden Komponisten der venezian. Schule; mehrchörige Kirchenmusik, Madrigale.

Gabrowo, Stadt im Bezirk Lowetsch, Bulgarien, an der Jantra; 76 000 Ew.; Maschinenbauhochschule; Maschinenbau, Textil-, elektrotechn. u.a. Ind.; Ausgangspunkt der Balkanquerstraße über den Schipkapass. – Thrak. Siedlung, röm. und mittelalterl. Festung; seit dem 14. Jh. Stadt.

Naum Gabo: Lineare Konstruktion Nr. 2 (1949; Duisburg, Wilhelm-Lehmbruck-Museum)

Gabun (frz. Gabon, amtlich frz. République Gabonaise; dt. Gabunische Rep.), Staat im westl. Zentralafrika, grenzt im W an den Golf von Guinea (Atlantik), im N an Äquatorialguinea und Kamerun, im O und S an die Rep. Kongo.

Staat und Recht: Nach der Verf. vom 14. 3. 1991 ist G. eine präsidiale Rep. mit Mehrparteiensystem. Staatsoberhaupt ist der für fünf Jahre direkt gewählte Präs. (einmalige Wiederwahl möglich). Er übt gemeinsam mit dem Kabinett, das ihm verantwortlich ist, die Exekutivgewalt aus. Die Legislative liegt bei der Nationalversammlung (120 Abg., für fünf Jahre gewählt). Einflussreiche Parteien: Demokrat. Partei G. (PDG), Bewegung der nat. Wiederbelebung (MORENA) und Gabun. Fortschrittspartei (PGP).

Jacques-Ange Gabriel: Südfassade des Petit Trianon in Versailles (1764–68)

Landesnatur: Der etwa 200 km breite Küstenstreifen ist mit Mangrovenwald und Savannenvegetation bedeckt und hat im S eine wenig gegliederte Nehrungsküste, während im N das weit ins Meer vorspringende Kap Lopez (Port-Gentil) und das 80 km lange und bis 16 km breite Ästuar des Gabun (Libreville) gute Hafenmöglichkeiten schaffen. Das Innere wird von einem bis über 1 000 m hohen Bergland mit trop. Regenwald (heute weitgehend zerstört), Berg- und Galeriewald eingenommen, Einzugsgebiet zahlr. Flüsse, darunter der 1200 km lange Ogowe mit seinen Nebenflüssen. Das Klima ist tropisch mit zwei Regenzeiten (Niederschläge zw. 1600–3 000 mm); die lange Trockenzeit dauert von Mitte Mai bis Mitte September.

Bevölkerung: Es gibt etwa 40 ethn. Gruppen, vorwiegend Bantu (Fang etwa 30 %, Eschira 25 % u.a.); ferner Pygmäen (1 %) und Franzosen. – Allg. Schulpflicht vom 6. bis 16. Lebensjahr; Einschulungsquote fast 100 %, Analphabeten 38 % der Bev. über 16 Jahre; Univ. in Libreville (gegr. 1970). – Etwa 87 % der Bev. sind Christen, etwa 8 % sind Anhänger traditioneller afrikan. Religionen, rd. 4 % Muslime.

Wirtschaft, Verkehr: G. ist reich an Bodenschätzen. Größte Bedeutung hat die Förderung von Erdöl (an der Küste und auf dem Schelf um Port-Gentil), sie erbringt meist über 40 % der Staatseinnahmen und 80 % der Exporterlöse; dazu kommt die Erdgasförderung sowie der Abbau von Mangan- (Moanda), Uran- (Mounana), Eisenerzen

Gabun

Fläche: 267668 km²
Einwohner: (1994) 1,283 Mio.
Hauptstadt: Libreville
Verwaltungsgliederung: 9 Provinzen
Amtssprache: Französisch
Nationalfeiertag: 17. 8.
Währung: 1 CFA-Franc = 100 Centimes
Zeitzone: MEZ

(Belinga und Mekambo), Gold u.a. Die einst wichtige Holzgewinnung (bes. von Okumé) ist stark rückläufig. Die verarbeitende Ind. ist noch wenig entwickelt, v.a. Erdölraffinerie, Nahrungs- und Genussmittelind., Holzverarbeitung, Baustoffind. Die Landwirtschaft dient v.a. der Eigenversorgung (bes. Zuckerrohr, Maniok, Jamswurzel, Kochbananen, Mais, Reis), dennoch muss über die Hälfte der Nahrungsgüter importiert werden; Anbau von Kakao, Kaffee und Erdnüssen sowie Ölpalmen bes. für den Export. – Verkehr: Das Straßennetz ist über 7500 km lang, nur z.T. asphaltiert. Die 697 km lange Transgabunbahn dient v.a. dem Erz- und Holztransport. Bedeutung hat die Binnenschifffahrt auf dem Ogowe (350 km). Hochseehäfen sind Libreville-Owendo und Port-Gentil. Internat. Flughäfen: Libreville, Port-Gentil und Franceville. Nat. Luftfahrtges.: »Air Gabon«.

Geschichte: Die Küste G.s wurde 1472 von den Portugiesen entdeckt, jedoch kam es in der Folgezeit zu keiner festen Ansiedlung von Europäern. Seit 1839 war G. in frz. Besitz. 1849 gründete die frz. Kolonialmacht Libreville als Siedlung für freigelassene Sklaven. 1910 bis 1959 war G. ein Territorium von Französisch-Äquatorialafrika. Im Rahmen der Französischen Gemeinschaft besaß es 1959–60 innere Autonomie. 1960 erhielt G. die Unabhängigkeit, unterhielt jedoch weiterhin enge Beziehungen zu Frankreich. Staatspräs. O. Bongo, seit 1967 im Amt, gründete 1968 auf der Basis des PDG ein Einparteiensystem und ließ sich in den folgenden Jahrzehnten mehrfach im Amt bestätigen. Nach der offiziellen Einführung eines Mehrparteiensystems durch die Verf. von 1991 wurde Bongo 1993 bei den ersten Präsidentschaftswahlen mit Gegenkandidaten wieder gewählt. Anhaltende Konflikte des Präsidenten mit der Opposition, die bes. die Legalität seiner Wiederwahl anzweifelten, führten 1994 zum Pariser Abkommen, das eine Regierungsbeteiligung der in Opposition stehenden Kräfte und Neuwahlen vorsah. Bei Wahlen vom Dez. 1996 konnte der regierende PDG die Mehrheit der Mandate erringen.

📖 Aicardi de Saint-Paul, M.: *Gabon. The development of a nation. A.d. Frz. London 1987.* – Gardinier, D. E.: *Gabon. Oxford 1992.* – Barnes, J. F.: *Gabon. Beyond the colonial legacy. Boulder, Colo. 1993.* – Edzodzomo-Ela, M.: *De la démocratie au Gabon. Paris 1993.* – Richard, A. *u.* Léonard, G.: *Le Gabon. Géographie active. Libreville 1993.* – Gardinier, D. E.: *Historical dictionary of Gabon. Metuchen, N.J. ²1994.*

Gad [hebr. wahrscheinlich »Glück«], **1)** semit. Glücksgott (Jes. 65,11).

2) Prophet zur Zeit Davids (2. Sam. 24,11ff.).

3) israelit. Stamm im Ostjordanland, nach einem Sohn Jakobs benannt (1. Mos. 30,11).

Gadamer, Hans-Georg, Philosoph, *Marburg 11. 2. 1900; entwickelte, Impulse von W. Dilthey, E. Husserl und M. Heidegger aufnehmend, eine »philosoph. Hermeneutik« (v.a. in »Wahrheit und Methode«, 1960): Diese fragt nach den Bedingungen der Möglichkeit des Verstehens, das nicht als eine unter vielen Verhaltensweisen des Menschen, sondern als »die Seinsweise des Daseins selber« verstanden wird. G. sieht das Verstehen durch einen traditions- und überlieferungsbestimmten Verstehens-»Horizont« bedingt, aus dem Vorurteile und Fragen des Interpreten erwachsen. Bild S. 86

📖 Morasch, G.: *Hermetik u. Hermeneutik. Verstehen bei Heinrich Rombach u. H.-G. G. Heidelberg 1996.*

Gadames, Oasenstadt in Libyen, → Ghadamis.

Gadda, Carlo Emilio, italien. Schriftsteller, *Mailand 14. 11. 1893, †Rom 22. 5. 1973; einer der bedeutendsten zeitgenöss. Schriftsteller Italiens; schrieb vielschichtige Romane und Erzählungen in ironisch-bizarrer Prosa: »Die gräßl. Bescherung in der Via Merulana« (R., 1957); »Die Erkenntnis des Schmerzes« (R., 1963); »Die Liebe zur Mechanik« (R., 1970); auch Essays.

Gaddhafi (al-G., Khadafi), Moamar (Mahmoud), libyscher Politiker, *Sirte (Tripolitanien) Sept. 1942 (?); Offizier, stürzte gemeinsam mit anderen Offizieren 1969 die Monarchie und übernahm den Oberbefehl über die Streitkräfte.

Staatswappen

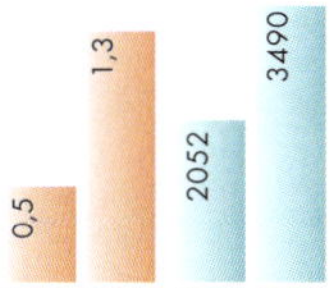

Bevölkerung (in Mio.)
Bruttosozialprodukt je Ew. (in US-$)

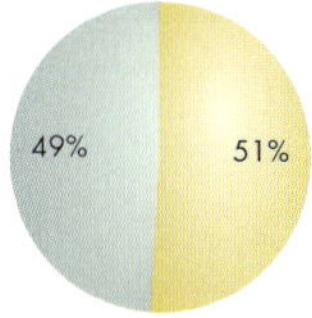

Stadt
Land
Bevölkerungsverteilung 1994

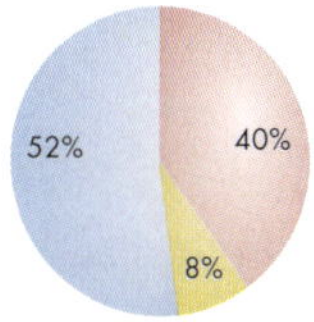

Industrie
Landwirtschaft
Dienstleistung
Bruttoinlandsprodukt 1994

Hans-Georg Gadamer

1969–77 war er als Präs. des Revolutionsrates Staatsoberhaupt, 1970–72 auch Verteidigungsmin. und MinPräs., 1977–79 GenSekr. des Allgemeinen Volkskongresses. Seit 1979 ohne polit. Funktion, übt G. als »Führer der Revolution« weiterhin den entscheidenden Einfluss auf die Politik seines Landes aus. In seiner Außenpolitik vertritt er eine Politik der arab. Einheit, blieb aber hierbei ohne bleibenden Erfolg. Im Nahostkonflikt ist G. einer der entschiedensten Gegner Israels; er gilt als Förderer zahlreicher terrorist. Aktivitäten.

Moamar al-Gaddhafi

Gaddi, italien. Malerfamilie in Florenz: Taddeo G., *Florenz (?) um 1300, †ebd. 1366; einer der bedeutendsten Schüler Giottos, dessen Stil er durch realist. Züge, neuartige Lichtwirkungen und Architekturdarstellungen bereicherte (Fresken aus dem Marienleben u.a. in Santa Croce, Florenz). Sein Sohn und Schüler Agnolo G., *Florenz um 1350, begraben ebd. 16. 10. 1396, führte die Werkstatt fort (Fresken der Legende des hl. Kreuzes in Santa Croce, Florenz, und im Dom von Prato).

Gade ['gɑ:ðə], Niels Wilhelm, dän. Komponist und Dirigent, *Kopenhagen 22. 2. 1817, †ebd. 21. 12. 1890; schuf an F. Mendelssohn Bartholdy und R. Schumann orientierte Werke: Ballette, Ouvertüren (»Nachklänge an Ossian«, 1840), Sinfonien, Chorwerke mit Orchester, Kammermusik, Klavierstücke.

Antonio Gades

Gadebusch, Stadt im Landkr. Nordwestmecklenburg, Meckl.-Vorp., 6900 Ew.; Nahrungsmittelind. – Spätroman. Backsteinkirche (um 1220), Renaissanceschloss (1570/73), Rathaus (im Kern 14. Jh.) mit Gerichtslaube (1618). – 1194 erstmals erwähnt, 1255 Stadtrecht; bis 1994 Kreisstadt.

Taddeo Gaddi: »Geburt Christi«, Ausschnitt aus einem Fresko (1332–38) in der Cappella Baroncelli von Santa Croce in Florenz

Agnolo Gaddi: »Auffindung des Kreuzes«, Ausschnitt aus einem Fresko (nach 1383) in der Hauptchorkapelle von Santa Croce in Florenz

Gaden, 1) *schweizer.,* auch *niederdt.:* Haus mit nur einem Zimmer; Gemach, Kammer; auch Stockwerk.

2) (Ober- oder Lichtgaden), die durchbrochene, die Seitenschiffdächer überragende Mittelschiffwand einer Basilika.

Gades, Antonio, eigtl. A. Esteve, span. Tänzer, Choreograph und Ballettdirektor, *Elda (Prov. Alicante) 16. 11. 1936; gilt als einer der führenden span. Tänzer und Choreographen; u.a. Flamenco-Trilogie (»Bluthochzeit«, 1981; »Carmen«, 1983; »Liebeszauber«, 1986; von C. Saura verfilmt), Ballett »Feuer« (1988).

Gadolinit [nach dem finn. Chemiker J. Gadolin, *1760, †1852] *der,* $Y_2FeBe_2[O||SiO_4]_2$, neben Yttrium Seltenerdmetalle sowie Thorium enthaltendes monoklines Mineral, schwarz, meist derb; Vorkommen in Granitpegmatiten.

Gadolinium [nach dem finn. Chemiker J. Gadolin, *1760, †1852] *das,* chem. Symbol **Gd,** Seltenerdmetall aus der Gruppe der Lanthanoide. Ordnungszahl 64, relative Atommasse 157,25, Dichte 7,896 g/cm^3, Schmelzpunkt 1312 °C, Siedepunkt über 3000 °C. – G. ist ferromagnetisch und zeigt Supraleitfähigkeit. Es hat von allen Elementen den höchsten Absorptionsquerschnitt für Neutronen und wird deshalb in der Kerntechnik verwendet, außerdem als Legierungsbestandteil.

Gaede ['gæ-], Wolfgang, Physiker, *Lehe (heute zu Bremerhaven) 25. 5. 1878, †München 24. 6. 1945; war 1919–34 Prof. in Karlsruhe, schuf die Grundlagen der modernen Hochvakuumtechnik. Er erfand und verbesserte 1905 die nach ihm ben. rotierende Quecksilberluftpumpe; entwickelte 1912/13 die Molekularluftpumpe in Gestalt der rotierenden Pumpe, 1914/15 die →Diffusionspumpe und die Gasballastpumpe (1936).

Gaeta, Hafenstadt in Latium, Prov. Latina, Italien, am Golf von G. (Tyrrhen. Meer), 22 300 Ew., Erzbischofssitz; keram. Ind.; Badeort. – Roman. Dom, Kastell (13., 15., 16. Jh.; heute Gefängnis). – G. **(Caieta)**, eine grch. Kolonie der Antike, erlangte im MA. Bedeutung durch den Seehandel; stand bis ins 19. Jh. unter wechselnder Herrschaft; 1860/61 letztes Bollwerk der neapolitan. Bourbonen.

Ga|etani, Adelsgeschlecht, →Caetani.

Gaffel, an einem Mast verschiebbare, schräg nach oben ragende Stange; trägt bei Segelschiffen das unregelmäßige, viereckige **G.-Segel**.

Gaffelschoner, →Schoner.

Gaffky [-ki], Georg Theodor August, Bakteriologe, *Hannover 17. 2. 1850, †ebd. 23. 9. 1918; Mitarbeiter Robert Kochs. 1884 züchtete er erstmals den Typhusbazillus in Reinkultur.

Gafsa, Provinzhptst. und Oase in Tunesien, 71 100 Ew.; bed. Phosphatabbau; Textilind., Teppichherstellung. – Numid. Gründung, röm. Kolonie **Capsa;** vorgeschichtl. Funde (→Capsien).

Gagaku *die,* die klass. (ga) Musik (gaku) Japans, Instrumentalmusik mit dazugehörigen Tänzen.

Gagarin, Juri Alexejewitsch, sowjet. Fliegeroffizier, Kosmonaut, *Kluschino (Gebiet Smolensk) 9. 3. 1934, †(Flugzeugabsturz) bei Nowosjolowo (Gebiet Wladimir) 27. 3. 1968; umkreiste am 12. 4. 1961 als erster Mensch die Erde in einem »Wostok«-Raumfahrzeug (1 h 48 min).

Gagat [grch. Gagates, nach der Stadt Gagas in Kleinasien] *der* (Jet), eine zu Schmuckzwecken verwendete polierbare, bitumenreiche, tiefschwarze Braunkohle.

Gagausen, christl. Turkvolk in Moldawien (etwa 152 000) sowie in der Ukraine, in Rumänien und Bulgarien (zus. etwa 20 000).

Gagelstrauch (Heidegagelstrauch, Gagel, Myrica gale), zu den Gagelgewächsen gehörender, in feuchten Heiden und Mooren vorkommender, 0,5–2 m hoher, aromatisch duftender Strauch mit unscheinbaren, vor den Blättern erscheinenden Blüten.

Gagern, 1290 erstmals erwähntes dt. Uradelsgeschlecht (Stammsitz Gawern auf Rügen): **1)** Friedrich Freiherr von, österr. Schriftsteller, *Schloss Mokritz (Krain) 26. 6. 1882, †Geigenberg (heute zu Leonhard am Forst, Bez. Melk) 14. 11. 1947; schrieb v. a. Jagd-, Tier- und Abenteuergeschichten (»Im Büchsenlicht«, 1908).

2) Wilhelm Heinrich August Freiherr von, Politiker, *Bayreuth 20. 8. 1799, †Darmstadt 22. 5. 1880; zunächst Führer der Liberalen im Großherzogtum Hessen; am 19. 5. 1848 zum Präs. der →Frankfurter Nationalversammlung gewählt, übernahm am 18. 12. den Vorsitz im »Reichsministerium«; versuchte in der dt. Frage durch das **gagernsche Programm** (Schaffung eines »Engeren Bundes« und eines »Weiteren Bundes«) zu vermitteln. Nach dessen Scheitern wirkte er an einer kleindt. Verfassung mit, die zur Wahl König Friedrich Wilhelms IV. von Preußen zum dt. Kaiser führte. Nachdem dieser die Kaiserkrone abgelehnt hatte, trat G. am 21. 5. 1849 aus der Frankfurter Nationalversammlung aus.

Gaggenau, Stadt (Große Krst.) im Landkr. Rastatt, Bad.-Württ., im Murgtal, 29 500 Ew.; Lastwagen-, Maschinenbau, Werkzeug- und Gerätebau, Kunststoff verarbeitende und Metallind., Schuhfabrik; im Ortsteil **Bad Rotenfels** Thermalbad. – 1243 erstmals erwähnt, seit 1922 Stadt.

Gähnen, reflektor. Leistung von Muskelgruppen des Zwerchfells, ausgelöst durch Sauerstoffmangel oder Blutleere des Gehirns sowie Ermüdung des Nervensystems. Die Ursache ist weitgehend unbekannt. Wenig wahrscheinlich ist die Annahme, dass durch das mit dem G. verbundene tiefe Einatmen der Druck im Brustraum erniedrigt, Blut aus den großen Körperadern in die rechte Herzkammer angesogen und hierdurch Kreislauf und Durchblutung des Gehirns verbessert wird.

Gahnit *der* (Zinkspinell), $ZnAl_2O_4$, kub. dunkelgrünes Mineral, kann auch Magnesium, Eisen oder Mangan enthalten.

Gaia [grch. »Erde«] (Ge, Gäa, lat. Tellus, Terra), grch. die Erdgöttin. Nach der »Theogonie« Hesiods gebar sie, selbst aus dem Chaos entstanden, den Himmel (Uranos), die Berge, das Meer (Pontos) und, von Uranos befruchtet, die Titanen, die Kyklopen u. a. Da Uranos seine Kinder hasste und sie in den Schoß der Erde zurückstieß, entmannte der jüngste, Kronos, mithilfe seiner Mutter den Vater. Aus den Blutstropfen, die auf die Erde fielen, gebar G. die Erinnyen und die Giganten.

Gail *die,* 125 km langer, rechter Nebenfluss der Drau in Kärnten, Österreich, entspringt am Kartitscher Sattel in Osttirol, durchfließt in enger Schlucht das Lesachtal (oberes Gailtal) mit dem Wallfahrtsort Luggau, mündet bei Kötschach-Mauthen in das breite eigentl. **Gailtal** mit dem Hauptort Hermagor-Pressegger See, mündet östlich von Villach.

Gaildorf, Stadt im Landkr. Schwäbisch Hall, im Kochertal, Bad.-Württ., 12 300 Ew.; Holz-, Kunststoff-, Metall verarbeitende Ind., Schaltgerätewerk. – Ehem. Wasserschloss (15.–17. Jh.), Stadtkirche (16. Jh.). – 1404 Stadtrecht.

Gailit, August, estn. Schriftsteller lett. Herkunft, *Sangaste (bei Valka) 9. 1. 1891, †Örebro (Schweden) 5. 11. 1960; Vertreter eines düsteren

Juri Alexejewitsch Gagarin

Gagelstrauch: Heidegagelstrauch (Höhe 0,5–2 m)

Heinrich von Gagern

und fantast., neoromant. Realismus mit iron. und grotesken Zügen.

Gaillard [gaˈja:r], Eugène, frz. Architekt und Möbelzeichner, *31. 1. 1862, †Paris 1933; bed. Vertreter der Art nouveau (Jugendstil).

Eugène Gaillard: Lederbezogener Mahagonistuhl (Paris, Musée des Arts Décoratifs)

Gaillarde [gaˈjardə, frz.] *die,* im 15. bis 17. Jh. weit verbreiteter lebhafter Tanz im Tripeltakt, wahrscheinlich italien. Herkunft; urspr. Nachtanz zur Pavane und Werbetanz.

Gailtaler Alpen, Teil der Südl. Kalkalpen zw. Drau und Gail, von den Karnischen Alpen durch das Gailtal getrennt, Österreich; im W-Teil, den **Lienzer Dolomiten,** bis 2772 m hoch.

Gainesville [ˈgeɪnzvɪl], Stadt in Florida, USA, 96100 Ew.; Sitz der Staatsuniversität von Florida u.a. wiss. Institutionen.

Gerd Gaiser

Daniel C. Gajdusek

Gainsborough [ˈgeɪnzbərə], Thomas, engl. Maler, getauft Sudbury (bei Ipswich) 14. 5. 1727, †London 2. 8. 1788; neben J. Reynolds der Hauptmeister der engl. Bildnismalerei (v.a. Ganzfigurenporträts mit Landschafthintergrund). Seine Naturbilder geben eine typische engl. Landschaft wieder, in zarten Tönen und hell leuchtenden Farben, die eine Vorstufe zur Kunst J. Constables bilden.

Werke: Der Knabe in Blau (The Blue Boy, um 1770, San Marino, Calif., Huntington Art Gallery); Mrs. Robinson als Perdita (1781/82, London, Wallace Collection); Mrs. Siddons (1783–85, ebd., National Gallery).

Gaiser, Gerd, Schriftsteller, *Oberriexingen (Kr. Ludwigsburg) 15. 9. 1908, †Reutlingen 9. 6. 1976; behandelte in Romanen (»Eine Stimme hebt an«, 1950; »Die sterbende Jagd«, 1953; und Erzählungen (»Einmal und oft«, 1956; »Ortskunde«, hg. 1977) Isoliertheit des Einzelnen und Sattheit des Wohlstandsbürgers (»Schlußball«, 1958).

Gaismair (Gaysmayr), Michael, *Sterzing um 1491, †(ermordet) Padua April 1532; Schreiber und Zöllner des Bischofs von Brixen, übernahm im Bauernkrieg 1525 die Führung der Tiroler Bauern und versuchte, beeinflusst von Zwingli, in seiner »Tiroler Landesordnung« eine christl., demokrat. Bauernrepublik zu begründen.

Gaitskell [ˈgeɪtskəl], Hugh Todd, brit. Politiker, *London 9. 4. 1906, †ebd. 18. 1. 1963; Mitgl. der Labour Party, 1950 Wirtschaftsmin., 1950–51 Schatzkanzler, war 1955–63 als Nachfolger C. Attlees Führer seiner Partei im Unterhaus. In den Auseinandersetzungen zw. den versch. Flügeln seiner Partei suchte G. ausgleichend zu wirken.

Gaius, röm. Jurist um die Mitte des 2. Jh. n. Chr. Seine »Institutionen«, ein jurist. Elementarwerk in vier Büchern, sind das einzige fast vollständig überlieferte Werk der klass. röm. Rechtswissenschaft. In überarbeiteter Form wurden sie in das →Corpus Iuris Civilis übernommen.

Gaj, Ljudevit, kroat. Kulturpolitiker und Publizist, *Krapina (bei Zagreb) 8. 7. 1809, †Zagreb 20. 4. 1872; Ideologe und Führer des →Illyrismus.

Gajdusek [geɪˈdu:sək], Daniel Carleton, amerikan. Kinderarzt und Virologe, *Yonkers (N. Y.) 9. 9. 1923; erhielt 1976 mit B. S. Blumberg für die Entdeckung neuer Mechanismen bei der Entstehung und Verbreitung von Infektionskrankheiten den Nobelpreis für Physiologie oder Medizin.

gal, Einheitenzeichen für →Gallon.

Gal., Abk. für Galaterbrief (N. T.).

galaktisch [von grch. gála »Milch«], zum System der Galaxis gehörig.

galaktisches Zentrum, der in rd. 28000 Lichtjahren Entfernung in Richtung des Sternbildes Schütze liegende Kernbereich des Milchstraßen-

Thomas Gainsborough: Bildnis Mrs. Sarah Siddons (1783/85; London, National Gallery)

systems; aufgrund interstellarer Absorption nicht auf opt. Wege, sondern nur im Radiofrequenz-, Röntgen- und Infrarotbereich nachweisbar.

Galaktographie [grch.] *die* (Duktugraphie), *Medizin:* röntgenolog. Darstellung von Milchdrüsengängen, eine wichtige Ergänzungsuntersuchung zur Mammographie bei Frauen mit auffälliger Sekretion (Absonderung) aus der Brustwarze.

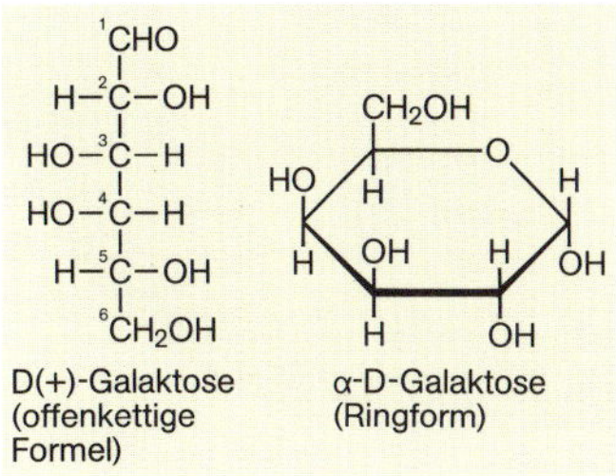

Galaktose

Galaktosämie [grch.] *die* (Galaktoseintoleranz), Unverträglichkeit gegenüber Galaktose (Bestandteil des Milchzuckers) infolge eines Enzymmangels. Ernährung mit Frauen- oder Kuhmilch führt bei betroffenen Säuglingen zu schwerer Erkrankung mit Erbrechen, Lebervergrößerung, Gelbsucht, Hirn- und Augenschäden. Eine rechtzeitige milch- und milchzuckerfreie Ernährung ermöglicht eine normale Entwicklung.

Galaktose [grch.] *die,* zu den Hexosen gehörender Zucker (Monosaccharid), kommt v.a. in Milchzucker und Pektinstoffen vor und wird im Organismus in Traubenzucker umgewandelt und abgebaut.

Galakturonsäure [grch.], eine Uronsäure, Grundbaustein der Pektine.

galante Dichtung, europ. Modedichtung in der Übergangszeit vom Spätbarock zur Aufklärung und zum Rokoko (1680–1720). Sie knüpft an den preziösen Stil der frz. Salons an (Précieuses), auch an den →Marinismus. Die g. D. will weltmännisch, geistreich, leicht frivol sein. Vertreter des »galanten Romans«, der im höf. Bereich galantes Auftreten und intrigante Taktik mit erotisch-galanten Affären vorführt, waren A. Bohse, E. W. Happel, J. L. Rost, C. F. Hunold und Joachim Meier.

Galanteriewaren, *veraltet:* Mode-, Putz- und Schmuckwaren; mod. Zubehör wie Tücher, Fächer und Handschuhe.

Galápagosinseln (amtl. Archipiélago de Colón), zu Ecuador gehörende vulkan. Inselgruppe im Pazif. Ozean, 1000 km vor der Küste Ecuadors, mit 13 größeren (größte: Isabela oder Albemarle, 4275 km²) und 17 kleineren Inseln; insgesamt 7812 km², (1990) 9750 Ew.; Hauptort ist Puerto Baquerizo auf San Cristóbal. Das durch die Lage am Äquator bestimmte Klima wird durch den Einfluss des kalten Humboldtstroms gemildert. Die Tier- und Pflanzenwelt zeichnet sich bes. durch endem. Arten aus. Typ. Vertreter sind Riesenschildkröten, Meerechsen, Drusenkopf, Seebären, Pinguine, Darwinfink. Die G. sind für die Evolutionsforschung von großem wiss. Wert. 1964 wurde das Charles-Darwin-Inst. auf Santa Cruz eröffnet. Seit 1934 stehen die G. unter Naturschutz; 1959 wurden rd. 90% der Fläche des Archipels zum Nationalpark erklärt. Die verwilderten Haustiere stören das ökolog. Gleichgewicht der einheim. Pflanzen- und Tierwelt empfindlich. – Die G. wurden 1535 von den Spaniern entdeckt und 1832 von Ecuador in Besitz genommen; 1835 studierte C. R. Darwin die dortige Tierwelt und erhielt hier wesentl. Anregungen für seine Abstammungslehre.

📖 MAYLAND, H. J.: *Galapagos. Landschaft u. Tiere. Hannover 1989.*

Galata, Stadtteil von →Istanbul.

Galater, Bund kelt. Stämme, die um 278 v. Chr. vom Balkan in die nach ihnen **Galatien** genannte inneranatol. Landschaft einwanderten. Unter Augustus wurde Galatien 25 v. Chr. röm. Provinz. Von ihren Kämpfen gegen die Könige von Pergamon zeugen der →Pergamonaltar sowie Skulpturen wie die des »sterbenden Galliers« im Kapitolin. Museum zu Rom.

Galaterbrief, Abk. **Gal.,** einer der echten Briefe des Apostels Paulus; Rundschreiben an mehrere, von ihm gegr. Gemeinden in Galatien; Darlegung des Verhältnisses von Gesetz und Evangelium und des christl. Freiheitsbegriffs.

Galápagosinseln: Meerechsen auf einer der Inseln des Archipels

Galați [ga'latsj] (dt. Galatz), Hptst. des Bezirks G., Rumänien, an der Donau, 326700 Ew.; Univ.; Ind.zentrum (Eisenhüttenind., Werft, Maschinenbau); Donauhafen. – 1445 erstmals urkundlich erwähnt; entwickelte sich im 16./17. Jh. zum bedeutendsten Donauhafen der Walachei, 1837–83 Freihafen.

John K. Galbraith

Galatz, Stadt in Rumänien, →Galați.

Galaxien [grch. galaxías »Milchstraße«] (extragalaktische Nebel), eigenständige →Sternsysteme außerhalb des Milchstraßensystems.

Galaxis [grch.] *die,* das →Milchstraßensystem.

Galba, Servius Sulpicius, röm. Kaiser (68/69), *bei Terracina um 3 v. Chr., †(ermordet) Rom 15. 1. 69; war 68 als Statthalter in Spanien beteiligt am Aufstand gegen Nero, dessen Nachfolger er wurde. Seine rigorosen Sparmaßnahmen führten zu seinem Sturz.

Galbraith ['gælbreɪθ], John Kenneth, amerikan. Volkswirtschaftler, *Iona Station (Ontario) 15. 10. 1908; Vertreter eines progressiven Liberalismus, Berater der Präs. F. D. Roosevelt und J. F. Kennedy. G. suchte die Unzulänglichkeit des herrschenden Wirtschaftsdenkens zu beweisen, das durch ein Missverhältnis von privater Verschwendung (Verschwendungskonsum) und öffentl. Armut (unzureichende Infrastruktur, vernachlässigte staatl. Dienstleistungen) die meisten sozialen Probleme hervorrufe. Er entwickelte das wettbewerbspolit. Konzept des Countervailing Power (»gegengewichtige Marktmacht«), wonach die auf einer Marktseite bestehende wirtsch. Macht neutralisiert wird, wenn auf der anderen Marktseite eine Gegenmacht (durch die Wettbewerbspolitik oder von alleine) entsteht.

Werke: Gesellschaft im Überfluß (1958); Die Arroganz der Satten (1979); Die Entmythologisierung der Wirtschaft (1986); Geschichte der Wirtschaft im 20. Jh. (1994).

Galeere: Anonymes Gemälde (17. Jh.; Genua, Museo Navale)

Gałczyński [gau̯'tʃĩjski], Konstanty Ildefons, poln. Schriftsteller, *Warschau 23. 1. 1905, †ebd. 6. 12. 1953; vielseitiger Lyriker; mit seinen dramat. Miniaturen Vertreter des absurden Theaters (»Die grüne Gans«, 1946–50).

Servius Sulpicius Galba: Vorderseite eines römischen Sesterzes (doppelte Größe)

Galdhøpigg ['galhø:pig] *der,* Berg in →Jotunheim, Norwegen.

Galdós, Benito Pérez, span. Schriftsteller, →Pérez Galdós.

Galeere [italien.] *die,* vom 11. bis 18. Jh. das Linienschiff der Mittelmeermächte, ein mit Rammsporn und Wurfmaschinen, später Geschützen, bewaffnetes, wendiges, aber wenig seetüchtiges Ruderfahrzeug von etwa 40 m Länge, 6 m Breite, mit rd. 50 Riemen, die mit je 1 bis 5 Mann, meist Galeerensklaven, besetzt wurden. Die größte, mit G. geführte Seeschlacht war die bei Lepanto (1571). Im 16. Jh. entwickelten sich aus der G. zusätzlich die kampfkräftigere, aber schwerfällige **Galeasse** von 70 m Länge mit 30–40 Riemen, die meist nur im Gefecht benutzt wurde, die leichtere **Galeote** mit etwa 20 Riemen als Aufklärungsschiff sowie die **Feluke** als schneller Segler mit etwa zehn Riemen als Hilfsantrieb.

📖 PARIS, E.: *Die große Zeit der G.n u. Galeassen. A. d. Frz. Bielefeld 1973.*

Galeerenstrafe, eine v. a. bei seefahrenden Nationen seit dem 15. Jh. bei Kapitalverbrechen und wiederholten (auch leichteren) Straftaten verhängte lebenslängl. oder zeitl. Kriminalstrafe, bei der die Verurteilten als Ruderer auf Galeeren angekettet wurden; die Todesrate war sehr hoch (ca. 70%). Die G. war bis ins 18. Jh. gebräuchlich, lebte in Österreich bis ins 19. Jh. als Strafe des Schiffziehens auf der Donau fort und wurde in Frankreich durch die Zwangsarbeit im Bagno abgelöst.

Galen (lat. Claudius Galenus), röm. Arzt grch. Herkunft, *Pergamon 129 (?), †Rom 199 (?); Arzt und Schriftsteller in Rom; neben Hippokrates der bedeutendste Arzt der Antike. Mit ihm fand die grch. Medizin, soweit sie als eine wiss. Medizin angesehen werden kann, ihren Abschluss. Sein System zeichnet sich durch die Betonung der Notwendigkeit einer theoret. Grundlage in der Medizin, durch die Erklärung physiolog. Vorgänge sowie durch die Verknüpfung der Medizin mit den philosoph. Anschauungen Platons und Aristoteles' aus. G. Lehren beherrschten über ein Jt. nahezu uneingeschränkt die Medizin.

Galen, Clemens August Graf von, kath. Theologe, *Dinklage (Kr. Vechta) 16. 3. 1878, †Münster 22. 3. 1946; Bischof von Münster (seit 1933), Kardinal (seit 1946); Gegner des Nationalsozialismus; trat öffentlich gegen die Tötung sog. »lebensunwerten Lebens« auf.

Clemens August Graf von Galen

📖 KUROPKA, J.: *C. A. Graf von G. Sein Leben u. Wirken in Bildern u. Dokumenten. Cloppenburg* [2]*1994.*

Gälen, kelt. Bewohner Schottlands, auch Irlands und der Insel Man. (→Gälisch)

galenische Arzneimittel (Galenika) [nach dem Arzt Galen], Arzneizubereitungen bes. aus Drogen, die die Wirkstoffe in ihrer natürl. Zusammensetzung enthalten.

Galenit *der,* der →Bleiglanz.

Galeone [span.-niederländ.] *die,* Typ des span. und portugies. hochbordigen Kriegs- und Handelsschiffes (16.–18. Jh.) von etwa 800 t mit 3–5 Masten. Das Oberdeck lief in einer Art Balkon (Galion) über den Bug hinaus; Hauptkampfschiff der →Armada.

Galeote (Galiote), kleine Form der →Galeere.

Galerie [italien.] *die,* **1)** nach einer Seite offener Laufgang um das Obergeschoss von Gebäuden, langer, gedeckter Säulengang.

2) oberster Rang im Theater.

3) Ausstellungsraum für Kunstsammlungen.

4) Kunsthandlung.

5) gedeckter Gang mit Schießscharten, Minengang, -stollen.

6) langer und schmaler Orientteppich; Brücke.

Galerius, Gaius G. Valerius Maximianus, röm. Kaiser (seit 305), *bei Serdica (heute Sofia) um 250, †Nikomedia (heute İzmit) Mai 311; von Diokletian 293 zum Mitregenten (Caesar) ernannt; erbitterter Gegner des Christentums.

Galgant *der* (Alpina officinarum), etwa 1,5 m hohes Ingwergewächs aus S-China; das äther. Öl des Wurzelstocks wirkt anregend auf die Magensaftsekretion, seit der Antike als Gewürz und Heilmittel verwendet.

Galgen [ahd. galgo »Stange«, »Pfahl«], **1)** Vorrichtung zur Hinrichtung durch den Strang; urspr. eine aufrechte Säule, in deren oberes Ende ein Balken rechtwinklig eingreift **(Schnell-, Wipp-, Knie-** oder **Soldaten-G.),** oder mehrere Pfosten mit darüber gelegtem Verbindungsbalken **(Dorf-G., Dreiholz),** auch gemauerte kreisförmige Erhöhung, auf der drei Säulen oder Pfeiler die Querbalken tragen **(Hochgericht).** Erhängen am G. war gegenüber der Enthauptung eine schimpflichere Strafe. Diebe und Straftäter niederer Stände wurden dazu verurteilt. 1871 durch die Vollzugsart der Enthauptung abgelöst, in der nat.-soz. Vergeltungsjustiz wieder in Gebrauch genommen.

2) Vorrichtung zum Aufhängen von Lasten.

Galicia [ga'liθja], Landschaft in Spanien, →Galicien.

Galicien (span. Galicia), autonome Region in NW-Spanien, die die Prov. La Coruña, Lugo, Orense und Pontevedra umfasst, 29 574 km², (1991) 2,73 Mio. Ew.; großenteils gebirgig (im Peña Trevinca 2 142 m ü. M.), regenreich (ozean. Klima). Die Bev. **(Galicier,** span. **Gallegos)** steht sprachlich und kulturell den Portugiesen nahe. Der dicht besiedelte Küstenstreifen ist stark industrialisiert (Vigo, Ferrol, Pontevedra, San Ciprián, Coruña); im Landesinneren Ackerbau und Viehzucht (starke Landflucht), Ind.standort Ourense. Kulturelles Zentrum ist der Wallfahrtsort Santiago de Compostela. – Der Name geht auf die kelt. →Galläker zurück; nach der röm. Eroberung unter Augustus zunächst Teil der Prov. Hispania citerior, seit 214 Prov. Gallaecia. Im 5. Jh. gründeten die german. Sweben auf dem Boden der röm. Prov. Gallaecia ein Reich, das 585 von den Westgoten unterworfen wurde. G. kam im 8. Jh. unter maur. Herrschaft, war dann meist Teil von León, mit dem es 1230 an Kastilien fiel. – Seit 1981 ist G. autonome Region mit Parlament.

Gaius Galerius Valerius Maximianus: Porträt auf einer römischen Kupfermünze (doppelte Größe)

galicische Literatur, 1) die Literatur in galicisch-portugies. Sprache des 12.–14. Jh.: v. a. Minnelyrik. Vertreter: König Dionysius von Portugal,

König Alfons X. von Kastilien; 2) die neugalic. Literatur, die um die Mitte des 19. Jh. aufblühte; seit 1861 fanden jährlich Dichterwettbewerbe (»Xogos Froraes de Galicia«) statt; Vertreter neugalic. Literatur: Manuel Curros Enríquez, Rosalía de Castro, im 20. Jh. u. a. Eduardo Blanco Amor, Augusto María Casas, Álvaro Cunqueiro und José Neira Vilas.

📖 *Sprache, Literatur u. Kultur Galiciens, hg. v.* J. KABATEK *u.* A. SCHÖNBERGER. *Frankfurt am Main 1993.*

Galileo Galilei: Ausschnitt aus einem Gemälde von Justus Sustermans (um 1636; Florenz, Uffizien), darunter Autogramm

galicische Sprache, ein roman. Idiom im NW der Iber. Halbinsel; neben dem Spanischen die offizielle Sprache Galiciens. Aus dem im MA. sich nach S ausbreitenden Galicischen hat sich die portugies. Sprache entwickelt.

Galiläa, histor. Landschaft in Palästina, in ihrem nördl. Teil zum Libanon, in ihrem südl. zu Israel gehörig. G. liegt zw. der Ebene Jesreel im S und dem Fluss Litani im N, dem Mittelmeer im W und dem Jordan im O; durch ein Quertal in das Hügelland von **Unter-G.** (im S) und das Bergland **Ober-G.** (bis 1208 m hoch) gegliedert. – G. gehörte im 1. Jt. v. Chr. zum Reich Israel, wurde 733 v. Chr. zur assyr. Provinz Megiddo. 104/103 v. Chr. kam die nicht mehr zahlreiche jüd. Bevölkerung wieder unter jüd. Oberhoheit. Es gehörte zum Reich Herodes' des Gr. und fiel dann an Herodes Antipas, unter dessen Regierungszeit Jesus auftrat; seit 39 n. Chr. war es röm. Provinz. Nach der Vertreibung der Juden aus Jerusalem (135 n. Chr.) war es Zentrum des Judentums. – Jesus und die meisten seiner Jünger stammen aus G.; darum wurden auch die Christen gelegentlich Galiläer genannt. – 1922 wurde G. auf das brit. Mandatsgebiet Palästina (seit 1948 Israel) und das frz. Mandatsgebiet Libanon aufgeteilt.

📖 AHARONI, Y.: *Das Land der Bibel. Eine histor. Geographie. A. d. Engl. Neukirchen-Vluyn 1984.*

Galiläisches Meer, der See → Genezareth.

Galilei, Galileo, italien. Mathematiker, Physiker und Philosoph, * Pisa 15. 2. 1564, † Arcetri (heute zu Florenz) 8. 1. 1642; wurde 1589 Prof. in Pisa, 1592 in Padua, 1610 Hofmathematiker und Hofphilosoph des Großherzogs von Florenz; wurde durch die Einführung des systemat. Experiments und der induktiven Methode zum Begründer der neueren Naturwissenschaft. Mit seinen Untersuchungen zur Fall- und Wurfbewegung begründete G. die moderne Kinematik. Er baute 1610 das 1609 in Holland erfundene → Fernrohr nach und beobachtete damit u. a. die Phasen der Venus, die Mondgebirge, die vier größten Jupitermonde **(Galileische Monde),** den Ring des Saturn sowie die Zusammensetzung der Milchstraße aus vielen Sternen.

G. trat seit 1610 öffentlich für das heliozentr. Weltsystem des N. Kopernikus ein. 1613 entwickelte er seine Vorstellungen über das Verhältnis der Bibel zur Naturerkenntnis und v. a. zum heliozentr. System, die eine Neuinterpretation der Hl. Schrift erforderten. Dies führte zu einer ersten Auseinandersetzung mit der röm. Kirche, die 1616 mit dem Verbot dieser Lehre durch den Papst antwortete. Seine Schrift »Dialogo« (1632) führte zum Prozess gegen G.; am 22. 6. 1633 musste er »seinem Irrtum« abschwören und wurde zu Hausarrest in seinem Landhaus in Arcetri verurteilt. In der Haft verfasste er trotz seiner Erblindung die »Discorsi e dimostrazioni matematiche« (Leiden 1638), in denen er physikal. Probleme wie die Fallgesetze behandelte; als einer der Ersten in Italien bediente sich G. bei seinen Schriften der Muttersprache. – 1992 wurde G. von der röm.-kath. Kirche rehabilitiert. – G.s Konflikt mit der Kirche wurde wiederholt in der Literatur behandelt, so von B. Brecht (3. Fassung 1955), M. Brod (1948) und Gertrud von Le Fort (1954).

Galileo Galilei

Und sie bewegt sich doch

Nach der Legende soll Galilei bis zuletzt der Inquisition getrotzt und die kopernikanische Lehre verteidigt haben. Nach seinem Widerruf soll er die berühmten Worte »Eppur si muove« (»Und sie [die Erde] bewegt sich doch.«) gesprochen haben. Dieses Zitat wurde ihm jedoch erst später in den Mund gelegt, wohl 1761 durch den Abbé Augustin Jrailh. In Wirklichkeit hat Galilei schon am Tag vor der Abschwörung erklärt: »Ich halte an jener kopernikanischen Ansicht nicht fest und habe an ihr nicht festgehalten, seitdem mir der Befehl mitgeteilt worden ist, sie aufzugeben. Im Übrigen bin ich in Ihren Händen. Tun Sie, wie Ihnen beliebt.« Am nächsten Tag hat er dann kniend vor den Inquisitoren eine vorbereitete Abschwörungsformel verlesen.

📖 BRANDMÜLLER, W.: *G. u. die Kirche. Ein »Fall« u. seine Lösung. Aachen 1994.* – HEMLEBEN, J.: *G. G. mit Selbstzeugnissen u. Bilddokumenten. Reinbek 58.–60. Tsd. 1994.* – FÖLSING, A.: *G. G. – Prozeß ohne Ende. Eine Biographie. Reinbek 1996.*

Galileo: Abtrennung der Abstiegskapsel von der Muttersonde, Zeichnung; die große Parabolantenne ist in der Realität nur zum Teil entfaltet

Galileo, 1989 gestartete Raumsonde zur Erforschung von Atmosphäre und Magnetosphäre des Jupiters und seiner Hauptmonde. Während ihrer Reise nutzte G. bereits die Vorbeiflüge an Venus, Erde und Mond sowie den Asteroiden Gaspra und Ida für Aufnahmen und Messungen. 1994 machte sie Bilder der Einschläge der Kometenfragmente von Shoemaker-Levy 9 auf dem Jupiter. 1995 erreichte G. Jupiter und schickte eine Abstiegskapsel in dessen Atmosphäre. Vier langellipt. Umläufe um Jupiter führten G. 1996 insges. sechsmal an den großen Monden Io, Ganymed, Europa und Kallisto vorbei. Mit der G.-Mission konnten erstmals wichtige Daten und Aufnahmen der Jupiteratmosphäre und -monde aufgenommen werden. Aus größeren Abständen machte G. Fotos von Vulkanausbrüchen auf dem Jupiter. Da die Hauptantenne von G. nur z. T. entfaltet ist, werden die Funkverbindungen mit der Kontrollzentrale in Pasadena (Calif.) mit einer Nebenantenne und niedrigen Übertragungsraten abgewickelt.

Galion [zu Galeone] *das,* früher übl. Vorbau am Vorsteven hölzerner Schiffe, vorn meistens durch die **Galionsfigur** (Bugfigur) verziert, die das Schiff schützen sollte.

Gälisch, kelt. Sprache der Gälen Irlands, Schottlands und der Insel Man; meist unterschieden als **Irisch, Gälisch** i. e. S. (Schottisch-Gälisch) und **Manx** (oder Manx-G.). Bis zum 10. Jh. werden die drei Sprachen als Gemein-G. bezeichnet. Zw. dem 10. und 12. Jh. entwickelte sich aus dem Gemein-G. Westgemein-G. (Irisch) und Ostgemein-G.; aus Ostgemein-G. gliederten sich bis zum 15./16. Jh. Schottisch-G. und Manx aus.

Galizien, histor. Landschaft auf der nördl. Abdachung und im Vorland der Karpaten, gehört in ihrem westl. Teil zu Polen, im östlichen zur Ukraine. **Westgalizien** umfasst das Gebiet zw. der Poln. Platte im N und den Karpaten im S, **Ostgalizien** das Flusstal des oberen Dnjestr und die Podol. Platte.

Geschichte: Bis 1772 bildete das Gebiet G. keine politisch-territoriale Einheit. Mit der Namengebung **Königreich G. und Lodomerien** knüpfte Österreich an die mittelalterl. Geschichte des Ostteils von G., des Fürstentums Galitsch (Halitsch, latinisiert **Galicia**) am Dnjestr, an. Dieses löste sich Mitte des 11. Jh. vom Kiewer Reich und wurde 1199 mit dem Fürstentum Wladimir (Wolhynien) vereinigt. Nach 1205 erhoben Polen und Ungarn Ansprüche (der ungar. König führte den Titel »rex Galiciae et Lodomeriae«), doch konnten die Teilfürstentümer, die aus der im 13. Jh. zerfallenen galizisch-wolhyn. Herrschaft hervorgegangen waren, ihre Selbstständigkeit bis 1340/49 bewahren. 1387 gewann Polen das Fürstentum Galitsch als **Reußen (regnum Russiae),** die ungar. Königstitulatur blieb aber bestehen und diente Österreich bei der 1. Poln. Teilung (1772) als Vorwand für seine Ansprüche, obwohl es weite Gebiete Kleinpolens besetzte, die nie zu G. gehört hatten. Die Verwaltung des Königreichs (seit 1849 meist Kronland) erfolgte zentralistisch, ohne Rücksicht auf die ethn. Unterschiede (45% Ukrainer, 47% Polen, 6% Juden). Joseph II. siedelte rd. 5000 dt. Familien (zumeist Protestanten aus der Pfalz) im ukrain. Ost-G. an. Territoriale Veränderungen brachten der Anschluss »West-G.« (Kielce, Lublin, 1795–1809) aus der 3. Teilung Polens (1795), der zeitweilige Verlust des Kreises Tarnopol an Russland (1809–15) und der Erwerb des Freistaats Krakau 1846.

Ein polnisch-nat. Aufstand im Frühjahr 1846 wurde rasch niedergeschlagen. Nach 1849 begann eine allmähl. Polonisierung der Verwaltung, die 1868 zur weitgehenden Selbstverw. mit poln. Unterrichts- und Amtssprache, poln. Statthalter und poln. Minister für G. in Wien führte und auch ein reges geistiges Leben ermöglichte (zwei poln. Univ. in Lemberg und Krakau). Wirtschaftlich stagnierte das rein agrar. Land (deshalb starke Auswanderung in die USA). 1918 annektierte das neu entstandene Polen G.; im ukrain. Ostteil kam es deswegen zu blutigen Auseinandersetzungen.

📖 DOHRN, V.: *Reise nach G. Grenzlandschaften des alten Europa. Neuausg. Frankfurt am Main 1993.*

Gall, 1) Ernst, Kunsthistoriker, *Danzig 17. 2. 1888, †München 5. 8. 1958; arbeitete über die Bau-

Galion: Historische Galionsfiguren

geschichte des MA., bes. der Gotik; Mitverfasser (Hg. der Neubearbeitung) von G. Dehios »Handbuch« der dt. Kunstdenkmäler (ab 1935).

Franz Joseph Gall

2) Franz Joseph, Mediziner, *Tiefenbronn (bei Pforzheim) 9. 3. 1758, †Montrouge (Dép. Hauts-de-Seine) 22. 8. 1828. Nach seiner Schädellehre, später **Phrenologie** genannt, sollten Begabungen und Charaktereigenschaften an Schädel- und Gesichtsform zu erkennen sein. G. entdeckte u.a. die Faserstruktur des Gehirns.

Lothar Gall

3) Lothar, Historiker, *Lötzen (Ostpreußen; heute Giżycko) 3. 12. 1936; Prof. in Gießen, Berlin und Frankfurt am Main; arbeitet v.a. zur Geschichte des 19. und 20. Jh. (u.a. »Bürgertum in Dtl.«, 1989); Mithg. der »Enzyklopädie deutscher Geschichte« (1988 ff.; auf über 100 Bde. berechnet) und seit 1975 der »Histor. Zeitschrift«.

Galla, Volk in Afrika, →Oromo.

Galläker (Kallaiker, lat. Callaici), im Altertum ein kelt. Volk in NW-Spanien; von ihnen leitet sich der Name der span. Landschaft Galicien ab.

Gallapfel, pflanzl. Missbildung, →Gallen.

Galla Placidia, weström. Kaiserin, *Konstantinopel um 390, †Rom 27. 11. 450; Tochter des röm. Kaisers Theodosius I.; heiratete 414 den westgot. König Athaulf (†415), dann 417 den späteren Kaiser Constantius III. (†421); Mutter Valentinians III., dem sie 425 den Thron sicherte und für den sie bis 437 die Reg. führte. Berühmt ist das zw. 425 und 433 entstandene Mausoleum, das sie in Ravenna erbauen ließ (nicht dort begraben).

Gallarate, Stadt in der Lombardei, Prov. Varese, Italien, 45 100 Ew.; Baumwollwebereien, Strickwarenfabriken, Goldschmiedewerkstätten; Flughafen Malpensa (für Mailand).

Galla Placidia: Blick in das Mausoleum in Ravenna, das im Auftrag der Galla Placidia zwischen 425 und 433 erbaut wurde

Émile Gallé: Vase mit Blumendekor (um 1900; Leipzig, Museum des Kunsthandwerks)

Gallas, Matthias Reichsgraf (1632), kaiserl. General und Feldmarschall (1632) im Dreißigjährigen Krieg, *Trient 16. 9. 1584, †Wien 25. 4. 1647; kämpfte seit 1629 im Heer Wallensteins; nach Wallensteins Tod erhielt er dessen böhm. Herrschaft Friedland; siegte 1634 bei Nördlingen über die Schweden.

Gallate, Salze und Ester der Gallussäure.

Galle [ahd. galla, eigtl. »die gelblich Grüne«], *Physiologie:* von der Leber produzierte Flüssigkeit (etwa 1 l täglich), die über den Lebergang der G.-Blase zugeführt, hier eingedickt, gespeichert und bei Bedarf durch reflektor. Kontraktionen der G.-Blase in den Zwölffingerdarm abgegeben wird. Die G.-Säuren dienen der Fettverdauung (Emulgierung), andere G.-Bestandteile sind Ausscheidungsprodukte (Exkrete).

Galle [von lat. galla »kugelartiger Auswuchs«, »Gallapfel«], **1)** *Botanik:* →Gallen.

2) *Tierheilkunde:* krankhafte Flüssigkeitsansammlung in den Gelenken und Sehnenscheiden in Form einer weichen Anschwellung, bes. bei Pferden.

Galle [engl. gaːl, gæl], Distr.-Hptst. und Hafen im SW von Sri Lanka, 84 000 Ew. – Die Altstadt, schon vor dem 9. Jh. wichtiger Handelsplatz, mit ihrem Mauerring und elf Bastionen wurde von der UNESCO zum Weltkulturerbe erklärt.

Galle, Johann Gottfried, Astronom, *Pabsthaus (zu Radis, Kr. Wittenberg) 9. 6. 1812, †Potsdam 10. 7. 1910; entdeckte 1846 den von U. Leverrier berechneten Planeten Neptun; seit 1980 ist bekannt, dass vor ihm schon G. Galilei 1613 den Planeten beobachtet hatte, ohne aber seine wahre Natur zu erkennen.

Gallé, Émile, frz. Kunsthandwerker, *Nancy 4. 5. 1846, †ebd. 23. 9. 1904; entfaltete eine vielseitige Tätigkeit als Entwerfer und Produzent von Möbeln, Glas- und Keramikwaren, Schmuck und Gerät. G. gehört zu den führenden Künstlern des Jugendstils als Meister zartfarbiger Gläser mit floralem Dekor **(Gallé-Gläser).**

Gallegos [gaˈʎeɣos, span.], die Bewohner → Galiciens.

Gallegos [gaˈjeɣos], Rómulo, venezolan. Schriftsteller und Politiker, *Caracas 2. 8. 1884, †ebd. 5. 4. 1969; war 1948 Präs. der Rep. Venezuela, 1949–58 im Exil in Mexiko; schildert in seinen Romanen, u. a. »Doña Bárbara« (1929), »Canaima« (1932) und »Cantaclaro« (1934), Menschen und Landschaften Venezuelas.

Gallehus, dän. Ort in Sønderjylland, 4 km nordwestlich von Tondern, Fundort zweier german. Goldhörner (Tondernsche Hörner) der Zeit um 400 n. Chr. Eines trägt eine Runeninschrift (früher Beleg des german. Stabreims).

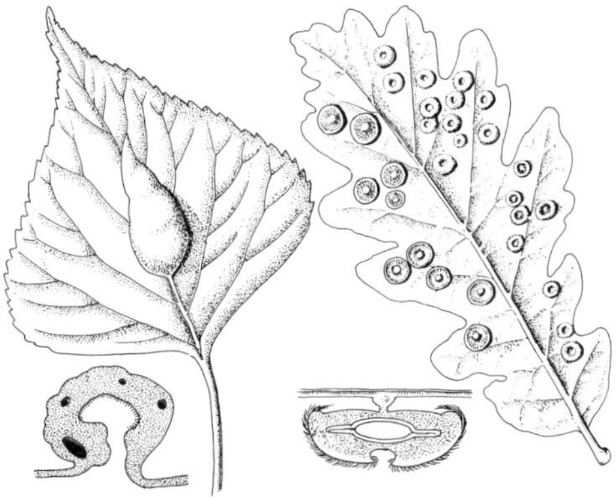

Gallen (von links): Beutelgalle auf einem Pappelblatt durch Blattläuse (darunter Schnitt durch die Galle) und Markgallen auf einem Eichenblatt durch Gallwespen (darunter Querschnitt durch eine Galle)

Gallen (Pflanzengallen, Zezidien, Cecidien), *Botanik:* Gewebewucherungen an Pflanzen; hervorgerufen durch Bakterien, parasit. Pilze oder durch Einstich und Eiablage von Milben oder Gallinsekten (Gallmücken, Gallwespen). Rundl. Galläpfel bzw. Markgallen kommen an Blättern der Eiche oder Beutelgallen an Blättern der Pappel vor.

Gallenblase (lat. Vesica fellea), dünnwandiger, birnenförmiger, mit glatter Muskulatur durchsetzter Schleimhautsack an der Eingeweidefläche der Leber. In der G. wird das Sekret der Leber (→ Galle) gespeichert und durch Wasserentzug eingedickt; das Fassungsvermögen der G. beträgt beim Menschen etwa 50 ml.

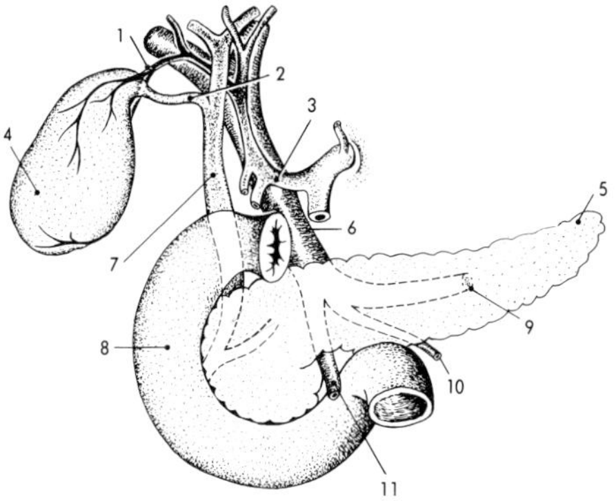

Gallenblase: 1 Gallenblasenarterie, 2 Gallenblasengang, 3 Leberarterie, 4 Gallenblase, 5 Bauchspeicheldrüse, 6 Pfortader, 7 Lebergallengang, 8 Zwölffingerdarm, 9 Milzvene, 10 untere, 11 obere Eingeweidevene

Gallenblasenentzündung (Cholezystitis), vorwiegend durch Bakterien verursachte entzündl. Reaktion der Gallenblase; tritt bes. häufig bei Gallensteinkrankheit auf. Die **akute G.** ist durch Fieber, Koliken und schweres Krankheitsgefühl gekennzeichnet. Für die **chron. G.** sind Druckschmerzen im rechten Oberbauch, Völlegefühl und Unverträglichkeit von Fett, Hülsenfrüchten u. a. Nahrungsmitteln charakteristisch. G. ist oft mit Entzündung der Gallengänge **(Cholangitis)** kombiniert. – *Behandlung:* schmerzstillende Mittel, Antibiotika, diätet. Maßnahmen oder auch, v. a. bei eitriger G., operative Entfernung der Gallenblase.

Gallenblasenkrebs (Gallenblasenkarzinom), bösartige Geschwulst, die meist von der Gallenblasenschleimhaut ausgeht (Adenokarzinom) und überwiegend nach dem 60. Lebensjahr mit besonderer Häufung bei Frauen auftritt. Meist besteht gleichzeitig eine → Gallensteinkrankheit; eine ursächl. Beteiligung wird der chron. → Gallenblasenentzündung beigemessen.

Gallenfarbstoffe, durch Abbau des beim Zerfall von roten Blutkörperchen frei werdenden Hämoglobins (und beim Abbau des Myoglobins) gebildete Farbstoffe. Durch Oxidation entsteht aus dem Hämoglobin das grüne **Biliverdin,** aus diesem durch Reduktion das gelbbraune **Bilirubin,** das über die Leber in freier Form oder an Glucuronsäure gebunden mit der Galle in den Darm abgeschieden wird. Dort wird es durch Darmbakterien z. T. zu anderen G. umgebaut. Die Farbe der Galle und der Fäzes sind auf die G. zurückzuführen. Als Folge patholog. Veränderungen (→ Gelb-

Johann Gottfried Galle

sucht) treten die G. oft vermehrt in Blutserum und Harn auf.

Gallen-Kallela, Akseli, eigtl. Axel Gallén, finn. Maler und Grafiker, * Pori 26. 5. 1865, † Stockholm 7. 3. 1931; entwickelte einen Stil, in dem er Einflüsse von Symbolismus und Jugendstil verarbeitete. Seine Themen beziehen sich v. a. auf das finn. Nationalepos »Kalevala« und die Volksliedichtung.

Gallenkolik, anfallartig auftretender heftiger Schmerz im rechten Oberbauch unterhalb des Rippenbogens, der bis in die Brust und Schulter ausstrahlen kann und häufig mit Übelkeit, Erbrechen, Schweißausbruch, Schüttelfrost, flacher Atmung (Schonatmung) und Bauchdeckenspannung verbunden ist. Die G. wird durch eine Dehnung und/oder Zusammenziehung der Muskulatur der Gallenblase, auch der Gallengänge, hervorgerufen, deren Ursache eine → Gallenblasenentzündung ist, die meist in Verbindung mit einer → Gallensteinkrankheit vorkommt und (im letzteren Fall) überwiegend durch die Wanderung, z. T. Einklemmung eines Gallensteins bewirkt wird **(Gallensteinkolik).** – *Behandlung:* krampflösende Mittel und vorübergehende Nahrungsenthaltung sowie Behebung des Grundleidens.

Gallenröhrling, bitterer Röhrling (→ Röhrlinge).

Gallensäuren, in der Gallenflüssigkeit von Mensch und Wirbeltieren enthaltene, physiologisch wichtige Carbonsäuren, die zu den Steroiden gehören und peptidartig an Taurin **(Taurocholsäuren)** oder Glycin **(Glykocholsäuren)** gebunden sind. Ihre Salze haben verdauungsfördernde Wirkung (durch Emulgierung von Fetten, wodurch diese durch die Darmwand resorbiert werden können). – Die Biosynthese geht vom Cholesterin aus.

Gallenstein (Cholelith), Stein, der sich in der Gallenblase, selten in den Gallengängen, bildet. G. können aus Cholesterin (Cholesterinsteine), dem Gallenfarbstoff Bilirubin (Pigmentsteine) und Calciumsalzen (Kalksteine) bestehen, meist handelt es sich um eine Kombination dieser Bestandteile. Zur Bildung von G. kommt es durch Veränderung der Zusammensetzung der Galle und der Löslichkeit der Gallenbestandteile infolge Stauung der Galle, Entzündung der Gallenwege, Stoffwechselstörungen u. a. – G. kommen am häufigsten zw. dem 50. und 70. Lebensjahr vor, Frauen sind etwa 3- bis 5-mal so häufig betroffen wie Männer.

Gallensteinkrankheit (Cholelithiasis), durch Steinbildung verursachte, häufigste Erkrankung der Gallenwege. Anzeichen einer G. sind u. a. Druckgefühl im rechten Oberbauch, Blähungen, Aufstoßen und Fettunverträglichkeit. Charakterist. Symptom ist die Gallenkolik. – *Behandlung:* In den meisten Fällen von G. ist eine operative Entfernung **(Cholezystektomie)** angezeigt; weitere Möglichkeiten sind eine endoskop. Steinentfernung oder die Steinzertrümmerung durch Stoßwellen; eine chem. Steinauflösung (Cholelitholyse) kann versucht werden.

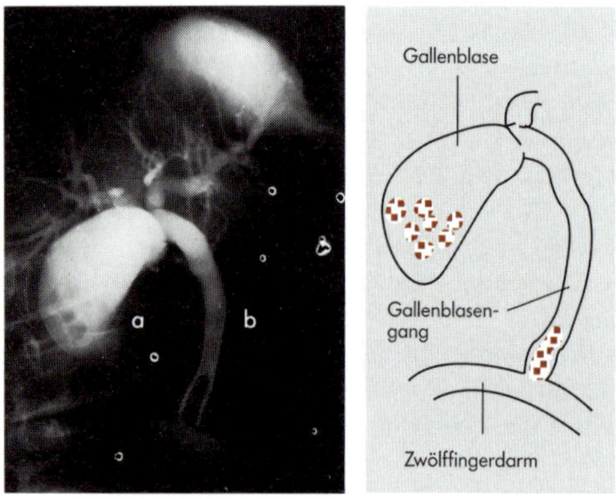

Gallensteinkrankheit: Röntgenaufnahme der Gallenblase (a) und des Gallenblasengangs (b) mit Gallenblasensteinen und einem Gallengangstein unmittelbar vor der Einmündung des Gallengangs in den Zwölffingerdarm (Papille); daneben zur Verdeutlichung die schematische Darstellung

Gallerte [auch 'ga-] *die* (Gallert), Bez. für im Gelzustand vorliegende Kolloide, die eine hohe Affinität zu ihrem Lösungsmittel (meist Wasser) haben. G. sind von zäh-elast. Konsistenz; bei Trocknung verfestigen sie sich und quellen bei Zugabe eines Lösungsmittels wieder auf. G. dienen zur Verfestigung z. B. von mikrobiolog. Nährböden oder von Produkten der Nahrungsmittelind.; sie können mit Gelatine, Agar-Agar, Isländischem Moos, Pektin, Leim u. a. hergestellt werden.

Gallertkrebs (Schleimkrebs), bösartige Drüsengeschwulst (Adenokarzinom), die durch eine starke Schleimbildung der Krebszellen gekennzeichnet ist und bes. in Magen, Mastdarm und den weibl. Brustdrüsen entsteht.

galletreibende Mittel (grch. Cholagoga), Mittel, die eine vermehrte Bildung von Galle anregen **(Choleretika),** z. B. Gallensäuren, Histamin, und solche, die durch Kontraktion der Gallenwege einen verstärkten Gallenabfluss bewirken **(Cholekinetika),** z. B. Eigelb, Olivenöl, Artischocke, Pfefferminzöl.

GALLEX [Kw. aus **Gall**ium-**Ex**periment], Experiment zum Nachweis von solaren → Neutrinos. Der Detektor im italien. Gran-Sasso-Massiv besteht aus ca. 50 t einer Galliumchloridlösung. Die Ergebnisse scheinen den bisherigen Vorstellungen von den thermonuklearen Vorgängen auf der Sonne zu widersprechen.

Gallico ['gælɪkəʊ], Paul William, amerikan. Schriftsteller, * New York 26. 7. 1897, † Monte

Carlo 15. 7. 1976; schrieb Unterhaltungsromane (»Ein Kleid von Dior«, 1958; »Mrs. Harris fliegt nach Moskau«, 1975) sowie Erzählungen (»Kleine Mouche«, 1954).

Gallilen (lat. Gallia), seit Cäsar das Land der →Gallier zw. Rhein, Alpen, Mittelmeer, Pyrenäen und Atlantik, in Italien seit dem 4. Jh. v. Chr. das Gebiet zw. Alpen und Apennin. Nach seiner Lage zu Rom unterschied man zw. »G. diesseits der Alpen« **(Gallia Cisalpina** oder **Gallia Citerior)** und »G. jenseits der Alpen« **(Gallia Transalpina** oder **Gallia Ulterior).** Gallia Cisalpina (Oberitalien), in das die Gallier um 400 v. Chr. einwanderten, wurde von den Römern um 225–190 v. Chr. unterworfen; die Bev. südlich des Po erhielt 89 v. Chr., die nördlich des Po 49 v. Chr. das röm. Bürgerrecht. Das jenseitige G., dessen südl. Teil bereits 118 v. Chr. röm. Provinz geworden war **(Gallia Narbonensis),** unterwarf Julius Cäsar im **Gallischen Krieg** (lat. Bellum Gallicum) 58–51 v. Chr. Unter Augustus wurden in Gallia Transalpina anstelle der bisherigen einen Provinz drei neue geschaffen: **Aquitania** im SW bis zur Loire, **Gallia Lugdunensis** (das zentrale G.) und im NO **Gallia Belgica,** deren Statthaltern die Rheingrenze gegen die Germanen bis 90 n. Chr. unterstellt war. Durch die Umsiedlung der ländl. Bevölkerung und die Anlage neuer Städte machte die Romanisierung rasche Fortschritte. Lugdunum (Lyon), seit Augustus der polit. Mittelpunkt G., entwickelte sich zum größten Handelsplatz im W des Reiches. Bedeutung gewannen ferner Städte wie Tolosa (Toulouse), Burdigala (Bordeaux), Augusta Treverorum (Trier), Lutetia Parisiorum (Paris). Christl. Gemeinden entstanden schon seit der Mitte des 2. Jh. Nach drei Jahrhunderten wirtsch. Prosperität wurde um 400 n. Chr. G. von der Völkerwanderung erfasst. Das zum Schutz der Rheingrenze 259 gegründete gall. Sonderreich des →Postumus bestand nur bis 273. Im N setzten sich die Franken, im S Alemannen auf dem linken Rheinufer fest; seit 413 breiteten sich im SO die Burgunder, seit 418 im SW die Westgoten aus. Der Rest der röm. Herrschaft in G. wurde 486 durch den Frankenkönig Chlodwig beseitigt (→Fränkisches Reich).

Gallien - Eroberung durch Cäsar

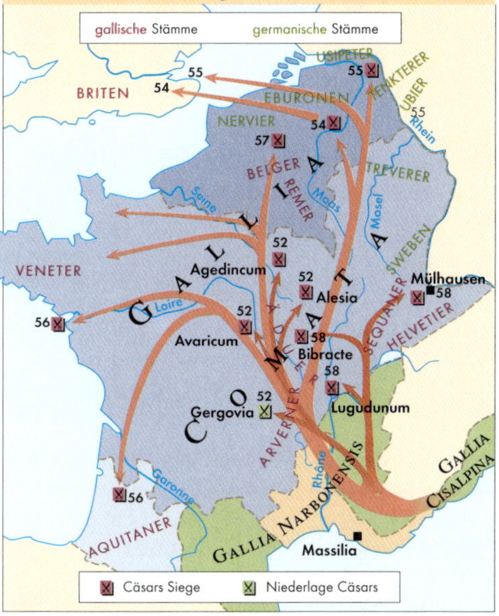

📖 Duval, P.-M.: *G. Leben u. Kultur in röm. Zeit. A. d. Frz. Stuttgart 1979.*

Galliéni [galje'ni], Joseph Simon, frz. General, * Saint-Béat (Dép. Haute-Garonne) 24. 4. 1849, † Versailles 27. 5. 1916; 1914 Militärgouv. von Paris; leitete in der Marneschlacht (Sept. 1914) den erfolgreichen Angriff in die rechte Flanke des dt. Heeres; 1915/16 Kriegsminister; 1921 postum zum Marschall ernannt.

Publius Licinius Egnatius Gallienus: Marmorbüste (Kopenhagen, Ny Carlsberg Glyptotek)

Gallienus, Publius Licinius Egnatius, röm. Kaiser (260–68), * Mediolanum (heute Mailand) 218, † (ermordet) vor Mediolanum 268; seit 253 Mitregent Valerians, dessen christenfeindl. Edikte er aufhob. G. musste nahezu während seiner ganzen Regierungszeit gegen Usurpatoren und Barbareneinfälle kämpfen.

Gallier, im Altertum die Bewohner Galliens, zu den →Kelten gehörig, in viele Stämme gegliedert; spätestens seit dem 7. Jh. v. Chr. im heutigen Mittelfrankreich nachweisbar. Um 400 v. Chr. erschienen gallische Stämme südlich der Alpen und drangen in Raubzügen ins mittlere und südl. Italien vor. Seit 225 v. Chr. begannen die Römer mit ihrer Unterwerfung (→Gallien).

Gallikanismus [mittellat.] *der,* frz. Form des Episkopalismus. Als Begriff ist der G. seit dem 19. Jh. gebräuchlich und beschreibt das Bestreben der frz. Kirche nach Eigenständigkeit und weitestgehender Unabhängigkeit von Rom. In der Pragmat. Sanktion von Bourges (1438) wurde der G. zum Staatsgesetz erhoben. Seinen Höhepunkt erreichte er 1682 in der Erklärung der **gallikan. Freiheiten,** formuliert in den vier **gallikan. Artikeln,** die bis zur Frz. Revolution in Geltung blieben: a) die kirchl. Gewalt erstreckt sich nur auf den geistl. Bereich; b) die Dekrete des Konstanzer Konzils über die Oberhoheit des Konzils sind verbindlich; c) die Gewohnheiten des frz. Königreichs und der gallikan. Kirche müssen in Kraft bleiben; d) die Entscheidungen des Papstes bedürfen der Zustimmung der Gesamtkirche.

Gallipoli, früherer Name von →Gelibolu.

gallischer Hahn, Wahrzeichen und nat. Tiersymbol der Franzosen; 1789–1804 Wappentier Frankreichs.

Amalie Fürstin von Gallitzin (zeitgenössische Zeichnung)

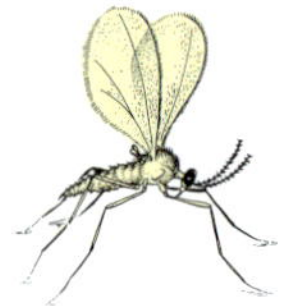

Gallmücken: Weizengallmücke (Länge 1-5 mm)

Robert C. Gallo

Èvariste Galois

Gallischer Krieg, → Gallien.

Gallitzin (Golizyn), Amalie Fürstin von, *Berlin 28. 8. 1748, †Münster 27. 4. 1806; siedelte 1774 nach der Trennung von ihrem Ehemann nach Holland über, wo sie wechselseitige Anregung mit dem niederländ. Philosophen F. Hemsterhuis verband. 1779 ließ sie sich in Münster nieder und bildete das Zentrum des kath., den philosoph., literar. und religiösen Strömungen der Zeit aufgeschlossenen Kreises von Münster (B. Overberg). Sie stand lange mit F. Jacobi, Goethe, M. Claudius, dem Grafen F. L. zu Stolberg-Stolberg und J. G. Hamann in Verbindung.

Gallium *das,* chem. Symbol **Ga,** metall. Element aus der 3. Gruppe des Periodensystems. Ordnungszahl 31, relative Atommasse 69,72, Dichte 5,904 g/cm^3, Schmelzpunkt 29,78 °C, Siedepunkt 2403 °C (es werden auch Werte von 1983 °C oder 2225 °C angegeben). – G. ist ein silberglänzendes, an der Luft beständiges, dehnbares Metall, das in Gesteinen und Erzen weit verbreitet ist, aber praktisch keine eigenen Minerale bildet; ein Nebenprodukt der Zink- und Aluminiumgewinnung. Hauptverwendung für Halbleiterverbindungen (z. B. **G.-Arsenid,** GaAs, und **G.-Phosphid,** GaP), daneben dient es u. a. zur Füllung von Hochtemperaturthermometern und als Wärmeaustauschmedium in der Reaktortechnik. G. ist Hauptbestandteil des → Gallex-Experiments.

Gällivare ['jɛlivɑ:rə], Gemeinde in N-Schweden, 24600 Ew.; Bahnknotenpunkt (an der Lapplandbahn) für den nahen Eisenerzbergbau im Ortsteil Malmberget.

Gallizismus [nlat.] *der,* semant., syntakt. oder idiomat. Eigenart der frz. Sprache, die in eine andere Sprache übernommen wurde.

Gallmilben (Tetrapodili), an Pflanzen lebende Milben, in zahlr. Arten verbreitet; verursachen Bildung von → Gallen.

Gallmücken (Itonididae, Cecidomyiidae), Familie zarter, nicht stechender, 1–5 mm langer Mücken. Einige Arten leben räuberisch von kleinen Insekten, andere in faulenden Stoffen oder als Einmieter in Gallen anderer Gallinsekten; viele G. sind Schädlinge.

Gallo ['gæləʊ], Robert Charles, amerikan. Mikrobiologe, *Waterbury (Conn.) 23. 3. 1937; Prof. am National Institute of Health in Bethesda (Md.). G. vermutete als einer der Ersten den Erreger der erworbenen Immunschwäche (Aids) in der Gruppe der Retroviren, 1984 gelang ihm die Identifizierung des von ihm HTLV-III (→ HIV) gen. Virus (fast gleichzeitig mit L. Montagnier).

Gallon ['gælən, engl.] *der* oder *das* (Gallone), Einheitenzeichen **gal,** in Großbritannien, den Staaten des Commonwealth und den USA verwendete Volumeneinheit (meist für Flüssigkeiten). Das v. a. in Großbritannien und Australien benutzte **Imperial Gallon** beträgt 4,546 dm^3. Daneben wird in den USA und Kanada das **Winchester Gallon** (= 3,785 dm^3) verwendet.

Galloromanisch, die aus dem in Gallien gesprochenen Vulgärlatein entstandenen roman. Sprachen Französisch und Provenzalisch (Okzitanisch).

Gallup ['gæləp], George Horace, amerikan. Meinungsforscher und Sozialwissenschaftler, *Jefferson (Iowa) 18. 11. 1901, †Thun 27. 7. 1984; gründete 1935 mit C. E. Robinson in Princeton, N. J., das Umfrageunternehmen American Institute of Public Opinion (AIPO; auch **Gallup-Institut** genannt) und bewies die hohe Aussage- und Prognosequalität kleiner Stichproben gegenüber Massenbefragungen bei der → Meinungsforschung.

Gallus, irischer Missionar, *um 560 in Irland, †Arbon (Kt. Thurgau) 16. 10. 650 (?); Schüler Columbans d. J.; gründete 612 eine Einsiedlerzelle, aus der im 8. Jh. das Kloster St. Gallen hervorging. Heiliger, Tag: 16. 10.

Gallus, Gaius Vibius Trebonianus, röm. Kaiser (251–253), *Perusia (heute Perugia) um 206, †253; wurde von den Donaulegionen zum Kaiser ausgerufen, aber nach kurzer Reg. von den eigenen Truppen getötet.

Gallussäure, 3,4,5-Trihydroxybenzolesäure, aromat. Hydroxycarbonsäure, Vorkommen u. a. in Eichenrinde, Galläpfeln; Verwendung zur Herstellung von Eisengallustinten, Antioxidantien, Sonnenschutzmitteln, Farbstoffen.

Gallwespen (Cynipidae), Überfamilie kleiner, dunkler oder rötl. Hautflügler, von denen manche als Unterkunft und Nahrung für ihre Brut Pflanzengallen (→ Gallen) verursachen: Die **Gemeine Eichengallwespe** (Cynips quercusfolii) ruft die Galläpfel an der Eiche hervor, die **Rosengallwespe** (Diolepsis rosae) den Schlaf- oder Rosenapfel an Wildrosen.

Gallwespen (von links): Weibchen der Gemeinen Eichengallwespe und ein aufgeschnittener Gallapfel mit Larve

Galmei [lat. Cadmia] *der,* Sammelbez. für carbonat. und silikat. Zinkerze; z. B. Hemimorphit, Smithsonit.

Galois [ga'lwa], Évariste, frz. Mathematiker, *Bourg-la-Reine (Dép. Hauts-de-Seine) 25. 10. 1811, †(nach einem Duell) Paris 30. 5. 1832; begründete eine neue, auf die Gruppentheorie

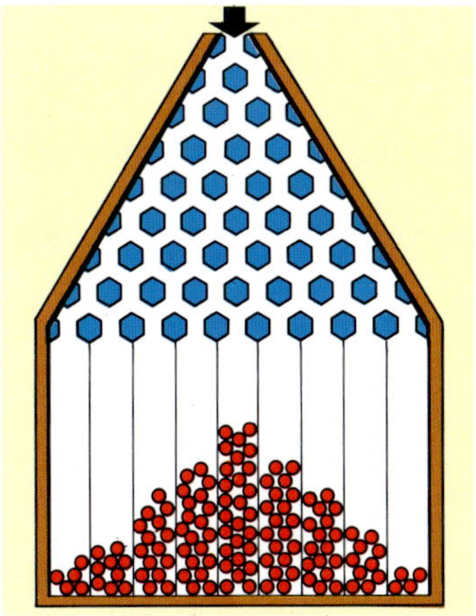

Galton-Brett

(→Gruppe) gestützte Theorie der algebraischen Gleichungen (→delisches Problem).

Galọpp [frz.], **1)** schnellste →Gangart des Pferdes.

2) um 1820 aufgekommener Gesellschaftstanz in schnellem, meist punktiertem $^2/_4$-Takt.

Galọpprennen (Galoppsport), Renndisziplin in der →Gangart Galopp, sowohl als Flachrennen (→Pferderennen) wie als →Hindernisrennen ausgetragen.

Galsworthy ['gɔːlzwəːðɪ], John, engl. Schriftsteller, *Kingston (heute zu London) 14. 8. 1867, †London 31. 1. 1933; schuf mit der Familienchronik »Die Forsyte Saga« (5 Bde., 1906–21) sowie deren Fortsetzungen »Moderne Komödie« (3 Tle., 1924–28) und »Das Ende vom Lied« (3 Tle., 1931–33) ein gesellschaftskrit. Zeitgemälde der ausgehenden viktorian. Epoche. G. schrieb ferner den Roman »Das Herrenhaus« (1907) sowie Novellen, Essays und Dramen; Nobelpreis für Literatur 1932.

Galt, *Tiermedizin:* →gelber Galt.

Galton [gɔːltn], Sir (seit 1909) Francis, brit. Naturforscher und Schriftsteller, *Sparbrook (heute zu Birmingham) 16. 2. 1822, †Haslemere (Cty. Surrey) 17. 1. 1911; unternahm Forschungsreisen u. a. nach N- und SW-Afrika; entwickelte den Gedanken der Erblichkeit psych. Eigenschaften. Auf seine Anregung wurde in London das 1. Institut für Eugenik gegründet; außerdem begründete er die Zwillingsforschung und stellte eine Reihe von Erbgesetzen auf, u. a. die **G.-Regel,** wonach bestimmte erbl. Eigenschaften stets um einen Mittelwert schwanken. G. führte die Untersuchung von Fingerabdrücken ein; Arbeiten zur Statistik u. a.

Werke: Genie und Vererbung (1869); The History of twins (1875).

Galton-Brett [gɔːltn-; nach Sir F. Galton], Hilfsmittel zur Veranschaulichung der Binomialverteilung. Lässt man von der Mitte eines geneigten Brettes eine große Anzahl Kugeln durch eine Sperre gleichmäßig verteilter Hindernisse (z. B. Nägel) in eine Anzahl völlig gleicher Kammern rollen, so zeigt die wahrscheinlichste Füllung eine gaußsche Verteilung in Form der Glockenkurve (→Normalverteilung).

Galton-Pfeife [gɔːltn-; nach Sir F. Galton], Pfeife zur Erzeugung sehr hoher Töne und von Ultraschall bis 100 kHz.

Galụppi, Baldassare, gen. Il Buranello, italien. Komponist, *auf Burano 18. 10. 1706, †Venedig 3. 1. 1785; seit 1748 Kapellmeister an der Markuskirche in Venedig, 1765–68 Hofkapellmeister in Sankt Petersburg; einer der wichtigsten Vertreter der Opera buffa (über 100 Werke), vertonte zahlr. Texte von C. Goldoni; schrieb auch Oratorien, Kirchenwerke, Klaviersonaten.

Galvạni, Luigi, italien. Arzt und Naturforscher, *Bologna 9. 9. 1737, †ebd. 4. 12. 1798; Prof. der Anatomie und Gynäkologie in Bologna, entdeckte 1780 im Froschschenkelversuch elektrochem. Effekte, die er auf elektr. Entladungen im tier. Körper ähnlich denen der Leidener Flasche zurückführte. Dieser Irrtum führte u. a. zur Entdeckung der galvan. Elemente und leitete einen neuen Abschnitt der Elektrizitätslehre ein.

galvạnische Elemẹnte [nach L. Galvani] (galvanische Zellen), elektrochem. Stromquellen, die chem. Energie unmittelbar in elektr. umwandeln. Sie bestehen aus zwei versch. Elektroden (Metalle oder Kohle), die als **Halbelemente** (z. B. durch ein Diaphragma) räumlich getrennt sind und in Elektrolytlösungen (Salz- oder Säurelösungen) eintauchen. Dadurch gehen Metallionen in Lösung oder schlagen sich aus der Lösung auf den Elektroden nieder, sodass elektr. Spannungen entstehen. Die an einer Elektrode zum Ablauf der Redoxreaktion benötigten Elektronen werden an der anderen Elektrode erzeugt. Bei leitender Verbindung beider Elektroden durch einen äußeren Draht fließt ein Strom vom negativen (Anode) zum positiven (Kathode) Potenzialniveau. – Zu den g. E. zählen die **Primärelemente,** die nach Ablauf der Reaktion nicht wieder verwendet werden können, und die wieder aufladbaren **Sekundärelemente** (→Akkumulator); eine dritte Gruppe der elektrochem. Stromquellen sind die →Brennstoffzellen.

John Galsworthy, *der zunächst Anwalt war, hatte in seiner schriftstellerischen Frühzeit noch Schwierigkeiten, sein Leben so zu organisieren, dass er in Ruhe schreiben konnte. Um endlich sein Theaterstück »Justiz« (1910) vollenden zu können, warf er ein Schaufenster des Londoner Kaufhauses »Fortnum and Mason's« ein – und beendete das Schauspiel während des darauf folgenden sechsmonatigen Gefängnisaufenthalts.*

John Galsworthy

galvanische Elemente

Das Prinzip eines galvanischen Elements lässt sich auch im Haushalt nutzen, um angelaufene Silberbestecke oder Schmuck bequem zu polieren: In einen emaillierten Topf oder eine Keramikschüssel gibt man kochendes Wasser, bereitet eine sehr starke Kochsalzlösung und gibt das Silber sowie eine größere Menge Aluminiumfolie hinein. Nach einiger Zeit ist das Silber wieder blank.

Als klass. g. E. gilt das **Daniell-Element,** das aus einer in Zinksulfatlösung tauchenden Zinkelektrode (Anode) und einer in Kupfersulfatlösung tauchenden Kupferelektrode (Kathode) besteht (Spannung: 1,1 V). Für techn. Anwendungen (z.B. Batterien) sind insbesondere **Trockenelemente** von Bedeutung, bei denen der Elektrolyt durch geeignete Zusätze verdickt wird; am bekanntesten ist das →Leclanché-Element. **Normalelemente** dienten bis zur Neuregelung der elektr. Einheiten 1990 als Spannungsnormal; das beständigste ist das **Weston-Element,** das bei 20 °C eine Spannung von 1,01865 V liefert.

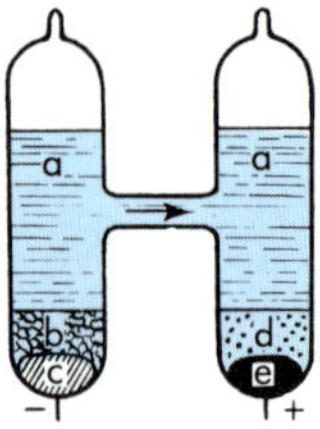

galvanische Elemente: Aufbau des Weston-Elements; a Cadmiumsulfatelektrolyt, b Cadmiumsulfatkristalle, c Cadmiumamalgam, d Paste aus Merkurosulfat, e Quecksilber

Galvano [nach L. Galvani] *das,* auf galvan. Weg hergestellte Kopie (Duplikat) einer Druckplatte für den Buchdruck; →Galvanoplastik.

Galvanokaustik [nach L. Galvani], Methode der Elektrochirurgie, bei der eine durch Gleichstrom erhitzte Elektrode **(Galvanokauter)** mittels Endoskop zum unblutigen Schneiden, auch zur flächenhaften Blutstillung verwendet wird. Die zunehmend durch Laserstrahltechnik ersetzte G. wird v.a. in der Urologie sowie in der Hals-, Nasen- und Kehlkopfchirurgie angewendet.

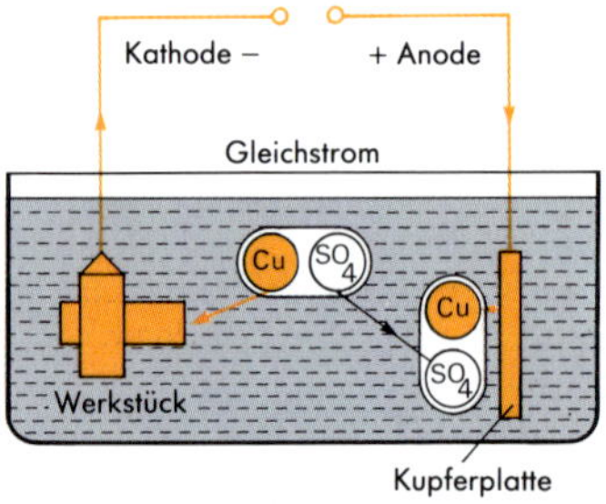

Galvanotechnik: Schema des galvanischen Verkupferns

galvanomagnetische Effekte [nach L. Galvani] entstehen in einem stromdurchflossenen elektr. Leiter beim Zusammenwirken mit einem homogenen Magnetfeld. Zu ihnen gehören z.B. der →Hall-Effekt, Widerstandsänderungen und Temperaturdifferenzen (→Nernst-Effekt) im Leiter.

Galvanometer [nach L. Galvani] *das,* hochempfindl. elektr. Messgerät zum Messen sehr niedriger Gleichspannungen und -ströme oder zum Nachweis der Stromlosigkeit, bei dem die Kraftwirkung zw. einem Magneten und einem vom zu messenden Strom durchflossenen Leiter zur Anzeige ausgenutzt wird, z.B. in Messbrücken. Das am häufigsten benutzte **Drehspul-G.** hat eine drehbare, vom zu messenden Strom durchflossene Spule zw. den Polen eines Permanentmagneten. Je nach Art der Ablesung unterscheidet man Zeiger-, Spiegel- oder Lichtmarken-G. Ein **Galvanoskop** zeigt nur das Vorhandensein eines Stromes an.

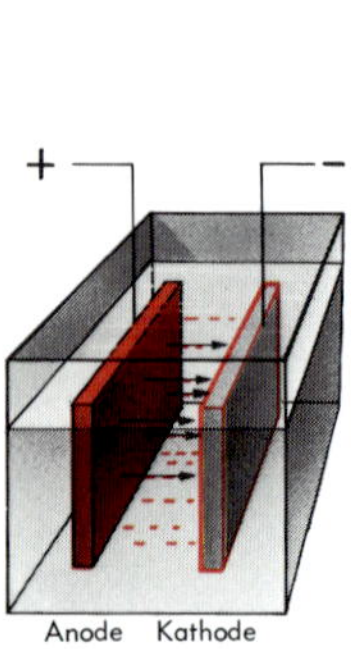

Galvanotechnik: Abscheidung

Galvanoplastik [nach L. Galvani], das Abformen von Gegenständen durch galvan. Auftragen dicker, abziehbarer Metallschichten. Das Wachs-, Kunststoff- oder Metallnegativ des Originals wird anschließend in Kupfer, Nickel o.a. abgeformt.

Galvanoskop [nach L. Galvani] *das,* →Galvanometer.

Galvanotaxis [nach L. Galvani] *die* (Elektrotaxis), durch elektr. Strom bewirkte aktive Ortsveränderung frei bewegl. Organismen (z.B. Amöben, Algen, Fische, Kaulquappen).

Galvanotechnik [nach L. Galvani], die elektrolyt. Abscheidung von Metall- und die Erzeugung von Nichtmetallüberzügen, z.B. Oxiden (→anodische Oxidation). Ferner gehören zur G. die Metallabscheidung ohne äußere Stromquelle sowie Vor- und Nachbehandlungsverfahren. – Die G. dient zur Erzeugung von bestimmten Oberflächeneigenschaften auf Werkstücken (Korrosionsschutz, Verbesserung des Aussehens, der physikal. Eigenschaften u.a.) sowie zur elektrolyt. Herstellung von Metallgegenständen, die nach anderen Verfahren schwierig zu fertigen sind (»Elektroformung«, →Galvanoplastik). Zur Abscheidung der Metallüberzüge werden die mechanisch, chemisch oder elektrochemisch vorbereiteten Gegenstände als Kathode in eine Lösung **(galvan. Bad)** eingehängt, die Salze des abzuscheidenden Metalls und weitere Bestandteile enthält. Durch Gleichstrom bei etwa 1 bis 15 V wird Metall an der Kathode abgeschieden und eine entsprechende Menge an der Anode gelöst. Die Überzugsdicke beträgt für die meisten Zwecke etwa 0,001 bis 0,05 mm. Ohne äußere Stromquelle lassen sich unedle Werkstoffe mit edleren Metallen dünn überziehen, indem man die Werkstoffe in geeignete Lösungen des edleren Metalls, meist bei höherer Temperatur, taucht **(Sudverfahren).** Dickere Überzüge kann man mit Reduktionsmitteln abscheiden. So versilbert und verkupfert man z.B. Glas und Kunststoffe (Leiterplatten, gedruckte Schaltungen) oder vernickelt Hohlkörper (z.B. das Innere von Tanks) und Gegenstände schwieriger Form, die sich galvanisch schlecht behandeln lassen. Für die galvan. Behandlung nicht leitender Gegenstände (z.B. Glas, Kunststoffe) werden diese nach versch. Verfahren leitend gemacht, dann i.d.R. in einem sauren Kupferbad verkupfert und anschließend mit dem gewünschten Überzug (z.B. Nickel, Silber, Gold) versehen. Die Galvanisierung von Kunststoffen, bes. von ABS-Polymerisaten, hat erhebl. techn. Bedeutung.

Galveston [ˈgælvɪstən], Stadt in Texas, USA, auf einer Nehrungsinsel im Golf von Mexiko, 59 100 Ew.; Zweig der University of Texas; Erdölraffinerien, Nahrungsmittelind.; Ausfuhrhafen für Schwefel, Baumwolle, Getreide; bed. Fremdenverkehr (Seebad); durch einen Damm mit dem Festland verbunden.

Vasco da Gama: Illustration aus einem portugiesischen Manuskript des 17. Jh. (Paris, Bibliothèque Nationale)

Gálvez ['galβεz], Manuel, argentin. Schriftsteller, *Paraná 18. 7. 1882, †Buenos Aires 14. 11. 1962; schrieb Gedichte, Dramen, realist. Romane (»La maestra normal«, 1914; »Karawane der Sünder«, 1930), literatur- und sozialkrit. Abhandlungen.

Galway ['gɔ:lweɪ] (gälisch Gaillimh), **1)** Cty. in der Rep. Irland, 5940 km², (1991) 180400 Einwohner.

2) Hptst. von 1), an der Galwaybucht des Atlantiks, 50900 Ew.; Abteilung der Univ. Dublin; Bischofssitz; Maschinenbau, Elektronik- u.a. Ind.; Fremdenverkehr. – Anglikan. Kirche Saint Nicholas (14. Jh. ff.), Lynch's Castle (16. Jh., heute Bankgebäude).

Gama, Vasco da, Graf (seit 1519) von Vidigueira, portugies. Seefahrer, *Sines (Prov. Setúbal) um 1469, †Cochin (Indien) 24. 12. 1524; wurde von König Emanuel I. von Portugal ausgeschickt, um den Seeweg nach Indien zu finden. Er verließ am 8. 7. 1497 den Hafen Rastello bei Lissabon mit vier Schiffen, umsegelte am 22. 11. das Kap der Guten Hoffnung und erreichte am 20. 5. 1498 die ind. Küste bei Calicut, am 10. 7. 1499 war er wieder in Lissabon. G. wiederholte 1502/03 seine Reise mit einer Kriegsflotte, zerstörte eine arab. Flotte und erzwang die Anerkennung der portugies. Oberhoheit in den Städten an der ind. W-Küste (Sicherung des Handelsmonopols). 1524 wurde er als Vizekönig nach Indien entsandt. G. leitete die Blütezeit Portugals als Kolonialmacht ein. Seine Taten hat L. Vaz de Camões in den »Lusiaden« (1572) verherrlicht.

📖 Velho, A.: *V. d. G. Die Entdeckung des Seewegs nach Indien. Ein Augenzeugenbericht 1497–1499, hg. v.* G. Giertz. *A. d. Portugies. Stuttgart u. a.* ³*1990.*

Gamander [grch.] *der,* **1)** (Teucrium) Gattung der Lippenblütler. In Mitteleuropa wächst u. a. der rötlich blühende **Echte G.** (**Edel-G.**, **Frauenbiss,** Teucrium chamaedrys), ein niedriger Halbstrauch in Gebirgsgehölzen und auf Trockenrasen.

2) (G.-Ehrenpreis), ein →Ehrenpreis.

Gamander 1): Echter Gamander (Höhe 15 - 30 cm)

Gamasche [frz.], Überstrumpf ohne Füßling mit Steg aus Wolle, Leinen, Leder. Im 18. Jh. wurde die G. von Friedrich Wilhelm I. bei der preuß. Infanterie eingeführt. Mit dem Aufkommen langer Hosen wurde die G. in der Herrenmode zur kurzen Halb-G. und blieb bis zum 2. Weltkrieg ein Teil der mod. Herrenkleidung.

Gambe [italien. viola da gamba »Kniegeige«] *die,* Streichinstrument mit sechs, auch fünf oder sieben Saiten (→Viola).

Gambetta [gãbε'ta], Léon, frz. Politiker, *Cahors 3. 4. 1838, †Ville-d'Avray (Dép. Hauts-de-Seine) 31. 12. 1882; Gegner des Zweiten Kaiserreichs, proklamierte nach der Kapitulation von Sedan die Republik (4. 9. 1870) und stellte als Innen-, Finanz- und Kriegsmin. der »Reg. der nationalen Verteidigung« Volksheere zum Entsatz von Paris auf, der jedoch nicht gelang. Nach dem Fall der Hauptstadt trat G. zurück (6. 2. 1871). Als Führer der radikalen, dann aufseiten der gemäßigten Republikaner bekämpfte G. die monarchist. Mehrheit der Nationalversammlung. Er übte großen Einfluss auf die Politik der Linken in der Dritten Republik aus und vertrat eine gegen das Dt. Reich gerichtete Außenpolitik. Nov. 1881 bis Jan. 1882 war G. Ministerpräsident.

Vasco da Gama

Über die Strapazen der ersten Indienfahrt des Vasco da Gama lesen wir im Bordbuch über die Rückfahrt nach Portugal: »Für diese Überfahrt brauchten wir (...) drei Monate weniger drei Tage, bis wir wieder Land sahen. Die Ursache dafür waren häufige Windstillen und Gegenwinde, die unser Vorankommen so behinderten, dass uns die ganze Mannschaft krank wurde. Das Zahnfleisch wucherte ihnen so über die Zähne, dass sie nicht mehr essen konnten; außerdem schwollen ihnen die Beine an, und sie bekamen auch sonst am ganzen Körper große Geschwüre, die einen Mann so weit herunterwirtschafteten, bis er starb (...). Auf diese Weise starben uns während der Zeit der Überfahrt dreißig Leute, unerachtet derselben Zahl, die bereits gestorben waren, ehe wir unsere Rückreise angetreten hatten.«

Gambia

Fläche: 11 295 km²
Einwohner: (1994) 1,081 Mio.
Hauptstadt: Banjul
Amtssprache: Englisch
Währung: 1 Dalasi (D) = 100 Bututs (b)
Zeitzone: WEZ

Staatswappen

WAG

Internationales Kfz-Kennzeichen

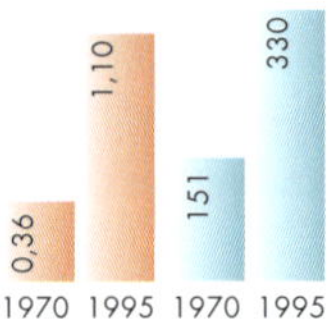

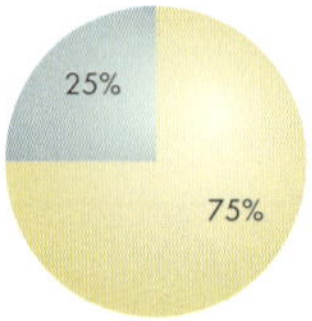

Bevölkerungsverteilung 1994

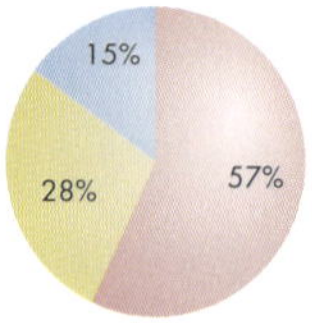

Bruttoinlandsprodukt 1994

Gambia *der,* Fluss in Westafrika, rd. 1120 km, entspringt im Hochland von Fouta-Djalon, Guinea; mündet mit einem bis zu 13 km breiten Ästuar bei Banjul, Gambia, in den Atlantik; auf der gesamten Flussstrecke schiffbar.

Gambia (amtlich engl. Republic of the Gambia; dt. Rep. G.), Staat in W-Afrika, am Atlantik, sonst vom Staatsgebiet Senegals umschlossen.

Staat und Recht: Nach der am 8. 8. 1996 durch Referendum gebilligten Verf. ist G. eine präsidiale Rep. Staatsoberhaupt und oberster Inhaber der Exekutive (Reg.chef) ist der mit weit reichenden Befugnissen ausgestattete Präs. Er ernennt den Vizepräs. sowie die Mitgl. des Kabinetts. Das gesetzgebende Organ, das Repräsentantenhaus (36 für 5 Jahre gewählte Abg., 8 ernannte und 5 von der Häuptlingsversammlung gewählte Abg. sowie der Generalstaatsanwalt), ist seit 1994 suspendiert; Neuwahlen wurden in Aussicht gestellt. Parteien: People's Progressive Party (PPP) u.a.

Landesnatur: G. ist der kleinste Staat des afrikan. Kontinents, erstreckt sich von der Atlantikküste (Küstenlänge 50 km) 375 km lang und bis 45 km breit beiderseits des Flusses G. Im Mündungsgebiet ausgedehnte Mangrovensümpfe, landeinwärts folgen Regenwald und (bei abnehmenden Niederschlägen) Savannen. Das Klima ist randtropisch mit einer Regenzeit.

Bevölkerung: Sie besteht zu 80% aus sudan. Stämmen (Mandingo, Fulbe, Wolof u.a.); etwa 90% sind Muslime, 8% sind Anhänger von traditionellen afrikan. Religionen, 2% sind Christen. – Neben Grund- (sechsjährig; keine Schulpflicht) und höheren Schulen gibt es berufsbildende Schulen und lehrerbildende Anstalten. Analphabetenquote über 70%.

Wirtschaft, Verkehr: Dominierend ist die Landwirtschaft in kleinbäuerl. Betrieben, v.a. Anbau von Erdnüssen für den Export (90% des Exporterlöses), für den Eigenbedarf Hirse, Reis, Maniok. Wichtig sind Tourismus (über 100000 ausländ. Besucher jährlich) sowie Küsten- und Flussfischerei. Außer Erdnussverarbeitung wenig Industrie. Bed. Handelspartner sind Senegal (Reexporte) und die EG-Staaten. – Straßennetz 2990 km (837 km befestigt); Hauptverkehrsader ist der Fluss G., mit Seeschiffen 200 km landeinwärts befahrbar, mit kleineren Schiffen auf der gesamten Flussstrecke. Hochseehafen Banjul (auch Umschlagplatz für Senegal); internat. Flughafen ist Yundum.

Geschichte: Das Gebiet um den Gambia gehörte vom 13. bis zum 15. Jh. zum Reich Mali. Gegen Ende des 15. Jh. errichteten Portugiesen Handelskontore am unteren Gambia; an seiner Mündung trieben seit 1588 Engländer Handel. 1783 verdrängten sie die frz. Rivalen, gründeten 1816 Bathurst (heute Banjul) als brit. Flottenstützpunkt und Niederlassung für Freigelassene und besetzten 1902 das Hinterland. G. war seit 1843 brit. Kronkolonie. 1960 erhielt es Autonomie und 1965 die Unabhängigkeit innerhalb des Commonwealth. Nach Ausrufung der Republik (1970) wurde D. K. Jawara Staatspräs. (mehrfach wieder gewählt). 1982–89 bildete G. mit der Rep. Senegal die **Konföderation Senegambia.** Im Juli 1994 wurde Staatspräs. Jawara durch einen Militärputsch gestürzt, die Verf. außer Kraft gesetzt, die Parteien wurden verboten. Nach starkem internat. Druck auf das Militärregime fanden 1996 Präsidentschaftswahlen statt, bei denen Yayah Jammeh, seit dem Putsch Staatspräs., im Amt bestätigt wurde. Im selben Jahr wurde eine neue Verf. angenommen und das Parteienverbot aufgehoben.

📖 Gray, J. M.: *A history of the G. Neudr. London 1966. – The G. Studies in society and politics, hg. v.* A. Hughes. *Birmingham 1991.* – Hughes, A. *u.* Perfect, D.: *Political history of the G., 1816–1992. London 1993.* – Wodtcke, A. *u.a.: Senegal, G. Nürnberg 1993.* – Wiese, B.: *Senegal, G. Länder der Sahel-Sudan-Zone. Mit einem Anhang v.* D. Bloch: *Fakten – Zahlen – Übersichten. Gotha 1995.*

Gambierinseln [gã'bje-], Gruppe von vier größeren und mehreren kleinen Inseln im Pazif.

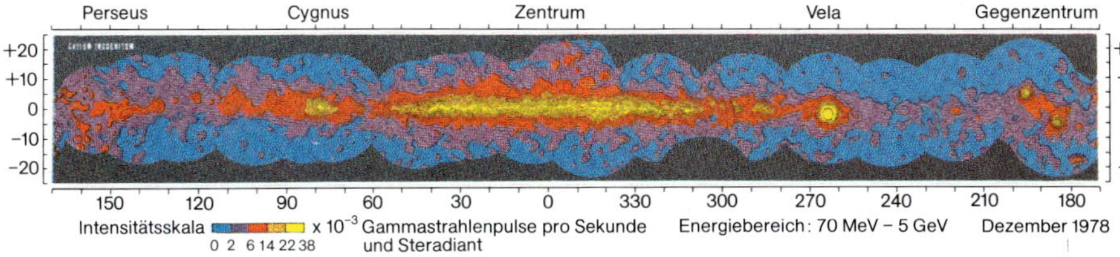

Gammaastronomie: Gammastrahlenkarte der Milchstraße auf der Basis von Messdaten des Forschungssatelliten COS-B

Ozean, Teil von Französisch-Polynesien, 36 km², (1988) etwa 600 Ew. Größte Insel ist **Mangareva;** Hauptort: Rikitea. Kokospalmen, Brotfruchtbäume, Taro-, Bananen-, Batatenanbau; Fischfang, Perlfischerei.

Gambrinus, sagenhafter flandr. König zur Zeit Karls d. Gr., gilt als Erfinder des Bierbrauens und Schutzherr der Brauer; die Sage entstammt dem 16. Jahrhundert.

Gambusen (Gambusia), kleine lebend gebärende Zahnkarpfen, in vielen Ländern zur Vertilgung der Moskitolarven (Malariabekämpfung) aus Amerika eingeführt.

Gameboy® ['geɪmbɔɪ, engl.], tragbares, batteriebetriebenes Videospielgerät mit kleinem (schwarz-weißem oder farbigem) LCD-Bildschirm. Der G. B. kann allein oder auch mithilfe von Dialogkabeln bzw. Mehrspieladaptern von mehreren Spielern gleichzeitig genutzt werden; die einzelnen Spiele, von denen mehrere Hundert auf dem Markt sind, werden in Form von Softwarekassetten ausgetauscht. (→ Videospiel)

Gamelan [indones.] *das,* das bis zu 20 und mehr Musikinstrumente umfassende Orchester auf Bali und Java. Es besteht v. a. aus Gongs u. a. Metallophonen, ferner aus Xylophonen und Trommeln; Soloinstrumente sind die zweisaitige Laute (Rebab), die Längsflöte (Suling) und die Zither (Celempung). Das G. begleitet u. a. kult. Tanzszenen und Schattenspiele.

Gamelin [gam'lɛ̃], Maurice Gustave, frz. General, *Paris 20. 9. 1872, †ebd. 14. 4. 1958; im 1. Weltkrieg als Stabschef J. Joffres (1914–16) an der Planung der Marneschlacht beteiligt, war 1935–38 Generalinspekteur des Heeres und Vizepräs. des Obersten Kriegsrats. Von Sept. 1939 bis Mai 1940 Oberbefehlshaber der alliierten Streitkräfte in Frankreich, wurde G. von der Vichy-Regierung im Prozess von Riom (1942) für die frz. Niederlage verantwortlich erklärt. Bis 1943 war er in frz., bis 1945 in dt. Haft.

Gameten [grch.] (Geschlechtszellen, Keimzellen), die bei der Befruchtung miteinander verschmelzenden, als männlich und weiblich unterschiedenen, haploiden Zellen.

Gametophyt [grch.] *der,* bei Pflanzen mit Generationswechsel die geschlechtl. Generation.

Gametozyt [grch.] *der* (Gamont), bes. differenzierte Zelle bei Einzellern, die Gameten bildet.

Gamillscheg, Ernst, Romanist, *Neuhaus (heute Jindřichův Hradec, Südböhm. Gebiet) 28. 10. 1887, †Göttingen 18. 3. 1971; Prof. in Innsbruck, Berlin und Tübingen. – *Werke:* »Etymolog. Wörterbuch der frz. Sprache« (1926–29); »Romania germanica«, 3 Bde. (1934–36); »Histor. frz. Syntax« (1957).

Gamla Uppsala, schwed. für → Altuppsala.

Gamma *das,* der 3. Buchstabe des grch. Alphabets (Γ, γ), in klass. Zeit mit dem Lautwert des dt. G.

Gammaastronomie (Gammastrahlenastronomie), Teil der → Röntgenastronomie, der sich mit der von kosm. Gamma-(γ-)Quellen ausgehenden elektromagnet. γ-Strahlung beschäftigt. Während das sichtbare Licht normaler Sterne eine Temperaturstrahlung ist, werden die γ-Strahlen durch andere Prozesse erzeugt (Radioaktivität, Bremsstrahlung, Synchrotronstrahlung, inverser Compton-Effekt, Annihilation, Pionenproduktion, evtl. Materieeinfang durch Schwarze Löcher), sodass ihre Untersuchung wesentl. neue Erkenntnisse liefert. Zur G. werden Satelliten eingesetzt

Gambrinus: Gambrinusfigur aus Holz (16. Jh.; München, Deutsches Brauerei-Museum)

Gambrinus

*Gambrinus gilt als Erfinder des Bieres und Schutzherr der Bierbrauer und -trinker. 1830 erscheint er als Gegenstück zum römischen Weingott Bacchus auf einer Zeichnung Moritz von Schwinds, dann folgt eine weitere Popularisierung durch Studentenlieder und Plakate von Brauereien. Am Ende des 17. Jahrhunderts wurde Gambrinus bei dem Hamburger Juristen M. Schlüter auch als Gründer Hamburgs genannt. Gambrinus galt außerdem als König von Brabant und Flandern, da man seinen Namen fälschlicherweise von Jan Primus (= Herzog Johann I. von Brabant, *1251, †1294) ableitete. Die Namensform Gambrinus geht jedoch zurück auf Gambrivius, das über einen Druckfehler zu Gambrinius, dann zu Gambrinus geworden war (zuerst 1574).*

Mit (seinem angeblichen Vater) Marsus gehört Gambrivius zu einer erdichteten Genealogie der zehn ersten Herrscher der germanischen Frühzeit, die der italienische Humanist Johannes Annius 1498 im Anschluss an die in der »Germania« des römischen Historikers Tacitus genannten germanischen Stämme der Gambrivii, Marsi usw. aufgestellt hatte. Die Erfindung des Bierbrauens wurde Gambrivius-Gambrinus zuerst 1543 von dem Dichter Burkard Waldis zugeschrieben.

Gämskresse: Alpengämskresse (Höhe 5-12 cm)

Gämswurz: Großblütige Gämswurz (Höhe 5-50 cm)

(z.B. das →Gamma Ray Observatory), da auf der Erdoberfläche die direkt aus dem Kosmos kommende primäre γ-Strahlung von der sekundären γ-Strahlung überlagert wird, die beim Auftreten der kosm. Strahlung auf die Erdatmosphäre entsteht. Neben den noch ungeklärten Strahlenausbrüchen, den **Gammabursts** (→Bursts), konnten u.a. Pulsare (Crab- und Vela-Pulsar) als diskrete γ-Quellen nachgewiesen werden.

Gammaleule, →Eulenschmetterlinge.

Gammafunktion, komplexe Funktion, die durch

$$\Gamma(z)=\int_0^\infty e^{-t}\,t^{z-1}\,dt$$

mit Re(z)>0 dargestellt wird; dient u.a. zur Interpolation der →Fakultät. Aus der Funktionalgleichung $\Gamma(z+1)=z\Gamma(z)$ folgt für jede natürl. Zahl $n\Gamma(n+1)=n!$

Gammaglobulin (γ-Globulin), bes. für die Immunreaktion des Körpers wichtiger Eiweißkörper im menschl. Blut; Fraktion der Globuline, in der fast alle →Antikörper (Immunglobuline) enthalten sind; fehlt bei →Agammaglobulinämie. G. dient zur Vorbeugung und Behandlung versch. Krankheiten.

Gammagraphie [grch.] *die* (Gammastrahlenverfahren), Verfahren zur zerstörungsfreien Werkstoffprüfung, bei dem starkwandige Werkstücke mit Gammastrahlen zur Untersuchung auf innere Fehler durchstrahlt werden. Das Bild wird fotografisch festgehalten.

Gammakamera (Szintillationskamera), nuklearmedizin. Untersuchungsgerät zur raschen bildmäßigen Aufzeichnung der Verteilung gammastrahlender und Positronen aussendender Nuklide. Die G. gestattet die Erfassung struktureller und funktioneller Kriterien.

Gammaquant (γ-Quant), Photon der →Gammastrahlung.

Gamma Ray Observatory ['gæmə reɪ əb'zəːvətrɪ, engl.], Abk. **GRO,** der Untersuchung hoch energet. kosm. Gammastrahlung dienendes, bisher größtes Weltraumobservatorium der NASA. Der im April 1991 gestartete, mit 4 Teleskopen (von denen 2 in Dtl. gebaut wurden) ausgestattete Satellit ist der erste, der den gesamten Spektralbereich der Gammaastronomie erfasst.

Gammaspektrometer, Messgerät zur Bestimmung des Energiespektrums von Gammaquanten **(Gammaspektrum)** unter Ausnutzung von Photoeffekt, Compton-Effekt und Paarerzeugung. Die Wechselwirkung der Gammaquanten mit der Detektormaterie aufgrund eines oder mehrerer dieser Effekte erzeugt einen elektr. Impuls, dessen Höhe der gesamten oder einem definierten Teil der Energie des Teilchens proportional ist. Bauarten sind: **Natriumjodid-Szintillations-, Ge(Li)-Halbleiter-, Compton-, Paarspektrometer.** Im **Kristallspektrometer** wird die Wellenlänge der Gammastrahlung durch Beugung an einem Einkristall bestimmt.

Gammastrahlung (γ-Strahlung), i.e.S. die bei Atomkernumwandlungen auftretende elektromagnet. Strahlung mit Wellenlängen etwa zw. 10^{-10} und 10^{-15} m. G. entsteht, wenn ein angeregter Atomkern in einen stabileren Zustand übergeht; dabei können ein oder mehrere **Gammaquanten,** d.h. entsprechend energiereiche Lichtquanten (Photonen), bei diskreten Wellenlängen ausgesandt werden. Auch beim Elementarteilchenzerfall und bei der Paarvernichtung (→Paarbildung) entsteht G. (i.w.S.). γ-Strahlen sind viel durchdringender als α- und β-Strahlen; ihre physiolog. Wirkung ist die gleiche wie die von →Röntgenstrahlen. Die G. von Radium und bes. Kobalt hat für medizin. und techn. Zwecke große Bedeutung erlangt (Krebstherapie, Sterilisation von Lebensmitteln u.a.; →Gammagraphie, →Szintigramm).

📖 *Dosimetrie ionisierender Strahlung. Grundlagen u. Anwendungen, hg. v.* H. Reich. *Stuttgart 1990.* – Stolz, W.: *Radioaktivität. Grundlagen, Messung, Anwendungen. Stuttgart u.a.* ³*1996.*

Gamone [grch.], die Befruchtungsstoffe (→Befruchtung).

Gamow ['geɪməʊ], George Anthony, amerikan. Physiker russ. Herkunft, *Odessa 4.3.1904, †Boulder (Colo.) 19.8.1968; entwickelte eine Theorie des Alphazerfalls der Atomkerne **(Gamow-Atomkernmodell),** prägte den Begriff des »Big Bang« (→Urknall) und sagte die →kosmische Hintergrundstrahlung voraus.

Gams, →Gämse.

Gamsbart, Rückenhaar der →Gämsen.

Gämsbock (Gamsbock), männl. Gämse.

Gämse (Echte G., Gams, Rupicapra rupicapra), etwa ziegengroße Art der Horntiere (Unterfamilie

Gämse (Schulterhöhe 70-85 cm, Körperlänge 1,1-1,3 m)

Ziegenartige) in den Hochgebirgen Europas (mit Ausnahme des N) und SW-Asiens, eingebürgert auch in europ. Mittelgebirgen (z.B. im Schwarzwald und Erzgebirge) und in Neuseeland; Körperlänge etwa 1,1–1,3 m, Schulterhöhe etwa 70–85 cm, Gewicht bis 60 kg; die bes. verlängerten Haare auf Widerrist und Kruppe liefern den **Gamsbart;** Männchen und Weibchen mit hakenartig nach hinten gekrümmtem Gehörn (Krucken, Krickel, Krückel); die spreizbaren, hart- und scharfrandigen Hufe mit einer elast. Sohlenfläche passen sich gut dem Gelände an.

Gandhara: Buddha mit Stifterfiguren, Fragment eines Weihreliefs der Gandhara-Kunst (2. Jh. n. Chr.; Rom, Museo Nazionale d'Arte Orientale)

Gämskresse (Gamskresse, Hutchinsia), Gattung der Kreuzblütler; heimisch die weiß blühende **Alpen-G.** (Hutchinsia alpia) mit grundständiger Blattrosette.

Gämswurz (Gamswurz, Doronicum), Gattung der Korbblütler mit gelben Blüten, in alpinen Hochstaudenfluren und Geröllen vorkommend, u.a. die **Großblütige G.** (Doronicum grandiflorum). Einige Arten sind beliebte Zierstauden.

Gạna (Ghana), afrikan. Reich (9.–13. Jh.) im Grenzgebiet des heutigen Mauretanien und Mali; erreichte zw. 950 und 1050 seine größte Bedeutung. Der neue Staat →Ghana, nicht identisch mit G., übernahm den Namen als Symbol eigenständiger afrikan. Größe.

Gäncạ̈ [-dʒ-] (Gəncə, Gandscha, Gjandscha, 1804–1918 Jelisawetpol, 1935–89 Kirowabad), Stadt in Aserbaidschan, am N-Rand des Kleinen Kaukasus, 278000 Ew.; Hochschulen; Textil-, Nahrungsmittelind., Tonerdewerk. – Im 5. Jh. gegr.; erhaltener oriental. Stadtkern: Zitadelle und Stadtmauer, Mausoleum Imansade (14. Jh.), Karawanserei.

Gance [gɑ̃s], Abel, frz. Filmregisseur, *Paris 25. 10. 1889, †ebd. 10. 11. 1981; experimentierte mit der Montage, für seinen Stummfilm »Napoléon« benutzte er 1923–27 ein von ihm erfundenes Breitwandverfahren (gleichzeitig drei Projektionen; Tonfassung 1935/36, Neubearbeitung 1971).

Abel Gance

Gand [gɑ̃], frz. Name von →Gent.

Gạnda (Baganda, Wganda), das Hauptvolk Ugandas, etwa 1,2 Mio.; vorwiegend Christen; ihre Sprache gehört zu den Bantusprachen. Kaffee- und Baumwollanbau. Die G. waren Träger des Königreiches Buganda.

Gạndak *der,* linker Nebenfluss des Ganges, entspringt in Nepal, rd. 680 km lang.

Gạnderkesee, Gemeinde im Landkr. Oldenburg, Ndsachs., 29000 Ew.; Maschinenbau, elektrotechn. und Textilindustrie.

Gandhạra, histor. Landschaft in Vorderindien, im NW des alten Indien, heute N-Pakistan und O-Afghanistan. G. stand seit dem 6. Jh. v.Chr. unter pers., später unter hellenist. Einfluss.

Die **Gandhara-Kunst,** eine als zur ind. Kunst zugehörig zu betrachtende hellenistisch-buddhist. Mischkunst im ind. Königreich G., vom 1. bis 5. Jh. n.Chr.; hohe künstler. Blüte: Klöster, Stupas, Reliefs und Buddhabildnisse. Ihr Einfluss reichte über Kaschmir bis nach Zentralasien (8. Jh.).

Indira Gandhi

Gạndhi, 1) Indira, ind. Politikerin, *Allahabad 19. 11. 1917, †(ermordet) Neu-Delhi 31. 10. 1984; ⚭(1942–47) mit dem Politiker Firoze G.; 1946–64 polit. Beraterin ihres Vaters J. Nehru, 1964–66 Min. für Information und Rundfunk, 1966–77 Premiermin., suchte v.a. die wirtsch. Unterentwicklung ihres Landes zu beseitigen. Nachdem ihr sozialistisch orientiertes Programm 1969 zur Spaltung des regierenden Indian National Congress (INC) geführt hatte, stellte sie sich an die Spitze des »neuen« INC. Außenpolitisch schloss sie einen

Gäncä: Mausoleum Imansade (14. Jh.; im 17. Jh. zum Teil zerstört)

Freundschaftsvertrag mit der UdSSR (1971) und setzte im Krieg mit Pakistan (1971) die Unabhängigkeit Ostpakistans (Bangladesh) durch. Vom obersten Gericht des Amtsmissbrauchs beschuldigt und von der Opposition zum Rücktritt aufgefordert, rief sie 1975 den Ausnahmezustand aus; ihr autoritärer Kurs führte zur Wahlniederlage ihrer Partei (1977) und ihrem Rücktritt als Reg.chef. Nach einer weiteren Spaltung ihrer Partei und dem Wahlsieg (1980) des von ihr geführten INC (Indira) wurde sie erneut Premiermin. Seit 1983 trat sie als Sprecherin der blockfreien Staaten hervor. Nach der Erstürmung des von radikalen Anhängern eines unabhängigen Sikh-Staates besetzten »Goldenen Tempels« von Amritsar fiel sie einem Attentat von zwei Leibwächtern, die der Sikh-Gemeinschaft angehörten, zum Opfer.

Mahatma Gandhi mit Anhängern auf dem »Salzmarsch« 1930

🕮 MALHOTRA, I.: *I. G. A. d. Engl. Freiburg im Breisgau u. a. 1992.*

2) Mohandas Karamchand, genannt Mahatma [Sanskr. »dessen Seele groß ist«], Führer der ind. Unabhängigkeitsbewegung, *Porbandar (Kathiawar) 2. 10. 1869, †(ermordet) Neu-Delhi 30. 1. 1948; entstammte einer wohlhabenden Hindufamilie, Rechtsanwalt in Bombay, ging 1893 aus berufl. Gründen nach Südafrika und stieg dort zum Führer der ind. Einwanderer auf. 1906–13 leitete er in Transvaal eine Kampagne für die Anerkennung der bürgerl. Rechte seiner Landsleute.

Unter dem Einfluss der altind. Lehre des Ahimsa (des »Nichtverletzens«), der christl. Bergpredigt und der Ideen L. N. Tolstojs entwickelte G. Formen des gewaltlosen Kampfes.

1914 kehrte G. nach Indien zurück. Gestützt auf den Indian National Congress (INC), löste er 1920 nach Verkündung des zivilen Ungehorsams den gewaltlosen Widerstand gegen die brit. Herrschaft in Indien aus. Er setzte damit eine Massenbewegung in Gang, die durch »Asahayoga« (»Nichtbeteiligung«, »Non-Cooperation«) an Einrichtungen der brit. Herrschaft (in Verwaltung, Gerichts-, Schul- und Bildungswesen) die brit. Regierung zu Zugeständnissen in der Unabhängigkeitsfrage zu zwingen suchte. Eingeschlossen in diese Kampagne war u. a. der Boykott brit. Firmen und ihrer Produkte. Im Rahmen dieser Aktionen wurde der von G. geführte INC zur einflussreichsten Organisation der ind. Unabhängigkeitsbewegung. 1922–24 in Haft, widmete sich G. nach seiner Entlassung bes. der Aufgabe, der im hinduist. Denken verankerten gesellschaftl. Ächtung der »Parias« (»Unberührbare«) entgegenzuwirken. 1930 initiierte G. den »Salzmarsch« als Protest gegen das brit. Salzmonopol. Danach erneut verhaftet, nahm G. 1931 nach seiner Haftentlassung an einer Konferenz über eine Verf. für Indien teil, drang jedoch mit seinen Forderungen nicht durch. Nach 1932 war er wiederholt im Gefängnis. Da er die Überzeugung gewann, dass die maßgebl. Mitgl. des INC das Prinzip der Gewaltlosigkeit nur als ein polit. Mittel, nicht als ein umfassendes gesellschaftl. Grundbekenntnis verstanden, trat er 1934 aus ihm aus.

Im 2. Weltkrieg verlangte G. von Großbritannien die sofortige Lösung der ind. Frage. Die blutigen Auseinandersetzungen zw. Hindus und Muslimen nach 1947 suchte er vergeblich zu verhindern. Durch seine polit. Einsicht, asket. Lebensweise und seine tiefe, im Hinduismus begründete Religiosität hatte er wesentl. Anteil an der Unabhängigkeit Indiens; die Teilung des Subkontinents konnte er nicht verhindern; 1948 wurde er von einem fanat. Hindu erschossen. G. schrieb eine Autobiographie (1927–29), zahlreiche Aufsätze.

🕮 GRABNER, S.: *M. G. Politiker, Pilger u. Prophet. Biographie. Neuausg. Frankfurt am Main u. a. 1992.* – RAU, H.: *M. G. mit Selbstzeugnissen u. Bilddokumenten. Reinbek 133.–135. Tsd. 1995.*

Rajiv Gandhi

3) Rajiv, ind. Politiker, *Bombay 20. 8. 1944, †(ermordet) Sriperumpudur (Tamil Nadu) 21. 5. 1991, Sohn von 1); Pilot, wurde 1983 einer der fünf Gen.-Sekr. des Indian National Congress (Indira), Abk. INC (I). Nach der Ermordung seiner Mutter übernahm er 1984 das Amt des Premiermin. (Rücktritt 1989) und die Führung der Partei. Während des Wahlkampfes wurde er 1991 durch ein Bombenattentat getötet. Seine Witwe übt als Vors. der Rajiv-Gandhi-Stiftung im INC (I) großen Einfluss aus.

Gandhinagar, Hptst. von Gujarat, Indien, nördlich der früheren Hptst. Ahmedabad; 123 400 Ew.; Baubeginn 1966 (nach Plänen von L. I. Kahn).

Gandscha, Stadt in Aserbaidschan, → Gäncä.

Ganlerbschaft, nach altem dt. Recht gemeinschaftl. Vermögen, bes. Grundvermögen, von **Ganerben** (Miterben zur gesamten Hand). Entstand durch Vertrag; Vertragszweck war der Ausschluss der Teilung des Familienvermögens.

Ganesha [-ʃa; Sanskrit »Herr der Schar«, d.h. des Gefolges von Shiva], ind. Gott der Schreibkunst und Weisheit; meist dickbäuchig mit Elefantenkopf dargestellt.

Ganesha aus Andhra Pradesh, Indien (etwa 12. Jh.)

Gang [gæŋ, engl.] *die,* Zusammenschluss von Verbrechern (Gangstern); auch soziolog. Bez. für (zu Gewalttaten neigende) Gruppe von Jugendlichen.

Gang, 1) *Geologie:* mit Gestein oder Mineralen gefüllte Spalte in einem anderen (älteren) Gestein, meist plattenförmig.

2) *Kfz-Technik:* das Übersetzungsverhältnis zw. Motor und Radantrieb, das durch Umschalten des Getriebes in bestimmten Stufen (Gängen) verändert wird. Üblich sind bei Pkw 3–5 **Vorwärtsgänge** und 1 **Rückwärtsgang,** bei Nutzfahrzeugen 4–12 Vorwärtsgänge und 1 oder 2 Rückwärtsgänge.

3) *Technik:* Windung, eine Umdrehung eines Gewindes (Schraube; Schnecke).

4) *Uhrentechnik:* die Größe, deren Zahlenwert angibt, wie viel eine Prüfuhr gegenüber einer Normaluhr in einer bestimmten Zeit vor- oder nachgeht, meist in Sekunden je Tag gemessen.

Gangart, 1) *Hüttenwesen:* Sammelbez. für die nicht metallhaltigen Begleitminerale der Erze (z.B. Quarz, Schwer- und Flussspat).

2) *Pferdesport:* Bewegungsart des Pferdes im Schritt, Trab oder Galopp, bei denen nach versch. Tempi (Gangmaße) unterschieden wird. **Schritt:** Mittelschritt, versammelter Schritt und starker Schritt. **Trab:** Die diagonalen Beinpaare setzen gleichmäßig auf dem Boden auf. Es wird zw. Arbeitstrab, versammeltem Trab, Mitteltrab, starkem Trab und Renntrab (des Trabrennpferdes) unterschieden. **Galopp:** schnellste G. des Pferdes; aneinander gereihte Folge von Sprüngen, wobei der Schub aus der Hinterhand erfolgt. Unterschieden werden Arbeitsgalopp, Mittelgalopp, versammelter Galopp und starker Galopp. Bei Islandpferden zusätzlich **Pass** (Renn-, Vier-, Fünfpass) und **Tölt.**

3) *Schach:* unterschiedl. Bewegungsarten der Schachfiguren.

Ganges *der* (Hindi Ganga), Hauptstrom im N Vorderindiens, 2 700 km lang, entspringt im Himalaja rd. 4 000 m ü.M., durchströmt mit sehr geringem Gefälle in stark gewundenem, meist östl. Lauf die fruchtbare, dicht besiedelte **G.-Ebene** und nimmt u.a. Yamuna, Ghaghara, Kosi und Son auf; schiffbar bis Allahabad, für Seeschiffe bis Kalkutta. Mit dem Brahmaputra bildet er in Bengalen ein 56 000 km² großes, fruchtbares, aber hochwassergefährdetes Delta. Hauptmündungsarme sind der Padma und der Bhagirathi (im Unterlauf: Hugly). – Durch umfangreiche Nutzung zur Bewässerung (Kanalnetz des Oberen und des Unteren G.-Kanals) wurde die Wasserführung sehr verringert (Veränderung des Hooghly und des Hafens Kalkutta). Zusätzl. Wassermangel tritt in der Trockenzeit auf, da sich im Himalaja, bedingt durch ver-

Ganges: Der heilige Uferbezirk in Varanasi ist 6 km lang

stärkte Abholzung, die Wasserspeicherkapazität für Monsunregen im Einzugsgebiet verringert hat. Die Abholzung ist aber andererseits Mitverursacher der z.T. katastrophalen Überschwemmungen während der Regenzeit. Der Verbesserung der Schifffahrt auf dem Hooghly und der Wasserversorgung von Kalkutta dient der Staudamm von Farakka. – Der G. ist der heilige Strom der Hindu. Pilgerstätten: Allahabad und Varanasi.

Gänsedistel: Ackergänsedistel

Ganggesteine, magmat. Gesteine, die nach Entstehung und Ausbildung zw. Tiefengesteinen und Vulkaniten stehen; sie treten meist als Ausfüllung von Spalten **(Gänge)** oder Hohlräumen (Stöcke) in älterem Gestein auf..

Ganggrab, vorgeschichtl. Megalithgrab mit langem, von Steinplatten überdecktem Gang, verbreitet in S-Skandinavien, W-Europa und auf der Iber. Halbinsel.

Gạnghofer, Ludwig, Schriftsteller, *Kaufbeuren 7. 7. 1855, †Tegernsee 24. 7. 1920; war zeitweise Dramaturg, dann Feuilletonredakteur in Wien; schrieb neben Volksstücken (»Der Herrgottsschnitzer von Ammergau«, 1880), zahlreiche von naiv-herzlicher Frömmigkeit getragene bayer. Hochlandromane und Erzählungen, z.T. vor histor. Hintergrund (»Der Klosterjäger«, 1892; »Die Martinsklause«, 1894; »Schloß Hubertus«, 1895; »Das Schweigen im Walde«, 1899).

Gạngli|enzelle, →Nerven.

Gạnglion [grch.] *das* (Nervenknoten), **1)** *Anatomie:* örtl. Verdickungen des Nervensystems in Form einer Anhäufung von Zellkörpern der Nervenzellen (Ganglienzellen).

2) *Medizin:* das →Überbein.

Gangrạ̈n [grch.] *die, Medizin:* der →Brand.

Gạngtok, Hptst. von Sikkim, im Vorderhimalaja, 1700 m ü.M., 25000 Ew., Marktort.

Gangunterschied, →optische Weglänge.

Gangway [ˈgæŋweɪ, engl.] *die* (Stelling), Treppe oder Laufsteg zum Schiff oder Flugzeug.

Gan Jiang [- dʒjaŋ] (Kankiang), rechter Nebenfluss des Jangtsekiang, Hauptfluss der Provinz Jiangxi, 744 km, einer der wichtigsten Verbindungswege Mittel- und S-Chinas, ab Ganzhou schiffbar.

Gänsefuß: Guter Heinrich

Gạns, Eduard, Jurist, *Berlin 22. 3. 1797, †ebd. 5. 3. 1839; Schüler G. F. W. Hegels und Lehrer von K. Marx, seit 1825 Prof. der Rechte in Berlin; versuchte die Rechtswiss. aus der Philosophie zu begründen.

Gänse (Anserinae), Unterfamilie 0,4–1,7 m langer →Gänsevögel mit zahlr. Arten in mehreren Gattungen. Die G. rupfen ihre pflanzl. Nahrung mit der Schnabelspitze ab. Die Geschlechter sind nur wenig verschieden. Die Jungen werden von beiden Eltern geführt. Alle Arten fliegen gut, die meisten sind Zugvögel. Zu den **Echten G.** (Anser) gehört u.a. die fast 90 cm lange **Graugans** (Anser anser), die Stammform der Hausgans. Die Arten der Gattung **Meer-G.** (Branta) haben einen schwarzen Schnabel; bekannt sind u.a. **Rothalsgans** (Branta ruficollis) und **Ringelgans** (Branta bernicla). – Zu den G. gehört außerdem die Gattung der →Schwäne.

Gänse: Graugans

Gänseblümchen (Bellis), Gattung der Korbblütler mit zehn Arten in Europa; einzige Art in Dtl. das 5–15 cm hohe, das ganze Jahr blühende **Ausdauernde G.** (**Maßliebchen,** Bellis perennis) mit grundständiger Blattrosette; gefüllte Zuchtform ist z.B. das Tausendschön.

Gänsedistel (Saudistel, Sonchus), Korbblütlergattung, hohe, stachelige, milchsafthaltige, gelb blühende Kräuter; die **Acker-G.** ist ein häufiges Unkraut auf Äckern und an Gräben.

Gänsefuß (Chenopodium), Gattung der G.-Gewächse mit rd. 200 Arten. Kräuter, auch Sträucher, meist mit dreieckigen, gezähnten Blättern, mit gelbgrünen bis rötl. Blüten in dichten Knäueln und mit flach linsenförmigen, einsamigen Früchten. Der einjährige **Weiße G.** (Chenopodium album) hat leicht weißmehlige Blätter; die ausdau-

Ganymed 1): Aufnahme des Jupitermondes von Voyager 1 am 4. März 1979 aus einer Entfernung von 2,6 Mio. km

Ganymed 2): Correggio, »Entführung des Ganymed«, Ausschnitt (um 1530; Wien, Kunsthistorisches Museum)

ernde Art **Guter Heinrich** (Chenopodium bonus-henricus) trägt wellige Blätter mit endständiger Blütenscheinrispe. Die Jungtriebe dieser u.a. Arten sind als Gemüse verwendbar **(Wilder Spinat, Erdbeerspinat)**.

Gänsehaut, meist reflektorisch durch Kältereiz oder durch psych. Faktoren bewirkte Hautveränderung. Das höckerige Aussehen der Haut wird durch Zusammenziehung der an den Haarbälgen ansetzenden glatten Muskeln verursacht, wodurch die Haarbälge hervortreten und sich die Haare aufrichten.

Gänsekresse (Arabis), artenreiche Gattung der Kreuzblütler; meist Kalk liebende, rasen- oder polsterförmig wachsende Hochgebirgspflanzen mit in Trauben stehenden Blüten; in Felsgärten und Einfassungen angepflanzt.

Gänsevögel (Entenvögel, Anseriformes), Ordnung der Vögel mit 152 Arten in der einzigen Familie Anatidae, darunter die Unterfamilien **Gänse** (Anserinae), **Enten** (Anatinae) und **Säger** (Merginae). – Fast alle G. sind Wasservögel mit breiten Schwimmhäuten. Ihre Nahrung besteht meist aus Pflanzen. Die Eier sind groß und meist weißlich, bei einigen Arten olivgrün oder blaugrün. Eine gesonderte Entwicklungsrichtung hat die →Spaltfußgans eingeschlagen.

Gansu (Kansu), Provinz im NW Chinas, 454300 km², (1994) 23,78 Mio. Ew.; Hptst. ist Lanzhou; Getreideanbau, im »G.-Korridor« (entlang der Seidenstraße) Baumwollanbau; Seidenraupenzucht; Metall-, petrochem. Ind., Erdölförderung in Yumen und Jinchang.

Ganter, Gänserich, männl. Gans.

Ganymed, **1)** *Astronomie:* der größte Mond des Jupiter.

2) *grch. Mythos:* trojan. Königssohn, als »Schönster der Sterblichen« vom Adler des Zeus oder von diesem selbst in den Olymp entführt, dort in ewiger Jugend dessen Mundschenk; sein Raub wurde in der Kunst häufig dargestellt.

Ganz, Bruno, schweizer. Schauspieler, *Zürich 22. 3. 1941; profilierte sich unter P. Stein; spielte u.a. in den Filmen »Sommergäste« (1975), »Die Marquise von O.« (1975), »Nosferatu« (1979), »Der Himmel über Berlin« (1987); seit 1996 Träger des Iffland-Ringes.

Bruno Ganz

ganze Zahlen, →Zahl.

Ganzheit, etwas, das nicht schon durch die Eigenschaften seiner Bestandteile, sondern erst durch deren gefügehaften Zusammenhang (Struktur) bestimmt ist, z.B. ein Organismus oder ein Kunstwerk. Die G. ist also mehr als die Summe der Teile, die selbst nur aus dem Ganzen heraus zu verstehen sind. – Der Begriff G. (bzw. Gestalt) hat als method. Begriff in der 1. Hälfte des 20. Jh. in vielen Wissenschaften als Alternative zu mechanist., atomist. Erklärungsmodellen des 18. und 19. Jh. Eingang gefunden, so in Medizin, Biologie, Psychologie, Soziologie und Pädagogik.

Ganzheitsmedizin, medizin. Richtung, die den Kranken nicht nur nach Einzelbefunden, sondern in seinem physisch-psych. Gesamtzustand erfassen und behandeln will. (→Psychosomatik)

Gänsehaut

Wenn sich uns die Haare sträuben, sind wir den gleichen unwillkürlichen Mechanismen ausgeliefert wie unsere kräftig behaarten Vorfahren. Doch während sich bei jenen in der Gefahr tatsächlich eine dichte Haarpracht aufplusterte, was sie viel größer und damit bedrohlicher erscheinen ließ, erinnert unsere Haut in ähnlicher Situation eher an eine gerupfte Gans, wie die Bezeichnung treffend ausdrückt. Obwohl es beim modernen Menschen also nicht mehr viel zum Aufplustern gibt, sind doch die entsprechenden Muskeln nach wie vor aktiv: Die Haare liegen schräg in der Haut und ragen bis in das Unterhautgewebe hinab. Auf der Neigungsseite eines einzelnen Haares greift ein Muskel an, der beim Zusammenziehen dafür sorgt, dass sich die Haut dort etwas ausbuchtet, wo das Haar durchwächst – das Haar richtet sich auf. Der gleiche Mechanismus tritt bei Kälte in Aktion, was unseren fellbedeckten Vorfahren ebenfalls Schutz bot, da sich zwischen dem Haargeflecht eine isolierende Luftschicht ausbilden konnte, dank deren sie nicht gar so erbärmlich frieren mussten.

Greta Garbo

Ventura García Calderón

Federico García Lorca

Ganzheitspsychologie, von F. Krueger zu Beginn des 20. Jh. begründete psycholog. Richtung; entstand als Reaktion auf die analytisch-mechanist. Psychologie des Empirismus, die sich an den exakten Naturwissenschaften orientiert hatte. Die G. geht davon aus, dass psych. Erscheinungen nicht als Aneinanderreihung von »psych. Elementen«, sondern nur als einheitl. Erlebniszusammenhang begreifbar sind. (→Gestalt)

Ganzkörper-CT, →Computertomographie.

Ganztagsschule, Schule mit Vor- und Nachmittagsunterricht; z. B. in Frankreich die Regel, in Dtl. selten. Heute zunehmend eingeführt an Sonderschulen, einigen Gesamt-, Grund- sowie Privatschulen, z. T. als →Tagesheimschulen verwirklicht.

Ganzton, *Musik:* die Tonstufe einer großen Sekunde, z. B. c–d, zerlegbar in die Halbtöne c–cis, cis–d. Die **Ganztonleiter** besteht nur aus G.

Ganzwortmethode, Vorgehensweise beim Lesenlernen, die mit ganzen Wörtern beginnt.

Ganzzeug (Ganzstoff), *Papierherstellung:* der wässerige, fertig zubereitete (aufgelöste und gemahlene, mit Leim, Farbstoff und Füllstoffen versetzte) und gemischte Faserstoffbrei.

Gao, Handelsstadt in O-Mali, am Niger, 55 000 Ew.; Endpunkt der Transsaharastraße über den Adrar des Iforas und Umschlagplatz; geschlossene sudanes. Lehmbauweise. – Gegr. im 7. Jh., vom 10. bis 16. Jh. Hptst. des islam. Reiches Songhai, seit 1899 französisch. – Die nördlich von G. gelegene Grabmoschee der islam. Askiadynastie (1493–1591) ist ein muslim. Wallfahrtsort.

Gap, Hptst. des frz. Dép. Hautes-Alpes, 740 m ü. M., an der Luye, 33 400 Ew.; Bischofssitz; vielseitige Ind.; Luftkurort. – 471 burgund., 534 fränk., 834 zum Königreich Burgund.

GAP, Abk. für engl. **G**eneric **A**ccess **P**rofile, *Telekommunikation:* Datenübertragungsstandard, der bei schnurlosen Telefonen eine Interoperabilität zw. Handgeräten und Basisstationen unterschiedl. Hersteller gewährleistet. Derzeit schreibt GAP nur die Kompatibilität in der Sprachübertragung einschließlich einiger dazu gehörender Grundfunktionen (z. B. Identifizierung) vor, zusätzl. Leistungen sind als Optionen definiert.

Gar (Gartok), Handelsplatz im südwestl. Tibet, China, 4 470 m ü. M., am Karawanenweg Lhasa–Kaschgar, eine der höchstgelegenen Dauersiedlungen der Erde.

Garage [ga'ra:ʒə, frz.] *die,* Raum zum Abstellen von Kraftfahrzeugen, z. B. **Flach-, Tief-** und **Hochgaragen.** Moderne **Groß-G.** mit 1 000 und mehr m² Nutzfläche haben mehrere Stockwerke **(Autosilo, Parkhaus).**

Garamond [-'mɔ̃] (Garamont), Claude, frz. Stempelschneider und Schriftgießer, *Paris um 1480, †ebd. Nov. 1561, schnitt vorzügl. Antiquaschriften und neue grch. Typen (»Grecs du roi«).

Garantie [frz.] *die,* **1)** *Völkerrecht:* die von einem oder mehreren Staaten übernommene Verpflichtung, für die Wahrung bestimmter Rechte eines anderen Staates oder für die Erfüllung vertragl. Abreden einzustehen, bes. den Bestand, die territoriale Integrität oder die Neutralität eines Staates zu achten und gegen dritte Staaten zu schützen.

2) *Zivilrecht:* (G.-Vertrag) der (auch formfrei gültige) Vertrag, durch den sich ein Partner (Garant) verpflichtet, für einen bestimmten Erfolg in der Weise einzustehen, dass er beim Nichteintritt des Erfolgs dem G.-Empfänger Ersatz leistet. Der G.-Vertrag ist im BGB nicht geregelt. Formen des G.-Vertrags sind u. a. die Hersteller-G., die Scheckkarten-G., die Bank-Garantie. Die Hersteller-G. ist eine über die Gewährleistungspflicht (§§ 434, 459 BGB) hinausgehende Verpflichtung für einen bestimmten Zeitraum **(G.-Frist).**

Garantiegesetz, Kurzbez. für das schweizer. Bundesgesetz über die polit. und polizeil. Garantien der Eidgenossenschaft vom 26. 3. 1934. Es regelt den Umfang der Immunität der Mitgl. der Eidgenöss. Räte während der Dauer der Bundesversammlung, der Mitgl. des Bundesrates, des Bundeskanzlers und der eidgenöss. Repräsentanten und Kommissäre. Ferner befreit es die Eidgenossenschaft und ihre Einrichtungen von kantonalen und gemeindl. Steuern.

Garantielohn, →Lohn.

Garaudy [garo'di], Roger, frz. Philosoph und Politiker, *Marseille 17. 7. 1913; marxist. Theoretiker, führendes Mitgl. der frz. KP; als Chefideologe der KPF entwickelte er reformkommunist. Ideen. Aufgrund seiner scharfen Kritik am Einmarsch von Truppen des Warschauer Pakts in die ČSSR (1968) wurde er aus der KPF ausgeschlossen. 1982 konvertierte G. zum Islam. – *Werke:* Für einen Realismus ohne Scheuklappen (1963); Marxismus im 20. Jh. (1966); Die große Wende des Sozialismus (1969); Aufruf an die Lebenden (1979); Das schwache Geschlecht ist unsere Stärke (1981).

Garbenschiefer, →Kontaktschiefer.

Garbo, Greta, eigtl. Gustafsson, schwed. Filmschauspielerin, *Stockholm 18. 9. 1905, †New York 15. 4. 1990; von dem Regisseur M. Stiller entdeckt (»Gösta Berling«, 1924); berühmt schon in der Stummfilmzeit; spielte in dt. (»Die freudlose Gasse«, 1925) und amerikan. Filmen (»Mata Hari«, 1931; »Menschen im Hotel«, 1932; »Anna Karenina«, 1927, 1935 als Tonfilm; »Die Kameliendame«, 1936; »Ninotschka«, 1939; »Die Frau mit den zwei Gesichtern«, 1941). Seit 1941 stand sie nicht mehr vor der Kamera.

📖 PARIS, B.: *G. Die Biographie. Neuausg. A. d. Amerikan. Wien u. a. 1995.*

Garbsen, Stadt im Landkreis Hannover, Ndsachs., am Mittellandkanal, 62600 Ew.; Wohnvorort von Hannover. – Seit 1968 Stadt.

Garching b. München, Stadt im Landkreis München, Oberbayern, 15100 Ew.; Kernreaktor und Forschungsinstitute der TU München, Max-Planck-Institute für Astrophysik, extraterrestr. Physik, Plasmaphysik und Quantenoptik.

García Calderón [gar'sia -], Ventura, peruan. Schriftsteller und Diplomat, *Paris 23. 2. 1886, †ebd. 28. 10. 1959; modernist. Erzähler und Lyriker, schrieb u.a. »Peruanische Novellen« (1924), »Traum in der Sierra« (Erzn., 1931).

García Lorca [gar'θia -], Federico, span. Schriftsteller, *Fuente Vaqueros (Prov. Granada) 15. 6. 1899, †(erschossen im Bürgerkrieg von Franco-Anhängern) Viznar (Prov. Granada) 19. 8. 1936; war befreundet mit R. Alberti, S. Dalí, M. de Falla, wurde 1931 Leiter des Studententheaters »La Barraca«. Für seine Lyrik voller Musikalität und kühner farbiger Bilder war neben span. Kunstdichtung die volkstüml. span. Romanzenüberlieferung bedeutsam (»Zigeunerromanzen«, 1928; »Dichtung vom Cante Jondo«, 1931); seine lyrisch-balladesken Dramen – häufig Stücke um Frauengestalten – sind Exempel poet. Theaters, im Spätwerk mit schärferen sozialkrit. Akzenten (»In seinem Garten liebt Don Perlimplin Belisa«, 1933; »Bluthochzeit«, 1933; »Yerma«, hg. 1937; »Doña Rosita bleibt ledig« oder »Die Sprache der Blumen«, hg. 1938; »Bernarda Albas Haus«, entstanden 1933–36, hg. 1945); auch Prosa, Zeichnungen, Kompositionen.

📖 ROGMANN, H.: *G. L. Darmstadt 1981.* – *F. G. L., Bilder u. Texte, hg. v.* HERBERT MEIER. *Frankfurt am Main 1986.* – GIBSON, I.: *F. G. L. Eine Biographie. A. d. Engl. Frankfurt am Main 1994.*

García Márquez [gar'sia 'markɛs], Gabriel, kolumbian. Schriftsteller, *Aracataca (Dep. Magdalena) 6. 3. 1928; Journalist; lebt in Mexiko; wurde weltberühmt mit dem fantasievollen, teils magisch-realist., im Kern sozialkrit. Roman »Hundert Jahre Einsamkeit« (1967); schrieb neben weiteren Romanen (u.a. »Kein Brief für den Obersten«, 1961; »Der Herbst des Patriarchen«, 1975; »Chronik eines angekündigten Todes«, 1981; »Die Liebe in den Zeiten der Cholera«, 1985; »Der General in seinem Labyrinth«, 1989; »Von der Liebe und anderen Dämonen«, 1994), Erzählungen (»Zwölf Geschichten aus der Fremde«, 1992), Drehbücher und Reportagen (»Das Abenteuer des Miguel Littín«, 1986; »Nachricht von einer Entführung«, 1996). 1982 erhielt er den Nobelpreis für Literatur.

📖 PLOETZ, D.: *G. G. M. mit Selbstzeugnissen u. Bilddokumenten. Reinbek 1992.*

García Robles [gar'sia 'rɔβlɛs], Alfonso, mexikan. Diplomat, *Zamora (Michoacán) 20. 3. 1911, †Mexiko 2. 9. 1991; war 1975–76 Außenmin., ab

Gard 1): Der dreigeschossige Pont du Gard überquert das Tal des Gard zwischen Nîmes und Avignon in einer Länge von 275 m und einer Höhe von 49 m

1977 ständiger Vertreter seines Landes beim Abrüstungsausschuss der UNO. Für seine Bemühungen um Abrüstung erhielt er zus. mit der Schwedin Alva Myrdal 1982 den Friedensnobelpreis.

Garcilaso de la Vega [garθi'laso-], span. Dichter, *Toledo 1503, †Nizza 14. 10. 1536; schrieb Sonette, Kanzonen, Eklogen in maßvollem petrarkist. Stil.

Garcinie [nach dem Engländer L. Garcin, *1683, †1752] *die* (Garcinia), Gattung der Hartheugewächse; Bäume in den Tropen und Monsungebieten. Die in Malaysia heim. **Mangostane** (Garcinia mangostana) besitzt kugelige Früchte, Samen mit wohlschmeckendem Samenmantel.

Gabriel García Márquez

Gard [ga:r] *der,* **1)** rechter Nebenfluss der Rhône, S-Frankreich, 133 km lang, kommt aus den Cevennen und mündet bei Beaucaire. Er wird zw. Nîmes und Avignon vom dreigeschossigen **Pont du Gard,** einem der besterhaltenen röm. Aquädukte, überquert (aus der Zeit des Augustus, 275 m lang, 49 m hoch).

2) Dép. in S-Frankreich, 5853 km², (1990) 585000 Ew.; Hptst.: Nîmes.

Alfonso García Robles

Gardasee (italien. Lago di Garda, auch Benaco), größter See Italiens (368 km²), 65 m ü. M., 52 km lang, bis 346 m tief. Der schmalere Nordteil ist tief in die Voralpenberge eingeschnitten; im S ist der G. bis 18 km breit, von den Endmoränen eines eiszeitl. Gletschers umgeben (Zungenbeckensee); Hauptzufluss ist die Sarca, Abfluss nach S zum Po der Mincio. Mildes Klima, ganzjähriger Fremdenverkehr mit den Zentren: Riva, Limone, Gardone Riviera, Garda, Malcesine, Torbole. Uferstraßen am W- und O-Ufer des Sees (Gardesana Occidentale und Orientale).

Garde [frz. »Wache«], urspr. Leibwache der Fürsten **(Leib-G., Hof-G.),** mit oft prunkvoller Uniform. Später entwickelten sich daraus Elitetruppen und Teile der regulären Landstreitkräfte. Eine reine Repräsentationstruppe ist z. B. die →Schweizergarde.

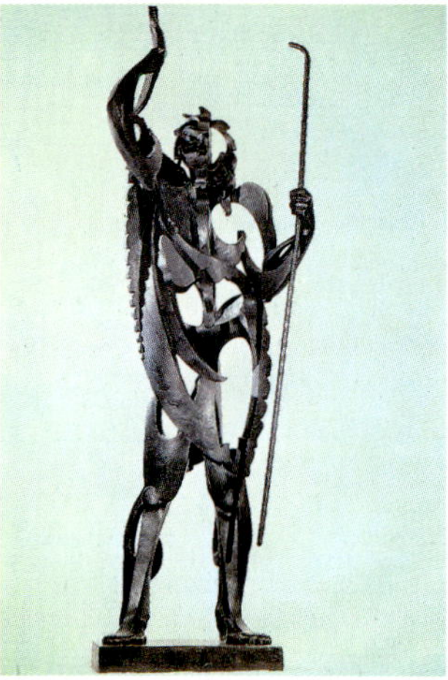

Pablo Gargallo: »Der große Prophet« (1933; Madrid, Museo Nacional Centro de Arte Reina Sofia)

Gardelegen, Stadt im Altmarkkreis Salzwedel, Sa.-Anh., 13 400 Ew.; Baustoff-, Konserven-, Kunststoff verarbeitende Industrie. – Marienkirche (13.–15. Jh.), spätgot. Nikolaikirche (nach Zerstörung 1945 Wiederherstellung des Chores), Rathaus (15. Jh.). – Anfang des 13. Jh. Stadtrecht; im 14. Jh. Mitgl. der Hanse; bis 1994 Kreisstadt.

Gardenie [nach dem schott. Botaniker A. Garden, *1730 (?), †1792] *die* (Gardenia), Gattung der Rötegewächse mit rd. 100, meist trop. Arten; viele Ziersträucher mit lederartigen Blättern und großen gelben oder weißen, wohlriechenden Blüten.

Gardenie

Garderobe [frz.] *die,* 1) der gesamte Kleiderbestand einer Person; 2) (Vorraum mit) Kleiderablage; 3) Umkleideraum (für Bühnendarsteller).

Gardiner ['gɑ:dnə], John Eliot, brit. Dirigent, *Fontmell Magna (bei Shaftesbury, Cty. Dorset) 20. 4. 1943; gründete 1964 den »Monteverdi Choir«, 1968 das »Monteverdi Orchestra« und 1978 die »English Baroque Soloists«; 1991–94 Chefdirigent des Sinfonieorchesters des Norddt. Rundfunks, anschließend als Gastdirigent tätig.

Gardner ['gɑ:dnə], Earle Stanley, amerikan. Schriftsteller, *Malden (Mass.) 17. 7. 1889, †Temecula (Calif.) 11. 3. 1970. Im Mittelpunkt seiner populären Kriminalromane steht häufig der Anwalt Perry Mason.

Gardone Riviera, Kurort am Westufer des Gardasees, Prov. Brescia, Italien, 2 500 Einwohner. – Im Ortsteil **Gardone Sopra** liegt der von G. D'Annunzio geschaffene Gebäude- und Gartenkomplex des Vittoriale degli Italiani, mit der Villa D'Annunzio (mit Museum und Bibliothek), Mausoleum und Freilichttheater.

Gare, →Bodengare.

garen, Lebensmittel durch Wärmebehandlung genießbar (verdaulich) machen, z. B. durch Kochen, Braten, Backen.

Garfield ['gɑ:fi:ld], 1975 von Jim Davis (*1945) geschaffener Antiheld einer Comicserie (auch verfilmt). G. ist ein gelbschwarz getigerter, tyrann. Hauskater. Mit seiner Vorliebe für Fertiggerichte, Tiefkühlkost und Fernsehen verkörpert er den »American way of life«. Er ist ein scharfsinniger, bissig kommentierender Beobachter seiner Umgebung, seiner selbst und seines Herrchens.

Gärfutter (Silage), durch **Einsäuerung (Milchsäuregärung,** →Gärung) konserviertes, in Silos eingelagertes Futter (Grünfutter, Hackfrüchte u. a.) für Nutztiere.

Gargallo [gar'ɣaʎo], Pablo, span. Bildhauer, *Maella (Prov. Saragossa) 5. 12. 1881, †Reus 28. 12. 1934; schuf ab 1923 (nach seiner Übersiedelung nach Paris) vollplast. Eisenarbeiten; Wegbereiter der modernen Eisenplastik.

Gargano, Monte, Gebirgsmassiv an der Ostküste Italiens, 1 056 m ü. M., der »Sporn« der Apenninenhalbinsel; Weideland und Heideflächen, ab etwa 800 m Höhe Buchenwald; in den Buchten Badetourismus.

Gargantua [frz. gargãty'a], ein Riese der frz. Volkssage und eines 1532 erschienenen Volksbuchs; zeichnet sich durch große Kraft und ungeheuren Appetit aus. Dem Volksbuch entnahm F. Rabelais den Namen für einen Roman.

Garibaldi, Giuseppe, italien. Freiheitskämpfer, *Nizza 4. 7. 1807, †Caprera 2. 6. 1882; einer der Führer des Risorgimento; schloss sich 1833 G. Mazzini an, nach einem gescheiterten Aufstand 1834 zum Tode verurteilt, Flucht und Exil in Südamerika; kämpfte 1848/49 gegen die Österreicher in der Lombardei und leitete die Verteidigung der im Febr. 1849 ausgerufenen Röm. Republik, nach der Niederlage wieder im Exil; setzte sich nach seiner Rückkehr (1854) für die italien. Einigung unter Viktor Emmanuel II. ein. 1860 führte er den »Zug der Tausend« (zuletzt etwa 30 000 Mann) und stürzte die Bourbonenherrschaft in Sizilien und Unteritalien.

📖 HAUSMANN, F.: *G. Die Geschichte eines Abenteurers, der Italien zur Einheit verhalf. Berlin 6.–10. Tsd. 1986.*

Garide [frz.] *die,* Sammelbez. für mediterrane Felsheiden, →Garrigue.

Garigliano [gariʎ'ʎa:no] *der,* Fluss in Italien, 158 km, entspringt als **Liri** in den Abruzzen und mündet in den Golf von Gaeta.

Garizim, Berg im Westjordanland, →Gerizim.

Garland [ˈgɑːlənd], **1)** Hamlin, amerikan. Schriftsteller, *West Salem (Wis.) 14. 9. 1860, †Los Angeles 4. 3. 1940; schilderte in naturalist. Romanen und Erzählungen meist das Leben im Mittelwesten.

2) Judy, eigtl. Frances Gumm, amerikan. Filmschauspielerin und Sängerin, *Grand Rapids (Minn.) 10. 6. 1922, †London 22. 6. 1969; Mutter von Liza Minnelli; zahlr. Filme (»Ein neuer Stern am Himmel«, 1954), trat auch in Revuen und Fernsehshows auf.

Garmisch-Partenkirchen, 1) Landkreis in Oberbayern, 1012 km², (1996) 85800 Einwohner.

2) Kreishauptort (Markt) von 1), Oberbayern, 720 m ü. M., am Zusammenfluss von Partnach und Loisach, am Fuß des Wettersteingebirges, 26900 Ew.; heilklimat. Kurort; Fachschulen für Schreiner, Holzbildhauer, Hotelfach; einer der bedeutendsten Fremdenorte der Bayer. Alpen (Bergbahnen u. a. auf Zugspitze, Kreuzeck und Wank); Wintersportstätten (Olymp. Winterspiele 1936; Alpine Skiweltmeisterschaft 1978). Im Ortsteil Garmisch die Alte Pfarrkirche St. Martin (13.–16. Jh.) mit Wandmalereien (13. und 15. Jh.) und die Neue Pfarrkirche St. Martin (1729–33); in Partenkirchen die Wallfahrtskirche St. Anton (1. Hälfte 18. Jh.) mit bed. Deckengemälde. – Garmisch ist 802 erstmals genannt. Partenkirchen geht auf das röm. Kastell Parthanum zurück. Beide gehörten bis 1803 zur Grafschaft Werdenfels und wurden 1935 vereinigt.

Garmond [-ˈmɔ̃; nach C. Garamond] *die,* ein Schriftgrad (10 Punkt), auch Korpus genannt (→Schriften).

Garn, meist durch Drehung verfertigter Faden aus Fasern, kann auch aus mehreren Vorgarnen oder Faserbändern hergestellt sein.

Garnelen [niederländ.] (Natantia), Unterordnung überwiegend meerbewohnender Zehnfußkrebse mit etwa 2000 Arten; bis über 30 cm groß, Körper schlank, fast stets seitlich zusammengedrückt, häufig glasartig durchsichtig. Die bekanntesten Arten sind: **Felsen-G. (Krevette,** Palaemon serratus), etwa 5–7 cm lang, an der südeurop. Atlantikküste und im Mittelmeer; **Nordsee-G. (Gemeine G.,** Crangon crangon), etwa 4,5–7 cm lang; **Ostsee-G.** (Palaemon squilla), etwa 6 cm lang, werden zu Konserven (Krabben) verarbeitet; **Pistolenkrebs (Knallkrebschen,** Alpheus californiensis), bis etwa 5 cm lang, an der kaliforn. Küste Nordamerikas; **Stein-G.** (Palaemon elegans), etwa 3–6 cm lang, in der Nordsee sowie im Mittelmeer.

Garner [ˈgɑːnə], Erroll, amerikan. Jazzpianist, *Pittsburgh (Pa.) 15. 6. 1921, †Los Angeles 2. 1. 1977; bes. charakteristisch ist seine die Rhythmik des →Beat verschleiernde Spielweise.

Garnett [ˈgɑːnɪt], David, engl. Schriftsteller und Verleger, *Brighton 9. 3. 1892, †Montcuq (Dép. Lot) 17. 2. 1981; schrieb groteske, satir. Novellen und Romane, u. a. »Meine Frau, die Füchsin« (1922) und »Die Heuschrecken kommen« (1931).

Garnfeinheit, Quotient aus Masse und Länge eines Garnes (Nummerierung). Man unterscheidet zwei Systeme: das **Tex-System** (→Tex) als längenbezogene Masse in Gramm, Bezugslänge = 1000 m, z. B. 20 Tex = 20 g/1000 m; das **metrische System** (Nummer metrisch, Abk. Nm) als massebezogene Länge, Bezugsmasse = 1 Gramm, z. B. Nm 20 = 20 m/1 g. Die Maßeinheit →Denier (den) wird nicht mehr verwendet.

Garnier [garˈnje], **1)** Charles, frz. Baumeister und Kunstschriftsteller, *Paris 6. 11. 1825, †ebd. 3. 8. 1898; Erbauer der Grand Opéra (1861–74) in Paris.

2) Katja von, Filmregisseurin, *Wiesbaden 15. 12. 1966; drehte 1992 den Film »Abgeschminkt«, 1997 »Bandits«.

3) Tony, frz. Architekt, *Lyon 13. 8. 1869, †Roquefort-la-Bédoule (bei Marseille) 19. 1. 1948; entwarf 1901–04 das Projekt für eine »Cité industrielle« mit revolutionären städtebaul. Ideen (kub. Häuser; Grünflächen, Fußgängerwege u. a.). BILD S. 114

Garni|erit [nach dem frz. Geologen J. Garnier, *1839, †1904] *das,* grünes monoklines Mineral $(Ni,Mg)_6[(OH)_8|Si_4O_{10}]$, bildet gelartige und erdige Massen; wichtiges Nickelerz, Verwitterungsprodukt ultrabas. Gesteine (Dunite, Serpentinite).

Garnison [frz.] *die,* Bez. für die militär. Besatzung eines Ortes, auch für den Ort; heute durch →Standort ersetzt.

Garonne [gaˈrɔn] *die,* längster Fluss des südwestl. Frankreich, 647 km lang, entspringt in den span. Pyrenäen und bildet unterhalb von Bordeaux mit der Dordogne die Gironde.

Judy Garland

Garmisch-Partenkirchen 2)
Stadtwappen

Giuseppe Garibaldi
(Ausschnitt aus einem zeitgenössischen Stich)

Charles Garnier: Die neubarocke Grand Opéra in Paris (1861–74)

Gartenkunst

1

2

| **1** chinesischer Literatengarten, Garten des Herrn der Netze (Wangshi Yuan) in Suzhou (16. Jh.) | **2** japanischer Garten, Kenroku-in in Kanazawa (1830)

Garrett, João Baptista da Silva Leitão de Almeida, portugies. Dichter und Politiker, *Porto 4. 2. 1799, †Lissabon 9. 12. 1854; Liberaler, zeitweise im Exil in Großbritannien und Frankreich; 1852 Außenminister. Als Exponent der →Romantik gründete G. 1836 das portugies. Nationaltheater (Teatro nacional), dem er u. a. das histor. Drama »Manuel de Sousa« widmete; schrieb neben Lyrik u. a. das Epos »Camoẽs« (1825) und den Roman »Wanderungen in meinem Vaterland« (1846), sammelte auch Volksmärchen, die er u. d. T. »Romanceiro« (1843–51) veröffentlichte.

Garrick ['gærɪk], David, engl. Schauspieler und Schriftsteller, *Hereford 19. 2. 1716, †London 20. 1. 1779; leitete 1747–76 das Drury-Lane-Theater in London; berühmt für seine ungekünstelt-natürl. Darstellung von Shakespeare-Charakteren; Verfasser bühnenwirksamer Lustspiele mit Liedeinlagen.

Tony Garnier: Schlachthof »Abattoirs de la Mouche« in Lyon (1909–13)

Garrigue [ga'ri:g, provenzal. garric; »Kermeseiche«] *die,* (Garigue), niedrige Gebüschformation, Strauchheide im Mittelmeergebiet, meist auf Kalk siedelnd (z. B. in der frz. Landschaft **Garrigues** am Fuß der Cevennen); ähnlich der Macchie; v. a. Kermeseiche neben Zistrosen, Lavendel, Rosmarin, Zwergpalme, Euphorbien; durch Überweidung und Bodenerosion entstanden. Ähnlich sind die Tomillares in Spanien, die Phrygana in Griechenland, die Trachiotis auf Zypern und die Bartha in der Levante; sie alle werden unter dem Namen **Gariden** zusammengefasst.

Garrotte [span.] *die,* Halseisen zur Vollstreckung von Todesurteilen durch Erdrosseln.

Garschin, Wsewolod Michailowitsch, russ. Schriftsteller, *Gut Prijatnaja Dolina (Gebiet Donezk) 14. 2. 1855, †(Selbstmord) Sankt Petersburg 5. 4. 1888; steht in der Tradition des psycholog. Realismus; schildert in der Novelle »Die rote Blume« (1883) den Seelenzustand eines Wahnsinnigen.

Garten, urspr. mit Gerten eingefriedetes Gelände zum Anbau von Nutzpflanzen **(Nutz-G.)** oder von Zierpflanzen **(Zier-G.);** auch **Haus-** und **Klein-G.** genannt. **Botanische G.** dienen u. a. wiss. Zwecken, **Schul-G.** dem Unterricht.

Gartenaere, Wernher der, mhd. Dichter, →Wernher der Gartenaere.

Gartenbau (Hortikultur), der Anbau gärtner. Kulturpflanzen mit den Bereichen Gemüsebau, Obstbau, Zierpflanzenbau, Baumschulen und gärtner. Samenbau.

Gartenbauausstellungen (Gartenschauen), öffentl. Leistungsschauen des Gartenbaus. In Dtl. die **Bundesgartenschau (BUGA)** und alle zehn Jahre die **Internat. Gartenbauausstellung (IGA).**

Gartenkresse (Lepidium sativum), einjähriger Kreuzblütler mit weißen Blüten; die vitaminrei-

3

4

| **3** französischer Garten, Teil des von Nicolas Pigage u. a. im 18. Jh. angelegten Schwetzinger Schlossgartens, im Hintergrund des Bildes ist das Schloss zu erkennen | **4** englischer Garten, Stourhead Garden in Wiltshire (um 1740)

chen Blätter werden als Salat bzw. Küchenkraut verwendet.

Gartenkunst (Gartengestaltung), die künstler. Formung begrenzter Freiräume durch Pflanzen, Wege, Anschüttungen, Planierungen, Architekturelemente, Wasser, Bildwerke. G. gab es in den altmesopotam., den ägypt., den altamerikan. Hochkulturen sowie im alten China und Japan. Als eines der sieben Weltwunder der Antike galten die Hängenden Gärten (Terrassenanlage) der Semiramis in Babylon (9./8. Jh. v. Chr.). Die Anlage pers. Gärten (Vorbild für die G. der islam. Welt), Erbe altoriental. G., bestand in einem Achsenkreuz, die vier Himmelsrichtungen symbolisierend, mit einem Wasserbecken in der Mitte sowie Schatten spendendem Baumbestand. Diese Konzeption wurde in der hellenist. G. übernommen, die Römer fügten v. a. die Skulptur hinzu, auch architekton. Elemente (Hadriansvilla in Tivoli). In Mitteleuropa gab es im MA. neben Nutzgärten bei Burgen und Klöstern auch kleine Ziergärten, die meist von Mauern oder Gebäuden umgeben waren. Die G. der Renaissance greift antike Traditionen auf. Der Garten, als Kunstwerk begriffen, wird ausgestattet mit Wasserspielen, Terrassen und Treppenanlagen, beschnittenen Hecken und gestutzten Bäumen (Boskett) sowie Skulpturen, deren Anzahl im Manierismus und Barock erheblich zunimmt. Im Barock übernahm Frankreich auf dem Gebiet der G. die führende Rolle. Beim **französischen Garten** sind Garten und Schloss Teile einer Gesamtkonzeption, die Natur wird in streng symmetr. Achsensystem einer architekton. Gestaltung unterworfen; Rabatten, Boskettgärten, Bildwerke und Steinvasen, Bassins mit Wasserspielen, Irrgarten, Orangerie u. a. sind wichtige Elemente. Das Vorbild von Versailles (A. Le Nôtre) prägte die barocken Gartenanlagen in ganz Europa (England: Hampton Court, Dtl.: Ludwigsburg, Würzburg, Schleißheim, Nymphenburg u. a., Österreich: Belvedere und Schönbrunn in Wien). Um 1730 entstand der **englische Garten** als malerisch geprägter »Landschaftsgarten« mit geschwungenen Wegen, weiten Rasenflächen und natürl. Baumgruppen, auch mit künstl. Ruinen, Einsiedeleien, Tempeln, exot. Bauten (Stourhead in Wiltshire, Stowe in Buckinghamshire). Der engl. Garten bzw. der Park wurde v. a. in Dtl. übernommen (Wörlitz bei Dessau, Engl. Garten in München, die Parks des Fürsten Pückler in Muskau, z. T. in Sanssouci) und verbreitete sich im 19. Jh. in ganz Europa und in den USA (Bois de Boulogne in Paris, 1853; Central Park in New York, ab 1858). – Moderne Aufgaben der G. sind Stadtdurchgrünung und die Anlegung von Erholungszonen (Landschaftsbau, -gestaltung).

📖 GOTHEIN, M. L.: *Geschichte der G., 2 Bde. Jena ²1926, Nachdr. München 1997. – Die G. des Abendlandes. Von der Renaissance bis zur Gegenwart, Beiträge v.* M. MOSSER *u.* G. TEYSSOT, *bearb. v.* A. PONTE. *A. d. Italien. Stuttgart 1993. – 100 engl. Gärten. Die schönsten Anlagen des »English Heritage Parks and Gardens Register«, bearb. v.* P. TAYLOR. *A. d. Engl. Niedernhausen im Taunus 1996.*

Gartenlaube, Die, illustrierte Wochenzeitschrift, 1853 von dem Publizisten Ernst Keil (* 1816, † 1878) in Leipzig als liberales Unterhaltungsblatt gegründet; seit 1938 als »Die neue G.« (bis 1944, zuletzt monatlich). Sie gilt als Beispiel für den Typ der Familienzeitschrift des dt. Bürgertums.

Gartenschädlinge, Organismen, die Gartenpflanzen schädigen. **Pflanzliche G.** sind Pilze wie Mehltau, Rostpilze, Brandpilze, **tierische G.** sind bes. Insekten und deren Larven; ferner: Milben, Älchen, Nagetiere, Vögel, Schnecken, Tausendfüßer. Bekämpfung: chem. Bekämpfungsmittel, Leimringe, Fallen, richtige Wahl der Saat- und Pflanzzeit, des Standorts und widerstandsfähiger Sorten, geeignete Düngung, Erhaltung und Förderung natürl. Feinde der Gartenschädlinge.

Gartenschauen, → Gartenbauausstellungen.

Gartenschläfer, Nagetier, → Schlafmäuse.

Gartenschnecke (Gartenschnirkelschnecke), Art der → Schnirkelschnecken.

Gartenspötter (Gelbspötter, Hippolais icterina), Singvogel in Gärten und Auwäldern, oberseits graugrün, unten blassgelb. Sein Nest, in Astgabeln, verkleidet er außen mit Birkenrinde.

Gartenstadt, 1898 von dem Briten Sir Ebenezer Howard (*1850, †1928) konzipierter Stadttypus (»garden city«) mit sozialreformer. Zielsetzungen: eine eigenständige, von Grünanlagen durchsetzte Siedlung in der Nähe übervölkerter Großstädte. Durch die G. sollte das übermäßige Wachstum der Städte einerseits und die Landflucht andererseits verhindert werden. Nach dem G.-Prinzip entstanden in Großbritannien nördlich von London Letchworth (1903 ff.) und Welwyn Garden City (1920 ff.), in Dtl. Hellerau (1909 ff; heute zu Dresden) von R. Riemerschmied. An der Wiener Siedler- und G.-Bewegung der 20er-Jahre beteiligten sich A. Loos und Franz Schuster (*1892, †1972).

📖 SCHOLLMEIER, A.: *Gartenstädte in Deutschland. Ihre Geschichte, städtebaul. Entwicklung u. Architektur zu Beginn des 20. Jh. Münster u. a. 1990.*

Gärtner, **1)** Eduard, Maler und Lithograph, *Berlin 2. 6. 1801, †Flecken Zechlin (Landkr. Ostprignitz-Ruppin) 22. 2. 1877; v. a. Architekturveduten, bes. von Berlin, von zarter atmosphär. Stimmung.

Friedrich Ritter von Gärtner: Blick auf die Münchener Ludwigstraße in Richtung Feldherrenhalle (1841-44), in der Bildmitte die Ludwigskirche (1829-44), im Vordergrund das Gregorianum (1835)

2) Friedrich Ritter von (seit 1837), Baumeister, *Koblenz 10. 12. 1791, †München 21. 4. 1847; Schüler von F. Weinbrenner; ab 1828 Hofarchitekt König Ludwigs I. von Bayern, gestaltete in München die Ludwigstraße (Ludwigskirche, Staatsbibliothek, Feldherrnhalle, Siegestor).

📖 *F. v. G. Ein Architektenleben, 1791–1847. Beiträge v.* H. VAN BERGEIJK *u. a., hg. v.* W. NERDINGER. *Ausst.-Kat. Architekturmuseum der Technischen Universität München. München 1992.*

Gärtnerei (Gartenbaubetrieb), Betrieb, der gärtner. Kulturpflanzen zum Erwerb anbaut (Erwerbsgartenbau): Obst-, Gemüse-, Zierpflanzenbau, Baumschule, Samenbau, G. des Garten-, Landschafts- und Sportplatzbaus, Friedhofsgärtnerei.

Gartok, Handelsplatz in China, → Gar.

Garụa *die,* Nebel mit Nieselregen an der W-Küste Südamerikas, zw. etwa 2° und 20° s. Br., verursacht vom kalten Wasser des Humboldtstroms, ermöglicht Pflanzenwuchs in der Küstenwüste (Lomavegetation).

Garuda, mytholog. Mischwesen des ind. Kulturkreises; Fürst der Vögel und Feind der Schlangen, Reittier des Gottes Vishnu.

Gärung, der anaerobe (ohne Sauerstoff verlaufende) enzymat. Abbau von organ. Verbindungen, bes. von Kohlenhydraten, wobei die beteiligten Enzyme (G.-Enzyme) von lebenden Mikroorganismen (Hefezellen, Bakterien, Schimmelpilze u. a.) oder von Zellen höherer Organismen gebildet werden. Die G. beginnt mit der Reaktionskette der Glykolyse (Abbau von Glucose zu Brenztraubensäure). Bei der **Milchsäure-G.** wird die Brenztraubensäure zu Milchsäure hydriert (bed. für die Energiegewinnung bei der Muskelarbeit). Bei der insbesondere durch Hefen bewirkten **alkohol. G.** entsteht aus Traubenzucker oder anderen Hexosen Alkohol (Äthanol) und Kohlendioxid (CO_2). Die **Propionsäure-G.** spielt v. a. bei der Käsereifung eine Rolle (die Löcher im Schweizer Käse entstehen durch dabei freigesetztes CO_2).

Gärungsdyspepsie, *Medizin:* eine → Verdauungsstörung.

Garvey [ˈgɑːvɪ], Marcus Moziah, amerikan. Politiker jamaikan. Herkunft, *Saint Ann's Bay (Jamaika) 17. 8. 1887, †London 10. 6. 1940; Vertreter des Panafrikanismus, gründete 1914 die Universal Negro Improvement Association (UNIA) in Jamaika, ging 1916 in die USA und begann in New York unter den Schwarzen eine »Zurück-nach-Afrika«-Kampagne. Wegen Betrugs 1925–27 inhaftiert; lebte zuletzt in Großbritannien.

Gary [ˈgerɪ], Industriestadt am Michigansee in Indiana, USA, (1990) 116 600 Ew. (1970: 175 400 Ew.); kath. Bischofssitz; Univ.institute. – 1905 durch die United States Steel Corporation als Stahlind.zentrum gegr.; die »Stahlkrise« seit den 70er-Jahren hat G.s Wirtschaftslage stark beeinträchtigt.

Gary [ga'ri], Romain, eigtl. Roman Kassew, frz. Schriftsteller und Diplomat, *Vilnius (Litauen) 8. 5. 1914, † (Selbstmord) Paris 2. 12. 1980; lebte seit 1928 in Frankreich, Verfasser zeitkrit. Romane, die menschl. Werte verteidigen, u. a. »Die Wurzeln des Himmels« (1956), »Gedächtnis mit Flügeln« (1980); seit 1974 schrieb er auch unter dem Pseud. **Émile Ajar** versch. Werke, u. a. »Du hast das Leben noch vor dir« (1975).

Romain Gary

Garzweiler II, geplantes Braunkohleabbaugebiet südlich von Mönchengladbach; mit 48 km^2 das größte Tagebauprojekt in Europa (Vorrat: 1,3 Mrd. t). Nach Erschöpfung des Gebiets G. I soll G. II ab etwa 2006 aufgeschlossen werden. Die dazu erforderl. Umsiedlung von fast 8000 Menschen aus 13 Dörfern stößt bei der betroffenen Bev. auf großen Widerstand.

Gas [zu grch. cháos »leerer Raum«], Materie im gasförmigen Aggregatzustand, bei dem die Kräfte zw. den Molekülen so klein sind, dass sie weder eine bestimmte Form (wie ein Festkörper) noch ein konstantes Volumen V (wie Festkörper und Flüssigkeit) besitzt. Die Moleküle eines G. verteilen sich auf den ganzen zur Verfügung stehenden Raum, wenn der Einfluss äußerer Kräfte in diesem Raum konstant ist. Volumen und Dichte sind nur durch die äußeren Bedingungen bestimmt. Ein in einem Raum (Gefäß) eingeschlossenes G. übt auf jedes im Raum vorhandene Flächenelement denselben Druck p aus. Bei gegebener G.-Menge ist der Druck umso größer, je kleiner das Volumen und je höher die Temperatur T des G. ist. Der thermodynam. Zustand eines G. wird durch diese drei Zustandsgrößen festgelegt, die durch die **G.-Gesetze,** insbesondere durch →Zustandsgleichungen, miteinander verknüpft sind. Für ein **ideales G.** nimmt man an, dass die G.-Moleküle punktförmig sind und, außer durch Stöße, zw. ihnen keine Kräfte wirken. Bei beliebigen Drücken und Temperaturen gilt die thermische Zustandsgleichung $pV = nRT$ (n = Molzahl, R = allg. →Gaskonstante). In dieser **allg. Gasgleichung** sind das →Boyle-Mariotte-Gesetz und das 1. →Gay-Lussac-Gesetz enthalten. Die meisten **realen G.** verhalten sich unter gewöhnl. Bedingungen nahezu wie ideale G. Die Abweichungen sind umso geringer, je niedriger der Druck und je höher die Temperatur ist. Die einfachste Zustandsgleichung zur Beschreibung realer G., die das Eigenvolumen der Moleküle und ihre Wechselwirkungen untereinander berücksichtigt, ist die →Van-der-Waals-Gleichung.

Die →kinetische Gastheorie erklärt das Verhalten der G. mithilfe statist. Methoden aus den Gesetzen der Mechanik sowie unter Berücksichtigung quantenmechan. Erkenntnisse. Die einzelnen G.-Teilchen, i. w. S. die Fermionen in einem →Fermi-Gas und die Bosonen in einem Bose-G., bewegen sich entsprechend den statist. Gesetzmäßigkeiten, denen sie unterliegen (Boltzmann-Statistik, Fermi-Dirac-Statistik, Bose-Einstein-Statistik), vollkommen ungeordnet auf geradlinigen Bahnen, die nur durch Zusammenstöße mit anderen Molekülen oder Stöße auf die Gefäßwand gestört werden. Der G.-Druck entspricht dem durch Stöße auf die Gefäßwand übertragenen Impuls, die Temperatur der kinet. Energie der bewegten Moleküle. Berücksichtigt man den Raumbedarf der Moleküle und intermolekulare Kräfte, so lassen sich auch die Abweichungen realer G. vom idealen Verhalten bei tieferen Temperaturen und größeren Dichten, insbes. auch die Erscheinungen der Verflüssigung bei Temperaturen unterhalb der für jedes G. charakterist. krit. Temperatur verstehen. Das G. kondensiert, wenn die gegenseitige Anziehung der Moleküle größer wird als die Wirkung der Bewegung. Als **permanente G.** bezeichnete man früher G. (Sauerstoff, Helium u. a.), die mit den damals erreichbaren Tieftemperaturen nicht verflüssigt werden konnten. **Techn. G.** sind: Acetylen, Erdgas, Generatorgas, Gichtgas, Holzgas, Knallgas, Kokereigas, Ölgas, Propan, →Stadtgas, Synthesegas, Wassergas, Wasserstoff-Stickstoff-Gemisch.

Gasa, Stadt in S-Palästina, →Gaza.

Gasanzünder, Gerät zum Zünden eines Gas-Luft-Gemisches: Beim **Reibzünder** werden durch Reiben einer pyrophoren Legierung (z. B. Cereisen) Funken erzeugt. **Elektr. G.** benutzen einen elektrisch geheizten Glühdraht oder elektr. Öffnungsfunken. Bei piezoelektr. Zündern wird dieser Funken durch einen kräftigen Schlag auf einen Kristall erzeugt (→Piezoelektrizität). Die **katalyt. G.** (mit Platinpulver) erwärmen sich im Gas-Luft-Gemisch bis zum Glühen.

Gasautomat (Münzgaszähler), →Gaszähler.

Gasbehälter, Speicher- und Druckregulierungsbehälter für verdichtete, flüssige oder unter Druck gelöste Gase. Ortsbewegl. G. (Druck-G.) sind Flaschen, Fässer und Fahrzeugbehälter. **Flaschen** haben einen Rauminhalt bis zu 150 Liter. Sie sind zur schnellen Unterscheidung mit einem Farbanstrich versehen (z. B. blau = Sauerstoff, grün = Stickstoff, gelb = Acetylen, rot = Wasserstoff). Ortsfeste Niederdruck-G. sind z. B. **Glocken-G.,** in denen das Gas unter einer Glocke gespeichert wird, die in ein Wasserbecken eintaucht. **Scheiben-G.** sind zylindr. Behälter, die durch eine bewegl. Scheibenkonstruktion in zwei Räume unterteilt sind. Unterhalb der Scheibe, die zur Behälterwand hin mit einer ölgefüllten Abdichteinrichtung ausgestattet ist, befindet sich das Gas. Ortsfeste Druck-G. sind z. B. oberird. **Kugelbehälter**

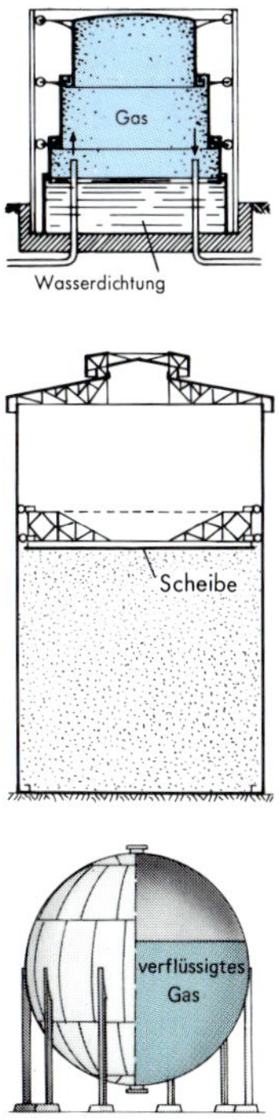

Gasbehälter (von oben): Glockengasbehälter, Scheibengasbehälter und Kugelbehälter

(z. B. für Flüssiggas, Äthylen) oder unterird. **Röhrenspeicher** (z. B. für Erdgas), die aus Röhren von etwa 1 km Länge bestehen können. Viele Gase (z. B. Stickstoff, Ammoniak, Erdgas) werden heute auch bei tiefen Temperaturen verflüssigt und drucklos in isolierten Behältern gelagert. Zur Speicherung großer Erdgasvorräte dienen unterird. Gaskavernen in Salzstöcken.

Gasbeleuchtung, die Lichterzeugung mit brennbaren Gasen; heute nur noch von geringer Bedeutung. Heute wird fast nur noch das **Gasglühlicht (Auerlicht)** verwendet: Ein Glühkörper (Glühstrumpf, mineral. Bestandteile Thorium- und Ceroxid) wird durch eine Gasflamme erhitzt und dadurch zum Leuchten gebracht. Hauptanwendungsgebiet der G. war zunächst die Innenraumbeleuchtung, später die Straßenbeleuchtung.

Gasbrand (Gasgangrän, Gasödem, Gasphlegmone), meldepflichtige Erkrankung, lebensgefährl. Infektion durch G.-Bakterien (v. a. Clostridium perfringens); G.erreger vermögen nur unter Sauerstoffabschluss zu leben und gelangen bes. mit Erde in Wunden. Bei tiefen luftabgeschlossenen Verletzungen breiten sich die Erreger schrankenlos aus und produzieren ein Gift, das das Gewebe unter Gasbildung zerstört und zu schwerer Allgemeinvergiftung, Schock und Tod führen kann. *Behandlung:* rasche chirurg. Versorgung durch intensive Wundreinigung mit breiter Öffnung des Gewebes zur Beseitigung der Luftabgeschlossenheit; außerdem frühzeitige Sauerstoffüberdrucktherapie, Chemotherapie v. a. mit Penicillin G sowie Antitoxin-Gaben (Serum).

Pierre Gascar

Gascar, Pierre, eigtl. P. Fournier, frz. Schriftsteller, *Paris 13. 3. 1916, †Lons-le-Saunier 20. 2. 1997; illusionsloser, realist. Beobachter des Verhältnisses zw. Menschen, zw. Mensch und Tier sowie zw. Mensch und Natur; schrieb u. a. »Die Tiere« (Nov.n, 1953), »Garten der Toten« (R., 1953), »Der Flüchtling«, R. (1961); »Das Pflanzenreich« (Erzn., 1981), »Der Teufel in Paris« (histor. Berichte, 1984).

Gas|chromatographie, Verfahren der chem. Analyse zur Trennung und quantitativen Bestimmung verdampfbarer Stoffgemische. Die verdampfbare oder gasförmige Substanz wird von einem inerten Trägergas (z. B. Helium) über die in einem längeren, dünnen Rohr (Trennsäule) befindl. **stationäre Phase** (Kieselgur-Präparate, Paraffinöl o. Ä.) geleitet. Aufgrund von Adsorptions- und Löslichkeits-Verteilungsvorgängen wandern die Einzelsubstanzen mit verschiedener Geschwindigkeit durch die **Trennsäule,** an deren Ende sich geeignete **Detektoren** (Wärmeleitfähigkeitszelle, Flammenionisationsdetektor u. a.) befinden. Zur qualitativen Identifizierung dienen die unterschiedl. Verweilzeiten in der Säule **(Retentionszeiten),** zur Bestimmung der Stoffe die Stärke des Detektorsignals. – Die G. gestattet die Bestimmung und Trennung chemisch sehr ähnl. Substanzen mit kleinsten Mengen (→Chromatographie).

Gascogne [gasˈkɔɲ] *die,* histor. Landschaft in SW-Frankreich, umfasst das westl. Pyrenäenvorland bis fast zur Garonne mit der Stadt Auch. – Die G. ist nach den Basken (Vascones) benannt, die sich Ende des 6. Jh. hier niederließen. Im frühen MA. war die G. ein eigenes Herzogtum, kam aber schon 1058 an Aquitanien. Die heutigen Bewohner sprechen **Gascognisch,** einen Dialekt der provenzalischen Sprache.

Gasdiffusionsverfahren, *Kerntechnik:* Diffusionstrennverfahren zur Isotopentrennung, bes. zur Anreicherung des spaltbaren ^{235}U-Isotops aus natürl. Uran.

Gasdruckregler, Einrichtungen, die den Gasdruck im Rohrnetz (Vordruck) so regeln, dass das Gas auch bei stark schwankender Entnahme an den Verbrauchsstellen (Hinterdruck) mit möglichst gleich bleibendem Druck zur Verfügung steht.

Gasdynamik, Teilgebiet der →Strömungslehre, beschreibt die Mechanik der Gase unter besonderer Berücksichtigung ihrer Zusammendrückbarkeit (Kompressibilität). Diese macht sich bemerkbar, wenn die Geschwindigkeit der in dem Gas bewegten Körper ansteigt und vergleichbar mit der Schallgeschwindigkeit wird. Die für die G. wichtige Kennzahl ist die →Mach-Zahl *Ma.* Man unterscheidet stationäre Strömungen mit $Ma < 1$, die **Unterschallströmungen,** und **Überschallströmungen** mit $Ma > 1$. Bei **transson. Geschwindigkeiten** (*Ma* zw. 0,8 und 1,2) und bei **superson. Geschwindigkeiten** ($Ma > 1{,}2$) ändern sich Strömungsgesetz und Strömungsbild, weil Kopfwellen und andere Verdichtungsstöße, d. h. unstetige Änderungen von Druck und Dichte des Gases, auftreten. Bei Erreichen der Schallgeschwindigkeit steigt die Widerstandszahl (→Strömungswiderstand) stark an (→Schallmauer). **Hyperson. (Hyperschall-)Strömungen** ($Ma > 5$) sind außerdem mit starken Temperaturerhöhun-

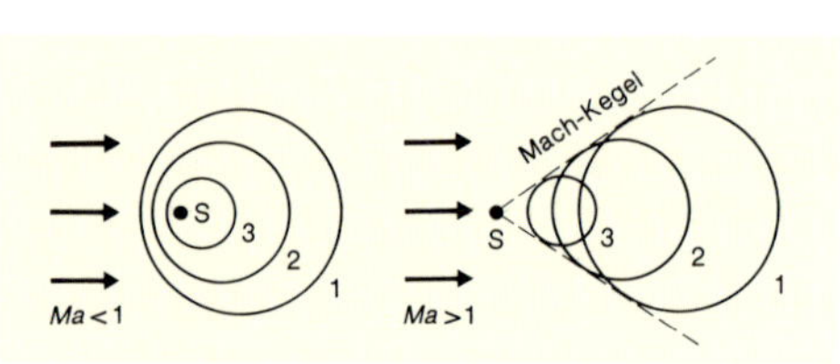

Gasdynamik: Ausbreitung einer von einem ruhenden Störungszentrum (S) ausgehenden Druckwelle, wenn S von einer Unterschallströmung (links) oder einer Überschallströmung (rechts) angeströmt wird (*Ma* Mach-Zahl)

gen in der Grenzschicht und bei hohen Temperaturen mit Ionisation und Dissoziation der Gasmoleküle verbunden.

Gasel, oriental. Gedichtform, → Ghasel.

Gasentartung, von klass. Gesetzen abweichendes Verhalten eines Gases bei tiefen Temperaturen und/oder hohen Teilchendichten infolge von Quanteneffekten. Die G. ein- oder mehratomiger Gase ist bei gewöhnl. Temperaturen unmerklich; Extremfall: die → Suprafluidität beim Helium. Für das Elektronengas spielt die G. bereits unter normalen Umständen (Leitungselektronen der Metalle) eine erhebl. Rolle.

Gasentladung, der Durchgang eines elektr. Stroms durch ein unter Normalbedingungen nicht leitendes Gas, oft verbunden mit Leuchterscheinungen, akust. Effekten oder chem. Prozessen (z. B. Ozonbildung). Bei der **unselbstständigen Entladung** werden die Ladungsträger ständig von außen (z. B. durch Photoeffekt- oder Glühemission), bei der **selbstständigen Entladung** durch die Entladung selbst erzeugt. Nach der Stromstärke unterscheidet man **Dunkel-, Glimm-** und **Bogenentladung.** Dicht an der Kathode einer G. fällt die Spannung stark ab **(Kathodenfall),** der Abfall an der Anode **(Anodenfall)** ist etwas geringer; dazwischen erstreckt sich der **Entladungsrumpf,** ein hochionisiertes Gemisch aus Gasmolekülen, Ionen, Elektronen und Lichtquanten (Plasma) mit nur geringem Spannungsabfall. Besondere Formen der G. sind Koronaentladung (→ Korona), → Büschelentladung und → Funkenentladung.

Gasentladungslampe (Entladungslampe), elektr. Lichtquelle, in der das Licht durch elektr. Entladung in Gasen, Metalldämpfen oder Mischungen davon erzeugt wird. Der Stromdurchgang erfolgt in einem meist rohrförmigen, lichtdurchlässigen Entladungsgefäß, das mit Elektroden versehen und mit Edelgasen gefüllt ist. Die Strahlung hängt von der Art des Gases bzw. Metalldampfes, dem Druck und der Temperatur ab. Je nach dem Druck, der beim Stromdurchgang im Gefäß auftritt, werden Niederdruck- (z. B. Leuchtstoffröhre), Hochdruck- und Höchstdrucklampen unterschieden.

Gasgenerator, techn. Anlage (meist geschlossener Schachtofen) zum Vergasen fester Brennstoffe (Steinkohle, Braunkohle, Koks), in der durch Einleiten von Luft oder Sauerstoff, evtl. im Gemisch oder im Wechsel mit Wasserdampf, eine Umsetzung des Brennstoffes hauptsächlich zu Generatorgas (hoher Kohlenmonoxidanteil) oder Wassergas (hoher Wasserstoffanteil) erfolgt. (→ Kohlevergasung, → Winklergenerator)

Gasgesetze, → Gas.

Gasherbrum-Gruppe [ˈgæʃəbrʊm-], Berggruppe im Karakorum, in dem unter pakistan.

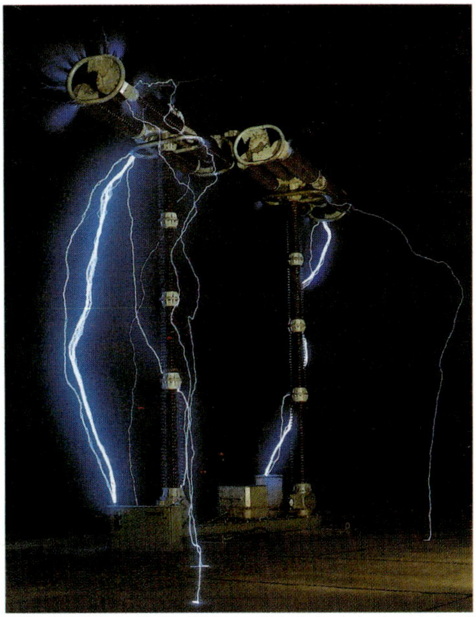

Gasentladung in einem Hochspannungsprüffeld zwischen einem getesteten Leistungsschalter und der Erde

Verwaltung stehenden Teil Kaschmirs, mit zwei Achttausendern: **Gasherbrum I** (**Hidden Peak**; 8 068 m) und **Gasherbrum II** (8 035 m).

Gasherd, → Gaskocheinrichtungen.

Gasiermaschine (Sengmaschine), Vorrichtung zum Absengen oberflächlich herausstehender Faserenden von Garnen, Geweben und Gewirken durch Hitzeeinwirkung.

Gaskochgeräte, Gasgeräte, bei denen die durch Verbrennung eines Brenngases erzeugte Wärmeenergie zum Garen von Speisen verwendet wird. **Gaskocher** sind G. mit zwei bis vier Kochstellen; **Gasherde** sind eine Kombination aus Kochstellen und Backofen. G. sind überwiegend mit Allgasbrennern ausgestattet, bei denen aus kreisförmig angeordneten Düsen das Brenngas ausströmt und gezündet wird. Die verbrennungstechn. Eigenschaften der übl. Gasarten werden berücksichtigt und ein gleichmäßiger Flammenkranz gewährleistet.

Gaskonstante (universelle G., allgemeine G.), in der therm. Zustandsgleichung idealer Gase auftretende, von der Gasart unabhängige Konstante R; $R \approx 8{,}134\ \mathrm{J/(mol \cdot K)}$.

Gaslagerung, Lagerung sauerstoffempfindl. Lebensmittel in abgeschlossenen Räumen, in denen der Sauerstoff weitgehend durch Schutzgase (Kohlendioxid, Stickstoff) ersetzt ist, um die Haltbarkeit zu verbessern.

Gasleitung, eine spezielle → Rohrleitung für den Transport von Gasen.

Pierre Gassendi

Herbert S. Gasser

Gasmaske, ein leichtes Atemschutzgerät (→Filtergeräte) zum Schutz der Atmungsorgane und Augen gegen die Einwirkung giftiger Gase und Schwebstoffe; heute durch die ABC-Schutzmaske ersetzt.

Gasmotor, Verbrennungsmotor, der mit gasförmigen Kraftstoffen betrieben wird. Das Luft-Gas-Gemisch kann entweder durch einen elektr. Funken gezündet werden oder dadurch, dass Zündöl in das durch die Verdichtung erhitzte Gemisch gespritzt wird. G. werden bes. dort eingesetzt, wo brennbare Gase als Industrieabgase anfallen. Als Fahrzeugantriebe sind G. eine interessante Alternative, da eine Verwendung von Alternativkraftstoffen (bes. Wasserstoff), eine Verbesserung der Abgasqualität und eine Geräuschminderung möglich sind. Nachteilig ist, dass das Gas bei Umgebungstemperatur flüssig oder gasförmig in Druckbehältern oder bei Umgebungsdruck tiefgekühlt flüssig in Kryogentanks mitgeführt werden muss.

Gasnebel, *Astronomie:* oft vielfältige Farben aufweisende galakt. →Nebel (Emissionsnebel) aus heißen, mehr oder weniger kugelförmigen Wolken ionisierten Gases, die neu gebildete Sterne oder Sternenhaufen umgeben.

Gasödem, der →Gasbrand.

Gasofen, mit Gas beheizter Einzelofen für die Raumheizung.

Gasöle, zw. etwa 250 und 400 °C siedende Erdölfraktionen. Vakuum-G. wird durch Vakuumdestillation gewonnen. G. dienen heute zur Herstellung von extra leichtflüssigem Heizöl und Dieselkraftstoff.

Gasoline ['gæsəli:n] *das,* engl. Bez. für Benzin.

Gasperi, italien. Politiker, →De Gasperi.

Gasphlegmone, der →Gasbrand.

Gaspistole, Schusswaffe in der Bauart einer Pistole zum Verschießen von gasförmigen, in einer Hülse untergebrachten und beim Schuss freigesetzten Reizstoffen. G. sind Reizstoffwaffen im Sinne des §22 Waffen-Ges.; sie bedürfen der Zulassung durch die Physikalisch-Techn. Bundesanstalt.

Gasprüfer, die →Gasspürgeräte.

Gasreinigung, die Entfernung von Staub oder störenden, schädl. oder giftigen Stoffen aus Gasen durch physikal. oder chem. Prozesse, z.B. mit Filtern, durch Absorption, Kondensation oder durch →Entstaubung.

Gasse, *Sport:* in einigen Mannschaftssportarten Bez. für eine Lücke (»freier Raum«) in den Reihen des Gegners, in die der Ball durch einen Pass gespielt werden kann, sodass ihn ein Mitspieler, der sich von seinem Gegenspieler gelöst hat, erhalten kann; im Kegelsport der Zwischenraum zw. den beiden vorderen Kegeln auf der linken (linke G.) und auf der rechten Seite (rechte Gasse).

Gassendi [gasɛ̃'di], Pierre, eigtl. P. Gassend, frz. Naturforscher und Philosoph, *Champtercier (bei Digne-les-Bains) 22. 1. 1592, †Paris 24. 10. 1655; wandte sich gegen die aristotel. Naturphilosophie der Scholastik, indem er Formen und Zwecke als Wirkkräfte in der Natur verwarf. Im Widerspruch zu Descartes, der die Existenz eines leeren Raums leugnen musste, da er Körper und Ausdehnung gleichsetzte, beharrte er, den antiken Atomismus Demokrits erneuernd, auf der Realität eines leeren Raums, innerhalb dessen sich die Atome bewegen und gruppieren. In der Philosophie versuchte G., den antiken Atomismus, die neuzeitliche mechanist. Physik und den christl. Glauben miteinander in Einklang zu bringen. Erkenntnistheoretisch vertrat er eine skept. Position.

Gasser ['gæsə], Herbert Spencer, amerikan. Pharmakologe und Neurophysiologe, *Platteville (Wis.) 5. 7. 1888, †New York 11. 5. 1963; entdeckte 1924 mit J. Erlanger mithilfe des Kathodenstrahloszillographen das Vorhandensein dreier versch. Nervenfasertypen in den Nervensträngen. 1944 erhielten beide Forscher den Nobelpreis für Physiologie oder Medizin.

Gassicherung, Sicherheitsvorrichtung an Gasbrennern, die das unbeabsichtigte Ausströmen von Gas verhindert. Bei **Gasmangelsicherungen** schließt eine vom übl. Gasdruck angehobene Membran das mit ihr verbundene Sicherheitsventil, sobald der Gasdruck einen bestimmten Wert unterschreitet. Bei einer schadhaften Zündeinrichtung, bei fehlendem oder unzureichendem Wasserstrom (z.B. bei Heißwasserbereitern) wird durch eine entweder optisch (UV-Zelle), thermoelektrisch oder durch die ionisierende Wirkung der Flamme ausgelöste **Zündsicherung** die Schließung des Gasventils bewirkt.

Gasspürgeräte (Gasprüfer), tragbare Geräte zur Feststellung giftiger und/oder explosionsgefährl. Gas- und Dampfkonzentrationen an Einsatz- und Arbeitsstellen (→MAK-Wert). G. bestehen aus einer durch Handdruck betätigten Saugpumpe (Balg oder Ball) und aufsteckbaren speziellen Glasprüfröhrchen. Die **Prüfröhrchen** zur Bestimmung der Gaskonzentration sind mit Chemikalien gefüllt, die mit dem zu messenden Gas weitgehend spezifisch reagieren, wobei eine Farbänderung entsteht. Die Intensität der Färbung oder die Fläche der gefärbten Zone ist ein Maß für die Gaskonzentration. Beispiel ist der Alkoholtest, bei dem die zu untersuchende Atemluft durch das Messröhrchen gedrückt wird. Bei dem **Orsatgerät** wird zur Bestimmung von z.B. Sauerstoff, Kohlendioxid und Kohlenmonoxid eine spezif. Absorptionsflüssigkeit verwendet (z.B. Kalilauge bei der Bestimmung von Kohlendioxid). Mit dem **Explosimeter** werden brennbare Gase in Luft bestimmt. Die Gase werden katalytisch verbrannt; die durch die Erwärmung hervorgerufene Widerstandsänderung wird zur Anzeige gebracht.

Gasspurkammern, Bez. für gasgefüllte Teilchendetektoren (Spurkammern), in denen die →Gasverstärkung zum Registrieren und Sichtbarmachen der Bahnspuren hochenerget. Teilchen ausgenutzt wird; z.B. die →Funkenkammer.

Gasstrahler (Gasglühstrahler), Raumheizgerät, bei dem ein Brenngasstrahl mit angesaugter Verbrennungsluft durch eine mit vielen kleinen Bohrungen versehene Katalytplatte gedrückt wird und an deren Oberfläche verbrennt.

Gast, *Schifffahrt:* seemänn. Bez. für Geselle; mit bestimmten Aufgaben betrauter Matrose, z.B. Funkgast, Signalgast.

Gast, Peter, eigtl. Heinrich Köselitz, Komponist, *Annaberg 10. 1. 1854, †ebd. 15. 8. 1918; Schüler und Freund F. Nietzsches; schrieb u.a. die kom. Oper »Der Löwe von Venedig« (1891).

Gastein *die* (Gasteiner Tal), Tal der **Gasteiner Ache,** eines rechten Nebenflusses der Salzach in den Hohen Tauern, Salzburg, Österreich; bed. Fremdenverkehrsgebiet: Badekurort **Badgastein** 1012 m ü.M., beiderseits von zwei Wasserfällen (85 und 63 m hoch) der Gasteiner Ache, 5700 Ew.; internat. Wintersportplatz; 21 radioaktive Thermalquellen (Radonquellen); Seilbahn auf den Stubnerkogel (2245 m ü.M.). Talaufwärts liegt der Ortsteil **Böckstein** (1149 m ü.M.), Ausgangspunkt des 8,5 km langen Tunnels der Tauernbahn. Talabwärts liegen **Bad Hofgastein,** 850 m ü.M., 6100 Ew., und **Dorfgastein,** 836 m ü.M., 1400 Ew. – Anfang des 11. Jh. ist der Name G. erwähnt; schon im 15. Jh. Badebetrieb; im 15./16. Jh. bed. Goldbergbau.

Gasteiner Konvention, am 14. 8. 1865 in Badgastein zw. Österreich und Preußen geschlossener Vertrag, regelte das Kondominium über die im Dt.-Dän. Krieg 1864 erworbenen Herzogtümer Schleswig (preußisch verwaltet) und Holstein (österr. verwaltet); Österreich verzichtete (gegen Entschädigung) zugunsten Preußens auf das Herzogtum Lauenburg.

Gasteiz, bask. Name der Stadt →Vitoria.

Gaster [grch.] *die,* der →Magen.

Gastfreundschaft, die Sitte, Fremde aufzunehmen, zu beherbergen und ihnen Schutz zu gewähren (→Asylrecht). Bei der in früheren Zeiten herrschenden Rechtlosigkeit des Fremden war die G. ein heilig gehaltener Brauch (→Fremdenrecht). Bei Griechen und Römern beschützte Zeus Xenios (Jupiter hospitalis) den Gast. Symbol. Handlungen, z.B. der Austausch von Gastgeschenken, »Symbolea«, spielten dabei eine große Rolle; ähnlich noch bei vielen Naturvölkern. Das christl. MA. übte die G. als religiöse Pflicht; selbst dem Feind wurden drei Tage Gastrecht gewährt.

Gastgewerbe, zusammenfassende Bez. für Beherbergungsgewerbe (Hotels, Gasthöfe, Pensionen), Gaststättengewerbe (Restaurants, Cafés, Eisdielen, Imbisshallen) sowie Kantinen.

Gasthaus, →Gaststätte.

Gas|therme (Gaswasserheizer), gasbeheizter Durchlauf- oder Umlaufwasserheizer zur Erwärmung von Wasser.

Gastmahl, geselliges Einnehmen eines Festmahls mit Gästen, zu allen Zeiten und bei allen Völkern der Ausdruck gesteigerter Lebensfreude, oft auch eine kult. Handlung. Das G. (Trinkgelage) wurde bei den Griechen →Symposion genannt, wobei man vor einem Umtrunk den Göttern opferte. Im Totenkult wurde das G. zum Leichenschmaus. Im frühen Christentum war das G. als abendl. Liebesmahl (→Agape) üblich. – Früh waren G. auch Themen der Kunst (Ägypter, Griechen und Römer). In der christlichen Kunst wird seit dem 5./6. Jh. das →Abendmahl dargestellt, daneben auch die »Hochzeit von Kana« als Festmahl. Die religiöse Thematik wurde im Laufe der Zeit zunehmend verweltlicht. Das profane G. erlangte jedoch erst im 16. Jh. bei den prot. Niederländern in Genrebildern größere Bedeutung (P. Bruegel d.Ä., A. Brouwer, J. Jordaens).

Gastein: Stadtwappen von Badgastein

Gastmahl: Pieter Bruegel d.Ä., »Bauernhochzeit« (um 1568; Wien, Kunsthistorisches Museum)

gastr..., Wortbildungselement, →gastro...

Gastraeatheorie, von E. Haeckel begründete Hypothese, nach der alle mehrzelligen Tiere (Metazoa) auf eine gemeinsame, einer Gastrula (→Gastrulation) ähnl. Stammform (Gastraea) zurückzuführen sind.

Gastrecht, 1) *Recht:* der dem Fremdling durch Aufnahme in das Haus des Gastgebers gewährte Schutz (→Fremdenrecht).

2) *Völkerrecht:* die Erlaubnis zum Aufenthalt von Kriegsschiffen in neutralen Häfen auf beschränkte Zeit.

Gastrektomie [grch.] *die,* →Magenoperationen.

gastrisch [grch.], den Magen betreffend.

gastrische Krisen, kolikartige Magenschmerzen, Symptom bei →Tabes dorsalis.

Gastritis [grch.] *die,* →Magenschleimhautentzündung.

gastro... [grch. gastḗr, gastrós »Magen«], vor Vokalen meist verkürzt zu **gastr...,** Wortbildungselement mit der Bedeutung Magen..., Bauch...

Gastro|enteritis [zu grch. énteron »Darm«] *die,* der Magen-Darm-Katarrh (→Darmentzündung, →Magenschleimhautentzündung).

Gastro|enterologie [grch.] *die,* Lehre von den Funktionen und Erkrankungen der Verdauungsorgane.

gastrointestinal [grch.-lat.], Magen und Darm betreffend.

Gastronomie *die,* 1) feine Kochkunst; 2) Gaststättengewerbe.

Gastropoden [grch. »Bauchfüßer«], die →Schnecken.

Gastroskopie [grch.] *die* (Gastroendoskopie, Magenspiegelung), Untersuchung des Magens mithilfe des **Gastroskops,** früher ein beleuchtetes Metallrohr, inzwischen ein dünnes, voll biegsames, etwa 90 cm langes Endoskop (Fibroskop) mit Optik, das nach Anästhesie des Rachens durch die Speiseröhre in den Magen eingeführt wird; ermöglicht v.a. Gewebeentnahmen, die Durchführung kleiner operativer Eingriffe (z.B. Polypenabtragungen) und direktes Betrachten; Letzteres dient z.B. zur Diagnose von Magengeschwüren und Schleimhautveränderungen. Die G. hat besondere Bedeutung für die Früherkennung des Magenkrebses.

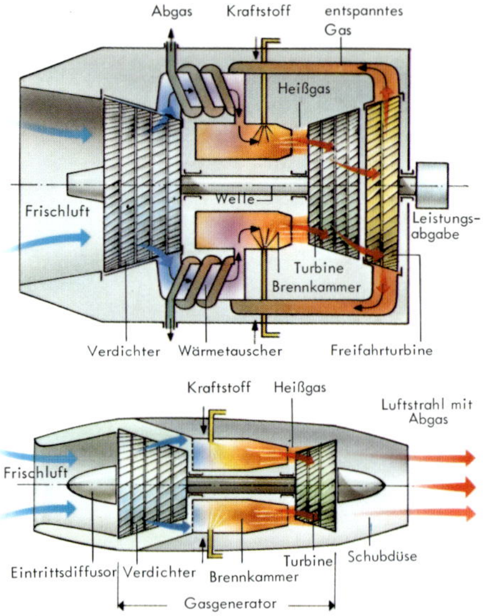

Gasturbine: Schema einer offenen Gasturbine mit Wellenleistung (oben) und mit Schubleistung (Fluggasturbine oder Turbinenluftstrahltriebwerk)

Gastrotrichen [zu grch. thríx, trichós »Haar«] (Gastrotricha, Bauchhaarlinge), bis 1,5 mm lange, wurmförmige Wassertiere mit bauchseitigen Wimperbändern zur Fortbewegung.

Gastrulation [lat.] *die,* frühembryonaler Entwicklungsvorgang bei Tieren, der von der einschichtigen Blastula durch Einstülpung, Umwachsung, Zelleinwanderung oder Abspaltung zur zweischichtigen, aus Ekto- und Entoderm bestehenden **Gastrula** (Becherkeim) führt.

Gaststätte (Gasthaus), Unternehmen zur gewerbsmäßigen Bewirtung oder Beherbergung von Personen. Nach dem G.gesetz vom 5. 5. 1970 gehört zum G.gewerbe, wer 1) Getränke zum Verzehr an Ort und Stelle verabreicht (Schankwirtschaft), 2) zubereitete Speisen zum Verzehr an Ort und Stelle verabreicht (Speisewirtschaft), 3) Gäste beherbergt (Beherbergungsbetrieb). Unter 1) und 2) fallen Betriebe wie G., Gastwirtschaft, Restaurant, Wirts-, Kaffee-, Speisehäuser, Taverne, aber auch Bars, Kabaretts und Speisewagen; unter 3) Betriebe wie Hotel, Rasthaus, Motel, Fremdenheim, Gasthaus u.Ä. bis zur Herberge und zur Berghütte. Die behördlich für den Betrieb einer G. notwendige Erlaubnis wird von der erforderl. Zuverlässigkeit, lebensmittelrechtl. Kenntnissen, Eignung der Räume u.a. abhängig gemacht und kann in bestimmten Fällen widerrufen werden. Der

Gaststätte

Gasthausschilder waren schon im alten Rom bekannt und sind u. a. in Pompeji erhalten geblieben. Im Mittelalter zeigten ein grüner Kranz, eine Kanne oder der vor dem Haus stehende Maibusch den Ausschank von Wein und Bier an. Die Wirtshäuser erhielten neben den allgemeinen Hausnamen Schilder, auf denen bildlich der Gasthausname dargestellt war. Sie waren in den Zeiten, die noch keine durchgehende Nummerierung der Straßenzüge kannten, wichtige Wegweiser.
Mit dem Aufkommen des Beherbergungswesens im 13. Jahrhundert (im Gefolge der Kreuzzüge und Massenpilgerfahrten) entwickelte sich eine Vielzahl von Gasthausschildern. Es wurden Teile des grundherrlichen Wappens (Bär, Löwe, Kreuz) dargestellt, daneben Zunftzeichen der Benutzer (Brezel, Ochse, Hirsch); Adler, Ross, Posthorn, Schiff zeigten u. a. Poststationen an. Den Patronen der Straße und des Verkehrs, den Heiligen Drei Königen, galten die Zeichen Krone, Stern, Mohr; auch Sonne und Baum kamen als Wirtshausschilder vor. Im 17. und 18. Jahrhundert nahmen die Gasthausschilder große Ausmaße an. Ihre Gestaltung bildete bis ins 19. Jahrhundert hinein einen Zweig der Volkskunst.

Gastwirt, der gewerbsmäßig Fremde beherbergt, haftet auch ohne Verschulden für Schäden an eingebrachten Sachen des Gastes (ausgenommen Fahrzeuge). Ähnl. Vorschriften enthalten die *österr.* Gewerbeordnung (§§ 142 ff.), und die kantonalen Gastwirtschaftsges. der *Schweiz.* – Im MA. wurden Gasthäuser zuerst von den Klöstern und in Städten durch den Rat (Ratskeller) errichtet. Größere G. entwickelten sich durch den zunehmenden Reiseverkehr, der im 19./20. Jh. zum Bau von Großbetrieben und zu Hotelketten führte.

Gasturbine, als hochtourige Strömungsmaschine gebaute Wärmekraftmaschine, die mechan. Leistung in Form von Wellenleistung abgibt oder Schubleistung (wie beim Strahltriebwerk) liefert. Bei der **G. mit offenem Kreislauf** wird Luft aus der Atmosphäre angesaugt, verdichtet und in einer Brennkammer mit einem ununterbrochen zugeführten Brennstoff verbrannt oder in einem Wärmetauscher erhitzt und anschließend der Turbine zugeführt. Die heißen Gase treten nach Arbeitsleistung in einer Turbine, die den Verdichter und eine Arbeitsmaschine (z. B. einen Generator) antreibt, in die Atmosphäre aus. Die Nutzleistung ist die Differenz zw. der Turbinenleistung und der Leistung des Verdichters. Der Wirkungsgrad ist umso höher, je tiefer die Temperatur der angesaugten Luft und je höher die Gastemperatur am Turbineneintritt ist. Das obere Temperaturniveau ist durch die Dauerstandfestigkeit des zur Konstruktion der G. verwendeten hitzebeständigen Materials begrenzt.

Bei der **G. mit geschlossenem Kreislauf** wird das Arbeitsmedium im Kreislauf geführt, d. h. verdichtet, erhitzt, entspannt und rückgekühlt. Die Wärmeübertragung findet dabei in einem Wärmetauscher statt. Der geschlossene Kreisprozess, von J. Ackeret und C. Keller in der Schweiz eingeführt, ist wegen der hohen Anlagekosten bisher noch wenig angewendet worden.

Die schuberzeugende Flug-G. dient als Antriebsaggregat für über 90 % der Transportkapazität der Weltluftfahrt, sie ist in den meisten Militärflugzeugen der Gegenwart eingebaut. Als Wellentriebwerk findet die G. vornehmlich in Hubschraubern, im Schiffbau, bei Pumpstationen (z. B. für Pipelines), G.-Kraftwerken, kombinierten G.-Dampfturbinen-Kraftwerken, Notstrom-, Spitzenstrom- und transportablen Kraftwerken (Gasturbosatz) Anwendung. Als Lokomotivantrieb bewährt sich die G. vielerorts, für Straßenfahrzeuge kommt sie in gewissen Grenzen infrage.

G. mit offenem Kreislauf liefen als ortsfeste Anlage erstmals erfolgreich in den 1930er-Jahren (4 000 kW, Brown, Boverie & Cie.). Mitte bis Ende der 30er-Jahre setzte unabhängig voneinander in Großbritannien (F. Whittle) und in Dtl. die Strahltriebwerksentwicklung ein, hier durch H.-J. Pabst von Ohain (Ernst-Heinkel-Flugzeugwerke), A. Franz (Junkers Flugzeug- und Motorenwerke AG) und H. Oestrich (Bayer. Motorenwerke AG).

📖 WALZER, P.: *Die Fahrzeug-G. Düsseldorf 1991.* – MENNY, K.: *Strömungsmaschinen. Stuttgart ²1995.* – URLAUB, A.: *Flugtriebwerke. Grundlagen, Systeme, Komponenten. Berlin u. a. ²1995.*

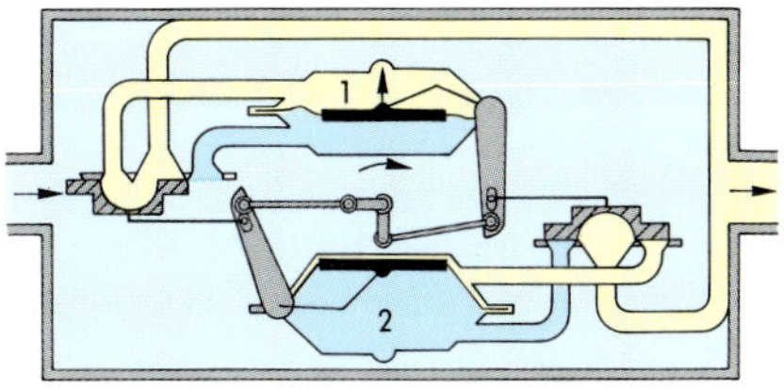

1 Messkammer 1
2 Messkammer 2
□ ausströmendes Gas
□ einströmendes Gas

Gaszähler: Trockener Gaszähler

Gasuhr, → Gaszähler.

Gasverflüssigung, die Überführung von unter Normalbedingungen gasförmigen Stoffen in den flüssigen Zustand. Bei vielen Gasen (z. B. Chlor, Ammoniak, Kohlendioxid) ist die Verflüssigung schon bei gewöhnl. Temperaturen durch isotherme Erhöhung des Drucks (Verkleinerung des Volumens) möglich. Andere Gase, v. a. tief siedende Edelgase und Luft (Stickstoff und Sauerstoff), lassen sich nur unterhalb ihrer krit. Temperatur verflüssigen. Die anzuwendenden Verfahren beruhen auf der Verwendung des → Joule-Thomson-Effektes oder der adiabat. Entspannung (→ Luftverflüssigung). Die G. wird großtechnisch benutzt, um Gasgemische zu trennen (z. B. Luft in Sauerstoff und Stickstoff) und für wiss. Untersuchungen bes. in der Tieftemperaturforschung (flüssige Gase als Kältereservoir).

Gasvergiftung, Vergiftung durch Einwirken gasförmiger Stoffe; i. e. S. die → Kohlenoxidvergiftung.

Gasverstärkung, Vervielfachung von elektr. Ladungsträgern in Gasen durch Stoßionisation bei Gasentladungen, z. B. in Zählrohren.

Gaswechsel, → Ladungswechsel.

Gaswerk, Anlage zur Erzeugung von → Stadtgas.

Gaszähler (Gasuhr, Gasmesser), Einrichtung zur Gasvolumenmessung. Als Haushalts-G. werden meist **trockene G.** mit zwei Lederbälgen verwendet, die sich abwechselnd füllen und leeren und jede Entleerung auf ein Zählwerk übertragen. **Nasse G.** enthalten als Messelement ein aus einzelnen Kammern bestehendes Schaufelrad, das in eine Sperrflüssigkeit (Wasser, Öl) eintaucht. Die beim Durchgang des Gases einsetzende Dreh-

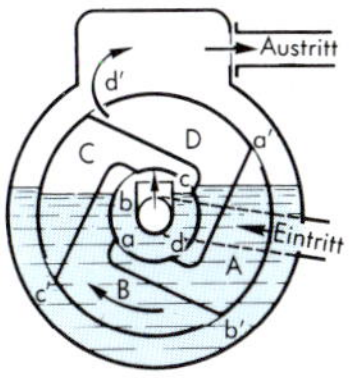

Gaszähler: Nasser Gaszähler (a–d Eintrittsöffnungen, A–D Kammern, a'–d' Entleerungsöffnungen)

bewegung wird auf ein Zählwerk übertragen. – **Münz-G. (Gasautomaten)** sind mit einem Sperrwerk versehen, das nach Einwurf einer Münze die Entnahme eines vorgegebenen Gasvolumens gestattet.

Gate [geɪt; engl. »Tor«] *das,* Steuerelektrode des Feldeffekttransistors (→ Transistor).

Gatersleben, Gemeinde im Landkr. Aschersleben-Staßfurt, Sa.-Anh., 3000 Ew.; Inst. für Pflanzengenetik und Kulturpflanzenforschung; Baumaschinenherstellung.

Bill Gates

Gaterslebener Gruppe, nach einem Gräberfeld bei Gatersleben benannte neolith. Kulturgruppe (4. Jt. v. Chr.) des mittleren Elbe- und Saalegebietes; u.a. unverzierte, profilierte Keramik, N–S-orientierte Hockergräber, auch Brandbestattungen. Sie ist durch südeurop. Kulturen beeinflusst.

Gates [geɪts], Bill, eigtl. William Henry G., amerikan. Computerfachmann und Unternehmer, *Seattle (Wash.) 28. 10. 1955; mit Paul Allen (*1953) Gründer der Microsoft Corp., die er zu einem weltweit führenden Softwareunternehmen ausbaute.

Gateshead ['geɪtshed], Stadt in der engl. Cty. Tyne and Wear, am Tyne, 81400 Ew.; Werften, Eisen- und Stahlind., Maschinenbau.

GATS, Abk. für engl. **G**eneral **A**greement on **T**rade in **S**ervices, das Allgemeine Abkommen über den Dienstleistungsverkehr, → GATT.

Gatsch, Bez. für das Gemisch höherer Kohlenwasserstoffe (Kettenlänge etwa C_{18} bis C_{30}), das bei der Entparaffinierung von Schmierölen anfällt.

Gatt (Gat), *Schifffahrt:* 1) Heckform eines Bootes, z.B. Spitzgattkutter. 2) enge Durchfahrt in Gewässern, z.B. Kattegat. 3) Loch in der Bordwand zum Wasserablauf, z.B. Spei-G. 4) umsäumtes Loch im Segeltuch.

GATT, Abk. für engl. **G**eneral **A**greement on **T**ariffs and **T**rade (Allgemeines Zoll- und Handelsabkommen), in Genf am 30. 10. 1947 von 23 Staaten abgeschlossenes, 1948 in Kraft getretenes Abkommen zur Erleichterung des gegenseitigen Handels auf der Grundlage der → Meistbegünstigung und zur Neuordnung der internat. Wirtschaftsbeziehungen. Das GATT war eine Sonderorganisation der UN mit Sitz in Genf. Es wurde 1996 durch die aus ihm hervorgegangene → Welthandelsorganisation, WTO abgelöst.

Hauptziel des GATT war, durch Senkung der Zölle und Abbau sonstiger Handelshemmnisse den Welthandel und die Weltwirtschaft zu fördern. Demnach müssen Zollvergünstigungen allen Handelspartnern eines Landes gleichermaßen gewährt werden (Meistbegünstigung) und erlaubte Ausnahmen vom Verbot mengenmäßiger Beschränkungen auf alle Partner Anwendung finden (Nichtdiskriminierung).

Im Rahmen des GATT wurden acht große Verhandlungsrunden zum Abbau von Zöllen u.a. Handelshemmnissen durchgeführt (Zollrunden, GATT-Runden). Am bekanntesten wurden die »Dillon-Runde« (1960–61 in Genf), die »Kennedy-Runde« (1964–67 in Genf), die zu einer Zollsenkung für Industrieerzeugnisse um etwa 35% führte und die »Tokio-Runde« (1973–79 in Genf). Die letzte GATT-Runde, die »Uruguay-Runde« (1986–93) erreichte einen weiteren Zollabbau (Industrieländer auf durchschnittlich 3,1% bis 1999; Entwicklungsländer auf höchstens 35–40%) und die Einbeziehung des Agrar- und Textilhandels. Mit dem General Agreement on Trade in Services, GATS, wurden der Dienstleistungshandel und mit dem Agreement on Trade-related Aspects of Intellectual Property Rights, TRIPS, der Schutz geistiger Eigentumsrechte erstmals in ein Welthandelsabkommen einbezogen und die Gründung und Überführung der GATT-Abkommen in die WTO erreicht.

📖 HAUSER, H. u. SCHANZ, K.-U.: *Das neue GATT. Die Welthandelsordnung nach Abschluß der Uruguay-Runde. München u. a. [2]1995.*

Gattamelata: Reiterstandbild von Donatello in Padua, Bronze (1447-53)

Gattamelata [italien. »gescheckte Katze«], eigtl. Erasmo da Narni, Condottiere, *Narni (Prov. Terni) um 1370, † Padua 16. 1. 1443; führte 1434–41 die Truppen Venedigs gegen Mailand. Das bronzene Reiterstandbild des G. (1447–53) von Donatello vor der Kirche Sant'Antonio in Padua ist das erste monumentale Reiterstandbild der Renaissance.

Gatter, 1) *Elektronik:* ein log. Element für elementare log. Verknüpfungen mit mindestens einem Eingang und einem Ausgang.

2) *Holzbearbeitung:* Sägemaschine zum Einschnitt von Rundholz, bei der die in einem Rahmen eingespannten Sägeblätter durch Kurbeltrieb geradlinig in horizontaler (Horizontal-G.) oder vertikaler Richtung (Vertikal-G.) hin- und herbewegt werden.

Gatti [ga'ti], Armand, frz. Schriftsteller und Regisseur, * Monaco 26. 1. 1924; führender Vertreter des politisch-dokumentar. frz. Theaters (»Öffentl. Gesang vor zwei elektr. Stühlen«, 1964; »V wie Vietnam«, 1967; »Rosa Kollektiv«, 1973); auch Essays, Reportagen, Filme und Fernsehstücke.

Armand Gatti

Gattierung, *Gießerei und Textiltechnik:* Zusammenstellung versch. Ausgangsstoffe im richtigen Mengenverhältnis, z. B. in der Gießerei.

Gattschina (1929–44 Krasnogwardeisk), Stadt im Gebiet Leningrad, Russland, 81 000 Ew.; Institut für Kernphysik; Maschinenbau. – Klassizist. Schloss (1766–81, später mehrmals umgebaut), im 18. Jh. Sommerresidenz der Zaren; Landschaftspark.

Gattung [zu mhd. gaten »zusammenfügen«], **1)** *bildende Kunst:* Man unterscheidet die G. Baukunst, Plastik, Malerei und Grafik. Im Barock begann man, in der Malerei zw. einzelnen **Bild-G.** zu differenzieren: Altarbild (Retabel), Andachtsbild, Architekturbild, Blumenmalerei, Genremalerei, Gruppenbild, Historienmalerei, Interieur, Landschaftsmalerei, Marinemalerei, Porträt, Stillleben, Tierdarstellung, Vedute.

2) *Biologie:* (Genus) systemat. Kategorie, in der verwandtschaftlich einander sehr nahe stehende → Arten zusammengefasst werden, die dann dieselbe G.-Bez. tragen (z. B. bei Löwe und Leopard: Panthera).

3) *Literaturwissenschaft:* Bez. für die drei literar. Grundformen → Epik, → Lyrik, → Drama (Goethe: »Naturformen der Poesie«), auch die einzelnen (Unter-)Formen der jeweiligen Grundformen (z. B. Roman, Ballade). Mit den Gesetzlichkeiten der G. befasst sich die Poetik.

4) *Logik:* (Genus) in der Definitionslehre der aristotel. Logik wie auch Ontologie der dem Artbegriff übergeordnete Allgemeinbegriff. Beide gemeinsam bestimmen das Wesen eines Dinges.

Gattungskauf, ein Kauf, bei dem der gekaufte Gegenstand nur der Gattung nach bestimmt ist (z. B. 1 000 l leichtes Heizöl), im Unterschied zum → Spezieskauf. Jeder Kauf an einer Warenbörse ist ein Gattungskauf. Wer eine nur der Gattung nach bestimmte Sache schuldet, hat eine Ware mittlerer Art und Güte zu liefern (§ 243 BGB, § 360 HGB); bei Mängeln kann der Käufer statt Wandelung und Minderung Nachlieferung einer mangelfreien Sache verlangen (§ 480 BGB).

Gattungsname (Appellativ), Bez. für eine Gattung gleich gearteter Lebewesen oder Dinge, zugleich für jedes einzelne Wesen oder Ding dieser Gattung (z. B. »Baum«).

Gatunsee, Stausee am → Panamakanal.

Gau [ahd. gouwi, zu Au], **1)** fruchtbares Siedlungsland, → Gäu.

2) (mlat. Pagus) als Siedlungsgebiet die räuml. Untergliederung bes. der kelt. Stämme, gewöhnlich mehrere Hundertschaften umfassend und von den Römern als »civitates« bezeichnet. Die fränk. Grafschaftsverfassung überdeckte diese Gliederung, indem sie die Gaugrenzen nur z. T. beachtete und oft mehrere Gaue zusammenfasste. Zahlr. Gaunamen haben sich in Landschaftsnamen erhalten (Breisgau, Sundgau, Rheingau, Allgäu u. a.). – Auch im alten Ägypten bezeichnet man die seit dem 2. Jahrtausend v. Chr. bestehenden 42 Verwaltungseinheiten als G.e (ägypt. Sepat, grch. Nomos), an deren Spitze »Gaufürsten« standen.

3) Organisationseinheit der NSDAP (→ Nationalsozialismus). Die Partei war regional in Gaue eingeteilt, an deren Spitze der **Gauleiter** stand.

4) → Reichsgau.

GAU, Abk. für **g**rößter **a**nzunehmender **U**nfall, schwerster Störfall in einer kerntechn. Anlage, für den die Sicherheitssysteme so ausgelegt sein müssen, dass er noch beherrschbar ist, d. h. keine über den zulässigen Grenzwerten liegende radioaktive Strahlenbelastung der Umgebung eintritt. Der GAU eines Schwer- bzw. Leichtwasserreaktors ist der Bruch einer Hauptkühlleitung, der die Kühlung des Reaktorkerns unterbricht und somit dessen Durchschmelzen (Coreschmelzen) und die Freisetzung eines Großteils seiner Radioaktivität zur Folge haben kann. Dies soll v. a. durch Abschaltstäbe, Sicherheitsbehälter und das Notkühlsystem verhindert werden. Ein nicht mehr beherrschbarer Unfall (Super-GAU) ereignete sich 1986 im Kernkraftwerk Tschernobyl; 1979 kam es in Three Mile Island bei Harrisburg (Pa., USA) zu einem GAU.

📖 *Deutsche Risikostudie Kernkraftwerke, Phase B. Eine Untersuchung, hg. v. der Gesellschaft für Reaktorsicherheit. Köln 1990.*

Gäu, urspr. eine wasserreiche, waldfreie Auenlandschaft. Als **G.-Landschaften** werden im Schwäbisch-Fränkischen Schichtstufenland die waldarmen Landterrassen und fruchtbares Ackerland bezeichnet.

Gaube (Gaupe), → Dachgaube.

Gauchheil *der* (Anagallis), Gattung der Primelgewächse; zarte Kräuter, z. B. **Acker-G.** (Anagallis arvensis) mit meist mennigroten radförmigen Blüten; in Unkrautgesellschaften.

Gauchheil: Ackergauchheil (Höhe 5–25 cm)

Gauchos ['gautʃo], berittene Viehhirten in Südamerika, v. a. in den argentin. Pampas; i. Allg. Mestizen, hervorgegangen aus Indianerstämmen, die sehr früh von den Spaniern das Pferd zur

Antonio Gaudí (von links): Die unvollendete Kathedrale Sagrada Familia (1883ff.) in Barcelona und der Säuleneingang im Park Güell (1900–14) in Barcelona

Jagd übernommen hatten; Fanggeräte: Lasso und Bola.

Gauck, Joachim, evang. Theologe und Politiker, *Rostock 24. 1. 1940; Pfarrer; 1989 Mitbegründer des »Neuen Forums«, März–Okt. 1990 Mitgl. der Volkskammer, seit Juni 1990 Vors. des Parlamentar. Sonderausschusses zur Überprüfung der Auflösung des Staatssicherheitsdienstes (Stasi) der DDR, seit 3. 10. 1990 Sonderbeauftragter der Bundesreg. für die Verw. der Stasi-Akten. Die von ihm geleitete Behörde (kurz **G.-Behörde** gen.) trägt die Verantwortung für die Aufbewahrung, Sicherung und Auswertung der Stasi-Unterlagen.

Joachim Gauck

Gaudeamus igitur [lat. »Lasst uns also fröhlich sein«], Anfangszeile eines bekannten Studentenliedes.

Gaudí, Antonio, eigtl. G. y Cornet, katalan. Architekt, *Reus 25. 6. 1852, †Barcelona 10. 6. 1926; fand eine persönl. Form des Jugendstils von höchster Originalität, für die vegetabile ornamentale Durchgestaltung und von der Plastik abgeleitete Formerfindungen charakteristisch sind. Sein Hauptwerk, die 1883 begonnene Kathedrale Sagrada Familia in Barcelona, blieb unvollendet. In Barcelona entstanden u.a. das Palais Güell (1885–89) und die Casa Milá (1905–10) sowie 1900–14 nach seinen Plänen der Park Güell.

📖 *G. 1852–1926. Antoni Gaudí i Cornet – ein Leben in der Architektur, bearb. v.* R. ZERBST. *Neuausg. Köln 1993.*

Gaudier-Brzeska [godjebʒɛsˈka], Henri, frz. Bildhauer, *Saint-Jean-de-Braye (Dép. Loiret) 4. 10. 1891, ⚔Neuville-Saint-Vaast (Dép. Pas-de-Calais) 5. 6. 1915; lebte seit 1911 in London, Vertreter des →Vortizismus. Mit seinen stark abstrahierten Skulpturen in bewegten massiven Formen gab er der modernen engl. Plastik wichtige Impulse.

Gaudig, Hugo, Pädagoge, *Stöckey (Landkr. Eichsfeld) 5. 12. 1860, †Leipzig 2. 8. 1923; Seminardirektor in Halle (Saale) und Leipzig, suchte zur selbstständigen Persönlichkeit zu erziehen und entwickelte einen am Prinzip der freien geistigen Tätigkeit orientierten Unterricht, bei dem die Schüler selbst Ziel, Mittel und Arbeitsstufen bestimmen.

Gaudy, Franz Freiherr von, Schriftsteller, *Frankfurt (Oder) 19. 4. 1800, †Berlin 5. 2. 1840; steht mit seiner Lyrik und seinen Erzählungen zw. Spätromantik und Realismus.

Gaufrieren [go-, frz.], *Papier- und Textilfabrikation:* Einprägen von Mustern oder Narben in Papier, Karton, Pappe, Textilien, Kunstleder oder Kunststofffolien bei erhöhtem Druck und erhöhter Temperatur auf Prägewalzen.

Gaugamela (heute Tell Gomel), antike Ortschaft bei →Erbil.

Gauguin [goˈgɛ̃], Paul, frz. Maler und Grafiker, *Paris 7. 6. 1848, †Atuona auf Hiva Oa (Marquesasinseln) 8. 5. 1903; bis 1871 bei der Handels- und Kriegsmarine, danach Bankangestellter. G. schloss sich den Impressionisten an und widmete sich seit 1883 ganz der Kunst. Er begann ein Wanderleben, das ihn in die Bretagne, nach Martinique, zu V. van Gogh nach Arles (1888) und 1891–93 sowie 1895–1901 nach Tahiti und anschließend auf die Marquesasinseln führte. G. suchte, ähnlich wie P. Cézanne und van Gogh, die formauflösende Malerei des Impressionismus zu überwinden und erreichte neue Ausdruckswirkungen durch zeichnerisch gefestigte Flächengliederung und reine, in ihrer Leuchtkraft aufs Äußerste gesteigerte Farben. Er übte großen Einfluss auf die Nabis, auf Symbolismus und Expressionismus aus. Nach 1893 schrieb er das autobiograph. Werk »Noa Noa« und illustrierte es mit Farbholzschnitten (1897; Original im Louvre, Paris).

📖 LEWANDOWSKI, H.: *P. G. Die Flucht vor der Zivilisation. Neuausg. Frankfurt am Main u. a. 1991.* – PERRUCHOT, H.: *G. Eine Biographie. A. d. Frz. Neuausg. Frankfurt am Main 1994.*

Gauhati (Guwahati), Stadt im Bundesstaat Assam, Indien, am Brahmaputra, 577 600 Ew.; Univ., zoolog. Garten; Erdölraffinerie, Nahrungsmittelind.; Fluss- und Flughafen.

Gaukler (Terathopius ecaudatus), bis 60 cm langer, vorwiegend Schlangen und Amphibien fressender Greifvogel Mittel- und S-Afrikas.

Gauklerblume (Affenblume, Mimulus), Gattung der Rachenblütler mit rd. 150, meist amerikan. Arten; staudige Kräuter mit zweilippigen Blüten. Zahlr. Arten werden wegen ihrer orange oder gelb gefärbten, häufig rot gefleckten Blüten kultiviert.

Gaul, August, Bildhauer und Grafiker, *Großauheim (heute zu Hanau) 22. 10. 1869, †Berlin 18. 10. 1921; 1898 Gründungsmitgl. der Berliner →Sezession; seine Tierplastiken überzeugen durch gestalter. Konzentration und Vereinfachung, von klarem Umriss sind seine graf. Tierdarstellungen.

Paul Gauguin: »Contes barbares« (1902; Essen, Museum Folkwang)

Gaulle [go:l], Charles de, frz. General und Politiker, *Lille 22. 11. 1890, †Colombey-les-deux-Églises 9. 11. 1970; nahm am 1. Weltkrieg teil. 1921 wurde er Dozent für Militärgeschichte in Saint-Cyr. In seinen militärtheoret. Werken, u. a. in seiner Schrift »Vers l'armée de métier« (1934), fordert er die Mechanisierung der frz. Armee, bes. den Einsatz operativ selbstständiger Panzerverbände. 1937 erhielt er den Rang eines Oberst.

Charles de Gaulle

Zu Beginn des 2. Weltkriegs zeichnete sich de G. im Mai 1940 als Kommandeur einer Panzerdivision aus. Anschließend zum Brigadegeneral ernannt, wurde er im Juni 1940 Unterstaatssekretär für nat. Verteidigung. Angesichts der militär. Niederlage seines Landes rief er von London aus in einer Rundfunkrede am 18. 6. 1940 die Franzosen auf, den Krieg von den Kolonien aus fortzusetzen. Er lehnte den von der Reg. Pétain Ende Juni 1940 mit Dtl. abgeschlossenen Waffenstillstand ab und organisierte an der Spitze des →Freien Frankreich den Widerstand gegen Dtl. (→Résistance). Seit 1943 an der Spitze des Frz. Komitees für Nat. Befreiung, bildete er dieses am 15. 5. 1944 zur Provisor. Regierung um. Im Verband der Alliierten nahm de G. mit frz. Truppen an der Befreiung Frankreichs teil. Im Nov. 1945 wurde er von der verfassunggebenden Nationalversammlung zum MinPräs. und provisor. Staatsoberhaupt gewählt. Mit dem polit. Wiederaufbau seines Landes verband er eine Säuberung des öffentl. Lebens von Repräsentanten und Anhängern des Vichy-Regimes. Auf außenpolit. Gebiet strebte er die Gleichberechtigung Frankreichs mit den Siegermächten des 2. Weltkriegs an. Im Januar 1946 trat de G. als MinPräs. zurück, da seiner Forderung nach einem mit großen Machtkompetenzen ausgestatteten Präsidentenamt nicht entsprochen wurde. Auch der Versuch, mithilfe einer Partei eine polit. Plattform zu schaffen, war nicht erfolgreich (→Gaullismus). 1953 zog er sich deshalb aus dem öffentl. Leben zurück.

Nach dem Zusammenbruch der Vierten Republik in der Staatskrise vom Mai 1958 wurde de G. von der Nationalversammlung zum MinPräs. und Verteidigungsmin. gewählt. Er erhielt Sondervollmachten und setzte eine Verf.änderung durch, die dem Staatspräs. eine starke Stellung gab. Am 21. 12. 1958 wurde de G. zum Staatspräs. der Fünften Republik gewählt. Zur Durchsetzung und Legitimation seiner Politik setzte er in der Folgezeit oft das Mittel des Plebiszites an. Unter seiner Präsidentschaft entließ Frankreich zw. 1958 und 1960 seine afrikan. Kolonien in die Unabhängigkeit. Gegen den Widerstand großer Teile der Generalität und vieler Algerienfranzosen beendete de G. den Algerienkrieg und stimmte der Unabhängigkeit Algeriens zu (1962). Sein außenpolit. Ziel war die un-

Gaultheria: Die rote Frucht der winterharten Art Gaultheria procumbens ist eine fünffächerige, 8-15 mm dicke Kapsel mit zahlreichen Samen

eingeschränkte Unabhängigkeit Frankreichs (Aufbau der frz. Atomstreitmacht »Force de frappe« und Lösung seines Landes aus der militär. Integration der NATO). Im Ost-West-Konflikt stellte de G. den Führungsanspruch der USA im westl. Bündnissystem infrage und suchte unter diesem Aspekt den Beziehungen Frankreichs zur UdSSR und zur VR China eine eigenständige Richtung zu geben. In der Europapolitik strebte er ein »Europa der Vaterländer« ohne Verzicht auf nationale Souveränität an. Die Unterzeichnung des Dt.-Frz. Vertrages 1963 vollendete die in der Zeit der Vierten Republik eingeleitete frz.-dt. Aussöhnung. Trotz seines hohen Ansehens in der Bevölkerung geriet de G. unter innenpolit. Druck. Nach den Maiunruhen von 1968 suchte er durch eine Hochschul- und Betriebsverfassungsreform der innenpolit. Kritik entgegenzuwirken. Als er bei einer Abstimmung über eine Verf.- und Verwaltungsreform eine Niederlage erlitt, trat er am 28. 4. 1969 als Staatspräsident zurück. – »Memoiren«, 3 Bde. (1954–59); »Memoiren der Hoffnung«, 2 Bde. (1970–71).

📖 Kapferer, R.: *C. de G. Umrisse einer polit. Biographie. Stuttgart 1985.* – *De G., Dtl. u. Europa, hg. v.* W. Loth *u.* R. Picht. *Opladen 1991.*

Gaur (Körperlänge bis 3,3 m, Schulterhöhe 1,7-2,2 m)

Gaullismus [go:l-] *der,* zusammenfassende Bez. für das polit. Programm von C. de Gaulle und die ideolog. Basis der gaullist. Parteien in Frankreich, tritt für eine starke Staatsgewalt und einen dem Volk direkt verantwortl. Staatspräs. ein, betont die Kooperation aller gesellschaftl. Kräfte und die nat. Unabhängigkeit. Die **Gaullisten** organisierten sich in der Vierten Republik im Rassemblement du Peuple Français (RPF; 1953 aufgelöst). In der Fünften Republik traten sie zunächst in der Union pour la Nouvelle République (UNR) und in der (stärker linksgerichteten) Union Démokratique du Travail (UDT) hervor. Nach den Maiunruhen (1968) vereinigten sie sich in der Union des Démocrates pour la République (UDR), seit 1976 im →Rassemblement pour la République (RPR). Ideologisch treten die Gaullisten seit 1976 im polit. Spektrum Frankreichs als **Neogaullisten** hervor.

Gaultheria *die,* Gattung asiat. und amerikan. Heidekrautgewächse; niedrige Sträucher mit gesägten Blättern und glockenförmigen Blüten; die Frucht ist eine beerenähnl. Kapsel. Aus den Blättern der Art Gaultheria procumbens wird das u.a. für Parfüme verwendete G.-Öl (Wintergrünöl) gewonnen.

Gaumen (Palatum), Mundhöhlendach; besteht aus vorderem **hartem G.** (knöcherne Grundlage) und hinterem **weichem G.** (muskulös-bindegewebige Grundlage; **G.-Segel**) mit dem Zäpfchen. Hier laufen auch die sich beiderseits des weichen G. hinziehenden je zwei **G.-Bögen** zusammen, die zw. sich die paarigen **G.-Mandeln** (→Mandeln) einschließen.

Gaumenlaut, mit Zungenrücken und Gaumen gebildeter Laut, z.B. im Deutschen g, k, ng.

Gaumenmandeln, *Anatomie:* →Mandeln.

Gaumenspalte, →Spaltbildungen.

Gaunersprachen, die Sondersprachen der Landstreicher und Gauner. Sie sind zugleich Geheim-, Standes- und Berufssprachen, seit dem Ausgang des MA. in fast allen europ. Ländern nachweisbar. Während die frz. G. unter den allg. Begriff des →Argot fällt, haben die G. in anderen Ländern besondere Namen, z.B. in Spanien »Germania«, in Portugal »Calão«, in Italien »Gergo«, in Dtl. →Rotwelsch. Die Eigentümlichkeit der G. besteht bes. in einem eigenen Wortschatz, der (u.a. aus der jidd. Sprache und dem Romani hervorgegangen) in die Umgangssprache des betreffenden Landes einfließt. (→Zinke)

📖 Wolf, S. A.: *Wörterbuch des Rotwelschen. Hamburg ²1985.* – Günther, L.: *Die dt. Gaunersprache u. verwandte Geheim- u. Berufssprachen. Leipzig 1919, Nachdr. Vaduz 1992.*

Gaur ['gauər] *der* (Bos gaurus), kräftig gebautes Wildrind Indiens, Körperlänge bis 3,3 m, Schulterhöhe 1,7–2,2 m, Höchstgewicht 1 t; das Männchen besitzt besonders stark entwickelte, nach hinten und oben gebogene Hörner.

Gaur ['gauər], Ruinenstadt in Bengalen (Indien), unter dem Namen **Lakhnauti** Residenz der Hindukönige von Bengalen; um 1200 von Muslimen aus Delhi erobert; in den folgenden Jh. (bis

1575) mehrfach Hptst. des Sultanats von Bengalen (zeitweise **Jannatabad** gen.).

Gaurisankar *der,* ein Gipfel des Himalaja, an der Grenze zw. Nepal und Tibet, 7145 m ü. M. In Mitteleuropa galt G. bis 1904 als einheim. Name für den Mount Everest (der höchste Berg der Erde liegt jedoch 57 km weiter östlich).

Gaus, Günter, Publizist und Politiker, *Braunschweig 23. 11. 1929; 1969–73 Chefredakteur des »Spiegel«, leitete 1974–80 die Ständige Vertretung der Bundesrep. Dtl. in der DDR. 1991 war er Mitgl. im Rundfunkbeirat der neuen Bundesländer. Er schrieb u.a. »Zur Person ...« (1987), »Porträts in Frage und Antwort« (1991).

Gauß [nach C. F. Gauß], Einheitenzeichen **G,** nichtgesetzl. Einheit der magnet. Flussdichte (magnet. Induktion) im elektromagnet. CGS-System: 1 G = 10^{-4} T (Tesla).

Gauß, Carl Friedrich, Mathematiker und Astronom, *Braunschweig 30. 4. 1777, †Göttingen 23. 2. 1855; seit 1807 Direktor der Sternwarte in Göttingen, Prof. für Mathematik und Mitgl. der Göttinger Akademie der Wiss., einer der bedeutendsten Mathematiker. G. begründete mit den 1801 erschienenen »Disquisitiones arithmeticae« die moderne Zahlentheorie. In seiner 1809 veröffentlichten Theorie der Bewegungen der Himmelskörper behandelte er die Probleme der Himmelsmechanik. Seine Arbeiten über die Methode der kleinsten Quadrate (Ausgleichsrechnung), haben die Entwicklung der Himmelsmechanik, die Theorie der unendl. Reihen und die numer. Methoden der angewandten Mathematik sehr gefördert. 1816 wurde ihm die Vermessung des Königreichs Hannover übertragen, an der er 25 Jahre arbeitete und dabei zu bahnbrechenden Untersuchungen zur Geodäsie und zur Differenzialgeometrie angeregt wurde. Von großer Bedeutung sind auch seine Abhandlungen zur Physik, zur Potenzialtheorie und zur Optik sowie die Erfindung des Magnetometers. Zusammen mit dem Physiker Wilhelm Weber untersuchte er den Erdmagnetismus und stellte dabei sein absolutes physikal. Maßsystem (1832) auf. Große Teile seines mathemat. Schaffens, so die Theorie der ellipt. Funktionen und die Arbeiten zur nichteuklid. Geometrie, wurden erst durch die Veröffentlichung seines Nachlasses bekannt.

🕮 Bühler, W. K.: *G. Eine biograph. Studie. A. d. Engl. Berlin u. a. 1987.* – Wussing, H.: *C. F. G. Leipzig [5]1989.*

gaußsche Dioptrik [nach C. F. Gauß], die Lehre von der idealen, d. h. fehlerfreien opt. →Abbildung im paraxialen Gebiet. Sie ist die Grundlage der Theorie der opt. Instrumente.

gaußsche Fehlerkurve (gaußsche Glockenkurve), →Normalverteilung.

gaußsche Koordinaten [nach C. F. Gauß], rechtwinklige Koordinaten einer konformen Abbildung des Erdellipsoids in die Ebene, wobei ein Hauptmeridian als i. Allg. längentreue Abszissenachse abgebildet wird. Die Abbildung wurde von C. F. Gauß zur Berechnung für die hannoversche Landesvermessung entwickelt und zusammenhängend von O. Schreiber (1866) und J. H. L. Krüger (1912) veröffentlicht; sie heißt in Dtl. **Gauß-Krüger-Abbildung.**

gaußsches CGS-System, ein →Maßsystem.

gaußsche Verteilung [nach C. F. Gauß], die →Normalverteilung.

Carl Friedrich Gauß: Ausschnitt aus der Kopie eines zeitgenössischen Ölgemäldes, darunter Autogramm

Carl Friedrich Gauß

Von dem jungen Gauß erzählt man folgende Geschichte: Als sein Mathematiklehrer einmal der Klasse die Aufgabe stellte, die Zahlen von 1 bis 100 zusammenzuzählen, konnte der etwa sechsjährige Gauß nach ganz kurzer Zeit das richtige Ergebnis 5050 vorlegen. Er hatte folgendermaßen addiert: 1 + 99 = 100, 2 + 98 = 100 usw. bis 49 + 51 = 100. Dies ergibt 49 x 100 = 4900; dazu kommen die Zahlen 50 und 100, und das Ergebnis ist 5050.

gaußsche Zahlenebene (gaußsche Ebene) [nach C. F. Gauß], Ebene, in der jeder Punkt P mit den kartes. Koordinaten x, y durch die eindeutige Zuordnung $(x, y) \leftrightarrow x + iy = z$ mit einer komplexen Zahl z identifiziert werden kann.

Gautama [Sanskrit] (Gotama), Geschlechtsname des →Buddha.

Gauten (schwed. Götar), neben den →Svear die zweite große Bevölkerungsgruppe Schwedens in der Frühzeit; ihre Siedlungsgebiete lagen in S-Schweden. Im 6. Jh. als **Gauthigoth** erwähnt, gerieten sie um 600 unter die Herrschaft der Svear-

Théophile Gautier

César Gaviría Trujillo

John Gay

könige. Die schwed. Landschaft Götaland leitet wahrscheinlich ihren Namen von den G. her.

Gauteng [x-; »Ort des Goldes«] (bis 1994 PWV, Pretoria-Witwatersrand-Vereeniging), Provinz in der Rep. Südafrika, 18760 km², (1995) 7,048 Mio. Ew.; Verw.sitz ist Johannesburg.

Gautier [go'tje], Théophile, frz. Schriftsteller und Kritiker, *Tarbes 30. 8. 1811, †Neuilly-sur-Seine 23. 10. 1872; schrieb formstrenge Gedichte (»Emaillen und Kameen«, 1852), die zum Vorbild der →Parnassiens wurden. Sein Roman »Mademoiselle de Maupin« (1835) verficht die Unabhängigkeit des Künstlers von Moral und Gesellschaft; das Vorwort dazu ist die erste Programmschrift des →L'art pour l'art.

Gautschen, 1) *Brauchtum:* alter Buchdruckerbrauch zum Zünftigmachen nach der Ausbildung; der Setzer, Drucker, Stereotypeur wird in ein Fass mit Wasser gesetzt, erhält den **Gautschbrief** und muss einen Freitrunk geben.

2) *Papierherstellung:* das Zusammenpressen der nassen Papierbahn auf der Langsiebpapiermaschine und das Absaugen des Wassers mit der Gautschpresse; auch das Vereinigen verschiedener nasser Papierbahnen zu Duplex- oder Triplexpapier oder -karton.

Gavarni [gavar'ni], Paul, eigtl. Hippolyte Guillaume Sulpice Chevalier, frz. Zeichner, *Paris 13. 1. 1804, †Auteuil 24. 11. 1866; satir. Zeichner u.a. der Zeitschrift »Charivari«; schilderte geistreich-ironisch und grafisch nuanciert das Leben der Pariser Gesellschaft, auch der Londoner Armenviertel; bed. Meister der Lithographie des 19. Jahrhunderts.

Gaviale [Hindi] (Gavialidae), Familie der Krokodile mit nur einer Art. Der bis 7 m lange ind. **Ganges-G.** (Gavialis gangeticus) hat eine sehr schmale und lang gestreckte Schnauze; ernährt sich von Fischen.

Gaviale: Der bis 7 m lange, für den Menschen ungefährliche Gangesgavial ist ein Fischfresser

Gaviría Trujillo [- tru'xijo], César, kolumbian. Politiker, *Pereira 31. 3. 1947; seit 1974 Abg. der Liberalen, zw. 1986 und 1990 zunächst Finanz-, später Innenmin., 1990 zum Staatspräs. gewählt; bekämpfte in seiner Amtszeit (bis 1994) bes. den Drogenhandel und bemühte sich um die Eingliederung früherer Guerillakämpfer. Seit 1994 ist er Gen.-Sekr. der OAS.

Gävle ['jɛ:vlə] (früher Gefle), Hptst. des Verw.-Bez. Gävleborg, N-Schweden, am Bottn. Meerbusen, 89200 Ew.; Seehafen (Eisenerz-, Holzverschiffung), Metall-, Textil-, Papierind., Fischerei. – Schloss Gävleborg (Ende 16. Jh., 1741–60 umgebaut), barocke Dreifaltigkeitskirche (Mitte 17. Jh.). – G. erhielt 1447 Stadtrecht.

Paul Gavarni: »Ma bonne dame …«, Lithographie (undatiert)

Gävleborg ['jɛ:vləbɔrj], VerwBez. (Län) in N-Schweden, waldreich, 18192 km², (1995) 289700 Ew.; Hptst. ist Gävle.

Gavotte [ga'vɔt(ə), frz.] *die,* alter frz. Volkstanz in geradem Takt; kam im 17. Jh. in das frz. Hofballett und war bis ins 19. Jh. beliebter Gesellschaftstanz. Die Bez. G. leitet sich von den Gavots, den Bewohnern der provenzal. Alpen, ab. – Seit dem 17. Jh. auch Satz der →Suite bzw. Partita.

Gawain [engl. 'gɑ:weɪn] (Gawan, Gawein, frz. Gauvain), in der mittelalterlichen Epik (z.B. bei Wolfram von Eschenbach) Held und Repräsentant der höf. Gesellschaft; Neffe von →Artus.

Gawrilow, Andrei, russ. Pianist, *Moskau 21. 9. 1955; v.a. Interpret der Werke von J. S. Bach, F. Chopin und S. Prokofjew.

Gay [geɪ], John, engl. Dichter, *Barnstaple (Cty. Devon) 30. 6. 1685, †London 4. 12. 1732; schrieb Pastoralgedichte und Fabeln. Sein parodist. Singspiel »The beggar's opera« (dt. »Die Bettleroper«, Musik von J. Pepusch) wurde von B. Brecht in der »Dreigroschenoper« (Musik von K. Weill) erneuert.

Gaya ['gaɪə], Stadt im Bundesstaat Bihar, Indien, 292000 Ew.; Lackfabriken, Seiden- und Teppichweberei. 10 km südlich liegt der buddhist. Wallfahrtsort **Bodh G.,** wo Buddha unter einem Feigenbaum (Bodhi-Baum) die Erleuchtung erlangte.

Gay-Liberation-Bewegung [geɪlɪbəˈreɪʃn-, engl.] (Gay-Rights-Bewegung), in den 1960er-Jahren in den USA entstandene Emanzipationsbewegung, die sich gegen die Diskriminierung der Homosexuellen im gesellschaftl. Leben wendet und sich für die Liberalisierung der die Homosexuellen betreffenden Gesetze einsetzt. In den 1980er- und 1990er-Jahren konnte die G.-L.-B. bestimmte Ziele erreichen: Die skandinav. Länder, Frankreich, die Niederlande, Irland und einige Bundesländer der USA erließen Antidiskriminierungsgesetze; Dänemark, Schweden und Norwegen führten unter der Bez. »Eingetragene Partnerschaft« für homosexuelle Paare die Möglichkeit der standesamtl. Trauung ein. Mit der Streichung des in den alten Bundesländern geltenden §175 wurde 1994 in Dtl. die Strafbarkeit homosexueller Handlungen beseitigt. Die Landesverf. Berlins, Brandenburgs und Thüringens bestimmen, dass niemand aufgrund seiner sexuellen Orientierung benachteiligt werden darf.

Gay-Lussac [gelyˈsak], Joseph Louis, frz. Physiker und Chemiker, * Saint-Léonard-de-Noblat (bei Limoges) 6. 12. 1778, † Paris 9. 5. 1850; Prof. in Paris; verfasste wichtige Arbeiten zur Ausdehnung der Gase (→ Gay-Lussac-Gesetz); unternahm wiss. Ballonfahrten bis in 7000 m Höhe und untersuchte Luftproben aus verschiedenen Höhen; bestimmte die Abhängigkeit der Löslichkeit von Salzen in Wasser von der Temperatur; stellte die Alkalimetalle sowie Jod dar.

Gavotte aus der Partita E-Dur für Violine solo (BWV 1006) von Johann Sebastian Bach

Gay-Lussac-Gesetz [gelyˈsak-; nach J. L. Gay-Lussac], Gesetzmäßigkeit im Verhalten von idealen Gasen. **1. G.-L.-G.** (1802): Das Volumen (bei konstantem Druck) oder der Druck (bei konstantem Volumen) idealer Gase sind direkt proportional zur absoluten Temperatur. **2. G.-L.-G.** (1807): Die innere Energie eines idealen Gases hängt nur von der Temperatur ab, nicht aber von Druck und Volumen.

Gáyor, Tibor, ungar. Künstler, * Budapest 14. 4. 1929; entwickelte nach einem Architekturstudium eine eigene Gestaltungsmethodik mittels Faltungen, die er als wesentl. Formelement seiner konstruktivist. Arbeiten (Bilder, Reliefs) einsetzt. G. machte sich als Vermittler zw. der ost- und westeurop. Kunstszene verdient.

Gazellen: Grantgazellen (Schulterhöhe 80–90 cm) zählen zu den charakteristischen Tieren der Savannen Ostafrikas

Gaza [-z-] (Gasa, Ghazza), Stadt an der SO-Küste des Mittelmeeres, 200 000 Ew., zentraler Ort des **G.-Streifens** (363 km^2, 1995: 850 000 Ew.; davon $^2/_3$ Flüchtlinge, rd. 5 000 jüd. Siedler; zu 90% in Städten: G., Rafah, Khan Yunis; erstreckt sich von G. bis zur ägypt. Grenze); islam. Universität. – Im A. T. als Stadt der Kanaanäer und Philister erwähnt, ab 734 v. Chr. assyrisch, später babylonisch und persisch; 332 v. Chr. von Alexander d. Gr. erobert; 635 arabisch, 1100–70 Kreuzfahrerfestung; 1516 osmanisch; nach 1918 Teil des brit. Mandats Palästina. Während des Palästinakrieges 1948/49 flüchtete die arab. Bev. aus S-Palästina in das von ägypt. Truppen kontrollierte Gebiet um G. (G.-Streifen), das nach dem ägyptisch-israel. Waffenstillstand 1949 unter ägypt. Verwaltung gestellt wurde; 1956 sowie, nach Räumung 1957, seit 1967 erneut von israel. Truppen besetzt. 1994 wurde der G.-Streifen mit dem Gebiet von Jericho erstes palästinens. Autonomiegebiet (→ Nahostkonflikt).

Joseph Louis Gay-Lussac

Gaza-Jericho-Abkommen [-z-], → Nahostkonflikt.

Gazankulu [-z-], ehem. Homeland (drei Teilgebiete) der Tsonga im N und O der Prov. Transvaal, Rep. Südafrika; ging 1994 in der Nordprovinz (zunächst Nord-Transvaal) auf.

Gaze [ˈgaːzə; urspr. wohl von arab. qazz »Rohseide«] *die,* schleierartig licht- und luftdurchlässiges Gewebe für Gardinen, techn. und medizin. Zwecke.

Gazellen [italien., von arab. ġazāla^{h}] (Gazella), Gattung 0,9–1,7 m langer (Körperhöhe 0,5–1,1 m) Paarhufer aus der Unterfamilie **Springantilopen** (Antilopinae) mit 12 Arten; meist leicht gebaut mit langen, schlanken Beinen, wodurch hohe Laufgeschwindigkeiten erreicht werden. Bekannte Arten: **Dama-G.** (Gazella dama) in den Wüstengebieten S-Marokkos und der Sahara; **Grant-G.** (Gazella granti) in O-Afrika; **Kropf-G.** (Gazella subgutturosa) in SW- und Zentralasien; **Rotstirn-G.** (Gazella rufifrons) in W-Afrika; **Sömmering-G.**

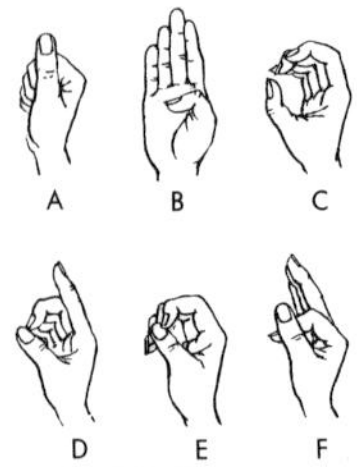

Gebärdensprache: Das Einhandsystem der Gehörlosenfingersprache

(Gazella soemmeringi) in NO-Afrika; **Thomson-G.** (Gazella thomson) in O-Afrika.

Gazẹllenfluss (arab. Bahr el-Ghasal), Nebenfluss des Nils im S der Rep. Sudan, bildet an der Mündung den 10 km langen Nosee.

Gazẹtte [frz. ga'zɛt] *die,* abwertend für Zeitung.

Gaziantẹp [-z-] (bis 1923 Aintab), Hptst. der Provinz G., Türkei, im Vorland des östl. Taurus, 627600 Ew.; Zweig der TU von Ankara; aufstrebendes Ind.zentrum inmitten eines Agrargebietes mit Obstbau, Weizen-, Pistazienanbau, Schaf-, Ziegenzucht.

Gazzellọni, Severino, italien. Flötist, *Rom 5. 1. 1919, † ebd. 22. 11. 1992; wurde bes. durch seine Interpretationen zeitgenöss. Musik (u.a. von L. Berio) bekannt.

GB/BHE, Abk. für → **G**esamtdeutscher **B**lock/ **B**und der **H**eimatvertriebenen und **E**ntrechteten.

GCA [dʒi:si:'eɪ, engl.], Abk. für engl. **g**round **c**ontrolled **a**pproach (»bodengesteuerter Anflug«), → Landeführungssysteme.

Gd, chem. Symbol für → Gadolinium.

Gdańsk [gdaĩsk], Stadt in Polen, → Danzig.

Gdynia ['gdinja] (dt. Gdingen, 1933–45 Gotenhafen), Stadt in der Wwschaft Gdańsk (Danzig), Polen, Handels-, Fischerei- und Passagierhafen an der Westseite der Danziger Bucht, 250600 Ew.; Meeresaquarium, Akademien (für Seefahrt und Kriegsmarine). G. bildet mit Danzig und Zoppot als »Dreistadt« eine Wirtschaftseinheit; poln. Flottenstützpunkt; Schiffbau u.a. Industrie. – 1253 erstmals erwähnt; gehörte 1309–1466 dem Dt. Orden, danach bis 1772 zum Königreich Polen, fiel 1772 an Preußen, kam 1920 wieder zu Polen und wurde ab 1924 zu einem Kriegs- und Handelshafen ausgebaut; 1926 Stadtrecht; war 1939–45 dem Dt. Reich eingegliedert.

Ge, chem. Symbol für → Germanium.

Ge, grch. Göttin, → Gaia.

Gê [ʒe], indian. Sprachfamilie in Südamerika, v.a. im Brasilian. Bergland. Zu ihr gehören das Kaingang, das Xavante und die Kayapó-Sprachen.

Geantiklinạle *die* (Geantikline), großräumige Aufwölbung der Erdkruste (durch Epirogenese), die bei starker Heraushebung zum Abtragungsgebiet werden kann; auch Aufwölbung innerhalb einer → Geosynklinale.

Gẹb, ägypt. Erdgott; gilt als Vater von Isis und Osiris und als göttl. Richter.

Gebälk, Balkenlage einer Holzdecke zw. zwei Geschossen; Gesamtheit der Balken einer Dachkonstruktion.

Gebände (Gebende), aus einem langen Leinenschleier um Haare und Kinn gebundene Kopfbedeckung für Frauen und Mädchen im späten 12. und im 13. Jahrhundert.

Gebärde, Verhaltensausdruck für eine bestimmte psych. Verfassung bei Tieren und Menschen. Charakteristisch ist das Übermitteln einer Information. Entwicklungsgeschichtlich vorprogrammiert sind die Instinkt-G., die instinktiv auch von den Artgenossen verstanden werden. Bekannte Beispiele dafür sind die Demuts-G., das Drohverhalten oder das Imponiergehabe. In Bezug auf die menschl. G. lassen sich unwillkürl. und bewusste G. unterscheiden; für das Verständnis der G. im Rahmen menschl. Kommunikation spielen Gruppen- und kulturspezif. Konventionen eine erhebl. Rolle. – In der Schauspielkunst ist die G. wichtigstes Kunstmittel neben der Sprache (Mimik, Pantomime, Tanz). Konventionelle G. (künstl., nach Übereinkunft gestaltete) dienen der Verständigung in bestimmten Situationen. Ein geordnetes System bestimmter G. ist die → Gebärdensprache. Als mag. oder meist sinnbildl. kult. Handlungen sind G. in allen Religionen verbreitet.

📖 MORRIS, D.: *Bodytalk. Körpersprache, Gesten u. G.n. A. d. Engl. München 1995.*

Gebärdensprache (Gestik), Verständigungsmittel mit in einer Gemeinschaft allg. verständl. konventionalisierten Gesten und Ausdrucksgebärden. In der Gehörlosenforschung wurden nat. spezielle G. aus vereinbarten künstl. Gebärden (Zeichen) als Kommunikationssysteme entwickelt. Jede G. ist ein visuelles Zeichensystem, das sich der Körperhaltung, der Mimik und bes. der Gebärden (Handzeichen) bedient. In der dt. G. (Abk. DGS) wird auf rd. 30 Handformen zurückgegriffen, daneben auf versch. Bewegungsrichtungen, -formen und -qualitäten. In die G. ist auch das Fingeralphabet zur Umsetzung von Lautsprache integriert. Die **Fingersprache** wurde um 1550 von dem Spanier Pedro Ponce de León (*1520, †1584) in den Taubstummenunterricht eingeführt. Für jeden Buchstaben wurde eine Hand- bzw. Fingerstellung festgelegt (Einhandsystem).

Gebärmutter (Uterus), muskulöses, in die Scheide mündendes Hohlorgan der Frau und der weibl. Säugetiere, in dem sich die Entwicklung des Keimlings vollzieht. Die G. der Frau ist ein sehr dehnbares, 6–9 cm langes, birnenförmiges Organ in der Mitte des kleinen Beckens zw. Blase und Mastdarm, das von den Mutterbändern in seiner Lage gehalten wird. Man unterscheidet den **G.-Körper** und den **G.-Hals,** der etwas nach vorne abgeknickt ist und mit der zapfenförmigen **Portio** in die Scheide hineinragt. An seinem unteren Ende besitzt er eine Öffnung, den **Muttermund,** dieser verbindet die Scheide über den G.-Halskanal mit der G.-Höhle, in deren oberen Teil die beiden Eileiter münden. Im Innern ist die G. von der **G.-Schleimhaut** (Endometrium) ausgekleidet, die zw. zwei Menstruationen und bei der Schwangerschaft charakterist. Veränderungen durchmacht, bei der Menstruation z.T. abgestoßen wird oder nach erfolgter Befruchtung die Einnistung des Keimlings ermöglicht. Zw. dem äußeren **Bauchfellüberzug** (Perimetrium) und der G.-Schleimhaut liegt die etwa 1 cm breite **Muskelschicht** (Myometrium), die die Vergrößerung der G. während der Schwangerschaft ermöglicht und in der Lage ist, bei der Geburt das Kind auszutreiben.

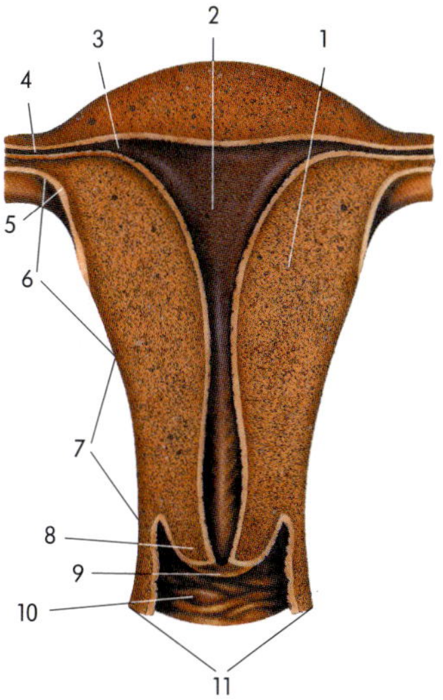

Gebärmutter (Längsschnitt): 1 Muskelschicht der Gebärmutter, 2 Gebärmutterhöhle, 3 Mündung des Eileiters in die Gebärmutter, 4 Eileiter, 5 Bauchfellüberzug der Gebärmutter, 6 Gebärmutterkörper, 7 Gebärmutterhals, 8 in die Scheide ragender Teil der Gebärmutter (Portio), 9 Muttermund, 10 Querfalten der Scheidenhaut, 11 Scheide

Gebärmutterknickung (Retroflexio uteri), Abknickung zw. Gebärmutterkörper und -hals mit Verlagerung des Gebärmutterkörpers nach hinten; kann in sehr seltenen Fällen zu Unterleibsbeschwerden, auch zu Sterilität führen.

Gebärmutterkrebs, häufigste Krebsart der Frau; befallen werden der Gebärmutterkörper und der Gebärmutterhals. Das **Korpuskarzinom** (Gebärmutterkörperkrebs, Endometriumkarzinom) tritt zumeist erst nach den Wechseljahren auf (Häufigkeitsgipfel um das 60. Lebensjahr) und befällt zunächst nur die Gebärmutterschleimhaut, wächst dann aber schnell auch in die Muskulatur ein und greift schließlich auf Eileiter, Eierstöcke, Harnblase und Mastdarm über. Das **Zervixkarzinom** (Gebärmutterhalskrebs, Kollumkarzinom) tritt am häufigsten zw. dem 50. und 60. Lebensjahr auf. Es entwickelt sich ohne warnende Anzeichen. Die frühesten Symptome sind Ausfluss und Blutungen. – *Behandlung:* Entscheidend ist die möglichst frühzeitige Erkennung im symptomlosen Stadium, was eine Heilung durch Operation und/oder Bestrahlung (auch Hormongabe) ermöglicht. Hauptvoraussetzung hierfür ist die regelmäßige Teilnahme an Vorsorgeuntersuchungen.

Gebärmuttermyom, →Myom.

Gebärmutterpolyp, →Polyp.

Gebärmuttersenkung, Senkung der Gebärmutter bis in den Scheideneingang durch Erschlaffung der Beckenbodenmuskulatur und des Halteapparates der Gebärmutter; kann u.a. zu Kreuzschmerzen und Blasenbeschwerden führen.

Gebärmuttervorfall (Prolapsus uteri), starke Gebärmuttersenkung mit teilweiser oder vollständiger Verlagerung der Gebärmutter vor den Scheideneingang.

Gebẹnde, Kopfbedeckung im MA., →Gebände.

Gẹber (arab. Djabir Ibn Hajjan), einer der Hauptvertreter der frühen arab. Alchimie, lebte in der 2. Hälfte des 8. Jh.; die G. zugeschriebenen Werke behandeln auch Medizin, Astrologie, Mathematik, Musik und Magie.

Gebet [ahd. gibet »Bitte«], die den ganzen Menschen fordernde Weise, mit der Gottheit in Verbindung zu treten. Die Struktur der Gottesbeziehung bestimmt die Gebetsarten: 1) Auf einem personalen Verhältnis zu Gott beruht das von Worten und oft Gebärden begleitete äußere G. (Lobpreisung, Bitt-, Buß-, Dank-, aber auch Fluch-G.). Es schließt einerseits den als Person vorgestellten Gott, andererseits das Ich des Betenden, sein Wollen, seinen Verstand, seine Vorstellungen und Bilder von Gott ein. 2) Die Beziehung zur eigenen Mitte (und auf diesem Wege zu Gott) sucht dagegen das innere G. auf meditativer Grundlage, so das kontemplative Beten bei den Wüstenvätern des 3./4. Jh. (J. Cassianus), bei Johannes vom Kreuz oder das Jesusgebet in der orthodoxen Kirche. Es sucht in »passivem, liebendem Empfangen« das Ich und seine Fähigkeiten auszuschalten (hierin liegt seine Nähe zu Praktiken und Zielen des Yoga, des Zen-Buddhismus und Tantrismus begründet) und »bilderfrei« zur »göttl. Vereinigung« zu gelangen.

📖 SCHROEDER, H.-W.: *Das G. Übung u. Erfahrung. Neuausg., Frankfurt am Main 6.–7. Tsd. 1990.*

Gebetbuch, Sammlung von Gebetstexten für den individuellen oder gottesdienstl. Gebrauch. In der alten Kirche war der Psalter bis in die karoling. Zeit das bevorzugte G., ab dem 9. Jh. kamen die Stundenbücher hinzu.

Gebetsmantel (hebr. Tallit), viereckiger Überwurf, den die Juden beim Gebet über der Kleidung tragen.

Gebetsmühle, im tibet. Lamaismus gebräuchl. sakrales Gerät, das die mündl. Rezitation hl. Sprü-

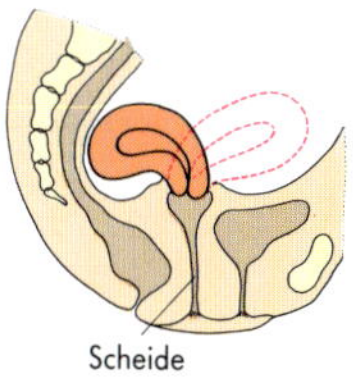

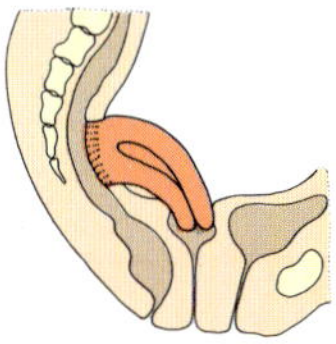

Gebärmutterknickung: rückwärts geknickte Gebärmutter, darunter mit der hinteren Beckenwand verwachsene Gebärmutter

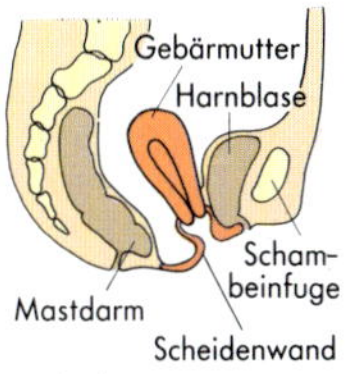

Gebärmuttersenkung mit Vorfall der Scheidenwand

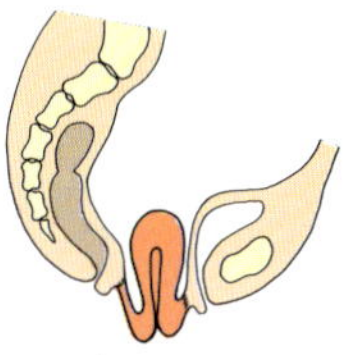

Gebärmuttervorfall: teilweiser Vorfall der Gebärmutter

che mechanisch ersetzen soll; zylinderförmiger, um eine Achse drehbarer Behälter, der im Inneren Papierstreifen mit kurzen hl. Texten (→Om mani padme hum) enthält.

Gebetsmühle: Buddhistische Gebetsmühle, Bronzeguss mit Silbereinlagen und Türkis, Handgriff aus Holz (19. Jh.; Stäfa, Schweiz, Russek Collection)

Gebetsriemen (hebr. Tefillin), jüd. Gebetsutensilien: Riemen mit Kapseln, in denen Pergamentstreifen mit Abschnitten aus den Büchern Mose (2. Mose 13, 1–16 und 5. Mose 6, 4–9, 13–21) liegen. Sie werden beim Morgengebet an Stirn und Arm gebunden.

Gebetsteppich, kleiner Teppich, der dem Muslim als Unterlage beim Gebet dient. Das Dekor des G. besteht im stilisierten Umriss einer Gebetsnische (Mihrab).

Gẹbhardt, Bruno, Historiker, *Krotoszyn (Wwschaft Kalisz) 9. 10. 1858, †Berlin 13. 2. 1905. Sein »Hb. der dt. Geschichte« (2 Bde., 1891–92) wurde oft neu bearbeitet.

Gebetsmühle

Gebetsmühlen bestehen aus einem Metall- oder Holzzylinder und einer durch Boden und Deckel des Zylinders gehenden Achse; die Achse läuft in einem Handgriff aus. Der Zylinder ist mit Papierstreifen gefüllt, die meist mit der Gebetsformel »Om mani padme hum« beschrieben sind (»om« und »hum« sind mystische Silben, »mani padme« wird als »Edelstein im Lotos« oder »Oh Edelsteinlotos« gedeutet). An der Wandung des Zylinders befindet sich eine Schnur oder Kette mit einem kleinen Gewicht, das beim Schwenken des Gerätes den Zylinder mit seinem Inhalt in Drehung versetzt. Nach lamaistischem Glauben entspricht jede Umdrehung einer Rezitation der in der Gebetsmühle enthaltenen Gebetsformeln. Es gibt größere Gebetsmühlen, die in eigenen Gebäuden untergebracht sind, auch solche, die durch Wind- oder Wasserräder angetrieben werden.

Gẹbhard Trụchsess von Wạldburg, Kurfürst und Erzbischof von Köln (1577–83), *Heiligenberg (Bodenseekreis) 10. 11. 1547, †Straßburg 31. 5. 1601; trat 1582 zum Luthertum über; verkündete die Gleichberechtigung der Konfessionen, versuchte, das Erzbistum zu säkularisieren, 1583 durch Gregor XIII. abgesetzt, exkommuniziert und im Kölnischen Krieg (bis 1584) von seinem Nachfolger Herzog Ernst von Bayern vertrieben.

Gebiet, 1) *allg.:* räuml. oder sachl. Bereich, Fach.

2) *Mathematik:* offene und zusammenhängende Teilmenge *G* eines topolog. Raumes, d. h., sie besteht nur aus inneren Punkten, und je zwei Punkte aus *G* lassen sich durch eine ganz in *G* verlaufende Kurve verbinden.

3) *Recht:* ein abgegrenzter Teil der Erdoberfläche, Territorium.

Gebietshoheit, die Befugnis eines Staates zur Ausübung von Staatsgewalt durch Hoheitsakte gegenüber den im Staatsgebiet befindl. Personen. Die G. steht in beschränktem Umfang auch öffentlich-rechtl. Gebietskörperschaften zu.

Gebietskörperschaft, Körperschaft des öffentl. Rechts, deren Gebietshoheit einen räumlich abgegrenzten Teil des Staatsgebiets sowie dessen Bewohner erfasst (v. a. Gemeinden und Landkreise); i. w. S. auch Bund und Länder.

Gebietsreform, →Verwaltungsreform.

Gebildbrote, geformte Backwaren in Gestalt von Menschen, Tieren, Gestirnen, geometr. Figuren u. Ä.; werden häufig zu Neujahr, Fastnacht, Ostern oder Nikolaus gebacken.

Gebinde, *Holzbau:* ein zusammengefügtes Tragwerk aus bearbeiteten Hölzern.

Gebirge, 1) *Bergbau:* Gesteinsverband, der eine Lagerstätte oder einen Grubenbau umgibt.

2) *Geowissenschaften:* räumlich geschlossene, höhere Teile der Erdoberfläche, die sich durch einen oft deutlich ausgeprägten Gebirgsfuß von ihrer flacher ausgebildeten Umgebung absetzen und in Berge, Täler und Hochflächen gegliedert sind. Eine exakte Abgrenzung gegen das niedrigere **Hügelland** oder das weniger geschlossene **Bergland** ist nicht möglich. Nach den relativen Höhenunterschieden unterscheidet man →Mittelgebirge und →Hochgebirge, nach der Gestaltung der Gipfelregion **Kamm-** (Riesen-G.), **Kuppen-** (Rhön) und **Plateau-G.** (Schwäb. Alb). G. ohne deutl. Gipfelbildung bezeichnet man als **Massive** (Harz). **Ketten-G.** orientieren sich am Gesamtfaltenbau (G. vom alpinen Typ). – G. entstehen durch das Zusammenspiel endogener und exogener Kräfte, und zwar erst nach der oft bis in große Tiefen reichenden geologisch-tekton. Gebirgsbildung (→Orogenese) durch die nachfolgende Hebung; ihre geomorpholog. Ausgestaltung erfahren die G. durch die Abtragung. Eine Besonderheit stellen die aus magmat. Material um versch. Eruptionspunkte aufgebauten **vulkan. G.** dar. Nach dem tekton. Bau unterteilt man G. in: a) die geologisch jungen **Falten-G.** (einschl. der durch Bildung von Decken entstandenen **Decken-G.**), die durch seitl. Druck zusammengepresste und in Falten gelegte Teile der Erdkruste darstellen und deren Faltenbau z. T.

mit dem geomorphologischen Erscheinungsbild übereinstimmt (z.B. Alpen), b) die **Bruchfalten-** oder **Faltenschollen-G.,** an deren Ausgestaltung Bruchbildung und Faltung gleichermaßen beteiligt sind, und c) die **Block-, Bruch-** und **Schollen-G.,** bei denen die abgefalteten Massen, die zu Rumpfflächen abgetragen und eingeebnet worden waren (**Rumpf-G.,** z.B. Rhein. Schiefer-G.), in einer jüngeren Faltungsära wegen zu großer Starrheit nicht nochmals gefaltet, sondern in einzelne, gegeneinander horizontal und vertikal verschobene Schollen zerlegt und gehoben wurden (Rumpfschollen-, Pultschollen-, Horst-G. u.a.); zu Letzteren gehören die meisten dt. Mittelgebirge.

📖 *Hochgebirge der Erde u. ihre Pflanzen- u. Tierwelt, hg. v.* G. KLOTZ. *Leipzig u.a.* [2]*1990.*

Gebirgsjäger, → Gebirgstruppen.

Gebirgsklima, unter dem Einfluss des Gebirgsreliefs geprägtes Klima. Typische Merkmale des G.: Abnahme des Luftdrucks mit der Höhe; Absinken der Lufttemperatur mit größerer Tagesschwankung; Zunahme der Niederschläge mit starker Beregnung der Luvseiten der Gebirge; lang anhaltende Schneedecke; im Winter geringere, im Sommer stärkere Bewölkung als in der Ebene und größere Häufigkeit von Nebeltagen, bes. Nebeldecken in den Tälern; vielfältige Lokalwinde (z.B. Berg- und Talwind, Föhn).

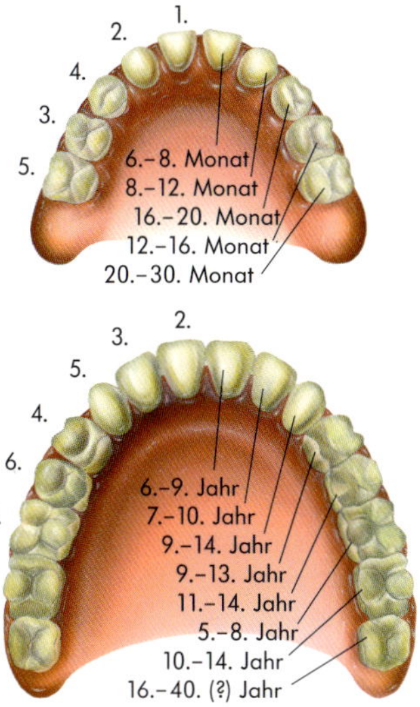

Gebiss: Durchbruchzeiten der Milchzähne (oben) und der bleibenden Zähne; die außen stehenden Zahlen geben jeweils die Reihenfolge des Durchbruchs an

Gebirgsmechanik, die → Felsmechanik.

Gebirgsschlag, schlagartig auftretende Bewegungen und Verstürzungen in bergmännisch geschaffenen Hohlräumen als Folge von Entspannungsvorgängen.

Gebirgstruppen, für den Einsatz im Gebirge sowie für den Winterkampf speziell ausgebildete und ausgerüstete Truppen; in der Bundeswehr die

Gebildbrote (von links): Jahrmarktslebkuchen (serbisch), Adam und Eva (handgeformter Lebkuchen, sächsisch) und Frau in Tracht (peruanisches Festtagsgebäck)

Gebirgsjäger. Eine Besonderheit ihrer Ausrüstung ist die Zerlegbarkeit der schweren Waffen, die dadurch mit Hubschraubern transportiert werden können.

Gebiss, Gesamtheit der Zähne des Ober- und Unterkiefers. Beim Zusammenbiss (Okklusion) übergreifen im Normalfall die Zähne des Oberkiefers (oberer Zahnbogen) die Zähne des Unterkiefers (unterer Zahnbogen). Das G. des erwachsenen Menschen **(permanentes G., Dauer-G.)** hat 32 Zähne (Dentes permanentes), das G. des Kindes **(Milch-G.)** nur 20 (Dentes decidui). Das urspr. G. der Säugetiere hatte 44 Zähne. Die mehrmalige Erneuerung des G. (Fische, Amphibien, Reptilien) wird als **Polyphyodontie,** der einmalige Zahnwechsel beim Menschen als **Diphyodontie** bezeichnet. Er erfolgt etwa zw. dem 6. und 13. Lebensjahr. G. mit versch. Zahntypen (alle Säugetiere) sind **heterodont,** wenig spezialisierte G. der Wirbeltiere weisen nur einen Zahntyp (z.B. Kegelzähne der Krokodile) auf, sie sind **homodont.** (→ Zähne, → Zahnersatz)

Gebissanomali|en, → Kieferanomalien.

Gebissformel (Zahnformel), Darstellungsweise der Anordnung und Zahl der versch. Zähne. Der erwachsene Mensch hat in jeder Hälfte der Zahnreihen des Ober- und Unterkiefers (Dauergebiss) zwei Schneidezähne (Incisivi, I), einen Eckzahn (Caninus, C), zwei Backenzähne (Prämolaren, P) und drei Mahlzähne (Molaren, M). Beim Milchgebiss werden zur Abkürzung kleine Buchstaben verwendet. An der Stelle der Backenzähne befinden sich zwei Milchmolaren, die Mahlzähne fehlen.

$$\frac{I2\,C1\,P2\,M3}{I2\,C1\,P2\,M3} \quad \text{oder} \quad \frac{2123}{2123}$$

Gebläse, ein → Verdichter mit niedrigem Druckverhältnis (Enddruck zu Ansaugdruck wie 1,1:1 bis 3:1); dient zur Erzeugung eines Gasstromes, z.B. für pneumat. Förderanlagen, zur Aufladung von Verbrennungsmotoren (Gebläsemotoren), zur Luftlieferung bei Kupol- und Hochöfen.

geblümter Stil, Stilform mit Überbetonung des formal Gekonnten, Gekünstelten (Wortspiele, rhetor. Figuren); im 13. Jh. bes. in der nachhöf. Lyrik, bis zum Meistersang gepflegt.

Geblütsrecht, im MA. der Vorrang der Geburt, der den Angehörigen von Königsfamilien und verwandten Geschlechtern Anwartschaften auf die Thronfolge gab, also die freie Wahl ausschloss.

Gebot, allg. die auf göttl., staatl., elterl. u. a. Autorität zurückzuführende bzw. von ihr erlassene oder hergeleitete religiöse, polit., soziale oder eth. Norm für eine bestimmte Handlung. In den christl. Kirchen wird der Begriff G. im Sinn von G. Gottes (→Zehn Gebote) und daraus abgeleiteten G. der Kirche (→Kirchenrecht) gebraucht.

Gebrauchsanmaßung (Gebrauchsdiebstahl), die unberechtigte Benutzung fremder Sachen ohne Zueignungsabsicht. Die G. ist i. Allg. nicht strafbar; eine Ausnahme ist die G. eines öffentl. Pfandleihers an Gegenständen, die er in Pfand genommen hat (§ 290 StGB). Auf Antrag wird die G. an Kfz. und Fahrrädern verfolgt (§ 248 b StGB). – In *Österreich* ist die G. bei dauernder Sachentziehung und beim unbefugten Gebrauch von Maschinenfahrzeugen strafbar (§§ 135, 136 StGB); in der *Schweiz* wird sie als »Sachentziehung« auf Antrag bestraft, wenn sie zu einer Schädigung geführt hat (Art. 141 StGB).

Gebrauchsgrafik, →Grafikdesign.

Gebrauchsgüter, langlebige Konsumgüter, die nicht wie die Verbrauchsgüter (z. B. Nahrungsmittel) nach einmaliger Verwendung aufgebraucht sind, z. B. Waschmaschinen, Kühlschränke.

Gebrauchshunde, →Diensthunde.

Gebrauchsmusik, zweckgebundene Musik (→funktionale Musik).

Gebrauchsmuster, Arbeitsgerätschaften, Gebrauchsgegenstände oder Teile davon, die unter bestimmten Voraussetzungen eine dem Patent ähnl. Schutzfähigkeit erlangen können. Das G.-Recht ist im G.-Ges. i. d. F. vom 28. 8. 1986 geregelt. Gebrauchsmusterschutzfähig sind nur solche Gegenstände, die sich in einer bestimmten Raumform verkörpern und eine neue Gestaltung, Anordnung, Vorrichtung oder Schaltung aufweisen; das Neue muss auf einem erfinder. Schritt beruhen. Das G.-Recht ist dem Patentrecht ähnlich: Anmeldung beim Dt. Patentamt in München (Antrag auf Eintragung in die G.-Rolle, Bez. des Schutzanspruchs, Beifügung einer Beschreibung und einer Zeichnung oder eines Modells). Die Eintragung bewirkt, dass allein der Inhaber des G. befugt ist, den Gegenstand des G. gewerblich zu benutzen. Das Recht am G. ist vererblich und übertragbar (Lizenz). Die Schutzdauer des G. beträgt drei Jahre und kann auf zehn Jahre verlängert werden. Streitigkeiten entscheidet das Patentgericht. Das Erstreckungs-Ges. vom 23. 4. 1992 bestimmt, dass sich die am 1. 5. 1992 in den alten Bundesländern bestehenden gewerbl. Schutzrechte und Schutzrechtsanmeldungen auf die neuen Bundesländer erstrecken. Die gleiche Regelung besteht für die neuen Bundesländer mit Auswirkung auf die alten. – In *Österreich* gilt das Musterschutz-Ges. von 1990, das als Muster das Vorbild für das Aussehen eines gewerbl. Erzeugnisses definiert. Das *schweizer.* Gesetz über den Muster- und Modellschutz vom 30. 3. 1900/21. 12. 1928 schützt sowohl zwei- (Muster) als auch dreidimensionale Formgebungen (Modelle), die bei der gewerbl. Herstellung eines Gegenstandes als Vorbild dienen sollen. Internat. ist der Schutz der G. in der →Pariser Verbandsübereinkunft geregelt.

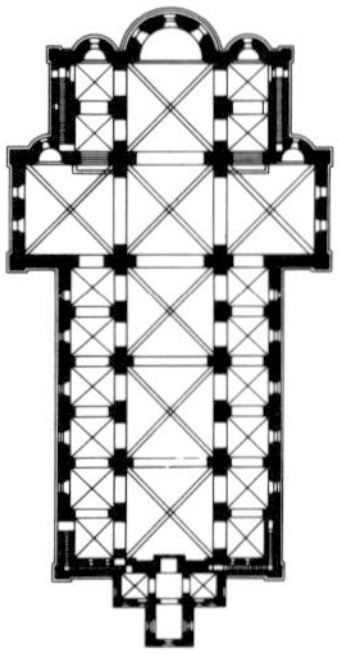

gebundenes System: Grundriss der ehemaligen Stiftskirche (1182–1233) in Ellwangen (Jagst)

Gebrauchstexte (Gebrauchsliteratur), ungenauer Sammelbegriff für Textsorten (→Text), die eine Zweck- und Gebrauchsfunktion haben, z. B. wiss., didakt., publizist. Texte, Werbetexte, Andachtsbücher; die Abgrenzung von dichter. Texten ist nicht immer eindeutig.

Gebrauchswert, Begriff der Wirtschaftstheorie für den subjektiv geschätzten Nutzen oder die objektiv gegebene Eignung eines Gutes zur Befriedigung von Bedürfnissen und zur Erfüllung bestimmter Zwecke. Ggs. →Tauschwert.

Gebsattel, Victor Emil Freiherr von, Psychotherapeut, *München 4. 2. 1883, †Bamberg 22. 3. 1976; Vertreter der daseinsanalytisch orientierten Psychotherapie auf christl. Grundlage. – »Prolegomena einer medizin. Anthropologie« (1954); Hg.: »Hb. der Neurosenlehre und Psychotherapie«, 5 Bde. (1959–61, mit V. E. Frankl und J. H. Schultz).

Gebser, Jean, schweizer. Kulturphilosoph, *Posen 20. 8. 1905, †Bern 14. 5. 1973; lehrte am Inst. für angewandte Psychologie in Zürich; versuchte in »Ursprung und Gegenwart« (2 Bde., 1949–53) die »neue Wirklichkeit« der »aperspektivischen« Welt »transparent« werden zu lassen: Die Überwindung des alten Zeit- und Raumbegriffs, die Erkenntnis der Relativität und der sprunghaften Entwicklung und die Auflösung der Dualismen, wie sie sich v. a. im Zusammenhang mit den modernen Naturwissenschaften vollziehe, führe zur Entgrenzung der Wirklichkeit und zur Öffnung für neue »a-rationale« (nicht irrationale) Bewusstseinszusammenhänge.

Gebühr, Otto, Schauspieler, *Kettwig (heute zu Essen) 29. 5. 1877, †Wiesbaden 13. 3. 1954; wirkte u. a. am Dt. Theater in Berlin, ab 1922 v. a. als Darsteller Friedrichs d. Gr. in mehreren Filmen bekannt.

Gebühren, 1) *allg.:* Entgelt für geleistete Dienste von Ärzten, Rechtsanwälten, Notaren u.a.; die Höhe ist in Gebührenordnungen festgelegt.

2) *Finanzwiss.:* öffentl. Abgaben, die im Ggs. zu Beiträgen und Steuern als Gegenleistung für die besondere Inanspruchnahme einer öffentl. Leistung oder einer öffentl. Einrichtung erhoben werden. G. sind wie Steuern Zwangsabgaben. Während die Steuerzahlung jedoch keinen Anspruch auf Gegenleistung begründet, entsteht die G.-Pflicht überhaupt erst durch die freiwillige oder unfreiwillige Inanspruchnahme einer besonderen Amtshandlung (Verwaltungs-G.) oder Benutzung einer besonderen Einrichtung (Benutzungs-G.). Dagegen setzen Beiträge nicht die tatsächl. Inanspruchnahme voraus. Rechtsgrundlage sind die Kommunalabgaben-Ges. der Länder sowie G.-Satzungen der Gemeinden.

Gebührenordnung, vom Staat oder von Selbstverwaltungsorganisationen durch Rechtsvorschrift festgelegte Berechnungsgrundlage für die Inanspruchnahme der in der G. erfassten Leistungen, z.B. Gebührenordnung für Ärzte oder Zahnärzte, G. für Rechtsanwälte oder Steuerberater, Kostenordnung für Notare.

Gebührenordnung für Ärzte, Abk. **GOÄ, Gebührenordnung für Zahnärzte,** Abk. **GOZ,** vom Staat 1965 erlassene Normen für das ärztl. (zahnärztl.) Honorar; sie enthalten neben allg. Vorschriften ein Verzeichnis abgrenzbarer ärztl. (zahnärztl.) Leistungen mit Honorarsätzen, die je nach Schwierigkeit der Leistung, des Zeitaufwandes u.a. bis zu einer bestimmten Höchstgrenze überschritten werden dürfen. Durch die GOÄ von 1996 wurden die Gebührensätze i.d.R. erhöht.

gebührenpflichtige Verwarnung, →Verwarnung.

gebunden, *Musik:* ohne Neuansatz ineinander übergehend, →legato (Töne).

gebundene Rede, sprachl. Darstellungsform, die durch metr. und rhythm. Mittel gestaltet ist.

gebundenes System, *romanische Baukunst:* Grundrissanordnung unter Zugrundelegung des Quadrats als Maßeinheit für alle Bauteile. Ausgangspunkt ist das Vierungsquadrat, an das sich nach O das Chorquadrat, nach N und S die beiden Querhaus- und nach W die Langhausquadrate anschließen. Einem Langhausquadrat entsprechen je zwei kleinere Seitenschiffsquadrate. Jedes Grundrissquadrat bildet eine Wölbeeinheit. Die Höhe der Seitenschiffe beträgt ein Quadrat, die des Mittelschiffs zwei Quadrate.

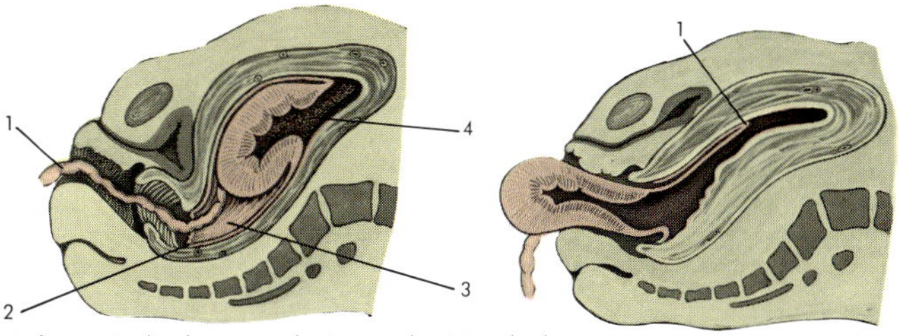

Geburt: Nachgeburtsperiode; Lösung des Mutterkuchens von der Gebärmutterwand (links) 1 Nabelschnur, 2 Rissstelle der Eihäute, 3 innere Oberfläche der Fruchtblase, 4 hinter dem Mutterkuchen gelegener Bluterguss, daneben Ausstoßung des Mutterkuchens und der Eihäute, 1 Umschlagstelle der Eihäute

Geburt (Partus), Vorgang des Ausstoßens der Nachkommen aus dem mütterl. Körper bei lebend gebärenden (viviparen) Tieren und beim Menschen (bei Letzterem auch als **Entbindung** oder **Niederkunft** bezeichnet).

Unipare Lebewesen gebären meist nur ein Junges (z.B. Pferd, Rind, Affe, Mensch), multipare bringen mehrere Junge in einem G.-Vorgang zur Welt (z.B. Nagetiere, Katzen, Hunde, Schweine).

Beim Menschen tritt die G. als Abschluss der Schwangerschaft um den 280. Tag nach dem ersten Tag der letzten Menstruation ein (äußerste Grenzen: 236 und 334 Tage). Der G.-Beginn wird durch Hormonwirkung (v.a. Verschiebung des Follikelhormon-Progesteron-Verhältnisses) ausgelöst. Die normale G. wird unterteilt in **Eröffnungsperiode:** Zeit vom Einsetzen der →Wehen bis zur vollständigen Eröffnung des Muttermundes (spätestens dann erfolgt der Blasensprung, das Zerreißen der Eihäute mit Abgang von Fruchtwasser); die durchschnittl. Dauer bei Erstgebärenden beträgt 9 bis 15 Stunden, bei Mehrgebärenden 6 bis 9 Stunden; **Austreibungsperiode:** beginnt mit dem Einsetzen der Presswehen und endet mit der G. des Kindes; Dauer bei Erstgebärenden 1 bis 2 Stunden, bei Mehrgebärenden $\frac{1}{2}$ bis 1 Stunde und weniger; in dieser Periode wird die Gebärmuttertätigkeit durch Mitpressen der Frau **(Presswehen)** unter-

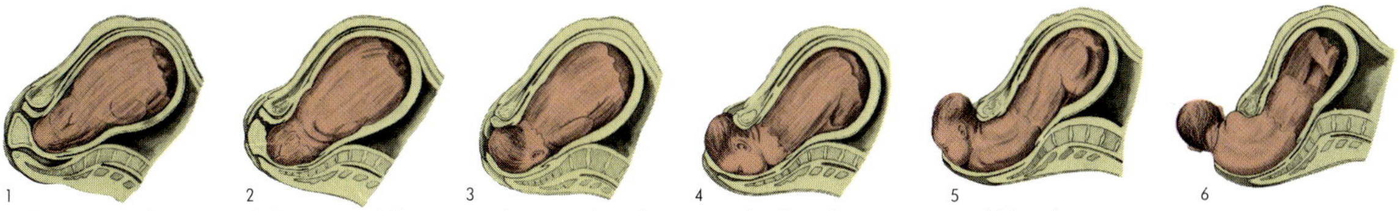

Geburt: Austreibungsperiode (Seitenansicht); 1 Beginn der Austreibung (Muttermund vollständig erweitert, Fruchtblase kurz vor dem Springen), 2 nach dem Blasensprung, 3 Beginn des Sichtbarwerdens des Kopfes, 4 der vorangehende Teil des Kopfes ist sichtbar, 5 Austritt des Kopfes, 6 Kopf und Hals sind vollständig geboren

stützt; die Dauer der beiden G.-Perioden ist abhängig von der Kraft der Wehen, der Dehnbarkeit der mütterl. Weichteile sowie der Größe und Lage des Kindes; das Neugeborene wird durch Abnabeln von der noch in der Gebärmutter befindl. Plazenta (Mutterkuchen) getrennt; **Nachgeburtsperiode:** umfasst die Zeit von der G. des Kindes bis zum Ausstoßen der **Nach-G.** (Plazenta) durch die Nachgeburtswehen und dauert im Durchschnitt 10 bis 20 Minuten.

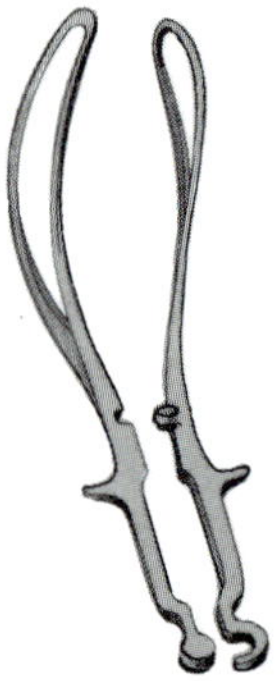

Geburtszange

Rechtliches: Mit der vollendeten G., d.h. mit dem völligen Austritt aus dem Mutterleib und dem Einsetzen der Atmung, beginnt die Rechtsfähigkeit des Menschen. Nur in einzelnen Beziehungen gehen seine Rechte schon auf die Zeit zurück, als er noch Leibesfrucht war, z.B. im Erbrecht. Der strafrechtl. Schutz gegen Tötung und Verletzung beginnt mit dem Anfang der G. (vorher →Schwangerschaftsabbruch). Die G. ist binnen einer Woche dem Standesbeamten anzuzeigen, sie wird in das →Geburtenbuch eingetragen.

📖 KITZINGER, S.: *Schwangerschaft u. G. A. d. Engl. München* [8]*1995.*

Geburtenbuch, das zur Beurkundung der Geburten dienende Personenstandsbuch, es wird beim Standesamt geführt. Eingetragen werden: persönl. Verhältnisse der Eltern, Ort und Zeit der Geburt, Geschlecht und Name des Kindes.

Geburtenregelung, die Beeinflussung der Geburtenhäufigkeit v.a. durch staatl. (→Bevölkerungspolitik), kirchl. und private Normen und Maßnahmen. I.e.S. wird unter G. die **Familienplanung** verstanden, bei der bes. mithilfe der →Empfängnisverhütung Kinderzahl, wirtsch. und soziale Bedingungen und individuelle Wünsche aufeinander abgestimmt werden. – Die Auffassung der kath. Kirche zur G. ist in der Enzyklika →Humanae vitae (1968) niedergelegt; die evang. Ethik überlässt die G. der verantwortl. Entscheidung der Partner.

Geburtshelferkröte: Zwei Geburtshelferkröten bei der Paarung; das Männchen veranlasst das Weibchen zur Abgabe der beiden Eischnüre, die jeweils 20–60 Eier enthalten

Geburtenrückgang, das Absinken der Geburtenziffer (→Geburtenstatistik) bzw. der durchschnittl. Zahl von Geburten je Frau in einer Bevölkerung. Besondere Beachtung fand der G., der gegen Ende des 19. Jh. in vielen Ländern N- und W-Europas einsetzte. Mitte der 1960er-Jahre begann in W- und N-Europa ein erneuter G., der mittlerweile alle Ind.länder betrifft. Ein deutl. G. ist seit den 90er-Jahren in den neuen Bundesländern zu verzeichnen.

Geburtenstatistik, der Teil der Bevölkerungsstatistik, der das natürl. Wachstum einer Bevölkerung untersucht. Die **Geburtenziffer (Geborenenziffer)** gibt die Zahl der Geborenen eines bestimmten Zeitraums auf 1000 Ew. bezogen an, gegliedert nach lebend und tot Geborenen, ehelich und nichtehelich Geborenen, dem **Geschlechterverhältnis (Sexualproportion),** nach Stadt, Land, Religion u.a. Die **Fruchtbarkeitsziffer** gibt an, wieviel lebend Geborene auf 1000 Frauen im gebärfähigen Alter entfallen. Weitere Aufgliederungen: Ziffern für verheiratete/nicht verheiratete Frauen, nach Altersjahren der Mütter und/oder Ehedauer (spezif. Fruchtbarkeitsziffern). Aus der Differenz zw. lebend Geborenen und Sterbefällen ergibt sich der Geburtenüberschuss oder das Geburtendefizit.

Geburtsgeschwulst, Flüssigkeitsansammlung in Haut und Gewebe des kindl. Teils, der bei der Geburt vorangeht; z.B. bei Kopflage über dem Schädel **(Kopfgeschwulst);** spontane Rückbildung. (→Kopfblutgeschwulst)

Geburtshelferkröte (Alytes obstetricans), zu den Scheibenzünglern gehörender Froschlurch Mitteleuropas. Die Paarung erfolgt an Land; das Männchen wickelt sich die vom Weibchen abgelegten gallertartigen Eischnüre um die Hinter-

Geburtenstatistik: Geburtenhäufigkeit in ausgewählten Ländern

	Geburtenziffer (je 1000 Ew.)		Geburten je Frau	
Staat	1970–75	1990–95	1970–75	1990–95
Kenia	52,9	44,5	8,12	6,28
Nigeria	46,3	45,4	6,45	6,45
Mexiko	42,4	27,7	6,37	3,21
Indien	38,2	29,1	5,43	3,75
Indonesien	38,2	24,7	5,10	2,90
Venezuela	35,1	27,4	4,94	3,29
China	28,3	18,5	4,76	1,95
Israel	27,4	21,2	3,77	2,88
Japan	19,2	10,1	2,07	1,50
Polen	17,8	13,2	2,25	1,88
Frankreich	16,3	12,9	2,31	1,74
USA	15,7	15,9	2,02	2,08
Russland	15,2	10,9	1,98	1,53
Großbritannien	14,5	13,5	2,04	1,81
Schweiz	14,2	12,6	1,81	1,60
Österreich	13,7	11,9	2,02	1,53
Schweden	13,6	14,1	1,89	2,10
Deutschland	11,4*)	9,9	1,64*)	1,30

*) BRD und DDR

beine und setzt nach drei Wochen die schlüpfenden Larven im Wasser ab.

Geburtshilfe (Obstetrik), Teilgebiet der →Gynäkologie, das sich mit der prakt. ärztl. Hilfe bei allen mit Schwangerschaft, Geburt, Wochenbett und Pflege des Neugeborenen zusammenhängenden normalen und krankhaften Vorgängen und deren wiss. Erforschung befasst.

Geburtsschäden (Geburtsverletzungen), die durch den Geburtsvorgang hervorgerufenen Verletzungen des Neugeborenen oder der Mutter, die v.a. bei erschwerten Geburten auftreten. **G. des Kindes** betreffen in ihrer schwerwiegendsten Form bes. das Gehirn, das durch Sauerstoffmangel (starke Verzögerung der Geburt, Nabelschnurumschlingung) oder Blutungen bei übermäßigem Druck auf den Kopf geschädigt werden kann. Außerdem kann es zu Blutungen in den Bauchraum, zu Haut- und Weichteilverletzungen, aber auch zu Knochenbrüchen (Arme, Beine, Schlüsselbein) und Nervenlähmungen kommen. **G. der Mutter** treten vor allem in Form von Damm-, Scheiden-, Muttermund- und Gebärmutterrissen auf.

Geburtstag, seit der Antike bekannte Feier der jährl. Wiederkehr des Tages der Geburt.

Geburtstermin, errechnetes Ende der Schwangerschaft; zur Bestimmung des G. rechnet man vom 1. Tag der letzten Regel drei Kalendermonate zurück und zählt ein Jahr plus sieben Tage hinzu (**Naegele-Regel,** ben. nach dem Gynäkologen F. K. Naegele, *1778, †1851). Inzwischen erfolgen Berechnungen des G. auch auf der Grundlage von Ultraschalluntersuchungen.

Geburtsverletzungen, die →Geburtsschäden.

Geburtszange (Forzeps), aus zwei gefensterten Löffeln bestehendes zangenartiges Instrument zum Fassen des kindl. Schädels bei der Zangengeburt. Die →Vakuumextraktion hat die G. weitgehend abgelöst.

Gebweiler (frz. Guebwiller), Stadt im Oberelsass, Dép. Haut-Rhin, Frankreich, am Fuß der Vogesen, 11300 Ew.; Textil- und Holzindustrie, Textilmaschinenbau; Steinbrüche; Weinbau. – Romanisch-got. Kirche Saint-Léger (erbaut 1182 bis um 1200, erweitert 1580), ehem. Dominikanerkirche (1306 begonnen), spätbarocke Liebfrauenkirche, spätgot. Rathaus (1514).

Gecekondusiedlung ['gɛdʒe'kondu-; türkisch »über Nacht gebaut«], als Folge der Landflucht seit etwa 1950 meist in größeren Ind.städten der Türkei von ländl. Zuwanderern wild gebaute Stadtrandsiedlung; in G. leben z.B. in Ankara über 65% der gesamten Stadtbevölkerung.

Geckos, →Haftzeher.

Gedächtnis, Fähigkeit, Informationen abrufbar zu speichern und zu reproduzieren. Körperl. Grundlage für das G. ist bei Mensch und Tier die Gesamtheit der Nervenzellen. Wie diese die Informationen aufbewahren, d.h., durch welche Vorgänge Erregungen zurückbleiben bzw. Spuren hinterlassen, ist noch weitgehend ungeklärt. – Das menschl. G. arbeitet in drei Stufen: Im **Ultrakurzzeit-G.** werden für 6–10 Sekunden Eindrücke bewahrt. Das **Kurzzeit-G.** hält Eindrücke für maximal 1–2 Stunden fest, i. Allg. jedoch nur für Sekunden bis Minuten. Inhalte des Kurzzeit-G. (z.B. eine bestimmte Zahlenfolge), die man sich eingeprägt hat, geraten rasch wieder in Vergessenheit **(Extinktion),** wenn sie nicht durch häufiges Wiederholen (Üben) ins **Langzeit-G.** überführt werden. Dort werden die Informationen dann relativ dauerhaft (Tage bis Jahre) gespeichert und die von ihnen gebildeten G.-Spuren **(Engramme)** verfestigen sich mit jeder Ablesung. Die Erhärtung von Engrammen durch ihre wiederholte Benutzung bildet die Grundlage für eine dauerhafte Speicherung und Wiedergabe der zugehörigen Informationen. Dieser Vorgang wird auch als **Konsolidierung** bezeichnet. – Die meisten Informationen

Gebweiler: Die zwei Westtürme der romanisch-gotischen Kirche Saint Léger (1182 bis um 1200)

Wer immer die Wahrheit sagt, kann sich ein schlechtes **Gedächtnis** *leisten.*

Theodor Heuss

Geburtstag

Mit dem Namen »Geburtstagsproblem« bezeichnet man die Aufgabe, die Wahrscheinlichkeit P_n *dafür zu berechnen, dass in einer Klasse von n Schülern mindestens zwei am selben Tag Geburtstag haben. Meist schätzt man diese Wahrscheinlichkeit viel zu gering. Sie lässt sich nach der Formel*

$$P_n = \frac{365 \cdot 364 \cdot \ldots \cdot (365 - n + 1)}{365^n}$$

berechnen. Schon bei einer Klassenstärke von 10 Schülern beträgt die Wahrscheinlichkeit 11,7%, bei 20 Schülern 41,1%, bei 23 Schülern übersteigt sie 50%, bei 30 Schülern ist sie 70,6% und bei Gruppen ab 60 Schülern liegt sie über 99%.

Nicolai Gedda

Im **Gedicht** *ist die Sprache zur Ruhe gebracht, und der Mensch lebt, gestillt, einen Augenblick im Schweigen.*

Gottfried Benn

werden in dem am stärksten differenzierten Teil der Großhirnrinde, dem Neokortex, gespeichert. – Ungelöst ist das Problem des **Vergessens.** Im Allg. gilt: 1. Es wird umso mehr vergessen, je größer der zeitl. Abstand zw. Einspeicherung und Erinnerung ist; 2. sinnarmes, unwichtiges und umfangreiches Material wird eher vergessen; 3. Art und Anzahl der auf einen Lernvorgang folgenden Eindrücke beeinflussen das Ausmaß des Vergessens. – Von den Tieren haben (mit Ausnahme der Mesozoen und Schwämme) alle vielzelligen Tiere ein Gedächtnis.

📖 MARKOWITSCH, H. J.: *Neuropsychologie des G. Göttingen u. a. 1992.* – SCHUMANN-HENGSTELER, R.: *Die Entwicklung des visuell-räuml. G. Göttingen u. a. 1995.* – *G. Probleme u. Perspektiven der interdisziplinären Gedächtnisforschung, hg. v.* SIEGFRIED J. SCHMIDT. *Frankfurt am Main [3]1996.* – VESTER, F.: *Denken, Lernen, Vergessen. Neuausg. München [23]1996.*

Gedächtnisstörungen (Dysmnesien), Beeinträchtigungen der Gedächtnisleistung, verursacht durch zentrale Verletzungen oder Blutungen, seel. Schock, durch Giftwirkung oder altersbedingte Abbauprozesse. Als **Gedächtnisschwäche** bezeichnet man die Abnahme der Erinnerungsfähigkeit in Bezug auf frühere Erlebnisse und Geschehnisse (Erinnerungsschwäche), als **Merkschwäche** die Abnahme der Fähigkeit, neue Eindrücke dem Altbesitz des Gedächtnisses einzugliedern. Der vorübergehende oder dauernde, partielle oder völlige Gedächtnisverlust heißt **Amnesie.**

gedackt (gedeckt), *Orgelbau:* Bez. für die am oberen Ende verschlossenen Labialpfeifen, deren eingeschlossene Luftsäule beim Anblasen Schallwellen von doppelter Wellenlänge gegenüber gleich langen offenen Pfeifen erzeugt; klingen deshalb eine Oktave tiefer.

Gedanke, in der *Psychologie* ein psych. Akt bzw. ein Teilvorgang des Denkens. In der *Logik* das Ergebnis des Denkens; der Denkinhalt, der in einem Satz ausdrückbar ist. Die These des Psychologismus, dass Gedanken als logisch-begriffl. Denkinhalte auf Gedanken als psychisch-physiolog. Denkvorgänge zurückführbar seien, suchten G. Frege, E. Husserl und K. R. Popper zu widerlegen.

Gedankenlyrik, → Lyrik.

Gedankenstrich, Satzzeichen, das eine Pause oder eine Einschaltung im Satz kennzeichnet (ÜBERSICHT Satzzeichen).

Gẹdda, Nicolai, eigtl. N. Ustinow, schwed. Sänger (Tenor) russ. Herkunft, * Stockholm 11. 7. 1925; wurde bes. als Interpret lyr. Opernarien bekannt; auch Konzert- und Liedsänger.

Gẹdi, Ruinenstadt in Kenia, an der Küste südwestlich von Malindi; vermutlich um 1100 von Arabern gegr., im 15./16. Jh. blühende arabisch-pers. Handels- und Residenzstadt, dann aufgegeben; seit 1948 ausgegraben; von Mauer umgeben, mit Moscheen, Villen und Palast.

Gedicht, i. w. S. jede Dichtung in gebundener Rede, i. e. S. das lyrische Dichtwerk (→ Lyrik).

gediegen, rein, als Element vorkommend, v. a. Metalle (z. B. Gold, Silber, Platin).

Gedimin (litauisch Gediminas), Großfürst von Litauen (seit 1316), * um 1275, † 1341; dehnte sein Herrschaftsgebiet weit nach Osten aus und gründete Vilnius. Den Übertritt zum Christentum lehnte er ab.

Gedinge, 1) *Bergbau:* zw. Unternehmensleitung und Untertagearbeitern vor Ort ausgehandelter Akkordlohn.

2) *Recht:* im MA. die unter der Bedingung des → Heimfalls vorgenommene Belehnung; der Belehnte hieß **Gedingsmann,** der Lehnsherr **Gedingsherr.**

Gẹdok, Abk. für **Ge**meinschaft **d**eutscher und **o**esterr. **K**ünstlerinnen, eine 1926/27 in Hamburg von Ida Dehmel (* 1870, † 1942) gegründete Vereinigung, seit 1948 **Verband der Gemeinschaften der Künstlerinnen und Kunstfreunde e. V.,** Sitz: Hamburg.

Gedrọsien (grch. Gadrosia), antike Landschaft im südöstl. Iran (heute etwa Belutschistan).

gedruckte Schaltung, elektr. Schaltung, die mittels eines Druckverfahrens auf eine Isolierstoffplatte aufgebracht ist. Zur Herstellung wird i. Allg. eine kupferkaschierte, dünne Isolierstoffplatte entsprechend den Leiterzügen mit einem säurefesten Lack bedruckt (Siebdruck); die nicht durch den Lack abgedeckte Kupferschicht wird weggeätzt. Häufig wird auch der Fotodruck angewandt. Die

Gedanke

Die Gedanken sind frei

Diese Aussage bildet die Anfangszeile und den Kehrreim eines Liedes aus der Sammlung »Des Knaben Wunderhorn« (Heidelberg 1806–1808) von Achim von Arnim und Clemens Brentano. Auf den Anfang des Liedes:

»Die Gedanken sind frei,
Wer kann sie erraten,
Sie fliehen vorbei
Wie nächtliche Schatten.
Kein Mensch kann sie wissen,
Kein Jäger erschießen«,

spielt Joseph von Eichendorff in seinem Gedicht »Verschwiegene Liebe« an:

»Wer mag sie erraten,
Wer holte sie ein?
Gedanken sich wiegen,
Die Nacht ist verschwiegen,
Gedanken sind frei.«

Das Zitat wird heute nicht nur als allgemeine Feststellung verwendet. Auch in Situationen, in denen man entweder ausdrücken möchte, dass man trotz äußerer Zwänge seine geistige Unabhängigkeit nicht aufzugeben gedenkt oder dass es einem gleichgültig ist, was ein anderer denkt, wird es gebraucht.

flachen Leiterzüge bilden mit der Isolierstoffplatte eine **Leiterplatte (Platine),** die mit Bauelementen (Widerstände, Kondensatoren, Spulen, Transistoren, integrierte Schaltkreise) bestückt wird. Neben einseitigen g. S. gibt es mit beidseitigem Leiterbild versehene g. S., ferner mehrschichtige (Multilayer) und flexible Schaltungen.

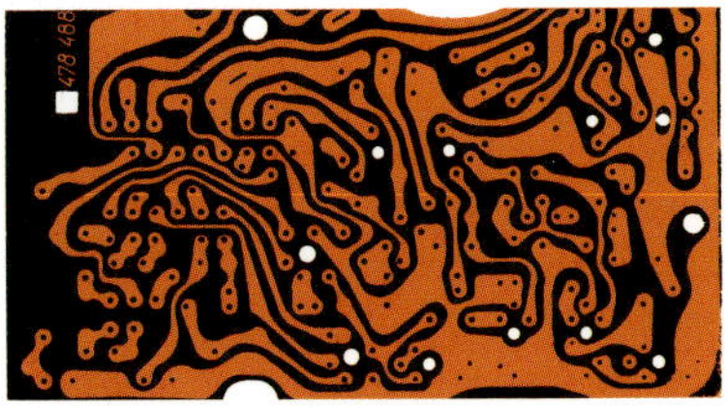

gedruckte Schaltung: Ausschnitt aus einer Leiterplatte

Gedser ['gesər], südlichster Ort Dänemarks, auf der Insel Falster, 1200 Ew.; Autofähre nach Lübeck-Travemünde, Eisenbahnfähre nach Rostock-Warnemünde.

Geel [xe:l], Gemeinde in der Prov. Antwerpen, Belgien, 32 000 Ew.; Elektro- u. a. Ind.; bekannt durch Betreuung geistig Behinderter, die z. T. in Familien gegen staatl. Entgelt untergebracht sind. – Kirche Sint-Dimphnakerk (15. Jh.) im spätgot. Flamboyantstil, mit reicher Barockausstattung.

Geelong [dʒi:'lɔŋ], Stadt in Victoria, Australien, an der Port Phillip Bay, 126 300 Ew.; Ausfuhrhafen für Weizen und Wolle; Erdölraffinerie, Maschinen-, chem., Textil- u. a. Ind.; auf der Halbinsel Point Henry Aluminiumschmelze.

Geertgen tot Sint Jans ['xe:rtxə-], niederländ. Maler, *Leiden (?) um 1460/65, †Haarlem um 1495; malte religiöse Bilder, die durch spröde Verhaltenheit der Darstellung, Betonung landschaftl. Motive und feinste Detailbeobachtung gekennzeichnet sind (z. B. »Johannes der Täufer in der Einöde«, 1485–90; Berlin, Gemäldegalerie). Für die Kirche der Johanniter malte er einen Hochaltar (nach 1484); erhalten sind u. a. die beiden Altarflügel »Beweinung Christi« und »Das Schicksal der ird. Überreste des hl. Johannes des Täufers« (nach 1484; Wien, Kunsthistor. Museum).

Geest, sandiges, trockenes, wenig fruchtbares Gebiet in NW-Dtl., höher als die vorgelagerten fruchtbaren Marschen, eiszeitlich aufgeschüttet (Altmoränen), infolge Bodenverarmung z. T. Heide und Kiefernwald (urspr. Laubmischwälder); Bodenverbesserung früher durch Plaggenwirtschaft (→Plagge).

Geesthacht, Stadt im Kr. Herzogtum Lauenburg, Schlesw.-Holst., am rechten Elbufer, 28 000 Ew.; Teppich-, Maschinenfabrik, Quarzschmelze, Papierverarbeitung, Werft für Flussschiffe; Hafen; Kernforschungsreaktor, Pumpspeicherkraftwerk, Staustufe mit Großschleuse, Kernkraftwerk im Ortsteil Krümmel. – Erstmals 1216 als **Hachade** erwähnt, 1401 in G. umbenannt, seit 1924 Stadt, 1937 an Preußen (früher zu Lübeck und Hamburg).

Geez [-z], eine südsemit. Sprache, Schriftsprache im alten Reich von →Aksum. Das G. ist bis heute die liturg. Sprache der äthiop. Kirche geblieben. Als Umgangssprache starb es Ende des 13. Jh. aus. An seine Stelle traten im N das Tigre und das Tigrinja, im S das Amharische.

Gefahr [mhd. gevāre »Hinterhalt«], *Recht:* Begriff, der im Zivilrecht im Rahmen der Risikoverteilung bei gegenseitigen Verträgen, bes. bei Kauf- und Werkverträgen, eine Rolle spielt. Man unterscheidet: die **Sach-G.** (Wer trägt unmittelbar den Schaden, der den Vertragsgegenstand zw. Vertragsschluss und Erfüllung trifft?) und die **Leistungs-G.** (Muss bei Untergang oder Beschädigung der Schuldner die Leistung trotz Untergangs des Leistungsgegenstandes erbringen?). Hiervon ist die **Preis-G.** (auch Gegenleistungs- oder Vergütungs-G.) zu unterscheiden (Muss der Gläubiger die Leistung bezahlen, auch wenn sie dem Schuldner schuldlos unmöglich geworden ist?). Die Sach-G. trägt i. d. R. der Eigentümer der Sache, die Leistungs-G. der Gläubiger der Leistung (§ 275 BGB). Die Preis-G. trifft grundsätzlich den Gläubiger der Gegenleistung, doch sind bei bestimmten Verträgen besondere Regelungen zu beachten: Beim Kauf geht mit der Übergabe der Sache an

Geertgen tot Sint Jans: »Johannes der Täufer in der Einöde« (1485–90; Berlin, Gemäldegalerie)

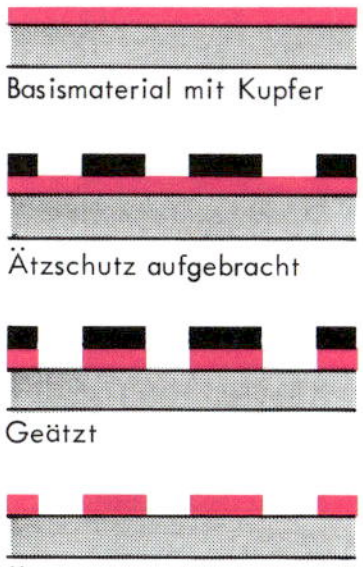

gedruckte Schaltung: Herstellen einer gedruckten Schaltung durch Ätzen

T giftig
T+ sehr giftig

Xn gesundheitsschädlich
Xi reizend

C ätzend

E explosionsgefährlich

O brandfördernd

F leicht entzündlich
F+ hochentzündlich

N umweltgefährlich

Gefahrstoffe: Gefahrensymbole nach der Gefahrstoffverordnung vom 26.10.1993

den Käufer die G. über, beim Versendungskauf bereits mit der Auslieferung der Sache an den Transporteur (§§ 323, 446 f. BGB). – Im Verwaltungsrecht meint G. eine Sachlage, die bei ungehindertem Ablauf erkennbar zu einem Schaden führen könnte. – Im Strafrecht ist »gemeine G.« die tatsächl. G. der Schädigung geschützter Rechtsgüter einer unbestimmten Zahl von Personen.

Gefährdetenhilfe, die →Hilfe zur Überwindung besonderer sozialer Schwierigkeiten.

Gefährdungsdelikt, strafrechtlich im Unterschied zum Verletzungsdelikt ein Delikt, dessen Verwirklichung nur die bloße Gefährdung des geschützten Rechtsguts voraussetzt. Beim **konkreten G.** (z. B. bei der Straßenverkehrsgefährdung) muss im konkreten Einzelfall eine tatsächl. Gefährdung eingetreten sein. Beim **abstrakten G.** genügt die Schaffung der Gefahrenlage, z. B. bei Trunkenheit im Verkehr (§ 316 StGB).

Gefährdungshaftung, Haftung für Schäden, die ohne Verschulden des Haftpflichtigen eingetreten sind. Grundsätzlich besteht eine Schadenersatzpflicht nur für verschuldete Schäden. In bestimmten Fällen knüpft das Gesetz jedoch an die von der bloßen Inbetriebnahme einer erlaubten Sache oder Einrichtung ausgehende Gefährdung eine Haftung (z. B. Haftung des Halters eines Kfz, der Eisenbahn oder des Tierhalters). Der Halter ist für bei dem Betrieb der Sache oder Einrichtung entstehende Schäden verantwortlich, ohne dass ihm der Geschädigte ein Verschulden nachweisen muss. Die oft summenmäßig begrenzte Haftung ist i. d. R. ausgeschlossen, wenn der Schaden auf höhere Gewalt oder ein unabwendbares Ereignis zurückzuführen ist. (→Produkthaftung)

Gefahrensymbole, internat. festgelegte bildhafte Symbole zur Kennzeichnung von →Gefahrstoffen. Sie werden in **Sicherheitszeichen** zur Unfallverhütung verwendet.

gefahrgeneigte Arbeit, von einem Arbeitnehmer zu leistende Arbeit, bei deren Verrichtung aufgrund ihrer Natur bes. leicht ein Schaden entstehen kann (Lkw-Fahren, Kranführen). Der Arbeitnehmer haftet nach der Rechtsprechung nur für Vorsatz und grobe Fahrlässigkeit (die Beweislast trägt der Arbeitgeber) dem Arbeitgeber voll, bei einfacher Fahrlässigkeit werden die Schadenfolgen zw. Arbeitgeber und Arbeitnehmer verteilt, bei geringer Fahrlässigkeit kommt der Arbeitgeber für den Schaden auf.

Gefahr im Verzug, *Recht:* Möglichkeit eines Schadenseintritts infolge Verzögerung eines Handelns. Bei G. i. V. dürfen, bes. im Rahmen polizeil. Ermittlungen, grundrechtsrelevante Maßnahmen seitens der Verfolgungsbehörden ergriffen werden, noch bevor die hierfür an sich erforderliche richterl. Anordnung vorliegt.

gefährliche Güter, nach dem Bundes-Ges. über die Beförderung g. G. vom 6. 8. 1975 solche Stoffe und Gegenstände, von denen aufgrund ihrer Natur, Eigenschaften und ihres Zustandes im Zusammenhang mit der Beförderung (durch Eisenbahn, Straßen-, Wasser- und Luftfahrzeuge) Gefahren für die öffentl. Sicherheit und Ordnung, für Leben und Gesundheit von Mensch und Tier ausgehen können. Durch RVO sind v. a. die Zulassung der in **Gefahrklassen** eingeteilten Güter zur Beförderung, die Art der Beförderung, die techn. Ausstattung und die Kennzeichnung der entsprechenden Fahrzeuge geregelt.

🕮 RODEWALD, G. *u.* HEUSCHEN, R.: *Gefährl. Stoffe u. Güter. Stuttgart u. a. 1994. – Europ. Übereinkommen über die internationale Beförderung g. G. auf der Straße (ADR), hg. v.* H. GRUNDTNER. *Wien* ^{2}*1995.*

Gefahrklassen	
1 a	Explosive Stoffe und Gegenstände
1 b	Mit explosiven Stoffen geladene Gegenstände
1 c	Zündwaren, Feuerwerkskörper und ähnliche Güter
2	Verdichtete, verflüssigte oder unter Druck gelöste Gase
3	Entzündbare flüssige Stoffe
4.1	Entzündbare feste Stoffe
4.2	Selbstentzündliche Stoffe
4.3	Stoffe, die in Berührung mit Wasser entzündliche Gase entwickeln
5.1	Entzündend (oxidierend) wirkende Stoffe
5.2	Organische Peroxide
6.1	Giftige Stoffe
6.2	Infektiöse Stoffe
7	Radioaktive Stoffe
8	Ätzende Stoffe

Gefahrstoffe, Stoffe und Zubereitungen, die explosionsgefährlich, brandfördernd, hoch oder leicht entzündlich, entzündlich, sehr giftig, giftig, minder giftig, ätzend, reizend, sensibilisierend, Krebs erzeugend, fruchtschädigend, erbgutverändernd oder auf sonstige Weise chronisch schädigend oder umweltgefährlich sind. Die wichtigsten Rechtsvorschriften zum Umgang mit G. sind in Dtl. das Chemikalien-Ges. i. d. F. vom 25. 7. 1994 und die Gefahrstoff-VO vom 26. 10. 1993. – In den Handel gebrachte G. müssen außer durch die Bez. des Stoffes und den Namen des Vertreibers durch →Gefahrensymbole, die Gefahrenbez. und Sicherheitsratschläge (z. B. Hinweise für erste Hilfe) gekennzeichnet sein.

🕮 GÖBEL, W.: *Gefahrstoff-ABC. Landsberg a. Lech* ^{2}*1991.* – BENDER, H. F.: *Das Gefahrstoffbuch. Sicherer Umgang mit G.n in der Praxis. Weinheim u. a. 1996.*

Gefahrtarif, in der gesetzl. Unfallversicherung die Bemessungsgrundlage für die Versicherungsbeiträge nach dem Grad der Unfallgefahr des Betriebs.

Gefälle, der Höhenunterschied zw. zwei Punkten in bestimmtem waagerechtem Abstand, ausgedrückt durch den Höhenunterschied auf eine bestimmte Entfernung (z. B. 2 m auf 100 m = 2 %) oder durch den Höhenunterschied von 1 m auf die zugehörige Entfernung (z. B. 1 m auf 50 m = 1 : 50). Zum Messen von G. verwendet man z. B. das Nivellierinstrument.

Gefälligkeitsakzept, *Recht:* vom Bezogenen aus Gefälligkeit gegen den Aussteller unterzeichneter (»akzeptierter«) Wechsel, dem keine Schuldverbindlichkeit zugrunde liegt. Der Akzeptant haftet voll für den Wechsel (nicht gegenüber dem Aussteller).

Gefälligkeitsfahrt, die unentgeltl. Beförderung von Personen mittels eines Kfz aus Gefälligkeit. Erleidet der mitfahrende Insasse bei einem Unfall einen Schaden, kommen wegen der Unentgeltlichkeit Ansprüche gegen den Halter oder Fahrer aus § 8 a StVG nicht infrage. Ansprüche können sich aber aus Beförderungsvertrag oder unerlaubter Handlung ergeben. Ein Haftungsausschluss ist ausdrücklich zu vereinbaren, kann aber auch als stillschweigend vereinbart gelten, wenn die Umstände des Einzelfalles einen solchen Schluss zulassen, z. B. bei offensichtl. Mängeln des Kfz oder der Fahrtauglichkeit des Fahrers.

Gefälligkeitsverhältnis, die unentgeltl. Erbringung einer Leistung, ohne dass der Leistende eine rechtl. Verpflichtung dazu hat (z. B. Blumengießen für den abwesenden Nachbarn). Der Leistende haftet nur nach dem Recht der →unerlaubten Handlung, also bereits bei Fahrlässigkeit. Vom G. ist der **Gefälligkeitsvertrag** zu unterscheiden, bei dem ein Vertragspartner sich zur Erbringung einer unentgeltl. Leistung verpflichtet, z. B. Leihe, Schenkung.

Gefangenenbefreiung, Straftatbestand nach § 120 StGB. Wer einen Gefangenen befreit, ihn zum Entweichen verleitet oder dabei fördert, wird mit Freiheitsstrafe bis zu drei Jahren oder Geldstrafe bestraft; ist der Täter ein Amtsträger, so kann die Freiheitsstrafe auf fünf Jahre erhöht werden. Die **Selbstbefreiung** eines Gefangenen ist nicht strafbar, aber nach § 121 StGB die Zusammenrottung von Gefangenen zu einem gewaltsamen Ausbruch (→Meuterei). – Ähnl. Regelungen enthalten Art. 310, 311 des *schweizer.* StGB und § 300 des *österr.* StGB.

Gefangenenfürsorge, →Resozialisierung, →Strafvollzug.

Gefangener, Verurteilter, an dem eine Freiheitsstrafe vollzogen wird **(Straf-G.),** ein in Untersuchungshaft befindl. Beschuldigter **(Untersuchungs-G.)** oder jeder, dem in Ausübung der Polizei- und Strafgewalt die Freiheit in gesetzl. Form entzogen ist. (→Kriegsgefangene)

Gefängnis, in Dtl. bis zur Strafrechtsreform 1969 eine Art der →Freiheitsstrafe; umgangssprachlich für Justizvollzugsanstalt.

Gefängnisseelsorge, spezif., rechtlich geregelte Form der religiösen Betreuung von Gefangenen im Strafvollzug. Religiöse Schriften und Gegenstände des religiösen Gebrauchs sind dem Gefangenen zu belassen. Er hat das Recht zur Teilnahme an religiösen Veranstaltungen.

Gefäß, 1) *Anatomie:* bei Mensch und Tier röhrenförmige Leitungsbahn (Blut-G., Lymph-G.), in der Körperflüssigkeit fließt.

2) *Botanik:* pflanzl. Saft leitendes Hohlorgan (→Leitgewebe).

3) *Waffenkunde:* Handschutz am Griff von Degen, Florett, Säbel, Schwert.

Gefäßbündel, →Leitgewebe.

gefäßerweiternde Mittel (Vasodilatantia), Arzneimittel, die eine Erschlaffung der glatten Gefäßmuskulatur bewirken, dadurch die Blutgefäße erweitern und dabei auf bestimmte Arteriengebiete (Herz, Gehirn, Haut, Gliedmaßen) einwirken oder allg. den peripheren Gesamtwiderstand herabsetzen und dadurch den Blutdruck senken.

Gefäßnaht, operative Technik, die den Verschluss größerer Gefäßverletzungen, das Vereinigen von Gefäßen miteinander oder von Gefäßen mit Prothesen ermöglicht.

gefäßverengende Mittel (Angiotonika), Arzneimittel, die eine Verengung der Blutgefäße hervorrufen; sie erregen entweder die Kreislaufregulationszentren im Gehirn oder wirken unmittelbar auf die Gefäßmuskulatur. Die g. M. werden u. a. eingesetzt zur Kreislaufstabilisierung bei niedrigem Blutdruck, zur Schleimhautabschwellung und als Zusatz zu Lokalanästhetika.

Gefecht, zeitlich und örtlich begrenzte Kampfhandlungen zw. bewaffneten Kräften jeder Art und Größe. Beim **G. der verbundenen Waffen** werden Verbände und Einheiten versch. Truppengattungen unter einheitl. Führung im Zusammenwirken aufeinander abgestimmt, um die Kräfte und Mittel wirkungsvoll zum Einsatz zu bringen.

Gefieder, Federkleid der Vögel. Das G. umfasst die **Deckfedern** und die vom Skelett der Vordergliedmaßen oder von den Schwanzwirbeln gestützten **Schwung-** und **Steuerfedern,** die dem Flug dienen (→Federn).

Geflecht, aus zwei Gruppen sich diagonal kreuzender Fäden hergestelltes textiles Erzeugnis. Unterschieden werden flaches G. (Litze), rundes G. (Kordel), durchbrochenes G. (Spitze) und abgepasstes G. (Gimpe).

Geflügel, Sammelbegriff für die Vogelarten, die als Nutz- und Haustiere gehalten werden; z.B. Hühner, Gänse, Enten, Truthühner, Tauben.

Geflügelkrankheiten. Die wichtigsten seuchenhaft auftretenden G. sind: **ansteckender Schnupfen (Pips),** bes. bei Hühnern, Puten und Tauben vorkommender, meist chron. Katarrh der Nase, Nebenhöhlen und Bindehäute; bakteriell bedingt; bei schlecht gehaltenen Jungtieren bis zu 95% Todesfälle. **Geflügelcholera,** befällt alle G.-Arten. Erreger: Bakterium Pasteurella multocida; Anzeichen: Fieber, Atemnot, Durchfall; Tod nach 1 bis 4 Tagen. Meldepflichtig, veterinärpolizeilich bekämpft. **Geflügelpest (Hühnerpest),** sehr ansteckend, durch ein Virus verursacht; Anzeichen: hohes Fieber, Schwarzfärbung von Kamm und Kehllappen, Schlafsucht, Lähmungen; Tod nach 2 bis 8 Tagen. Meldepflichtig, veterinärpolizeilich bekämpft. Neben dieser klass. Geflügelpest gibt es die atyp. Geflügelpest, **Newcastle Disease;** Anzeichen: bei Küken und Jungtieren Mattigkeit, Husten, Krächzen, Durchfall, Appetitlosigkeit, z.T. auch nervöse Erscheinungen wie Kreisbewegungen, Krämpfe, Lähmungen; bei erwachsenen Tieren plötzl. Legen der Eier in die Streu, Erlöschen der Legetätigkeit für etwa vier Wochen. Meldepflichtig, veterinärpolizeilich bekämpft. **Geflügelpocken, Geflügeldiphtherie,** zwei Formen einer durch ein Virus hervorgerufenen, sehr ansteckenden Krankheit der Hühner und Tauben. Bekämpfung durch Schutzimpfung. **Geflügeltuberkulose,** durch das Mycobacterium avium hervorgerufen, befällt v.a. Hühner; Anzeichen: Rückgang der Legeleistung, Abmagerung, Blutarmut; auf Säugetiere und den Menschen übertragbar. Bekämpfung: Ausmerzen tuberkulinpositiver Tiere, Desinfektion. **Rote Kükenruhr,** durch Schleimhautparasiten (Eimerien) verursachte, seuchenhafte Darmentzündung; Hauptanzeichen: blutiger Durchfall; Sterblichkeit bei Küken bis zu 100%. **Weiße Kükenruhr** (bei erwachsenem Geflügel **Geflügeltyphus**), durch Salmonella pullorum (gallinarum) hervorgerufene, seuchenhafte Erkrankung der Hühner; sie wird durch das Ei auf die Küken übertragen. Krankheitserscheinungen bei Küken: grünlich oder bräunlich weißer Durchfall. Bekämpfung durch Ausmerzen der Dauerausscheider und der kranken Tiere sowie hygien. Maßnahmen. Auch →Mangelkrankheiten und Befall durch Hautungeziefer und Würmer sind häufige Geflügelkrankheiten.

Geflügelzucht, gezielte Paarung von Geflügel mit anschließender Selektion zur Erzielung bestimmter Merkmale (Sportzucht) oder Leistungseigenschaften (z.B. Lege-, Fleischleistung). In Dtl. wurden 1994 101 Mio. Hühner, 0,5 Mio. Gänse, 1,7 Mio. Enten und 6 Mio. Truthühner gehalten.

Gefolgschaft (Gefolge, lat. comitatus), bei den Germanen eine auf Treueid beruhende Vereinigung jüngerer Männer freien Standes **(Gefolgsmänner)** um einen Führer (**Gefolgsherrn,** meist König oder Fürst), bes. zu gemeinsamen Kriegs- und Beutezügen. Der Gefolgsherr schuldete der G. Unterhalt, Ausrüstung, Schutz und Beuteanteil.

Gefreiter [urspr. »der vom Schildwachestehen Befreite«], militärischer Mannschaftsdienstgrad (ÜBERSICHT →Dienstgradbezeichnungen).

Gefrieranlagen (Gefrierapparate), Geräte zum schnellen Gefrieren und Lagern von Lebensmitteln bei tiefen Temperaturen (–18 °C und tiefer). Die erforderl. Temperaturen werden mithilfe von →Kältemaschinen erzeugt.

Gefrierätzung, Verfahren zur Präparierung biolog. Objekte für die Elektronenmikroskopie.

Gefrierbrand, weiße oder bräunlich rote Verfärbungen und Wasserverluste an der Oberfläche von Tiefkühlkost, die bei ungleichmäßigen Lagertemperaturen durch die Temperaturdifferenz zw. Produkt und Umgebung entstehen.

Gefrierchirurgie, die →Kryochirurgie.

Gefrieren, 1) *Chemie, Physik:* der Übergang von Wasser, einer wässrigen Lösung oder einer anderen Flüssigkeit in den festen Aggregatzustand am →Gefrierpunkt.

2) *Lebensmitteltechnologie:* (Tief-G., Tiefkühlen) Verfahren zur Konservierung von Lebensmitteln durch Temperaturabsenkung deutlich unter ihren Gefrierpunkt, wobei Nährstoffe, Vitamine, Farbe, Geruch und Geschmack erhalten bleiben und physikal., chem., enzymat. Reaktionen und Mikroorganismenwachstum verlangsamt oder unterbrochen werden. Beim **Luft-G.** dient rasch bewegte Luft von –30 bis –45 °C als Kälteträger. Beim **Kontakt-G.** werden quaderförmige Lebensmittel zw. gekühlten Metallplatten gefroren. In Schrumpffolien verpackte, unregelmäßig geformte Lebensmittel lassen sich durch **Tauch-G.** in Kühlsolen gefrieren. Das **G. mit verdampfenden Kältemitteln** (z.B. Stickstoff) eignet sich für verpackte und unverpackte Lebensmittel.

Gefriergut (Gefrierkost), die →Tiefkühlkost.

Gefrierpunkt, stoffspezif. Temperatur, bei der eine Flüssigkeit in den festen Aggregatzustand übergeht. Bei Reinsubstanzen bleibt die Temperatur bei weiterer Wärmeabfuhr durch Freisetzung

Gefrierpunkte einiger Flüssigkeiten bei Normaldruck (in °C)

Ammoniak	–77,8	Isopentan	–160,0
Äthylalkohol	–114,5	Methylalkohol	–97,9
Benzol	+5,5	Propylalkohol	–127,0
Brom	–7,3	Quecksilber	–38,9
Chloroform	–63,5	Schwefelkohlenstoff	–111,6
Diäthyläther	–116,3	Tetrachlorkohlenstoff	–22,9
Essigsäure	+16,7	Toluol	–94,5
Glycerin	–18,0	Wasser	–0,0

von Schmelzwärme konstant, bis die gesamte Flüssigkeit gefroren ist. Alle Stoffe, die sich beim Schmelzen ausdehnen, beim Erstarren zusammenziehen, zeigen bei Erhöhung des Druckes eine Erhöhung der Gefrier- oder Schmelztemperatur. Im Unterschied zum Erstarrungspunkt (→Erstarren) wird die Bezeichnung G. v.a. bei Stoffen verwendet, die bei Normaldruck und Raumtemperatur flüssig sind. – Die Herabsetzung des G. eines Lösungsmittels durch in ihm gelöste Stoffe **(G.-Erniedrigung)** wird zur Bestimmung der molaren Masse (→Kryoskopie) herangezogen und z.B. bei der Herstellung von Gefrierschutzmitteln ausgenutzt.

Gefrierschutzmittel (Frostschutzmittel), Stoffe, die den Gefrierpunkt von Wasser herabsetzen. Techn. Bedeutung haben v.a. Alkohole, z.B. Glykole. G. werden u.a. verwendet bei Kühlkreisläufen von Verbrennungsmotoren, für Warmwasserheizungen und Scheibenwaschanlagen.

Gefriertrocknung (Lyophilisation), schonende Vakuumtrocknung von tiefgefrorenem, wasserhaltigem Gut, bei der Vitamine weitgehend erhalten bleiben. Das Ausgangsprodukt wird zunächst auf Temperaturen bis −70 °C tiefgefroren, anschließend werden ihm während des Trocknungsprozesses im Hochvakuum 95 bis 98 % des Wassergehalts durch Sublimation entzogen.

Gefriertruhe (Gefrierschrank), ein →Kühlmöbel.

Gefüge, 1) *Bodenkunde:* →Bodengefüge.

2) *Metallkunde:* durch metallograph. Untersuchungen feststellbarer kristalliner Aufbau eines Metalls oder einer Legierung, der von der chem. Zusammensetzung, Form, Größe und Anordnung der einzelnen Kristallkörner (Kristallite) abhängt.

3) *Petrologie:* die Gestalt, Größe, Größenverteilung und Bindung der einzelnen Mineralkörner in einem Gestein (Struktur) sowie die räuml. Anordnung der Gesteinsbestandteile (Textur).

Gefühl, subjektiver, seel. Zustand des Ichs; die Befindlichkeit der erlebenden Person; seit den psycholog. Ansätzen der Aufklärungszeit (J. N. Tetens) oft als seel. Grundvermögen neben Denken und Wollen betrachtet. Die Abgrenzung zw. G., →Stimmung und →Affekt ist fließend; im Unterschied zur Stimmung könnte das G. als schärfer umrissene, gerichtete und aktualisierte Erlebnisqualität, die auch mit Wahrnehmungen, Erinnerungen und Wertungen verbunden ist, im Unterschied zum Affekt als länger anhaltende Regung bezeichnet werden. Oft werden auch Sinnesempfindungen oder Ahnungen als G. bezeichnet.

Von Philosophie, Physiologie und Psychologie wurden mannigfaltige Theorien über Einteilung und Entstehung der G. entwickelt. Grundtendenz ist dabei die Rückführung der Mannigfaltigkeit der G. auf wenige Grundqualitäten, bes. auf die **Grund-G.** von Lust und Unlust oder auf niedere (leibl.) und höhere (geistige) G.; nach W. Wundt werden drei Qualitätspaare unterschieden: Lust–Unlust, Erregung–Beruhigung, Spannung–Lösung; M. Scheler und H. Rohracher teilten nach Funktionsbereichen in empfindungsbedingte (sinnlich-leibl. wie Hunger oder Schmerz), triebbedingte (z.B. Furcht) und persönlichkeitsbedingte (z.B. Sympathie) G. ein. Die Theorien über Entstehung und Wesen der G. lassen sich grundsätzlich unterteilen in solche, die G. a) als unableitbar und ursprünglich gegeben, b) als auf andere psych. Vorgänge rückführbar (J. F. Herbart, C. Stumpf, O. Külpe) oder c) als auf phys. Prozesse (bes. des vegetativen Nervensystems) rückführbar auffassen (W. James, C. G. Lange). Neuere Theorien befassen sich bes. mit den zentralnervösen Grundlagen (z.B. W. B. Cannon, P. Bard), wobei jedoch G. eher unter dem Aspekt der psychophys. Einheit betrachtet wird. Experimentell wurde nachgewiesen, dass gleiche physiolog. Erregungen verschieden benannt und erlebt werden können, je nach Situation und verfügbaren Wahrnehmungen.

📖 ULICH, D.: *Das G. Eine Einführung in die Emotionspsychologie. München* [3]*1995.*

Gegen, eine Hauptgruppe der →Albaner.

Gegenanzeige (Kontraindikation), *Medizin:* Umstand, der in einem Krankheitsfall die Anwendung einer sonst zweckmäßigen Behandlungsweise verbietet.

Gegenbewegung, *Musik:* die Führung zweier gleichzeitig erklingender Stimmen aufeinander zu oder voneinander weg.

Gegenbeweis, *Zivilprozess:* Beweis, der vom Gegner der beweisbelasteten Partei geführt wird, um die durch den Hauptbeweis dieser Partei angestrebte Überzeugung des Gerichts zu verhindern oder zu erschüttern.

Gegendarstellung, das grundrechtlich gestützte, mit dem Persönlichkeitsrecht verbundene, u.a. in den Presse-Ges. der Länder verankerte Recht zur kostenlosen Gegenäußerung, das dem zusteht, der durch eine in einem periodisch erscheinenden Druckwerk enthaltene Tatsachenbehauptung (»Erstmitteilung«) persönlich und individuell getroffen ist (namentl. Erwähnung nicht erforderlich). Der Anspruch kann auch Rundfunksendungen betreffen. Der Umfang der G. muss im Verhältnis zum beanstandeten Text angemessen sein. Die G. muss sich auf tatsächl. Angaben beschränken, darf also nicht kommentieren oder werten. Das österr. Medien-Ges. begründet unter im Wesentlichen ähnl. Voraussetzungen einen Anspruch auf **Entgegnung.** In der Schweiz ist das Recht auf G. im Rahmen der allgemeinen zivil-

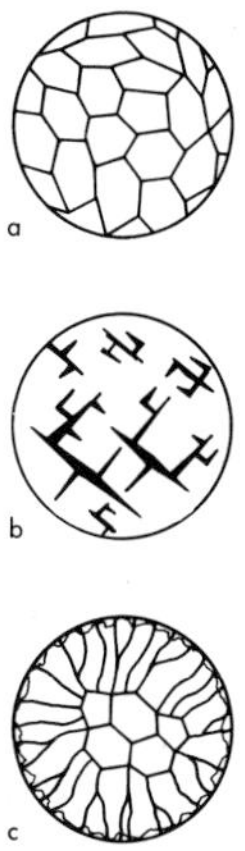

Gefüge 2): Gefügeformen bei metallischen Werkstoffen: a Polyeder; b Dendrite; c Stängelkristalle

rechtl. Normen zum Schutze der Persönlichkeit gegen Verletzung durch Dritte in den Art. 28g–l ZGB erfasst.

Gegenfarbe, eine →Farbe größter Gegensätzlichkeit zu einer gegebenen Farbe.

Gegenfeuer, bei einem Waldbrand das an einer Ansatzlinie (Straße, Graben) angelegte Feuer, das den brennbaren Bodenüberzug vernichtet, um so die vorrückende Feuerfront aufzuhalten.

Gegenlichtaufnahme: Mitternachtssonne am Nordkap

Gegengewicht, Gewicht zum Massenausgleich einseitiger stat. Belastungen (z. B. bei Kränen, Aufzügen) oder zum Ausgleich von Fliehkräften (z. B. an Kurbelwellen).

Gegenkathete, im rechtwinkligen Dreieck eine →Kathete, die einem spitzen Winkel gegenüberliegt.

Gegenklage, *Recht:* →Widerklage.

Gegenkolbenmotor, ein →Doppelkolbenmotor.

Gegenkönig, von einer Gruppe von Fürsten gewählter König, der dem herrschenden König entgegengestellt wurde; in der dt. Gesch. des MA. ist die Aufstellung von G. verbunden mit dem Übergang vom Geblütsrecht zur freien Königswahl (→deutsche Geschichte, ÜBERSICHT Kaiser und Könige).

Gegenkopplung (negative Rückkopplung), Rückführung eines Teils des Ausgangssignals eines Verstärkers auf seinen Eingang, wobei es dem Eingangssignal entgegenwirkt (Ggs.: Mitkopplung). Dieses Schaltungsprinzip wird angewandt, um z. B. Verzerrungen im Verstärker zu vermindern. Dabei wird allerdings auch die Verstärkung kleiner.

Gegenkultur, *Soziologie:* Form der →Subkultur.

Gegenlichtaufnahme, fotograf. Aufnahme, bei der die Lichtrichtung der Aufnahmerichtung entgegengesetzt ist. Gegenlicht erzeugt überstrahlte Konturen und stimmungsvolle Lichtgegensätze, aber auch tiefe Schatten, die ggf. aufgehellt werden müssen.

Gegenpapst, in der Kirchengeschichte ein Kleriker, der die päpstl. Gewalt beansprucht oder ausübt, obwohl ein Papst bereits nach kanon. Recht gewählt ist. (→Papst; ÜBERSICHT Päpste)

Gegenprobe, bei einer Abstimmung die Zählung der Gegenstimmen zur Sicherstellung des Ergebnisses. (→Hammelsprung)

Gegenreformation, erstmals 1776 von J. S. Pütter verwendete Bez. für die mithilfe staatl. Machtmittel unternommenen Versuche einer Rekatholisierung prot. gewordener Gebiete, 1889 von Moritz Ritter (*1840, †1923) geprägter Epochenbegriff für die dt. Geschichte (1555–1648), später auf die europ. Gesch. ausgeweitet (der Begriff ist von dem der →katholischen Reform zu trennen); neuere Geschichtsschreibung verwendet den Begriff »konfessionelles Zeitalter«. Die zunächst im Hl. Röm. Reich (zuerst in Bayern) einsetzende G. stützte sich seit dem →Augsburger Religionsfrieden 1555 auf das Ius Reformandi aller weltl. Landesherren (→cuius regio, eius religio) bzw. auf den Geistl. Vorbehalt. Sie führte als Teil der allg. polit. Konfessionalisierung in den Dreißigjährigen Krieg und wurde durch den Westfäl. Frieden beendet (Besitzstandsgarantie des Normaljahres 1624). – Entscheidend für den Erfolg der G. in Teilen Dtl. und Europas (Spanien, Niederlande, Frankreich, Polen) waren die Beschlüsse des Konzils von Trient (1545–63) und die Wirksamkeit der →Jesuiten. – Die G. scheiterte in England und Schweden.

📖 DROYSEN, G.: *Geschichte der G. Neuausg. Essen 1983.* – LUTZ, H.: *Reformation u. G. München [4]1997.*

Gegenrevolution, →Konterrevolution.

Gegensatz, 1) *Logik:* das Verhältnis sich ausschließender Begriffe oder Aussagen zueinander. Unterschieden werden bes. **kontradiktor. G.:** Einer Aussage wird die verneinte Aussage, einem Begriff der komplementäre Begriff entgegengestellt (Widerspruch im strengen Sinn, z. B. »A« – »Nicht-A«; nur in Aussagen und Urteilen möglich, nicht zw. Wirklichkeitsphänomenen), **konträre G.:** Innerhalb von Gleichartigem wird einem Begriff ein anderer entgegengesetzt (z. B. »Schwarz« – »Weiß«), **polare G.:** Verhältnis zweier entgegengesetzter, aber zusammengehöriger Momente (Teile, Aspekte) eines Ganzen (z. B. die Pole der Erde). Kontradiktor. und konträre G. unterliegen dem Satz vom Widerspruch (principium contradictionis), insofern die gegenübergestellten Aussagen nicht zugleich wahr sein können.

2) *Musik:* der Kontrapunkt zum Thema einer Fuge.

3) *Philosophie:* im Unterschied zum log. G. Bez. für den **realen G.,** der kein feststehendes, sondern ein aufhebbares Verhältnis darstellt, z.B. der **dialekt. G.** bei G. W. F. Hegel und K. Marx. Hier bezeichnet er objektive Sachverhalte, die, einander entgegensetzt (z.B. Arbeit und Kapital), sich zugleich gegenseitig bedingen, und deren Beziehung durch geschichtl. Entwicklungsprozesse aufhebbar ist.

Gegenschein, *Astronomie:* 1) die Opposition (→Aspekt); 2) →Zodiakallicht.

Gegenseitigkeit, 1) *allg.* und *Philosophie:* gegenseitiges Verhältnis, eine Grundbedingung menschl. Beziehungen, unter deren Erwartung fast alles menschl. Handeln steht.

2) *Recht:* die Gleichstellung fremder Staatsangehöriger oder Rechtsakte mit inländ. bei entsprechender Handhabung seitens des fremden Staates **(Reziprozität).** Die G. wird vielfach in völkerrechtl. Verträgen zugesichert. Die G. ist ein Grundprinzip beim Zustandekommen von Regeln des Völkerrechts, das auf der souveränen Gleichheit der Staaten beruht.

Gegensonne, atmosphärisch-opt. Erscheinung (→Halo).

Gegensprechanlage, →Wechselsprechanlage.

Gegenstand, *Philosophie:* allg. das, was als abgeschlossenes (reales oder ideales) Gebilde dem Subjekt als dem Betrachter oder dem Vorstellenden gegenübersteht. (→Subjekt-Objekt-Problem)

gegenständig, *Botanik:* an denselben Stängelknoten einander gegenüberstehend (Blatt).

Gegenstandswert, *Recht:* →Streitwert.

Gegenstrahlung, atmosphärische, →Strahlung.

Gegenstromverfahren, Wärme- oder Stoffaustausch zweier Stoffe, bes. Gase oder Flüssigkeiten, bei dem die beiden Stoffströme in entgegengesetzter Richtung aneinander vorbeigeführt werden. G. werden z.B. bei Wärmeaustauschern und bei der Destillation angewendet.

Gegenvorstellung (Remonstration), formloser, nicht fristgebundener, jedermann zustehender Rechtsbehelf, bes. gegen Verwaltungsmaßnahmen aller Art. Adressat ist die Behörde, die die Maßnahme getroffen hat, Ziel die nochmalige Überprüfung der Entscheidung. G. haben den Charakter von Petitionen; statthaft als gesetzlich nicht geregelte Eingabe auch in Gerichtsverfahren.

Gegenwart, 1) *allg.:* Jetztzeit im Unterschied zu Vergangenheit und Zukunft.

2) *Grammatik:* eine Zeitform des Verbs, Präsens (Übersicht Verb).

3) *Psychologie:* →Präsenz.

Gegenwartswert, 1) *betriebl. Rechnungswesen:* Preis für ein Wirtschaftsgut zum Zeitpunkt der Bewertung (→Zeitwert).

2) *Finanzwesen:* der auf die Gegenwart ab- oder aufgezinste Wert künftiger oder vergangener Zahlungen (Barwert). →Zinseszins

Gegenwertfonds [-fɔ̃] (Gegenwertmittel, Counterpart-Funds), Gelder im Rahmen des Marshallplans, →ERP.

Gegenzeichnung (Kontrasignatur), die Mitunterschrift einer zweiten Person; erforderlich, wenn nur mehrere Personen gemeinsam rechtsverbindl. Erklärungen abgeben können; staatsrechtlich die Mitunterzeichnung einer Urkunde des Staatsoberhaupts durch den Reg.chef oder einen Min., der damit die polit. Verantwortung gegenüber dem Staatsoberhaupt und dem Parlament übernimmt. In Dtl. ist die G. für die meisten Akte des Bundespräs. erforderlich (Art. 58 GG); ausgenommen sind Akte, bei denen eine G. durch den Bundeskanzler als sinnwidrig erscheint (z.B. Ernennung des Bundeskanzlers).

Gehalt, 1) *Ästhetik:* ein Leitbegriff der neueren Literaturwiss. und Kunstanalyse, unterschieden von »Inhalt« und »Form« oder »Gestalt«; der »Sinn« (die zum Ausdruck kommende spezif. Auffassung von Gegenstandsbereichen wie Welt, Leben, Mensch, Gesellschaft) eines Werkes.

2) *Wirtschaft:* das i.d.R. monatsweise berechnete und gezahlte Arbeitsentgelt der Angestellten in der Privatwirtschaft; im öffentl. Dienst spricht man offiziell von Vergütung, bei Beamten, Soldaten u.Ä. von Dienstbezügen.

Gehaltspfändung, →Lohnpfändung.

Geheeb, Paul, Pädagoge, *Geisa (Wartburgkreis) 10. 10. 1870, †Hasliberg (Kt. Bern) 1. 5. 1961; gründete 1906 mit G. Wyneken die Freie Schulgemeinde Wickersdorf (heute zu Saalfelder Höhe, bei Saalfeld [Saale]), 1910 die Odenwaldschule, 1934 als Emigrant in Goldern (Gem. Hasliberg) die École d'Humanité; er suchte v.a. Selbstständigkeit, Verantwortlichkeit, Toleranz und Humanität zu fördern.

gegenständig: gegenständige Blattstellung bei der Goldnessel

Gehege, Bez. für ein weidgerecht betreutes, meist eingegattertes Revier. Man unterscheidet **Frei-G.** (größere Reviere, die der besonderen Wildhaltung, Bejagung oder wiss. Erforschung dienen) und **Schau-G.** (kleinere Reviere, in denen Wild in seiner natürl. Umgebung gezeigt wird).

Geheimbuchführung, Teil der Buchführung, der vom Geschäftsinhaber oder einer Vertrauensperson geführt wird und einer besonderen Geheimhaltung unterliegt (z.B. Eigenkapital, Darlehen, Entnahmen, Ertragslage, Kostenziffern). Die G. ist Abschlussprüfern bzw. Außenprüfern des Finanzamtes vorzulegen.

Geheimbünde, Vereinigungen, deren Struktur, Absichten und Ziele der sozialen Umwelt geheim bleiben sollen. Allen G. gemeinsam ist der Besitz eines geheimen Wissens (Geheimlehre),

Glaubens und einer geheimen Zwecksetzung, einer oft geheimen hierarch. Gliederung, bestimmter Aufnahmerituale und einer zumeist symbol. Geheimsprache (Arkandisziplin). Die Mitgl. sind zur absoluten Verschwiegenheit über Zweck, Rituale, Symbole und Lehraussagen ihres G. verpflichtet. Als soziologisch-religiöses Phänomen sind G. in allen Epochen der Zivilisationsgesch. nachweisbar (→Mysterien, →Freimaurerei, →Rosenkreuzer). Es handelt sich i.d.R. um Männerbünde, doch sind auch geheime Frauenvereinigungen bes. in W-Afrika (Senegal, Gabun, Nigeria) bekannt. Polit. G. verschiedenster Zielrichtung mit bis zu Terror und Mord reichenden Methoden und Formen (Untergrund- und Partisanenbewegungen) entstanden seit dem 19. Jh.: u.a. die Carboneria, Camorra, Mafia (in Italien), Comuneros (in Spanien), Fenier, IRA (in Irland), Boxer (in China), Ku-Klux-Klan (in den USA).

Geheimbündelei, Teilnahme an einer vor der Reg. geheim zu haltenden Verbindung, bis 1968 nach § 128 StGB alter Fassung strafbar.

Geheimdienst, →Nachrichtendienst.

Geheimdiplomatie, Gepflogenheit, die Öffentlichkeit über diplomat. Kontakte und Verhandlungen, auch völkerrechtl. Verträge (→Geheimverträge) nicht zu unterrichten. Die G. ist bes. in demokratisch regierten Staaten umstritten.

Es gibt **Geheimnisse,** *von denen man nicht wüsste, wenn sie keine Geheimnisse wären.*

jüdisches Sprichwort

Geheime Offenbarung, dt. Bez. für die →Apokalypse des Johannes.

Geheimer Rat, 1) (Geheimes Ratskollegium, Staatsrat) in den dt. Einzelstaaten seit dem 16./17. Jh., bes. in der Zeit des Absolutismus, die oberste Reg.behörde, Anfang des 19. Jh. durch die Staatsministerien ersetzt.

2) Mitgl. der unter 1) genannten Behörde; später bis 1918 als Titel **(Geheimrat)** häufig mit Zusatz der Amtsbez. (z.B. Geheimer Reg.rat; Wirkl. G.R. als Auszeichnungstitel) verwendet.

geheimer Vorbehalt (Mentalreservation, lat. Reservatio mentalis), bei Abgabe einer Willenserklärung der geheime Vorbehalt des Erklärenden, das Erklärte nicht zu wollen (§ 116 BGB). Ist der g.V. nicht erkennbar, so ist er rechtlich unwirksam und sittlich als Lüge zu beurteilen.

Geheime Staatspolizei, Kw. **Gestapo,** in der Zeit der nat.-soz. Herrschaft in Dtl. die polit. Polizei; seit 1933 Instrument der nat.-soz. Diktatur und darüber hinaus ihrer Besatzungspolitik während des 2. Weltkrieges.

1933 nach Umformung der polit. Polizeiorgane der Weimarer Republik entstanden, seit 1936 reichseinheitl. organisiert, wurde die Gestapo 1939 in das Reichssicherheitshauptamt (RSHA) als dessen wichtigste Abteilung (Amt IV) eingegliedert. Ihre Aufgabe war es, alle »staatsgefährlichen Bestrebungen« zu erforschen und zu bekämpfen, gegen Verdächtige »Schutzhaftbefehle« zu erstellen und die Betroffenen in die KZ einzuweisen. Ihr unterstand zugleich auch der Inspekteur der Konzentrationslager. Im 2. Weltkrieg steigerte sich der Terror der Gestapo; sie richtete eigene Arbeitserziehungslager ein, war für die Bewachung der ausländ. Zivilarbeiter (Zwangsarbeiter und Kriegsgefangene) zuständig, beteiligte sich an Deportationen sowie an der Einweisung von Juden, Sinti und Roma, Homosexuellen, Widerstandskämpfern u.a. in die KZ und nahm Hinrichtungen ohne Gerichtsverfahren vor. Im Prozess vor dem Internat. Militärtribunal in Nürnberg (1945/46) wurde die Gestapo zur »verbrecher. Organisation« erklärt.

📖 GELLATELY, R.: *Die Gestapo u. die dt. Gesellschaft. Die Durchsetzung der Rassenpolitik 1933–1945. A.d. Engl. Paderborn u.a.* ^{2}*1994.* – *Die Gestapo. Mythos u. Realität, hg. v.* G. PAUL *u.* K.-M. MALLMANN. *Darmstadt 1996.*

Geheimlehre, geheim zu haltendes Wissen, so z.B. die jüd. Kabbala, die grch. Mysterien, die Lehren der Gnostiker und Freimaurer. (→Geheimbünde)

Geheimnis, 1) *allg.:* das mit den Mitteln der menschl. Vernunft (Ratio) allein nicht Erklärbare; im N.T. der Ratschluss und Heilsplan Gottes, durch Jesus Christus das Heil zu wirken (→Mysterium).

2) *Recht:* Kenntnis, die auf einen bestimmten Personenkreis beschränkt ist. Die Bewahrung von G. im Sinne eines Sachverhalts, dessen Geheimhaltung durch Ges., dienstl. Anordnung oder aus der Natur der Sache geboten ist (z.B. Amts-, Bank-, Beicht-, Berufs-, Betriebs-, Brief-, Post- und Fernmelde-G., Staats-G.), ist in vielen Fällen Rechtspflicht. Ihre Verletzung **(G.-Verrat)** kann straf-, disziplinar- oder haftungsrechtl. Folgen haben.

Geheimpolizei, →politische Polizei.

Geheimrat, →Geheimer Rat.

Geheimschrift, schriftl. Darstellung von Informationen in verschlüsselter (chiffrierter) Form, auch unsichtbare, nur durch bestimmte Prozeduren sichtbar werdende Schriften. Mit den G. befasst sich die →Kryptologie.

Geheimsprachen, verschlüsselte oder formalisierte Sprachen, die nur Eingeweihten verständlich sind; entstehen u.a. aus Veränderung der Wortformen bestehender Sprachen (Wortverlängerung, -kürzung, Umstellung von Lauten, Silben).

Geheimverträge, völkerrechtl. Vereinbarungen, bei deren Abschluss die Vertragschließenden übereinkommen, ihr Vorhandensein und ihren Inhalt gegenüber der Öffentlichkeit geheim zu halten (z.B. dt.-russ. »Rückversicherungsvertrag« von 1887). Die Geheimhaltung kann sich auch auf Teile eines Vertrages beziehen wie beim geheimen Zusatzprotokoll zum Dt.-Sowjet. Nichtangriffspakt vom 23. 8. 1939. Der Anwendungsbereich der G. ist dadurch eingeschränkt, dass in demokrat. Verfassungen die parlamentar. Zustimmung für die Ratifikation polit. Verträge vorausgesetzt ist.

Geheimwissenschaften, nur einem eingeweihten Personenkreis zugängl. Wissenssysteme; in der Geistesgesch. Bestandteil der »nichtoffiziellen« Wiss.entwicklung. – Die G. wurzeln in der Naturphilosophie des Neuplatonismus, dem naturphilosoph. und alchimist. Schrifttum der arab. Kultur und der Kabbala des mittelalterl. Judentums. In der Renaissance wurden die spätantiken G. wieder belebt. Die erste umfassende Darstellung gab Agrippa von Nettesheim (1510). Die weltanschaul. Bewegung der von Helena P. Blavatsky 1875 begründeten →Theosophie versteht sich als Erneuerung »uralter« esoter. Lehren. Die →Anthroposophie versteht unter G. den Inhalt einer »übersinnl. Erkenntnisart«, die im Ggs. zur Naturwiss. steht.

Gehen, *Leichtathletik:* Wettbewerb über versch. Strecken; das 10-km-G. der Frauen sowie das 20-km- und 50-km-G. der Männer gehören zum olymp. Programm. Beim sportl. G. (Bahn-G. und Straßen-G.) wird verlangt, dass die ununterbrochene Berührung mit dem Boden (im Ggs. zum Laufen) erhalten bleibt. Das nach vorn schwingende Bein setzt mit der Ferse auf, bevor der hintere Fuß den Boden verlässt.

Gehẹnna [hebr. »Tal (der Söhne) des Hinnom«], Tal südlich von Jerusalem (Wadi er-Rababe) mit kanaanäischer Kultstätte, wo dem Gott Moloch Kinder geopfert wurden (2. Kön. 23,10); in spätjüd. Zeit Verbrennungsplatz für Unrat, im N.T. Bez. der Hölle.

Gehgips, der →Gehverband.

Gehirn (Hirn, lat. Cerebrum, Enzephalon), Abschnitt des Zentralnervensystems mit den wichtigsten Schalt- und Steuerungszentren des Körpers.

Im **Tierreich** tritt ein einfach gebautes G. bereits bei Strudelwürmern als lokale Verdickung des Nervengeflechts auf. Bei Fadenwürmern umgibt das G. als Nervenring den Schlund. Im Strickleiternervensystem der Gliedertiere bilden die über dem Schlund befindl. paarigen **Oberschlundganglien** (Cerebralganglien) das G.; es handelt sich um knotenförmige Anhäufungen von Nervenzellen. Bei Tintenfischen entsteht durch Verschmelzung mehrerer Ganglien eine zentrale Nervenmasse. Bei Wirbeltieren ist das G. bes. stark ausgeprägt; es bildet mit dem Rückenmark das Zentralnervensystem und besteht aus fünf Abschnitten: Das **Endhirn** (Telencephalon) ist bei niederen Wirbeltieren bes. ein Riechhirn. Bei den höheren Wirbeltieren wird es zu dem aus zwei Hälften (Hemisphären) bestehenden **Großhirn,** das bei Zahnwalen, Elefanten, Menschenaffen und Menschen bes. hoch entwickelt ist. Das **Zwischenhirn** (Diencephalon) entsendet die Sehnerven. Dorsale Anhangsgebilde sind die Zirbeldrüse (Epiphyse) sowie das Parietalorgan (Scheitelauge mancher Kriechtiere). An einem ventralen Fortsatz liegt die Hypophyse (Hirnanhangdrüse), eine wichtige Hormondrüse. Vom **Mittelhirn** (Mesencephalon), einer wichtigen Schaltstation für Sinnesnerven aus Auge und Innenohr, gehen zwei Hirnnerven ab. Das **Hinterhirn** (Metencephalon) steuert bes. den Muskeltonus und die Bewegungskoordination; bei Fischen, Vögeln und Säugetieren ist es daher stark entwickelt (**Kleinhirn,** Cerebellum). Die restl. Hirnnerven entspringen dem **Nachhirn** (Myelencephalon; verlängertes Mark, Medulla oblongata), das u.a. die Atmung und den Kreislauf reguliert; es geht ohne scharfe Grenze in das Rückenmark über. Das G. enthält vier zusammenhängende Hohlräume (Ventrikel), die mit dem Rückenmarkkanal verbunden und mit der G.-Rückenmark-Flüssigkeit (Liquor cerebrospinalis) gefüllt sind. Größe und Gewicht des G. stehen mit seiner Leistungsfähigkeit in keinem direkten Verhältnis.

Das **G. des Menschen** ist ein hochempfindl. Organ mit einem mittleren Gewicht von 1245 g (Frauen) bzw. 1375 g (Männer); es bildet zus. mit dem Rückenmark das Zentralnervensystem. Das G. ist Zentrum für alle Sinnesempfindungen und Willkürhandlungen, Sitz des Bewusstseins, Gedächtnisses und aller geistigen und seel. Leistungen. Es liegt geschützt in der Schädelhöhle und wird von dem äußeren Liquorraum umgeben, der sich zw. weicher Hirnhaut (Pia mater) mit Spinnwebenhaut (Arachnoidea) und harter Hirnhaut (Dura mater) ausbreitet. Die Blutversorgung erfolgt aus zwei getrennten Schlagadern (der inneren Halsschlagader und der Wirbelsäulenschlagader), die sich an der G.-Basis vereinigen.

Das **Großhirn** (Endhirn, Telencephalon) hat sich erst beim Menschen zu solcher Größe und Leistungsfähigkeit entwickelt. Wie ein Mantel bedeckt die aus Nervenzellen bestehende graue Substanz der Großhirnrinde zus. mit den darunter gelegenen Nervenfasern (weiße Substanz) die übrigen Hirnteile. Durch die Vergrößerung der Oberfläche des Hirnmantels (Pallium) entstanden im Lauf der Entwicklung immer mehr Faltungen mit Windungen (Gyri) und Furchen (Sulci). In die Marksubstanz des Großhirns sind graue Kerngebiete, die Stammganglien, eingelagert. Die beiden

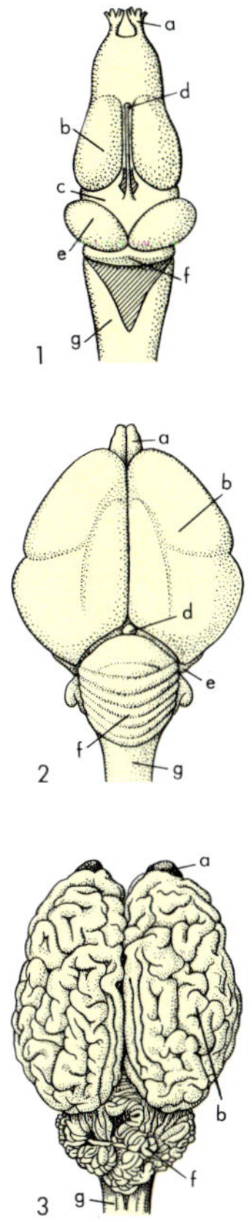

Gehirn eines Frosches (1), einer Gans (2) und eines Pferdes (3) von oben gesehen; a Riechnerv, b Endhirn (bei vielen Säugern und beim Menschen stark gefurchte Großhirnoberfläche), c Zwischenhirn, d Zirbeldrüse, e Mittelhirn, f Kleinhirn, g Nachhirn (verlängertes Mark)

Großhirnhemisphären (Hirnhälften) sind durch eine breite Nervenfaserplatte, den Balken (Corpus callosum), miteinander verbunden. Außerdem wird das Großhirn in mehrere Abschnitte unterteilt: Stirnlappen (Lobus frontalis), Scheitellappen (Lobus parietalis), Hinterhauptslappen (Lobus occipitalis), Schläfenlappen (Lobus temporalis) und Stamm- oder Insellappen (Lobus insularis).

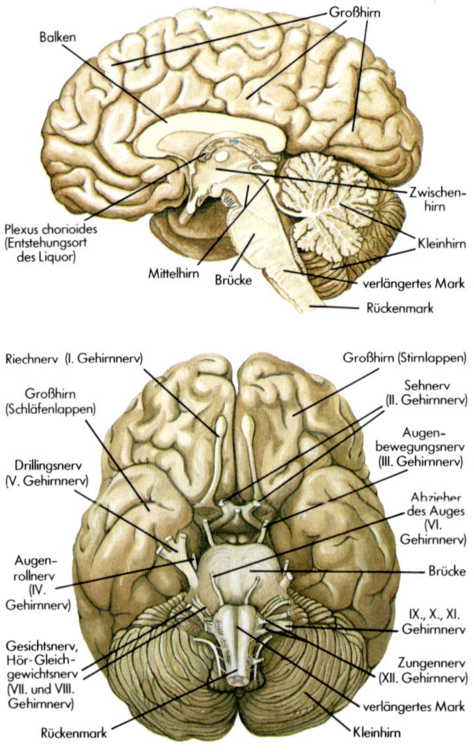

Gehirn: Sagittalschnitt durch das menschliche Gehirn (oben) und Grundfläche (Basis) des menschlichen Gehirns

Die **Großhirnrinde** (Cortex cerebri) ist das höchste Integrationsorgan des Zentralnervensystems. Sie weist in ihrem Feinbau sechs verschiedene Schichten auf, die sich durch die Form der in ihnen enthaltenen Nervenzellen unterscheiden. Als Ganzes bezeichnet man diese Schichten als **graue Substanz.** Funktionell lassen sich in bestimmten Rindenfeldern bestimmte Leistungen lokalisieren. Der Stirnlappen der Großhirnrinde steht in enger Beziehung zur Persönlichkeitsstruktur. Der Hinterhauptslappen enthält Sehzentren, der Schläfenlappen Hörzentren. An der Grenze zw. Stirn- und Scheitellappen liegen zwei Gebiete mit den motor. Zentren für die einzelnen Körperabschnitte und einem Zentrum für Sinneseindrücke aus der Körperfühlsphäre. Das Großhirn ist Sitz von Bewusstsein, Wille, Intelligenz, Gedächtnis und Lernfähigkeit. Zum Großhirn gehört auch das **limbische System,** das »gefühlsmäßige« Reaktionen (z.B. das Sexualverhalten) als Antwort auf bestimmte Umweltsituationen beeinflusst oder bestimmt. Das **Kleinhirn** (Cerebellum), das wie das Großhirn aus zwei Hemisphären besteht, ist durch unbewusste (reflektor.) Steuerung der Muskelspannung, des Zusammenspiels der Muskeln sowie der Körperstellungen v.a. für den richtigen Ablauf aller Körperbewegungen verantwortlich; außerdem ermöglicht es die Orientierung im Raum. Das Kleinhirn erhält Informationen aus allen Bereichen, die für die Motorik wichtig sind, v.a. von der Muskulatur und vom Gleichgewichtssystem; über die **Brücke** (Pons) empfängt es außerdem die motor. (willkürl.) Bewegungsimpulse aus der Großhirnrinde. Zum **Zwischenhirn** (Diencephalon) gehören der paarig angelegte Thalamus (Sehhügel) und der Hypothalamus. Der Thalamus ist z.T. einfach venöse Schaltstation zw. Peripherie und Großhirn, z.T. Bestandteil des extrapyramidal-motor. Systems. Im Hypothalamus befinden sich versch. übergeordnete Zentren des autonomen Nervensystems, von denen lebenswichtige vegetative Funktionen gesteuert werden, so z.B. der Wärme-, Wasser- und Energiehaushalt des Körpers. Den **Hirnstamm** (Stammhirn) bilden die tieferen, stammesgeschichtlich ältesten Teile des G.; er umfasst Rauten-, Mittel- und Zwischenhirn sowie die Basalganglien des Endhirns. Im Hirnstamm liegen bes. wichtige Zell- und Fasersysteme als Steuerungszentren für Atmung und Blutkreislauf. Als **Formatio reticularis** bezeichnet man ein dichtes Netzwerk von Schaltneuronen mit einigen Kerngebieten, die sich längs über den ganzen Hirnstamm erstrecken; sie kann u.a. die Aufmerksamkeit ein- und ausschalten und den Schlaf-wach-Rhythmus steuern. Im **verlängerten Mark** (Medulla oblongata) kreuzen sich v.a. die Nervenbahnen des Pyramidenstrangs. Es beherbergt die Zentren für die automatisch ablaufenden Vorgänge wie Herzschlag, Atmung, Stoffwechsel. Außerdem werden von ihm auch versch. Reflexe gesteuert, z.B. Speichelfluss, Schlucken, Tränensekretion, Husten, Lidschluss, Erbrechen. Das verlängerte Mark geht in das Rückenmark über. Direkt am G. entspringen 12 Hauptnervenpaare, die **Hirnnerven:** I Riechnerv; II Sehnerv; III Augenbewegungsnerv; IV Augenrollnerv; V Drillingsnerv (Trigeminus) mit Augennerv, Oberkiefernerv und Unterkiefernerv; VI seitl. Augenabzieher; VII Gesichtsnerv (Fazialis); VIII Hör- und Gleichgewichtsnerv; IX Zungen-Schlund-Nerv; X Eingeweidenerv (Vagus); XI Beinnerv (Akzessorius); XII Zungenmuskelnerv.

📖 KLIVINGTON, K. A.: *G. u. Geist. A. d. Amerikan. Heidelberg u. a. 1992.* – *G. u. Bewußtsein, Einf.*

v. W. SINGER. *Heidelberg u.a. 1994.* – POPPER, K. R. *u.* ECCLES, J. C.: *Das Ich u. sein G. A. d. Engl. München u. a. [5]1996.*

Gehirnabszess (Hirnabszess), akute oder abgekapselte chron. Eiteransammlung im Gehirn; entsteht als Folge einer offenen Hirnverletzung oder geht von chron. Eiterungen des Mittel- oder Innenohrs oder von Eiterungen der Nasennebenhöhlen aus; bildet sich auch durch Verschleppung von Eitererregern auf dem Blutweg. Die Behandlung des G. besteht in Antibiotikagaben und (v. a. bei Kapselbildung) Operation.

Gehirnanhangdrüse, die → Hypophyse.

Gehirnatrophie, der → Gehirnschwund.

Gehirnblutung, Blutaustritt ins Gehirn (→ Schlaganfall).

Gehirnchirurgie (Hirnchirurgie), operative Behandlungsverfahren am Gehirn, Teil der → Neurochirurgie; angewandt u. a. bei Tumoren, Abszessen, Verletzungen, Blutungen des Gehirns. Neuere Entwicklungen in der G. ermöglichen in Kombination mit einer verfeinerten Diagnostik (durch Ultraschall, Computertomographie u. a.) gezielte Eingriffe z. B. durch stereotakt. Operationen, bei denen durch Schädelbohrlöcher eingeführte Nadelelektroden erkrankte tiefe Gehirnbezirke durch Elektrokoagulation ausschalten.

Gehirndruck, der → Hirndruck.

Gehirnentzündung (grch. Enzephalitis), zusammenfassende Bez. für die versch., durch Viren, Rickettsien, Bakterien hervorgerufenen Erkrankungen des Gehirns, die auch auf das Rückenmark **(Enzephalomyelitis)** und die Gehirnhäute **(Meningoenzephalitis)** übergreifen können. Allg. Symptome sind meist Kopfschmerzen, oft in der Stirn- und Augengegend, Benommenheit, Störungen des Schlaf-wach-Rhythmus, Erbrechen, Lichtscheu, Gliederschmerzen sowie manchmal Lähmungen einzelner Hirnnerven, epilept. Anfälle und erhöhter Hirndruck. Die vermutlich durch ein Virus hervorgerufene **epidem. G.** (Kopfgrippe) kommt nur noch vereinzelt vor; sie äußert sich in Augenmuskellähmungen und Schlafsucht. (→ Zeckenenzephalitis)

Gehirnerschütterung (lat. Commotio cerebri), durch Gewalteinwirkung verursachte akute, funktionelle, reversible Schädigung des Gehirns mit vorübergehenden Funktionsstörungen (Benommenheit oder Bewusstlosigkeit, Erbrechen, Erinnerungslücken, Schwindel), aber ohne nachweisbare Gewebeveränderungen. Nach einer G. ist v. a. strenge Bettruhe erforderlich.

Gehirnerweichung (Enzephalomalazie), herdförmige Erweichung von Gehirnteilen infolge Durchblutungsmangels mit entsprechendem Funktionsausfall, bes. nach Embolie, Thrombose (auf arteriosklerot. Grundlage) bzw. Massenblutung durch Gefäßzerreißung bei Bluthochdruck.

Gehirngeschwulst, der → Hirntumor.

Gehirnhautentzündung (Hirnhautentzündung, grch. Meningitis), Entzündung der Gehirnhäute durch versch. Erreger (Bakterien, Viren oder Pilze). Krankheitszeichen sind Kopfschmerzen, Nackensteifigkeit, hohes Fieber, Krämpfe, Lähmungen, meist auch Delirien. Die Diagnose wird durch Lumbalpunktion gesichert. Behandlung: durch Antibiotika oder andere Chemotherapeutika und Intensivtherapie. Zur epidem. Form → Genickstarre.

Gehirnquetschung (Gehirnkontusion, lat. Contusio cerebri), zusammenfassende Bez. für die schweren Folgen eines stumpfen Schädeltraumas mit Verletzungs- und Blutungsherden in der Großhirnrinde und im Hirnstamm. Symptome sind tiefe Bewusstlosigkeit, Unruhe, Schock, Fieber, ungleiche Pupillengröße, Verlust von Sprache und Geruchssinn, psych. Störungen.

Gehirn-Rückenmark-Flüssigkeit (Zerebrospinalflüssigkeit, lat. Liquor cerebrospinalis), Flüssigkeit, die die Hirnkammern und die → Gehirn und → Rückenmark umgebenden Hohlräume erfüllt; sie bietet einen Schutz gegen Schäden durch Druck von außen und regelt u. a. den Stoffwechsel von Gehirn und Rückenmark. Die G.-R.-F. besteht zu 98% aus Wasser, mit wenigen weißen Blutkörperchen und Spuren von Eiweiß, Zucker u. a. Sie kann zur Feststellung von Krankheiten durch Punktion (z. B. Lumbalpunktion) entnommen werden.

Gehirnschlag, der → Schlaganfall.

Gehirnschwund (Gehirnatrophie), Verminderung der Gehirnsubstanz durch Gewebeschrumpfung. Ursache kann eine Erkrankung des Gehirns oder der Alterungsprozess sein.

Gehirntumor, der → Hirntumor.

Gehirnwäsche (Mentizid, engl. Brainwashing), Art der Folterung von meist polit. Häftlingen oder Kriegsgefangenen, die durch psychophys. Druckmittel ein häufig fiktives Geständnis oder eine völlige Umwandlung des polit. Denkens und Wollens bewirken soll. Die Einwirkungen auf den Gefangenen bestehen u. a. in pausenlosem Verhör, Schlafentzug, lang andauernder psych. Reizung, Drohungen, Versprechungen, auch in Verabreichung von Drogen, um den Gefangenen in den Zustand verminderten Bewusstseins, erhöhter Suggestibilität oder Willenlosigkeit zu versetzen.

Arnold Gehlen

Gehlen, 1) Arnold, Philosoph und Soziologe, *Leipzig 29. 1. 1904, †Hamburg 30. 1. 1976; einer der Hauptvertreter der modernen philosoph. Anthropologie; sah den Menschen als ein biologisch nicht durch Instinkte geleitetes und deshalb auf stabile Institutionen angewiesenes »Mängelwesen«; schrieb auch Werke zur Analyse der Industriegesellschaft, des modernen Bewusstseins und der gegenwärtigen Kunst sowie zur Ethik.

Werke: Der Mensch, seine Natur und seine Stellung in der Welt (1940); Urmensch und Spätkultur (1956); Theorie der Willensfreiheit (1965); Moral und Hypermoral (1969).

2) Reinhard, Generalmajor (1944), *Erfurt 3. 4. 1902, †Berg (Kr. Starnberg/Obb.) 8. 6. 1979; leitete seit 1942 im Generalstab des Heeres die Abteilung »Fremde Heere Ost«, baute nach 1945 in Zusammenarbeit mit den USA einen Auslandsnachrichtendienst **(Organisation G.)** auf, der 1955 (seit 1956 als Bundesnachrichtendienst) von der Bundes-Reg. übernommen wurde und dessen Präs. bis 1968 G. war.

Unbedingter **Gehorsam** *setzt bei den Gehorchenden Unwissenheit voraus.*

Montesquieu

gehobener Dienst, →Beamte.

Gehölzkunde, die →Dendrologie.

Gehör (Gehörsinn, Hörsinn), Vermögen zur Wahrnehmung von Schallreizen bzw. Gesamtheit aller anatom. Strukturen und physiolog. Prozesse, auf denen es beruht. Schallwellen werden über das äußere und Mittelohr (Luftleitung) bzw. über Schwingungen der Schädelknochen (Knochenleitung, bes. hohe Frequenzen) zum Innenohr (Schnecke) transportiert, wo die Schwingungen auf der das Corti-Organ tragenden Basilarmembran eine Wanderwelle auslösen. Diese erreicht in Abhängigkeit von der Schallfrequenz (Tonhöhe) in bestimmter Entfernung von der Schneckenbasis ein Amplitudenmaximum, wobei die Haarzellen (Rezeptoren) erregt werden. Diese Reizverteilung (Frequenzdispersion) ermöglicht eine Tonhöhenunterscheidung, deren volle Leistungsfähigkeit durch weitere Mechanismen der zentralen Informationsverarbeitung erreicht wird. Mit zunehmender Lautstärke nimmt die Erregung der Haarzellen zu, und in den nachgeschalteten hinführenden Hörnervenfasern steigt die Impulsdichte. Über die Hörbahn wird so die Information über Tonhöhen und Lautstärken räumlich und zeitlich codiert dem Gehirn übermittelt, wo die Analyse der komplexen Muster zur Verarbeitung und Wahrnehmung einschl. der Bewertung der Schallereignisse und dem Sprachverständnis führt. Das menschl. G. kann Schallfrequenzen von 20–20 000 Hz aufnehmen. Im Sprachbereich ist die Unterschiedsempfindlichkeit am größten (bis etwa 0,3 %), d.h., bereits ein Frequenzunterschied von 3 Hz kann vom menschl. Ohr wahrgenommen werden. Die Schwingungsamplitude im Innenohr ist bei normalem Hören außerordentlich klein und wird auf Werte unter 0,1 nm geschätzt. Hohe Schalldruckpegel führen zu meist bleibender Haarzellenschädigung (Lärmschäden).

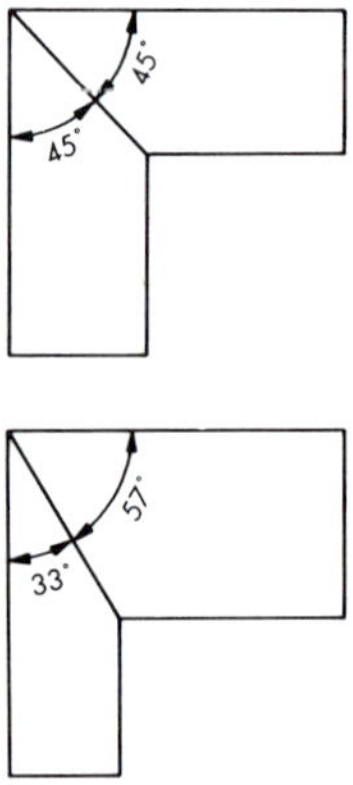

Gehrung: echte Gehrung (oben) und unechte Gehrung

Emanuel Geibel

📖 Hellbrück, J.: *Hören. Physiologie, Psychologie u. Pathologie. Göttingen u. a. 1993.*

Gehörgang, Teil des →Ohrs.

Gehörknöchelchen, Teile des →Ohrs.

Gehörlosigkeit, →Taubheit.

Gehörn, 1) die Hörner der Hornträger (Rinder, Schafe, Ziegen, Antilopen).

2) *Jägersprache:* Geweih des Rehbocks.

Gehörorgane, dem Gehörsinn (→Gehör) dienende Organe (→Hörhaare, →Johnston-Organ, →Ohr, →Tympanalorgane).

Gehorsam, Befolgen von Geboten oder Verboten durch entsprechende Handlungen oder Unterlassungen; die Unterordnung des eigenen Willens unter fremde Anordnungen, die durch Zwang herbeigeführt, aber auch freiwillig (Einfügung in eine religiöse oder gesellschaftl. Ordnung) sein kann. In der *Pädagogik* haben moderne Vorstellungen von G. (bewusstes Annehmen von Ratschlägen von Vertrauenspersonen) bis hin zur völligen Infragestellung des Autoritätsgedankens (antiautoritäre Erziehung) das traditionelle Leitbild der Erziehung zum unbedingten G. abgelöst. In den *Religionen* spielt der G. als kult. G. (Befolgung der kult. Vorschriften) und als Unterwerfung unter den Willen Gottes eine nicht unbedeutende Rolle. Für den Christen ist G. die Bereitschaft, den Willen Gottes in seinem konkreten Lebensumfeld zu erfüllen, wobei er sich vom Gebot der Liebe zu Gott und dem Nächsten (Matth. 22, 35–40) leiten lässt. – In den Orden ist die Verpflichtung zum G. eines der Ordensgelübde.

Gehorsamspflicht, die Pflicht von Beamten und Soldaten, dienstl. Anordnungen des Vorgesetzten bzw. Befehle auszuführen. Bedenken gegen die Rechtmäßigkeit einer Anordnung hat der Beamte geltend zu machen. Der Soldat hat Befehle nach besten Kräften vollständig, gewissenhaft und unverzüglich auszuführen. Befehle dürfen nur zu dienstl. Zwecken, unter Beachtung der Regeln des Völkerrechts, der Gesetze und Dienstvorschriften erteilt werden. Bei Soldaten und Beamten stellt ein Verstoß gegen die G. grundsätzlich ein Dienstvergehen dar. Eine Straftat begeht ein Soldat, wenn er einen Befehl nicht befolgt und dadurch eine schwerwiegende Folge, z.B. eine Gefahr für die Sicherheit Dtl., herbeiführt (militär. **Ungehorsam,** § 19 WStG); dies gilt auch für die demonstrative Form der **Gehorsamsverweigerung** (aktive Befehlsverweigerung durch Wort oder Tat oder Nichtbefolgen eines wiederholten Befehls; § 20 WStG). Der Soldat hat das Recht zur Befehlsverweigerung, wenn ein Befehl nicht zu dienstl. Zwecken erteilt wird oder seine Ausführung die eigene oder die Würde eines anderen verletzen würde; er hat die Pflicht zur Befehlsverweigerung, wenn durch Ausführung des Befehls eine Straftat begangen würde. Begeht der Untergebene auf Befehl eine Straftat, so macht er sich dann schuldig, wenn er den Charakter der Straftat erkennt oder diese nach den ihm bekannten Umständen offensichtlich ist (§ 5 WStG).

Gehrden, Stadt im Landkreis Hannover, Ndsachs., am Fuß des Gehrdener Berges (mit vorgeschichtl. Wallanlagen), 14500 Ew.; Teppich-, Maschinenfabrik. – Seit 1929 Stadt.

Gehrock, zu Beginn des 19. Jh. aus der Redingote hervorgegangener knielanger Männerrock, meist aus dunklem Tuch, ein- oder zweireihig mit gerade oder glockig geschnittenen Schößen.

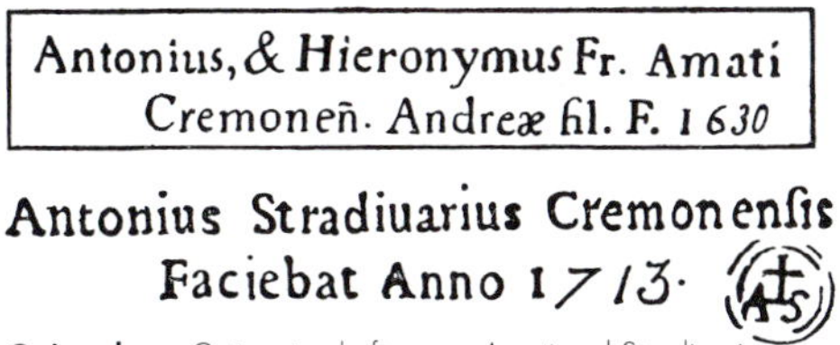
Antonius, & Hieronymus Fr. Amati
Cremonen. Andreæ fil. F. 1630

Antonius Stradiuarius Cremonenſis
Faciebat Anno 1713.

Geigenbau: Geigeninschriften von Amati und Stradivari

Gehrung, Eckfuge oder Eckverbindung zweier im Winkel aufeinander stoßender längl. Teile, die meist in der Winkelhalbierenden **(echte G.,** in allen anderen Fällen **unechte G.)** liegt, z. B. die Eckverbindung von Holzrahmen.

Gehry, Frank Owen, amerikan. Architekt und Designer, *Toronto 28. 2. 1929; ein führender Vertreter des Dekonstruktivismus, errichtete nach dem California Aerospace Museum, Santa Monica, Calif. (1982–84) u. a. in Weil am Rhein das Vitra-Design-Museum (1989), in Frankreich das American Center (Paris, 1991–94) und den Komplex »Festival Disney« (Marne-la-Vallée, 1992), das Weisman Art Museum der Univ. of Minnesota, Minneapolis (1993) sowie in Bilbao das Guggenheim-Museum (1991–97); schuf auch Inneneinrichtungen und Möbelentwürfe.

Gehverband, Stützverband zur Behandlung von Knochenbrüchen, Verrenkungen und Verstauchungen im Bereich der Beine, der eine Belastung des Beins (Stehen, Gehen) vor Ausheilung der Verletzung ermöglicht; meist als Gipsverband **(Gehgips),** auch unter Verwendung von Kunststoffen ausgeführt, die für Röntgenstrahlen durchlässig sind. Der G. wird meist mit einem Gehstollen (Fußstück aus Gummi, Kunststoff, Holz) oder mit einem integrierten Gehbügel versehen.

Geibel, Emanuel, Schriftsteller, *Lübeck 17. 10. 1815, †ebd. 6. 4. 1884; gefeierter Lyriker der dt. Einigungsbestrebungen unter preuß. Führung; 1852–68 Haupt des Münchner Dichterkreises. Seine Lyrik (z. T. zum Volksgut geworden wie »Der Mai ist gekommen«) erweist ihn formal als virtuosen Epigonen des Klassizismus; verdienstvoll als Übersetzer frz,. span., grch. und lat. Lyrik.

Geier [ahd. gīr, eigtl. »der Gierige«] (Altweltgeier, Aegypiinae), Greifvögel aus der Familie der Habichtartigen, die sich vorwiegend von Aas ernähren, mit höchstens flaumbedecktem Kopf und Hals, nur an der Spitze hakigem Schnabel, starken Füßen; vorzügl. Flieger; bes. in den Trockengebieten Afrikas und S-Asiens. In S-Europa sind heimisch: der **Aas-** oder **Schmutzgeier** (Neophron percnopterus), schneeweiß mit schwarzen Schwingen; der **Gänsegeier** (Gyps fulvus), fahlbraun mit weißer Krause an der Halswurzel, und der seltene **Mönchsgeier** (Aegypius monachus) mit dunkelbraunem Gefieder und sehr starkem Schnabel sowie der →Bartgeier. Die →Neuweltgeier gehören nach neuesten Erkenntnissen zu den Stelzvögeln.

Geier: Gänsegeier

Geierhaube, Kopftracht versch. ägypt. Göttinnen (Nut, Mut) bei ihrer menschengestaltigen Darstellung, auch die durch Abbildungen bezeugte Haube ägypt. Königinnen (seit dem Alten Reich), bei der der Kopf eines Geierbalgs über der Stirn der Trägerin hervorragt und die Flügel an der Seite herabgezogen sind.

Geierhaube: Ausschnitt aus einem Wandgemälde (um 1250 v. Chr.) im Grab der Nofretiri im Tal der Königinnen in Theben

Geiersberg, höchste Erhebung des Spessarts, 585 m ü. M., Bayern.

Geige, volkstüml. Bez. für →Violine; i. w. S. Bez. für alle Arten der bogengestrichenen Saiteninstrumente, auch die entsprechenden Instrumente außereurop. Kulturkreise.

Geigenbau, ein Bereich des Instrumentenbaus, der sich mit der Herstellung und Instandhaltung von Violinen, Bratschen, Violoncelli, Kontrabässen (seltener auch von Zupfinstrumenten) befasst. Der G. entwickelte sich in der 2. Hälfte des 16. Jh. v. a. in N-Italien. Bed. Geigenbauer waren dort Gasparo da Salò und G. P. Maggini in Brescia sowie u. a. die Familien Amati, Stradivari und Guarneri in Cremona, in Dtl. die Familien Tieffenbrucker aus der Nähe von Füssen und Klotz aus Mittenwald, ferner die Tiroler Stainer und Alban(us). Dt. G.-Zentren sind Mittenwald und Markneukirchen.

Frank O. Gehry: American Center in Paris (1991–94)

📖 *Meister italien. Geigenbaukunst, Beiträge v.* W. HAMMA, *bearb. v.* J.-S. BLUM. *Wilhelmshaven* *⁸1993.*

Abraham Geiger (Ausschnitt aus einem zeitgenössischen Stich)

Geiger, **1)** Abraham, Rabbiner und Judaist, *Frankfurt am Main 24. 5. 1810, †Berlin 23. 10. 1874; wurde durch seine wiss. Arbeit und die Gründungen der »Wiss. Zeitschrift für jüd. Theologie« (1835–1847) und der »Jüd. Zeitschrift für Wiss. und Leben« (1862–75) zum Führer der jüd. Reformbewegung in Deutschland.

Hans Geiger

2) Hans, eigtl. Johannes, Physiker, *Neustadt an der Weinstraße 30. 9. 1882, †Potsdam 24. 9. 1945; Prof. in Kiel, Tübingen und Berlin; erkannte 1913, dass die Ordnungszahl eines chem. Elementes gleich der Kernladungszahl seiner Atomkerne ist; entwickelte seinen Spitzenzähler 1928 zus. mit W. M. Müller (*1905, †1979) weiter zum **G.-Müller-Zählrohr** (→Zählrohr).

3) Moritz, Philosoph, *Frankfurt am Main 26. 6. 1880, †Seal Harbor (Me.) 9. 9. 1937; führte seine phänomenolog. Methode in die Ästhetik ein (»Beiträge zur Phänomenologie des ästhet. Genusses«, 1913).

4) Rupprecht, Maler und Grafiker, *München 26. 1. 1908, Sohn von 6); 1949 Mitbegründer der Gruppe →Zen. Seine Arbeiten sind geprägt durch die konsequente Beschränkung auf geometr. Großformen. Seine Farbmodulationen suggerieren Räumlichkeit und Bewegung.

5) Theodor, Soziologe, *München 9. 11. 1891, †(auf der Überfahrt von Kanada nach Dänemark) 16. 6. 1952; war 1922–29 Leiter der Berliner Arbeiterhochschule, 1928–33 Prof. in Braunschweig (Entlassung aus polit. Gründen); emigrierte 1933 nach Dänemark, war 1938–40 Prof. in Århus, 1943 (Flucht nach Schweden) in Uppsala, 1945–52 wieder in Århus. Zunächst stark vom Marxismus beeinflusst, galt G.s wiss. Hauptinteresse den Theorien über soziale Klassen, später Problemen sozialer Schichtung in der modernen Industriegesellschaft.

6) Willi, Maler und Grafiker, *Schönbrunn (heute zu Landshut) 27. 8. 1878, †München 1. 2. 1971, Vater von 4); Schüler von F. von Stuck, wurde 1928 Prof. der Akademie für Graphik und Buchkunst in Leipzig, 1933 entlassen. 1945 Prof. an der Akademie in München. Sein Frühwerk ist geprägt von der ornamentalen Linienführung des Jugendstils, seit den 20er-Jahren von expressionist., verist. und visionären Zügen. Er illustrierte u. a. Werke von Goethe, H. von Kleist, F. Wedekind, F. M. Dostojewski und L. N. Tolstoi.

Geigerzähler (Geiger-Müller-Zählrohr), →Zählrohr, das insbesondere zum Nachweis radioaktiver Strahlung eingesetzt wird.

Erik Gustaf Geijer (Ausschnitt aus einem zeitgenössischen Gemälde)

Geijer ['jɛjər], Erik Gustaf, schwed. Dichter, Geschichtsforscher und Komponist, *Ransäter (Värmland) 12. 1. 1783, †Stockholm 23. 4. 1847; Mitbegründer (1811) des nationalromant. »Göt. Bundes«; gab zus. mit A. A. Afzelius eine Sammlung altschwed. Volkslieder heraus (3 Bde., 1814–16); 1817–46 Prof. für Gesch. in Uppsala; verfasste eine »Gesch. des schwed. Volkes« (3 Tle., 1832–36), schrieb Gedichte und komponierte (Lieder, Kammermusik).

Geilenkirchen, Stadt im Kr. Heinsberg, NRW, an der Wurm, 26 900 Ew.; Textil-, Tonröhren- und Falzziegelwerke. – 1484 zum Herzogtum Jülich und Stadtrecht, 1815 zu Preußen.

Rupprecht Geiger: Gerundetes Blau, Aluminiumplastik (1987; München)

Johann Geiler von Kaysersberg Ausschnitt aus einem Gemälde von Lucas Cranach d. Ä. (um 1528; München, Alte Pinakothek)

Geiler von Kaysersberg, Johann, Prediger und Schriftsteller, *Schaffhausen 16. 3. 1445, †Straßburg 10. 3. 1510; in Kaysersberg (Elsass) erzogen, seit 1478 Domprediger in Straßburg; gehört durch die volkstüml. und anschaulich-drast. Art der Darstellung zu den größten Predigern des Mittelalters; seine Werke standen auf dem Index der kath. Kirche.

Geirangerfjord ['gejraŋərfju:r], der südlichste, tief (bis 233 m) eingeschnittene Seitenzweig des Storfjords in Westnorwegen; mit Wasserfällen (u.a. »Sieben Schwestern«).

Geisel [ahd. gīsal, eigtl. »Pfand«], *allg:* eine gewaltsam und widerrechtlich ergriffene und festgehaltene Person, durch deren Festhaltung und Bedrohung der Geiselnehmer Forderungen gegen Dritte durchsetzen will. *Rechtsgeschichtlich* ist G. eine Person, die mit Leib oder Leben für die Erfüllung der Verbindlichkeit eines anderen haftet (»Menschenpfand«). Bei G.-Verfall haftete die G. zunächst grundsätzlich mit ihrem Leben, seit dem MA. wohl nur noch mit Kerkerhaft und evtl. Lösegeldbestimmung. Von dieser Form der Geiselnahme ist die Schuldknechtschaft getrennt zu betrachten.

Herausragende Bedeutung hatten G. im *Völkerrecht,* z.B. zur Sicherung von Friedensschlüssen (in Europa letztmalig vollzogen im Aachener Frieden von 1748 zw. Großbritannien und Frankreich). Entsprechend dem Zweck dieser Abkommen waren die G. regelmäßig von hohem Rang. Hiervon zu unterscheiden ist die einseitige Geiselnahme als Druckmittel im Krieg zur Abwendung feindseligen Verhaltens der besiegten Bevölkerung. Bis ins 20. Jh. hinein mangelte es an einer allgemeinen grundsätzl. Regelung; lediglich die Geiselnahme von Kriegsgefangenen verbot das Genfer Abkommen von 1929. Noch im 2. Weltkrieg wurde die Geiselnahme als erlaubter Kriegsbrauch betrachtet, sowohl zur Vorbeugung als auch als Repressalie. Obwohl das Statut für den Internat. Militärgerichtshof vom 8.8.1945 G.-Tötungen grundsätzlich als Kriegsverbrechen qualifiziert hatte, entschied das amerikan. Militärtribunal Nr. V. im »G.-Prozess«, dass die Tötung von G. unter sehr engen Voraussetzungen zulässig gewesen sei. Die Erfahrung barbar. G.-Erschießungen im 2. Weltkrieg führte zum uneingeschränkten Verbot der Geiselnahme in Art. 34 des Genfer Abkommens zum Schutz von Zivilpersonen in Kriegszeiten vom 12.8.1949.

In der jüngsten Geschichte sind Geiselnahmen zu einem immer wieder praktizierten Mittel geworden, polit. Ziele auf terrorist. Weise durchzusetzen (Geiselaffäre von Teheran 1979/80, Libanonkonflikt, Luftpiraterie). Bes. die →Luftpiraterie veranlasste die Vereinten Nationen 1979, den Entwurf eines Internat. Abkommens zu verabschieden, das den Staat, in dem die Tat begangen wird oder in dem sich ein Tatverdächtiger aufhält, für die Strafverfolgung des Geiselnehmers verantwortlich macht.

Geiselgasteig, Villenvorort südlich von München, in der Gem. Grünwald, am Rande des Grünwalder und Perlacher Forstes; bekannt durch sein ausgedehntes Filmgelände.

Geiselnahme, Straftat gegen die persönl. Freiheit, die begeht, wer einen anderen entführt, um einen Dritten durch die Drohung mit dem Tod oder einer schweren Körperverletzung des Opfers zu einer Handlung, Duldung oder Unterlassung zu nötigen; mit Freiheitsstrafe nicht unter fünf Jahren bedroht (§ 239 b StGB). (→Luftpiraterie)

Geirangerfjord

Geiseltal, ehem. Braunkohlenrevier in Sa.-Anh., im Tal der Geisel (linker Nebenfluss der Saale, mündet bei Merseburg [Saale]); die Kohlenvorkommen wurden bis 1993 fast vollständig abgebaut. – In der Braunkohle und ihren Begleitschichten fand man zahlr. Pflanzen- und Tierreste des Mitteleozäns, z.B. von Nadelhölzern, Palmen, Edelkastanien, Feigen, Magnolien- und Lorbeergewächsen sowie von Halbaffen, Urpferden, Raubtieren, Nagetieren, Vögeln, Knochenfischen, Beuteltieren, Krokodilen, Schildkröten, Krebsen. Die Funde werden in Halle (Saale) im G.-Museum aufbewahrt.

Geisenheim, Stadt im Rheingau-Taunus-Kr., Hessen, am Rhein, 11300 Ew.; FH und Forschungsanstalt für Wein- und Gartenbau, Getränketechnologie und Landschaftspflege; Weinbau und -handel. – Zu G. gehören der Weinbauort **Johannisberg** (Schloss, Anfang 18. Jh., 1826–35 umgebaut, heute Weingut; nahebei ehem. Klosterkirche, Anfang 12. Jh., 1950–52 neu errichtet) und der Wallfahrtsort **Marienthal** (Klosterkirche, 1330 geweiht, 1857/58 im got. Stil wieder aufgebaut). – Spätgot. Pfarrkirche (»Rheingauer Dom«) mit neugot. Doppelturmfassade, Adelshöfe, Fachwerkhäuser. – 772 erstmals erwähnt, Anfang 11. Jh. zum Erzbistum Mainz, 1803 an Nassau, 1864 Stadtrecht.

Geiser, eine heiße Springquelle, →Geysir.

Geiserich, König der Wandalen (seit 428), * um 390, † 25. 1. 477; führte sein Volk in einem Zug von etwa 80000 Menschen aus Spanien über die Meerenge von Gibraltar nach N-Afrika, wo er ein Reich

Geißbart (Höhe 80-200 cm)

Geißblatt: Echtes Geißblatt (Höhe bis über 5 m)

Hans Werner Geissendörfer

mit der Hptst. Karthago gründete; seine Flotte beherrschte das westl. Mittelmeer, er eroberte Korsika, Sardinien, die Balearen und Teile Siziliens; 455 plünderte er Rom.

Geisha ['ge:ʃa] *die,* in Japan eine in Tanz, Gesang, Musik und gesellschaftl. Formen berufsmäßig ausgebildete Frau zur Unterhaltung und Bedienung in Teehäusern, Hotels u. a.

Geising, Stadt im Weißeritzkreis, Sachsen, 570–650 m ü. M., am Fuße des G.-Berges (824 m ü. M.) im Osterzgebirge, 2 700 Ew.; feinmechan. und Holzind.; Erholungsort und Wintersportplatz. – Durch den Zinnerzbergbau entwickelte sich in der 2. Hälfte des 15. Jh. die Bergstadt Neu-G. neben dem 1446 erwähnten Alt-G.; 1857 wurden beide zur Stadt G. vereinigt.

Geislingen an der Steige, Stadt (Große Krst.) im Landkr. Göppingen, Bad.-Württ., am N-Rand der Schwäb. Alb, am Fuß der **Geislinger Steige,** 28 400 Ew.; Textil-, elektrotechn., Metall verarbeitende Ind., Maschinenbau. – Spätgot. evang. Stadtpfarrkirche (1424–28), Fachwerkbauten des 15. und 16. Jh., u. a. das Rathaus (1422). – Über der Stadt die Ruine der Burg der Grafen von Helfenstein, die Geislingen im frühen 13. Jh. gründeten. 1396–1802 gehörte es zum Gebiet der Reichsstadt Ulm und kam mit dieser 1810 an Württemberg.

Geiß, das Weibchen von Ziegen, Gazellen, Gämsen, Stein- und Rehwild.

Geißbart (Aruncus), Rosengewächsgattung in der nördl. gemäßigten Zone; Stauden mit kleinen weißen Blüten in Ähren.

Geißblatt (Heckenkirsche, Lonicera), strauchige Gattung der Geißblattgewächse mit rd. 150 Arten; in vielen Formen als Ziersträucher in Kultur. Zu den rechtswindenden Kletterstäuchern gehören: **Echtes G.** oder **Jelängerjelieber** (Lonicera caprifolium) mit teils verwachsenen, stängeldurchwachsenen Blättern und **Dt. G.** oder **Wald-G.** (Lonicera periclymenum) mit unverwachsenen Blättern. Aufrechte Sträucher sind z. B. **Rote Heckenkirsche** (Lonicera xylosteum) mit scharlachroten Früchten, **Schwarze Heckenkirsche** (Lonicera nigra) mit schwarzen Früchten.

Geißel, 1) *allg.:* Stab mit Riemen oder Schnur zur Züchtigung oder Kasteiung (→ Geißler).

2) *Biologie:* → Flagellum.

Geißeltierchen, → Flagellaten.

Geissendörfer, Hans Werner, Filmregisseur, * Augsburg 6. 4. 1941; verfilmt literar. Vorlagen, u. a. »Die Wildente« (1975, nach H. Ibsen); »Der Zauberberg« (1981, nach T. Mann); einer der Regisseure der Fernsehserie »Lindenstraße« (seit 1985).

Geißfuß, 1) gabelförmiges Werkzeug zum Ausziehen von Nägeln; 2) für die Holzbearbeitung und Bildhauerei ein Meißel oder Stechwerkzeug mit winkliger Schneide zum Ausarbeiten innerer Ecken und Furchen.

Geißfuß, ein Doldengewächs, → Giersch.

Geißklee (Bohnenstrauch, Cytisus), Gattung der Schmetterlingsblütler mit rd. 60 Arten; in Mitteleuropa auf trockenen, steinigen Hängen; häufig mit gelben Blüten.

Geisha: Utagawa Kunisada, »Geisha bei der Toilette«, Farbholzschnitt (Köln, Museum für Ostasiatische Kunst)

Geißler (Geißelbrüder, Flagellanten, Flegler), Angehörige schwärmerisch-frommer Laienbewegungen des 13.–15. Jh., die unter Gebet und Bußliedern öffentlich Selbstgeißelung übten. Seit 1260, bes. während der Pest 1348/49, breiteten sich die G. über nahezu ganz W-Europa aus; 1349 wurden sie von Papst Klemens VI. und 1417 vom Konstanzer Konzil verboten.

Geißler, 1) Heinrich (Heiner), Politiker (CDU), * Oberndorf am Neckar 3. 3. 1930; Richter, 1967–77 Sozialmin. in Rheinl.-Pf., 1977–89 Gen.-Sekr. der CDU, 1982–85 zugleich Bundesmin. für Jugend, Familie und Gesundheit. G. sucht v. a. das sozialpolit. Profil seiner Partei zu schärfen.

2) Horst Wolfram, Schriftsteller, * Wachwitz (heute zu Dresden) 30. 6. 1893, † München 19. 4. 1983; schrieb heitere Romane, meist mit geschichtl. und kulturgeschichtl. Themen; »Der liebe Augustin« (1921) war sein erfolgreichster Roman.

Geißlerlieder, die von den → Geißlern bei ihren Prozessionen und Bußübungen gesungenen Lieder, seit dem 13. Jh. bezeugt.

Geißler-Röhre, von dem Mechaniker H. Geißler (* 1814, † 1879) zuerst hergestellte Gasentladungsröhre, älteste Form einer →Gasentladungslampe.

Geist, **1)** *allg.:* Sinn, Bedeutung, Gehalt; auch Scharfsinn, Witz, Esprit; die Gesinnung einer Person oder Gruppe.

2) *Philosophie:* allg. das dem Bewusstsein, dem Fühlen, Wollen und Denken zugrunde liegende Prinzip und dessen Organisationsformen. – Sein Verhältnis zu anderen Seinsarten wie Materie und Körper unterlag vielfältigen Deutungen, die sich zwischen den Extrempositionen des Idealismus und Materialismus bewegten. Ersterem ist allein der G. wirklich, die Materie lediglich abgeleitete Erscheinungsform; Letzterem ist die Materie das Reale, der G. bloßer Schein (radikaler Materialismus, Behaviorismus). Verschiedenste Dualismen liegen zwischen diesen Extremen: Bereits in der »Odyssee« (10, 239 ff.) begegnen neben den materiell gedachten Seelenteilen Verstand und Einsicht (Nus), die Selbstbewusstsein einschließen (Odyssee 10,239 ff.). Nus und Körper stehen in – nichtmechanist. – Wechselwirkung. Während Anaximenes und Heraklit sich den G. noch materiell vorstellen – luft- bzw. feuerartig –, nimmt er bei Anaxagoras als Denk- und Willensmacht, Ursprung der Bewegung des Alls und Unendliches deutlich nichtmateriell Form an. Auf diesem G.-Begriff bauen Platon und Aristoteles auf. Für Aristoteles ist Gott reiner G., leidens- und zeitlos, sich selbst denkend; als menschl. G. Inbegriff des diskursiven Denkens und Urteilens, Verstand, als Schauen der Grundsätze die Vernunft.

Mit Descartes gewinnt das G.-Materie-Verhältnis eine neue Form. Dem G. als denkender Substanz setzt er die Materie als wesentlich ausgedehnte Körper entgegen. So bleibt der G. den Naturprozessen gegenüber grundsätzlich äußerlich; die Natur wird geist- und seelenlos.

An Platon und Aristoteles knüpft der dt. Idealismus an. Nach G. W. F. Hegel ist der G. das wahrhaft Wirkliche, das sich in der Natur eine äußere Gestalt gibt, als **subjektiver G.** das menschl. Denk- und Reflexionsvermögen darstellt, als **objektiver G.** den Inbegriff aller Bedeutungsgehalte in Sprache, Wiss., Staat und Gesellschaft bildet und im **absoluten G.** als Kunst, Religion und Philosophie zum Begreifen seiner selbst kommt.

Dieser Allmacht des G. setzt L. Klages das elementare Leben als Prinzip entgegen. Materialisten wie L. Büchner machen ihn zu einer Funktion des Gehirns. – Im Ggs. zum westl. Idealismus, für den der G. eine begrifflich-logische Struktur besitzt, bezeichnen Buddhismus und Daoismus mit G. das alog., in den Phänomenen herrschende Kräftefeld. In ihm sind Subjekt und Objekt in ihrer Geschiedenheit und alle realen Dinge in ihrer Festumrissenheit eins. Zugänglich ist der G. der durch Meditation erworbenen »immer klaren Bewusstheit« des »Über-Bewusstseins«, das sich im Zustand der Erleuchtung eins weiß mit der G.-Wirklichkeit.

Geistchen

📖 RYLE, G.: *Der Begriff des G. A. d. Engl. Neuausg. Stuttgart 1992.* – WEIER, W.: *Das Phänomen G. Auseinandersetzung mit Psychoanalyse, Logistik, Verhaltensforschung. Darmstadt 1995.* – POSNER, M. I. *u.* RAICHLE, M. E.: *Bilder des G. Hirnforscher auf den Spuren des Denkens. A. d. Engl. Heidelberg u. a. 1996.* – SPROCKHOFF, H. VON: *Bewußtsein, G. u. Seele. Zur Evolution des menschl. G. Frankfurt am Main u. a. 1996.*

Geistchen (Orneodidae), Schmetterlingsfamilie mit rd. 100 Arten mit tief geschlitzten Flügeln.

Geister, selbstständige numinose Wesen im Glauben vieler Religionen, den Zwischenbereich zw. Göttern und Menschen bildend (→Dämonen, →Engel). Sie werden als immateriell vorgestellt, können jedoch im *Volksglauben* als Hauchwesen, in menschl. oder tier. Gestalt (z. B. Alb), als Fabelwesen (z. B. Riese, Zwerg, Nixe) oder als Gegenstand sichtbar werden. Die Macht der G. ist auf einen speziellen Bereich beschränkt, sie bewohnen z. B. ein Gebäude (Haus-G., z. B. Kobolde, Trolle), Gewässer (z. B. Nixen, Quellnymphen), Moore, Berge, Wälder oder können Elemente (Feuer-G., Wasser-G., Erd-G., z. B. Gnomen, Wind-G.) oder

Geißklee (Höhe 50 - 150 cm)

Geißler: Flagellantenzug, zeitgenössische Miniatur (1349)

Naturerscheinungen (Wolken-G.) repräsentieren. Toten- oder Ahnen-G. gelten als der Teil des Menschen, der den Tod überdauern, mit den Hinterbliebenen in Verbindung stehen und Einfluss auf deren Wohlergehen oder Unglück nehmen kann. Die G. erscheinen meist in einsamen, schwer zugängl. Gebieten (z.B. Rübezahl im Gebirge, die arab. Djinn in der Wüste) und treten den Menschen als Schutz- oder Plage-G. gegenüber. In der *Religionswissenschaft* wird der G.-Glaube (Dämonismus, →Animismus) als eine primitive Stufe religiöser Verehrung angesehen, die dem Aufkommen einer (personalen) Gottesverehrung vorausgeht. Die kath. Dogmatik behandelt das Problem der G. (Zwischenwesen) in der Dämonenlehre; Ausgangspunkt ist die Lehre von den gefallenen Engeln (2. Petr. 2, 4).

Geisterbeschwörung, →Spiritismus.

Geisterbild, ein durch Mehrfachempfang von Fernsehsignalen (Reflexion des Sendesignals z.B. an hohen Bauwerken) bewirkter Bildfehler, bei dem Bildkonturen mehrfach erscheinen; durch Richtantennen, Satellitenempfang, Verkabelung vermeidbar.

Geisterfahrer (Falschfahrer), Kraftfahrer, der auf Straßen mit durch Mittelstreifen getrennten Richtungsfahrbahnen (v.a. Autobahnen) der vorgeschriebenen Fahrtrichtung entgegengesetzt fährt.

Geisterhaus, bei Naturvölkern häufig das Versammlungshaus des Dorfes, in dem Ahnenbilder, Masken, Trophäen und Kultgeräte, die als beseelt oder als Behausung von Geistern gelten, aufbewahrt werden.

Geisterstadt (engl. Ghosttown), verlassene (Bergbau-)Siedlung, v.a. in den USA, heute manchmal Touristenattraktion, z.B. die beiden Virginia City (Montana und Nevada).

Geistertanzbewegung (engl. Ghostdance), messian. Bewegung unter nordamerikan. Indianern, die 1890 von Nevada aus die Indianer des Großen Beckens und die Plains- und Präriestämme erfasste; ursprünglich pazifistisch, führte sie schließlich zum letzten Kampf der Plainsstämme gegen die Weißen, der im Massaker von Wounded Knee endete.

Geistesgeschichte, Forschungsrichtung, bei der das jeweilige polit., philosoph., künstler. und literar. Geschehen einer Epoche als Manifestation einer einheitl. geistigen Grundhaltung, als »Auswirkung des Gesamtgeistes« (R. Unger) zu verstehen versucht wird. Der Begriff G. (belegt 1812 bei F. Schlegel) wurzelt in der dt. Klassik und Romantik; die geistesgeschichtl. Methode wurde v.a. mit den Arbeiten von W. Dilthey systematisiert.

Geisteskrankheit, veraltete Bez. für eine krankhafte Störung der psych. Funktion, i.e.S. für Psychose. – Zum Recht: →Betreuung, →Schuldunfähigkeit.

Geisteswissenschaften, diejenigen Wiss., die die Ordnungen des Lebens in Staat, Gesellschaft, Recht, Sitte, Erziehung, Wirtschaft, Technik und die Deutungen der Welt in Sprache, Mythos, Religion, Kunst, Philosophie und Wiss. zum Gegenstand haben (E. Rothacker).

In Dtl. wurde der Begriff von W. Dilthey (»Einleitung in die G.«, 1883) durchgesetzt. Er sah in den G. »das Ganze der Wiss., welche die geschichtlich-gesellschaftl. Wirklichkeit zu ihrem Gegenstand haben«. Ihre Aufgabe bestehe im »Nacherleben« und »Verstehen« der geistig-kulturellen Betätigungen der Menschen. W. Windelband betonte den Unterschied zw. der Naturwiss. als »nomothetischer« Wiss., die auf allg. Gesetzmäßigkeiten gerichtet ist, und den G. als den »idiographischen«, auf das einmalige Ereignis gerichteten Wiss. Es werden heute jedoch auch andere Möglichkeiten einer Klassifikation der Wiss. entwickelt (→Wissenschaft). Im marxist. Denken wurde der Begriff der G. z.T. durch den der Sozial- oder Gesellschaftswiss. ersetzt, z.T. wird er als Verbindung von Kultur- und Sozialwiss. neu definiert. Durch das starke Vordringen naturwissenschaftlich-empir. Methoden hat bes. in der Sozialwissenschaft die Trennung von Naturwissenschaft und G. für bestimmte Forschungsbereiche ihre alte Bedeutung verloren.

📖 SCHOLTZ, G.: *Zwischen Wissenschaftsanspruch u. Orientierungsbedürfnis. Zu Grundlage u. Wandel der G. Frankfurt am Main 1991. – Kulturbegriff u. Methode. Der stille Paradigmenwechsel in den G., hg. v.* K. P. HANSEN. *Tübingen 1993.*

geistiges Eigentum, →Urheberrecht.

geistlich, bezeichnet im Ggs. zu »weltlich« das, was zum religiösen bzw. kirchl. Bereich gehört.

geistliche Dichtung, die auf dem Christentum beruhende religiöse Dichtung; im Unterschied zur →christlichen Dichtung (i.w.S.) strenger an Glaubensinhalte gebunden und auf deren Ausdruck konzentriert; so Erbauungsbücher, →Evangelienharmonien, →geistliches Drama, →Kirchenlied.

geistliche Fürsten, im Hl. Röm. Reich bis 1803 Bez. für die dem Reichsfürstenstand angehörenden hohen Geistlichen. Zu den g. F. zählten neben den geistl. Kurfürsten die Fürsterzbischöfe und Fürstbischöfe, die Fürstäbte und Fürstäbtissinnen, die Fürstpröpste sowie der Hoch- und Deutschmeister und der Johannitermeister.

Geistlicher Rat, 1) Gesamtheit der wirkl. Räte eines Bischofs (Ordinariatsräte, Generalvikariatsräte).

2) Titel der Mitgl. dieses Rates.

3) Ehrentitel für verdiente kath. Geistliche.

Geistlicher Vorbehalt (lat. Reservatum ecclesiasticum), Bestimmung des Augsburger Religionsfriedens von 1555, dass geistl. Fürsten bei Übertritt zum Protestantismus ihre weltl. Herrschaftsrechte verlieren.

geistliches Drama (geistliches Schauspiel), aus der kirchl. Liturgie entstandenes Drama, das zur Hauptform des ernsten Dramas im europ. MA. wurde. Seit dem 10. Jh. führten Geistliche in den Kirchen – zunächst in Form szen. Ausweitung lat. Wechselgesänge – Teile der Passion auf. Im 12. Jh. löste sich das g. D. vom liturg. Wortlaut, man ging zur Darstellung der ganzen Leidensgeschichte, dann auch legendärer Stoffe, über. Im 14. Jh. wurde das g. D. auf Marktplätze oder in nichtkirchl. Räume verlegt. Gleichzeitig setzte sich die Volkssprache statt der lat. Sprache durch; im 14./15. Jh. weiteten sich die Spiele oft zu mehrtägigen Volksfesten aus. Die Darsteller waren v.a. Laien, Fahrende, später Bürger. Hauptarten des g. D. waren →Osterspiele, →Passionsspiele, →Weihnachtsspiele, Spiele vom Antichrist und Weltgerichtsspiele, →Mirakel, bibl. Dramen, Legendenspiele, →Autos sacramentales, Mysterienspiele.

📖 BORCHERDT, H. H.: *Das europ. Theater im Mittelalter u. in der Renaissance. Neuausg. Reinbek 1969.* – MICHAEL, W. F.: *Das deutsche Drama des Mittelalters. Berlin 1971.*

geistliches Konzert, im 17. Jh. im evang. Gottesdienst gepflegte ein- oder mehrstimmige solist. Gesangsform mit Generalbass-, später auch Orchesterbegleitung. Bed. Vertreter des g. K. waren u.a. H. Schütz und J. H. Schein. In der 2. Hälfte des 17. Jh. ging das g. K. in der Kantate auf; im 20. Jh. im Rückgriff auf die ältere Tradition neu belebt.

geistliches Recht, →Kirchenrecht.

Geistlichkeit, der →Klerus.

Geitel, Hans Friedrich, Physiker, *Braunschweig 16. 7. 1855, †Wolfenbüttel 15. 8. 1923; führte mit J. Elster (*1854, †1920) bed. Untersuchungen über Elektrizitätsleitung in Gasen, atmosphär. Elektrizität, Photoeffekt und Radioaktivität durch.

Geithain, Stadt im Kr. Leipziger Land, Sachsen, im S der Leipziger Tieflandsbucht, 7300 Ew.; Herstellung von Musikelektronik, Emailwerk, Baustoffind. – Spätgot. Stadtkirche St. Nikolai, eine dreischiffige Halle (begonnen 1504) mit spätroman. Westbau und got. Chor (14. Jh.), Pfarrhaus (Anfang 16. Jh.). – Um 1180 gegr., um 1209 Stadtrecht; bis 1994 Kreisstadt.

Gekröse, *Anatomie:* bei Wirbeltieren Falten des →Bauchfells, in denen der Darm aufgehängt ist.

Gel [Kw. von **Gel**atine] *das,* formbeständiges, leicht deformierbares disperses System (→Dispersion, →Kolloide). Man unterscheidet feste **Aerogele** (z.B. Kiesel-G.) und zähelast. **Lyogele** (Gallerten) mit Luft bzw. Flüssigkeit als Dispersionsmittel sowie feste, hornartige **Xerogele,** die durch Trocknung aus Lyogelen entstehen.

Gela: Stirnziegel eines Tempels in Form eines Silenkopfes (5. Jh. v. Chr.; Gela, Archäologisches Museum)

Gela ['dʒɛ:la], Stadt in der Prov. Caltanissetta, Italien, an der Südküste Siziliens, 74600 Ew.; Erdölhafen; petrochem. Großindustrie. – Ruinen von zwei dor. Tempeln (6. und 5. Jh. v. Chr.) und Reste der Stadtmauer. – Gegr. um 690 v. Chr. von dor. Kolonisten, 405 von den Karthagern zerstört; Neugründung 1233 als **Terranova di Sicilia** (Name bis 1927) durch Kaiser Friedrich II.

Geläger (Trub), Bodensatz, der sich nach alkohol. Gärung im Gärgefäß ablagert, enthält v.a. Hefe sowie Trüb- und Feststoffe.

Geländedarstellung, Übertragung der (dreidimensionalen) Oberflächenformen der Erde in die (zweidimensionale) Ebene (d.h. die Karte) durch →Höhenlinien, Schummerung, farbige Höhenschichten, Schraffen, Felssignaturen und einzelne Formzeichen (für Kleinformen).

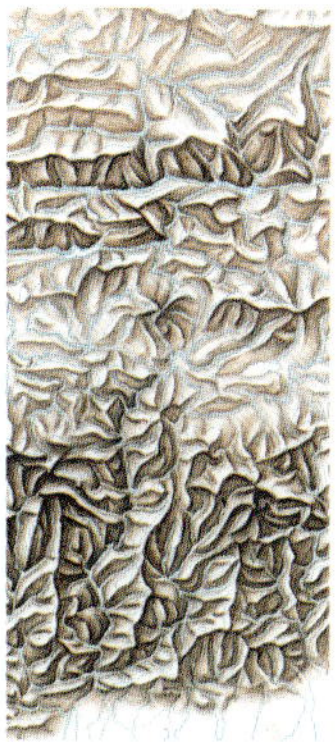

Geländedarstellung: Ausschnitt einer Karte des Himalaja in Schräglichtschummerung, bei der der Lichteinfall von links oben angenommen wird

Geländefahrzeug, Kraftfahrzeug mit großer Bodenfreiheit, vielen Gangstufen, Allradantrieb, hoher Antriebsübersetzung, oft auch Allradlenkung, ermöglicht das Fahren im wegelosen Gelände **(Geländegängigkeit).**

Geländelauf, 1) (Crosslauf, Querfeldeinlauf) Lauf bei wechselnden Bodenverhältnissen (Wege, Wald, Sand u.a.) über unterschiedlich lange Strecken, meist im Frühjahr und Herbst ausgeübt.

2) Disziplin des modernen Fünfkampfes.

Gelasius I., Papst (492–96), †Rom 19. 11. 496; nach Leo I. der bedeutendste Papst des 5. Jh.; verteidigte in der Auseinandersetzung mit Ostrom den röm. Primat und formulierte die im MA. maßgebl. Lehre von den zwei gleichberechtigten, selbstständigen Gewalten (→Zweischwerterlehre).

Gelatine [ʒe-, lat.] *die,* leimähnl. Eiweißsubstanz aus Knochen und Hautabfällen in reiner, geschmackloser Form mit der Fähigkeit, in kaltem Wasser zu quellen, sich in warmem Wasser zu lösen und beim Wiederabkühlen ein reversibles Gel zu bilden. – **Speise-G.** (für Sülzen, Süßspeisen) ist geschmacksneutral, keimfrei und hat eine hohe Gelierfähigkeit. G. verwendet man u. a. auch in der Bakteriologie, Fotografie und für Kapseln von Arzneimitteln.

Geläuf, 1) *Jägersprache:* → Fährte.

2) *Pferdesport:* der Boden von Galopprennbahnen und Parcours; fester Rasen oder Sandbelag.

Gelb, eine Farbe im Spektrum zw. Orange und Grün, Wellenlänge 560–590 nm; Komplementärfarbe zu Blau; lässt sich auch durch eine additive Farbmischung von Rot und Grün erzeugen.

Gelb

In der Farbensymbolik des abendländischen Altertums und Mittelalters war Gelb dem Feuer, dem Sommer, der Jugend, der Galle und somit dem cholerischen Temperament zugeordnet. In der traditionellen volkstümlichen Überlieferung wie auch noch in Goethes »Farbenlehre« ist Gelb negativ besetzt. In der Kleidertracht wurde Gelb Kennzeichen aller Geächteten, der Dirnen, der Ketzer, der Schänder von Hostien und der Juden. Diese mussten im Mittelalter gelbe Flecken, Ringe oder Sterne an ihren Kleidern tragen. In der NS-Zeit wurde der diskriminierende Brauch wieder aufgegriffen, indem sie zum Tragen gelber Sterne (»Judensterne«) verpflichtet wurden.
In anderen Kulturkreisen wird die Farbe auch positiv bewertet: In China und in buddhistisch geprägten Ländern ist sie das Sinnbild des Glaubens selbst und die Hauptfarbe des Kultus. Gelb stand auch für Gold; über verborgenen Schätzen sollten gelbe Blumen blühen. Bis heute erhalten hat sich die Vorstellung von Gelb als der Farbe des Neides. Neuerdings ist Gelb auch Warnfarbe im Straßenverkehr.

Gelbbauchunke, eine Art der → Unken.

Gelbbeeren, zum Gelbfärben verwendete Pflanzenteile: 1) **Echte G.,** unreife, getrocknete Früchte von Kreuzdornarten. 2) **Chines. G., Gelbschoten,** getrocknete Früchte südostasiat. Gardenienarten. 3) **Natalkörner,** getrocknete Blütenknospen des Schnurbaums.

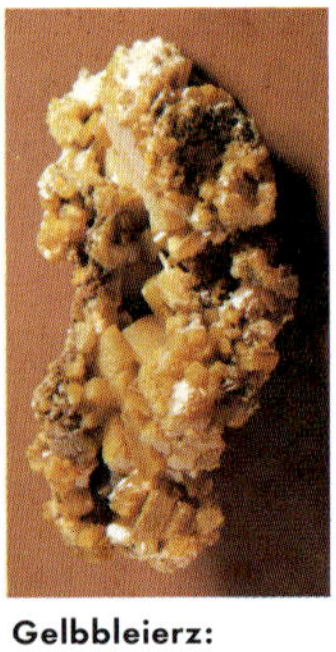

Gelbbleierz: Gelbe Kristalle

Gelbbleierz (Wulfenit), tetragonales Mineral, $PbMoO_4$, meist gelbe, auch orangerote, seltener farblose Kristalle, Mineral der Oxidationszone von Bleierzlagerstätten, örtlich als Molybdänerz abgebaut.

Gelbbücher, → Farbbücher.

gelbe Gefahr, polit. Schlagwort, aufgekommen um die Wende vom 19. zum 20. Jh., artikulierte die nach dem Boxeraufstand in China (1900) und dem Sieg Japans über Russland (1904/05) v. a. in Europa entstandene Furcht vor den polit. Emanzipationsbestrebungen und dem erwarteten Bevölkerungsdruck der Asiaten (»gelbe Rasse«). Das Schlagwort verwies nach dem 2. Weltkrieg kurzzeitig auch auf die Konkurrenz der wirtschaftlich aufsteigenden asiat. Staaten.

Gelber, 1) [xɛlˈβɛr], Bruno Leonardo, argentin. Pianist, *Buenos Aires 19. 3. 1941; bes. bekannt als Interpret der Klavierwerke des 19. Jahrhunderts.

2) [ˈgelbə], Jack, amerikan. Dramatiker, *Chicago (Ill.) 12. 4. 1932; verbindet Elemente des absurden Theaters mit denen des Naturalismus (»Konnex«, 1960; »Der Apfel«, 1961, u. a.).

gelber Fleck, Bezirk der Netzhaut, → Auge.

Gelber Fluss, Fluss in China, → Hwangho.

gelber Galt (Galt, Streptokokkenmastitis), durch Infektion mit Streptokokken hervorgerufene Euterentzündung bes. bei Hausrindern; äußerlich gekennzeichnet durch zeitweise auftretende Schwellungen am Euter, Knötchenbildungen an den Zitzen, nachlassende Milchproduktion und (durch Ausscheidung von eitrigem Sekret) Veränderungen in der Milch; weltweit verbreitet. Die Behandlung erfolgt mit Antibiotika.

Gelbe Rübe, → Möhre.

Gelbes Meer (chines. Huang Hai), flaches Randmeer des Pazifiks (zw. der NO-Küste Chinas und der Halbinsel Korea), ben. nach den gelben Sinkstoffen (Löss), die der Hwangho in die Bucht von → Bo Hai ergießt.

Gelbfieber, gefährl., im trop. Afrika und Amerika endemisch vorkommende, in Dtl. meldepflichtige Infektionskrankheit; Erreger ist das G.-Virus (Charon evagatus), Überträger sind Mücken der Gattung Aedes. 3–6 Tage nach dem Insektenstich kommt es zu hohem Fieber, Schüttelfrost, Kopfschmerzen. Bei ungünstigem Verlauf folgt nach einer kurzen Besserung unter erneutem Temperaturanstieg das tox. Stadium des G. u. a. mit schweren Leber- und Nierenschäden. Eine besondere Form des G. ist das **Dschungel-** bzw. **Buschfieber,** das in Afrika und Südamerika Brüllaffen, Opossums, Ameisenbären und Gürteltiere befällt. – Die Behandlung beschränkt sich auf symptomat. Maßnahmen; vorbeugend ist eine Schutzimpfung möglich.

Gelbfilter, bes. in der Schwarzweißfotografie verwendeter → Lichtfilter, der eine dunklere Wiedergabe von Blau bei praktisch unverändert heller Wiedergabe von Gelb und Weiß bewirkt.

Gelbholz, das → Fisetholz.

Gelbkörper (lat. Corpus luteum), nach dem Follikelsprung im → Eierstock entstehende Drüse mit innerer Sekretion; bildet die für den Aufbau der Gebärmutterschleimhaut wichtigen G.-Hormone (→ Geschlechtshormone).

Gelbkreuz, im 1. Weltkrieg eingesetzter chem. Kampfstoff; svw. Lost. (→ Dichlordiäthylsulfid)

Gelblinge (Kleefalter, Colias), Gattung mittelgroßer Tagschmetterlinge in Eurasien, Afrika und Amerika; die Flügel sind gelb, orangefarben oder weiß, oft mit dunklem Saum und dunklem Fleck auf den Vorderflügeln.

Gelbrandkäfer, ein → Schwimmkäfer.

Gelbschoten, chines. → Gelbbeeren.

Gelbschwämmchen, ein Speisepilz, → Pfifferling.

Gelbspötter, *Zoologie:* → Gartenspötter.

Gelbling

Gelbsucht (Ikterus, Icterus), gelbl. Verfärbung von Haut und Schleimhäuten sowie der meisten inneren Organe, Gewebe und Flüssigkeiten durch erhöhten Gehalt des Blutes an Gallenbestandteilen, v. a. Bilirubin und Gallensäuren (auch fälschlich für → Leberentzündung). Die G. ist keine eigenständige Krankheit, sondern ein vieldeutiges Symptom, das bei versch. Grundkrankheiten, z. B. bei erheblich gesteigertem Zerfall roter Blutkörperchen (Hämolyse), bei Leberentzündung und bei Abflussbehinderungen durch Steine **(Verschlussikterus)** auftreten kann. Erstes Anzeichen einer mit G. verbundenen Erkrankung ist die Gelbfärbung der Lederhaut der Augen (sog. **Sklerenikterus**). Auf Haut und Schleimhäute greift die G. erst über, wenn die Serumkonzentration von Bilirubin auf 34 µmol/l (2,0 mg/100 ml) oder höher ansteigt. Die **physiolog. G. der Neugeborenen** beruht auf einer vorübergehenden Anpassungsstörung der Leber. Das Neugeborene kann nach der Geburt das Bilirubin nicht mehr über die Plazenta an die Mutter abgeben. Die Fähigkeit, in der Leber Bilirubin an Glukuronsäure zu koppeln und dadurch ausscheidungsfähig zu machen, reift erst nach wenigen Tagen aus.

Gelbwurzel (Gelbwurz, Kurkuma, Kurkume, Curcuma domestica), südasiat. Ingwergewächs mit verzweigtem und verdicktem Wurzelstock; Gewürzpflanze, enthält gelben Farbstoff, äther. Öl und Harz; Hauptanteil im Curry.

Gelchromatographie (Gelfiltration, Molekularsiebchromatographie), zur Flüssigkeitschromatographie gehörendes Verfahren zur Trennung und Reinigung von Stoffen versch. Molekülmassen und zur Molmassebestimmung, v. a. bei Kunststoffen und in der Biochemie.

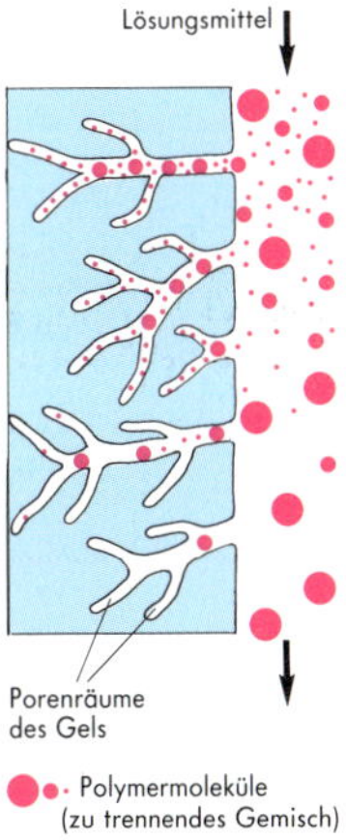

Gelchromatographie

Geld [ahd. gelt »Vergütung«, »Wert«; heutige Bedeutung seit dem 14. Jh.], **1)** allgemeines, meist staatlich anerkanntes oder eingeführtes Mittel des Zahlungsverkehrs. Das lat. Wort pecunia (Geld) wird i. d. R. auf pecus (Vieh) zurückgeführt; es weist auf den sakralen Ursprung des G. als den Ersatz für das Opfertier hin, das auf der Münze abgebildet wurde. Die neuere Theorie betrachtet das G. als wirtsch. Gut (Tauschgut), dessen Nutzen darin liegt, das Bedürfnis nach Tauschmöglichkeit (Liquidität) zu befriedigen. Sie definiert das Wesen des G. nach seinen Funktionen, wobei die G.-Eigenschaft nicht von Stoff, Herkunft und Bez. des G. abhängt. Eine abstrakte Funktion des G. ist die der Recheneinheit; damit ist es zugleich Wertmaßstab (der in G.-Einheiten ausgedrückte Wert ist der Preis) für alle ökonom. Güter und Leistungen. Die konkreten Funktionen des G. sind 1) die eines allgemeinen Tauschmittels, die das G. auch erfüllen kann, wenn es nur durch Verkehrssitte anerkannt und in Geltung ist; 2) die eines Wertaufbewahrungsmittels (Wertspeicherungsmittel), wodurch auch seine Tauglichkeit zur Wertübertragung gegeben ist; 3) die eines gesetzl. Zahlungsmittels.

Geldarten: Nach dem Verhältnis zw. Materialwert des G. und dem staatlich festgelegten Nennwert unterscheidet man **vollwertiges G.** (G.-Stoff und G.-Wert sind unmittelbar miteinander verbunden, z. B. Waren-G.; in Sonderfällen können Münzen zu überwertigem G. werden), **unterwertiges G.** (der Eigenwert des Materials bleibt hinter dem Nennwert zurück) und **stoffwertloses G.** (der G.-Stoff besitzt überhaupt keinen Eigenwert). Weitere G.-Arten sind: 1) **Hart-** oder **Münz-G.,** das aus Metall geprägt ist, 2) **Zeichen-** oder **Papier-G.,** das aus von der Zentralnotenbank ausgegebenen G.-Scheinen (Banknoten) besteht, und 3) **Buch-, Giral-** oder **Geschäftsbanken-G.,** das durch Sichtguthaben von Nichtbanken bei Kredit-

Ist das nötige **Geld** *vorhanden, ist das Ende meistens gut.*

Bert Brecht, Dreigroschenoper

Wenn du den Wert des Geldes kennen lernen willst, versuche, dir welches zu borgen!

Benjamin Franklin

Geld

Geld stinkt nicht

*Von dem römischen Kaiser Vespasian (*9, †79 n. Chr.) wird überliefert, dass er von seinem Sohn getadelt worden sei, weil er die römischen Bedürfnisanstalten mit einer Steuer belegt hatte. Darauf habe der Kaiser seinem Sohn das so eingenommene Geld unter die Nase gehalten und ihn gefragt, ob es streng rieche. Die lateinische Feststellung »non olet« (es stinkt nicht) ist der Ausgangspunkt der uns heute geläufigen Redensart, mit der man ausdrückt, dass auch unrechtmäßig oder auf unmoralischem Wege erworbenes Geld seinen Zweck erfüllt, dass man dem Geld letztlich nicht ansehen kann, woher es stammt.*

instituten durch Geldschöpfung gebildet wird. Dabei ist die Buchgeldmenge wesentlich höher als die von der Summe des Münz-G. und des Zeichen-G. gebildete Menge an **Bargeld**. Neben G. im eigtl. Sinn stehen **G.-Surrogate,** d.h. Zahlungsmittel, die ergänzend zu den gesetzl. Zahlungsmitteln treten und dann keinem Annahmezwang unterliegen (z.B. nichtstaatl. →Notgeld), und gesetzlich zulässige **Behelfszahlungsmittel,** die als Zahlungsverpflichtung (z.B. Wechsel) oder als Zahlungsanweisung (z.B. Scheck) auftreten können.

Geschichte: Das G. ist entstanden aus dem Bedürfnis nach einem Wertmaßstab, der quantitative Bewertungen und Vergleiche ermöglichte. Das **Schmuck-G.** (Amerika, Afrika, S- und SO-Asien: Ring- und Zahn-G.; Feder-G., Stein-G.) wurde vom **Nutz-G.** abgelöst (Kleider-G.: Pelze, Stoffe; Nahrungs- und Genussmittel), das Nutz-G. vom **Metall-G.** (Gold- und Silberringe). Rationalisierungsgründe veranlassten schon im Lyder- und Perserreich die Prägung von Münzen. Das **Papier-G.** entwickelte sich seit dem MA. aus dem Wechsel und war zunächst lediglich Ersatz für hinterlegtes Metall-G. Als Währungsmetall standen Gold und Silber lange Zeit gleichberechtigt nebeneinander. Um die Wende zum 19. Jh. ging zuerst England zur Goldwährung über, die im Lauf des 19. Jh. als Goldumlaufwährung zur internat. anerkannten Währungsform der freien Weltwirtschaft wurde. Schon im 19. Jh. wurden die Deckungsvorschriften gelockert. Mit dem Zusammenbruch der Goldwährungen nach dem 1. Weltkrieg wurden die Bindungen des Papier-G. an das Gold aufgegeben und Papierwährungen geschaffen. Als Metall-G. sind nur noch Scheidemünzen im Umlauf.

📖 *Geldtheorie u. Geldpolitik. Eine problemorientierte Einführung mit einem Kompendium monetärer Fachbegriffe, Beiträge v.* D. DUWENDAG *u.a. Köln* [4]*1993.* – JARCHOW, H.-J.: *Theorie u. Politik des G., 2 Bde. Göttingen* [7–9]*1993–95.* – *Geschichte des G. Eine Chronik mit Texten u. Bildern, hg. v.* W. WEIMER. *Frankfurt am Main 1994.* – ISSING, O.: *Einführung in die Geldtheorie. München* [10]*1995.* – SPRENGER, B.: *Das G. der Deutschen. Geldgeschichte Deutschlands von den Anfängen bis zur Gegenwart. Paderborn* [2]*1995.* – ISSING, O.: *Einführung in die Geldpolitik. München* [6]*1996.* – BORCHERT, M.: *G. u. Kredit. Einführung in die Geldtheorie u. Geldpolitik. München u.a.* [4]*1997.*

2) *Börsenwesen:* auf Kurszetteln Bez. für einen G.-Kurs, Abk. G (→Kurs).

Geldautomat (Geldausgabeautomat, bes. in Österreich und der Schweiz: Bankomat), techn. Anlage, über die Bankkunden mittels einer maschinell lesbaren Identitätskarte rund um die Uhr Bargeld von ihrem Konto abheben können. Neben der ec-Karte (→Eurocheque) verfügt jeder Kunde über eine →persönliche Identifikationsnummer, die er in die Tastatur des G. eingeben muss.

Geldbuße, →Buße, →Ordnungswidrigkeiten.

Geldentwertung, →Inflation.

Gelderland ['xɛldərlant] (dt. Geldern), größte Provinz der →Niederlande zw. dem IJsselmeer und der Maas, 5015 km², (1994) 1,85 Mio. Ew., Hauptort: Arnheim.

Gẹldern, 1) Stadt im Kr. Kleve, NRW, 31900 Ew.; Maschinen-, Metall- u.a. Industrie. – 812 erstmals erwähnt; erhielt um 1230 Stadtrecht; bis Mitte des 14. Jh. Sitz der Grafen von G. (seit 1339 Herzogtum); 1713 zu Preußen, 1946 zu NRW.

2) ehem. Herzogtum (seit 1339); entstanden aus der im 11. Jh. bezeugten Grafschaft G. an der Maas **(Obergeldern)** auf dem Gebiet des Herzogtums Niederlothringen, an die 1120 die Grafschaft Zutphen, die Herrschaft Arnheim, die Veluwe, die Betuwe und 1247 die Reichsstadt Nimwegen **(Niedergeldern)** fielen. 1543 kam G. an die Niederlande, die unter der Herrschaft der span. Habsburger standen. Niedergeldern mit den Niederquartieren Nimwegen, Zutphen und Arnheim schloss sich 1579 der Utrechter Union (nördl. Niederlande) an. In Obergeldern (Oberquartier G.) konnten sich die Spanier behaupten. Durch den Frieden von Utrecht kam der südl. Teil 1713 an Preußen, 1815 das Land an der Maas an die Prov. Limburg des Königreichs der Vereinigten Niederlande.

Geldfälschung, →Geld- und Wertzeichenfälschung.

Geldkurs, Nachfragekurs für Devisen und Wertpapiere.

Geldmarkt, i.w.S. der Markt für die Gesamtheit aller kurzfristigen Kredite im Unterschied zum →Kapitalmarkt; i.e.S. der Markt, auf dem zw. Kreditinstituten oder zw. Kreditinst. und der Zentralbank Finanzmittel kurzer Fristigkeiten gehandelt werden. Am nat. G. werden Zentralbankguthaben in Form von G.-Krediten (Tagesgeld, tägl. Geld, Termingeld) sowie G.-Papieren (Bankakzepte, Schatzwechsel, unverzinsl. Schatzanweisungen u.a.) gehandelt. Am internat. G. treten Kreditinst. versch. Währungsgebiete auf und handeln Giroguthaben bei Geschäftsbanken und G.-Papiere ausländ. Aussteller. Die G.-Sätze liegen i.d.R. unter den Kapitalmarktsätzen. Man spricht von einer **Versteifung** (Anspannung) des G., wenn die Zinssätze steigen, und umgekehrt von einer **Verflüssigung** (Entspannung), wenn die Zinssätze aufgrund veränderter Angebots-Nachfrage-Bedingungen sinken. Die Situation am G. wird maßgeblich durch die Geldpolitik der Zentralbank beeinflusst.

Geldmarktfonds [-fɔ̃], ein →Investmentfonds.

Geldmenge (Geldvolumen), Bestand der in einer Volkswirtschaft zum Geld zählenden Aktiva, v.a. die in Umlauf befindl. Banknoten und Münzen (Bargeld) sowie die Sichteinlagen bei Banken (Buchgeld) ohne die Kassenbestände der Kreditinstitute und deren Guthaben bei der Notenbank (Barreserve). Die G. spielt eine zentrale Rolle in der Geldtheorie, in der Änderungen der Zinsen, des Wechselkurses, des Preisniveaus und der Produktion durch Änderungen der G. erklärt werden. Daher ist die Beeinflussung der G. eine wichtige Aufgabe der Geldpolitik. Da der Übergang zw. Geld und Geldsubstituten fließend ist, gibt es keine allg. akzeptierte einheitl. Abgrenzung der G. Die Dt. Bundesbank unterscheidet die G. M1, M2 und M3, die sich aus den kurzfristigen Forderungen inländ. Nichtbanken an das inländ. Bankensystem zusammensetzt, sowie M3 erweitert. Letztere trägt dem Umstand Rechnung, dass aus Sicht der Nichtbanken auch bestimmte Forderungen an inländ. Nichtbanken (Geldmarktfondsanlagen) und Forderungen an ausländ. Banken (kurzfristige DM-Einlagen an den Euromärkten) sowie Anlagen in kurzfristigen Bankschuldverschreibungen eine gewisse Geldnähe aufweisen. Von einigen Notenbanken (u.a. der Dt. Bundesbank) wird jährlich ein Zielwert für die Ausweitung der G. bekannt gegeben **(Geldmengenziel).**

Geldpolitik, die Gesamtheit der Maßnahmen zur Steuerung des Geldumlaufs und der Kreditversorgung in einer Volkswirtschaft. Wichtigster Träger der G. ist die Notenbank (in Dtl. die Dt. Bundesbank, in der Europ. Währungsunion die Europ. Zentralbank), allerdings gehen auch vom Staat und ausländ. Notenbanken monetäre Impulse aus. Ansatzpunkt für die Notenbank ist der Bedarf der Wirtschaft an Zentralbankgeld. Im Zuge der Geldschöpfung benötigen die Banken Zentralbankgeld, um Bargeldforderungen ihrer Kunden und die auf Bankeinlagen zu haltenden →Mindestreserven finanzieren zu können. Zentralbankgeld. kann nur durch die Notenbank bereitgestellt werden, da sie das Monopol der Zentralbankgeldschaffung hat. Indem die Notenbank den Zugang der Banken zum Zentralbankgeld erleichtert oder erschwert, wirkt sie expansiv oder kontraktiv auf die Geldversorgung.

Instrumente: Im Mittelpunkt der G. steht die Festlegung derjenigen Zinssätze, zu denen die Notenbank den Banken das Zentralbankgeld bereitstellt. Technisch geschieht diese Refinanzierung **(Refinanzierungspolitik)** durch Rediskontierung von Handelswechseln (**Diskontpolitik,** der entsprechende Zins heißt Diskontsatz; →Diskont), durch den Ankauf von Wertpapieren durch die Notenbank bei den Banken bei gleichzeitiger Verpflichtung der Banken zum Rückkauf dieser Papiere nach einer bestimmten Zeit (**Wertpapierpensionsgeschäft,** Zins: Pensionssatz) sowie durch Verpfändung von Wertpapieren aus den Beständen der Banken bei der Notenbank (**Lombardpolitik,** Zins: Lombardsatz). Die einzelnen Refinanzierungsformen können durch Kontingente begrenzt werden (z.B. Rediskontkontingent). Die Erhöhung der Refinanzierungszinsen und die Senkung der Kontingente sind restriktive geldpolit. Eingriffe. Weitere Instrumente sind die **Offenmarktpolitik** (Ankauf oder Verkauf von Wertpapieren an der Börse durch die Notenbank gegen Zentralbankgeld) und Devisenmarktgeschäfte (Ankauf oder Verkauf von Devisen gegen Zentralbankgeld). Mit der **Mindestreservepolitik** bestimmt die Notenbank nicht die verfügbare Menge, sondern über die Mindestreserve den Bedarf an Zentralbankgeld mit.

Geldmenge (in Mrd. DM)

	1985	1995[1]
Bargeldumlauf (ohne Kassenbestände der Kreditinstitute)	103,9	237,5
+ Sichteinlagen inländ. Nichtbanken bei inländ. Kreditinstituten	230,2	578,6
= **Geldmenge M1**	334,1	816,1
+ Termingelder inländ. Nichtbanken unter vier Jahren bei inländ. Kreditinstituten	243,0	441,6
= **Geldmenge M2**	577,1	1 257,7
+ Spareinlagen inländ. Nichtbanken mit dreimonatiger Kündigungsfrist[2] bei inländ. Kreditinstituten	408,4	749,7
= **Geldmenge M3**	985,5	2 007,4
+ Einlagen inländ. Nichtbanken bei Auslandsfilialen und Auslandstöchtern inland. Kreditinstitute sowie Inhaberschuldverschreibungen im Umlauf bei inländ. Nichtbanken mit Laufzeit unter zwei Jahren; ab August 1994 zuzüglich inländ. und ausländ. Geldmarktfonds von inländ. Nichtbanken (bereinigt um die Bankeinlagen und Bankschuldverschreibungen unter zwei Jahren der inländ. Geldmarktfonds)	41,0	259,4
= **Geldmenge M3 erweitert**	1 026,5	2 266,8

[1] einschließlich neue Bundesländer. – [2] bis Juni 1993 Spareinlagen mit gesetzlicher Kündigungsfrist.

Geldschöpfung, der zur Ausweitung der Geldmenge führende Prozess der Gewährung von Krediten und der Bildung von (Sicht-)Einlagen. Die G. der Notenbank ist mit geldpolit. Zielen verknüpft und geschieht durch den Ankauf von Aktiva der Geschäftsbanken (z.B. Ankauf von Devisen, Diskontierung von Wechseln) und die Einräumung von Sichtguthaben, die im Verrechnungsverkehr zw. Banken genutzt oder als Bargeld abgehoben werden können. Geschäftsbanken schaffen Geld, indem sie z.B. Termin- und Spareinlagen in Sichteinlagen umwandeln, von Nichtbanken Gold, Devisen, Wechsel, Wertpapiere erwerben und ihnen den Gegenwert als Einlage gutschreiben sowie Nichtbanken Kredite gewähren und in deren Höhe Einlagen einräumen **(Kreditschöpfung).** Den Nichtbanken fließen dadurch Finanzmittel zu, die von ihnen grundsätzlich auf Bankkonten gehalten werden, v.a. als zur Geldmenge zählende

Sichteinlagen (Buchgeld) auf Girokonten (daher auch **Buch-G.** und **Giral-G.**). **Geldvernichtung** ist der Prozess einer Schrumpfung ausstehender Kredite und Einlagen. – Auf internat. Ebene findet G. v.a. an den internat. Geldmärkten statt. Da hier i.d.R. kein Bargeld abgefordert wird und keine Mindestreservepflicht gilt, ist die G.-Kapazität sehr hoch.

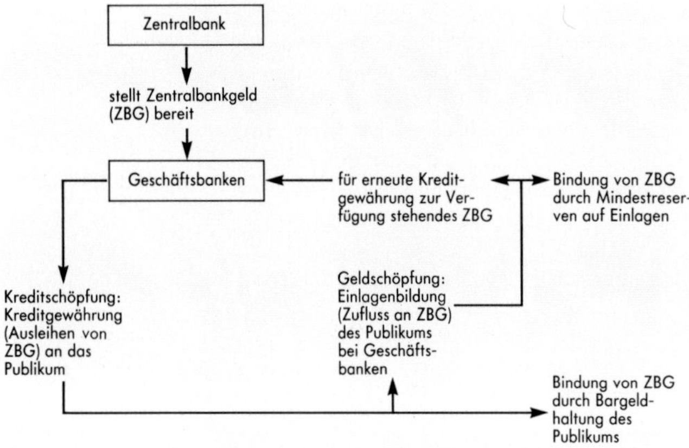

Geldschöpfung: Schema des Prozesses der Geld- und Kreditschöpfung

Geldschuld, die Verpflichtung zur Zahlung eines bestimmten Geldbetrages **(Geldsummenschuld).** Eine in ausländ. Währung ausgedrückte G. kann, wenn sie im Inland zu begleichen ist, in inländ. Währung bezahlt werden, es sei denn, dass Zahlung in ausländ. Währung ausdrücklich vereinbart wurde (§244 BGB). Die Höhe der G. bestimmt sich nach ihrem Nennwert (Nominalprinzip), nicht nach der Kaufkraft, sodass sich bei langfristigen Austauschverhältnissen →Wertsicherungsklauseln empfehlen. Eine **Geldsortenschuld** liegt vor, wenn die Zahlung in einer bestimmten Münzsorte vereinbart ist.

Geldstrafe, im dt. Strafrecht neben der oder zusätzlich zur Freiheitsstrafe eine der Hauptstrafen, die bei →Vergehen in Betracht kommt. Sie wird in Tagessätzen von mindestens zwei DM und höchstens 10000 DM verhängt; die Höhe der Tagessätze richtet sich nach den persönl. und wirtsch. Verhältnissen des Täters. Die Zahl der Tagessätze beträgt mindestens fünf und höchstens 360 (§40 StGB). Ist die G. uneinbringlich, so tritt eine Ersatzfreiheitsstrafe an ihre Stelle; dabei entspricht ein Tagessatz einem Tag Freiheitsstrafe (§43 StGB). Anstelle einer Freiheitsstrafe von weniger als sechs Monaten ist grundsätzlich eine G. zu verhängen (§47 StGB), sofern nicht die Verhängung einer Freiheitsstrafe zur Einwirkung auf den Täter oder zur Verteidigung der Rechtsordnung unerlässlich ist (→Vermögensstrafe). – Auch im *österr.* Strafrecht wird die G. nach Tagessätzen verhängt. Sie beträgt mindestens zwei Tagessätze; das Höchstmaß ist bei den einzelnen Delikten unterschiedlich. Der Tagessatz ist mindestens mit 30 und höchstens mit 4500 Schilling festzusetzen (§19 StGB). Das *schweizer.* StGB sieht für die als Buße bezeichnete G. einen Höchstbetrag von 40000 Franken vor, den der Richter jedoch bei Gewinnsucht des Täters überschreiten darf (Art. 48 StGB).

Geldtheorie, Disziplin der Wirtschaftswiss., die Wesen und Funktionen, Wert sowie Wirkungen des Geldes untersucht.

1) Theorien zur Definition des Begriffs Geld: Das Wesen des Geldes wurde in der geschichtl. Entwicklung sehr versch. interpretiert, je nachdem, welche Funktionen für seine Geltung als bestimmend angesehen wurden. Die Vertreter des **Metallismus** (A. Smith, D. Ricardo, K. Marx u.a.) betrachteten Geld als ein Gut, das seinen Wert aus der Stoffqualität ableitet, die es auch für andere außerzirkulator. Zwecke geeignet macht. Die **Konventionstheorie** (J. Locke u.a.) sah im Geld das Instrument, das nur für zirkulator. Zwecke Verwendung findet und seine Geltung aus Vereinbarung oder rechtl. Satzung herleitet (Nominalismus). In den **Funktionswerttheorien** wurde der Wert des Geldes aus der Kaufkraft, d.h. der Wertschätzung der zu erwerbenden Güter, abgeleitet. In der **Liquiditätstheorie** wird die Geldqualität in der Eigenschaft gesehen, Tauschbereitschaft zu sichern.

2) Theorien über den Wert des Geldes: Nach der **Produktionstheorie** (W. Petty, N. W. Senior, Ricardo, Marx) hängt der Wert des Geldes von dem Aufwand an Arbeit ab, der zur Erzeugung des Geldes erforderlich ist. Nach der **subjektiven Wertlehre** (F. von Wieser) ergibt sich der Wert des Geldes aus dem Grenznutzen, den es dem stiftet, der darüber verfügen kann. Der Grenznutzen des Geldes wird aus dem Gebrauchswert der für das Geld anschaffbaren Güter abgeleitet. Die **makroökonom. Markttheorie** (Quantitätstheorie) bestimmt den Geldwert aus dem Verhältnis von gesamtwirtsch. Geldnachfrage und gesamtwirtsch. Geldangebot (R. Cantillon, D. Hume). Nach der **mikroökonom. Markttheorie** bestimmt sich der Geldwert aus der auf individueller Entscheidung der Wirtschaftssubjekte basierenden Kassenhaltung (A. Marshall, A. C. Pigou). Die Monetaristen (bes. M. Friedman) sehen, in modifizierter Wiederbelebung quantitätstheoret. Vorstellungen, die Veränderungen der Geldmenge als wichtigsten Bestimmungsgrund des Geldwertes an. Die Keynesianer (modifizierte Liquiditätstheorie) schließen an einkommenstheoret. Vorstellungen an und halten autonome Bestimmungsgründe der Einzel-

preise wie Lohnsetzung, Gewinnaufschläge, Produktivitätsfortschritte, Höhe der indirekten Steuern und Veränderungen von Import- und Exportpreisen für die entscheidenden Bestimmungsgründe des Geldwertes. Nach der **Einkommenstheorie** ergibt sich der Wert des Geldes aus dem Prozess der Entstehung und Verwendung des Einkommens.

3. Theorien über die Wirkung des Geldes versuchen u. a., wichtige Zusammenhänge zw. Geldmenge und bestimmten gesamtwirtsch. Größen (Preisniveau, Zins, Produktion und Beschäftigung, Wechselkurs) zu erklären. Von den Vertretern der modernen G., die einen aktiven Einfluss des Geldes auch auf die realen Vorgänge der Wirtschaft behauptet, ist v. a. J. M. Keynes zu nennen, der die Verbindung zw. Geld- und Güterbereich allein durch den Zinssatz hergestellt sieht. In der modernen G. von M. Friedman führt eine Zunahme der Geldmenge zu steigenden Ausgaben.

📖 *vgl. Geld*

Geld- und Wertzeichenfälschung, Verstöße gegen die Sicherheit und Zuverlässigkeit des staatl. und internat. Geldverkehrs (§§ 146–152a StGB). Geschützt werden Metall- und Papiergeld aus dem In- und Ausland, amtl. Wertzeichen (z. B. Briefmarken) sowie Inhaber- und Orderschuldverschreibungen, Aktien, Investmentzertifikate, Reiseschecks, Euroschecks und Euroscheckkarten. Bestraft wird das Nachmachen von Geld (Falschmünzerei) oder Wertpapieren in der Absicht, das Nachgemachte als echt in den Verkehr zu bringen, ferner das Verfälschen in der Absicht, den Anschein eines höheren Wertes hervorzurufen, sowie das Sichverschaffen von Falsifikaten in der Absicht, sie in Verkehr zu bringen. Die G.- u. W. wird mit Freiheitsstrafe nicht unter zwei Jahren, in minder schweren Fällen von einem Monat bis zu fünf Jahren oder Geldstrafe bedroht. Handelt der Täter als Mitgl. einer Bande, die sich zur fortgesetzten Begehung solcher Taten zusammengefunden hat, ist auch Vermögensstrafe vorgesehen (§ 150 StGB). Das Anfertigen und Beschaffen von Platten u. a. zur G.- u. W. ist ebenfalls strafbar. – Für das *österr.* (§§ 232 ff.) und *schweizer.* (Art. 240 ff.) StGB gilt Entsprechendes.

Geldvermögen, i. e. S. der Bestand eines Wirtschaftssubjektes an Bar- und sofort verfügbarem Buchgeld (z. B. Kassenbestand, Bundesbank-, Girokontoguthaben), in der *Betriebswirtschaftslehre* i. w. S. auch Wechsel und kurzfristige Forderungen eines Unternehmens. In der *volkswirtschaftl. Gesamtrechnung* bezeichnet G. (Finanzvermögen) die Differenz zw. Forderungen und Verbindlichkeiten eines Wirtschaftssubjekts oder Sektors. Die Dt. Bundesbank verwendet den Begriff G. für die Summe aller Forderungen.

Geldwäscherei, das Verheimlichen und Verschleiern von Vermögenswerten illegaler Herkunft (v. a. aus Raub, Erpressung, Drogen-, Waffen- und Menschenhandel) durch komplizierte Finanztransaktionen mit dem Ziel, den Eindruck zu erwecken, diese Vermögenswerte seien legal erworben worden. Das urspr. »schmutzige« Geld wird dadurch »gewaschen« und dann in den legalen wirtsch. Kreislauf wieder eingeschleust. Allein das G.-Volumen aus dem Drogenhandel wird auf 85 Mrd. US-$ pro Jahr geschätzt. Der Tatbestand der G. ist seit dem 1. 8. 1990 in der Schweiz unter Strafe gestellt. (Art. 305bis f. StGB). In Dtl. ist G. seit 1992 gemäß § 261 StGB mit Freiheitsstrafe bis zu fünf (in bes. schweren Fällen bis zu zehn) Jahren oder Geldstrafe bedroht. Um G. zu erschweren bzw. Gelder aus illegalen Machenschaften aufzuspüren, werden in Dtl. durch Ges. vom 2. 7. 1993 Kreditinstitute bei Bargeschäften ab 20 000 DM zur Identitätsfeststellung des Kunden, Datenspeicherung und im Verdachtsfall zur Anzeige verpflichtet. Der angestrebte Zweck des Ges. wird jedoch von Sachverständigen bezweifelt. Das österr. StGB stellt G. bei Beträgen ab 100 000 S durch § 165 unter Strafe; strafschärfend wirkt bandenmäßige G. ab 500 000 S. (→Mafia)

Geldwert, die →Kaufkraft des Geldes. Man unterscheidet den **inneren G.** (abhängig von der Entwicklung des inländ. Preisniveaus) und den **äußeren G.** (Kaufkraft der inländ. Geldeinheit im Ausland; dieser Außenwert ist von der Entwicklung des Preisniveaus im Ausland und den Wechselkursen abhängig). **G.-Stabilität** (Preisniveaustabilität) ist ein gesamtwirtsch. Ziel der Konjunktur-, Geld- und Stabilitätspolitik. Eine anhaltende Verminderung des G. heißt Inflation, eine anhaltende Erhöhung Deflation.

Gelee [ʒəˈleː, frz.] *das* auch *der,* i. e. S. Fruchtsäfte, i. w. S. Fleischsäfte oder verdünnter, gewürzter Essig, die durch eigene oder zugesetzte Gelierstoffe in halbfesten (gallertigen) Zustand versetzt werden. Fruchtsäfte werden durch Einkochen mit Zucker und ihren Gehalt an Pektin gallertartig, Fleisch- und Knochenbrühen durch eigene oder zugesetzte Gelatine oder Pektin (Aspik), ebenso essighaltige G. der Fischkonservenindustrie.

Geleen [xəˈleːn], Industriestadt in der niederländ. Prov. Limburg, 34 000 Ew.; chem. und Metallind.; 1926–67 Steinkohlenbergbau.

Gelée royale [ʒəˈleː rwaˈjal; frz. »königl. Saft«] *das* (Weiselfuttersaft), Futtersaft für Bienenköniginnenlarven (→Biene); enthält u. a. Eiweiß, Kohlenhydrate, B-Vitamine, Spurenelemente. Seine stärkende und regenerierende Wirkung ist umstritten; enthalten in kosmet. Mitteln und Geriatrika.

Gelege, an einem Platz abgelegte Eier von Vögeln, Kriechtieren, Insekten u. a. Tieren.

Gelegenheitsdichtung, Dichtung, v. a. Gedichte, auch Festspiele, die zu bestimmten Anlässen (Geburtstag, Hochzeit, Tod usw.), z. T. auch auf Bestellung verfasst wurde. Sie wurde zunächst in lat. Sprache von den Humanisten gepflegt und stand seit der Renaissance in reicher Blüte, bes. im Barock.

Geleit, 1) im MA. bewaffnete Begleiter, die Reisenden zur Sicherheit gegen Entgelt (G.-Geld) beigegeben wurden. Der **G.-Brief** war eine Urkunde, durch die der König oder andere G.-Herren Schutz zusicherten. Der G.-Herr haftete für eintretenden Schaden.

2) freies oder **sicheres G.,** die einem abwesenden Beschuldigten vom Gericht erteilte Zusicherung, ihn wegen einer bestimmten Straftat nicht in Untersuchungshaft zu nehmen, solange keine Verurteilung erfolgt ist (§ 295 StPO, ähnlich auch in *Österreich* und in der *Schweiz*); im Völkerrecht der auf allg. Regeln beruhende oder im Einzelfall zugesicherte Schutz einzelner Personen, z.B. Diplomaten, gegen Angriffe oder den Zugriff staatl. Gewalt beim Passieren fremden oder feindl. Gebiets **(freies Geleit).**

3) im Seekrieg die Sicherungsstreitkräfte für zu einem Verband zusammengestellte Handelsschiffe; Verband und G. bilden den **G.-Zug** (→Konvoi).

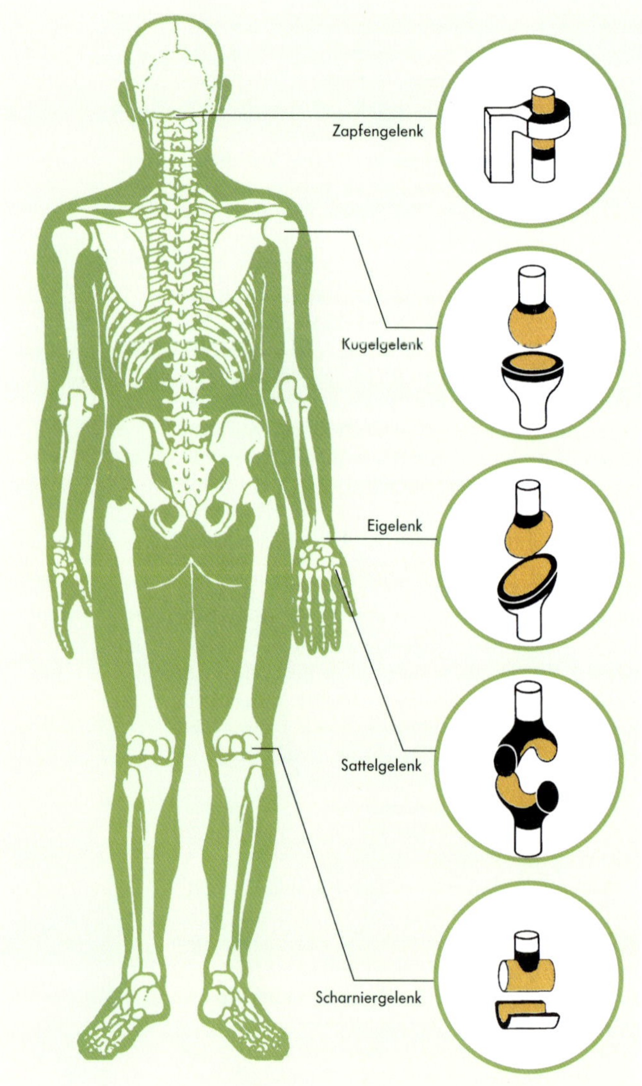

Gelenk 1): Verschiedene Gelenktypen und ihr Vorkommen beim Menschen

Gelenk, 1) *Anatomie:* (Junctura synovialis, Articulatio, Diarthrosis) bei Tieren und beim Menschen bewegl. Knochenverbindung zweier oder mehrerer Knochen, deren Enden (meist als G.-Kopf und G.-Pfanne) von G.-Knorpel überzogen sind und durch die G.-Kapsel und die G.-Bänder zusammengehalten werden. Die **G.-Kapsel** ist eine sackartige, straff gespannte oder schlaffe Hülle, die die beiden G.-Enden gemeinsam einschließt. Sie besitzt eine äußere fibröse und eine innere Schicht, die **G.-Innenhaut** (Synovialhaut). Letztere sondert die **G.-Schmiere,** eine klare, Faden ziehende, muzinhaltige Flüssigkeit ab, die das Gleiten der G.-Flächen ermöglicht. Der **G.-Spalt** besteht beim intakten G. nur in Form der Berührungsfläche beider G.-Enden, da äußerer Luftdruck und Muskelzug diese aneinander pressen. Einige G. besitzen als Puffer wirkende **G.-Zwischenscheiben.** Je nach G.-Form und Freiheitsgraden der Bewegung unterscheidet man versch. G.-Typen: **Kugel-G.** (freie Bewegung in allen Richtungen möglich, z.B. Schulter-G.); eine Sonderform des Kugel-G. mit etwas eingeschränkter Bewegungsfreiheit ist das **Nuss-G.** (Hüft-G.); **Scharnier-G.** (Bewegungen nur in einer Ebene möglich, z.B. Ellbogen- und Knie-G.); **Ei-G.** (Bewegungen in 2 Richtungen möglich, Drehung ausgeschlossen, z.B. Handwurzelknochen); **Sattel-G.** (Bewegungen in 2 Ebenen möglich, z.B. Daumen-G.); **Dreh-G.** (z.B. bei Elle und Speiche). – Außer bei den Wirbeltieren kommen G. v.a. auch bei Gliederfüßern vor, bei denen sie die über eine membranartige Haut (G.-Haut) gegeneinander bewegl. Teile des Außenskeletts miteinander verbinden.

📖 KALTWASSER, B. *u.a.: Chirurgie der Knochen u. G.e. Berlin 1981.* – KAPANDJI, I. A.: *Funktionelle Anatomie der G.e. A.d.Frz. Stuttgart ²1992. – Biomechanik des menschl. Bewegungsapparates, hg. v.* E. SCHNEIDER. *Berlin u.a. 1997.*

2) *Bautechnik:* bewegl. Verbindung von Bauteilen, die Druck- und Zugkräfte, nicht jedoch Drehmomente übertragen kann. Es gibt **verschiebl.** und **unverschiebl. (feste) G.** Sie werden u.a. angewendet bei **Zwei-** und **Dreigelenkbögen** (→Bogen) und bei **G.-Trägern** (→Träger).

3) *Botanik:* (G.-Polster) bei Pflanzen ein Zellgewebewulst um den Blattstielgrund (so beim **Blattpolster, Blattkissen, Blatt-G.**) oder an den Stängelknoten (G.-Knoten), worin Winkelbewegungen des Blattes oder eines Stängelteils durch ungleichmäßiges Wachstum **(Wachstums-G.)** oder durch Änderung des osmot. Drucks im Zellsaft des G.-Wulstes **(Spannungs-G.)** entstehen; G. bewirken z. B. das Aufstehen umgelegter Grashalme, die Berührungsreize der Mimosenblätter.

4) *Maschinenbau:* Verbindung zweier Maschinenteile derart, dass eine gegenseitige ebene oder räuml. Bewegung möglich ist. Beim **Dreh-G.** (z. B. Achsen-G. und Gabel-G.) ist die Verbindung durch Bohrung und Welle (z. B. zylindr. Bolzen) vollzogen, die nur eine ebene Bewegung beider Teile zulassen. Das **Schub-G.** aus Voll- und Hohlprisma ermöglicht eine Schiebung, das **Schraub-G.** aus Schraube und Mutter eine Schraubung der Elemententeile gegeneinander. Beim **Kugel-G.** greift das kugelige Ende des einen Teils in die hohlkugelförmige Pfanne des anderen Teils ein, wodurch ein Schwingen nach allen Seiten möglich wird. Das **Kreuz-** oder **Kardan-G.** gestattet eine Bewegung in zwei aufeinander senkrecht stehenden Ebenen.

Gelenkerguss, krankhaft vermehrte Flüssigkeitsansammlung in einem Gelenk infolge Verletzung oder als Begleiterscheinung bei Gelenkentzündung (→ Gelenkkrankheiten). Der G. kann blutig, serös, fibrinös oder eitrig sein. Er dehnt die Gelenkkapsel aus, wodurch das Gelenk anschwillt und bei Bewegung schmerzt. Behandlung: je nach Grundkrankheit; allg.: Ruhigstellen, Schienung, ggf. Punktion, Wärme.

Gelenkfahrzeug, Straßen- oder Schienenfahrzeug, das aus zwei oder mehreren, betriebsmäßig untrennbaren Teilfahrzeugen besteht, die durch Gelenkkonstruktionen, Drehgestelle oder Aufsattelung miteinander verbunden sind, z. B. Gelenkomnibusse.

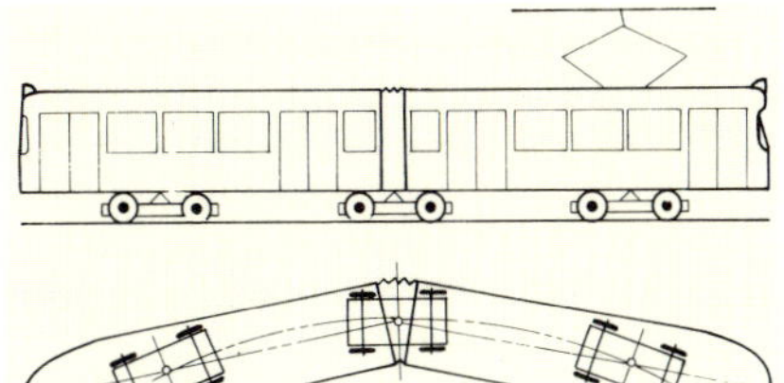

Gelenkfahrzeug: Schema eines sechsachsigen Straßenbahn-Großraumwagens

Gelenkgetriebe (Kurbelgetriebe, Koppelgetriebe), mechan. Getriebe, bei denen alle Glieder in Gelenken miteinander verbunden sind. Es kann sich dabei um form- (z. B. Dreh-, Schub-, Kugelgelenk) oder stoffschlüssige Gelenke handeln. Man unterscheidet die im festen Rahmen (Gestell) angelenkten, voll oder nur teilweise umlaufenden Glieder (Kurbel oder Schwinge) und die nicht im Gestell direkt geführten Glieder (Koppel). G. haben i. Allg. die Aufgabe, gleichmäßige Drehbewegungen in komplizierte Bewegungsabläufe umzuwandeln. Die einfachsten G. sind Kurbelschwinge, Doppelkurbel, Doppelschwinge.

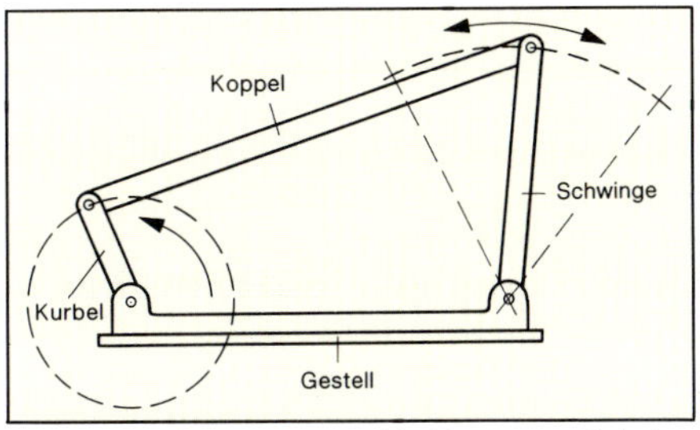

Gelenkgetriebe: Bewegungsablauf bei einer Kurbelschwinge

Gelenkkrankheiten, Gesamtheit der auf degenerativen oder entzündl. Prozessen beruhenden krankhaften Veränderungen der Gelenke, zusammenfassend auch als **Arthropathien** bezeichnet (i. e. S. nur auf die degenerativen G. bezogen). Die **degenerativen G. (Arthrosen)** gehen auf chron. Abnutzungsprozesse zurück (v. a. durch Alter, Krankheit oder Überbeanspruchung). Symptome sind anfangs Gelenkgeräusche, reflektor. Verspannung der Gelenkgegend bei Belastungsreiz, später sekundäres Knochenwachstum der Gelenkränder, gefolgt von Knochenabsprengungen; führt zu schmerzhaften Bewegungseinschränkungen mit Muskelschwund, schließlich kann Gelenkversteifung mit Bewegungsunfähigkeit eintreten. Die **primäre Arthrose** wird möglicherweise durch ein Missverhältnis zw. Belastung und Belastbarkeit des Gelenkknorpels, z. B. durch Übergewicht oder übermäßige körperl. Anforderungen, hervorgerufen; die **sekundäre Arthrose** geht auf unfallbedingte Gelenkfehlstellungen, Entzündungen (z. B. Rheumatismus) und angeborene Gewebs-, v. a. Knorpelminderwertigkeit zurück. Eine typ. Abnutzungskrankheit ist die Arthrosis deformans des höheren Lebensalters (Alterskrankheit), die meist erst nach dem 50. Lebensjahr in Schüben einsetzt und zunächst symptomlos, später mit z. T. starken Schmerzzuständen verläuft. Von der Arthrose sind meist die Kniegelenke **(Gonarthrose)** und Hüftgelenke **(Koxarthrose)** befallen. Ähnl. Veränderungen an den kleinen Gelenken der Wirbelsäule bewirkt die **Spondylosis deformans (Spondylose),** die v. a. die Hals- und Brustwirbelsäule befällt und bei mehr als der Hälfte aller Menschen zw. dem 40. und 50. Lebensjahr auftritt. Sie kann bei chron. Verlauf zur Versteifung der Wirbelsäule führen. Die

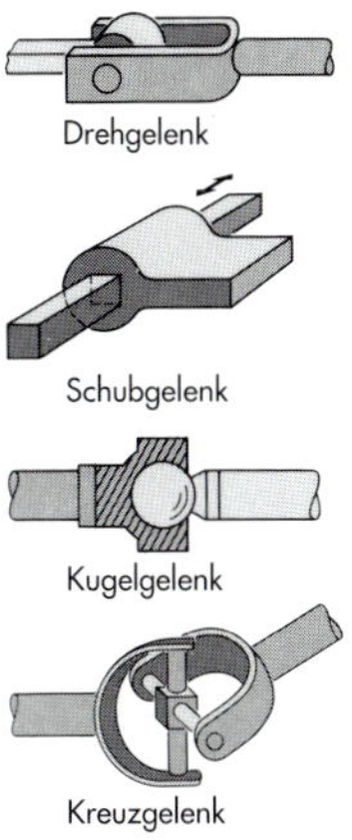

Gelenk 4)

Behandlung der degenerativen G. besteht v.a. in aktiven und passiven Bewegungsübungen, Unterwassermassagen, Wärmeanwendungen (Bestrahlung, Fango-, Moorpackungen), Heilbadkuren und Schmerzbekämpfung durch schmerzlindernde Mittel; bei schweren Arthropathien kann eine Gelenkprothese die Gelenkfunktion wiederherstellen.

Die **entzündl. G.** treten in akuter oder chron. Form auf. Die **akut-entzündl. Gelenkerkrankung,** früher als akuter Gelenkrheumatismus bezeichnet, wird heute als Ersterkrankung fast nur noch im Kindesalter beobachtet. Meist schließt sie sich an eine durch hämolysierende Streptokokken hervorgerufene Mandelentzündung an. Diese Keime bewirken i.d.R. eine individuelle Überempfindlichkeit und spielen eine krankheitsauslösende Rolle. Symptome sind schmerzhafte Gelenkschwellungen, v.a. der großen Gelenke an Armen und Beinen, sowie hohes Fieber mit Schweißausbrüchen. Die *Behandlung* besteht in einer Bekämpfung des Streptokokkenherdes durch Antibiotika, zusätzl. Gabe von Antirheumatika und Cortisonpräparaten sowie in Wärmeanwendungen. Hartnäckige Entzündung eines einzelnen Gelenks kann durch Gonokokken (Gelenktripper) u.a. Keime, auch durch Syphilis und Tuberkulose, hervorgerufen werden **(Infektarthritis).** Die **primär-chronisch-entzündl. Arthritis,** früher als primär-chron. Gelenkrheumatismus bezeichnet, ist mit krankhaften Vorgängen im Gesamtorganismus verbunden. Sie beruhen auf Serumeiweißstörungen (Autoimmunreaktionen). Die primärchron. Polyarthritis ist eine zu den Kollagenosen gerechnete Systemerkrankung des Bindegewebes, bei der in 80% der Fälle Rheumafaktoren nachweisbar sind **(rheumatoide Arthritis).** Sie tritt meistens zw. dem dritten und fünften Lebensjahrzehnt auf, daneben besteht eine juvenile Form des frühen Kindesalters. Der Beginn ist schleichend. Befallen sind anfangs meist nur die kleinen Gelenke an Fingern und Zehen, die schmerzhaft geschwollen sind. Nach jahrzehntelangem Bestehen kommt es zu Gelenkzerstörung an Händen und Füßen, schließlich auch der großen Gelenke. Zu den primär-chron. G. gehört auch die →Bechterew-Krankheit. Mit einer symptomat. chron. Gelenkentzündung sind die Schuppenflechte und die Gicht verbunden. Die *Behandlung* erfolgt v.a. medikamentös mit Antibiotika sowie entzündungshemmenden und schmerzlindernden Mitteln.

📖 MOHR, W.: *G. Diagnostik u. Pathogenese makroskop. u. histolog. Strukturveränderungen. Stuttgart u.a. 1984.* – BÄKER, B. A.: *Alles über Gelenkerkrankungen. München ^{3}1991.* – COTTA, H.: *Der Mensch ist so jung wie seine Gelenke. München u.a. ^{9}1994.*

Gelenkmaus (freier Gelenkkörper, Arthrolith), aus Knochen, Knorpel- oder Bindegewebe bestehender, frei im Gelenk liegender Körper; entsteht durch Knochen- oder Knorpelabsprengung bei Unfall oder im Rahmen anderer Gelenkkrankheiten. Bei Einklemmung treten starke Schmerzen und Einschränkung der Beweglichkeit auf. Die Behandlung besteht in operativer Entfernung.

Gelenkprothese, ein künstl. Gelenk (→Prothese).

Gelenkquetschung (Gelenkkontusion), Gelenkverletzung, die bes. durch Schlag, Stoß oder Fall entsteht; führt häufig zu blutigem Gelenkerguss mit schmerzhafter Bewegungseinschränkung. Behandlung: Ruhigstellung, kalter Umschlag, Wundversorgung.

Gelenkrheumatismus, →Gelenkkrankheiten.

Gelenkversteifung, 1) (Arthrodese) die künstl. (operative) Versteifung eines Gelenks, z.B. zur Bekämpfung unerträgl. Schmerzen infolge degenerativer Gelenkkrankheiten oder zur Ausheilung entzündl. Vorgänge.

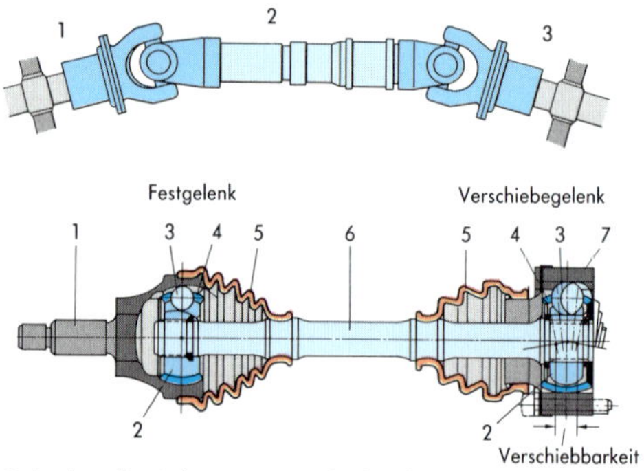

Gelenkwelle: Schema einer Gelenkwelle mit zwei Kreuzgelenken (oben) 1 Antriebswelle, 2 Zwischenwelle, 3 Abtriebswelle; darunter Schema einer Gleichlaufgelenkwelle mit Längenausgleich 1 Achszapfen, 2 Kugelnabe, 3 Kugel, 4 Kugelkäfig, 5 Faltenbalg, 6 Welle, 7 Gelenkstück

2) (Ankylose) Folge von Gelenkkrankheiten mit vollständigem Bewegungsverlust.

Gelenkwelle, Maschinenelement mit allseitig bewegl. Gelenken an einem oder beiden Enden der Welle zum Übertragen von Drehmomenten zw. versetzten Wellen. Als Gelenke werden u.a. **Kurven-G.** (z.B. Gleichlauf-G.), bei denen die Elementteile aufeinander abrollen, sowie Kreuz- bzw. Kardangelenke **(Kardanwelle),** die eine Bewegung in zwei senkrecht aufeinander stehenden Ebenen gestattet, verwendet.

Geleucht (Grubenlampe), *Bergbau:* unter Tage verwendete, in der Hand oder am Schutzhelm tragbare Leuchte. Die Entwicklung ging vom Kienspan über offene Öllampe, Acetylenlampe (Acetylengas, aus Calciumcarbid und Wasser in der Lampe erzeugt), Benzinlampe (→Wetterlampe) zu elektr. Lampen mit Akkubetrieb.

Gelfiltration, die →Gelchromatographie.

Gelibolu (früher Gallipoli, in der Antike Thrakischer Chersones), Halbinsel zw. den Dardanellen und dem Golf von Saros, im europ. Teil der Türkei, 90 km lang, bis 19 km breit; eine kahle, zerfurchte Tafellandschaft mit der Hafenstadt G. (15 000 Ew.; Fischereihafen, Marinestützpunkt). Die Halbinsel wurde im 8.–7. Jh. von Griechen kolonisiert, 133 v. Chr. römisch, im 14. Jh. osmanisch.

Gelimer (eigtl. Geilamir), der letzte Wandalenkönig in Nordafrika (530–34), 534 vom byzantin. Feldherrn Belisar gefangen genommen.

Gellert, Christian Fürchtegott, Schriftsteller, *Hainichen 4. 7. 1715, †Leipzig 13. 12. 1769; studierte seit 1734 in Leipzig Theologie, hielt ebd. seit 1751 Vorlesungen über Moral, Poesie und Beredsamkeit. G. vertrat das Tugendideal der Aufklärung, so in seinen »Fabeln und Erzählungen« (1746–48). Sein empfindsamer Briefroman »Das Leben der schwed. Gräfin von G.« (1747/48), der engl. und frz. Vorbildern (S. Richardson, A. F. Prévost d'Exiles) folgt und spezifisch bürgerl. Denken in den dt. Roman einführt, ist durch die Darstellung der subjektiven Leidenschaft neben dem aufgeklärten Tugendideal ein Schritt über die Aufklärung hinaus. Seine Lustspiele führten das »Rührstück« (Comédie larmoyante) aus dem Französischen in die dt. Literatur ein. Die rationale Frömmigkeit seiner »Geistl. Oden und Lieder« (1757) entsprach dem Zeitgeschmack.

Gelli ['dʒɛlli], Giambattista, italien. Schriftsteller, *Florenz 12. 8. 1498, †ebd. 24. 7. 1563; Mitbegründer der Florentiner Akademie; schrieb moralistische Dialoge (»I capricci del bottaio«, 1546, erweitert 1549; »La Circe«, 1549) und Komödien.

Gellius, Aulus, röm. Schriftsteller des 2. Jh. n. Chr., Vertreter des Archaismus; verfasste die »Noctes Atticae« in 20 Büchern mit Auszügen aus Schriften antiker Autoren über sehr viele Wissensgebiete und erhielt so wertvolle Zeugnisse der älteren römischen Literatur.

Gell-Mann ['gel'mæn], Murray, amerikan. Physiker, *New York 15. 9. 1929; entwickelte 1961 gleichzeitig mit Y. Neeman das Achtfach-Weg-Modell (→Oktettmodell) der Baryonen, Mesonen und ihrer Resonanzen und führte 1964 gleichzeitig mit G. Zweig die →Quarks ein. Erhielt 1969 den Nobelpreis für Physik für seine Beiträge und Entdeckungen hinsichtlich der Klassifikation der Elementarteilchen und ihrer Wechselwirkungen.

Gelnhausen, Stadt im Main-Kinzig-Kr., Hessen, an der Kinzig, 21 400 Ew.; Gummi und Holz verarbeitende Ind., Herstellung von Sportartikeln, Musikinstrumenten, Nukleartechnik; Fremdenverkehr. – Kaiserpfalz (1180; Verfall ab dem 14. Jh.), Marienkirche (Ende des 12. Jh.) mit Wand- und Glasmalereien sowie Lettner (alle Mitte des 13. Jh.), Peterskirche (13. Jh., 1932–38 erweitert), ehem. Synagoge (1736), Roman. Haus (um 1185), Rathaus (14. Jh.), gut erhaltene Stadtbefestigung. – 1123 erstmals erwähnt, von Kaiser Friedrich I. Barbarossa um 1170 als Reichsstadt neu gegr.; Stätte der Reichstage von 1180, 1186 und 1195; 1736/46 an Hessen-Kassel; 1803, endgültig 1816 Kurhessen eingegliedert.

Gelnhausen: Kaiserpfalz (1180), Blick vom Hof auf die Torhalle

Gelnhausen Stadtwappen

Gelöbnis, *Recht:* eidesgleiche Beteuerung, die z. B. ehrenamtl. Richter und Beamte leisten, welche aus Glaubens- und Gewissensgründen keinen Eid ablegen wollen. (→Fahneneid)

Gelobtes Land, Bez. für das Abraham und seinen Nachkommen nach 1. Mose 15, 18 von Gott verheißene Land Kanaan, das die israelit. Stämme zw. dem 14. und 11. Jh. v. Chr. in Besitz nahmen; seit Herodot als »Palästina« bezeichnet; später als Ort der Offenbarung Gottes theologisch überhöht »Hl. Land« (Sach. 2, 16) bzw. »Land der Verheißung« (Hebr. 11, 9) genannt.

Murray Gell-Mann

Gelon, Tyrann von Gela (seit 491 v. Chr.) und von Syrakus (seit 485), *Gela um 540, †Syrakus 478; Reiterführer des Tyrannen Hippokrates von Gela; brachte nach dessen Tod die Macht in seine Hand. Durch den Sieg über die Karthager bei Himera (480) sicherte er für lange Zeit die friedl. Entwicklung Siziliens.

Gelsenkirchen, kreisfreie Stadt im RegBez. Münster, NRW, im Ruhrgebiet, an der Emscher und am Rhein-Herne-Kanal, 289 800 Ew.; FH für öffentl. Verwaltung, Abteilung der FH Bochum, Hygiene-Inst. des Ruhrgebiets, Bergbaubehörden; Rennbahnen, Safaripark, zoolog. Garten; Steinkohlenbergbau, Eisen- und Stahlerzeugung, Mineralölverarbeitung, chem. Ind., Flachglaswerk; Häfen am Rhein-Herne-Kanal. – Reste des Wasserschlosses Horst (16. Jh.), Haus Berge (16. Jh.; heute Hotel); Technologiezentrum im »Wissenschaftspark Rheinelbe« (von U. Kiessler u. a., 1992–95). – 1928 Zusammenlegung von G. (Stadt 1875), **Buer**

Gelsenkirchen Stadtwappen

(1003 erstmals erwähnt) und **Horst** (1223 erstmals erwähnt) zu G.-Buer; seit 1930 heutiger Name.

Geltung, die objektive Grundlage des Anerkanntseins von Urteilen, Gesetzen, Normen. G.-Voraussetzungen: Verständlichkeit, Wahrheit, Wahrhaftigkeit, Richtigkeit. In der Erfahrungswissenschaft gilt ein empir. Gesetz, insofern es nicht falsifiziert und in hohem Maße bestätigt ist. In der Logik ist ein Schluss gültig, wenn aus wahren Prämissen wahre Folgerungen entspringen.

Gelübde (lat. Votum), in den Religionen ein feierlich Gott oder bei Gott gegebenes Versprechen, in dem sich der Gelobende zu etwas verpflichtet. In der kath. Kirche ist ein G. (zeitlich begrenzt oder lebenslänglich bindend) ein Gott gegebenes Versprechen, eine bes. wertvolle sittl. Tat zu vollbringen, v.a. realisiert im Mönchtum und Ordensleben, wo seit dem MA. Gehorsam, Armut und Ehelosigkeit als die verbindl. Kern-G. des Ordenslebens (evang. Räte) gelten. Die prot. Frömmigkeit kennt über die Erfüllung der allg. christl. Pflichten hinaus keine besonderen Gelübde.

Gelzer, Matthias, schweizer. Althistoriker, *Liestal 19. 12. 1886, †Frankfurt am Main 23. 7. 1974; war 1915–18 Prof. in Greifswald, 1918/19 in Straßburg und 1919–55 in Frankfurt am Main. – Sein Hauptwerk »Die Nobilität der röm. Rep.« (1912), eine Strukturanalyse der röm. Oberschicht, hat die Forschung stark beeinflusst.

Weitere Werke: Caesar, der Politiker und Staatsmann (1921); Pompeius (1949); Cicero, ein biograph. Versuch (1969).

GEMA, Abk. für **Ge**sellschaft für **m**usikalische **A**ufführungs- und mechan. Vervielfältigungsrechte, eine Urheberrechte wahrnehmende Verwertungsgesellschaft in der Rechtsform eines wirtsch. Vereins (Sitz: Berlin), die mit Komponisten, Textdichtern und Musikverlegern Berechtigungsverträge abschließt, durch die ihr Aufführungs-, Sende- und mechan. Vervielfältigungsrechte an Musikwerken übertragen werden. Die GEMA erteilt den Herstellern und Musikveranstaltern Genehmigungen zur Nutzung und zieht Tantiemen ein, die nach einem Schlüssel an Komponisten, Textdichter und Verleger verteilt werden.

Gemara [aramäisch »Vervollständigung«] *die,* aramäische Kommentierung der Mischna; entstanden im 3.–5. Jh., Teil des → Talmuds.

gemäßigte Zonen, Gebiete zw. den Wende- und Polarkreisen, in denen die Sonne täglich den ebenen Horizont quert, jedoch nie im Zenit steht. Von einem gemäßigten Klima kann nur bedingt gesprochen werden, denn es herrschen in den g. Z. sehr unterschiedl. Klimabedingungen und z. T. extreme Temperaturgegensätze.

Gemeinde, 1) (Kirchen-G.) die kleinste Einheit der kirchl. Verwaltungsstruktur, i. d. R. auf regionaler Ebene (Pfarr-G.), seltener auf personaler Ebene (z. B. Studentengemeinde).

2) (Kommune) Körperschaft des öffentl. Rechts auf gebietl. Grundlage (Gebietskörperschaft), unabhängig von ihrer äußeren Bez. als »G.« oder »Stadt«. Im Rahmen des staatl. Verw.aufbaus in Dtl. ist sie im Verhältnis zum Bund und zu den Ländern mit eigenen Rechten ausgestattet. Art. 28 GG garantiert den G. ihre Befugnis, alle Angelegenheiten der örtl. Gemeinschaft im Rahmen der Gesetze eigenverantwortlich zu regeln (»Selbstverwaltungsgarantie«). Zu diesen Ges. gehören die von den Parlamenten der einzelnen Bundesländer beschlossenen G.-Ordnungen (Abk. GO), die die

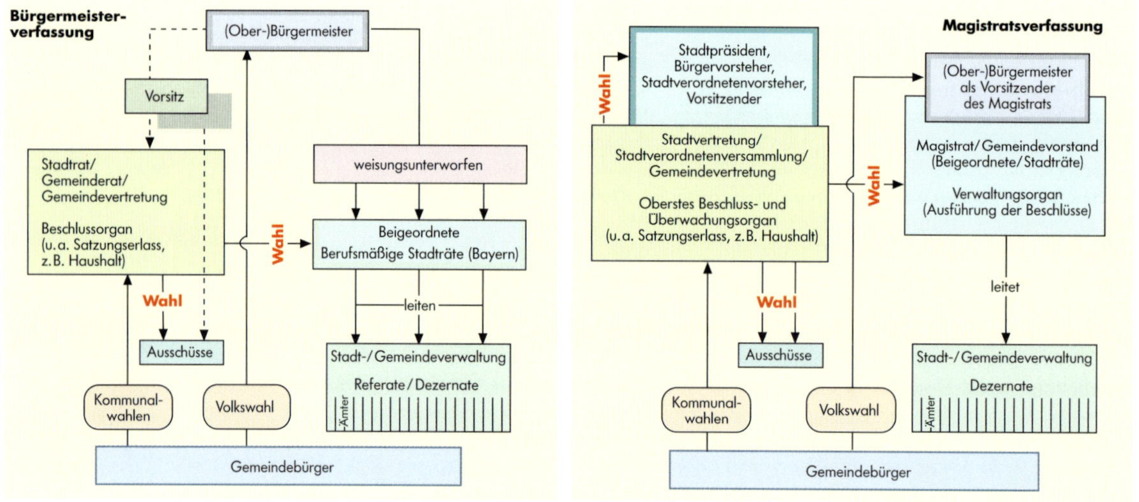

Gemeinde 2): Grundtypen der Gemeindeverfassungen in Deutschland

Grundzüge der G.-Organisation regeln. In diesen Grenzen legt die G. die Einzelheiten ihrer Verf. und Organisation in einer Hauptsatzung fest. In den neuen Bundesländern galt zunächst die Kommunalverf. vom 17. 5. 1990 gemäß Einigungsvertrag als Landesrecht fort, wurde in der Zwischenzeit aber durch die G.-Ordnungen der einzelnen Länder ersetzt bzw. grundlegend novelliert. I. d. R. ist die G. **Einwohner-G.**, wobei Ew. ist, wer in der G. wohnt. Er ist berechtigt, die Einrichtungen der G. zu benutzen, und verpflichtet, ihre Lasten zu tragen. Demgegenüber ist G.-Bürger, wer besondere Voraussetzungen (z. B. Mindestaufenthaltsdauer) erfüllt. An den Bürgerstatus ist u. a. das Wahlrecht, auch die Pflicht zur Übernahme von Ehrenämtern geknüpft.

Die Grundform der G. ist die **Einheits-G.**, die jedoch in Ortsteile, Ortschaften oder Stadtbezirke untergliedert sein kann. Von ihr sind die in einigen westdt. Ländern bestehenden, aus einzelnen Mitglieds-G. gebildeten **Samt-G.** sowie die **Verbands-G.** zu unterscheiden; sie verfügen über direkt gewählte Vertretungskörperschaften (Samtgemeinderat, Verbandsgemeinderat), wodurch eine zweite Mandatsebene geschaffen wurde. In den anderen Bundesländern vollzieht sich die kommunale Zusammenarbeit dagegen auf der gleichen Stufe in »Ämtern«, »Verw.verbänden« und »Verw.gemeinschaften«, deren Organe die »Gemeinschaftsversammlungen« oder »Amtsausschüsse« sind, denen die Bürgermeister der zugehörigen G. und weitere Angehörige der G.-Vertretungen angehören.

Die Verf. der G. ist in den einzelnen Ländern unterschiedlich, wobei sich bestimmte Typen herausgebildet haben. Überall ist die **G.-Vertretung** (G.- oder Stadtrat, Stadtverordnetenversammlung, Rat) das oberste und allg. zuständige Organ. Die G.-Vertreter werden nach den Kommunalwahlgesetzen aufgrund eines reinen oder qualifizierten Verhältniswahlrechts meist auf vier, in den neuen Bundesländern durchweg auf fünf Jahre gewählt, üben ihre Tätigkeit ehrenamtlich aus und sind an Weisungen nicht gebunden. Die G.-Vertretung beschließt über die G.-Angelegenheiten, kontrolliert die Verwaltung und stellt Richtlinien für sie auf. I. d. R. tritt neben die G.-Vertretung der von dieser oder den Bürgern (Bad.-Württ., Bayern) gewählte **G.-Vorstand (dualist. Verfassungsform).** Seine Stellung kann sich auf die eines ausführenden Organs beschränken oder eine stärkere Selbstständigkeit neben der G.-Vertretung besitzen. Der G.-Vorstand kann dabei kollegial oder monokratisch organisiert sein, Ersteres in der **Magistratsverfassung.** Der Magistrat als ausführendes Verwaltungsorgan besteht aus dem Bürgermeister als Vors. und ehrenamtl. oder hauptamtl. Beigeordneten für besondere Arbeitsgebiete (so in Hessen). Bei der **Bürgermeisterverf.** (seit jeher üblich in Süd-Dtl., auch in Rheinl.-Pf. und im Saarland) ist der Bürgermeister als Einzelperson G.-Vorstand und leitet mit Unterstützung der Beigeordneten die Verwaltungsgeschäfte. Ab 1993 wurde die Bürgermeisterverf. auch in Nord-Dtl. eingeführt; die zuvor geltende **Direktorialverf.** mit einem Gemeinde- bzw. Stadtdirektor als Verw.chef (NRW, Ndsachs.) wurde abgeschafft.

Die dt. Vereinigung hat in Ost-Dtl. zu einer tief greifenden Umwandlung der Kommunalverf. geführt und auch Anstöße zu Reformen in den westdt. Ländern gegeben.

In den neuen Bundesländern wurde entsprechend dem Vorbild der Länder Bad.-Württ. und Bayern die Direktwahl der Bürgermeister eingeführt, in Meckl.-Vorp. erst ab 1999. Ihre Amtsperioden betragen in Sachsen und Sachs.-Anh. sieben, in Thüringen sechs und in Brandenburg acht Jahre. In Sachsen und Thüringen ist der Bürgermeister kraft Amtes auch Vors. des Rates.

Während es im Westen bis 1992 die Direktwahl der (Ober-)Bürgermeister nur in Bad.-Württ. und Bayern gab, wurde sie 1993/94 auch in Hessen, Rheinl.-Pf. und dem Saarland mit achtjähriger Amtszeit eingeführt; 1996 folgte Ndsachs. (Amtszeit: fünf Jahre, gleichlaufend mit dem Rat). In NRW ist die Direktwahl ebenfalls ab 1999 beschlossen, wobei die G. das Recht haben zu entscheiden, ob sie bis dahin die bisherige Verw.praxis mit der Doppelspitze von Bürgermeister und G.-(Stadt-)Direktor beibehalten oder bereits die Bürgermeisterverf. anwenden. Elemente der direkten Demokratie wurden in den Kommunalordnungen der neuen Länder stärker berücksichtigt, als dies in den G.-Ordnungen der alten der Fall war. Doch haben sich auch in West-Dtl. die Kommunalordnungen diesem Anliegen z. T. geöffnet. Stufen der direkten Beteiligung sind Bürgerantrag (mit dem Ziel, dass sich die G.-Vertretung mit wichtigen G.-Angelegenheiten befasst), Bürgerbegehren (wichtige Entscheidungen sollen dem Bürgerentscheid unterworfen werden) und Bürgerentscheid.

Aufbauend auf der Selbstverwaltungsgarantie umfasst das Selbstverwaltungsrecht ein begrenztes Recht zum Erlass von Rechtsnormen (Satzungsautonomie) sowie die Personal- und die Finanzhoheit. Im eigenen Interesse wie im übergeordneten Interesse des Gesamtstaates haben die G. verschiedene Aufgaben zu erfüllen. In eigenen Angelegenheiten (»Selbstverwaltungsangelegenheiten«) unterscheidet man die freiwilligen Aufgaben (z. B. Betrieb eines Schwimmbads, eines Tierparks) und die gesetzlich vorgeschriebenen Pflichtaufgaben (z. B. Schulträgerschaft, öffentl. Ordnung). Den anderen Bereich bilden die Auftragsangelenheiten, d.h. Aufgaben des Staates, die den G. nach dessen Weisung zur Erledigung übertragen werden (z.B. Sozialhilfe). Während die Selbstverwaltungsangelegenheiten nur der Rechtmäßigkeitskontrolle durch die Kommunalaufsichtsbehörden (je nach Bundesland und Status der G.: Landrat, RegPräs., Innenmin.) unterliegen, besteht bei Auftragsangelegenheiten eine Fachaufsicht mit Zweckmäßigkeitskontrolle.

Gemeindefinanzen: Einnahmen und Ausgaben der Gemeinden[1] (1995)

	alte Bundesländer		neue Bundesländer		
	Mrd. DM	%	Mrd. DM	%	je Ew.[2]
bereinigte Ausgaben	236,3	100	59,5	100	109
davon:					
Personalausgaben	61,2	25,9	17,7	29,8	126
laufender Sachaufwand	41,1	17,4	10,4	17,5	110
soziale Leistungen	50,5	21,4	8,5	14,3	73
Sachinvestitionen	39,9	16,9	15,7	26,4	171
Zinsausgaben	9,8	4,1	1,5	2,5	67
sonstige Ausgaben	33,8	14,3	5,7	9,6	73
bereinigte Einnahmen	224,1	100	57,6	100	112
davon:					
Steuern und steuerähnl. Abgaben	78,3	35,0	7,5	13,1	42
Gebühren	33,2	14,8	5,1	8,8	67
erwerbswirtschaftl. Einnahmen	13,9	6,2	2,8	4,8	86
laufende Zuweisungen[3]	53,3	23,8	24,9	43,1	203
Investitionszuweisungen[3]	10,9	4,9	7,9	13,6	313
Veräußerung von Vermögen	9,9	4,4	3,0	5,3	134
sonstige Einnahmen	24,6	10,9	6,4	11,3	115
Finanzierungssaldo	−12,1	-	−1,8	-	-
Nettokreditaufnahme	5,5	-	3,0	-	233

[1] Gemeinden und Gemeindeverbände, ohne Stadtstaaten. – [2] in Prozent des westdt. Niveaus. – [3] von Land und Bund.

In Dtl. gibt es (1996) 14627 G. (8513 in West-, 6114 in Ost-Dtl., →Verwaltungsreform).

In *Österreich* genießen die G. in den ihnen von der Verf. zugewiesenen Aufgaben eine beschränkte Autonomie. Die wichtigsten G.-Organe sind der Bürgermeister, der G.-Rat und der G.-Vorstand. Städte mit eigenem Statut (mindestens 20000 Ew.) besorgen i.d.R. gleichzeitig die Aufgaben der Bezirksverwaltung (Art. 115–120 Bundes-verfassungs-Ges.).

In der *Schweiz* wird die Organisation der G. vom kantonalen Recht geordnet. Oberstes Organ ist i.d.R. die Gesamtheit der Stimmberechtigten. Exekutivorgan ist in den meisten G. der G.-Rat, dem ein G.-Präsident vorsteht. Die G.-Autonomie wird von Bundes wegen verfassungsrechtlich geschützt.

Geschichte: Die moderne kommunale Selbstverwaltung beginnt in Dtl. mit der preuß. Städteordnung des Freiherrn vom Stein vom 19. 11. 1808, durch die die Stadt-G. Selbstverwaltung erlangten (Magistratsverf.). Das preuß. Vorbild veranlasste die meisten anderen Staaten, ihre G.-Ordnung nach ähnl. Grundsätzen neu zu errichten. Durch die Weimarer Reichsverf. von 1919 (Art. 127) erhielten die G. und G.-Verbände allg. das Recht der Selbstverwaltung. Das GG erneuerte die Garantie der kommunalen Selbstverw. in Art. 28 Abs. 2. Seit 1950 wurden in den einzelnen Bundesländern gesonderte G.-Ordnungen verabschiedet.

🕮 *Die Gemeindeordnungen u. die Kreisordnungen in der Bundesrepublik Deutschland, bearb. v.* G. SCHMIDT-EICHSTAEDT *u.a., Loseblatt-Ausg. Stuttgart 1975ff., früher u.a.T.* – REINERS, T.: *Kommunalverfassungsrecht in den neuen Bundesländern. München 1991.* – SCHÖBER, P.: *Kommunale Selbstverwaltung. Die Idee der modernen G. Stuttgart u.a. 1991.* – GISEVIUS, W.: *Leitfaden durch die Kommunalpolitik. Bonn [4]1994.* – GERN, A.: *Kommunalrecht einschließlich kommunales Abgabenrecht. Baden-Baden [6]1996.*

Gemeindebeamte (Kommunalbeamte), die Beamten der Gemeinden oder Gemeindeverbände. Sie gelten als mittelbare Staatsbeamte. Ihre Rechtsverhältnisse sind durch landesrechtl. Regelungen im Wesentlichen denen der Staatsbeamten angeglichen. (→Beamte)

Gemeindefinanzen, Gesamtheit der Einnahmen und Ausgaben der Gemeinden und Gemeindeverbände. In Dtl. ist das Selbstverwaltungsrecht und damit die finanzpolit. Autonomie in Art. 28 GG verankert. In der Praxis ist die Ausgabenhoheit jedoch durch eine zunehmende Zahl von (weisungsfreien und weisungsgebundenen) Pflichtaufgaben und Auftragsangelegenheiten eingeschränkt. Diese Einschränkung ist unvermeidlich, wenn der Zentralstaat innerhalb seines Gebietes möglichst gleiche Lebensverhältnisse gewährleisten will. – *Ausgaben:* Auf die Gemeinden entfielen in Dtl. Mitte der 1990er-Jahre rd. $^3/_{10}$ der gesamten Ausgaben der Gebietskörperschaften (Bund mit Sondervermögen, Länder, Gemeinden). Während sich bei Bund und Ländern die Ausgaben auf wenige Bereiche konzentrieren, verteilen sich die Ausgaben der Gemeinden auf Verwaltung, öffentl. Sicherheit, Schulen, Familien- und Jugendhilfe, Gesundheit, Sport und Erholung, kommunale Dienste, Umweltschutz, Straßen- und Wirtschaftsunternehmen. In den letzten Jahren sind v.a. die Sozialausgaben (Sozialhilfe im Gefolge der Arbeitslosigkeit, Kindergartenplätze), bes. in den Städten, stark gestiegen, darüber hinaus werden rd. zwei Drittel der Investitionen für die öffentl. Infrastruktur von den Kommunen (z.B. Kläranlagenausbau) getragen.

Einnahmen erzielten die Gemeinden in den alten Bundesländern 1995 zu 35,0% aus Steuern (→Gemeindesteuern), zu 28,7% aus Zuweisungen des Bundes und der Länder, zu 14,8% aus Gebühren, zu 6,2% aus erwerbswirtsch. Einkünften, zu 4,4% aus Vermögensveräußerungen und zu 10,6%

aus sonstigen Einnahmen. Die Finanzzuweisungen gliedern sich in allg. Zuweisungen, über die die Gemeinden frei verfügen können, und spezielle Zuweisungen für die Durchführung bestimmter Investitionen. Die Verschuldungsmöglichkeit der Gemeinden ist im Vergleich zu Bund und Ländern eingeschränkt. Kredite dürfen nur für Investitionen und Investitionsfördermaßnahmen bzw. zur Umschuldung aufgenommen werden; die jährl. Neuverschuldung muss von kommunalen Aufsichtsbehörden genehmigt werden. Seit 1990 sind die G. durch Finanzierungsdefizite und eine wieder wachsende Nettokreditaufnahme (die gegenüber Bund und Ländern jedoch geringer ist) geprägt. Die G. in den neuen Ländern haben überdurchschnittlich hohe Ausgaben für Sachinvestitionen. Bei den Einnahmen erreichen sie je Ew. nur ein Drittel des Niveaus westdt. Gemeinden, sodass sie weiter in hohem Maße von den Zuweisungen von Bund und Ländern abhängig sind.

📖 JUNGKERNHEINRICH, M.: *G. Theoret. u. method. Grundlagen ihrer Analyse. Berlin 1991.* – SCHMIDT-JORTZIG, E. *u.* MAKSWIT, J.: *Handbuch des kommunalen Finanz- u. Haushaltsrechts. Münster 1991.*

Gemeindekirchenrat (Presbyterium), in den evang. Kirchen Organ der Selbstverwaltung der Kirchengemeinde (→Kirchenvorstand).

Gemeindeordnung, →Gemeinde.

Gemeinderat, →Gemeinde.

Gemeindesteuern, die den Gemeinden und Gemeindeverbänden zur Deckung ihrer Ausgaben zufließenden Steuern. Nach Art. 106 Abs. 6 GG steht den Gemeinden das Aufkommen aus den Realsteuern (Grund- und Gewerbesteuer) sowie kleineren Verbrauch- und Aufwandsteuern (Vergnügungs-, Getränke-, Hunde-, Zweitwohnungsteuer) zu. Seit der Finanzreform von 1969 erhalten die Gemeinden einen Anteil aus der Lohn- und veranlagten Einkommensteuer; andererseits werden Bund und Länder am Aufkommen der Gewerbesteuer beteiligt. Während das Gewicht der Gewerbesteuer an den G. abnimmt, wächst die Bedeutung des Lohn- und Einkommensteueranteils. Der Anteil der G. an den Einnahmen der Kommunen beträgt weniger als 40% (in den neuen Bundesländern noch erheblich weniger). →Gemeindefinanzen

Gemeindetag, →Deutscher Gemeindetag.

Gemeindeverbände (Kommunalverbände), öffentlich-rechtl. Körperschaften oberhalb der Ortsgem. Zu ihnen gehören zunächst die als Zusammenschlüsse von Gemeinden gebildeten Ämter (Schlesw.-Holst., Brandenburg und Meckl.-Vorp.), Samtgemeinden (Ndsachs.), Verbandsgemeinden (Rheinl.-Pf.), Verwaltungsgemeinschaften (Bayern, Sa.-Anh., Thür.), Verwaltungsverbände (Sachsen) sowie die Landkreise. In Ländern mit dreistufigem Verwaltungsaufbau bestehen als sog. höhere G. die Bezirke (Bayern), die Landschaftsverbände (NRW) und die Landeswohlfahrtsverbände (Bad.-Württ., Hessen). Die G. haben im Rahmen der Gesetze das Recht zur Selbstverwaltung (Art. 28 Abs. 2 GG). Sie haben eigene – direkt oder indirekt gewählte – Willensbildungs- sowie Exekutivorgane (z. B. Amtsvorsteher, Landrat, Landschaftsverbandsdirektor). Von den G. sind die →kommunalen Spitzenverbände und die →Zweckverbände zu unterscheiden.

Gemeindewirtschaftsrecht, die v. a. in den Gemeindeordnungen enthaltenen Bestimmungen über die Wirtschafts- und Haushaltsführung der Gemeinden. Dazu gehört die Verw. des **Gemeindevermögens** (Verw.-, Betriebs-, Finanz-, Sonder-, Treuhandvermögen) nach den Grundsätzen der Bestands- und Werterhaltung. Vermögensgegenstände sollen nur erworben und veräußert werden, soweit die Erfüllung der gemeindl. Aufgaben es erfordert oder zulässt. Das G. regelt ferner die kommunale Finanzwirtschaft. Grundlage dafür ist die jährl. Haushaltssatzung, die die Festsetzung des Haushaltsplans, der Steuersätze und der Darlehensermächtigung nach näheren Vorschriften, z. B. einer GemeindehaushaltsVO, enthält. Der Haushalt wird durch Erträgnisse des Vermögens, durch Steuern, Gebühren und Abgaben, Finanzzuweisungen des Landes, durch Darlehen u. a. finanziert. Schließlich umfasst das G. die wirtsch. Betätigung der Gemeinden, die Wirtschaftsunternehmen nur errichten dürfen, wenn der öffentl. Zweck es erfordert, sie der Leistungsfähigkeit der Gemeinde entsprechen und der Zweck nicht ebenso gut

Steuereinnahmen der Gemeinden 1990 und 1995

	1990[1]		1995	
	Mio. DM	%	Mio. DM	%
Gewerbesteuer netto (nach Abzug der Gewerbesteuerumlage)	33 276	44,6	33 839	35,8
Grundsteuer A	441	0,6	614	0,6
Grundsteuer B	8 283	11,1	13 130	13,9
sonstige Gemeindesteuern und steuerähnliche Einnahmen	832	1,1	1 130	1,2
darunter:				
Vergnügungsteuer	–	–	497	–
Hundesteuer	–	–	291	–
Jagd- und Fischereisteuer	–	–	46	–
Getränkesteuer	–	–	34	–
Fremdenverkehrsabgabe	–	–	15	–
Abgabe von Spielbanken	–	–	92	–
Grunderwerbsteuer[2]	289	0,4	296	0,3
Gemeindeanteil an Lohn- und veranlagter Einkommensteuer sowie Zinsabschlag	31 503	42,2	45 526	48,2
insgesamt	74 624	100	94 535	100

[1] alte Bundesländer. – [2] ohne von den Ländern ihren Gemeinden im Wege von Zuweisungen überlassenes Grunderwerbsteueraufkommen.

durch ein privates Wirtschaftsunternehmen erfüllt werden kann **(Subsidiaritätsprinzip).**

gemeine Figuren, *Heraldik:* im Unterschied zu den Heroldsbildern alle anderen in Wappen vorkommenden wirkl. oder fiktiven Figuren und Gegenstände, z.B. Adler, Greif, Rose.

Gemeineigentum, urspr. das einer Gesamtheit zur gemeinsamen Nutzung zustehende Eigentum (»gemeine Mark«, →Allmende); heute das zum Zweck der →Sozialisierung auf den Staat oder andere gemeinwirtsch. Rechtsträger übergeführte Eigentum an Wirtschaftsunternehmen oder anderen Wirtschaftsgütern. Gemäß Art. 15 GG ist die Überführung von Grund und Boden, Naturschätzen und Produktionsmitteln in G. oder andere Formen der Gemeinwirtschaft gegen Entschädigung erlaubt. Von dieser Ermächtigung ist noch nie Gebrauch gemacht worden. In *Österreich* wurden aufgrund der Verstaatlichungs-Ges. von 1946/47 große Teile der Schwerindustrie und der Elektrizitätswirtschaft in G. überführt. Im Staatsvertrag von 1955 wurde verankert, dass die von der sowjet. Besatzungsmacht requirierten USIA-Betriebe in G. übernommen werden sollten. Zahlreiche Kapitalgesellschaften sind zudem in der Hand der verschiedenen Gebietskörperschaften. In der *Schweiz* sind Enteignungen, die im öffentl. oder im Interesse der Eidgenossenschaft oder großer Teile derselben liegen, möglich.

gemeiner Wert, *Steuerrecht:* Verkehrswert eines Wirtschaftsgutes, wird durch den Preis bestimmt, der im gewöhnl. Geschäftsverkehr normalerweise erzielbar ist. Er ist bei der steuerl. Bewertung nach dem Bewertungs-Ges. grundsätzlich (mit zahlr. Ausnahmen) zugrunde zu legen.

gemeines Recht, das allg. geltende Recht eines Staates im Ggs. zum partikularen Recht. In Dtl. versteht man darunter meist das im 14. und 15. Jh. in Italien von den Postglossatoren bearbeitete röm. sowie das von der Kirche ausgebildete kanon. Recht. Durch die →Rezeption erlangte es in Dtl. ergänzend neben den Landesrechten Geltung (z.T. bis 1900). →Common Law

Gemeingebrauch, das subjektiv-öffentliche Recht, das jedermann ohne besondere Erlaubnis und unentgeltlich gestattet, öffentl. Sachen entsprechend ihrer Zweckbestimmung (Straßen, Plätze, Anlagen, Wasserwege) zu benutzen (→Anlieger).

gemeingefährliche Straftaten, strafbare Handlungen, die eine Gefahr für Leib und Leben einer Vielzahl von Menschen oder für hochwertige Sachgüter herbeiführen, z.B. Brandstiftung, Verursachung einer Überschwemmung, Herbeiführen einer Explosion durch Kernenergie, Gefährdung des Straßenverkehrs, gemeingefährl. Vergiftung von Brunnen und Gebrauchsmitteln, Unterlassung der Hilfeleistung bei Unglücksfällen und bei Fällen gemeiner Gefahr oder Not (§§ 306–323 c StGB; ähnlich §§ 169 ff. *österr.*, Art. 221 ff. *schweizer.* StGB).

Gemeinheit *Rechtsgeschichte:* im Gemeineigentum, später auch unter der Herrschaft eines Grundherrn den Mitgl. eines Dorfverbandes zu gemeinsamer Nutzung zur Verfügung stehende ländl. Grundstücke (Gemeindeland, →Allmende). Die G. wurden im 18. und im 19. Jh. in weitem Umfang durch die **G.-Teilung** beseitigt, bes. in Verbindung mit Agrarreformen, durch die gemeindl. in privates Eigentum überführt wurde.

Gemeinkosten (indirekte Kosten), Kosten, die im Ggs. zu den Einzelkosten einem Erzeugnis nicht direkt zugerechnet werden können. Sie werden in der →Kostenrechnung mithilfe eines Verrechnungsschlüssels auf die einzelnen Erzeugnisse umgerechnet **(G.-Zuschlag).**

gemeinnützig, *Recht:* eine auf die selbstlose Förderung der Allgemeinheit auf materiellem, geistigem oder sittl. Gebiet gerichtete Tätigkeit. Körperschaften, die ausschl. gemeinnützigen, mildtätigen oder kirchl. Zwecken dienen, sind von der Körperschaft-, Vermögen- und Gewerbesteuer befreit. Spenden für diese Zwecke werden bei der Einkommensteuer als Sonderausgaben berücksichtigt. Im dt. Strafrecht können die Strafaussetzung zur Bewährung, die Verwarnung mit Strafvorbehalt und die Verfahrenseinstellung mit der Auflage verbunden werden, gemeinnützige Arbeit zu verrichten; Letztere ist auch im Jugendstrafrecht möglich, u.a. anstelle einer Ersatzfreiheitsstrafe.

gemeinnützige Wohnungsunternehmen, nach dem Ges. über die Gemeinnützigkeit im Wohnungswesen i.d.F. vom 29.2.1940 Wohnungsunternehmen in der Rechtsform einer jurist. Person, die nicht unter dem überwiegenden Einfluss von Angehörigen des Baugewerbes stehen und die ihre Wohnungen nur einem bestimmten Personenkreis zur Verfügung stellen; von Genossenschaftswohnungen zu unterscheiden.

Gemeinsame Außen- und Sicherheitspolitik, Abk. **GASP,** im Vertrag über die Europ. Union (Maastrichter Vertrag) in der Nachfolge der →Europäischen Politischen Zusammenarbeit (EPZ) begründete (2.) Säule der →Europäischen Union. Ziel der GASP ist es, in Form einer engen Zusammenarbeit (ohne supranationalen Charakter) die Außen- und Sicherheitspolitik der Mitgl.staaten der EU zu koordinieren und gemeinsame Aktionen in jenen Bereichen durchzuführen, in denen wichtige gemeinsame Interessen bestehen. Die Entscheidungen werden generell nach dem Konsensprinzip getroffen.

Gemeinsamer Ausschuss (Notparlament, Notstandsausschuss), i.e.S. das 1968 durch die Notstandsgesetzgebung grundgesetzlich eingeführte Verf.organ (Art. 53a GG), das zu zwei Dritteln aus Abg. des Bundestages (Sitzverteilung entsprechend den Stärkeverhältnissen) und zu einem Drittel aus von den Landesreg. bestellten und im G. A. weisungsfreien Mitgl. des Bundesrates besteht. Im Verteidigungsfall übernimmt er die Befugnisse von Bundestag und Bundesrat, soweit diese ihre Aufgaben nicht erfüllen können. – I. w. S. ein von an sich selbstständigen Organen gemeinsam beschicktes und gebildetes Gremium zur Koordinierung, Verständigung u. Ä., z. B. der geplante G. A. des Dt. Bundestages und der frz. Nationalversammlung.

gemeinsamer Markt, →Europäische Wirtschaftsgemeinschaft.

Gemeinsamer Senat der obersten Gerichtshöfe des Bundes, Spruchkörper zur Wahrung der Einheitlichkeit der Rechtsprechung der obersten Gerichtshöfe des Bundes (Art. 95 Abs. 3 GG), Sitz: Karlsruhe. Er besteht aus den Präs. der obersten Gerichtshöfe des Bundes, den Vorsitzenden Richtern und je einem weiteren Richter der an der einzelnen Sache beteiligten Senate. Er entscheidet bindend über die Rechtsfrage, welche von einem obersten Gerichtshof vorgelegt wird, wenn dieser von der Entscheidung eines anderen obersten Gerichtshofes oder des Gemeinsamen Senats abweichen will.

Gemeinschaft, 1) *allg.:* vielschichtiger Begriff, bezeichnet das gegenseitige Verhältnis von Menschen, die auf einer historisch gewachsenen, religiös-weltanschaul., politisch-ideolog., ideellen oder einen eng begrenzten Sachzweck verfolgenden Grundlage verbunden sind: Volk, Nation, Staat, Kirche, (religiöse oder polit.) Gemeinde, Ehe, Familie, Freundschaft, Interessenorganisation, Verein u. a. Im Ggs. zu einer aus vielen, oft gegensätzlich orientierten Gruppen bestehenden Gesellschaft ist die G. von einer mehr oder weniger stark entwickelten Homogenität und Zielsetzung bestimmt. Im Kampf gegen oppositionelle oder weltanschaulich abweichende Glieder (z. B. »Dissidenten«, »Häretiker«) stellen diktatorisch strukturierte staatl. G. mit Gewalt die innere Geschlossenheit wieder her oder grenzen die missliebigen Personengruppen aus.

F. Tönnies führte G. 1887 als Grundbegriff in die Soziologie ein und meinte damit – im Ggs. zur Gesellschaft, die er als rational konstituierten Zweckverband aus gemeinsamen Interessen definierte – auf naturhafter Grundlage beruhende Gruppen (Familie, Sippe) oder kleine, geschichtlich gewachsene Verbände (Dorf, alte Stadt) sowie in der Geistes-G. (Freundschaft, Meister-Jünger-Verhältnis) verbundene Gruppen. Die Soziologie griff diesen Ggs. in unterschiedl. Varianten immer wieder auf. Zu den G. zählen heute z. B. Minoritäten in den Städten (z. B. Ausländergruppen) sowie alternative Lebens-G., die sich seit den 1960er-Jahren in den Industriegesellschaften herausgebildet haben. Diese G. führen ein relativ geschlossenes Eigenleben und versuchen z. T., durch ihre Lebensform der traditionellen Gesellschaft neue Impulse zu vermitteln.

2) *Zivilrecht:* i. w. S. jede privatrechtl. Verbindung von Personen mit gemeinsamen vermögensrechtl. Interessen, bes. die Erben-, die Güter-, die Zugewinn-G.; i. e. S. die Bruchteils-G. als Beteiligung mehrerer an einem Recht, →Eigentum.

Gemeinschaft der Heiligen (lat. Communio Sanctorum), im Apostol. Glaubensbekenntnis Bez. der Kirche als Gemeinschaft derer, die, unabhängig von einer formalen Kirchenmitgliedschaft, aufgrund ihres Lebens im guten Glauben in Vergangenheit, Gegenwart und Zukunft der vollen Gnade Christi teilhaftig geworden sind bzw. werden (latente [verborgene] Kirche).

Gemeinschaften Christlichen Lebens, Abk. **GCL,** seit 1967 unter diesem Namen erneuerte Fortführung der 1563 gegr. kath. →Marianischen Kongregationen; in Dtl. rd. 55 000 Mitgl.

gemeinschaftliches Testament, →Testament.

Gemeinschaftsanschluss, gemeinsame Anschlussleitung für mehrere Fernsprecher, von denen zeitgleich nur jeweils einer die G. in Benutzung nehmen kann.

Gemeinschaftsantennenanlage, Abk. **GA,** Antennenanlage zur gemeinsamen Versorgung mehrerer Teilnehmer (z. B. in einem Mehrfamilienhaus) mit einer ausreichenden Eingangsspannung für den Betrieb von Hör- und Fernsehrundfunkempfängern. G. bestehen im Wesentlichen aus Antennen, Verstärker und Verteilernetz mit Frequenzweichen. Werden größere Gebiete versorgt (z. B. Stadtteile oder Ortschaften), spricht man von **Groß-G. (GGA).**

Gemeinschaftsaufgaben, nach Art. 91a GG Aufgaben der Länder, an denen der Bund mitwirkt, wenn sie für die Gesamtheit bedeutsam sind und die Mitwirkung des Bundes zur Verbesserung der Lebensverhältnisse erforderlich ist. Dazu gehören: 1) Aus- und Neubau von Hochschulen, einschl. der Hochschulkliniken, 2) Verbesserung der regionalen Wirtschaftsstruktur, 3) Verbesserung der Agrarstruktur und des Küstenschutzes. Der Bund trägt grundsätzlich die Hälfte der Ausgaben in jedem Land.

Gemeinschaftsbewegung, zusammenfassende Bez. für eine innerprotestant. Erneuerungsbewegung des 19. Jh.; hervorgegangen aus den Traditionen des südwestdt. und rheinländ. Pietismus und der angelsächs. »Heiligungsbewegung«. Die G. versteht sich als Sammlungsbewegung von evang. Christen, die ihren Glauben bewusst im Alltag leben. Organisatorisch 1888 zur »Gnadauer Konferenz« zusammengeschlossen, ging daraus 1897 der »Dt. Verband für Gemeinschaftspflege und Evangelisation« (Gnadauer Verband) hervor. Er vereinigt die Landeskirchl. Gemeinschaften in Dtl. Die Betonung charismat. Laienarbeit und persönl. Heilssicherheit begünstigte nach 1907 ekstat. Einflüsse und Einflüsse der Pfingstbewegung, die sich jedoch nicht in der G. durchsetzen konnten.

Gemeinschaftserziehung, 1) Erziehung, die die Gemeinschaft als Erziehungsmittel und die Gemeinschaftsfähigkeit als Erziehungsziel betont (→Gruppenpädagogik).

2) die →Koedukation.

Gemeinschaftskunde, die Zusammenfassung des Geschichts-, Erdkunde- und Sozialkundeunterrichts in der Oberstufe der Gymnasien; als Fachbez. heute unterschiedlich verwendet.

Gemeinschaftspatent, Patent, das mit Wirkung für den Bereich der Europ. Wirtschaftsgemeinschaft erteilt wird; besteht neben dem nat. und dem Europ. Patent.

Gemeinschaftsrecht, →Europarecht.

Gemeinschaftsschule (früher Simultanschule), vereinigt Schüler versch. Bekenntnisse im Unterschied zur →Konfessionsschule. Seit den 1960er Jahren ist die G. in der Bundesrep. Dtl. Regelschule, meist als christl. G., deren allgemeinchristl. Grundlage jedoch andere weltanschaulich-religiöse Inhalte nicht beeinträchtigen darf.

Gemeinschaftsteuern, Steuern, deren Aufkommen nach Art. 106 Abs. 3 GG dem Bund und den Ländern gemeinsam zustehen: Einkommen-, Körperschaft- und Umsatz-(Mehrwert-)steuer. Das Aufkommen der Einkommen- und Körperschaftsteuer stehen ihnen je zu 50% zu. Die Gemeinden erhalten von den Ländern einen Anteil am Aufkommen der Einkommensteuer zugewiesen. Die Anteile von Bund und Ländern an der Umsatzsteuer werden entsprechend der Finanzentwicklung durch ein Bundes-Ges. geregelt.

Gemeinschaftswerk Aufschwung Ost, von der Bundesregierung verabschiedetes Programm zur Förderung der Konjunkturentwicklung in den neuen Bundesländern. Das zunächst für 2 Jahre konzipierte Programm hatte ein finanzielles Volumen von jeweils 12 Mrd. DM für 1991 und 1992. Die Mittel sind u.a. zur Stimulation bes. beschäftigungsintensiver kommunaler und privater Unternehmensinvestitionen, für Arbeitsbeschaffungsmaßnahmen, zur regionalen Wirtschaftsförderung, für Umweltschutzmaßnahmen, Wohnungs- und Städtebau sowie für Investitionen im Bereich Verkehr und Hochschulen vorgesehen.

Gemeinschaft Unabhängiger Staaten, →GUS.

Gemeinschaft zur gesamten Hand, →Gesamthandsgemeinschaft.

Gemeinschuldner (Konkursschuldner), derjenige, über dessen Vermögen der →Konkurs eröffnet ist.

Gemeinwirtschaft, uneinheitlich abgegrenzter Begriff, der eine besondere Zielsetzung wirtsch. Aktivität bezeichnet oder für eine besondere organisatorisch-rechtl. Struktur des Wirtschaftens (Trägerschaft) steht. Ersteres wird auch als **Gemeinwirtschaftlichkeit** bezeichnet, womit ausgedrückt werden soll, dass der Ertrag wirtschaftl. Tätigkeit einer übergeordneten Gesamtheit (dem »Gemeinwohl«) zugute kommen soll, z.B. in Form niedrigerer Preise oder dadurch, dass Güter und Dienstleistungen (z.B. öffentl. Nahverkehr) bereitgestellt werden, die auf dem freien Markt allenfalls zu nicht erschwingl. Preis angeboten werden (z.B. Infrastruktureinrichtungen). Insofern ist Gemeinwirtschaftlichkeit der Ggs. zum Gewinnstreben in der Wirtschaftsform der Einzelwirtschaft. Anders als in der Einzelwirtschaft, wo ein Einzelner oder wenige Unternehmer Eigentümer und Leiter der Unternehmen sind, werden diese Funktionen in der G. von einer konkreten Gemeinschaft (Gewerkschaften, Kirchen, Parteien, Verbände) oder abstrakten Gemeinschaft (Staat) wahrgenommen, die nicht eigennützige, sondern gemeinnützige Ziele verfolgt.

📖 HÜTTIG, C.: *G. im Sozialstaat. Grenzen u. Möglichkeiten eines wirtschaftspolit. Instrumentariums. Frankfurt am Main 1986.* – WEINERT, R.: *Das Ende der G. Gewerkschaften u. gemeinwirtschaftl. Unternehmen im Nachkriegsdeutschland. Frankfurt am Main u.a. 1994.*

Gemeinwirtschaftsbanken, i.d.R. von Gewerkschaften zur Verwaltung ihres Vermögens gegr. Kreditinstitute, die Bankgeschäfte nach privatwirtsch. Grundsätzen betreiben. Vorläufer waren die früheren Bankeinrichtungen der Konsumgenossenschaften und die Gewerkschafts- oder Arbeiterbanken. Die älteste Arbeiterbank entstand 1913 in Belgien. Bed. Institut in Dtl. war die 1924 vom Allg. Dt. Gewerkschaftsbund gegr. und 1933 entschädigungslos enteignete »Bank der Arbeiter, Angestellten und Beamten AG«. Bis zum weitgehenden Rückzug der Gewerkschaften aus der Gemeinwirtschaft stellte die Bank für Gemeinwirtschaft AG (heute BfG Bank AG) eine G. dar.

Gemeinwohl, Begriff der Staats- und Sozialphilosophie, an dem sich jede Politik ausrichtet. G. bezeichnet die Gesamtinteressen in einem Gemeinwesen, wobei problematisch ist, wie diese jeweils inhaltlich zu bestimmen sind. In pluralist. Gesellschaften findet darum eine ständige Auseinandersetzung der versch. Interessen statt. – Darüber hinaus ist G. ein unbestimmter Rechtsbegriff, dessen Bedeutung für den konkreten Anwendungsbereich (Rechtsfall) die Gesetzgebung und die Rechtsprechung ermitteln und festlegen.

Gemenge, 1) *Chemie:* heterogenes →Gemisch.

2) *Landwirtschaft:* die →Gemengsaat.

Gemengelage, verstreute Lage des zu einem Hof gehörenden Grundeigentums. Die G. wird durch Flurbereinigung aufgehoben.

Gemengsaat (Gemenge), gemeinsame Aussaat mehrerer Pflanzenarten auf demselben Ackerstück.

Geminaten [lat.], Doppelkonsonanten, die beim Sprechen durch eine Silbengrenze getrennt sind, z.B. im Italienischen (fatto [fat-to] »gemacht« gegenüber fato [fa-to] »Schicksal«).

Gemination [lat. »Verdoppelung«] *die,* Doppelung von Konsonanten.

Gemini [lat.], **1)** *Astrologie:* das Tierkreissternbild →Zwillinge.

2) *Biologie:* die →Zwillinge.

3) *Raumfahrt:* →Gemini-Programm.

Geminiani [dʒe-], Francesco Saverio, italien. Violinist und Komponist, getauft Lucca 5. 12. 1687, †Dublin 17. 9. 1762; verfasste eine grundlegende Violinschule; Violin-, Cellosonaten, Concerti grossi.

Geminiden [zu Gemini], *Astronomie:* aus dem Sternbild Gemini kommender Meteorschauer, der zw. dem 8. und 16. Dezember sichtbar ist.

Gemini-Programm, im Anschluss an das →Mercury-Programm und als Vorstufe zum →Apollo-Programm 1964–66 durchgeführte amerikan. Raumfahrtunternehmen. Die **Geminikapsel** für zwei Mann Besatzung wog rd. 3,2 t. Nach drei unbemannten Vorversuchen (Gemini 1, 2, 2A; Gemini 2: Fehlstart) wurden zehn bemannte Raumflüge (Gemini 3 bis 12) durchgeführt. Das G.-P. demonstrierte erfolgreich die Möglichkeit längerer bemannter Raumflüge, es erprobte Maßnahmen für Rendezvous- und Koppelungsmanöver in der Umlaufbahn (u.a. Andocken an unbemannte Agena-Zielraketen) sowie für Arbeiten außerhalb der Kapsel und wies die Fähigkeit zum exakt gesteuerten Wiedereintritt in die Atmosphäre mit Punktlandung nach. (→Raumfahrt)

Gemisch (Mischung), Aggregat aus zwei oder mehreren chemisch versch. Substanzen, die chem. nicht miteinander reagieren; ein G. lässt sich physikalisch (z.B. durch Sedimentation, Filtration, Destillation) in einzelne Bestandteile zerlegen. **Homogene G.** bestehen aus nur einer Phase (z.B. Flüssigkeits-G., Lösungen, Legierungen), **heterogene G. (Gemenge)** aus mehreren Phasen (z.B. Suspensionen, Emulsionen, Aerosole).

Gemischbildung (Gemischaufbereitung), beim Verbrennungsmotor die Herstellung eines brennbaren Gemisches aus Kraftstoff und Luft. Bei der **äußeren G.** saugt der Motor (Ottomotor) ein schon fertiges brennbares Gemisch an, das mittels Vergasers oder durch Benzineinspritzung gebildet wird. Bei der **inneren G.** saugt der Motor (Dieselmotor) nur Luft an, der Kraftstoff wird in den Brennraum gespritzt und dort aufbereitet.

Gemini-Programm: Gemini 6 beim Rendezvousmanöver mit Gemini 7 am 15. 12. 1965 in 295 km Höhe, aufgenommen aus Gemini 7

Gemischschmierung, einfache Motorschmierung, verwendet v.a. bei Zweitakt-Ottomotoren mit Kurbelkastenspülung. Das Schmieröl wird dem Kraftstoff im Verhältnis 1:25 bis 1:50 zugesetzt und gelangt mit ihm in den Kurbelraum, wo es die Wälzlager von Kurbelwelle und Pleuelstange schmiert.

gemischtwirtschaftliche Unternehmen, Unternehmen (in privatrechtl. Form), an dem öffentl. Träger (Bund, Länder, Gemeinden) und private Anteilseigner beteiligt sind. In Betracht kommen nach dem Haushalts- und dem Gemeindewirtschaftsrecht nur Rechtsformen, bei denen die Haftung der öffentl. Hand auf eine bestimmte Einlage beschränkt ist: v.a. AG, GmbH. G. U. finden sich v.a. in der Energieversorgung und im Verkehrswesen. G. U. können auch durch teilweise Privatisierung öffentl. Unternehmen entstehen.

Gemma [lat. »Edelstein«], Stern 2. Größe im Sternbild Nördliche →Krone.

Gemme [lat.], i.e.S. die Bez für einen vertieft geschnittenen Stein **(Intaglio),** i.w.S. Oberbegriff für Intaglio und →Kamee; bei den Römern alle Edelsteine einschließlich der geschnittenen Edelsteine, die als Ringsteine (Siegel) weit verbreitet waren. Die Einschränkung der Bez. G. auf vertieft geschnittetene Steine (Intaglio) stammt aus nachantiker Zeit, ebenso die Bez. Kamee für Steine mit erhabenem Relief. BILD S. 178

Gemmi *die,* Pass im Berner Oberland, Schweiz, 2314 m ü.M., zw. Kander- (Kandersteg) und Dalatal (Leukerbad; Seilbahn); ohne ausgebaute Straße.

Gemme: Siegel mit einer Dame im persischen Faltengewand, persische Steinschneidearbeit (London, Britisches Museum)

Gemme aus braunem und weißem Onyx mit vier Porträtbüsten auf Füllhörnern, links ist Agrippina d. J. mit Kaiser Claudius Tiberius, rechts Agrippina d. Ä. mit dem Feldherrn Gajus Julius Caesar Germanicus dargestellt (um 40 n. Chr.; Wien, Kunsthistorisches Museum)

Gemmingen-Hornberg, Otto Heinrich Freiherr von, Dramatiker, *Heilbronn 5. 11. 1755, †Heidelberg 15. 3. 1836; sein erfolgreiches Drama »Der teutsche Hausvater« (1780) eröffnete die neue Gattung des sentimentalen und zugleich moralisierenden Familiendramas, das u.a. von A. W. Iffland gepflegt wurde.

Gemünden a. Main, Stadt im Landkr. Main-Spessart, Bayern, am Ostrand des Spessarts, an der Mündung von Sinn und Fränk. Saale in den Main, 11400 Ew.; Unterfränk. Verkehrsmuseum; Maschinen- und Fahrzeugbau, Elektro-, Bekleidungs-, Holzind. – Über der Stadt die Ruine der **Scherenburg** (13.–14. Jh.). – 1243 erstmals erwähnt; kam 1469 endgültig an das Hochstift Würzburg.

Gemündener Maar, von einem See erfülltes Maar in der Eifel, bei Daun, Rheinl.-Pf., 7,2 ha, 407 m ü. M., bis 38 m tief.

Gemüse, Sammelbegriff für frische krautige Pflanzen bzw. Teile von ihnen, die als Nahrungs- und Würzmittel zur Ergänzung der Energie liefernden Nahrung dienen. Auf der Erde werden etwa 1200 Pflanzenarten als G. genutzt. Der Wert des G. besteht v.a. im Gehalt an Vitaminen (bes. Vitamin C und Provitamin A), Mineral-, Geschmacksstoffen und Rohfaser sowie dem geringen Energiegehalt. Für eine hochwertige Ernährung ist ein G.-Verbrauch von 90 bis 100 kg pro Person im Jahr erforderlich, bes. wertvoll ist der Rohverzehr. Es werden unterschieden: **Kohl-G.** (Blumenkohl, Kopfkohl, Rosenkohl u.a.), **Wurzel-G.** (Möhre, Sellerie, Radieschen u.a.), **Zwiebel-G.** (Zwiebel, Porree, Knoblauch), **Blatt-G.** (Kopfsalat, Spinat u.a.), **Stiel-G.** (Spargel, Rhabarber), **Frucht-G.** (Erbse, Bohne, Gurke, Tomate u.a.). **Freiland-G.** wird in landwirtsch. und gärtner. Betrieben angebaut. Landwirtsch. angebautes Feld-G. wie Gartenbohnen, Erbsen, Spinat, Möhren und Weißkohl ist häufig für die Nahrungsmittelind. bestimmt. In Gärtnereien wird der Anbau z.B. durch Jungpflanzenzucht beschleunigt. **G. unter Glas** wird angebaut, um den Markt außerhalb der naturl. Erntezeiten mit Frisch-G. zu versorgen.

📖 LARCOM, J.: *Der Gemüsegarten. Salatgemüse von Artischocke bis Zwiebel. Kräuter, Keime, Sprossen. Anzucht u. Pflege. A. d. Engl. München 1995.*

Gemüse|eule, Schmetterling, →Eulenschmetterlinge.

Nährwerte einiger Gemüsearten

In 100 g essbarem Anteil sind enthalten:	Energie kJ (kcal)	Eiweiß g	Fett g	Kohlenhydrate g	Rohfasern (Ballaststoffe) g	Mineralstoffe mit höherem Anteil[1]	Vitamine[2]
Blumenkohl	113 (27)	2,7	0,2	5,2	1,0	Fe, K	C
Bohnen (weiß)	1413 (338)	21,3	1,6	61,6	4,0	Ca, Fe, K, Mg, P	B_1, E
Broccoli	134 (32)	3,6	0,3	5,9	1,5	Ca, Fe, K, P	A, C
Champignons	92 (22)	2,8	0,24	3,7	0,9	K, P	–
Endivien	84 (20)	1,7	0,1	4,1	0,9	Ca, Fe, K	A
Erbsen (grün)	351 (84)	6,3	0,4	17,0	2,0	Fe, P	B_6, C
Grünkohl	159 (38)	4,2	0,8	6,0	1,3	Ca, Fe, Na, K	A, C, E
Karotten	167 (40)	1,1	0,2	9,1	1,0	Na	A
Kartoffeln	318 (76)	2,1	0,1	17,7	0,5	K	C
Kopfsalat	59 (14)	1,3	0,2	2,5	0,5	Fe	A
Rosenkohl	196 (47)	4,7	0,4	8,7	1,2	Fe, K, P	C
Sojabohnen (getrocknet)	1685 (403)	34,1	17,7	33,5	4,9	Ca, Fe, K, Mg, P	B_1, B_6, E
Spargel	88 (21)	2,1	0,2	4,1	0,8	Fe, P	A, E
Spinat	109 (26)	3,2	0,3	4,3	0,6	Ca, Fe, K, Mg, Na	A, C, E
Tomaten	92 (22)	1,1	0,2	4,7	0,5	Fe, K	A, C
Weißkohl	105 (25)	1,4	0,2	5,7	1,5	Ca	C
Zwiebeln	159 (38)	1,5	0,1	8,7	0,6	P	–

[1] Ca = Calcium, Fe = Eisen, K = Kalium, Mg = Magnesium, Na = Natrium, P = Phosphor. – [2] aufgeführt, wenn der Anteil mehr als $\frac{1}{4}$ des jeweiligen Tagesbedarfs des Menschen deckt.

Gemüsekohl (Brassica oleracea), zweijähriger bis ausdauernder (als Kulturform auch einjähriger) Kreuzblütler; wild wachsend an Strandfelsen; bis 3 m hohe Pflanze. – Der G. ist eine alte Kulturpflanze mit zahlr. Kulturformen, die sich in folgende morpholog. Gruppen unterteilen lassen: **Stammkohl** (z.B. Kohlrabi), **Blätterkohl** (z.B. Grünkohl), **Kopfkohl** (z.B. Weißkohl), **Infloreszenzkohl** (z.B. Blumenkohl, Broccoli).

Gemüt, zusammenfassender Begriff für die emotionale Seite des Seelenlebens (Gefühl, Leidenschaft, Stimmung, Affekt) im Ggs. zu den intellektuellen Funktionen.

Gen *das,* →Gene.

Genauigkeit, Grad der Annäherung an den wahren Wert, an ein gewünschtes oder erforderl. Ergebnis. – In der Messtechnik wird die G. eines Messergebnisses durch die Auswirkung aller zufälligen und systemat. →Fehler beeinträchtigt. Sie wird quantitativ bestimmt durch die **Fehlergrenze** und die **Messunsicherheit,** die sich durch den »Schwankungsbereich« eines Mittelwertes aus mehreren Einzelmessungen charakterisieren lässt. Bei elektr. Messgeräten ist die Messunsicherheit nach bestimmten Fehlergrenzen durch sog. **G.-Klassen** festgelegt.

Genbank (Genbibliothek), Einrichtung zur Sammlung, Erhaltung und Nutzung des Genmaterials bestimmter Organismen in Form von klonierten DNS-Fragmenten, insbesondere von Pflanzenarten (v.a. der für die menschl. Ernährung und sonstige Nutzung wichtigen).

Genchirurgie, →Gentechnologie.

Gendarmerie [ʒã-; aus frz. gens d'armes »Waffenleute«] *die,* urspr. im MA. in der Leibgarde der frz. Könige dienende Edelleute, 1445–1789 eine schwere Reitertruppe, seit 1809 in Dtl. eine militärisch organisierte Polizei auf dem Lande (Land-G.). In Preußen unterstanden die **Gendarmen** bis 1919 hinsichtlich der polizeil. Aufgaben dem Min. des Innern, 1919–34 als Landjäger den Polizeibehörden; in den anderen dt. Ländern war die Entwicklung ähnlich. 1934–45 war die G. Angelegenheit des Reichs. Neben der allg. gab es die motorisierte G., die kaserniert war und den Verkehr auf den Autobahnen und Landstraßen überwachte. In Dtl. wird die Bez. G. nicht mehr geführt, in der frz.sprachigen *Schweiz* nur inoffiziell. In *Österreich* gibt es die Bundes-G., in den Ländern die Landesgendarmeriekommandos, in jeder Gemeinde ein G.-Postenkommando, die nur auf Verlangen der Gerichte und Staatsanwaltschaften tätig werden und außerhalb des Bereiches der Polizei für öffentl. Ordnung und Sicherheit sorgen.

Gendrift (genetische Drift), Zufallsfaktor in der Zusammensetzung der genet. Information in kleinen Populationen, oft maßgebl. Faktor der Evolution.

Gene [grch.] (Erbfaktoren, Erbanlagen), urspr. rein formale genet. Einheit der Vererbung eines Merkmals von einer Generation auf die nächste; später molekular definierte Einheit der Vererbung. Die Gesamtheit aller G. wird als **Genom** bezeichnet. Ein G. bestimmt (neben Umwelteinflüssen) die Ausbildung eines bestimmten Merkmals (Phän) im Erscheinungsbild (Erbanlage, Erbfaktor) und wird erkennbar durch das Vorkommen alternativer Formen (→Allele) für dieses Merkmal. Die G. liegen in linearer Anordnung auf den Chromosomen.

Während früher ein G. mit dem Chromosomenabschnitt gleichgesetzt wurde, der die Information für ein Protein enthält (Ein-Gen-ein-Enzym-Hypothese), versteht man heute unter einem G. eine Nucleotidsequenz innerhalb der Desoxyribonucleinsäure (DNS; bei RNS-Viren innerhalb der Ribonucleinsäure), die die Information für ein G.-Produkt (Polypeptid) enthält. Den für das Polypeptid kodierenden Nucleotidsequenzen **(Struktur-G.)** sind regulator. Sequenzen **(Regulator-G.)** vor- oder nachgeschaltet, die als Signalstrukturen für einen korrekten Ablauf der →Transkription sorgen. – Alle Zellen eines Individuums haben, von Ausnahmen abgesehen, denselben Genotyp. Die Veränderung eines G. durch Mutation führt zu unterschiedl. Allelen, die sich zueinander dominant oder rezessiv verhalten.

Beim Menschen wird die Anzahl der G. in einem Zellkern auf etwa 50000 geschätzt, von denen derzeit rd. 5000 bekannt sind.

📖 STRACHAN, T.: *Das menschl. Genom. A.d. Engl. Heidelberg u.a. 1994.* – WINNACKER, E.-L.: *Das Genom. Möglichkeiten u. Grenzen der Genforschung. Frankfurt am Main 1996.*

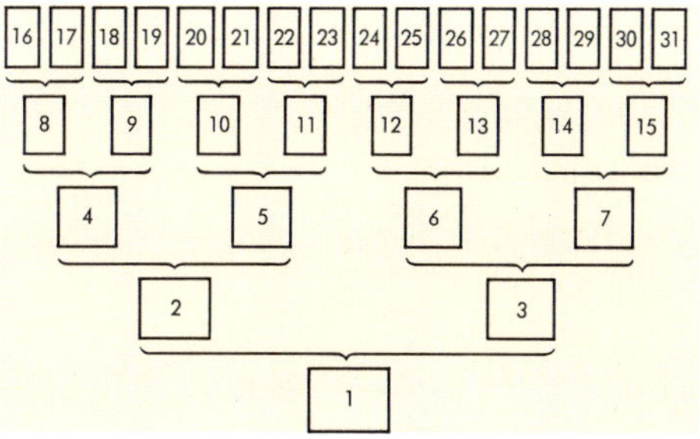

Genealogie: Schema einer Ahnentafel; 1 Proband, dessen Ahnen nachgewiesen werden, 2 und 3 Eltern, 4-7 Großeltern, 8-15 Urgroßeltern, 16-31 Ururgroßeltern

Genealogie [grch.] *die* (Ahnenkunde, Geschlechterkunde; seltener: Familienforschung), Lehre von der Herkunft (Abstammung) und den Verwandtschaftsverhältnissen von Personen oder Familien in der Abfolge der Generationen, im MA.

Genealogie: Stammbaum der Welfen aus der Welfenchronik (um 1180), von dem Stammvater Welf (unten) bis zu Welf VI. und Heinrich dem Löwen

v.a. für den Adel von Bedeutung (Erbrecht, Heiratsbeschränkungen; Adels- und Filiationsprobe, →Ahnenprobe). Im 16. Jh. setzte im Umfeld der Fürsten- und Grafenhäuser die wiss. Beschäftigung mit der G. ein, die sich seit der Aufklärung, v.a. durch J. C. Gatterer (*1727, †1799) und später durch O. Lorenz (*1832, †1904), zu einer histor. Hilfswiss. entwickelt. Im 19. Jh. entstanden viele genealog. Vereine. Die allg. (theoret.) G. erforscht Gesetzmäßigkeiten genealog. Zusammenhänge u.a.; die angewandte (prakt.) G. wertet v.a. genealog. Quellen (Chroniken, Urkunden, Kirchenbücher, seit 1876 Personenstandsregister [→Familienbücher] usw.) aus. – Genealog. Sachverhalte werden meist in tabellar. Übersichten dargestellt. Die Darstellung ist möglich in aufsteigender (Aszendenz) oder absteigender Linie (Deszendenz). In der **Aszendenztafel** wird ein Proband an die Spitze seiner Vorfahrenreihe gesetzt (Ahnentafel), in der **Deszendenztafel** an die Spitze seiner Nachkommenschaft, die die männl. und weibl. Deszendenz vollständig **(Enkeltafel)** oder nur die Linien der männl. Nachkommenschaft **(Stammtafel)** verzeichnet. Die Verbindung von Aszendenz- und Deszendenztafeln ergibt **Konsanguinitätstafeln** (Verwandtschaftstafeln). **Abstammungsreihen** zeigen die unmittelbare Abstammung (Filiation) des Probanden von einer Person.

Bonaventura Genelli: »Mysterium«, Blatt aus der Folge »Aus dem Leben eines Künstlers«, Bleistiftzeichnung (1867; Leipzig, Museum der bildenden Künste)

Genealog. Taschenbücher bringen den Personalstand bestimmter Geschlechter und Familiengruppen. Die **Gothaischen Genealog. Taschenbücher** (Verlag J. Perthes in Gotha) erschienen bis 1942 in 5 Abteilungen: Hofkalender (seit 1763), Tb. der gräfl. Häuser (seit 1825), der freiherrl. Häuser (seit 1848), der adeligen (uradeligen) Häuser (seit 1900), der briefadeligen Häuser (seit 1907). Seit 1951 erscheint das **Genealog. Hb. des Adels** (Verlag C. A. Starke, Limburg/Lahn) in ähnl. Aufgliederung. Ferner gibt es das **Dt. Geschlechterbuch** (1889–1943 Genealog. Hb. bürgerl. Familien, 119 Bde., seit 1955 mit Bd. 120 ff. hg. von E. Strutz und F. W. Euler).

📖 RIBBE, W. *u.* HENNING, E.: *Taschenbuch für Familiengeschichtsforschung. Neustadt a. d. Aisch* *¹¹1995.* – FISCHER, H.: *Lehrbuch der genealog. Methode. Berlin 1996.*

genealogische Zeichen, →Zeichen.

Genée [ʒəˈneː], Richard, Librettist und Komponist, *Danzig 7. 2. 1823, †Baden bei Wien 15. 6. 1895; schrieb Operettenlibretti u.a. für J. Strauß, F. von Suppé und C. Millöcker sowie Operetten (»Nanon«, 1877).

Genehmigung, *Recht:* →Erlaubnis.

geneigte Ebene, *Mechanik:* früher (unexakt) **schiefe Ebene,** eine um den Winkel α **(Neigungswinkel)** gegen die Horizontale geneigte Ebene; gehört zu den einfachen →Maschinen. Ein auf ihr befindl. Körper mit der Gewichtskraft G erfährt eine Normalkraft senkrecht zur g. E. und eine parallel zur g. E. nach unten gerichtete Tangentialkraft (Hangabtriebskraft) $F_t = G \cdot \sin\alpha$; diese Kraft muss überwunden werden, um den Körper reibungsfrei auf der g. E. hochzuziehen; F_t ist um das Verhältnis der Höhe h zur Länge l der g. E. kleiner als die Gewichtskraft G, die (bei unveränderter

Arbeit) zum senkrechten Hochheben des Körpers erforderlich ist.

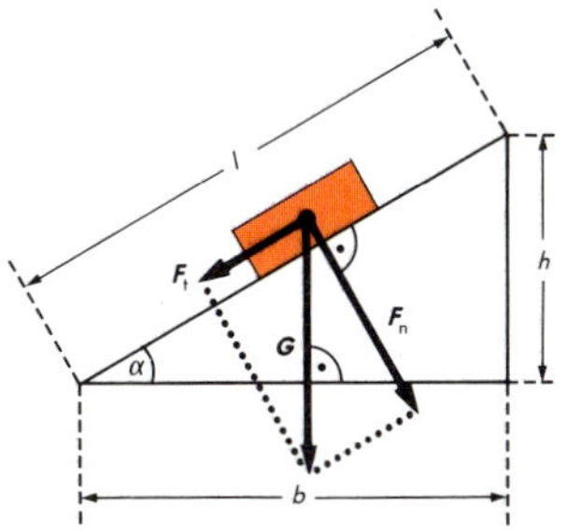

geneigte Ebene: l Länge, b Basis, h Höhe, α Neigungswinkel, G Gewichtskraft, F_t Hangabtriebskraft, F_n Normalkraft

Genelli [dʒeˈnɛlli], Bonaventura, Maler und Zeichner, * Berlin 28. 9. 1798, † Weimar 13. 11. 1868; zeichnete Bildfolgen von klassizistisch klarer Linienführung (u. a. Umrisszeichnungen zu Dante, 1840–46, und zu Homer, 1844 f.).

General [von lat. generalis »allgemein«], **1)** *kath. Ordenswesen:* Vorsteher eines geistl. Ordens, z. B. der Jesuiten, Dominikaner; Oberer der Heilsarmee.

2) *Militärwesen:* Angehöriger der höchsten Offiziersrangklasse, umfasst in der Bundeswehr vier Dienstgrade (Brigade-G., G.-Major, G.-Leutnant, G.); bei den Seestreitkräften werden die G. als Admiral bezeichnet.

Generalabsolution, *kath. Kirche:* 1) die sakramentale Lossprechung von Sünden ohne vorhergehendes persönl. Schuldbekenntnis (z. B. in Todesgefahr); 2) päpstl. Segen mit vollkommenem Ablass in Todesgefahr.

Generalanzeiger, Titelbestandteil dt. Tageszeitungen seit Mitte des 19. Jh., der Blätter ohne parteipolit. oder richtungsbestimmte Bindung als »allgemeine« (General-)Zeitungen mit ausgedehntem Anzeigenteil (Anzeiger) bezeichnete.

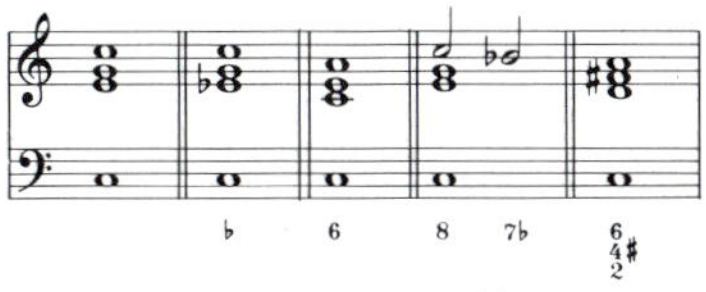

Generalbass: Standardbeispiel der Ausführung einer bezifferten Bassstimme (unten) in einfachen Akkorden

Generalbass (italien. Basso continuo, Abk. B. c.), die fortlaufende Instrumentalbassstimme als harmon. Grundlage eines Musikstücks der Barockzeit. Die **G.-Schrift,** der **bezifferte Bass,** ist eine abgekürzte Bez. für einen vollstimmigen Tonsatz; sie bringt die Bassstimme in Noten und darüber oder darunter Zahlen, die die Tonstufen des zu spielenden Akkords angeben. Oktavversetzungen sind dabei üblich. Der Basston ohne Ziffer fordert den Dreiklang; eine Null oder die Vorschrift t. s. (tasto solo) besagt, dass der Basston allein gespielt werden soll; eine 2 bedeutet den Sekundakkord usw. Die Ausführung des G. richtet sich nach dem betreffenden Tonstück und wurde früher vom Begleiter (G.-Spieler) improvisiert; sie kann vom schlichten akkord. Satz bis zu freier, kunstvoll gearbeiteter Stimmenführung gehen. Die Ausarbeitung eines G. ist eine wichtige Aufgabe der Harmonielehre, mit der der G. früher oft gleichgesetzt wurde. G.-Instrumente sind Cembalo, Orgel, Laute, die Bassstimme selbst wird außerdem von einem Melodieinstrument (z. B. Violoncello) mitgespielt. – Der G. kam Ende des 16. Jh. in Italien auf als Hilfsmittel der Organisten für die Begleitung vielstimmiger Vokal- und Instrumentalwerke auf der Orgel; er wurde ein bezeichnendes Kunstmittel der Barockmusik des 17./18. Jh. **(G.-Zeitalter).**

Generalbevollmächtigter, kaufmänn. Handlungsbevollmächtigter mit einer den Betrieb eines Handelsunternehmens im Ganzen betreffenden → Handlungsvollmacht.

Generalbundesanwalt, → Bundesanwaltschaft.

Generaldirektor, → Direktor.

Generaldirektorium, die oberste Verw.behörde in Preußen 1723–1808; bestand aus fünf, später aus neun Ministern.

Generale Bank [xɛnəˈraːlə-] (Générale de Banque S. A.), Brüssel, belg. Großbank, entstand 1965 durch Fusion dreier Banken als Société Générale de Banque S. A., seit 1985 heutiger Name.

General Electric Company [ˈdʒenərəl ɪˈlektrɪk ˈkʌmpənɪ], Abk. **GE,** einer der weltgrößten Elektrokonzerne, Sitz: Fairfield (Conn.); 1892 durch Fusion der Edison General Electric Co. und der Thomson-Houston Co. entstanden; Produktionsprogramm: Turbinen, Lokomotiven, (Kern-)Kraftwerksanlagen, Raketentriebwerke, Telekommunikationsanlagen, Kunst- und Farbstoffe u. a. GE gehört die Fernsehgesellschaft National Broadcasting Company, NBC.

General Electric Company PLC [ˈdʒenərəl ɪˈlektrɪk ˈkʌmpənɪ ˈpiː el ˈsiː], größter brit. Elektrokonzern, Sitz: London, entstanden 1967/68 durch die Fusionen von Associated Electric Industries, AEI, English Electric, EE, und General Electric Co., GEC; Produktionsprogramm: u. a. elektron. und Telekommunikationssysteme, Kraftwerksausrüstungen, Haushaltsgeräte, Medizintechnik.

Generalgouvernement [-guvɛrnəmã], im 2. Weltkrieg das von dt. Truppen 1939 besetzte Gebiet Polens, das dem Dt. Reich nicht eingegliedert wurde; umfasste die Distrikte Warschau, Krakau, Radom und Lublin; nach dem dt. Überfall auf die UdSSR (1941) kam Ostgalizien (mit Lemberg)

dazu. Die Verw. unterstand dem von A. Hitler eingesetzten Generalgouv. H. Frank (1939–44, Sitz: Krakau). Das G. war von einer brutalen Besatzungspolitik betroffen (Verschleppung vieler Polen zur Zwangsarbeit nach Dtl., gewaltsame Umsiedlungen, Einrichtung jüd. Gettos in den Städten, Ermordung von Mio. Juden in den von der SS errichteten Vernichtungslagern); es entwickelte sich zum Zentrum der poln. Widerstandsbewegung (z. B. Warschauer Aufstand 1944).

Generalgouverneur [-guvɛrnøːr], Amtsbezeichnung, der oberste Verw.beamte in größeren Territorien, dem mehrere **Gouverneure** untergeordnet sein können. In den frz. Kolonien war der G. der Leiter der Verwaltung einer Gebietsgruppe (z. B. Französisch-Äquatorialafrika, Französisch-Westafrika). Im zarist. Russland war er der Chef einer Gruppe von Gouvernements (z. B. 1863–1915 in Polen). In einigen Staaten des Commonwealth führt der mit nur repräsentativen Aufgaben ausgestattete Vertreter der brit. Krone diese Amtsbezeichnung (z. B. in Kanada oder im Austral. Bund). Im 1. Weltkrieg hießen die obersten Verw.beamten der von Dtl. besetzten Gebiete G. (z. B. 1914–17/18 in Belgien, 1915–18 in Polen); 1939–44 auch der Inhaber des höchsten Verw.amtes im → Generalgouvernement.

Generalić [-litɕ], Ivan, kroat. Laienmaler, *Hlebine (bei Koprivnica) 21. 12. 1914, † Sigitec (bei Koprivnica) 27. 11. 1992; malte in flächiger Manier und klaren Farben naiv-realist. Öl- und Hinterglasbilder aus dem bäuerl. Leben; Hauptvertreter der Schule von → Hlebine.

Generalinspekteur der Bundeswehr [-tøːr -], die Dienststellungsbez. für den höchsten militär. Repräsentanten der Gesamtstreitkräfte der → Bundeswehr; ministerielle Instanz für die Entwicklung und Realisierung einer Gesamtkonzeption der militär. Verteidigung sowie der Bundeswehrplanung; militär. Berater des Bundesmin. der Verteidigung und der Bundesreg.; Vors. des Militär. Führungsrates und Vertreter der Bundeswehr in höchsten internat. militär. Gremien (v. a. in der NATO).

Generalintendant, Leiter eines staatl. oder städt. Theaters mit mehreren Sparten (Oper, Schauspiel, Ballett) und Häusern.

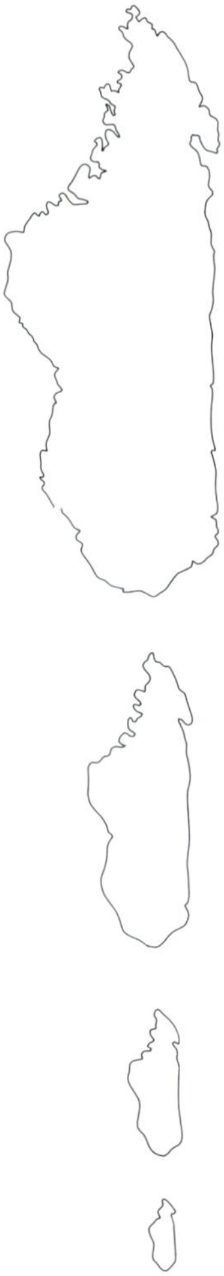

Generalisierung 1): Kartographische Generalisierung einer Küstenlinie am Beispiel Madagaskars

Generalisierung, 1) *Kartographie:* die Vereinfachung des Kartenbildes, die am häufigsten bei der Umarbeitung einer Karte großen Maßstabes in eine kleinen Maßstabes notwendig ist. Dabei entfällt Unwesentliches (z. B. durch Konturenvereinfachung), Wesentliches bleibt, wird vergrößert oder zusammengefasst (z. B. mehrere Häuser zum Gebäudeblock) oder geht in höheren Einheiten auf (z. B. Laub- und Nadelwald in Wald).

2) *Logik:* ein Verfahren der Verallgemeinerung (→ Induktion), indem aus einer Allaussage durch Wahl eines allgemeineren Subjektbegriffs eine neue Allaussage gewonnen wird.

3) *Medizin:* Ausbreitung einer zunächst örtlich begrenzten Erkrankung auf den gesamten Organismus oder auf ein Organsystem.

4) *Psychologie:* (Generalisation) in der Lerntheorie und Reflexologie das Phänomen, dass bedingte Reflexe nicht nur als Antwort auf den die Reaktion auslösenden (bedingten) Reiz entstehen, sondern auch durch Auslöser, die diesem ähnlich sind.

Ivan Generalić: »Der gekreuzigte Hahn« (1964; Zagreb, Galerija primitivne umjetnosti)

Generalissimus [italien.] *der,* früher in versch. europ. Ländern übliche Bezeichnung für den militär. Höchstkommandierenden; Titel Stalins und Francos.

Generalkapitän, seit dem späten MA. häufig Titel hoher Offiziere, v. a. von militär. Oberbefehlshabern (z. B. in der Rep. Venedig im Kriegsfall). In den span. Kolonien von Amerika seit dem 16. Jh. der mit militär. Befehlsgewalt ausgestattete oberste Verw.beamte (Capitán general) eines größeren Gebietes **(Generalkapitanie).** In Frankreich im 17. Jh. ein militär. Rang zw. Marschall und Generalleutnant. Als G. wurden auch Statthalter bezeichnet, z. B. während des 15. Jh. in den burgund. Niederlanden.

Generalkapitel, die Versammlung der Oberen und Vertreter der einzelnen Provinzen oder Klöster einer Ordensgemeinschaft.

Generalklausel, Gesetzesvorschrift, die nur einen allg. Rechtsgrundsatz aufstellt und die sachgerechte Anwendung der Rechtsregel im Einzelfall dem Rechtsanwender, bes. den Gerichten, überlässt. Beispiele für G.: Treu und Glauben, allgemeine Verkehrsauffassung, gute Sitten, Billigkeit. – Im Polizei- und Ordnungsrecht gibt die **polizeil. G.** den Behörden neben speziellen Einzelermächtigungen die allgemeine Befugnis zur Gefahrenabwehr.

Generalkonferenz für Maß und Gewicht, die Vollversammlung der bevollmächtigten Vertreter der Signatarstaaten der →Meterkonvention. Sie tritt mindestens alle sechs Jahre in Paris zusammen. Ihre Beschlüsse sind Empfehlungen für die Gesetzgebung der Mitgliedstaaten. Aufgabe ist es, Einheiten zu definieren und deren Realisierung (beliebig oft wiederholbar) mit der geringstmögl. Messunsicherheit sicherzustellen.

Generalkongregation, in der kath. Kirche die Versammlung aller stimmberechtigten Mitglieder einer Verwaltungs- bzw. Organisationseinheit (z.B. bei Konzilien, Synoden, Orden).

General Motors Corporation [ˈdʒenərəl ˈməʊtəz kɔːpəˈreɪʃn], Abk. **GMC,** Sitz: Wilmington (Del.), Hauptverwaltungen: Detroit (Mich.) und New York; weltgrößtes Ind.unternehmen mit Schwerpunkt in der Automobilproduktion (Pkw und Lkw der Marken: Chevrolet, Pontiac, Oldsmobile, Buick, Cadillac, GMC, Opel, Holden); gegr. 1908. Weiter umfasst das Produktionsprogramm Dieselmotoren, Lokomotiven, Kfz-Elektronik (Delphi), Telekom- und Satellitendienste (Hughes). Bed. Beteiligungen in Europa: Adam →Opel AG; Vauxhall Motors Ltd. und Group Lotus (beide in Großbritannien).

Generalmusikdirektor, Abk. **GMD,** →Musikdirektor.

Generaloberer, *Kirche:* oberster Vorsteher einer Klostergenossenschaft.

Generalpause, *Musik:* gleichzeitige Pause aller Instrumente.

Generalprävention, *Strafrecht:* →Prävention.

Generalprobe, *Theater:* die letzte Spielprobe vor der Premiere.

Generalprokurator, *Recht:* in Österreich der beim Obersten Gerichtshof bestellte höchste staatsanwaltl. Beamte. In Frankreich (frz. **procureur général**) der Generalstaatsanwalt beim Kassationshof, der Oberstaatsanwalt beim Appellationsgericht.

Generalquartiermeister, seit der 2. Hälfte des 17. Jh. Bez. für die Führungsgehilfen von Oberkommandierenden; in Preußen seit 1809 vorübergehende Dienststellen-Bez. für den Chef des im Entstehen begriffenen Generalstabs; 1881–89 und wieder ab 1896 Stelle des stellv. Generalstabschefs.

Generalrat (frz. Conseil général), in →Frankreich das in den Départements gewählte Selbstverwaltungsorgan.

Generalsekretär, der Hauptgeschäftsführer polit. Parteien, gewerkschaftl., genossenschaftl., wiss., industrieller Verbände sowie internat. Organisationen (z.B. UNO, NATO, OAS, OAU).

Generalstaaten (niederländ. Staten-Generaal), urspr. eine gemeinsame Vertretung der Stände mehrerer Territorien eines Landesherrn (in den Niederlanden erstmals 1464). 1588 Bez. für die von Spanien abgefallenen niederländ. Provinzen, seit 1814 für das niederländ. Parlament.

Generalstaatsanwalt, der oberste Beamte der Staatsanwaltschaft bei den Oberlandesgerichten. Er ist weisungsbefugt gegenüber allen Staatsanwaltschaften seines Bezirks.

Generalstab, als Führungsorganisation zur Unterstützung eines Feldherrn sowie von höheren Truppenführern Anfang des 19. Jh. in Preußen entstanden; erlangte unter H. von Moltke seine volle Bedeutung; heute bei allen modernen Streitkräften eingeführt. Hauptaufgaben: Bearbeitung der Fragen aller Führungsgrundgebiete; Vorbereitungen von Führungsentscheidungen werden unter Leitung des **Chefs des Stabes** (ab Divisionsebene) durch **G.-Abteilungen** wahrgenommen, die in der NATO einheitlich gegliedert sind. – Einen G. als zentrale Führungsorganisation gibt es bei der Bundeswehr nicht. Führungsaufgaben werden im Frieden durch die Führungsstäbe der Bundeswehr und der Teilstreitkräfte, im Verteidigungsfall v.a. durch NATO-Hauptquartiere wahrgenommen, in denen anteilmäßig **G.-Offiziere** der beteiligten nat. Kontingente tätig sind. – Die in nat. und integrierten Stäben tätigen **Offiziere im G.-Dienst** haben eine besondere Ausbildung an der Führungsakademie (FüAk) in Hamburg durchlaufen. – Das *österr.* Bundesheer verfügt über bes. ausgebildete G.-Offiziere. In der *Schweiz* werden G.-Aufgaben durch bes. ausgebildete G.-Offiziere wahrgenommen; an der Spitze der »Gruppe für G.-Dienste« steht ein »Chef des G.«.

Generalstabskarte, früher die amtl. topograph. Karte im Maßstab 1:100000, →Karte.

Generalstände (frz. États généraux), die frz. Stände 1302–1789, bestehend aus den Vertretern der Geistlichkeit, des Adels und des Bürgertums; nach 1614 vom König erstmals wieder 1789 einberufen, eröffneten sie den Weg zur Französ. Revolution. (→Frankreich, Geschichte)

Generalstreik, →Streik.

Generalsuperintendent, Amtsbez. für den geistl. Leiter der Pfarrer mehrerer Superintendenturen in der Evang. Kirche in Berlin-Brandenburg.

Generalsynode, oberste gesetzgebende Körperschaft der Vereinigten Evang. Luth. Kirche Dtl. (VELKD).

Generalunternehmer, von einem Auftraggeber mit der Ausführung eines Auftrages (z.B. Bau eines Hauses) betrauter Unternehmer, der befugt ist, einen Teil der Leistung in eigenem Namen und auf eigene Rechnung an Unter- oder Subunternehmer zu vergeben.

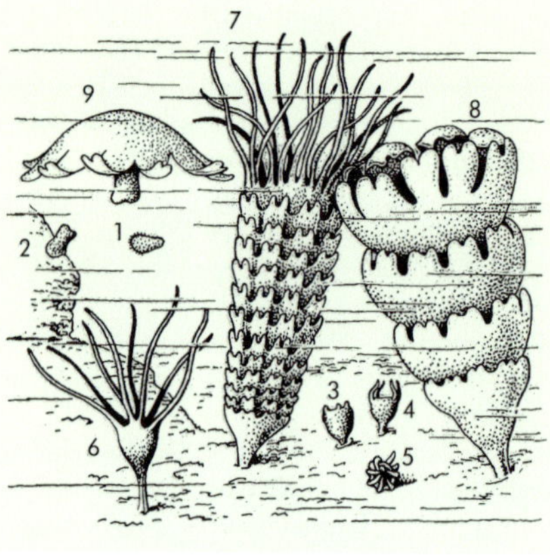

Generationswechsel: Metagenese bei der Scheibenqualle: Die Wimperlarve (1) setzt sich fest (2) und wird unter Ausbildung von Tentakeln (3-6) zum Polypen der ungeschlechtlichen Generation, die durch Einschnürungen die Anlagen der geschlechtlichen Generation bildet (7); diese trennen sich als junge Scheibenquallen ab (8, 9) und wachsen zu den freischwimmenden männlichen und weiblichen Tieren heran; aus ihren befruchteten Eiern entstehen die Wimperlarven (1)

Generalversammlung, 1) Versammlung der Mitgl. einer Genossenschaft, die u. a. den Jahresabschluss feststellt; entspricht der Hauptversammlung einer AG. – Das *österr.* Recht verwendet den Begriff G. bei der GmbH und den Genossenschaften, das *schweizer.* Recht bei der AG und der Genossenschaft.

2) Hauptorgan der →UNO: die Vollversammlung aller Mitgliedsstaaten.

Generalversicherung (Generalpolice), spezielle Form der laufenden Versicherung, v. a. in der Transportversicherung. Der Versicherer verpflichtet sich im vorhinein, die vom Versicherungsnehmer in ein »Beibuch« eingetragenen Risiken gegen die festgelegten Gefahren zu versichern, ohne dass jeweils eine Einzelanmeldung beim Versicherer erfolgen muss.

Generalvertrag, →Deutschlandvertrag.

Generalvikar, in der kath. Kirche der ständige Stellvertreter des Diözesanbischofs bei der Verwaltung der Diözese.

Generatianismus [lat.], →Traduzianismus.

Generation [lat.] *die,* **1)** *allg.:* die einzelnen Glieder einer Geschlechterfolge bei Menschen (Eltern, Kinder, Enkel), Tieren und Pflanzen.

2) *Bevölkerungswissenschaft:* alle in einem bestimmten Jahr (Jahrfünft, -zehnt) Geborenen; der durchschnittl. Abstand zw. den Geburtsjahren der Eltern und ihrer Kinder (G.-Abstand); in der *Soziologie* die Gesamtheit der innerhalb eines bestimmten zeitl. Spielraums geborenen Gesellschaftsmitgl., die durch ähnl. kulturelle Orientierungen, soziale Einstellungen und Verhaltensweisen geprägt sind. Markiert in traditionalen Gesellschaften die Altersdifferenz zw. Eltern und Kindern den »natürl.« Abstand der jungen und alten G., so sind in Zeiten des beschleunigten Wandels die Zeitabstände geschrumpft, sodass wenige Jahre einen G.-Unterschied bedeuten.

3) *Physik:* allg. die Erzeugung von Paaren von →Ladungsträgern mit entgegengesetzter Ladung, speziell die Bildung von Elektron-Loch-Paaren in Halbleitern; Ggs. Rekombination.

Generationenkonflikt, sozialer Konflikt zw. älteren und jüngeren Generationen. In traditionalen Gesellschaften, aber auch in der bürgerl. Gesellschaft bis nach dem 2. Weltkrieg, war die Auseinandersetzung um ein Erbe (das zugleich Standes- und Berufschancen umfasste) eine Hauptursache des G., heute sind Probleme eines umfassenden sozialen und Wertewandels in den Vordergrund gerückt.

Generationenvertrag, →Rentenversicherung.

Generationswechsel, häufig mit äußerem Gestaltwandel und Kernphasenwechsel (diploid, haploid) verbundener Wechsel zw. unterschiedl. Fortpflanzungstypen bei Pflanzen und Tieren. **Primärer G.** ist regelmäßiger Wechsel zw. geschlechtl. und ungeschlechtl. Generation (z. B. bei Moosen und bei Farnen), **sekundärer G.** Wechsel zw. einer sich geschlechtlich fortpflanzenden Generation und fakultativ einer oder mehreren sich ungeschlechtlich vermehrenden Generationen (**Metagenese,** z. B. Wechsel zw. Meduse und Polyp). Als **Heterogonie** wird der Wechsel zw. sich eingeschlechtlich (parthenogenetisch) und zweigeschlechtlich fortpflanzenden Generationen bezeichnet (z. B. bei Wasserflöhen).

Generation von 98, →spanische Literatur.

generativ [lat.], geschlechtlich, die geschlechtl. Fortpflanzung betreffend.

generative Grammatik (Erzeugungsgrammatik), auf A. N. Chomsky zurückgehendes Grammatikmodell, das auf der Grundlage eines »Alphabets« (d. h. von Symbolen wie S für »Satz«, NP für »Nominalphrase«, N für »Nomen«) und bestimmter Strukturregeln Sätze einer Sprache »generiert«, d. h. sprachl. Formen in Übereinstimmung mit einem grammat. Regelsystem »erzeugt«. (→Transformationsgrammatik)

📖 Fanselow, G. *u.* Felix, S. W.: *Sprachtheorie. Eine Einführung in die g. G., 2 Bde. Tübingen u. a. 31993.* – Chomsky, N.: *Thesen zur Theorie der g. G. A. d. Engl. Weinheim 21995.*

generatives Verhalten, *Bevölkerungswissenschaft:* das auf kulturellen Normen beruhende

Handlungsmuster, das neben den biolog. Ursachen die für eine Bevölkerung (Bevölkerungsgruppe) typ. Kinderzahl bewirkt.

Generator *der,* **1)** *elektr. Energietechnik:* eine rotierende elektr. Maschine, in der mithilfe des elektromagnet. Induktion mechan. in elektr. Energie umgewandelt wird. G. arbeiten nach dem Prinzip, das dem des →Elektromotors entgegengesetzt ist, und bestehen ebenso wie dieser aus Ständer (Stator) und Läufer. Antriebsmaschinen für G. sind Wasserkraft-, Dampf-, Gas-, Windturbinen, Dieselmotoren u. a. Nach der erzeugten Stromart unterscheidet man Gleichstrom-, Wechselstrom- (für einphasigen) und Drehstrom-G. (für dreiphasigen Wechselstrom). Für die Elektrizitätsversorgung wird vor allem der **Drehstromsynchron-G.** eingesetzt. Die Drehzahl ist von der Frequenz und der Polpaarzahl abhängig. Man unterscheidet **Außenpolmaschinen** mit der gleichstromgespeisten Erregerwicklung (Feldwicklung) im Ständer und **Innenpolmaschinen** mit der Erregerwicklung im Läufer. Drehstromsynchron-G. von etwa 50 kVA Leistung an werden ausschl. als Innenpolmaschinen ausgeführt. Bei diesen Innenpolmaschinen ist in den meist aus einer Stahlschweißkonstruktion bestehenden Ständer ein aus gestanzten Segmenten geschichtetes Blechpaket eingepresst, in dessen Nuten die am Netz angeschlossene Drehstromwicklung eingelegt ist. **Wasserkraft-** und **Diesel-G.** haben wegen ihrer Drehzahlen von maximal 1500 Umdrehungen je Minute mindestens zwei Polpaare und eine Erregerwicklung auf dem Polkern. Maschinen mit hohen Umfangsgeschwindigkeiten, die von Dampfturbinen angetrieben werden, haben zylindr. Läufer **(Turbo-G.),** die Erregerwicklung liegt in eingefrästen, durch Metallkeile verschlossenen Nuten. Der Gleichstrom für die Erregerwicklung wird vorwiegend von einer angekuppelten Erregermaschine geliefert, nur bei sehr kleinen G. gibt es Permanenterregung. Der Gleichstrom baut ein Magnetfeld auf, das beim Drehen des Läufers als Drehfeld auftritt und in der Ankerwicklung Spannungen induziert. **Wechselstrom-G.** für einphasigen Wechselstrom entsprechen in Wirkungsweise und grundsätzl. Aufbau Drehstrom-G., wobei der Ständer nur einphasig ausgelegt ist (nur $^2/_3$ der Nuten sind bewickelt). Bei beiden wird der Strom über Schleifringe oder direkt an den Ständer abgegeben. **Gleichstrom-G.** sind im Prinzip Wechselstrom-G., deren Span-

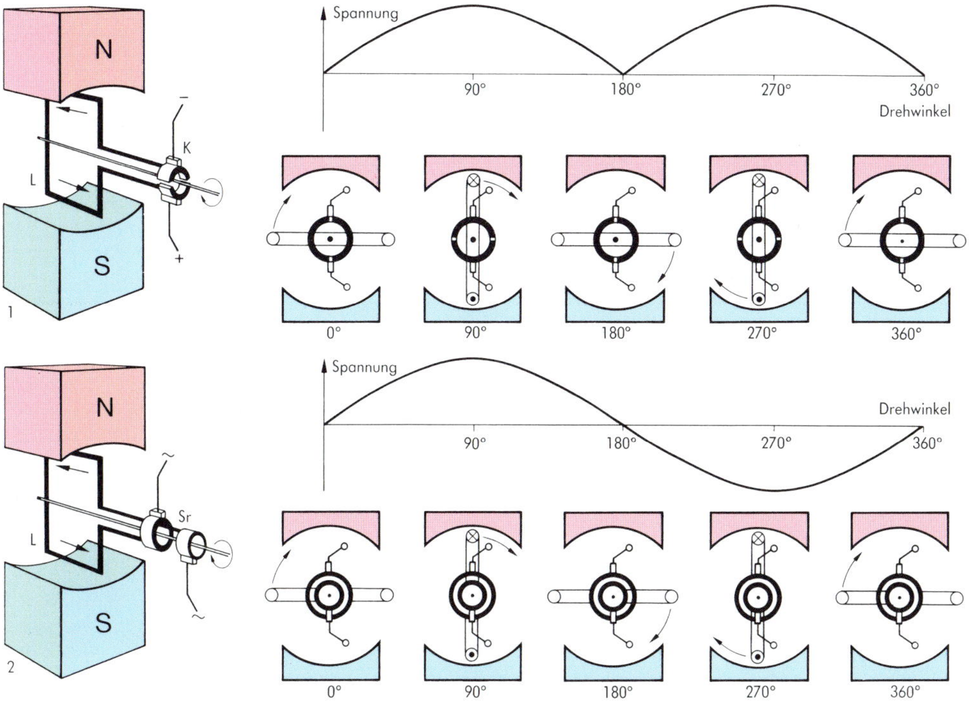

Generator 1): Aufbau eines Gleichstromgenerators (1) und eines Wechselstromgenerators (2). Beim Gleichstromgenerator wird im Magnetfeld zwischen Nord- und Südpol beim Drehen der Leiterschleife in dieser eine sinusförmige Spannung induziert, die mithilfe des Stromwenders, der nach jeder Halbdrehung eine Änderung der Stromrichtung bewirkt, an den Klemmen als pulsierende Gleichspannung abgegriffen werden kann; beim Wechselstromgenerator wird im Magnetfeld zwischen Nord- und Südpol beim Drehen der Leiterschleife in dieser eine sinusförmige Wechselspannung induziert, die mithilfe von Schleifringen an den Klemmen abgegriffen werden kann; N Nordpol, S Südpol, L Leiterschleife, K Kommutator, Sr Schleifring

nung im G. selbst durch einen Stromwender (Kommutator) gleichgerichtet wird. Sie sind stets Außenpolmaschinen, die Magnetpole sind im Ständerumfang verteilt und tragen die Erregerwicklung.

📖 SCHAEFER, H.: *Generatoren, Blocktransformatoren, Eigenbedarfsanlagen, Schutzeinrichtungen. Gräfelfing ²1991.* – SEINSCH, H. O.: *Grundlagen elektr. Maschinen u. Antriebe. Stuttgart ³1993.*

2) *Elektronik:* ein Gerät zum Erzeugen elektr. Wechselspannungen oder -ströme bestimmter Form und meist veränderbarer Frequenz, z.B. für Mess- und Kontrollzwecke, wobei die Ausgangsleistung sehr klein ist. Im Prinzip besteht ein G. aus einem Verstärker(element) mit Rückkopplung zw. Aus- und Eingang. Nach der Kurvenform der erzeugten Spannung lassen sich Sinus-G., Rechteck-, Sägezahn-, Dreieck- und Impuls-G. unterscheiden. G. werden in vielen Bereichen der Elektronik (bes. in der Mess-, Sende-, Empfangs-, Computertechnik) eingesetzt.

3) *Hochspannungstechnik:* eine Maschine oder Anlage zum Erzeugen hoher Spannungen **(Hochspannungs-G.).** Rotierende Hochspannungs-G. sind Drehstrom- oder Wechselstromgeneratoren; der elektrostatische →Bandgenerator (Van-de-Graaff-G.), der →Stoßspannungsgenerator u.a. erzeugen sehr hohe Gleichspannungen (bis zu mehreren Mio. Volt).

Generatorgas, Heizgas, das durch Überleiten von Luft über glühenden Koks oder Kohlen erzeugt wird (→Gasgenerator). Der Heizwert ist mit 3500–6300 kJ/m³ relativ gering. G. wird für chemisch-techn. Prozesse verwendet.

Género chico ['xenero 'tʃiko; span. »kleine Gattung«] *der,* span. volkstüml., musikal. Komödie in einem Akt, die in der Tradition der →Sainete steht; war bes. zw. 1870 und 1910 beliebt.

Genesis [grch. »Schöpfung«] *die,* **1)** (Genese) Entstehung, Entwicklung.

2) (Schöpfungsgeschichte) das 1. Buch Mose.

3) (Altsächsische G.) im 9. Jh. verfasstes Epos in Stabreimversen; in Fragmenten erhaltene Bearbeitung des 1. Buches Mose; neben dem »Heliand« ein bedeutendes Denkmal in altsächs. (altniederdt.) Sprache.

Jean Genet

Genet [ʒəˈnɛ], Jean, frz. Schriftsteller, *Paris 19. 12. 1910, †ebd. 15. 4. 1986; war Fürsorgezögling, Fremdenlegionär, desertierte und führte ein kriminelles Vagabundenleben, begann im Gefängnis zu schreiben (»Notre-Dame-des-Fleurs«, R., 1948); als Gewohnheitsverbrecher zu lebenslängl. Haft verurteilt, wurde er nach Intervention von J.-P. Sartre, J. Cocteau u.a. 1948 entlassen. G.s Werke, die durch eine lyr., bilderreiche, oft obszöne Sprache gekennzeichnet sind, verherrlichen das Leben außerhalb und gegen die gesellschaftl. Norm, so die Autobiographie »Tagebuch eines Diebes« (1949) und der Roman »Querelle« (1947; verfilmt von R. W. Fassbinder); die Dramen (»Die Zofen«, 1948; »Der Balkon«, 1956; »Die Neger«, 1958) gestalten irreale, extreme Konflikte.

📖 WHITE, E.: *J. G. Biographie. A. d. Amerikan. München 1993.*

Genetic Engineering [dʒɪˈnetɪk endʒɪˈnɪərɪŋ, engl.], die →Gentechnologie.

Genetik [grch.] *die* (Vererbungslehre, Erbbiologie, Erblehre), Teilgebiet der allgemeinen Biologie mit den Zweigen klass. oder allgemeine G., molekulare G. (Molekular-G.) und angewandte G.: Die **klass. G.** befasst sich v.a. mit den formalen Gesetzmäßigkeiten (z.B. mendelsche Regeln) der Vererbungsgänge von Merkmalen, v.a. bei den höheren Organismen, weiterhin z.B. mit zytolog. Untersuchungen in Bezug auf die Chromosomen und deren Anomalien (bes. in der Humangenetik) und mit der Bedeutung einzelner Populationen und der Evolutionsfaktoren für die Evolution der Organismen (→Populationsgenetik). Die **Molekular-G.** (v.a. als Bakterien- oder Phagen-G.) erforscht die grundlegenden Phänomene der Vererbung im Bereich der Moleküle (Nucleinsäuren), die die Träger der genet. Information sind. Schwerpunkte dieser molekularen Forschung sind z.B. die genet. Feinstrukturanalyse eines Gens, die Entschlüsselung des →genetischen Codes, die Analyse der Veränderung einer Nucleinsäuresequenz durch Mutationen als chem. Reaktionen, die Untersuchung der ident. Verdopplung der DNS u.a. Die **angewandte G.** beschäftigt sich u.a. mit der Züchtung bes. ertragreicher, wirtschaftlich vorteilhafter Pflanzen und Tiere, mit erbbiolog. Untersuchungen, Chromosomendiagnostik, Abstammungsprüfungen und genet. Beratungen. (→Gentechnologie)

📖 BROWN, T. A.: *Moderne G. Eine Einführung. A. d. Engl. Heidelberg 1993.*

genetisch [grch.], die Entstehung und Entwicklung der Lebewesen (im Sinne der Genetik) betreffend; erblich bedingt.

genetische Beratung, Beratung über die Wahrscheinlichkeit des Auftretens eines erbl. Leidens, bes. bei schon vorhandener Erbkrankheit in der Familie. Grundlage für die g. B. kann die humangenet. Analyse der Familienvorgeschichte hinsichtlich angeborener Fehlbildungen und erbl. wie nichterbl. Krankheiten sowie die Diagnose eventueller Erkrankungen oder Dispositionen der Betroffenen sein. Die Abschätzung des Risikos stützt sich auf die Erbregeln (→Vererbung, →Humangenetik) oder auf Erfahrungsdaten. Die Erbprognose kann in vielen Fällen durch spezielle Untersuchungen ergänzt werden, z.B. durch klin. und biochem. Untersuchungen (→Pränataldiagnostik).

genetische Drift, → Gendrift.

genetische Information (Erbinformation), die als Basensequenz der DNS (bei einigen Viren RNS) vorliegende materielle Grundlage für die (in Wechselwirkung mit äußeren Faktoren) Ausprägung des → Phänotyps eines Organismus.

genetische Krankheiten, die → Erbkrankheiten.

genetischer Code [-ko:t] *der, Molekulargenetik:* Schlüssel zur Übersetzung der genet. Information in die Aminosäuresequenz der Proteine. Der g. C. ist universell, d.h., die Nucleotidsequenzen, die für eine bestimmte Aminosäure codieren, sind für alle Organismen prinzipiell gleich. Dies deutet auf einen gemeinsamen Ursprung aller Lebensformen hin. Da ein Codon sich aus jeweils drei (auch gleichen) Nucleotiden von vier möglichen zusammensetzt, sind 4 · 4 · 4 = 64 solcher Tripletts möglich; daher existiert für fast alle der 20 übl. Aminosäuren mehr als ein Codon. Für die Aminosäure Valin stehen z.B. die Tripletts GUU, GUC, GUA und GUG, wobei die beiden ersten Basen festgelegt sind und die dritte Base variieren kann. Einige Tripletts codieren nicht für Aminosäuren, sondern für Anfang (AUG) oder Ende (UAA, UAG, UGA) der Polypeptidkette.

genetischer Fingerabdruck (DNS-Fingerprinting), gentechn. Verfahren, das der Identifizierung von Personen anhand von Körpersekreten, Blut, Haaren oder Gewebeteilen dient. Der g. F. ist eine anerkannte Methode zur Feststellung von Verwandtschaftsverhältnissen (z.B. für Vaterschaftsnachweise). Die Wahrscheinlichkeit, dass zwei Personen den gleichen g. F. aufweisen, wird auf 1:30 Mrd. geschätzt. In Großbritannien, wo das Verfahren entwickelt wurde, und in den USA ist es seit 1987 in Strafprozessen zugelassen, in Dtl. seit 1990 als ergänzendes Beweisanzeichen zulässig (ohne umumstößl. Beweiswert). Die strafprozessualen Voraussetzungen zu Gewinnung und Verwendung des g. F. sind durch Ges. zur DNS-Analyse vom 17. 3. 1997 (Ergänzung der StPO) präzisiert worden.

Genève [ʒəˈnɛ:v], frz. Name von → Genf.

Genever [auch ʒe-; niederländ. »Wacholder«] *der,* klarer Trinkbranntwein mit Wacholder-, z. T. auch Korngeschmack.

Geneviève de Paris [ʒənəˈvjɛ:v də paˈri, frz.], → Genoveva.

Genèvre, Mont [mɔ̃ ʒəˈnɛ:vr], Alpenpass an der frz.-italien. Grenze, 1854 m ü.M.; mit dem frz. Fremdenverkehrsort **Montgenèvre;** Wintersport. (Übersicht Alpenstraßen)

Genezareth, See (Galiläisches Meer, See von Tiberias, hebr. Yam Kinnereth, arab. Bahr et-Tabarije), fischreicher Süßwassersee in N-Israel, im nördl. Jordangraben zw. dem Bergland von Galiläa

Genezareth: Die Südspitze des Sees, im Hintergrund die jordanischen Berge

und den Golanhöhen, 209 m u. M., 21 km lang, 12 km breit, etwa 170 km², bis 44 m tief, wird vom Jordan durchflossen. Der S. G. speist mittels mächtiger Pumpanlagen das Wasser-Verbundsystem Israels. – Im N.T. Stätte des öffentl. Wirkens Jesu (z.B. Matth. 4, 12 ff. und 14, 22).

Genf 2) Stadtwappen

Genf (frz. Genève), **1)** Kanton der Schweiz, 282 km²; ein im W vom Jura, im S und O von den Savoyer Alpen eingerahmtes Hügelland aus eiszeitl. Ablagerungen um das südwestl. Ende des Genfer Sees. Von der Bev. (1995: 395 500 Ew.) sind 32 % Reformierte, 51 % Katholiken, 1 % Juden. Wirtsch. Mittelpunkt ist die Stadt G. Trotz z. T. ungünstiger

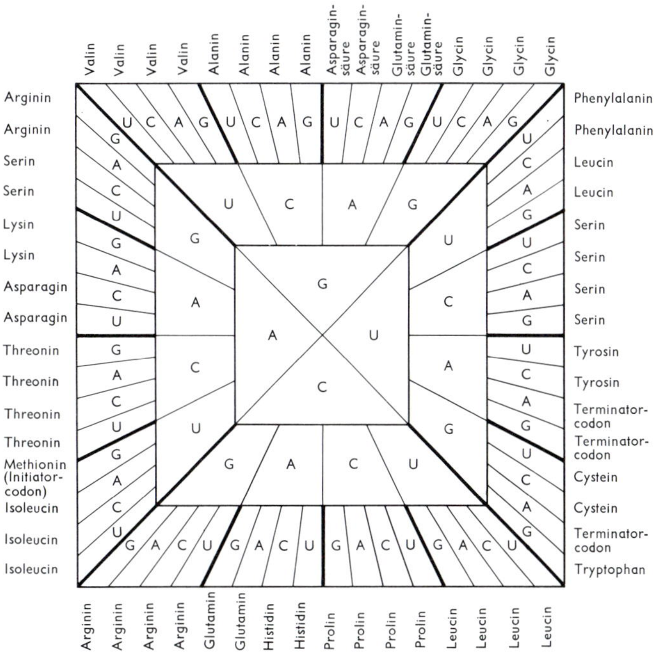

genetischer Code: A Adenin, C Cytosin, G Guanin, U Uracil; das Schema wird von innen nach außen gelesen, z. B. steuert das Triplett UGG den Einbau von Tryptophan (rechts unten) bei der Proteinsynthese

Bodenbeschaffenheit intensive Nutzung durch Gemüse-, Obst- und Weinbau. Uhrenherstellung, Maschinenbau, Nahrungsmittel- u.a. Ind.; an der Rhone Wasserkraftwerke (Verbois u.a.). – Seit 1814 22. Kanton der schweizer. Eidgenossenschaft; 1907 Trennung von Kirche und Staat.

Genf 2): Blick auf das 1929-37 erbaute Palais des Nations, den europäischen Sitz der UNO

2) Hptst. von 1), beiderseits des Ausflusses der Rhone aus dem Genfer See, 173 500 Ew. Als geistiger Mittelpunkt der frz. Schweiz hat G. eine Univ. (1873 aus der 1559 von J. Calvin gegr. Akademie hervorgegangen), Institut Batelle für angewandte Forschung, mehrere höhere Fachschulen, Bibliotheken (u.a. der UNO), Kunst- und Histor. Museum, völkerkundl. Museum Barbier-Muller, Uhrmacher-, Naturhistor. Museum, Theater. G. ist Sitz vieler gelehrter Gesellschaften, internat. Vereinigungen und Organisationen (Internat. Arbeitsorganisation, Weltgesundheitsorganisation, Internat. Fernmeldeunion, Welthandelsorganisation, Internat. Umwelt-Akademie, Rotes Kreuz, Ökumen. Rat der Kirchen, Luther. Weltbund, Reformierter Weltbund); nordwestlich von G. in Meyrin das Forschungszentrum von CERN und der Flughafen Cointrin (zweitgrößter der Schweiz). G. ist bed. Bank-, Handels-, Verkehrs- und Fremdenverkehrszentrum, Tagungsort von Kongressen und Messen. Die Ind. umfasst bes. Maschinenbau, Uhrenfabrikation (seit dem 16. Jh.; im 17. Jh. durch Hugenotten gefördert und über den Jura verbreitet), chem. und graf. Betriebe, Bekleidungs-, Nahrungs-, Genussmittelindustrie.

Stadtbild: In der Altstadt auf dem südlichen Rhoneufer sind v.a. die Kathedrale St.-Pierre (12./13. Jh.), der Temple de la Fusterie (1713–15, die älteste prot. Kirche), der Temple d'Auditoire (15. Jh.; hier predigte Calvin), das Rathaus (15. Jh. und spätere Bauperioden), das Collège St.-Antoine (1559–63, die alte Akademie Calvins) sowie zahlr. Bürgerhäuser v.a. des 15.–18. Jh. Zeugen älterer Zeit. Auf der Promenade des Bastions die Univ. (1869–72) und das Reformationsdenkmal (1909 bis 1917). Am nördl. Seeufer der Quai du Montblanc, u.a. mit dem Palais des Nations (1929–37; europ. Sitz der UNO). In der Rhone (nahe dem See) Rousseau-Insel mit Standbild.

Geschichte: Ehem. Hptst. der kelt. Allobroger **Genava;** um 400 als Bischofssitz erwähnt. 443–461 Hptst. des Königreichs Burgund; 534 durch die Franken erobert; kam 887 zum neuen Königreich Burgund (Hochburgund). 1124 setzten sich die Bischöfe gegen die Grafen von Genevois durch (bis 1534). Durch Calvin nach 1536 reformierte Hochburg (»prot. Rom«); 1791 revolutionäre Reg. nach frz. Muster; 1798–1814 von Frankreich annektiert und Hptst. des Dép. Léman, seither zur Schweiz; 1864 Sitz des IRK, 1920–46 des Völkerbundes.

📖 *Encyclopédie de Genève, hg. v.* C. SANTSCHI *u. a., auf mehrere Bde. ber. Genf 1982 ff.*

Genfer Katechismus, Bez. für zwei Schriften J. Calvins: 1) Katechismus von 1537 **(Genfer Bekenntnis);** 2) Katalog von 373 Fragen und Antworten, in der für die ref. Kirchen richtungweisenden Reihenfolge: Glaube–Gesetz (1545); gilt in den ref. Kirchen als Bekenntnisschrift.

Genfer Konferenzen, internat. Verhandlungen in Genf, u.a.: **1) Genfer Abrüstungskonferenz,** vom Völkerbund einberufen am 2. 2. 1932, Verhandlungsplattform von 61 Staaten über Rüstungsabbau und kollektive Sicherheit, behandelte u.a. die Frage der militär. Gleichberechtigung Dtl.s (anerkannt in der Viermächteerklärung vom 11. 12. 1932). Die zögernde Haltung Frankreichs bot Hitler den Anlass, am 14. 10. 1933 die dt. Vertreter von der Konferenz abzuziehen und den Austritt Dtl.s aus dem Völkerbund zu erklären. 1935 wurde die Konferenz ergebnislos abgebrochen.

2) Genfer Indochinakonferenz (26. 4. bis 21. 7. 1954), Teilnehmer: Frankreich und die mit ihm im Rahmen der Frz. Union assoziierten Staaten Kambodscha, Laos und Vietnam, Vertreter der →Vietminh, die VR China, Großbritannien, die USA und die UdSSR. Die Konferenz schloss einen Waffenstillstand in Indochina, löste Kambodscha, Laos und Vietnam aus den staatl. Bindungen an Frankreich, vereinbarte den Rückzug der Vietminh-Verbände in eine nördl. Zone, den Rückzug der frz. Truppen und ihrer vietnames. Verbündeten in eine südl. Zone und richtete dazwischen eine entmilitarisierte Zone ein. In der polit. Konsequenz führten diese Beschlüsse zur Teilung Vietnams.

3) Genfer Gipfelkonferenz (18.–23. 7. 1955) der Reg.chefs Frankreichs, Großbritanniens, der USA und der UdSSR über die Wiedervereinigung Dtl.s, europ. Sicherheit, Abrüstung und Entspannung. Hier vertrat die UdSSR in der Deutschlandfrage zum ersten Male offen die Zweistaatentheorie.

4) Genfer Außenministerkonferenz (11.5.–5.8.1959); Teilnehmer: Frankreich, Großbritannien, USA und UdSSR; Verhandlungsthemen: die Dtl.- und Abrüstungsfrage. Die Westmächte und die UdSSR lehnten die Vorschläge der jeweils anderen Seite ab.

5) Genfer Laoskonferenz (16. 5. 1961 bis 23. 7. 1962), beschloss die Beendigung des Laos-Konflikts und der ausländ. Einmischung (bes. der USA, der UdSSR und Nord-Vietnams) in Laos. Im Schlussprotokoll erklärte Laos seine Neutralität.

6) Genfer Abrüstungskonferenz der 18 Mächte (1962–69), setzte sich aus je fünf Staaten der NATO und des Warschauer Paktes und acht blockfreien Ländern zusammen. Als Institution der UNO wurde die Konferenz 1969 umbenannt in **Abrüstungsausschuss der Vereinten Nationen** (26 Mitgl.), 1984 in **Abrüstungskonferenz** ([1996] 39 Mitgl.staaten). Die G. K. ist mit der Erörterung der Abrüstungsproblematik betraut; verabschiedete 1967 den Weltraumvertrag, 1968 den →Kernwaffensperrvertrag, 1971 den Meeresbodenvertrag, 1972 das B-Waffen-Übereinkommen, 1993 das C-Waffen-Abkommen.

7) Genfer Nahostkonferenz, am 21. 12. 1973 eröffnet, suchte durch Verhandlungen zw. Israel und seinen Nachbarstaaten eine Lösung des Nahostkonflikts. Im Jan. 1974 unterzeichneten Israel und Ägypten, im Mai 1974 Israel und Syrien ein Truppenentflechtungsabkommen. Die Wiedereinberufung der 1974 vertagten Konferenz scheiterte.

8) Genfer Jugoslawienkonferenz, Genfer Bosnienkonferenz, unter dem Vorsitz von UNO und EU seit dem 3. 9. 1992 tagende Konferenz zur Lösung des Konflikts in Bosnien und Herzegowina, führte zum Friedensvertrag von Paris (14. 12. 1995). Die G. K. übernahm die Überwachung seiner Verwirklichung.

Genfer Konventionen, →Genfer Vereinbarungen.

Genfer Nomenklatur, →chemische Nomenklatur.

Genfer Schule, Bez. für eine Reihe von Forschern, die seit Beginn des 20. Jh. in Genf wirkten und sich der experimentellen Untersuchung v. a. der Kinder- und Entwicklungspsychologie zuwandten (bes. E. Claparède, T. Flournoy, J. Piaget).

Genfer See (frz. Lac Léman), der größte Alpensee, 372 m ü. M., am S-Ende des schweizer. Mittellandes, zw. Alpen und Jura an der Grenze Schweiz/Frankreich gelegen, 580 km^2 (davon 345 km^2 in der Schweiz), 72 km lang, bis 14 km breit, bis 310 m tief. Hauptzufluss ist von O die Rhone, die den See bei Genf wieder verlässt. Der See friert nie ganz zu. Der Fischfang liefert den »Fera« (Weißfelchen). Das schweizer. Ufer, westlich von Lausanne »La Côte«, östlich davon »Lavaux« genannt, ist intensiv genutzt (Weinbau) und dicht

Genfer See

besiedelt; im Rhonedelta Villeneuve, nördlich davon Schloss Chillon. Um den G. S. bed. Fremdenverkehr mit Montreux und Vevey, Lausanne, Morges, Rolle, Nyon und am S-Ende Genf; am frz. Ufer Meillerie, Évian-les-Bains, Thonon-les-Bains.

Gẹnfer Vereinbarungen, Sammelbez. für zahlr. multilaterale, in Genf geschlossene völkerrechtl. Verträge:

1) Genfer Konventionen (Genfer Rotkreuz-Konventionen), die internat. Abkommen zum Schutz der Verwundeten, Kriegsgefangenen und der Zivilbev. Die auf Anregung H. Dunants geschlossene Konvention vom 22. 8. 1864, neu gefasst am 6. 7. 1906, auf den Seekrieg ausgedehnt durch die Haager Abkommen vom 29. 7. 1899 und 18. 10. 1907, ersetzt durch die Genfer Konvention vom 27. 7. 1929; sie verbesserte das Los der verwundeten Soldaten und sicherte die völkerrechtl. Stellung des Roten Kreuzes. Der Verbesserung des Loses der Kriegsgefangenen diente ein zweites Abkommen vom 27. 7. 1929. An die Stelle dieser Vereinbarungen traten nach dem 2. Weltkrieg die vier Genfer Abkommen vom 12. 8. 1949 zum Schutze der Kriegsopfer einschl. der Zivilbevölkerung; zwei Zusatzprotokolle vom 10. 6. 1977 zielen auf eine Anpassung des →humanitären Völkerrechts an die Veränderungen von Kriegstechnik und Kriegsführung, auch bei nichtinternat. Konflikten.

2) Genfer Protokolle vom 4. 10. 1922, Staatsvertrag Großbritanniens, Frankreichs, Italiens und der Tschechoslowakei mit Österreich, das sich gegen Gewährung einer Anleihe verpflichtete, seine Unabhängigkeit nicht aufzugeben.

3) Genfer Protokoll vom 2. 10. 1924, von der Völkerbundversammlung angenommener Vorschlag, den Angriffskrieg zu ächten und die Unterzeichner zu gegenseitigem Beistand zu verpflichten; blieb Entwurf, da Großbritannien die Ratifizierung ablehnte.

Genie

Genie ist Fleiß

Nur auf den ersten Blick scheint einem genialen Menschen alles zuzufliegen, in Wirklichkeit sind seine Leistungen oft erst das Ergebnis harter Arbeit. Diese Einsicht findet sich in einem Vierzeiler Theodor Fontanes (zuerst veröffentlicht 1889), den er dem Maler, Zeichner und Grafiker Adolph Menzel gewidmet hat:

»Gaben, wer hätte sie nicht?
Talente – Spielzeug für Kinder,
Erst der Ernst macht den Mann,
Erst der Fleiß das Genie.«

Der amerikanische Erfinder Thomas A. Edison hat den gleichen Gedanken in einem Interview 1930 einmal so ausgedrückt: »Genie ist ein Prozent Inspiration und neunundneunzig Prozent Transpiration« (englisch: »Genius is one per cent inspiration and ninety-nine per cent perspiration«).

4) Genfer Protokoll vom 17. 6. 1925, Abkommen über das Verbot von erstickenden, giftigen oder ähnl. Gasen sowie von bakteriolog. Mitteln in der Kriegführung.

5) Genfer Flüchtlingsabkommen vom 28. 7. 1951, definiert den Begriff Flüchtling und regelt dessen Status, der sich nach dem Recht des Landes seines Wohnsitzes richtet. Bezüglich Erwerbstätigkeit und Vermögenserwerbs sind →Flüchtlinge im Aufenthaltsstaat den am günstigsten behandelten Ausländern gleichzustellen. Flüchtlinge haben Anspruch auf einen Reise- bzw. Personalausweis des Aufenthaltsstaates und dürfen nicht in ein Land, in dem ihr Leben oder ihre polit. Freiheitsrechte gefährdet wären, ausgewiesen werden.

6) Genfer Seerechtskonvention vom 29. 4. 1958, Übereinkommen über das Küstenmeer und die Anschlusszone, die Fischerei und die lebenden Schätze des hohen Meeres sowie über den Festlandsockel. Diese Konvention wurde durch die Seerechtskonvention vom 10. 12. 1982 überholt, bindet aber die Signatarstaaten, die der Konvention von 1982 nicht beigetreten sind (→Seerecht).

Gẹngenbach, Stadt im Ortenaukreis, Bad.-Württ., im Kinzigtal, 10600 Ew.; Polstermöbel-, Holz-, Papier- u. a. Ind. – Mittelalterl. Stadtbild; ehem. Benediktinerabtei, 729/749 gegr. – 1230 Stadtrecht, 1360–1803 Reichsstadt, 1803 zu Baden.

Gẹngenbach, Pamphilus, schweizer. Buchdrucker und Dichter, *Basel um 1480, †ebd. 1525/26; bekannte sich zur Reformation, schrieb moraldidakt. und zeitkrit. Fastnachtsspiele (»Disz ist die Gouchmat«, 1516; »Der Nollhart«, 1517).

Genickbruch, meist unmittelbar tödl. Verletzung, bei der es durch Bruch des Zahns des zweiten Halswirbels zu einer Abquetschung des Rückenmarks sowie des verlängerten Marks und somit der Nervenzentren für Atmung und Blutkreislauf kommt.

Genickstarre (epidemische Gehirnhautentzündung, Meningitis cerebrospinalis epidemica), eine bes. bei Kindern und Jugendlichen epidemieartig auftretende Infektionskrankheit, verursacht durch Meningokokken. Krankheitszeichen sind Nackensteifigkeit, starke Kopfschmerzen, Fieber (Schüttelfrost), Erbrechen, Bewusstseinsstörungen u. a. – *Behandlung:* Chemotherapeutika, Antibiotika; Isolierung der Kranken.

Genie [ʒeˈniː; frz., zu lat. Genius] *das,* Mensch von schöpfer. Begabung, der im Unterschied zum Talent nicht nur im Rahmen des Überkommenen Vollendetes leistet, sondern neue Bereiche erschließt und in ihnen Höchstleistungen hervorbringt. Psychologisch wird das G. nicht als spezieller Persönlichkeitstypus aufgefasst. Geniale Persönlichkeiten weisen häufig hervorragende Intelligenz, aber beträchtl. individuelle Verschiedenheiten hinsichtlich Begabungs- und Charakterstruktur, Bildung, Interessen und Zielsetzungen, Arbeitsweisen u.a. auf. Die Beurteilung genialer Leistungen ist von zeitbedingten Normen abhängig. Nicht nur auf künstler., polit., wiss. oder ethisch-moral. Gebiet, sondern auch auf vielen Gebieten der prakt. Wirksamkeit (Technik, Organisation) gibt es G. Seit der Antike wurde immer wieder der Zusammenhang von G. und Wahnsinn erörtert; die Versuche, das G. psychopathologisch zu erfassen, sind jedoch umstritten. – Geschichtlich wurde der Begriff G. im heutigen Sinn im 18. Jh. geprägt: A. A. Shaftesbury, I. Kant, Sturm und Drang (»Geniezeit«). Hier wurde außer der Originalität des G. bes. die Spontaneität betont. Der neue Irrationalismus und Subjektivismus des Gefühls fand auch Eingang in die Philosophie und ästhet. Theorie (A. G. Baumgarten, Kant u.a.). Im 19. Jh. wurde der Begriff des G. von A. Schopenhauer, T. Carlyle, R. W. Emerson und bes. in F. Nietzsches Philosophie zu der Lehre übersteigert, der Sinn der menschl. Geschichte liege in der Erzeugung von G.

Genisa, [hebr. »Versteck«, »Aufbewahrungsort«], Raum in der Synagoge, in dem beschädigte Thorarollen und Kultgegenstände aufbewahrt wurden, bevor man sie auf dem Friedhof begrub. Die Thorarollen dürfen, da sie den Gottesnamen enthalten, nicht vernichtet werden.

genitale Phase, nach der psychoanalyt. Theorie S. Freuds die letzte Stufe der menschl. Sexualentwicklung, die in der Pubertät liegt. Sie folgt auf die frühkindl. orale, anale und phall. Phase.

Genitalien [lat.], die →Geschlechtsorgane.

Genitiv [lat.] *der* (Genetiv, Wesfall), zweiter Fall der →Deklination. Der G. bezeichnet in attributiver Stellung meist die Zugehörigkeit (**Genitivus possessivus:** die Malerei *des Mittelalters*), das Ziel einer Handlung (**Genitivus obiectivus:** die Befreiung *der Gefangenen*), den Handlungsträger (**Genitivus subiectivus:** die Rede *des Politikers*), auch eine Eigenschaft (**Genitivus qualitatis:** die Menschen *guten Willens*) oder den Teil eines Ganzen (**Genitivus partitivus:** eine große Zahl *Neugieriger*). Objekte im G. sind im Deutschen an die Rektion entspr. Verben oder an feste Wendungen gebunden: Ich erinnere mich *des Vorgangs*.

Genius [lat.] *der*, **1)** *allg.:* das →Genie; auch das den Menschen leitende Wesen.

2) *röm. Mythos:* die göttl. Verkörperung der im Manne wirksamen zeugenden Kraft; dem G. beim Mann entspricht die Juno als Gebärfähigkeit der Frau; auch allg.: Schutzgeist, z.B. **Genius Loci**, Schutzgeist eines Ortes.

Genk [xɛŋk], Stadt in der Prov. Limburg, Belgien, 62 000 Ew.; ehem. bed. Steinkohlenabbau, Stahlwerk, Metall-, Elektro-, Autoind.; Hafen am Albertkanal.

Genklonierung, *Molekularbiologie:* Methode zur ident. Vermehrung eines isolierten Gens durch Koppelung an ein ringförmiges DNS-Molekül, das sich in Bakterienzellen selbstständig vermehrt. Mithilfe einer Endonuclease (→Restriktionsenzyme) und des Enzyms Ligase wird das Gen in die als Überträger dienende DNS (»Vektor-DNS«)

Genius 2): Rückseite einer Goldmünze des römischen Kaisers Hadrian mit dem opfernden Genius des römischen Volkes (doppelte Größe)

eingeführt. Anschließend wird diese so **rekombinierte DNS** durch Transformation in Bakterienzellen vermehrt, aus diesen isoliert und wieder in Gen und Vektor-DNS zerlegt.

Genkopplung, die Bindung von (im gleichen Chromosom als einheitl. Kopplungsgruppe lokalisierten) Genen an ein und dasselbe Chromosom, wodurch sich diese bei der Meiose nicht unabhängig voneinander weitervererben.

Genmutation, Mutationsform, bei der die spezif. Basensequenz eines Gens verändert ist. Resultat sind die versch. Allele eines Gens. (→Mutation)

Gennargentu [dʒennarˈdʒɛntu], höchste Berggruppe von Sardinien, gipfelt in der Punta La Marmora (1834 m ü. M.).

Gennes [ʒɛn], Pierre-Gilles de, frz. Physiker, * Paris 24. 10. 1932; seit 1971 Prof. am Collège de France, seit 1976 Leiter der École Supérieure de Physique et Chimie Industrielles in Paris. Für fundamentale Arbeiten zur Theorie und experimentellen Erforschung von Ordnungszuständen in komplexen Formen der Materie, bes. in Flüssigkristallen und Polymeren, und ihre Umwandlungen erhielt er 1991 den Nobelpreis für Physik.

Pierre-Gilles Gennes

Gennevilliers [ʒɛnvilˈje], Gemeinde im Dép. Hauts-de-Seine, Frankreich, an der Seine, nordwestlich von Paris, 45 100 Ew.; Hafen; Großkraftwerk; chem., Zement-, Elektronik-, Automobil- und Flugzeug-, Lebensmittelindustrie.

Genom [grch.] *das*, Gesamtheit der →Gene eines Chromosomensatzes.

Genomanalyse, Bez. für Verfahren der Analyse genetisch bedingter Eigenschaften des Menschen, die u.a. zur Feststellung von Erbanlagen für Krankheiten, bes. genetisch bedingten Empfindlichkeiten gegen Umwelteinflüsse (z.B. Schadstoffe, Arzneimittel, Nahrungsmittel), außerdem zur Feststellung familiärer Abstammung sowie zur Identifizierung von Personen (→genetischer Fingerabdruck) angewendet werden. Bei der **direkten G.** ist die genaue Kenntnis des Gens und der zu diagnostizierenden Mutation erforderlich. Bei der **indirekten G.** hingegen macht man sich die Tatsache zunutze, dass der gesuchte Gendefekt oft mit einer anderen Mutation zufällig gemeinsam auftritt, die auf dem Chromosom eng benachbart ist und als genet. Marker dient. Außer der reinen DNS-Analyse ist zur G. in begrenztem Ausmaß auch eine lichtmikroskop. **Chromosomenanalyse** geeignet, bei der mittels Vergleichs versch. Karyogramme Abweichungen von der normalen Größe, Form und Anzahl der Chromosomen sowie das Geschlecht des Chromosomenträgers festgestellt werden können. Auch eine Analyse des äußeren Erscheinungsbildes **(Phänotypanalyse)** kann Hinweise auf Besonderheiten im Genom geben.

📖 *Die G. im Strafverfahren, hg. v.* J. TASCHKE *u.* F. BREIDENSTEIN. *Baden-Baden 1995.* – PRIMROSE, S. B.: *G. A. d. Engl. Heidelberg u. a. 1996.*

Genommutation, Veränderung der Anzahl der Chromosomen durch Hinzukommen oder Wegfallen einzelner Chromosomen **(Aneuploidie)** oder durch Vervielfachung des gesamten Chromosomensatzes **(Polyploidie).**

Genosse, urspr. der Mitgenießer, Teilhaber an bestimmten Sachen oder Rechten, so im dt. Recht des MA. der an derselben Allmende beteiligte Bauer; später das Mitgl. einer Genossenschaft; seit 1879 Anrede der Sozialisten und Kommunisten untereinander.

Genossenschaft, 1) *Rechtsgeschichte:* im mittelalterl. dt. Recht eine Vereinigung von Stammes- oder Berufsgenossen zur gemeinsamen Wahrnehmung bestimmter Aufgaben. Als wirtsch. G. entstanden Mark-, Weide-, Wasser-, Deich-G. u. a. Auch die Verfassungen der Städte waren genossenschaftlich.

2) *Wirtschaft:* Verein mit unbegrenzter Mitgliederzahl, der die wirtsch. Förderung seiner Mitgl. mittels gemeinschaftl. Geschäftsbetriebs bezweckt. Entsprechend seinem Zweck unterscheidet man: Verbraucher-G. (Konsumverein), Bau-G., Absatz- und Produktions-G., Vorschuss-, Rabattspar- und Kreditvereine (G.-Banken). Die wirtsch. Bedeutung der G. ist erheblich. Rechtl. Grundlage ist das G.-Gesetz vom 1. 5. 1898, mit Wirkung vom 1. 1. 1974 novelliert, nunmehr i. d. F. vom 19. 8. 1994. Die G. ist jurist. Person und körperschaftlich organisiert (d. h., sie ist auf der Mitgliedschaft der zugehörigen Personen aufgebaut). Sie wird den Handelsgesellschaften gleichgestellt. – Die G. entsteht durch Eintragung in das beim Amtsgericht geführte **G.-Register.** Die Firma (der Handelsname) der G. muss den Zusatz »eingetragene G.« (Abk. »eG«) tragen. Die G. muss mindestens sieben Mitgl. haben. Das Statut bedarf der Schriftform; Änderungen des Statuts können von der Generalversammlung (Vertreterversammlung) mit ³/₄-Mehrheit beschlossen werden. Für Verbindlichkeiten der G. haftet den Gläubigern das Vermögen der G., jedoch muss das Statut eine Bestimmung enthalten, ob im Konkursfall eine Nachschusspflicht der Mitgl. besteht und ob diese beschränkt oder unbeschränkt ist. Organe der G. sind: a) die Generalversammlung (bei mehr als 3 000 Mitgl. »Vertreterversammlung«), in der jedes Mitgl. eine Stimme hat (seit 1974 auch Mehrstimmrecht von bis zu drei Stimmen möglich); b) der von der Generalversammlung bestellte, der G. gegenüber verantwortliche hauptberufl. oder ehrenamtl. Vorstand (mindestens zwei Mitgl.), dem Geschäftsführung und Vertretung der G. obliegt; c) der zur Überwachung der Geschäftsführung von der Generalversammlung gewählte Aufsichtsrat (mindestens drei Mitgl.); bei mehr als 500 Beschäftigten muss er zu einem Drittel aus Arbeitnehmervertretern bestehen.

Die Mitgliedschaft ist vererblich, aber nicht übertragbar. Übertragbar auf andere Genossen sind die Geschäftsanteile. Die Mitgliedschaft endet durch Tod, Austritt (Kündigung, hier sind oft längere Fristen einzuhalten) oder Ausschluss.

Heute bestehen in Dtl. folgende Spitzenverbände: Dt. Genossenschafts-Raiffeisenverband, Bund dt. Konsumgenossenschaften GmbH, Gesamtverband gemeinnütziger Wohnungsunternehmen e. V. – In *Österreich* gilt das mehrfach novellierte G.-Gesetz vom 9. 4. 1873 mit ähnl. Bestimmungen und gleich lautenden Organen. Die Kaufmannseigenschaft der G. erfordert hier den Betrieb eines Handelsgewerbes. Zur G.-Gründung genügen zwei Personen. In der *Schweiz* enthalten die Art. 828 ff. Obligationenrecht ähnl. Grundsätze wie in Deutschland.

Geschichte: Die neuzeitl. G. entstanden 1830–40 in W-Europa im Zusammenhang mit der Industrialisierung als wirtsch. Selbsthilfeeinrichtungen (»Kinder der Not«). H. de Saint-Simon und C. Fourier entwickelten in Frankreich den Gedanken der Produktiv-G. Die Verbraucher-G. haben ihren Ursprung in Großbritannien, wo die Ideen von W. King und R. Owen 1844 zur Gründung eines Konsumvereins in Rochdale führten (»Die redl. Pioniere von Rochdale«). Das gewerbl. G.-Wesen in Dtl. geht auf H. Schulze-Delitzsch und das landwirtsch. auf F. W. Raiffeisen zurück. Zur besseren Durchführung ihrer Aufgaben und zur Vermeidung der Einführung einer staatl. Aufsicht schlossen sich einzelne G. schon früh zu **G.-Verbänden** zusammen, deren Aufgabe u. a. die Prüfung der

Genre 2) Jan Steen, »Das Sankt Nikolausfest« (um 1660; Amsterdam, Rijksmuseum), rechts daneben Édouard Manet, »Das Frühstück im Freien« (1863; Paris, Musée d'Orsay)

wirtsch. Verhältnisse und der Ordnungsmäßigkeit der Geschäftsführung ihrer Mitgl. ist.

📖 HETTLAGE, R.: *Genossenschaftstheorie u. Partizipationsdiskussion. Göttingen ²1987.* – ASCHHOFF, G. *u.* HENNINGSEN, E.: *Das deutsche Genossenschaftswesen. Frankfurt am Main ²1995.* – BIALEK, A.: *Perspektiven der G. als Organisationsform. Berlin 1995.*

Genossenschaft Deutscher Bühnen-Angehöriger, Abk. **GDBA,** gegr. 1871 von dem »Ersten allg. dt. Bühnenkongreß« in Weimar; Sitz seit 1951 in Hamburg; Fachblatt: bühnengenossenschaft (seit 1949). Die GDBA ist Tarifpartner beim Abschluss von Tarifverträgen.

Genossenschaftswald, Wald im Gesamthandseigentum mehrerer Privatpersonen **(Waldgenossenschaft).** Zum G. werden Körperschaftsforsten (außer Gemeinde- und Stiftungswald) und Gemeinschaftswaldungen öffentlich-rechtl. Art gerechnet.

Genotyp (Genotypus), Gesamtheit der chromosomengebundenen Erbanlagen einer Zelle oder eines Organismus. Der G. ist das Erbbild des Lebewesens. (→ Phänotyp)

Genova ['dʒɛ:-], italien. Name von → Genua.

Genovés [span. x-], Juan, span. Maler und Grafiker, *Valencia 1. 6. 1930; Vertreter eines krit. Realismus, der in seinen Werken den Missbrauch polit. Gewalt und Folter anprangert.

Genoveva (Genovefa), **1) G. von Brabant,** nach der Legende die Gemahlin eines Pfalzgrafen Siegfried (um 750); sie verbarg sich, fälschlich des Ehebruchs beschuldigt, sechs Jahre mit ihrem Söhnchen Schmerzensreich im Ardenner Wald, bis ihr Gemahl die Schuldlose entdeckte und heimführte. Ihr Schicksal schildert ein dt. Volksbuch. Dramatische Bearbeitungen von Maler Müller (gedr. 1811), L. Tieck (1800), F. Hebbel (1843); Oper von R. Schumann (1850).

2) G. von Paris (Geneviève de Paris), Schutzpatronin von Paris, *Nanterre um 422, †Paris 3. 1. um 502; schützte nach der Legende Paris 451 vor dem Hunneneinfall; Heilige, Tag: 3. 1.

Genozid [grch.-lat.] *der* auch *das,* → Völkermord.

Genpool [-pu:l, engl.] *der* (Genbestand), Gesamtheit der Gene in einer Population (→ Populationsgenetik).

Genre ['ʒã:r(ə), frz.] *das,* **1)** *allg.:* Art; Gattung.

2) *bildende Kunst:* Darstellung des alltägl. Lebens. Als eigene Gattung wurde die **Genremalerei** in der niederländ. Malerei des 16. Jh. ausgebildet, mit Höhepunkt im 17. Jahrhundert.

Genregulation, die Steuerung der Informationsabgabe (Transkription) von Genen und damit der Synthese der zugehörigen Genprodukte (z. B. Enzyme). Der Prozess der G. wird beeinflusst vom biochem. und biophysikal. Zustand der Zelle oder des Organismus sowie von Umwelteinflüssen. G. spielt eine wichtige Rolle sowohl bei Anpassungsleistungen der Zelle des Organismus an veränderte Bedingungen als auch bei der Merkmalsausprägung im Verlauf der Embryonalentwicklung.

Gens [lat. »Geschlecht«] *die,* im antiken Rom die durch gemeinsame Abstammung und Kult zusammengehörigen Familien, deren Mitgl. den gleichen → Gentilnamen trugen. Urspr. gab es nur patrizische, erst später auch plebejische Gentes.

Gensan, Stadt in Korea, → Wŏnsan.

Hans-Dietrich Genscher

Genscher, Hans-Dietrich, Politiker, *Reideburg, heute zu Halle (Saale) 21. 3. 1927; Rechtsanwalt, schloss sich politisch der LDPD an. 1952 ging er in die Bundesrep. Dtl. und wurde dort Mitgl. der FDP. Seit 1965 MdB, war G. 1968–74 stellv. Bundesvors., 1974–85 Bundesvors. und seit 1992 Ehrenvors. der FDP. Nach Bildung der sozialliberalen Koalition gehörte er der Regierung 1969–74 als Bundesinnenmin., dann 1974–92 als Vizekanzler und Bundesaußenmin. an. Auf der Grundlage der Einbindung der Bundesrep. Dtl. in das westl. Bündnissystem und in die Europ. Gemeinschaft entwickelte er als Außenmin. gegenüber den Staaten des Ostblocks eine Linie der Entspannung im Ost-West-Konflikt. Gegen starke innerparteil. Widerstände setzte er 1982 den Koalitionswechsel seiner Partei (von SPD zu CDU/CSU) durch. G. hatte 1989–90 maßgebl. Anteil an der Herstellung der dt. Einheit und deren europ. Einbindung. 1990–92 förderte die nat. Selbstfindungsprozesse im Baltikum und in Südosteuropa.

📖 *In der Verantwortung. H.-D. G. zum Siebzigsten, hg. v.* K. Kinkel. *Berlin 1997.*

Gent
Stadtwappen

Gent [niederländ. xɛnt] (frz. Gand), Hptst. der Prov. Ostflandern, Belgien, am Zusammenfluss von Schelde und Leie, 227500 meist fläm. Ew.; kath. Bischofssitz; fläm. Univ. (1817 gegr.), Hochschule für Übersetzer und Dolmetscher, Königl. Akademie für niederländ. Sprache und Lit., Bibliotheken und Museen (u.a. Museum voor Schone Kunsten). – Die urspr. von der Textilind. beherrschte Industrie- und Handelsstadt hat heute viele neue Ind.zweige, u.a. elektrotechn., Papier-, Hütten-, Stahl-, chem. Ind., Erdölraffinerie, Fahrzeug- und Maschinenbau; Blumenzucht. G. ist Knotenpunkt eines Netzes von Flüssen und Kanälen; eine Kanalverbindung besteht nach Brügge und Ostende, der Kanal G.-Terneuzen (32,6 km) verbindet den Hafen mit der Westerschelde.

Stadtbild: Auf der Halbinsel zw. Schelde und Leie liegt die Altstadt, die »Kuip van G.«, mit der got. Kathedrale Sint-Baafs (Saint-Bavo) mit dem Genter Altar der Brüder van →Eyck, der Tuchhalle (1426–41), dem 95 m hohen Belfried (1313–21, früher berühmt durch die Rolandglocke, die Sturmglocke für Flandern), dem Stadthaus (15.–17. Jh.), dem got. Schipperhuis (1531), dem roman. Stapelhuis (13. Jh.), der Sint-Michielskerk (15.–17. Jh.); Rathaus (15.–16. Jh.) mit N-Fassade im Flamboyantstil; zahlr. Giebelhäuser des 16. und 17. Jh. Bedeutende mittelalterl. Befestigung ist die Wasserburg 's-Gravensteen (1180–1200), eine Residenz der Grafen von Flandern; im S die Sint-Pieterskerk (1629–45).

Geschichte: G., im 8. Jh. erwähnt, war im MA. durch seine blühende Tuchind. die neben Brügge bedeutendste Handelsstadt Flanderns; im 14. Jh. führend bei flandr. Freiheitskämpfen gegen die Franzosen. Mit Flandern kam es 1384 an die Herzöge von Burgund und im 15. Jh. an die Habsburger. Der niederländ. Aufstand des 16. Jh. vernichtete den früheren Wohlstand G.s; es wurde 1584 von den Spaniern zurückerobert und teilte fortan die Geschichte der südl. Niederlande.

Gent: Geöffneter Mittelteil und Innenseite der Flügel des von den Brüdern van Eyck geschaffenen, 1432 von Jan van Eyck vollendeten Genter Altars in der Kathedrale Sint-Baafs

Gentechnikgesetz, Bundesgesetz zur Regelung der Gentechnik vom 20. 6. 1990. Das G. dient dem Zweck, Leben und Gesundheit von Menschen, Tieren, Pflanzen sowie die sonstige Umwelt in ihrem Wirkungsgefüge und Sachgüter vor mögl. Gefahren gentechn. Verfahren und Produkte zu schützen sowie den rechtl. Rahmen für die Erforschung, Entwicklung, Nutzung und Förderung der wiss. und techn. Möglichkeiten der Gentechnik zu schaffen. Die Errichtung und der Betrieb von gentechn. Anlagen bedürfen der Genehmigung.

Gentechnologie, Teilgebiet der Molekularbiologie und Biotechnologie, das sowohl die theoret. Aspekte als auch die prakt. Methoden (Gentechnik, Genchirurgie) umfasst, durch die Gene und deren Regulatoren isoliert, analysiert, verändert und wieder in Organismen eingebaut werden. Erst seit Entdeckung der →Restriktionsenzyme, die einzelne Gene aus einem DNS-Faden herausschneiden können, lassen sich solche Operationen mit Erfolg durchführen. Durch die Übertragung von Genen zw. versch. Arten, bes. den Einbau in die →Plasmide von Bakterien, ist die Massenproduktion von sonst nur sehr schwer zugängl. Genprodukten (Proteine, Hormone, →monoklonale Antikörper) möglich geworden. Da die gentechn. Forschung sich primär auf Bakterien konzentriert hat, liegt zurzeit auch der wirtsch. Schwerpunkt der G. noch in der biolog. Stoffsynthese, d.h. in der Herstellung pharmakolog. Produkte mithilfe transformierter Mikroorganismen. Durch Übertragung entsprechender Säugergene produzieren diese Bakterien medizinisch oder technisch wichtige Substanzen, die durch normale chem. Synthese nur unter hohem materiellem, zeitl. und finanziellem Aufwand zugänglich sind, z.B. Interferone, Interleukine, Impfstoffe wie Hepatitis-B-Vakzine, Humaninsulin. – Der Einsatz von gentechnisch veränderten Organismen ist nicht unproblematisch, da bei einer unkontrollierten Freisetzung die Folgen für Mensch und Umwelt und auch die weitere evolutive Entwicklung des Organismus kaum absehbar sind. Dies zeigt die Notwendigkeit sorgfältigen Abwägens zw. Nutz- und Risikofaktoren. (→Gentechnikgesetz)

📖 PROWALD, K.: *Gentechnik. Abenteuer Zukunft. München 1994.* – NAGL, W.: *G. u. Grenzen der Biologie. Sonderausg. Darmstadt 1995.*

Genter Altar, Hauptwerk der niederländ. Malerei, J. van →Eyck.

Gentherapie, Verfahren zur gezielten Korrektur von Veränderungen der genet. Strukturen bei Menschen mit erblich bedingten Erkrankungen. Die hierfür notwendige Maßnahme besteht in der Einführung eines definierten DNS-Stücks in das menschl. Genom mit dem Ziel, die durch eine erbl.

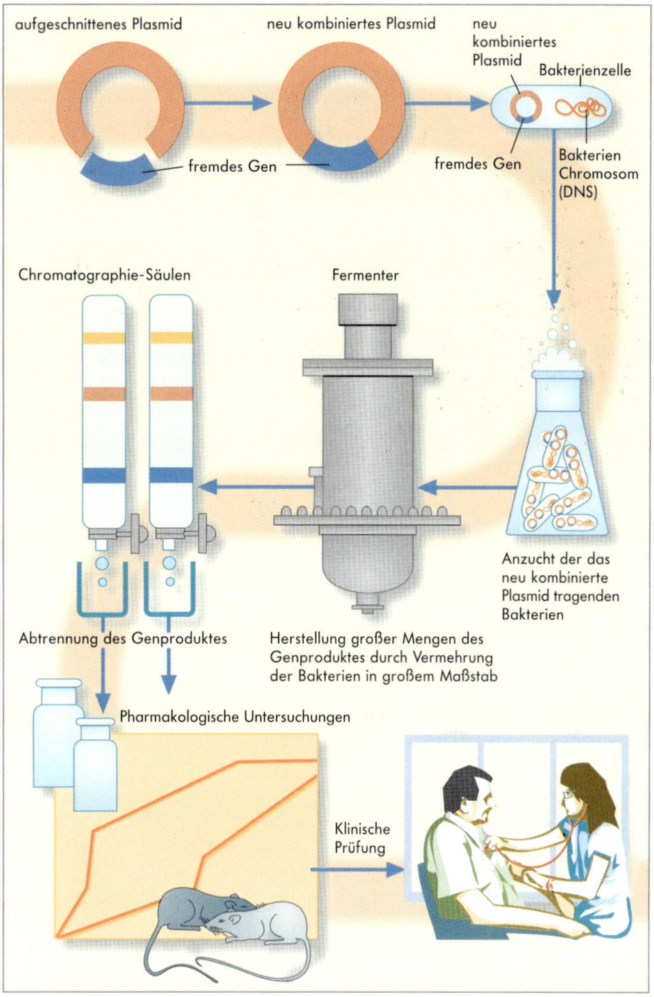

Gentechnologie: Prinzip der Massenproduktion von Genprodukten (z.B. Hormone, monoklonale Antikörper)

Veränderung des genet. Materials bedingte funktionelle Störung zu beheben. Grundsätzl. Voraussetzung ist die techn. Möglichkeit, das Gen in die Zelle einzuschleusen, seine ausreichende Synthese zu garantieren und schädl. Nebenwirkungen zu verhindern. Bei der sog. **Keimbahntherapie** handelt es sich um einen Gentransfer in die Keimzellen bzw. die Zygote des Menschen und damit nachfolgend um die Beeinflussung aller Körper- und Geschlechtszellen eines Individuums bzw. seiner Nachkommen. Diese Methode wird heute – unabhängig von techn. Problemen – aus eth. und sachl. Gründen (Existenz von Alternativmethoden) abgelehnt. Aussichtsreich und wünschenswert für die Zukunft ist die **somat. G.** zur Veränderung der gestörten Funktion in bestimmten Zielorganen oder -geweben im Sinne eines Heil-

Gentile da Fabriano: »Die Anbetung der Könige«, Ausschnitt (1423; Florenz, Uffizien)

effektes. Zurzeit ist sie noch kein Routineverfahren in der medizin. Praxis. Erste erfolgreiche Therapieversuche liegen bei dem angeborenen Defekt der Immunabwehr durch Mangel des Enzyms Adenosin-Desaminase (ADA) vor. Hierbei erfolgt der Gentransfer in die Lymphozyten oder Knochenmarkstammzellen des Patienten. In der Entwicklung befinden sich zz. gentherapeut. Methoden zur Behandlung verschiedener Krebsformen, von Bluterkrankheit, Sichelzellenanämie u.a. – Über die Wirksamkeit der G. sind bisher keine zuverlässigen Aussagen möglich.

📖 *Somat. G. Medizin., eth. u. jurist. Aspekte des Gentransfers in menschl. Körperzellen, hg. v.* K. Bayertz *u.a. Stuttgart u.a. 1995.*

Genthin, Stadt im Landkr. Jerichower Land, Sa.-Anh., am Elbe-Havel-Kanal, 16300 Ew.; Wellpappenwerk, Waschmittelfabrik, Stahl- und Apparatebau; Hafen. – Barocke Pfarrkirche (1707–22). – Im 12. Jh. gegr.; kam 1680 an Brandenburg; war bis 1994 Kreisstadt.

Orazio Gentileschi: »Ruhe auf der Flucht aus Ägypten« (um 1628; Paris, Louvre)

Gentile [dʒenˈtiːle], Giovanni, italien. Philosoph, *Castelvetrano (Prov. Trapani) 30. 5. 1875, †(ermordet) Florenz 15. 4. 1944; 1922–24 Unterrichtsmin. in der Reg. Mussolini, führte eine grundlegende Schulreform durch. G. ist neben B. Croce ein Hauptvertreter des neueren italien. Idealismus. Er suchte Gedanken von J. G. Fichte und G. W. F. Hegel kritisch weiterzubilden; sah das Bewusstsein als reinen Akt an **(Aktualismus).** – »Der aktuelle Idealismus« (1912).

Gentile da Fabriano [dʒenˈtiːle-], eigtl. Gentile di Niccolo di Giovanni Massi, italien. Maler, *Fabriano (Prov. Ancona) um 1370, †Rom 1427; tätig in Venedig, Brescia, Florenz, Siena und Rom. Seine Werke bleiben dem dekorativen Linienfluss der europ. Gotik verhaftet; in der realist. Beobachtung, der Fabulierfreude und der plast. Gestaltung zeigen sich wegweisende Ansätze der Frührenaissance. Sein Hauptwerk ist der für die Strozzi-Kapelle in Santa Trinità in Florenz geschaffene Altar mit der »Anbetung der Könige« (1423; Florenz, Uffizien). Daneben entstanden auch Fresken, von denen nur eine Madonna (1425) im Dom von Orvieto erhalten ist.

Gentileschi [dʒentiˈleːski], Orazio, eigtl. O. Lomi, italien. Maler, *Pisa 1563, †London 7. 2. 1639; arbeitete in der Nachfolge Caravaggios, dessen naturalist. Helldunkelmalerei er durch transparente Farben und eine lyr. Stimmung milderte; seit 1626 Hofmaler Karls I. in England.

Gentilname, im alten Rom der den Namen des Geschlechtes (Gens) bezeichnende Bestandteil des Namens, steht zw. dem Vornamen (Praenomen) und dem oder den Beinamen (Cognomen), z.B. Gaius *Iulius* Cäsar.

Gentleman [ˈdʒentlmən; engl., zu frz. gentilhomme »Edelmann«] *der,* in Großbritannien urspr. der wappenberechtigte Mann aus dem niederen Adel (Gentry); später der gebildete, wohlhabende Mann; heute: Mann von Anstand und Takt.

Gentlemen's Agreement [ˈdʒentlmənz əˈgriː-mənt, engl.] *das,* Vereinbarung auf Treu und Glauben ohne formellen Vertrag, bes. in der Diplomatie und zw. Unternehmen für Verpflichtungen ohne feste Form oder als Mittel der Verständigung.

Gentner, Wolfgang, Physiker, *Frankfurt am Main 23. 7. 1906, †Heidelberg 4. 9. 1980; Prof. in Freiburg im Breisgau und Heidelberg; zahlr. Arbeiten zur Biophysik, Radioaktivität und Kernphysik (bes. über Gammastrahlung); entwickelte mit seinen Mitarbeitern die **Kalium-Argon-Methode** zur absoluten Altersbestimmung von Mineralen und erstellte den »Atlas typ. Nebelkammerbilder«.

Gentofte ['gɛntɔfdə], nördliche Nachbarstadt von →Kopenhagen, Dänemark.

Gentry ['dʒentrı, engl.] *die,* der niedere →Adel Großbritanniens.

Gentz, 1) Friedrich von (seit 1804), Publizist und Politiker, *Breslau 2. 5. 1764, †Wien 9. 6. 1832, Bruder von 2); stand 1785–1802 im preuß. Staatsdienst. Zunächst Anhänger der Frz. Revolution, änderte G. seine Haltung unter dem Eindruck von E. Burkes Schrift »Reflections on the revolution in France« (1790), die G. 1793/94 übersetzte und kommentierte. Als Gegner revolutionärer Ideen und in Verbindung mit seinem Widerstand gegen die napoleon. Machtpolitik wurde er zum führenden konservativen Staatsdenker des 19. Jh. Seit 1803 polit. Publizist in Wien, wurde er seit 1810 zu einem engen Mitarbeiter Metternichs und mit diesem zum Exponenten der vormärzl. Reaktion.

📖 Mann, G.: *F. v. G. Gegenspieler Napoleons. Vordenker Europas. Neuausg. Frankfurt am Main 1995.*

2) Heinrich, dt. Architekt, *Breslau 5. 2. 1766, †Berlin 3. 10. 1811, Bruder von 1); Schüler von K. von Gontard, Vertreter des strengen Klassizismus; langjähriger Romaufenthalt; seit 1795 Oberhofbauinspektor in Berlin.

Genua (italien. Genova), **1)** Provinz in Ligurien, Italien, 1838 km², (1995) 931 800 Einwohner.

2) Hptst. der Region Ligurien und von 1), 657 800 Ew., einer der bedeutendsten Häfen des Mittelmeeres. G. ist Erzbischofssitz; es hat Univ. (gegr. 1471), Musikhochschule, Kunstakademie, Museen (Nationalgalerie) und versch. mit der Seeschifffahrt verbundene Einrichtungen; Reedereien; Maschinen-, Schiffbau, Stahlwerke, Erdölraffinerien, Nahrungsmittel-, Textil-, Papier-, Kunststoff- und chem. Ind.; Ausgangspunkt von Erdölleitungen in die Poebene, in die Schweiz und nach Ingolstadt; internat. Flughafen.

Stadtbild: Wahrzeichen der Stadt ist der 85 m hohe Leuchtturm (Torre della Lanterna) von 1544. Der mittelalterl. Stadtkern erstreckt sich um die Kathedrale San Lorenzo (1118 geweiht, später mehrfach erneuert), Palazzo Ducale (ehem. Dogenpalast, 1291 begonnen) und die Piazza San Matteo mit den Palästen der Familie Doria und der Kirche San Matteo (gegr. 1125, im 13. Jh. umgebaut). Im 16. und 17. Jh., der künstler. Blütezeit der Stadt, entstanden zahlr. Paläste, z. B. die Palazzi an der seit 1550 von G. Alessi angelegten Prachtstraße, der heutigen Via Garibaldi, sowie an der Via Balbi. Weitere bed. Kirchen: Santa Maria di Carignano (1552), Sant' Annunziata (16. Jh., Barockausstattung), Sant' Ambrogio (16./17. Jh.), San Giovanni di Prè (Ende 12. Jh.), San Donato (12./13. Jh.). Im N der Stadt der Camposanto di Staglieno (mit Mausoleen genues. Familien).

Geschichte: Ligur. Gründung, röm., später byzantin. Flottenstützpunkt, unter Karl d. Gr. Teil einer fränk. Mark, kommunale Selbstverw. etwa seit dem 11. Jh.; Konkurrent der reichen Handelsstadt war Pisa, gegen das sich G. im 13. Jh. durchsetzte (Herrschaft über Korsika und Elba); gegen Venedig unterlag es 1380. Seit den Kreuzzügen besaß G. die Inseln Chios, Lesbos und Samos sowie einige Plätze an der N-Küste des Schwarzen Meeres, die nach 1453 verloren gingen. An die Spitze des Freistaats trat 1339 ein Doge. Seit 1396 stand G. abwechselnd unter der Herrschaft Mailands, Neapels, Frankreichs und Montferrats, bis es 1528 von Andrea Doria befreit wurde, der eine aristokrat. Verf. durchsetzte. 1768 verkaufte es Korsika an Frankreich. 1797 wurde es von den Franzosen in die »Ligur. Republik« umgewandelt und 1805 dem Napoleon. Kaiserreich einverleibt; 1815 kam es an Piemont-Sardinien, mit diesem 1860 zum Königreich Italien. – Während der **Konferenz von G.** (10. 4.–19. 5. 1922) schlossen die Vertreter des Dt. Reichs und Sowjetrusslands den →Rapallovertrag.

Giovanni Gentile

Friedrich Gentz
(Ausschnitt eines Gemäldes von Thomas Lawrence)

Genua 2)
Stadtwappen

Genua 2): Blick auf das Stadtzentrum mit dem alten Hafen im Hintergrund

Genugtuung, 1) *allg.:* Wiedergutmachung eines Unrechts.

2) *christliche Theologie:* zentraler Begriff (satisfactio) der Scholastik (→Anselm von Canterbury). Der Kreuzestod Christi ist stellvertretend G. für die Sünden der Menschen und stellt die durch Sünden zerstörte Brücke zu Gott wieder her.

3) *Recht:* das Recht sieht eine G.-Funktion im Schmerzensgeld (§ 847 BGB) sowie im Strafrecht in der öffentlichten Bekanntmachung des Urteils gegen den schuldigen Beleidiger durch den Verletzten (§ 200 StGB).

Genus [lat.] *das,* **1)** *Biologie:* Gattung.

2) *Sprachwiss.:* das grammat. Geschlecht, im Dt. durch den jeweiligen Artikel *der* (Maskulinum), *die* (Femininum), *das* (Neutrum) gekennzeichnet.

Genuss, der Lust verwandte angenehme Empfindung. In der Ethik proklamiert der →Hedonismus das Streben nach G. als Lebensziel; die Ästhetik thematisiert den G. als Reaktion auf die Begegnung mit dem Schönen.

Genussmittel, Lebensmittel oder ähnl. Stoffe, deren Nährwert ohne Bedeutung ist, die aber eine anregende Wirkung auf das Nervensystem haben; z.B. Kaffee, Tee, Betel, Tabak, alkohol. Getränke. Sie können in Überdosen als Genussgifte oder Rauschmittel wirken.

Genussschein, Wertpapier, das versch. vermögensrechtl. Ansprüche **(Genussrechte)** gewährt, i.d.R. Anspruch auf Anteil am Reingewinn und am Liquidationserlös oder auf den Bezug neuer G. und ggf. Aktien. G. ähneln Vorzugsaktien und Gewinnschuldverschreibungen und werden an der Börse notiert; die Laufzeit kann begrenzt oder unbegrenzt (mit/ohne Kündigungsrecht) sein.

Genzentren (Mannigfaltigkeitszentren), *Biologie:* geograph. Gebiete, in denen bestimmte Kulturpflanzenarten in großer Formenfülle auftreten.

Harald Genzmer

Genzmer, Harald, Komponist, *Blumenthal (heute zu Bremen) 9.2.1909; Schüler von P. Hindemith, von dem seine Werke stark beeinflusst sind; schrieb Orchesterwerke, Kammermusik, Klavier- und Orgelwerke, Chöre, Lieder.

geo... [von grch. gē »Erde«], erd..., land...

Geobotanik, die →Pflanzengeographie.

Geochemie, die Wiss. von der chem. Zusammensetzung und den chem. Veränderungen der →Erde. Zu den Aufgaben der G. gehören u.a. die chem. Analyse von Gesteinen und Mineralen, die Bestimmung des Vorkommens und der Häufigkeit der chem. Elemente und ihrer Isotope sowie ihrer Verteilung und Wanderung in den versch. Bereichen der Erde (einschl. Hydrosphäre und Atmosphäre) und die Erforschung der Gesetzmäßigkeiten, nach denen sich diese Vorgänge abspielen und Minerale, Gesteine und Lagerstätten gebildet oder verändert werden.

Geochronologie [grch.], Teilgebiet der Geologie, das sich mit relativer und absoluter Altersbestimmung befasst. Bei Sedimenten gilt bei ungestörter Lagerung das Grundgesetz der Stratigraphie, dass obere Schichten **(Hangendes)** jünger sind als darunter liegende **(Liegendes).** Mithilfe der Petrographie werden v.a. (präkambr.) Schichten, in denen kaum oder keine Versteinerungen vorkommen, in eine Reihenfolge gebracht. Vom Kambrium ab erleichtern Makro- und Mikroleitfossilien als Zeitmarken (biostratigraph. Prinzip) die relative zeitl. Einordnung der Sedimente. Magmat. und metamorphe Gesteine werden v.a. mithilfe physikal. Methoden chronologisiert, die absolute Werte, d.h. Angaben in Jahren, ergeben (Altersbestimmung). Zu absoluten Werten (Kalendern) führen auch Jahresringchronologie, Auszählung von Bändertonen und Pollenanalyse.

Geodäsie [grch.] *die* (Vermessungskunde), die Wiss. von der Ausmessung und Abbildung der Erdoberfläche, die 1) der Feststellung der Erdgröße und -gestalt durch astronom., geodät. und physikal. Messungen dient, 2) für die Landes- und Landmessung durch Triangulation, Nivellement und Photogrammmetrie die Unterlagen für Karten (Kataster, topograph. Karten u.a.) liefert. Sie wird in die Erdmessung und die Landesvermessung sowie die Einzelvermessungen unterteilt. In der Erdmessung und der Landesvermessung müssen die Krümmungsverhältnisse und das Schwerefeld der Erde berücksichtigt werden, bei den Einzelvermessungen reicht i. Allg. eine Horizontalebene als Bezugsfläche für die Lagemessungen aus. – Das Wort G., schon bei Aristoteles erwähnt, hat seine heutige Bedeutung durch C. F. Gauß, F. W. Bessel u.a. gewonnen. Eine klare Eigenständigkeit erhielt die G. durch F. R. Helmert.

📖 KAHMEN, H.: *Vermessungskunde. Berlin u.a.* [18]*1993.*

Geodät *der,* der →Vermessungsingenieur.

geodätische Linie (Geodätische), kürzeste Verbindungslinie zweier Punkte auf einer Fläche; in der Ebene sind die g. L. Geraden, auf der Kugel Großkreisbögen.

Geode [grch.] *die,* Bez. für →Konkretionen verschiedenster Zusammensetzung in Sedimentgesteinen sowie für die mineralischen Ausfüllungen von Blasenhohlräumen in Vulkaniten (→Mandelstein).

Geodimeter *das* (Tellurimeter), Gerät zur elektroopt. Entfernungsmessung, arbeitet mit modulierten Lichtstrahlen und Spiegeln nach dem Phasenvergleichsprinzip. Die Messgenauigkeit beträgt bei einigen Kilometern einige tausendstel Prozent.

Geodynamik, die Lehre von den Bewegungen im Erdinnern und den sie verursachenden Kräften

(Erdrotation, Gezeitenkräfte, Konvektionsströmungen u. a.), die z. B. Erdbeben verursachen.

Geoelẹktrik, Teilgebiet der angewandten Geophysik; bedient sich für die Bestimmung der physikal. Eigenschaften der obersten Erdkruste, für die Erkundung von Lagerstätten und Grundwasservorkommen sowie für die Untersuchung des Baugrundes künstlich erzeugter oder von Natur aus vorhandener elektr. Felder und Ströme.

Geofaktoren, die raumerfüllenden und -gliedernden Einzelerscheinungen und Wirkkräfte der Erdoberfläche und Erdhülle; **abiot. G.:** Oberflächenformen, Boden, Atmosphäre, Gewässer; **biot., nicht geistbestimmte G.:** Pflanzendecke, Tierwelt; **geistbestimmte G.:** Menschheit, Gesellschaft, Einzelpersonen.

Geoffrey of Monmouth ['dʒefrɪ əv 'mɔnməθ] (Galfred of Monmouth), engl. Bischof und Geschichtsschreiber, *Monmouth (Monmouthshire) um 1100, †Llandaff (bei Cardiff) 1154; verfasste 1136–38, unter Benutzung der Werke von Beda und Nennius sowie walis. Quellen, eine Geschichte der Könige Britanniens (»Historia regum Britanniae«), die Historisch-Faktisches mit Legendenhaftem verbindet; Hauptquelle für die Artusdichtung.

Geoffroy Saint-Hilaire [ʒɔ'frwa sɛ̃ti'lɛːr], Étienne, frz. Naturforscher, *Étampes (Dép. Essonne) 15. 4. 1772, †Paris 19. 6. 1844; Anhänger der Abstammungslehre J.-B. Lamarcks, über die er 1830 eine Auseinandersetzung mit G. Cuvier hatte (»Akademiestreit«); vertrat die Ansicht, dass die Entwicklung der Lebewesen (Artenbildung) von einem einzigen Bauplan hergeleitet werden könne.

Geoforschungszentrum Pọtsdam, Abk. **GFZ,** 1992 gegr. Forschungszentrum für multidisziplinäre Grundlagenforschung (Geodäsie, Geologie, Geophysik, Mineralogie, Geochemie, Klimatologie) über globale geowiss. Themen.

Geofraktur, bis zum Erdmantel reichender Tiefenbruch, →Lineament.

Geographie [grch. »Erdbeschreibung«] *die* (Erdkunde), die Wiss., deren Forschungsgegenstand v. a. Länder und Landschaften sind; im Mittelpunkt ihres Interesses stehen die Elemente, Strukturen, Beziehungsgefüge und Prozesse des weltweiten Geosystems Mensch–Erde. Die G. gliedert sich in **Länderkunde** (befasst sich mit der Erforschung und Darstellung bestimmter Teilräume der Erdoberfläche, von Staaten, Ländern oder größeren Räumen, Kulturerdteilen, auch mit Meeresgebieten) und **allg. Geographie** (analysiert v. a. die geographisch wichtigen Gegebenheiten der Erdoberfläche und/oder die raumwirksamen Prozesse nach ihrer Verbreitung, ihren räuml. Strukturen, ihren Entstehungs- und Entwicklungsbedingungen sowie ihren Funktionen). Die Vielfalt der Erscheinungen und Vorgänge auf der Erdoberfläche hat zur Aufgliederung der allg. G. in Teilgebiete geführt: phys. G. oder Physio-G. mit den Disziplinen Geomorphologie (Lehre von den Oberflächenformen der Erde und ihren Bildungsprozessen), Meereskunde (Ozeanographie), Gewässerkunde (Hydrographie), Klima-G., Bio-G. mit Pflanzen- und Tier-G. Die G. des Menschen (Anthropo-G., Sozial-G.) umfasst Bev.-, Siedlungs-, Wirtschafts-, Verkehrs- und polit. G. sowie die histor. G. Die aktuelle theoret. G. arbeitet oft mit mathemat. oder quantitativen Ansätzen. Die angewandte G. stellt die Beziehungen zw. Wiss. und Praxis her. Besondere Bedeutung kommt heute der Landschaftsökologie zu.

Geoffroy Saint-Hilaire

Pflegestätten der G. sind v. a. die geograph. Institute der Hochschulen, ferner amtl. Stellen wie die Bundesforschungsanstalt für →Landeskunde und Raumordnung. Erste **Geograph. Gesellschaften** (Vorläufer in Venedig 1684, Nürnberg 1740) entstanden in Paris 1821, Berlin 1828, London 1830, Frankfurt 1836, Darmstadt und Sankt Petersburg 1845, Wien 1856; sie unterstützen die Forschung durch Expeditionen, Veröffentlichungen, Verbreitung geograph. Kenntnisse. Der **Internat. Geographentag** findet seit 1871 alle vier Jahre, der **Dt. Geographentag** seit 1881 alle zwei Jahre statt.

Geschichte: Die grch. Kultur bildete den stärksten geograph. Ansatz aus, der den führenden Rang der europ. G. ermöglichte. Hekataios und bes. Herodot beschrieben und erklärten bereits erdräuml. Phänomene, z. B. in Ägypten. Eratosthenes und Ptolemäus betonten die kartograph. Grundlegung des geograph. Wissens, während Strabo die Länderkunde ausbaute. Die Araber wahrten die grch. Tradition durch ihre Geographen und Reisenden (v. a. Ibn Battuta). In Europa weitete sich das Weltbild erst ab 12./13. Jh. (z. B. Marco Polo) und bes. mit dem von Kolumbus eröffneten 1. Zeitalter der großen Entdeckungen. Kosmographien und Kartenwerke (seit dem 16. Jh. »Atlas«) versuchten die geistige Bewältigung größerer Weltkenntnis. B. Keckermann und B. Varenius im 17. Jh., A. F. Büsching, J. R. und G. Forster im 18. Jh. steigerten den Anspruch der G. als Wissenschaft. A. von Humboldt (naturwissenschaftlich) und C. Ritter (anthropogeographisch) erhoben die klass. dt. G. zur führenden Wissenschaft. Dieses Erbe wahrten in Dtl. bes. F. von Richthofen, A. Penck, A. Hettner, O. Schlüter, H. Lautensach und C. Troll.

📖 HARD, G.: *Die G. Eine wissenschaftstheoret. Einführung. Berlin u. a. 1973.* – BOESCH, M.: *Engagierte G. Zur Rekonstruktion der Raumwissenschaft als politikorientierte G. Stuttgart 1989.* – HAGGETT, P.: *G. Eine moderne Synthese. A. d. Engl. Stuttgart* [2]*1991.* – *Kommentierte Bibliographie zur G., bearb. v.*

H. H. Blotevogel *u.* H. Heineberg, *3 Tle. Paderborn u. a.* [2]*1992–95.* – Rohr, H.-G. von: *Angewandte G. Braunschweig* [2]*1994.*

geographische Koordinaten sind die geograph. →Breite und die geograph. →Länge. Beide zus. bestimmen die geograph. Lage eines Orts auf der Erdoberfläche.

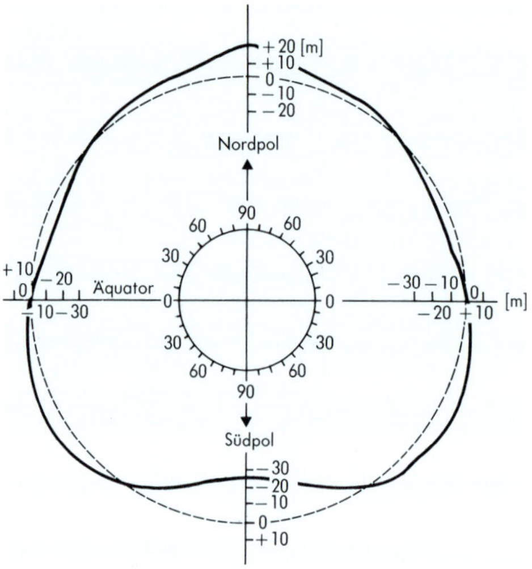

Geoid: Ein über verschiedene Längenkreise gemittelter Schnitt durch den Erdkörper; die durchgehende Linie entspricht dem Geoid nach Auswertung von 27 künstlichen Erdsatelliten, die gestrichelte Kurve gibt ein Sphäoid mit der Abplattung 1/298,257 wieder (die Abweichungen sind stark gedehnt, etwa 80 000fach)

geographische Lage, bei Siedlungsplätzen die großräuml. Verkehrslage, z. B. Küsten-, Ufer-, Passlage. Die **topographische Lage** wird dagegen von kleinräuml. Eigenschaften bestimmt, z. B. Berg-, Tal-, Insellage.

Geoid [grch.] *das,* aus dem Schwerefeld der Erde abgeleitete mathematisch vereinfachte Erdfigur, deren Oberfläche überall senkrecht zu den Feldlinien verläuft; Bezugsfläche der geodät. Höhenmessungen.

Geokarpie [grch.] *die* (Erdfrüchtigkeit), die Erscheinung, dass bei manchen Pflanzen der Fruchtknoten nach der Bestäubung durch Krümmungsbewegungen der ihn tragenden Achse in den Erdboden dringt und dort heranreift (z. B. Erdnuss).

Geokorona, äußere, v. a. aus Wasserstoff bestehende Gashülle der Erde in 2000 bis etwa 90 000 km Höhe, deren untere Grenze im Sonnenfleckenminimum niedriger (< 1 000 km) als im Maximum (> 2 000 km) liegt; sie ist auf der der Sonne abgewandten Seite schweifartig verlängert. Die G. strahlt im Sichtbaren nicht selbst, sondern streut nur die Lyman-α-Strahlung (Wellenlänge 121,5 nm) der Sonne. Da die Protonen (Wasserstoffatomkerne) überwiegen, spricht man auch von der Protonosphäre.

Geologenkompass, Spezialkompass zur Messung von →Streichen und Fallen von geolog. Flächen, Klüften, Störungen usw. mit 360°-Teilung oder 400-Gon-Teilung, Neigungsmesser (Klinometer), Libelle und Visiereinrichtung. Die Bez. für Osten (E) und Westen (W) sind vertauscht.

Geologie [grch. »Erdlehre«] *die,* Wiss. von Aufbau, Zusammensetzung und Entwicklung der Erde, bes. der Erdkruste, und der sie bewohnenden Lebewesen in erdgeschichtl. Zeit. Die **allg., physikal.** oder **dynam. G.** befasst sich mit den endogenen und exogenen Kräften und Vorgängen, die die Erdkruste gestalten, die **Tektonik** mit dem Bau der Erdkruste. Die Veränderungen der Erdkruste in geolog. Zeiten untersucht die **histor. G.,** die der Erdoberfläche die **Paläogeographie.** Die **Paläoklimatologie** ist die Wiss. von vorzeitl. Klimaverhältnissen. Eng verbunden mit der G. sind die →Paläontologie und die →Petrologie. In der **regionalen G.** werden die geolog. Verhältnisse bestimmter geograph. Räume dargestellt. Die **angewandte G.** macht die Erkenntnisse der G. für Wirtschaft und Technik nutzbar, z. B. im Bauwesen **(Ingenieur-G.),** für die Wasserwirtschaft **(Hydro-G.),** für die Land- und Forstwirtschaft **(Bodenkunde)** oder für die Erkundung von Rohstoffen **(Lagerstättenkunde).** Mit dem Aufbau der Planeten befasst sich die **Kosmo-G.,** mit dem des Mondes die **Lunar-G.** Pflegestätten der G. sind Hochschulinstitute, geolog. Ämter, geolog. Gesellschaften, internat. Geologenvereinigungen.

Bereits im 6. Jh. v. Chr. wurden Fossilien als Überreste von Organismen erkannt (Xenophanes). Die mittelalterl. Erklärung geolog. Phänomene durch die Sintflut wandelte sich erst in der

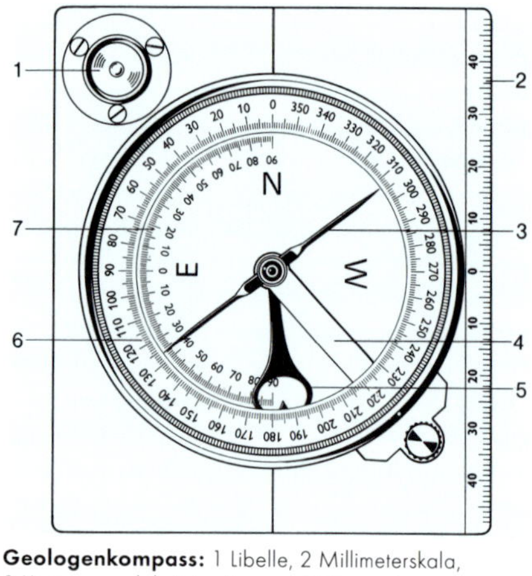

Geologenkompass: 1 Libelle, 2 Millimeterskala, 3 Kompassnadel, 4 Arretierung, 5 Klinometer zur Bestimmung des Fallwinkels, 6 linksläufige Gradeinteilung des Kompasses, 7 Gradeinteilung des Klinometers

Renaissance, doch blieben diese Ansichten noch lange von Einfluss. Bes. der Bergbau förderte geologisch-mineralog. Beobachtungen (v.a. G. Agricola). Leonardo da Vinci deutete erstmals wieder Versteinerungen als Überreste von Organismen. Mitte des 18. Jh. kam der Übergang von der rein beschreibenden zur erklärenden Naturwissenschaft. Dabei standen sich zwei Richtungen gegenüber: Neptunismus und Plutonismus. A. G. Werner, der Begründer des Neptunismus, sah alle Gesteine als Ablagerungen eines Urmeeres an. J. Hutton, der erste Vertreter des Plutonismus, erklärte sie durch vulkan. Ursprung. G. Cuvier entwickelte die Kataklysmentheorie, die weltweite Katastrophen und nachfolgende Neuschöpfungen von Tier- und Pflanzenwelt annahm. Im 19. Jh. begründete W. Smith, der das Prinzip der Leitfossilien erkannte, die Stratigraphie. Durch K. E. A. von Hoff und C. Lyell setzte sich der Aktualismus durch: Aus der Beobachtung gegenwärtiger Vorgänge werden Rückschlüsse auf die der geolog. Vergangenheit gezogen. Völlig neue Erkenntnisse brachte die Theorie der Plattentektonik, eine Weiterentwicklung der Kontinentalverschiebungslehre.

📖 *Abriß der histor. G., hg. v.* K.-A. Tröger, *unter Mitwirkung v.* H. Kozur, *2 Bde. Berlin 1984.* – Brinkmann, R.: *Brinkmanns Abriß der G., neu bearb. v.* W. Zeil *u.* K. Krömmelbein, *2 Bde. Stuttgart [14]1990–91.* – Richter, D.: *Allgemeine G. Berlin u.a. [4]1992.* – Press, F. *u.* Siever, R.: *Allgemeine G. Eine Einführung. A. d. Engl. Heidelberg u. a. 1995.* – Walter, R.: *G. von Mitteleuropa, begr. v.* P. Dorn, *Beiträge v.* P. Giese *u. a. Stuttgart [6]1995.*

geologische Ämter, staatl. Dienststellen zur allseitigen geolog. Erforschung des Landes. In Dtl.: Bundesanstalt für Geowiss. und Rohstoffe in Hannover für Gemeinschaftsaufgaben der Länder und zur Wahrnehmung internat. geolog. Aufgaben (z.B. Entwicklungshilfe), bis 1975 Bundesanstalt für Bodenforschung; in den Bundesländern eigene g.Ä. (z.B. Hess. Landesamt für Bodenforschung, Bayer. Geolog. Landesamt). In Österreich: Geologische Bundesanstalt (Wien), in der Schweiz: Geologische Kommission (Basel).

geologische Formation, →geologisches System.

geologische Karten, Messtischblätter oder topograph. Übersichtskarten versch. Maßstäbe mit beigefügtem Textheft (Erläuterung), auf denen Gesteinsarten, deren Lagerungsverhältnisse und Altersstellung, tekton. Strukturen u.a. geolog. Befunde durch Farben, Signaturen und Symbole eingetragen sind. Karte S. 203

geologisches System (früher geologische Formation), internat. Bez. für die innerhalb einer Periode durch Ablagerung entstandene Schichtenfolge. Ein g. S. ist durch Leitfossilien gekennzeichnet. Mehrere g. S. werden zu einer Gruppe (Ära) zusammengefasst und in Abteilungen (Serien/Epochen) gegliedert, diese in Stufen, die Stufen in Zonen. Übersicht S. 202

geologische Thermometer, Minerale mit festliegenden Schmelz-, Umwandlungs- oder Entmischungstemperaturen, aus denen sich die Bildungs- und/oder Umwandlungstemperaturen von Gesteinen erschließen lassen. Auch Eigenheiten der Struktur von Kristallen oder von Gas- und Flüssigkeitseinschlüssen sowie das Auftreten bestimmter Mineralparagenesen dienen als g. T.

Geomagnetik, Verfahren der angewandten Geophysik zur Erforschung der obersten Erdkruste (z.B. zur Lagerstättenexploration) durch Vermessung des erdmagnet. Feldes. Die **Aeromagnetik** arbeitet vom Flugzeug aus. Als Messgeräte dienen →Magnetometer.

Geomagnetismus, der →Erdmagnetismus.

Geomedizin, Zweig der Medizin, der sich mit dem Einfluss geograph. Faktoren auf Krankheiten befasst.

Geometer *der,* →Vermessungsingenieur.

Geometrie [grch. »Landmessung«] *die,* Teilgebiet der Mathematik, das aus der Beschäftigung mit den Eigenschaften und Formen des Raumes, wie der Gestalt ebener und räuml. Figuren, Berechnung von Längen, Flächen, Inhalten u.a. entstand. Die G. beginnt im heutigen Sinn mit dem von →Euklid von Alexandria verfassten Werk »Die Elemente«; erst von da an wurde sie aus einigen wenigen, anschaulich einleuchtenden Sätzen (Axiomen und Postulaten) deduktiv entwickelt. Diese als →euklidische Geometrie bezeichnete »klass. G.« basiert auf dem Parallelenaxiom von Euklid. Erst im 19. Jh. entdeckte man, dass es von den übrigen Axiomen unabhängig ist, sodass von der euklid. G. die →nichteuklidische Geometrie unterschieden wird. Eine weitere Verallgemeinerung bildet die →Riemann-Geometrie. Das Gebiet der G. wird nach den unterschiedlichsten Gesichtspunkten eingeteilt und gegliedert. Während die **synthet. G.** auf Axiomensystemen aufbaut, werden in der **analyt. G.** (R. Descartes 1637) die Punkte der Ebene und des Raumes durch Koordinaten festgelegt und damit die geometr. Fragen in Probleme der Algebra oder der Analysis **(Differenzial-G.** und **Integral-G.)** umgewandelt. In der **Elementar-G.** unterscheidet man zw. **Planimetrie** (ebene G.) und **Stereometrie** (räuml. G.). Gegenstand der →Trigonometrie ist die Berechnung von Längen und Winkeln geometr. Figuren. Größen, die Invarianten bei Abbildungen, Kongruenz- oder Ähnlichkeitsabbildungen sind, untersucht die **Abbildungs-, Kongruenz-** bzw. **Ähnlichkeits-G.** – Eine Systematisierung der G. mithilfe

Geologische Systeme

Zeitalter	*System*	*Abteilung*	*Beginn vor Mio. Jahren*	*Entwicklung des Lebens*
Erdneuzeit (Neozoikum, Känozoikum)	Quartär	Holozän Pleistozän	2,5	Veränderung der Umwelt durch den Menschen; Pflanzen- und Tierwelt der Gegenwart Den Eiszeiten und Zwischeneiszeiten angepasste Tier- und Pflanzenwelt Menschwerdung
	Tertiär	Pliozän Miozän Oligozän Eozän Paläozän	65	Entwicklung der Vögel und Säugetiere, insbesondere der Herrentiere; Höhepunkt in der Entwicklung der Schnecken
Erdmittelalter (Mesozoikum)	Kreide	Oberkreide Unterkreide	144	Aussterben der Dinosaurier und Flugsaurier. Zahlreiche Foraminiferen und Muscheln (z.T. Leitfossilien); Entwicklung der Bedecktsamer
	Jura	Malm Dogger Lias	213	Reiche marine Fauna mit Ichthyosauriern, Plesiosauriern, Ammoniten (Leitfossilien), Belemniten, riffbildenden Schwämmen. Auftreten des Urvogels Archäopteryx
	Trias (german. Trias)	Keuper Muschelkalk Buntsandstein	248	Im Keuper Auftreten der ersten Säugetiere, im Muschelkalk reiche marine Fauna (u.a. Seelilien, Muscheln, Brachiopoden, Kopffüßer), im Buntsandstein Fährten von Chirotherium (ein Saurier)
Erdaltertum (Paläozoikum)	Perm	Zechstein Rotliegendes	286	Entwicklung und Differenzierung der Reptilien. Daneben Großforaminiferen, Bryozoen. Glossopteris-Flora in Gondwanaland
	Karbon	Oberkarbon Unterkarbon	360	Zahlreiche Amphibien; erste Reptilien. Baumförmige Farne, Schachtelhalme, Bärlappgewächse (erhalten in Steinkohlenlagern)
	Devon	Oberdevon Mitteldevon Unterdevon	408	Leitfossilien sind Brachiopoden, Kopffüßer und Fische. Im Mitteldevon erste Farne, Schachtelhalme und Bärlappgewächse
	Silur		438	Erstes Auftreten der Fische, im obersten Silur der ersten Gefäßpflanzen (Landbewohner). Reiche marine Fauna, u.a. riffbildende Korallen, Graptolithen (Leitfossilien)
	Ordovizium		505	Erstes Auftreten der Graptolithen und Korallen. Daneben Brachiopoden, Echinodermen, Kopffüßer, Trilobiten
	Kambrium		590	Erstes Auftreten der Trilobiten (Leitfossilien), Brachiopoden, Echinodermen, Kopffüßer
Erdfrühzeit (Präkambrium)	Algonkium (Proterozoikum)		etwa 2500	Abdrücke von Spiculä, Quallen, Seefedern, Arthropoden;
	Archaikum			Stromatolith en (Kalkausscheidungen von Cyanobakterien), Algenreste
			etwa 4000	Entstehung des Lebens

der Gruppentheorie und des Invariantenbegriffs entwarf 1872 F. Klein.

Zur **affinen G.** gehören die Größen, die bei affinen Transformationen invariant sind, d.h. bei denen das Verhältnis der Abstände je zweier Punktepaare auf einer Geraden sich nicht ändert, z.B. Parallelität zweier Geraden. Die **projektive G.** untersucht die Eigenschaften geometrischer Elemente, die sich bei sog. Projektionen nicht ändern.

Geschichte: Einfache geometr. Tatsachen waren schon in vorgeschichtl. Zeit bekannt. Zu einer durch Beweise aufgebauten systemat. G. gelangten erst die Griechen. Berühmte Geometer des Altertums waren Thales, Pythagoras, Hippokrates, Platon, Euklid, Archimedes, Apollonios von Perge. Weitere Fortschritte erzielten im MA. die Araber, während das Abendland sich erst durch die Wiederbegegnung mit der Antike in Humanismus und Renaissance für geometr. Fragen zu interessieren begann. Von besonderer Bedeutung auf dem Gebiet der G. waren: G. von Peurbach, Regiomontanus im 15. Jh., J. Kepler und P. Guldin im 16. Jh., B. Cavalieri, G. Galilei, G. Desargues, R. Descartes, B. Pascal, C. Huygens, I. Newton, G. W. Leibniz im 17. Jh., C. MacLaurin, L. Euler, J. L. Lagrange, G. Monge im 18. Jh., J. V. Poncelet, J. Steiner, A. F. Möbius, J. Plücker, L. O. Hesse, F. Bolyai, N. Lobatschewski, C. F. Gauß im 19. Jh., D. Hilbert, F. Klein, B. Riemann u.a. im 20. Jh.

📖 Colerus, E.: *Vom Punkt zur vierten Dimension. G. für jedermann. Lizenzausg. Augsburg 1990.*

geometrische Kunst, frühe Epoche der →griechischen Kunst, etwa 900–700 v. Chr., benannt nach den vorherrschenden Schmuckmotiven der bemalten Vasen.

geometrischer Ort, Gesamtheit aller Punkte mit einer bestimmten geometr. Eigenschaft; z.B. ist der g. O. aller Punkte, die von zwei Punkten *A* und *B* gleich weit entfernt sind, die Mittelsenkrechte der Strecke $\overline{AB}$.

geometrisches Mittel, →Mittelwert.

Geomorphologie, die Wiss. von den Oberflächenformen der Erde, Teilgebiet der phys. Geographie und der dynam. Geologie, untersucht nicht nur das Relief der Natur- und Kulturlandschaft, sondern auch die Kräfte und gesetzmäßigen Abläufe, durch die die versch. Formen gestaltet werden. Bes. Aufmerksamkeit finden heute die Einflüsse des Klimas (klimat. G.).

Geoökologie, die →Landschaftsökologie.

Geophagie [grch.] *die, Völkerkunde:* das →Erdeessen.

Geophon [grch.] *das* (Seismophon), mikrofonähnl. Wandler, der die bei sprengseism. Untersuchungen ausgelösten Bodenerschütterungen in elektr. Signale umwandelt; auf See werden entsprechende, in Bojen untergebrachte Hydrophone verwendet.

Geophysik, Teilgebiet der Physik, das sich mit der Erforschung der natürlichen physikal. Erscheinungen auf und in der Erde sowie in ihrer näheren Umgebung (Teil des interplanetaren Raumes) befasst, d.h. mit dem Erdkörper (G. i.e.S.), der Hydrosphäre (Ozeanographie, Hydrologie), der Atmosphäre (Meteorologie, Klimatologie, Aeronomie/Ionosphärenforschung) und den Einflüssen anderer Himmelskörper auf die Erde (z.B. Gezeiten). Zur Physik des Erdkörpers gehören v.a. Gravimetrie, Seismologie, Erdmagnetismus, Erdwärme, Geodynamik, Gesteinsphysik; neben instrumentellen Messungen werden heute auch Laboruntersuchungen vorgenommen. In der **angewandten G.** werden die Erkenntnisse für die Suche nach Lagerstätten und Wasser führenden Schichten sowie bei Baugrunduntersuchungen nutzbar gemacht; angewendet werden dabei bes. die Methoden der Geoelektrik, Geomagnetik, Gravimetrie und Sprengseismik.

📖 BERCKHEMER, H.: *Grundlagen der G. Darmstadt 1990.* – CARA, M.: *G. A.d.Frz. Berlin u.a. 1994.*

Geophysikalisches Jahr, →Internationales Geophysikalisches Jahr.

Geopolitik, Grenzwissenschaft zw. Geographie, Staatenkunde, Geschichte und Gesellschaftswissenschaften, begründet und zur Staatswissenschaft erhoben von R. Kjellén, in Dtl. u.a. von K. Haushofer vertreten, sucht die Beziehungen zw. polit. Gegebenheiten und Raum zu erforschen. Nach dem 1. Weltkrieg wurden in Dtl. geopolit. Theorien (z.B. →Lebensraum) von Gruppen der extremen polit. Rechten agitatorisch vertreten. Nach dem 2. Weltkrieg sind geopolit. Auffassungen stärker Ausdruck einer praktischen polit. Geographie.

📖 BRILL, H.: *G. heute. Frankfurt u.a. 1994.*

Geopotenzial, Maß für die Arbeit bzw. Energie, die aufzuwenden ist, um auf der Erde eine Masseneinheit (z.B. 1 kg) von einem Höhenniveau

geometrische Kunst: Vase aus Attika, bemalt mit geometrischen Ornamentbändern (um 750 v. Chr.; Hannover, Kestner-Museum)

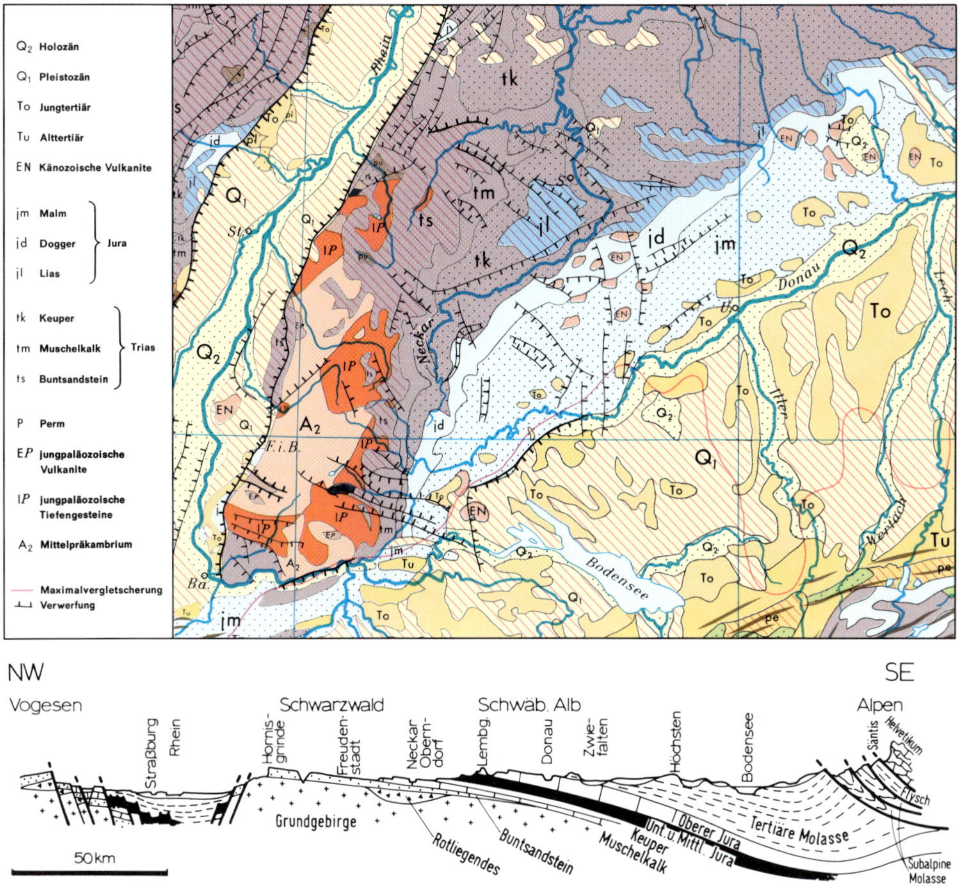

geologische Karten: Südwestdeutschland vom Oberrheingraben bis zum Alpenrand als Beispiel einer geologischen Karte, darunter das dazugehörige Profil (nach: Otto F. Geyer/Manfred P. Gwinner, Geologie von Baden-Württemberg)

Georg I., König von Griechenland

Z_1 (z.B. dem Meeresniveau) entgegen der Schwerebeschleunigung auf ein Höhenniveau Z_2 zu heben. Flächen gleichen G. werden **Äquipotenzial-** oder **Niveauflächen** genannt; sie liegen über dem Pol enger als über dem Äquator. Einheiten des G. sind das **geopotenzielle Meter** (gpm) bzw. das **geodynam. Meter** (gdm): 1 gdm = 10 m^2/s^2; 1 gpm = 9,80665 m^2/s^2 oder J/kg.

Gẹorg, röm. Offizier, Märtyrer, dessen histor. Existenz umstritten ist; er soll im frühen 4. Jh. getötet worden sein. Die byzantin. Kirche verehrte ihn als Märtyrer und Drachenkämpfer; im MA. kam sein Kult v.a. durch die Kreuzfahrer nach Europa (hier u.a. Patron versch. Ritterorden). Die bildende Kunst stellt ihn meist als Ritter im Kampf mit dem Drachen dar; Heiliger; Tag: 23. 4.

Georg: Paolo Uccello, »Heiliger Georg mit dem Drachen«, Ausschnitt (um 1456; London, National Gallery)

Gẹorg, Herrscher:

Bayern: **1) G. der Reiche,** Herzog von Bayern-Landshut (1479–1503), *Landshut vor dem 15. 8. 1455, †Ingolstadt 1. 12. 1503; feierte 1475 die »Landshuter Hochzeit« (histor. Spiel alle vier Jahre) mit der poln. Königstochter Jadwiga (Hedwig); vererbte sein Land an die Pfalz (Anlass zum Landshuter Erbfolgekrieg 1504/05).

Georg VI., König von Großbritannien und Irland

Böhmen: **2) G. von Podiebrad,** (tschech. Jiří z Poděbrad), König (1458–71), *Poděbrady (bei Kolín) 6. 4. 1420, †Prag 22. 3. 1471, Großvater von 16); wurde als Führer der utraquist. Hussiten 1452 Gubernator (Reichsverweser) und 1458 zum König (»Hussitenkönig«) gewählt. Obwohl er heimlich zum Katholizismus übergetreten war, wurde er vom Papst 1466 als Ketzer gebannt und abgesetzt, behauptete sich jedoch gegen seinen Schwiegersohn Matthias I. Corvinus, den eine kath. Minderheit 1469 zum böhm. Gegenkönig erklärt hatte.

Griechenland: **3) G. I.,** König (1863–1913), als dän. Prinz **Wilhelm,** *Kopenhagen 24. 12. 1845, †Saloniki 18. 3. 1913; Sohn König Christians IX. von Dänemark, aus dem Haus Glücksburg; wurde 1863 auf Empfehlung Großbritanniens zum König als Nachfolger des gestürzten Otto I. gewählt; erreichte den Anschluss der Ion. Inseln (1864), Thessaliens sowie des südl. Epirus (1881); kurz nach seinem Sieg im 1. Balkankrieg (1912/13) ermordet.

4) G. II., König (1922–24 und 1935–47), *Schloss Tatoi (bei Athen) 19. 7. 1890, †Athen 1. 4. 1947, Enkel von 3); wurde nach Absetzung seines Vaters Konstantin I. 1922 König. Nach Ausrufung der Republik war er 1924–35 im Exil. 1936 ermächtigte er General I. Metaxas zur Errichtung eines diktator. Regierungssystems. Während der dt. Besetzung im 2. Weltkrieg war er 1941–44 erneut im Exil (London). Nach einem Plebiszit kehrte G. II. 1946 nach Griechenland zurück.

Großbritannien: **5) G. I.,** König (1714–27), als **G. Ludwig** Kurfürst von Hannover (1698–1727), *Hannover 7. 6. 1660, †Osnabrück 22. 6. 1727, Vater von 6); gewann das Fürstentum Lüneburg (1705) sowie die Herzogtümer Bremen (1720) und Verden (1712/19) hinzu. Auf den brit. Thron gelangte er 1714 durch seine Mutter Sophie von der Pfalz, Enkelin Jakobs I. von England; des Englischen nicht mächtig, überließ er die Reg. v.a. dem Leiter des Kabinetts (seit 1721 Sir R. Walpole).

6) G. II., König (1727–60), zugleich als **G. II. August** Kurfürst von Hannover, *Herrenhausen (heute zu Hannover) 10. 11. 1683, †London 25. 10. 1760, Sohn von 5); besiegte im Österr. Erbfolgekrieg 1743 bei Dettingen die Franzosen. Für die überseeische Politik Pitts d.Ä. hatte G. kein Verständnis. Er stiftete 1734/37 die Univ. Göttingen und ließ 1753 das Brit. Museum erbauen.

7) G. III., König von Großbritannien (seit 1760, von Großbritannien und Irland seit 1801), zugleich Kurfürst, seit 1814 König von Hannover, *London 4. 6. 1738, †Windsor 29. 1. 1820, Enkel von 6), Vater von 8); im Unterschied zu seinen beiden Vorgängern in England erzogen. Er verdrängte 1761 Pitt d.Ä. aus der Reg. und beendete den Siebenjährigen Krieg durch einen Sonderfrieden ohne Preußen (Pariser Frieden von 1763). Im Innern suchte er die Herrschaft des Parlaments mithilfe der »Königsfreunde« zurückzudrängen. Durch seine starre Haltung bewirkte er den Abfall der nordamerikan. Kolonien. Darauf überließ er Pitt d.J. die Leitung der Politik, bis dieser 1801 zurücktrat. Da G. seit 1810 schwer krank war, übernahm der Prinz von Wales, der spätere G. IV., 1811 die Regentschaft.

8) G. IV., König von Großbritannien und Irland (1820–30), zugleich König von Hannover, *London 12. 8. 1762, †Windsor 26. 6. 1830, Sohn von 7); als Lebemann Mittelpunkt vieler Skandale, führte einen erfolglosen Scheidungsprozess (1820) gegen seine zweite Gattin, die braunschweig. Prinzessin Karoline. Für seinen Vater übernahm er 1811 die Regentschaft. 1819 gab er Hannover eine Verfassung.

9) G. V., König von Großbritannien und Irland (seit 1910, seit 1921 von Großbritannien und Nordirland), *London 3. 6. 1865, †Sandringham 20. 1. 1936, zweiter Sohn Eduards VII., Vater von 10); ⚭ seit 1893 mit Mary von Teck. In seine Regierungszeit fielen der 1. Weltkrieg und der Aufstieg der Dominions zur vollen Gleichberechtigung. 1911 wurde er in Delhi zum Kaiser von Indien gekrönt.

10) G. VI., König von Großbritannien und Nordirland (1936–52), *Sandringham 14. 12. 1895, †ebd. 6. 2. 1952, zweiter Sohn von 9); seit 1923 ⚭ mit Lady Elizabeth Bowes-Lyon; widmete sich als Herzog von York (1920) bes. der Jugendfürsorge. Nach der Abdankung seines Bruders Eduard VIII. bestieg er den Thron. 1948 verzichtete er auf den Titel eines Kaisers von Indien.

Hannover: **11) G. Ludwig,** → Georg 5).

12) G. II. August, → Georg 6).

13) G. III., → Georg 7).

14) G. IV., → Georg 8).

15) G. V., König (1851–66), *Berlin 27. 5. 1819, †Paris 12. 6. 1878; Sohn von König Ernst August, regierte im Sinn der Reaktion. Im Dt. Krieg von 1866 kämpfte er mit Österreich gegen Preußen, dessen Sieg zur (von G. nie anerkannten) Annexion Hannovers und zur Beschlagnahmung seines Privatvermögens (→ Welfenfonds) führte.

Sachsen: **16) G. der Bärtige,** Herzog (1500–39), *Meißen 27. 8. 1471, †Dresden 17. 4. 1539; Sohn Albrechts des Beherzten, Enkel von 2); humanistisch gebildet, erstrebte eine kath. Reform, war jedoch nach 1519 energ. Gegner M. Luthers und der Reformation. Er besiegte 1525 die aufständ. Bauern bei Frankenhausen. G. betrieb eine umsichtige Politik zum Ausbau des albertin. Staates.

Sachsen-Meiningen: **17) G. II.,** Herzog (1866 bis 1914), *Meiningen 2. 4. 1826, †Bad Wildungen 25. 6. 1914; führte liberale Reformen durch; förderte das Meininger Hoftheater (»Theaterherzog«), das unter seiner künstler. Leitung europ. Geltung erlangte, und das Konzertwesen (Hofkapelle unter H. v. Bülow, M. Reger u. a.).

Waldeck: **18) G. Friedrich,** Graf, seit 1682 Fürst, Feldherr und Staatsmann, *Arolsen (heute Bad Arolsen) 31. 1. 1620, †ebd. 19. 11. 1692; stand seit 1642 und nach 1672 in niederländ. Militärdienst. In brandenburg. Dienst (1651–58) betrieb er eine kaiserfeindl. Politik. Später entfaltete er eine lebhafte polit. Tätigkeit gegen Ludwig XIV. von Frankreich und nahm 1683–85 als Reichsfeldmarschall am Türkenkrieg teil.

Georg-Büchner-Preis, 1923 gestifteter Preis für hess. Künstler, seit 1951 allg. Literaturpreis, von der Dt. Akademie für Sprache und Dichtung verliehen. Preisträger dieses (heute mit 60 000 DM dotierten) bedeutendsten dt. Literaturpreises sind: G. Benn (1951), (1952 nicht verliehen), E. Kreuder (1953), M. Kessel (1954), Marie Luise Kaschnitz (1955), K. Krolow (1956), E. Kästner (1957), M. Frisch (1958), G. Eich (1959), P. Celan (1960), H. E. Nossack (1961), W. Koeppen (1962), H. M. Enzensberger (1963), Ingeborg Bachmann (1964), G. Grass (1965), W. Hildesheimer (1966), H. Böll (1967), G. Mann (1968), H. Heissenbüttel (1969), T. Bernhard (1970), U. Johnson (1971), E. Canetti (1972), P. Handke (1973), H. Kesten (1974), M. Sperber (1975), H. Piontek (1976), R. Kunze (1977), H. Lenz (1978), E. Meister (1979; postum), Christa Wolf (1980), M. Walser (1981), P. Weiss (1982), W. Schnurre (1983), E. Jandl (1984), Heiner Müller (1985), F. Dürrenmatt (1986), E. Fried (1987), A. Drach (1988), B. Strauß (1989), T. Dorst (1990), W. Biermann (1991), G. Tabori (1992), P. Rühmkorf (1993), A. Muschg (1994), D. Grünbein (1995), Sarah Kirsch (1996), H. C. Artmann (1997).

Georg II., Herzog von Sachsen-Meiningen

George, 1) Götz, Schauspieler, *Berlin 23. 7. 1938, Sohn von 2) und der Schauspielerin Berta Drews (*1905, †1987); prägte 1981–91 mit unkonventioneller Darstellungsweise die Gestalt des Kommissars Schimanski in der TV-Serie »Tatort«; Spielfilme u. a. »Abwärts« (1984), »Der Bruch« (1988), »Blauäugig« (1989), »Schtonk« (1992), »Der Totmacher« (1995), »Rossini« (1997).

2) Heinrich, eigtl. Heinz Georg Schulz, Schauspieler, *Stettin 9. 10. 1893, †Internierungslager Sachsenhausen 25. 9. 1946; seit 1922 in Berlin, 1936–45 als Intendant des Schillertheaters; vitaler Helden- und Charakterdarsteller (Götz, Richter von Zalamea), auch im Film (»Der Postmeister«, 1940).

Götz George

3) [dʒɔ:dʒ], Henry, amerikan. Volkswirtschaftler, *Philadelphia (Pa.) 2. 9. 1839, †New York 29. 10. 1897; forderte in seinem Hauptwerk »Fortschritt und Armut« (1879) zur Beseitigung der sozialen Not eine grundlegende Bodenreform. Mithilfe einer Einheitssteuer (»single tax«) wollte er die Vergesellschaftung des Bodens erreichen.

Heinrich George

4) Stefan, Dichter, *Büdesheim (heute zu Bingen am Rhein) 12. 7. 1868, †Minusio (bei Locarno) 4. 12. 1933; führte zunächst ein Wanderleben; 1892 erschien das erste Heft der »Blätter für die Kunst« (bis 1919), ein Organ für den sich um ihn sammelnden exklusiven Kreis von Künstlern und Gelehrten, dem u. a. K. Wolfskehl, M. Dauthendey, der junge H. von Hofmannsthal, M. Lechter, E. H. Kantorowicz, L. Klages, F. Gundolf, M. Kommerell angehörten **(George-Kreis).** Seine gegen Naturalismus und Epigonendichtung gerichtete Kunst-

Yvonne Georgi

auffassung des L'art pour l'art, sein am frz. Symbolismus geschulter Schönheits- und Formsinn fanden ihren Niederschlag zunächst in Gedichtzyklen (»Hymnen«, 1890; »Pilgerfahrten«, 1891; »Algabal«, 1892; »Das Jahr der Seele«, 1897). Mit dem Zyklus »Der Teppich des Lebens und die Lieder von Traum und Tod« (1900) wandte sich G. vom Ästhetizismus ab und begann eine myth. Wertewelt aufzubauen, in der der Dichter als Seher im Gefolgschaftskreis seiner Jünger wirkt (»Der siebente Ring«, 1907; »Der Stern des Bundes«, 1914). Der in der Nachfolge F. Nietzsches unternommene Versuch, die Krise der europ. Kultur durch die Stiftung eines »Neuen Bundes« zu überwinden, führte wegen seiner inhaltl. Vagheit zur Umdeutung und Reklamierung seines Werkes durch den Nationalsozialismus; aus Protest dagegen ging G. 1933 in die Schweiz.

📖 SCHONAUER, F.: *S. G. mit Selbstzeugnissen u. Bilddokumenten. Reinbek 41.–43. Tsd. 1992.*

Stefan George: Zeichnung von Olaf Gulbransson (1933)

Georgetown ['dʒɔ:dʒtaʊn], Hauptstadt von Guyana, an der Mündung des Demerara in den Atlantik, 248500 Ew.; Univ.; kath. und anglikan. Bischofssitz; Handelszentrum; Hafen, internat. Flughafen. – 1781 von Briten gegr., seit 1784 in niederländ., seit 1812 endgültig in brit. Besitz, nach den Bränden von 1945 und 1951 neu aufgebaut.

George Town ['dʒɔ:dʒtaʊn] (Pinang), Hptst. des Staates Pinang, Malaysia, auf der Insel Pinang, 219400 meist chines. Ew.; naturwiss. Univ.; Exportindustriezone; Überseehafen, Straßenbrücke (13,5 km) zum Festland, internat. Flughafen. – Gegr. 1786 von der britischen Ostind. Kompanie.

Georgette [ʒɔr'ʒɛt, frz.] *der* (Crêpe Georgette), schleierartig dünnes, leinwandbindiges Seidengewebe mit feinen Kreppfäden in Kette und Schuss. **Woll-G.** hat einen guten Fall und ist knitterarm.

Georgi, Yvonne, Tänzerin, Choreographin, Ballettdirektorin, *Leipzig 29. 10. 1903, †Hannover 25. 1. 1975; Schülerin von M. Wigman, Partnerin von H. Kreutzberg; zählt zu den bed. Vertreterinnen des dt. Ausdruckstanzes.

Georgia ['dʒɔ:dʒə], Abk. **Ga., GA,** Staat der USA, 152577 km², (1995) 7,20 Mio. Ew., davon 27% Schwarze; Hptst.: Atlanta. G. reicht von der Küstenebene über das Piedmontplateau bis in die Appalachen. Anbau von Baumwolle, Tabak, Erdnüssen, Mais, Obst; Rinder-, Schweine- und Geflügelhaltung. Holz-, Textil-, Luftfahrtind. und Fahrzeugbau. Wichtigster Hafen ist Savannah. Staatsuniv. in Athens. – G. wurde seit 1733 durch eine engl. Gesellschaft besiedelt und nach Georg II. benannt. Es erklärte 1776 seine Unabhängigkeit und trat 1788 der Union bei. Im →Sezessionskrieg gehörte es zu den Südstaaten. 1870 wurde es wieder in die Union aufgenommen.

Georgian Bay ['dʒɔ:dʒjən 'beɪ], rd. 200 km lange Bucht des Huronsees, Kanada, mit mehr als 30000 Inseln.

Georgian Style ['dʒɔ:dʒjən 'staɪl] (georgianischer Stil), Stilrichtung in Architektur (W. Kent, R. Adam, J. Nash), Innendekoration und Kunsthandwerk (T. Chippendale, G. Hepplewhite) in England und seinen Kolonien unter den Königen Georg I. bis Georg IV. (1714–1830). Der G. S. bediente sich weitgehend der Formensprache A. Palladios, griff aber auch Motive des frz. Rokoko auf.

Georgiastraße ['dʒɔ:dʒə-] (engl. Strait of Georgia), Meeresstraße zw. der kanad. Insel Vancouver und der Festlandküste Kanadas, rd. 240 km lang, 20–60 km breit, bis 380 m tief.

Georgilen (georg. Sakartwelo, amtl. Sakartwelos Respublika; dt. Rep. G.), Staat im W Transkaukasiens (SW-Asien), grenzt im W ans Schwarze Meer, im N an Russland, im O und SO an Aserbaidschan, im S an Armenien und im SW an die Türkei. Zu G. gehören die Rep. Abchasien (im NW) und Adscharien (im SW) sowie Südossetien (im N).

Staat und Recht: Es gilt die am 17. 10. 1995 in Kraft getretene Verf. Sie etabliert ein Präsidialsystem mit einem direkt für fünf Jahre gewählten Staatspräs. als Staatsoberhaupt und Reg.chef. Die Ernennung der Min. bedarf der Zustimmung des Parlaments. Von den 235 Mitgl. des Parlaments werden 150 im Verhältniswahlsystem, 85 in Einzelwahlkreisen nach dem Mehrheitswahlrecht gewählt. – Es besteht ein breit gefächertes Parteiensystem.

Landesnatur: G. ist ein Gebirgsland, etwa 50% des Landes liegen über 1000 m ü. M., ein knappes Viertel in bis zu 500 m Höhe. Im N erstrecken sich der vergletscherte Hauptgebirgskamm des Großen

Georgien

Fläche: 69 700 km²
Einwohner: (1995) 5,46 Mio.
Hauptstadt: Tiflis (Tbilissi)
Amtssprache: Georgisch
Währung: Lari (GEL) = 100 Tetri
Zeitzone: MEZ

Kaukasus (Schchara, 5 068 m ü. M.; Kasbek, 5 033 m ü. M.) und seine Südabdachung, im S breiten sich die westl. Rücken des Kleinen Kaukasus (Mepiszkaro, 2 850 m ü. M.) und Randteile des vulkanisch geprägten Ararathochlandes (Großer Abul, 3 301 m ü. M.) aus. Dazwischen befinden sich im W die zum Schwarzen Meer geöffnete Kolchis und weiter östlich die transkaukas. Senke mit Innerkarteli-, Unterkarteli- und Alasan-Hochebene. – Das Klima ist im Bereich der Kolchis feucht-subtropisch (300–800 mm/Jahr), nach O nimmt die Kontinentalität und somit die Trockenheit rasch zu. Im Großen und Kleinen Kaukasus variieren die Werte je nach Höhenlage (Wintertemperatur bis −40 °C) stark. Die dem Schwarzen Meer zugeneigten Hänge empfangen die höchsten Niederschlagsmengen in G. (2 400–3 000 mm/Jahr). – Etwa 25 % der Landesfläche sind waldbedeckt (Mischwälder in den unteren, Buchen-, Fichten- und Kiefernwälder in den höheren Lagen). Über der Waldgrenze (im Großen Kaukasus bei 2 800 m, im Kleinen Kaukasus bei 3 500 m ü. M.) liegen subalpine und alpine Wiesen. Steppe, heute weitgehend in Kulturland verwandelt, bedeckt weite Teile der Becken- und Senkungszone sowie das Gebirgsland im S. – Wichtigste Vertreter der Tierwelt sind Berg-, Bezoarziege, Gämse, Braunbär, Rothirsch, Reh, Luchs, Wildschwein, Wolf und Rotfuchs.

Bevölkerung: Sie setzte sich (1993) zu 69,3 % aus Georgiern (Eigenbez. Kartweli), 8,0 % Armeniern, 6,2 % Russen, 5,6 % Aserbaidschanern (Aseri), 3,1 % Osseten, 1,9 % Griechen, 1,8 % Abchasen, 1,0 % Ukrainern sowie 3,1 % Angehörigen anderer Nationalitäten (Juden, Weißrussen, Assyrer, Tataren u. a.) zusammen. Untergruppen der Georgier sind die Adscharen, Mingrelier, Swanen u. a. Völkerschaften. Zw. den Georgiern einerseits und den Abchasen und Osseten andererseits bestehen große ethn. Spannungen. Im Land gibt es etwa 250 000–300 000 Binnenflüchtlinge (Georgier) aus Abchasien. Am dichtesten sind der S und O der Kolchis und der Küstenstreifen am Schwarzen Meer besiedelt. 58 % der Bewohner leben in Städten. Die Georgier gehören der georgisch-orth. Kirche an, die seit 1990 wieder eine herausgehobene Stellung im Staat hat. Andere Christen sind v. a. die rd. 400 000 Mitgl. der armen. Kirche und die rd. 160 000 der russisch-orth. Kirche. Rd. 11 % der Bev. sind Muslime: Sunniten (Adscharen, Mingrelier, Abchasen, Osseten) oder Schiiten (Aserbaidschaner). – Neben der Georg. Akademie der Wiss. gibt es 19 Hochschulen, darunter eine Univ. (gegr. 1918) in Tiflis.

Wirtschaft, Verkehr: Die nach der polit. Unabhängigkeit einsetzende Wandlung von einer zentralistisch gelenkten sozialist. Planwirtschaft zur privaten Marktwirtschaft wurde durch Bürgerkrieg und Krieg zw. G. und Abchasien unterbrochen, die Wirtschaft durch die Kämpfe stark zerrüttet. Durch den Niedergang der Ind. hat die Landwirtschaft einen Anteil am produzierten Volkseinkommen von 68 % (1993; 1987: 30,6 %; Ind.: 26 bzw. 55 %). Wegen des Gebirgsreliefs sind nur 43 % der Landesfläche landwirtschaftlich nutzbar. Von alters her spielen Weinbau sowie Zitrusfrucht-, Obst- und Teekulturen eine besondere Rolle. Weitere Anbauprodukte sind u. a. Gemüse, Tabak, Mais, Weizen, Baumwolle, Sonnenblumen. Maulbeerbaumkulturen sind Grundlage einer Seidenraupenzucht. Rinderhaltung wird v. a. in den westl., Schafhaltung in den gebirgigen Landesteilen betrieben. Nahrungsmittel- und Genussmittelind. (Spirituosen-, Tabakwaren-, Obstkonservenherstellung) sowie die Textilind. sind die wichtigsten Industriezweige, aber auch der Bergbau (Steinkohle, Mangan-, Zink- und Eisenerze, Erdöl und -gas) sowie die Eisenerzverhüttung (Rustawi, Sestafoni), chem. Ind. und der Bau von Elektrolokomotiven, Lkw und Werkzeugmaschinen haben Bedeutung. Wichtigste Ind.standorte sind Tiflis, Kutaissi, Rustawi, Batumi, Poti und Suchumi. Die wichtigsten Handelspartner sind Russland, die Türkei, USA, Dtl., Frankreich und Italien. – Eisenbahn und Schifffahrt bewältigen den Hauptteil des Gütertransports. Das 1 583 km lange Eisenbahnnetz ist vollständig elektrifiziert. Das Straßennetz um-

Staatswappen

GE

Internationales Kfz-Kennzeichen

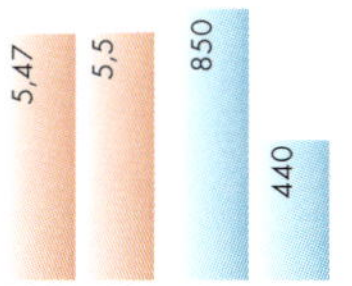

Bevölkerung (in Mio.)
Bruttosozialprodukt je Ew. (in US-$)

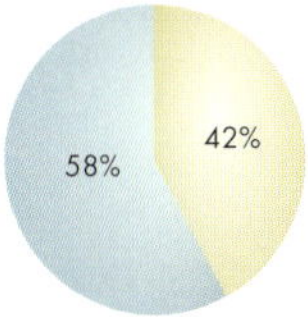

Bevölkerungsverteilung 1994

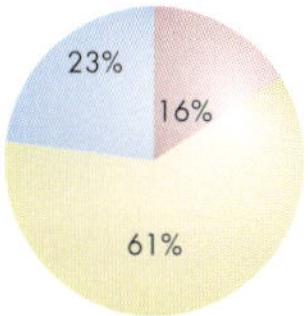

Bruttoinlandsprodukt 1994

fasst 35100 km, davon haben 31200 km eine feste Decke (darunter die →Georgische Heerstraße). Haupthäfen sind Batumi, Poti und Suchumi; internat. Flughafen bei Tiflis. Heilbäder (Mineralquellen) und Badeorte an der Schwarzmeerküste (Suchumi, Gagra, Pizunda u.a.) sowie Wintersportgebiete führten zu einem bed. Fremdenverkehr.

Geschichte: Im Altertum stand der westl. Teil des heutigen G. **(Kolchis)** unter grch., der östl. **(Iberien)** unter pers. Einfluss. 65 v.Chr. wurde es von Rom abhängig; bereits im 4.Jh. fand das Christentum Eingang. Im frühen MA. war G. zunächst von Byzanz, von den Sassaniden, später auch von den Arabern bedroht, die es im 7.Jh. eroberten. Nach dem Verfall der arab. Macht erlebte G. unter der Dynastie der Bagratiden im 12. und 13.Jh. seine Blütezeit: Es reichte vom Schwarzen bis zum Kasp. Meer und umfasste Teile Armeniens und Persiens. Kultur und Dichtung blühten auf. Im 14.Jh. wurde es durch die Mongolen und ihre Nachfolger, bes. 1386 durch Timur, verwüstet und zerfiel Ende des 15.Jh. in drei Königreiche (Imeretien, Kachetien, Kartli) und ein Fürstentum, die im 16.Jh. in pers. bzw. türk. Abhängigkeit gerieten. Weitere eigenständige Fürstentümer entstanden im 16.Jh. Zu Beginn des 18.Jh. setzte ein Zentralisierungsprozess ein. Das durch Vereinigung von Kartli (mit Tiflis) und Kachetien 1762 gebildete ostgeorg. Königreich stellte sich 1783 unter den Schutz Russlands, 1801 wurde es russ. Provinz; in den folgenden Jahren gliederte sich das Zarenreich auch die westgeorg. Gebiete an (u.a. 1803 Mingrelien, 1804 Imeretien, 1810 Abchasien). Mehrere Aufstände gegen die Russifizierungspolitik (1804, 1812, 1819) scheiterten.

Am 26.5.1918 erklärte G. seine Unabhängigkeit als Demokrat. Republik unter einer menschewist. Regierung. Diese wurde zunächst von dt. und türk., später brit. Truppen geschützt und 1920 auch von der Regierung in Moskau anerkannt. Trotzdem besetzten Anfang Febr. 1921 auf Betreiben Stalins Truppen der Roten Armee G. Sie erzwangen am 25.2.1921 die Proklamation einer Sowjetrepublik, die 1922–36 mit Armenien und Aserbaidschan die Transkaukas. Sozialist. Föderative Sowjetrep. bildete. Seit 1936 war G. eine Unionsrepublik der Sowjetunion (ab 1937 bes. stark von den stalinschen Säuberungen betroffen). Ihr Territorium umfasste 1945–57 auch das Gebiet der ausgesiedelten Balkaren und Karatschaier. Der blutige Einsatz sowjet. Militärs gegen nationalist. Demonstrationen in Tiflis (April 1989) führte zum Aufschwung der georg. Unabhängigkeitsbewegung. Zugleich kam es seit dem Ende der 1980er-Jahre wiederholt zu heftigen, z.T. bürgerkriegsähnl. Auseinandersetzungen zw. Georgiern und den um ihre Eigenständigkeit ringenden nat. Minderheiten: seit 1989 mit den Abchasen, seit 1990 mit den Südosseten.

Bei den Wahlen zum Obersten Sowjet im Nov. 1990 errang das oppositionelle Parteienbündnis »Runder Tisch – Freies G.« eine Mehrheit, dessen Führer S. Gamsachurdia Parlamentspräs. (im Mai 1991 gewählter Staatspräs.) wurde. Am 9.4.1991 proklamierte G. seine Unabhängigkeit. Gamsachurdias autoritäre Herrschaft wurde nach zahlreichen Protesten (seit Sept. 1991) und bewaffneten Aktionen der Opposition im Jan. 1992 gestürzt. Im Zuge der Annahme einer neuen Verfassung durch die Bev. bei gleichzeitigen Präsidentschafts- und Parlamentswahlen am 5.11.1995 wurde der seit März 1992 als Staatsoberhaupt tätige E. Schewardnadse zum Staatspräs. gewählt; stärkste polit. Gruppe im Parlament wurde die ihn unterstützende »Union der Bürger Georgiens«.

Zur Beilegung des blutigen Konflikts in →Südossetien, das seinen Zusammenschluss mit dem zur Russ. Föderation gehörenden Nordossetien anstrebt, vereinbarten die georg. Führung und südosset. Politiker Ende Juni 1992 einen Waffenstillstand; eine gemischte Friedenstruppe (russ., georg., süd- und nordosset. Einheiten) sollen den Frieden in dieser Region sichern.

Während einer Militäraktion gegen Anhänger Gamsachurdias marschierten Einheiten der georg. Nationalgarde im Aug. 1992 in →Abchasien ein, das im Juli 1992 einseitig seine Unabhängigkeit erklärt hatte. Zur Beendigung der Kämpfe, in denen die abchas. Freischärler Unterstützung von Freiwilligeneinheiten der »Konföderation Kaukas. Bergvölker« (v.a. Tschetschenen) erhielten, wurde im Sept. 1992 unter Vermittlung Russlands ein Waffenstillstand geschlossen.

Unter dem Druck der inneren Konflikte trat G. am 1.3.1994 der GUS bei. Mit dem georgisch-russ. Abkommen über die Stationierung russ. Truppen (etwa 2500 Mann), die im Juli 1994 den Status einer Friedenstruppe der UNO erhielten, konnte Russland seine militär. Position in dieser Region ausbauen. Im Juli 1996 unterzeichnete Schewardnadse ein Abkommen mit Russland über eine militär. Zusammenarbeit beider Staaten; dies bildete die Grundlage für den Aufbau einer 30000 Mann starken Armee.

📖 *Das Leben Kartlis. Eine Chronik aus G., 300–1200, hg. v.* G. Pätsch. *A. d. Georg. Leipzig 1985. – Unterwegs zum Goldenen Vlies. Archäolog. Funde aus G., hg. v.* A. Miron *u.* W. Orthmann, *Beiträge v.* M. Abramischwili *u. a. Stuttgart 1995.* – Götz, R. *u.* Halbach, U.: *Polit. Lexikon GUS. München* ³*1996.*

Georgi|er (Eigenbez. Kartwelier, von den Russen Grusinier gen.), Sammelname für eine Vielzahl kulturell wie sprachlich eng verwandter Gruppen im SW-Kaukasus (etwa 4 Mio.), bes. in Georgien, vereinzelt auch in der NO-Türkei und in Iran. Die →georgische Sprache gehört zu den →kaukasischen Sprachen. Im 12./13. Jh. bildeten die G. ein Großreich (→Georgien).

Georgine [nach dem Botaniker J. G. Georgi, *1729, †1802] *die,* Zierpflanze, →Dahlie.

Georgische Heerstraße (Grusinische Heerstraße), Straße über den Zentralkaukasus von Wladikawkas (Russland) über den Kreuzpass (2379 m ü. M.) nach Tiflis (Georgien), 208 km lang; wurde 1799 dem ständigen Verkehr übergeben.

georgische Kirche, die orth. Nationalkirche Georgiens; Anfang des 4. Jh. erfolgte durch die hl. Nino die Einführung des Christentums in Georgien, das bereits Mitte des 4. Jh. Staatsreligion wurde; seit dem 5. Jh. weitgehend selbstständig. 1801 Verlust der kirchl. Unabhängigkeit; 1917 Autokephalie, erst 1943 vom Moskauer Patriarchat und 1990 auch vom ökumenischen Patriarchat anerkannt; Oberhaupt der g. K. ist der Katholikos-Patriarch mit Sitz in Tiflis.

📖 Heiser, L.: *Die georg. orthodoxe Kirche u. ihr Glaubenszeugnis. Trier 1989.*

georgische Kunst, erste Zeugnisse auf georg. Territorium gibt es seit dem 5./4. Jt. v. Chr. (altsteinzeitl. Siedlungen); aus dem 2./1. Jh. v. Chr. Megalithbauten und Kurgan-Gräber. Die mittelalterl. Architektur entwickelte sich in der 1. Hälfte des 4. Jh. (Festungsanlagen, Stadtensembles, Palast- und Brückenbauten) und wurde von der frühchristlich-byzantin. Kunst geprägt. Im Sakralbau setzte sich die Basilika durch, meist mit reichem ornamentalen Bauschmuck (Basilika von Bolnisi, 478/93). Im 6./7. Jh. dominierten Zentralkuppelbauten und die Form des Tetrakonchos (Dschwarikirche bei Mzcheta, Kirchen in Ateni, Kartwili, Zromi u. a.). Im 9./10. Jh. gewann die Anlage von Städten (Tiflis, Kutaissi), Festungen (Chertwisi, Tmogwi), großen Klosterensembles (Wardsia, Ikalto, David Garedscha, Bethania), Kirchen (Kumurdo, Chachuli, Oschki) und Palästen (Geguti) an Bedeutung. Im 11. Jh. entstanden die drei Hauptbauten georg. Architektur: die Sweti-Zchoweli-Kathedrale in Mzcheta (1010/29), die Bagrat-Kathedrale in Kutaissi (1003) und die Kathedrale in Alawerdi (Anfang 11. Jh.). Mit dem Mongoleneinfall im 13. Jh. endete die Blüte georg. Baukunst. Im 19. Jh. wirkte der russ. Klassizismus, gefolgt vom Eklektizismus sowie westeurop. Einflüssen auf die Architektur. In der bildenden und angewandten Kunst entwickelten sich seit dem 5. Jh. architekturgebundene Reliefplastik, Mosaikkunst, Wandmalerei und Toreutik. Älteste überlieferte Werke der Miniaturmalerei stammen aus dem 9./10. Jh (Evangeliare von Adische und Dschrutscha). Im 16./18. Jh. kamen illustrierte weltl. Handschriften auf. Im 17. Jh. entwickelte sich im Zusammenhang mit der Wandmalerei das Porträt. Im 18. Jh. begann mit Einführung des Buchdruckes die georg. Kunst der Neuzeit, z. T. stark geprägt von der russ. Kunst. Unter zahlr. Künstlern des 19./Anfang 20. Jh. wurde bes. der Autodidakt N. →Pirosmanaschwili bekannt. Innerhalb der Gegenwartskunst nimmt traditionell das Kunsthandwerk eine führende Position ein.

📖 Mep'isašvili, R. *u.* Zinzadse, W.: *Die Kunst des alten Georgien, Aufnahmen v.* R. Schrade *u. a. A. d. Russ. Freiburg im Breisgau 1977.* – Reissner, I.: *Georgien. Geschichte, Kunst, Kultur. Freiburg im Breisgau 1989.*

georgische Literatur. Die altgeorg. geistl. Literatur (5.–11. Jh.) umfasst u. a. Übersetzungen aus dem Armenischen, Syrischen und Griechischen (Byzanz) durch Mönche in Klöstern innerhalb und außerhalb Georgiens sowie einige Neuschöpfungen (Märtyrerviten). Die vom 11. bis 13. Jh. an den Fürstenhöfen gepflegte mittelalterl. Dichtung und Prosa steht unter pers. Einfluss. Als Werk der Weltliteratur ragt aus einer Reihe von Ritterromanen das georg. Nationalepos »Der Mann im Tigerfell« von S. Rustaweli (um 1200) heraus. In der vorneugeorg. Periode (Mitte des 13. bis 19. Jh.) konnte sich erst im 18. Jh. literar. Leben breiter entfalten, gefördert von König Wachtang VI. (*1675, †1737), dessen Onkel S. S. Orbeliani (*1658, †1725) eine Sammlung von Fabeln, Parabeln, Märchen (»Die Weisheit der Lüge«) und ein georg. Wörterbuch verfasste. Als Lyriker trat W. Gabaschwili (*1750, †1791) hervor. Im 19. Jh. begann unter russ. und westeurop. Einfluss ein neuer Abschnitt in der g. L.; die Volkssprache wurde zur Literatursprache erhoben. A. Tschawtschawadse (*1786, †1846), G. Orbeliani (*1804, †1883) und N. Barataschwili (*1817, †1845) traten in der Lyrik hervor. Der Schöpfer des georg. Dramas, G. Eristawi (*1811, †1864), vollzog die Wendung zum Realismus. –

Die Sprache der neugeorg. Literatur wurde vornehmlich durch I. Tschawtschawadse und A. Zereteli geschaffen. Zu den Realisten zählen E. Ninoschwili (*1859, †1894) und D. Kldiaschwili (*1862, †1931). Prominente Vertreter der georg.-sowjet. Literatur seit 1921 wie die Dichter G. Tabidse (*1891, †1959) und G. Leonidse (*1897, †1966) begannen als Symbolisten. Bekannte Autoren der g. L. der Gegenwart sind u.a. K. Gamsachurdia (*1891, †1975), S. Tschikowani (*1902, †1966), N. Dumbadse (*1928, †1984) und G. Abaschidse (*1914). Mit dem Zusammenbruch der Sowjetunion und der Unabhängigkeit Georgiens ist auch die g. L. in eine neue Phase eingetreten.

📖 *Georgische Poesie aus acht Jh.en, nachgedichtet v.* A. Endler *u.* R. Kirsch. *Berlin* [2]*1974.* – *Georgische Erzähler der neueren Zeit, ausgew. u. übers. v.* R. Neukomm. *Zürich* [3]*1991.* – Fähnrich, H.: *G. L. Als Manuskript gedr. Aachen 1993.* – Fähnrich, H.: *Georgische Schriftsteller A–Z. Aachen 1993.*

რამეთუ ესრეთ შეი-
ყუარა ღმერთმან სოფელი ესე,
ვითარმედ ძეცა თჳსი მხოლოდ-
შობილი მოჰსცა მას, რათა
ყოველსა, რომელსა ჰრწმენეს
იგი, არა წარჰსწყმდეს, არამედ
აქუნდეს ცხოვრება საუკუნო.

georgische Schrift: Textbeispiel aus der »Kriegerschrift« (11. Jh.)

georgische Schrift. Die g. S. entstand vermutlich zu Beginn des 5. Jh. unter Einfluss der grch. Schrift aus einer Variante des aramäischen Alphabets. Aus der »Priesterschrift« (Chutsuri) entwickelte sich seit Mitte des 11. Jh. die »Kriegerschrift« (Mchedruli; nach ihrer Verwendung für weltl. Schrifttum), auf die die heutige g. S. zurückgeht. Diese besteht aus 33 Zeichen, die auch für andere kaukas. Sprachen verwendet werden.

georgische Sprache, die wichtigste der südkaukasischen oder Kartwelsprachen und die einzige alte Literatursprache unter den →kaukasischen Sprachen; die älteste erhaltene Inschrift stammt aus dem 5. Jh. Die Regeln des **Altgeorgischen,** der Sprache der klass. Literatur des 9.–12. Jh., wurden in der Schriftsprache z. T. bis ins 18. Jh. befolgt. Demgegenüber zeigt das **Neugeorgische** vereinfachten Formenbau. Sein Wortschatz ist stark von neupers., türk. und russ. Elementen durchsetzt. Die g. S. ist Amtssprache in Georgien.

📖 Dsidsiguri, S. V.: *Die g. S. Kurzer Abriß. A. d. Russ. Halle (Saale) 1973.*

Georgiu-Desch [nach G. Gheorghiu-Dej], 1965–91 Name der russ. Stadt →Liski.

Georgsmarienhütte, Stadt im Landkr. Osnabrück, Ndsachs., am Nordfuß des Teutoburger Waldes, 32 800 Ew.; Stahlerzeugung, Maschinenbau, Möbelindustrie. – Entstand 1856 als Hüttenwerk, seit 1970 Stadt.

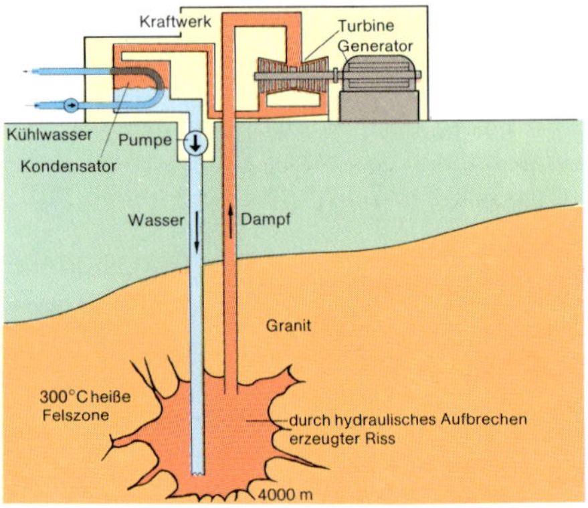

geothermische Energie: Schema des Hot-dry-rock-Verfahrens

Geosphäre (Erdhülle), der Raum, in dem sich Litho-, Hydro- und Atmosphäre (Erdkruste, Wasser-, Lufthülle) berühren und durchdringen. Teil der G. ist die →Biosphäre.

geostationärer Satellit (Synchronsatellit), ein Satellit, dessen Umlaufbahn sich in etwa 35 800 km Höhe über dem Äquator befindet und dessen Umlaufzeit mit der Rotationsperiode der Erde übereinstimmt, sodass er im Idealfall immer über demselben Punkt der Erdoberfläche bleibt (geostationäre Umlaufbahn, Synchronbahn).

Geosynklinale [grch.] *die,* relativ schmale, oft sehr lang gestreckte (bis weit über 1 000 km), sich über lange Zeit vertiefende, in Schwellen und Tröge gegliederte meererfüllte Senkungszone. In ihr häuft sich der Abtragungsschutt (Sedimentdicke bis >1 000 m) benachbarter Festländer, der **Geantiklinalen.** Durch seitl. Einengung werden die G.-Sedimente gefaltet, sodass G. die Ursprungsstätten von Faltengebirgen sind (→Orogenese).

Geotektonik, Lehre vom Bau und den Bewegungen der Erdkruste (→Tektonik).

elektr. Leistung geotherm. Kraftwerke (1995)

Staat	elektrische Leistung (in MW)
USA	2 817
Philippinen	1 227
Mexiko	753
Italien	632
Japan	414
Indonesien	310
Neuseeland	286
El Salvador	105
Costa Rica	55
Island	49
Kenia	45
Nicaragua	35
China	29
Türkei	21

Geothermik (Geothermie), Lehre von der Temperaturverteilung und den Wärmeströmen innerhalb des Erdkörpers. Die G. befasst sich neben der Bestimmung der Wärmeleitfähigkeit der Gesteine bes. mit dem Nachweis technisch nutzbarer geotherm. Energie und der von der Temperatur abhängigen Beweglichkeit des Erdöls im Speichergestein. (→Erdwärme)

geothermische Energie, in der Erdkruste gespeicherte Wärmeenergie, die in Gebieten mit ausgeprägter geotherm. Anomalie zur Raumheizung, als Prozesswärme und zur Stromerzeugung in **geothermischen Kraftwerken** (Dampfkraftwerken) genutzt werden kann. Beim **Trockendampfprinzip** wird der überhitzte Dampf direkt aus dem Reservoir auf die Turbinenschaufeln der Generatoren geleitet. Zur Nutzung von Heißwasserquellen wird das überhitzte Wasser in einen unter geringerem Druck stehenden Flashkessel **(Flashverfahren)** zugeführt, wobei ein Teil verdampft. Der Dampf wird auf die Turbinenschaufeln geleitet. Das **Binärverfahren** ähnelt einem herkömml. Dampferzeugungsverfahren, wobei ein sich in einem geschlossenen Kreislauf befindendes niedrig siedendes Arbeitsmedium verwendet wird, das durch das Heißwasser der geotherm. Lagerstätte erhitzt wird. Beim **Hot-dry-Rock-Verfahren,** wird zunächst eine Bohrung in rd. 5000 m Tiefe vorgetrieben und unter hohem Druck (etwa 200 bar) Wasser in das Gestein eingepresst, das dadurch porös gemacht wird. In der eigentl. Betriebsphase wird eine zweite Bohrung niedergebracht. Durch die erste Bohrung wird dabei weiterhin Wasser unter Druck eingepresst, während aus der zweiten Bohrung der durch die Erdwärme gebildete Dampf entnommen und zur Durchführung eines Kraftwerksprozesses genutzt werden kann.

🕮 *Geothermie. Wärme aus der Erde. Technologie – Konzepte – Projekte, hg. v.* W. BUSSMANN *u.a. Karlsruhe 1991.*

geothermische Tiefenstufe, Bez. für die Strecke, bei der die Temperatur der Erdkruste um 1 °C in Richtung Erdmittelpunkt ansteigt, im Durchschnitt 33 m (Faustregel: 3 °C/100 m). Starke Abweichungen von diesem Mittelwert sind bedingt durch die unterschiedl. Wärmeleitfähigkeit der Gesteine und den geolog. Bau des Gebiets. (→Erdwärme)

Geotraverse (Europäische G.), seit 1983 laufendes internat. Projekt zur Erforschung der Erdkruste und des oberen Erdmantels (bis in 400–600 km Tiefe) in einem vom Nordkap über Schweden (Balt. Schild), Dänemark, Norddt. Tiefland, östl. Rhein. Schiefergebirge, Bodensee, Schweizer Alpen, Korsika, Sardinien bis Tunesien reichenden, etwa 4000 km langen und 30–50 km breiten Profil. Neben geolog. werden v.a. geophysikal. (seism., geoelektr., geomagnet., geotherm. und geochem.) Untersuchungen vorgenommen.

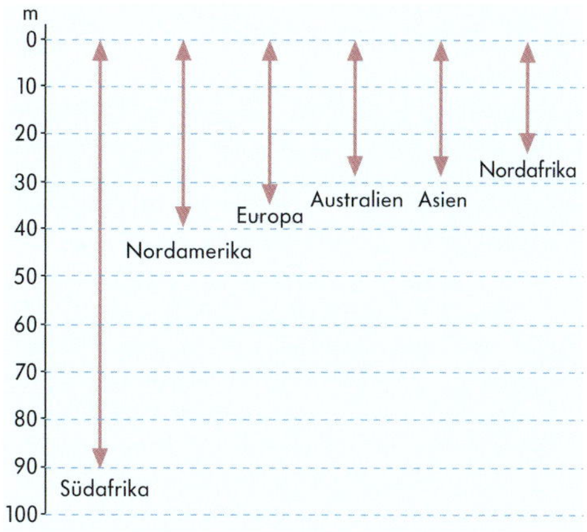

geothermische Tiefenstufe: mittlere geothermische Tiefenstufen (m/1 °C) der Kontinente

Geotropismus, die Fähigkeit der Pflanzenorgane, unter dem Einfluss der Schwerkraft eine bestimmte Wuchsrichtung oder Lage anzunehmen.

Geowissenschaften (Erdwissenschaften), die sich mit der Erforschung der Erde befassenden Disziplinen Geophysik, Mineralogie und Petrographie, Geologie und Paläontologie, Hydrologie, Klimatologie und Meteorologie, Ozeanographie, Geodäsie und Geographie.

geozentrisch, die Erde als Mittelpunkt betrachtend; auf den Erdmittelpunkt bezogen, von ihm aus berechnet. **Geozentr. Weltsysteme** heißen Vorstellungen, in denen die Erde den Mittelpunkt der Welt bzw. des Weltalls bildet, z.B. das Modell von →Ptolemäus. (→heliozentrisch)

Gepard [frz.] *der* (Jagdleopard, Acinonyx jubatus), katzenartiges Raubtier in den Steppen und Savannen Afrikas und Vorderasiens; Fell gelblich weiß mit dunkler Fleckung; schnellstes Landsäugetier mit Geschwindigkeiten von bis zu 120 km/h auf kurzen Strecken; schon im Altertum zur Gazellenjagd abgerichtet.

Gepard: Der Gepard nimmt eine Sonderstellung unter den Katzen ein, er ist besonders langbeinig und daher auf kurzen Strecken ein sehr schneller Läufer (bis zu 120 km/h)

Gera

Gepatschferner *der,* Gletscher der Ostalpen, Österreich, 18 km² groß, 8 km lang, im obersten Kaunertal, Tirol.

Gepiden, ostgerman., den Goten verwandtes Volk, das im 3. Jh. aus dem Weichselmündungsgebiet in die röm. Provinz Dakien (Siebenbürgen) auswanderte und seit etwa 400 verlässl. Vasall der Hunnen war. Nach Attillas Tod (453) erhob sich der G.-König Ardarich und befreite SO-Europa von der Hunnenherrschaft. Die G. besiedelten dann das Land zw. Theiß und Donau und waren, seit dem späten 4. Jh. Arianer, bis 567 (Niederlage gegen Langobarden) bestimmend im Karpatenbecken.

Gera, kreisfreie Stadt im östl. Thüringen, an der Weißen Elster, 122 500 Ew.; Maschinenbau, Textilind., Betriebe der Medizin-, Laser- und Umwelttechnik; Museen, Theater, botan. Garten; Biennale Kinderfilm-Festival »Goldener Spatz«. – Infolge zahlr. Brände im 15., 17. und 18. Jh. weist G. nur wenige alte Bauten auf: Trinitatiskirche (Kern 14. Jh., Anfang 17. Jh. verändert), barocke Salvatorkirche (1717–20), Rathaus (1573–76, im 18. Jh. verändert) und Stadtapotheke (1606) am Markt mit Simsonbrunnen (1685–86); im Stadtteil **Untermhaus** barocke Orangerie (1729–32; Museum). – Der Gau G., 995 erwähnt, kam 999 an das Stift Quedlinburg. Die Siedlung G. erhielt vor 1237 (Magdeburger) Stadtrecht; seit 1358 stand G. unter wettin. Oberhoheit, 1547 kam G. an die Burggrafen von Meißen aus dem Hause Plauen und 1562 an das Haus Reuß, dessen jüngere Linie (1572–1918) in G. residierte. 1952–90 Hptst. des gleichnamigen DDR-Bezirks.

Gerade, 1) *Boxen:* Angriffsstoß, der mit gestrecktem Arm auftrifft.

2) *Mathematik:* Grundbegriff der euklidischen Geometrie, eine nicht gekrümmte, nach beiden Seiten unbegrenzte Kurve (im Ggs. zu Strahl und Strecke), die durch zwei nicht aufeinander liegende Punkte eindeutig bestimmt ist. Die kürzeste Verbindung zweier Punkte *A* und *B* liegt auf der G. durch *A* und *B.* Bei einem gegebenen Koordinatensystem werden G. durch **G.-Gleichungen** beschrieben, z. B. in der (x,y)-Ebene durch die allg. Form: $Ax+By+C=0$ (A, B, C Konstanten) oder durch die Normalform der G.: $y=mx+n$, wobei m der Tangens des Anstiegswinkels α ist.

gerade Aufsteigung, die → Rektaszension.

gerade Zahl, eine durch 2 ohne Rest teilbare ganze Zahl.

Geradflügler (Orthopteroidea), Insektenüberordnung (→ Gespenstheuschrecken und → Springschrecken) mit derben Vorderflügeln und zarten, längs faltbaren Hinterflügeln.

Geradführung, Mechanismus zur Führung von Maschinenteilen auf einer Geraden, man unterscheidet u. a. Zylinder-, Prismen-, Flach- und Schwalbenschwanzführung.

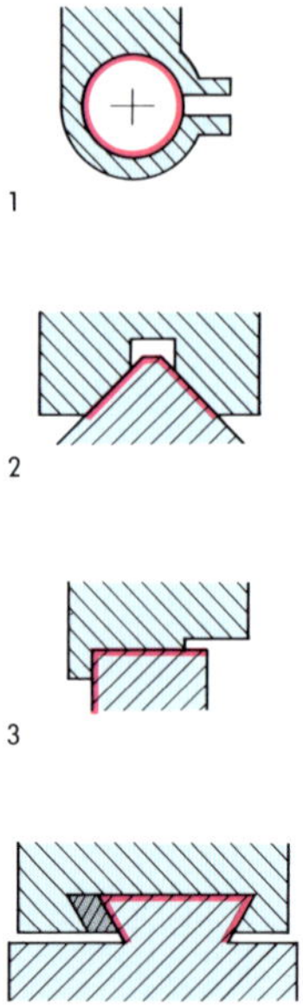

Geradführung: 1 Zylinderführung, 2 Prismenführung, 3 Flachführung, 4 Schwalbenschwanzführung

Geranie, die → Pelargonie.

Geranium [grch.-lat. »Kranichkraut«] *das,* die Pflanzengattung → Storchschnabel.

Gérard [ʒeˈraːr], François, frz. Maler, * Rom 4. 5. 1770, † Paris 11. 1. 1837; Hofmaler Napoleons I. und Ludwigs XVIII.; erlangte erste Erfolge mit klassizist. Historienbildern, bed. sind v. a. seine Porträts und Skizzen.

Gérardmer [ʒerarˈme], Gemeinde in den Vogesen, Dép. Vosges, Frankreich, an einem durch Moränenstau entstandenen See (**Lac de G.,** 1,2 km²), 665 m ü. M., 9 500 Ew.; Käsehandel; Leinen-, Glas-, Papier-, Möbel-, Spielwarenindustrie.

Gerasa, antike Stadt in Jordanien, westlich von **Djerash**; bed. Ruinen: Artemis-, Zeustempel, Nymphäum, Säulenstraße, Forum, Triumphbogen, zwei Theater, u. a. Südtheater mit etwa 5 000 Plätzen (vermutlich 2. Jh. n. Chr.), Reste frühchristl. Kirchen und Synagoge aus dem 5./6. Jh.; ursprünglich gegr. zur Zeit Alexanders d. Gr., Blütezeit unter Hadrian und den Antoninen (117–192); vom 4.–6. Jh. bed. Bischofssitz; Niedergang nach pers. (614) und arab. Eroberung (635).

Geräteglas, ein Glas, das aufgrund seiner hohen therm. und chem. Widerstandsfähigkeit für techn. und wiss. Geräte (z. B. Thermometer) bes. geeignet ist. (→ Jenaer Glas)

Geräteträger, Traktorbauart mit kompakten Antriebssatz (an Hinterachse konzentrierter Block aus Motor und Getriebe) und davor liegenden Holmen zur wechselweisen Anbringung der Arbeitswerkzeuge (Pflug, Streuer u. a.).

Geräteturnen, Übungen an bes. im Wettkampf eingesetzten Turngeräten: Barren, Boden, Sprungpferd, Reck, Ringe, Pauschenpferd (für Männer) sowie Boden, Sprungpferd, Schwebebalken und Stufenbarren (für Frauen). Das Leistungs-G. höherer Leistungsklassen wird oft **Kunstturnen** genannt.

Geräusch, als unbestimmt empfundener Schall im Unterschied z. B. zu → Ton, → Klang oder Laut. In der *physikalischen Akustik* nichtperiod. Schallereignisse, die durch Überlagerung vieler akust. Schwingungen unterschiedl. Frequenz mit rasch wechselnder Amplitude und Phase entstehen (→ Lärm).

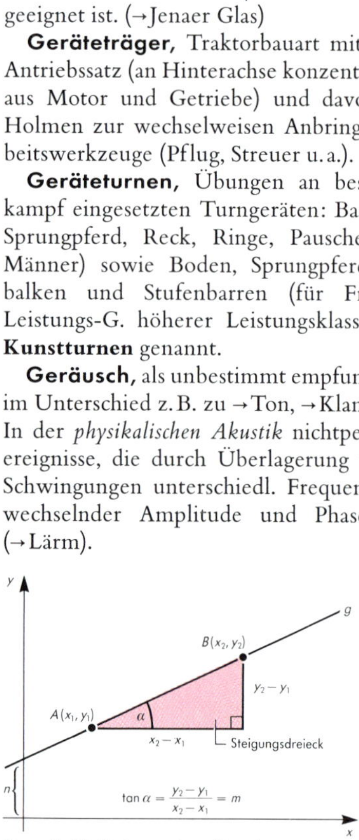

Gerade 2): Steigung einer Geraden

Gerber, Heinrich, Bauingenieur, *Hof 18. 11. 1832, †München 3. 1. 1912; wirkte auf dem Gebiet der Eisen- und Stahlbrückenkonstruktionen, erfand 1866 den **G.-Träger** (Gelenkträger).

Gerbera [nach dem Arzt T. Gerber, †1743] *die,* Korbblütlergattung in Afrika und Asien; Schnittblume mit Zungenblüten in klaren, leuchtenden Farben; mehrere Zuchtsorten.

Gerbera: Zuchtsorten (Höhe bis 30 cm)

Gerberei, Betrieb bzw. Betriebsteil, in dem Häute und Felle mithilfe von Gerbstoffen zu →Leder umgewandelt werden.

Gerbert, Martin, Fürstabt von Sankt Blasien (seit 1764), *Horb am Neckar 12. 8. 1720, †Sankt Blasien 13. 5. 1793; bed. kath. Theologe im Zeitalter der Aufklärung; ließ die Kuppelkirche von Sankt Blasien erbauen.

Gerasa: Blick auf das aus dem 2. Jh. n. Chr. stammende, etwa 5 000 Plätze umfassende Südtheater und das Forum (im Hintergrund)

Gerbsäuren, →Tannine.

Gerbstoff, wasserlösl. Anteil eines Gerbmittels, das wegen der eiweißfällenden Wirkung bei der Herstellung von →Leder zur →Gerbung benutzt wird. Grundstoffe bei G. aus Pflanzenteilen sind phenol. Substanzen. In anorgan. Gerbmitteln, z. B. Chrom(III)-salz, bilden vorwiegend assoziierte Hydroxokomplexe als bas. Salze den G.-Anteil. Auch bestimmte Aldehyde, z. B. Formaldehyd, wirken gerbend.

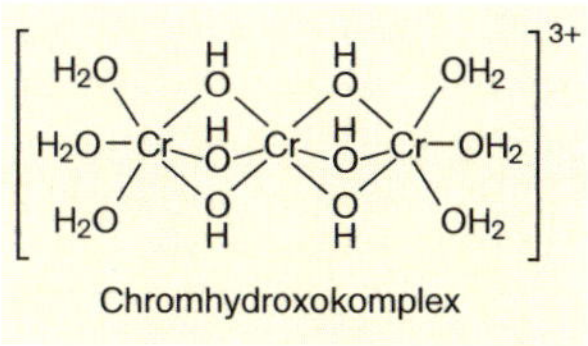

Gerbstoff: Hydroxokomplex eines Chrom(III)-salzes

Gerbung, Gesamtheit der sich bei der Lederherstellung vollziehenden physikalisch-chem. Vorgänge. Die G. wandelt die Haut, die im unbehandelten Zustand u. a. leicht in Fäulnis übergeht oder hornartig auftrocknet, in Leder, das diese nachteiligen Veränderungen nicht mehr aufweist, um. Nach verwendeten Gerbmitteln unterscheidet man a) **pflanzlich-synthet. G.,** früher ausschl. mit pflanzl. Gerbmitteln durchgeführt (vegetabile, Loh- oder Rot-G.), die heute z. T. durch synthet. Gerbmittel (Syntane) ersetzt werden; b) **mineral. G.,** wobei die gerbende Wirkung bas. Chrom(III)-salze (Chrom-G.), z. T. auch der Aluminiumsalze (Alaun- oder Weiß-G.) genutzt wird. Etwa 80% aller Leder werden heute durch Chrom-G. hergestellt, darunter alle Schuhoberleder; c) **Sämisch-, Tran-** oder **Fett-G.,** die auf der oxidierenden Wirkung ungesättigter, meist tierischer Fettstoffe (Trane) beruht. Bei der Neusämisch-G. wird der Behandlung der Hautblößen mit Fettstoffen eine Formalin-G. vorausgeschickt; d) **Kombinations-G.,** die sich der unterschiedl. Wirkung versch. Gerbmittel bedient, die gleichzeitig oder nacheinander auf das Gerbgut einwirken und eine weit reichende Variation der Ledereigenschaften ermöglichen. Die G. ist mit Gerbstoffen geringer Adstringenz (Neigung der Gerbstoffe, sich mit Hautsubstanz zu Leder zu verbinden) zu beginnen, da nur dann die Gewähr besteht, dass der gesamte Feinbau des Fasergeflechts der Haut von gerbenden Stoffen durchdrungen wird. Die gegerbte Haut muss noch gefettet, gefärbt und zugerichtet werden. Die G. erfolgt heute meist in rotierenden Gerbgefäßen.

📖 FABER, K.: *Gerbmittel, G., Nachgerbung. Frankfurt am Main [2]1990.*

Gere ['gi:ə], Richard, amerikan. Schauspieler, *Philadelphia (Pa.) 31. 8. 1949; kam 1975 zum Film und hatte u. a. in »Pretty Woman« (1990, mit Julia Roberts) einen großen Erfolg; weitere Filme: Internal Affairs« (1990); »Sommersby« (1992), »Primal Fear« (1996) u. a.

Richard Gere

gerechter Lohn, in der christl. Soziallehre der Lohn, der den Lebensbedarf des Arbeiters und seiner Familie deckt und zugleich die gesamte Wirtschaftslage berücksichtigt. – Die Gewerkschaftsbewegung versteht unter g. L. den Lohn, der dem Arbeitnehmer bei durchschnittl. tarifl. Arbeitszeit die Teilnahme am jeweiligen histor. Lebensstandard garantiert. I. w. S. ist Lohngerechtigkeit gegeben, wenn gleicher Lohn für gleiche Qualifikation und Leistung gezahlt wird.

gerechter Preis (lat. iustum pretium), Grundbegriff der Preislehre der Scholastiker, wonach der Angebotspreis für ein Sachgut dessen Produktionskosten decken soll. Die Produktionskosten müssen aber zugleich auf der Grundlage des »standesgemäßen Unterhalts« der Produzenten kalkuliert sein. Die normative Lehre vom g. P. ist eine Kostentheorie des Preises ohne Berücksichtigung der Nachfrageseite. – Von der gegenwärtigen christl. Soziallehre wird diese Theorie durch Preisbildungsfaktoren ergänzt, die eine Übervorteilung des Anbieters wie des Nachfragers ausschließen.

Nicolaus Gerhaert von Leyden: Büste eines Propheten, »Graf von Hanau-Lichtenberg« (1463; Straßburg, Frauenhaus)

Gerechtigkeit, im subjektiven Sinne eine Tugend, d.h. eine eth. Haltung oder Gesinnung; im objektiven Sinne das Prinzip zur Beurteilung von Rechtsnormen; nicht abschließend definierter Grundbegriff der Ethik, der Rechts- und Sozialphilosophie sowie des polit., sozialen, religiösen und jurist. Lebens. – Nach Platons Schichtenlehre ist G. für den Einzelnen wie für den Staat das richtige Verhältnis der Schichten zueinander; seit Aristoteles dann jener Grundwert des menschl. Zusammenlebens, der an das Verhalten des Einzelnen wie der Gemeinschaft in ihren versch. Formen die Forderung stellt, jedem zukommen zu lassen, was ihm gebührt und Gleiches gleich zu behandeln. In der christl. Ethik ist die G. eine der Kardinaltugenden. Für die europ. Staats- und Rechtsphilosophie wurde seit dem MA. die grch. und röm. Rechtsdenken tradierende Formel, dass »G. die Grundlage von Herrschaft« sei, zu einem zentralen Leitsatz. Der Pflicht der Herrschenden zur G. entsprach das →Widerstandsrecht gegen ungerechte Obrigkeit. Gegenüber der neuzeitl. Maxime der Staatsräson hat v.a. Kant die G. zum höchsten polit. Prinzip entwickelt. Im Bereich des positiven Rechts, bes. des öffentlichen, gilt es als eine Hauptaufgabe des Staates, die G. durch Gesetzgebung, Verwaltung und Rechtsprechung zu verwirklichen und zu wahren.

Paul Gerhardt (Ausschnitt aus einer zeitgenössischen Lithographie)

📖 Walzer, M.: *Sphären der G. Ein Plädoyer für Pluralität u. Gleichheit. A. d. Engl. Studienausg. Frankfurt am Main u. a. 1994.* – Rawls, J.: *Eine Theorie der G. A. d. Engl. Frankfurt am Main* [9]*1996.*

Gerechtsame (Gerechtigkeit), hergebrachte Bez. für vererbl. und veräußerl. Nutzungsrechte an Grundstücken, z.B. Bergbaugerechtsame.

Geretsried, Stadt im Kr. Bad Tölz-Wolfratshausen, Bayern, im Tal der oberen Isar, 22 100 Ew.; Maschinen-, Musikinstrumentenbau, chem. Ind. – 1950 durch Heimatvertriebene gegr., seit 1970 Stadt.

Gergovia (frz. Gergovie), Festung der kelt. Arverner, in der Auvergne, 6 km südlich von Clermont-Ferrand. – Bei G. Niederlage Cäsars 52 v. Chr. im Gallischen Krieg. Ausgrabungen wiesen gall. Mauerringe und röm. Lager sowie eine gallo-röm. Siedlung des 1. Jh. n. Chr. nach.

Gerhaert von Leyden ['xɛrha:rt-], Nicolaus, niederländ. Bildhauer, *Leiden zw. 1420 und 1430, †Wiener Neustadt 1473 (?); tätig in Trier, Straßburg, Konstanz, Wien und Wiener Neustadt. Sein durch scharfe Faltenbrüche der Gewandung gekennzeichneter Stil und die lebensnahe Gestaltung der Figuren unter Einbeziehung des Räumlichen durch ausgreifende Bewegungen waren von großem Einfluss auf die süddt. Plastik.

Werke: Grabmal des Erzbischofs J. von Sierck (1462, Trier, Diözesanmuseum); Büsten eines Propheten (»Graf von Hanau-Lichtenberg«) und einer Sibylle (»Bärbel von Ottenheim«) für das Straßburger Kanzleiportal (1463/64, der weibl. Kopf in Frankfurt am Main, Liebieghaus, der männl. in Straßburg, Frauenhaus); Busang-Epitaph (1464, Straßburg, Münster); Grabmal Kaiser Friedrichs III. (1467 ff., Wien, Stephansdom).

Gerhard, 1) Hubert, niederländ. Bildhauer, *Amsterdam (?) um 1550, †München um 1622/23; einer der führenden Bronzebildner des süddt. Frühbarocks. – *Werke:* Hl. Michael an der Fassade von St. Michael in München (1588–92), Augustusbrunnen in Augsburg (1589–94).

2) Johann, luth. Theologe, *Quedlinburg 17. 10. 1582, †Jena 17. 8. 1637. Sein Hauptwerk »Loci theologici« (9 Bde., 1610–22) gehört zu den bedeutendsten Werken der luth. Orthodoxie.

Gerhardt, Paul, luth. Theologe und Kirchenlieddichter, *Gräfenhainichen 12. 3. 1607, †Lübben (Spreewald) 27. 5. 1676. Seine Lieder von tiefer Frömmigkeit spiegeln das starke Gottvertrauen wider, mit dem er persönl. Leid sowie die Schrecknisse des Dreißigjährigen Krieges überwand. Lieder u.a.: »Geh aus, mein Herz und suche Freud«, »Nun ruhen alle Wälder«, »O Haupt voll Blut und Wunden«, »Befiehl du deine Wege«.

Geriatrie [grch.] *die* (Altersheilkunde), die Lehre von den Krankheiten des alternden und alten Menschen, ihrer Vorbeugung und Behandlung (→Altersbeschwerden, →Altersschwäche) sowie der Rehabilitation.

Geriatrika [grch.], Mittel zur Vorbeugung und Behandlung von Alters- und vorzeitigen Abnutzungserscheinungen, die eine stärkende oder stimulierende Wirkung ausüben und dadurch die körperl. und geistige Leistungsfähigkeit steigern sollen; z.B. Vitamine, Hormone (Anabolika), Spurenelemente, gefäßaktive Stoffe.

Géricault [ʒeri'ko], Théodore, frz. Maler und Grafiker, *Rouen 26. 9. 1791, †Paris 26. 1. 1824; überwand den Klassizismus durch einen malerisch bewegten, realist. Stil von romantisch gesteigertem Ausdruck, z.B. das durch eine Schiffskatastrophe 1816 angeregte »Floß der Medusa« (1818/19, Paris, Louvre). Daneben entstanden Darstellungen von Kampfepisoden aus den Napoleon. Kriegen und Pferdebilder. Die Bildnisse von Geisteskranken (»Neid. Monomane«, um 1822, Lyon, Musée des Beaux Arts) gehören zu seinen besten Porträts.

Gericht, unabhängiges Organ der Rechtspflege mit der Aufgabe, darüber zu entscheiden, was im konkreten Falle rechtens ist. Neben diesen prozessualen Aufgaben nehmen G. auch rechtspfleger. Aufgaben wahr, bes. das Amtsgericht, z.B. als Grundbuch führende Behörde, als Konkurs- oder als Vollstreckungsgericht. Die →Gerichtsverfassung ist nur in ihren elementarsten Zügen im GG, ansonsten im Gerichtsverfassungsges. und den Gerichtsordnungen der einzelnen →Gerichtsbarkeiten niedergelegt. Soweit die G. die Recht sprechende Gewalt verkörpern, ist diese gemäß Art. 92 GG den Richtern anvertraut. Die G. sind so zu besetzen, dass mindestens einer der Richter die Befähigung zum Richteramt haben muss. Die G. sind, ebenso wie Exekutive und Legislative, an Gesetz und Recht, v.a. an die Grundrechte gebunden (Art. 1 Abs. 3, 20 Abs. 3 GG). Die Richter sind unabhängig (Art. 97 GG). Jedermann hat vor G. Anspruch auf rechtl. Gehör (Art. 103 Abs. 1 GG). Die G. sind ganz überwiegend staatlich; Träger der G. sind in erster Linie die Länder, daneben, bes. für die obersten G., der Bund. Ein Teil der Berufs- und Ehren-G. wird von Selbstverwaltungskörperschaften (berufsständ. Kammern) unterhalten. Ihre Verf. und ihr Verfahren werden durch staatl. Gesetze geregelt. Außer diesen staatl. G. gibt es kirchl., Verbands- und Schieds-G. Von zunehmender Bedeutung auch für den innerstaatl. Bereich sind supra- und internat. G., v.a. der Europ. Gerichtshof und der Europ. Gerichtshof für Menschenrechte. In Grundzügen sehr ähnl. Regeln gibt es auch in *Österreich* und in der *Schweiz.*

Gericht Gottes (Totengericht), in den meisten großen Religionen der Vollzug der göttl. Gerechtigkeit gegenüber dem einzelnen Menschen oder der ganzen Menschheit, entweder im Moment des Todes oder am Ende der Zeiten (Weltgericht). Der Auffassung vom G. G. liegt der Gedanke zugrunde, dass der Mensch im Tod an seinen Taten im Diesseits gemessen wird und im Jenseits oder in einem

Gericht Gottes: Der ägyptische Totengott Osiris überwacht das Wiegen des Herzens, Illustration aus einem Totenbuch aus der Zeit der 18. Dynastie (um 1450 v. Chr.; Kairo, Ägyptisches Museum)

künftigen Leben nach einer Wiedergeburt (→Hinduismus) ein gerechter Ausgleich im Sinne von Bestrafung oder Belohnung erfolgt. Stets führt das G. G. die Trennung der Guten von den Bösen herbei.

Gerichtsarzt, →Rechtsmedizin.

Gerichtsbarkeit, die den Gerichten zugewiesene Tätigkeit der Rechtsprechung und der Rechtspflege sowie die Gerichtsgewalt (Gerichts- oder Justizhoheit). Organisatorisch gliedern sich Rechtsprechung und Rechtspflege in ordentl. G. (Straf- und Zivilgerichte einschl. Patent-G. und freiwillige G.), Arbeits-G., allg. Verwaltungs-G., Finanz- und Sozial-G. sowie Verfassungs-G. Neben diesen allg. zugängl. G. existieren besondere

Gerichtsbarkeit

Im 15. Jh. gerieten ein Hahn und eine Glocke in die Mühlen der Gerichtsbarkeit.
Der Hahn wurde 1471 in Basel angeklagt, weil er angeblich – den Naturgesetzen zum Trotz – ein Ei gelegt hatte. Gemäß dem Gerichtsurteil wurde er als »verkleideter Teufel« auf dem Scheiterhaufen verbrannt.
Nur unwesentlich milder fiel das Urteil gegen die Glocke aus, die in Florenz den Bußprediger Savonarola durch ihr Läuten vor seiner Gefangennahme warnte. Sie wurde 1498 vom Großen Rat der Stadt des Verrats schuldig gesprochen. Zur Strafe wurde sie vom Turm gerissen, durch die Straßen geschleift und vom Henker ausgepeitscht. Anschließend wurde sie für 11 Jahre aus der Stadt verbannt.

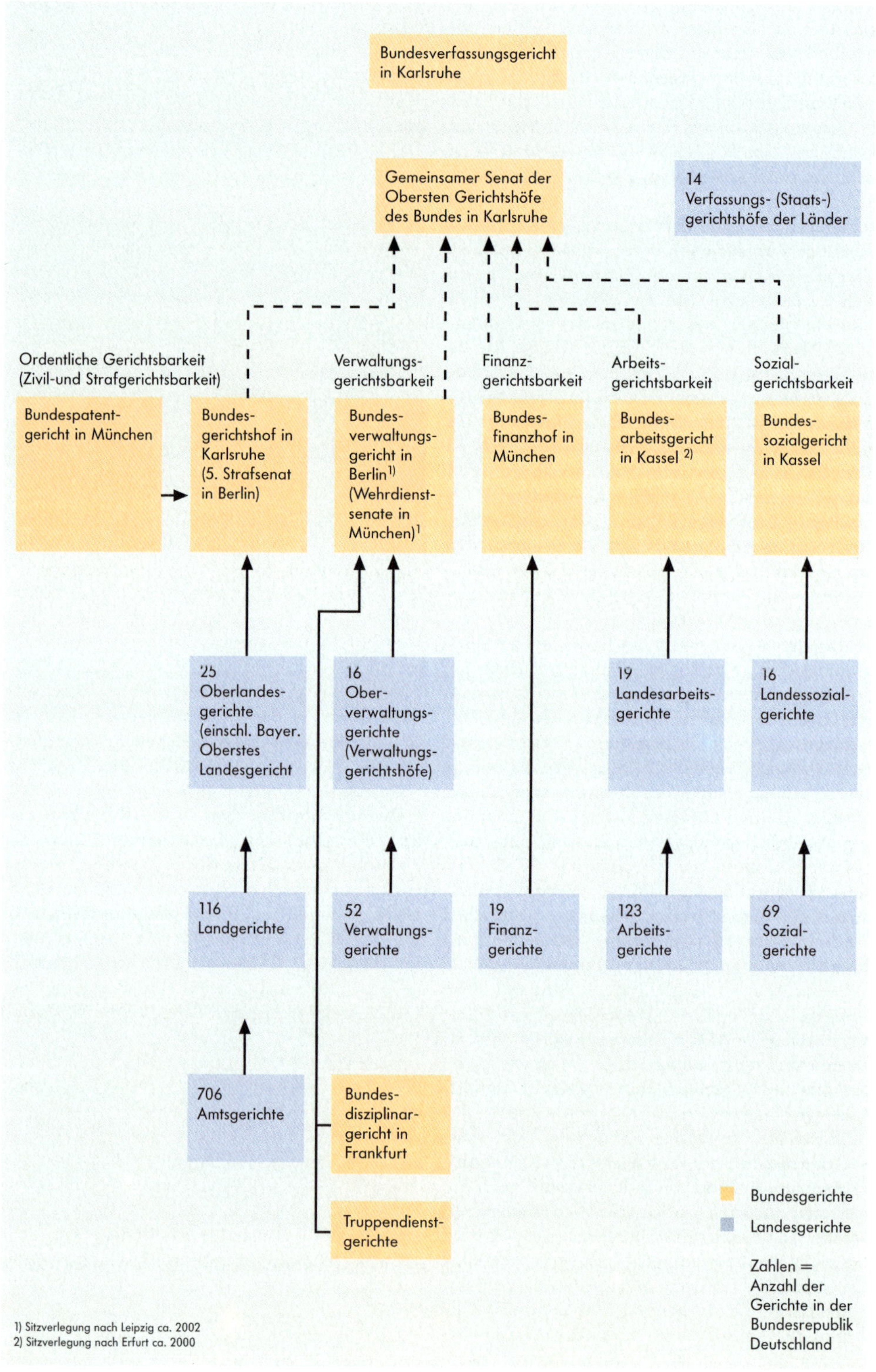

Gericht: Gerichtsbarkeiten und Rechtswege

G., die Disziplinar-G., die Berufs-G. und die kirchl. G. Die Gerichte, die derselben G. angehören, bilden meist einen Rechtszug (Instanzenzug, z. B. Arbeits-, Landesarbeits-, Bundesarbeitsgericht); die Verfassungsgerichte der Länder und das Bundesverfassungsgericht sind jedoch nicht durch einen Rechtszug verknüpft. Die Gerichtsgewalt liegt beim Staat, der durch seine Gerichte das Rechtsprechungsmonopol ausübt; hiervon lässt er zugunsten der kirchl. Gerichte und der privaten Schiedsgerichtsbarkeit Ausnahmen zu.

In *Österreich* ist die G. in Zivil- und Strafsachen den staatl. Gerichten zugewiesen. Besondere Aufgaben haben die Handels-, Arbeits- und Sozialgerichte. Nichtstreitige Angelegenheiten werden fast ausnahmslos durch die staatl. Gerichte erledigt. In der *Schweiz* ist die Gerichtsverfassung im Wesentlichen Sache der Kantone. Die einzelnen Gerichtsverfassungen sind sehr verschieden. In Zivil- und in Strafsachen bestehen meist zwei Instanzen.

Gerichtsbescheid, eine ohne mündl. Verhandlung ergangene Entscheidung des Verw.- oder des Finanzgerichts, die über eine Klage befindet; Voraussetzung: geklärter Sachverhalt, Fehlen besonderer Schwierigkeiten, Einstimmigkeit der Richter.

Gerichtsferi|en, in Dtl. bis 1996 die Zeit vom 15. 7. bis 15. 9., in der nur bestimmte oder dringende Fälle als **Feriensachen** von den ordentl. Gerichten bearbeitet wurden. Durch Ges. vom 28. 10. 1996 sind die Bestimmungen über die G. aufgehoben worden; allerdings können Gerichtstermine, die zw. dem 1. 7. und dem 31. 8. anberaumt werden, auf Antrag verlegt werden (§ 227 ZPO).

gerichtsfreier Hoheitsakt (justizfreier Hoheitsakt), Staatsakt, bes. Regierungsakt (z. B. Ernennung oder Entlassung eines Bundesmin.), der wegen seines hochpolit. Charakters als der gerichtl. Rechtmäßigkeitskontrolle entzogen (nicht justiziabel) gilt.

Gerichtsherr, frühere Bez. für den Inhaber der Gerichtsbarkeit. In der Militärgerichtsbarkeit der Kommandant einer militär. Einheit, der sowohl die Funktion der Staatsanwaltschaft besaß als auch das Recht hatte, die Richter zu berufen und im Krieg Urteile aufzuheben.

Gerichtshilfe, Ermittlungshilfe, Einrichtung, die Gericht und Staatsanwaltschaft bei den Ermittlungen zur Täterpersönlichkeit und ihrer Umwelt unterstützen soll, z. B. hinsichtlich Strafzumessung oder Strafaussetzung zur Bewährung (§§ 160 Abs. 3, 463 d StPO). Institutionell ist sie der Justiz oder einer Sozialbehörde angegliedert. In Jugendstrafverfahren ist die Einschaltung der Jugend-G. obligatorisch. – In *Österreich* besteht eine dem dt. Recht verwandte G. nur in Jugendsachen. In der *Schweiz* ist sie nicht gebräuchlich.

Gerichtshof der Europäischen Gemeinschaften, → Europäischer Gerichtshof.

Gerichtshof erster Instanz, im österr. Rechtssprachgebrauch gleichbedeutend mit Landes- oder Kreisgericht.

Gerichtskosten, die in einem gerichtl. Verfahren anfallenden **Gerichtsgebühren** sowie die Auslagen des Gerichts (z. B. Schreib-, Porto-, Sachverständigenkosten); geregelt im G.-Ges. (GKG) i. d. F. v. 15. 12. 1975 sowie für die freiwillige Gerichtsbarkeit in der Kostenordnung (KostO) i. d. F. v. 26. 7. 1957, beide mit späterer Änderung. Gerichtsgebühren werden als Pauschale, ohne Rücksicht auf den tatsächl. Aufwand, erhoben. Die einzelnen Gebührentatbestände sind als Anlage dem GKG beigefügt. In bürgerl. Rechtsstreitigkeiten richten sich die Gerichtsgebühren (meist Prozessgebühr und Urteilsgebühr) nach dem Wert des Streitgegenstandes. Diese Gebühren werden für jeden Rechtszug nur einmal erhoben. In der freiwilligen Gerichtsbarkeit bestimmen sich die Gebühren nach dem Geschäftswert. In Strafsachen richtet sich die Gebühr nach der Höhe der erkannten Strafe. Für die Verwaltungs-, Arbeits- und Finanzgerichtsbarkeit gelten die Vorschriften des GKG sinngemäß. In der Sozialgerichtsbarkeit ist das Verfahren für natürl. Personen bis auf rechtlich geregelte Ausnahmen kostenfrei. Im Verfahren vor dem Bundesverfassungsgericht entstehen i. d. R. keine G. – Außergerichtl. Kosten sind die Rechtsanwaltskosten sowie sonstige Aufwendungen zur Rechtsverfolgung oder Rechtsverteidigung; zus. mit den G. bilden sie die **Prozesskosten.** Kostenpflichtig ist zunächst die beantragende, letztlich aber grundsätzlich die unterliegende Partei, und zwar für die Prozesskosten insgesamt. (→ Kostenpflicht, → Prozesskostenhilfe)

Ähnl. Regelungen gelten im *österr.* (Gerichtsgebühren-Ges., GGG) und *schweizer.* (Erlasse des Bundes und der Kantone) Recht.

Gerichtsmedizin, die → Rechtsmedizin.

Gerichtspsychologie, → forensische Psychologie.

Gerichtssprache, → Amtssprache.

Gerichtsstand, das örtlich zuständige Gericht. Im Zivilprozess (§§ 12 ff. ZPO) wird zw. dem allgemeinen, dem besonderen und dem ausschließl. G. unterschieden. Der allgemeine G. wird durch den Wohnsitz des Beklagten bzw. den Sitz der beklagten jurist. Person bestimmt. Besondere G. sind: der G. der Niederlassung, des Erfüllungsorts, der belegenen Sache (dingl. G.), der unerlaubten Handlung, der Mess- und Marktsachen, der Erbschaft, der Vermögensverwaltung u. a. Für dingl. Klagen, Ehesachen, Mietsachen und in der Zwangsvollstreckung besteht ein ausschließl. G., d. h. diese G. sind zwingend und nicht abdingbar. Eine von der gesetzl. Regelung abweichende **G.-Vereinbarung** ist nur eingeschränkt zulässig. Im Strafprozess (§§ 7 ff. StPO) ist der G. bei dem Gericht begründet, in dessen Bezirk die strafbare Handlung begangen (G. des Tatorts) oder der Beschuldigte ergriffen wurde oder wo der Angeschuldigte seinen Wohnsitz oder gewöhnl. Aufenthalt hat. – Ähnl. Bestimmungen enthalten in *Österreich* die Jurisdiktionsnorm von 1895 und §§ 51 ff. StPO sowie in der *Schweiz* die kantonalen Prozessrechte und die Art. 346 ff. StGB.

Meinhard von Gerkan: Der 1967-74 erbaute Berliner Flughafen Tegel

Gerichtsverfassung, die Normen, die die Stellung der Rechtspflege i. w. S. und ihrer Organe im Aufbau des Staates, ihr Verhältnis zur gesetzgebenden und vollziehenden Gewalt, ferner Aufgaben, Organisation und Besetzung der Gerichte und ihrer Geschäftsstellen sowie der anderen Rechtspflegebehörden wie der Staatsanwaltschaft und der staatl. Notariate, die verfassungs- und dienstrechtl. Stellung der Richter sowie die aller anderen Rechtspflegeorgane regeln. In Dtl. ist Grundlage des G.-Rechts das GG, für die ordentl. Gerichtsbarkeit v. a. aber das G.-Ges. vom 27. 1. 1877 (i. d. F. vom 9. 5. 1975), ansonsten die Verfahrens-(Prozess-)Ordnungen der jeweiligen Gerichtsbarkeiten.

Gerichtsvollzieher, Beamter des mittleren Dienstes, der in einem festen Bezirk beim Amtsgericht v. a. mit der Durchführung der Zwangsvollstreckung betraut ist und u. a. Zustellungen und Ladungen (der Prozessparteien; meist mithilfe der Post) bewirkt; er nimmt ferner Scheck- und Wechselproteste auf. Die Dienstverhältnisse der G. sind landesrechtlich geregelt; i. d. R. sind G. selbstständige Beamte mit festen Grundbezügen und Gebühreneinnahmen. G. sind der Staatshaftung unterworfen. – In *Österreich* werden entsprechende Aufgaben von Vollstreckungsbeamten, Gerichtsbediensteten und berufenen Organen wahrgenommen. In der *Schweiz* bestehen in den Kantonen Betreibungsämter für die Durchführung von Schuldbetreibungen.

geringfügige Beschäftigung, *Sozialversicherung:* nach § 8 SGB IV ein Arbeitsverhältnis, dessen Dauer weniger als 15 Stunden wöchentlich beträgt und bei dem der Verdienst regelmäßig ein Siebtel der monatl. Bezugsgröße nach § 18 SGB IV nicht übersteigt (1997: 610 DM – daher auch »610-Mark-Job« – bzw. 520 DM in den neuen Bundesländern; 1996: 590 DM bzw. 500 DM) oder das auf längstens zwei Monate oder 50 Arbeitstage innerhalb eines Jahres begrenzt ist. Mehrere g. B. werden zusammengerechnet. Die Aufnahme einer weiteren g. B. muss dem Arbeitgeber mitgeteilt werden. Die g. B. ist von der Kranken-, Arbeitslosen- und Rentenversicherung befreit. Die Besteuerung kann pauschaliert werden. Angaben für Dtl. schwanken aufgrund der statist. Erfassungsprobleme zw. 1,5 Mio. geringfügig beschäftigter Personen und 8 Mio. solcher Beschäftigungsverhältnisse. Da die g. B. nicht zu Einnahmen in der Sozialversicherung führt, andererseits aber auch keine Versicherungsleistungen begründet, wird eine rechtl. Novellierung kontrovers diskutiert.

geringstes Gebot, → Zwangsversteigerung.

Gerinnung, Vorgang, der durch Ausflockung von Eiweißstoffen (unter Einwirkung z. B. von Wärme, Enzymen oder Elektrolyten) aus einer kolloidalen Lösung gekennzeichnet ist (Übergang eines Sols in ein Gel), z. B. bei der Blut- und Milchgerinnung.

Gerizim (Garizim, arab. Djebel et-Tur), Berg (881 m ü. M.) im Westjordanland, südl. von Nablus; im A. T. »Berg des Segens«, Ort des Tempels der Samaritaner, 129 v. Chr. zerstört; Reste einer byzantin. Muttergotteskirche (nach 484) und Festung des Kaisers Justinian I. (529). Noch heute feiern hier die Samaritaner ihr jährl. Passahfest.

Gerkan, 1) Armin von, Bauforscher und Archäologe, * Subate (bei Daugavpils, Lettland) 30. 11. 1884, † Garstedt (heute zu Norderstedt) 22. 12. 1969; war 1938–45 Direktor des Dt. Archäolog. Inst. in Rom, 1948–53 Prof. in Bonn; Arbeiten zur Architektur und Topographie der Antike.

2) Meinhard von, Architekt, * Riga 3. 1. 1935. Das Team G., Marg (Volkwin Marg, * 1936) & Partner lieferte die Pläne zum Flughafen Tegel (erbaut 1967–74), der internat. als vorbildl. Drive-in-Airport gilt. Später entstanden in Hamburg das Wohn- und Geschäftshaus Grindelallee (1987), das Abfertigungsgebäude des Flughafens in Stuttgart (1987–90) und die Hallen für die Leipziger Messe (1996 fertig gestellt; BILD → Leipzig).

Gerlach, 1) Ernst Ludwig von, preuß. Jurist und Politiker, * Berlin 7. 3. 1795, † ebd. 18. 2. 1877, Bruder von 3); 1848 Mitgründer der preuß. Konservativen Partei und Gründer ihres Organs, der »Neuen Preuß. Zeitung« (»Kreuzzeitung«); MdR (seit 1873).

2) Helmut von, pazifist. Politiker und Publizist, *Mönchmotschelnitz (heute Moczydlnica Klasztorna, bei Wolów) 2. 2. 1866, †Paris 1. 8. 1935; gründete 1896 mit F. Naumann den »Nationalsozialen Verein«, 1908 mit R. Breitscheid die »Demokrat. Vereinigung«. 1903–06 MdR (Freisinnige Vereinigung); emigrierte 1933 nach Österreich und Frankreich.

3) Leopold von, preuß. General, *Berlin 17. 9. 1790, †Potsdam 10. 1. 1861, Bruder von 1); war als Generaladjutant Friedrich Wilhelms IV. seit 1848 einflussreichstes Mitgl. der reaktionären »Kamarilla« um den preuß. König.

4) Manfred, Politiker, *Leipzig 8. 5. 1928; Jurist, war 1950–54 Bürgermeister von Leipzig, seit 1960 stellv. Vors. des Staatsrates der DDR, betonte als Vors. der LDPD (1967–90) die enge Ausrichtung seiner Partei auf die allgemeine Linie der SED. Nach dem Rücktritt von E. Krenz (SED) war er von Dez. 1989 bis März 1990 amtierender Vors. des Staatsrats.

5) Walther, Physiker, *Biebrich (heute zu Wiesbaden) 1. 8. 1889, †München 10. 8. 1979; wies mit O. Stern 1921 die Richtungsquantelung des Gesamtdrehimpulses eines Atoms im Magnetfeld nach, indem er Atomstrahlen im inhomogenen Magnetfeld ablenkte und die Aufspaltung der Strahlen untersuchte **(Stern-Gerlach-Versuch).**

Gerlachovský štít [-xɔfski: ˈʃtji:t], slowak. Name der →Gerlsdorfer Spitze.

Gẹrlingen, Stadt im Landkr. Ludwigsburg, Bad.-Württ., 17900 Ew.; opt. Ind., Maschinen-, Apparatebau; Hauptverwaltung und Forschungszentrum der Robert Bosch GmbH; Heimatmuseum und Museum der Ungarndeutschen (mit Archiv). – Stadtrecht seit 1958.

Gẹrling-Konzern, Zusammenschluss von Versicherungsges. unter der Holding-Ges. »G.-K. Versicherungs-Beteiligungs-AG«, gegr. 1904, Sitz: Köln, tätig in fast allen Versicherungssparten, bes. Ind.versicherungen. Anteilseigner sind die »Gruppe Dr. Rolf Gerling« (70%) und die Dt. Bank AG (30%).

Gẹrlostal, östl. Seitental des Zillertales, in Tirol, Österreich. Der **Gerlosbach** (Oberlauf in Salzburg) wird zum Speichersee **Durlaßboden** (unterhalb Kraftwerk) gestaut. Das Dorf **Gerlos** (1245 m ü. M.) ist Wintersportzentrum. Über den **Gerlospass** (1507 m ü. M.) verbinden die alte und die neue (seit 1962) Gerlosstraße Ziller- und Salzachtal (Pinzgau). Die neue Straße (10,5 km, mautpflichtig) führt über die **Gerlosplatte** (1628 m ü. M.; Wintersportplatz) und Krimml (Wasserfälle).

Gẹrlsdorfer Spịtze (slowak. Gerlachovský štít), höchster Gipfel der Hohen Tatra, Slowakei, 2655 m ü. M., höchster Berg der Karpaten.

Germain [ʒɛrˈmɛ̃], Sophie, frz. Mathematikerin, *Paris 1. 4. 1776, †ebd. 27. 6. 1831; arbeitete über Akustik, Elastizität und Zahlentheorie und legte einen (allerdings unvollständigen) Beweis der →fermatschen Vermutung vor; korrespondierte u. a. mit J.-L. Lagrange und C.-F. Gauß, der sie kurz vor ihrem Tod für die Ehrendoktorwürde der Universität Göttingen empfahl.

Walther Gerlach

Germanạte, Salze, die Germanium als Anion enthalten.

Germạnen, Sammelname für Völker und Stämme in N- und Mitteleuropa, die der indogerman. Sprachfamilie angehören, untereinander sprachverwandt sind (→germanische Sprachen) und sich von den benachbarten Kultur- und Sprachgruppen der Kelten, Illyrer, Balten, Slawen und Finnen durch Sprache, Religion, Sitte, Brauch und materielle Kultur unterscheiden. Die Bez. G. (lat. **Germani**) wurde erstmals 80 v Chr. von Poseidonios als Name kleinerer Stämme im heutigen Belgien überliefert, die von O eingewandert sein sollen. Gallier und Römer seit Cäsar übertrugen den Namen ohne Unterschied auf sämtl. rechtsrhein. Völkerschaften. Die G. selbst kannten keinen einheim. Begriff für ihre Gesamtheit.

Tacitus unterschied drei german. Stammesgruppen: **Ingwäonen, Herminonen** und **Istwäonen.** Die Archäologie hingegen wies für die ersten Jahrhunderte n. Chr. mehrere german. Fundgruppen nach, denen bestimmte, von den Römern erstmals genannte Stämme zugeordnet werden können: **Nordsee-G.** (Friesen, Chauken, Sachsen), **Rhein-Weser-G.** (Tenkterer, Sugambrer, Brukterer, Cherusker, Chatten), **Elb-G.** oder **Elbsweben** (Langobarden, Semnonen, Hermunduren, Marko-

Germanen

Auf der Bärenhaut liegen

Die Redewendung beruht auf einer alten übertreibenden Ausschmückung der Lebensgewohnheiten der alten Germanen, wie sie der römische Geschichtsschreiber Tacitus in seiner »Germania« (Kapitel 15) schildert. Sie findet sich in dem Lied »Tacitus und die alten Deutschen«, das Wilhelm Ruer für die Bierzeitung der Leipziger Burschenschaft Dresdensia schrieb und das 1872 als Nr. 56 der »Fliegenden Blätter« erschien.

Darin werden die Germanen als »Bärenhäuter« dargestellt, die nicht kämpfen, sondern ihr Leben genießen:

»An einem Sommerabend
Im Schatten des heiligen Hains,
Da lagen auf Bärenhäuten
Zu beiden Ufern des Rheins
Verschiedene alte Germanen, ...
Sie liegen auf Bärenhäuten
Und trinken immer noch eins.«

Man gebraucht die Wendung heute in der Umgangssprache im Sinne von »faulenzen«.

Germanen - Siedlungsräume im 1. Jahrhundert n. Chr.

mannen, Quaden), **Oder-Warthe-G.** (Lugier, Wandalen), **Weichsel-G.** (Rugier, Burgunder, Goten), **Ostsee-G.** (kleinere südskandinav. Stämme). Erst im 3. Jh. kam es zum Zusammenschluss der historisch bekannten Großstämme (Alemannen, Franken, Sachsen, Goten).

Geschichte: Die neuere archäologisch-histor. Forschung lehnt die Vorstellung von einer Urheimat der G. zwischen S-Skandinavien und Mittelelbegebiet, die angeblich seit der Bronzezeit (2. Jt. v. Chr.) nachzuweisen sei, sowie von einer aus diesen Gebieten erfolgten, stetig fortschreitenden »Germanisierung« südlich und westlich anschließender Landschaften weitgehend ab. Vielmehr gilt die Entstehung (Ethnogenese) und Ausbreitung der G. als ein außerordentlich vielschichtiger, bislang nicht völlig geklärter Vorgang. Einigkeit herrscht lediglich darüber, dass offenbar eine Vielzahl eisenzeitlicher Bevölkerungsgruppen unterschiedl. Ursprungs und Kulturniveaus im Gebiet zw. norddt. Flachland und der Mittelgebirgszone an der Entstehung der german. Stämme beteiligt waren. In jenem Raum, der annähernd vom Verlauf von Nieder- und Mittelrhein, Main, Sudeten und Weichsel umschrieben wird, lassen sich in den letzten Jahrhunderten v. Chr. mehrere regionale eisenzeitl. Kulturgruppen nachweisen, die sich aus bronzezeitl. Wurzeln gebildet hatten. Diese waren einer Beeinflussung seitens der höher entwickelten Zivilisation kelt. Stämme ausgesetzt, deren Siedlungsgebiete sich von Gallien über S-Dtl. und Böhmen bis nach S-Polen erstreckten. Bei allen regionalen Unterschieden war die Zugehörigkeit zur Randzone der kelt. La-Tène-Kultur das verbindende Element. So darf die Ethnogenese der G. verstanden werden als ein Ausgleichsprozess verschiedenartiger ethn. Gruppen, die jeweils starkem kelt. Einfluss unterlagen, ohne selbst Kelten zu werden. Dieser Prozess setzte in einigen Gebieten wohl schon im 3. Jh. v. Chr. ein und dauerte in der Zeit um Christi Geburt teilweise noch an. Die Ausbildung einer sich vom Keltischen immer weiter unterscheidenden Sprachgruppe dürfte wesentlich zur Entstehung des Germanentums bei-

Germanen

Tacitus beschreibt die Siedlungsweise der Germanen (Germania 1, 16):

»Dass die Völker der Germanen keine Städte bewohnen und dass sie nicht einmal miteinander verbundene Siedlungen dulden, ist genügend bekannt. Sie wohnen abgesondert und einzeln, wie ihnen eine Quelle, ein Feld, ein Wald zusagt. ... Nicht einmal Mauersteine und Ziegel sind bei ihnen im Gebrauch: Sie verwenden für alles unbearbeitetes Holz ohne Schönheit oder Reiz. ... Sie pflegen auch unterirdische Höhlen aufzugraben und laden viel Dünger darüber, als eine Zufluchtsstätte für den Winter und ein Lager für Feldfrüchte, weil Orte dieser Art den strengen Frost erträglicher machen, und wenn einmal ein Feind naht, dann plündert er das Offene, während Verstecktes und Vergrabenes unbemerkt bleibt und ihm eben dadurch entgeht, dass es erst gesucht werden muss.«

getragen haben. Einen wichtigen Anteil an diesem Vorgang hatten die Träger der sich kontinuierlich aus der jüngeren Bronzezeit entwickelnden →Jastorfkultur, die von der jüt. Halbinsel über Mecklenburg und Brandenburg bis nach N-Böhmen verbreitet waren. Sie gelten als die Vorläufer der späteren Elbgermanen. Einzelne Vorstöße im 2./1. Jh. v. Chr. nach S und W mögen den genannten Ausgleichsprozess gefördert haben. Zur gleichen Zeit bildete sich im stark keltisch geprägten Raum zw. Oder und Warthe die german. Przeworsker Kultur heraus (u. a. Übernahme kelt. Waffen). Schon bald einsetzende Vorstöße aus diesem Raum ins Elbe-Saale-Gebiet vermittelten dem südl. Jastorfkreis die Sitte des Waffenbeigebens als Ausdruck eines neu entstehenden, wohl gefolgschaftlich organisierten Kriegertums. So hat spätestens im letzten Jh. v. Chr. der schon seit längerem wirkende kelt. Einfluss nicht nur die materielle Kultur, sondern offenbar auch die Gesellschaftsstruktur der weiter nördlich siedelnden Bevölkerungsgruppen entscheidend verändert und damit zur Ethnogenese der G. beigetragen.

Im 3. Jh. v. Chr. drangen die Bastarnen aus Mitteleuropa an die Schwarzmeerküste vor. Im 2. Jh. zogen die Langobarden zur unteren Elbe (z. T. weiter nach S-Mähren und Oberösterreich). Die um 120 v. Chr. möglicherweise durch eine Sturmflut zum Abzug aus NW-Jütland gezwungenen Kimbern und Teutonen konnten weit in röm. Gebiet eindringen; 102 v. Chr. wurden jedoch die Teutonen bei Aquae Sextiae (heute Aix-en-Provence), 101 v. Chr. die Kimbern bei Vercellae (heute Vercelli) vernichtend geschlagen. Ab 100 v. Chr. dehnten sich die elbgerman. Sweben nach S aus, wobei die Markomannen kurz vor Christi Geburt nach Böhmen, die Quaden an den Unterlauf des Mains und bis 21 n. Chr. nach Mähren, die Triboker in die Gegend von Stuttgart, die Hermunduren nach Thüringen, die Semnonen in das Havelland und die Angeln nach SO-Schleswig gelangten. In das von den Sweben geräumte Gebiet an Elbe und Unstrut rückten die Wandalen nach, während sich die Burgunder ostwärts bis an die Weichsel ausdehnten. Um 71 v. Chr. überschritt Ariovist mit etwa 120 000 Haruden, Tribokern, Nemetern und Wangionen den Rhein, wurde aber 58 v. Chr. in der Nähe von Mülhausen von Cäsar geschlagen; eine allg. rückläufige Bewegung der G. (bes. Markomannen, Quaden, Burgunder und Wandalen) nach O setzte ein; 38 v. Chr. wurden die Ubier auf dem linken Rheinufer angesiedelt. Die Niederlage des Marcus Lollius gegen die Sugambrer (16 v. Chr.) führte zu den röm. Offensivkriegen des Drusus und des Tiberius gegen die G. (12 v. Chr. bis 5 n. Chr.). Der Sieg des Cheruskers Arminius über den röm. Statthalter Varus (Schlacht im →Teutoburger Wald; 9 n. Chr.) bewirkte die Aufgabe der röm. Expansionspolitik rechts des Rheins. Während dieser Zeit zogen die Goten aus Skandinavien an die Weichselmündung. Um 6 v. Chr. kam es unter Marbod zur Gründung des Markomannenreiches in Böhmen, das um 25 n. Chr. mit dem Quadenreich des Vannius (19–50) ver-

Germanenreiche nach dem Zerfall der weströmischen Herrschaft (476)

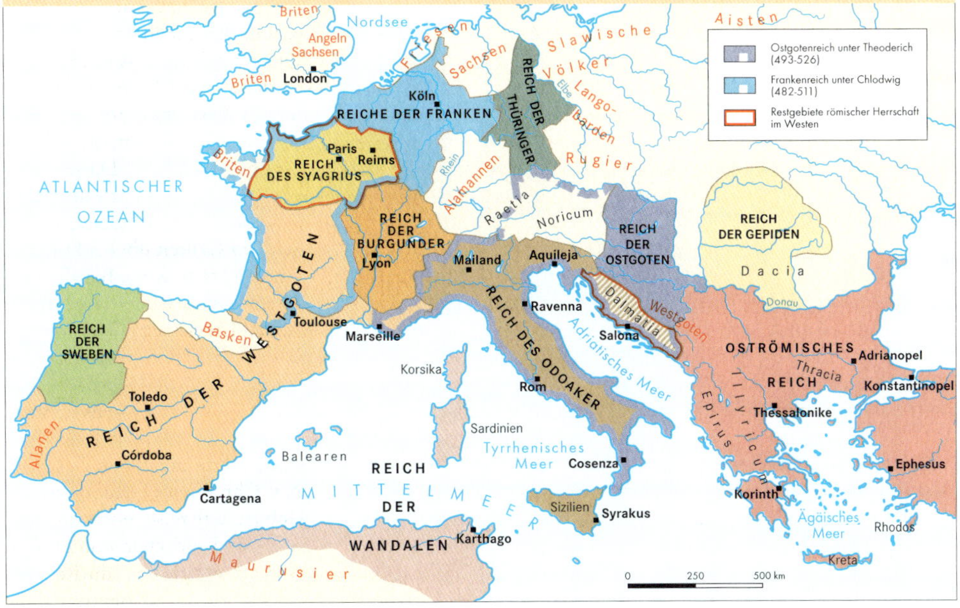

schmolz. Die Niederwerfung des Bataveraufstandes (69/70) verhinderte die Schaffung eines german. Staatengebildes beiderseits des Niederrheins.

Die Romanisierung der besetzten german. Gebiete erfolgte seit 50 v.a. durch die Gründung der röm. Bürgerkolonie Colonia Claudia Ara Agrippinensium (heute Köln), die Anlage der Kastelle Abusina (heute Eining), Regina Castra (heute Regensburg-Kumpfmühl) und Sorviodurum (heute Straubing), durch die Anlage des obergerman. und rät. Limes (etwa 83–145) und die Einrichtung der beiden Grenzprovinzen Obergermanien (Germania superior) und Untergermanien (Germania inferior). Im freien Germanien (Germania libera oder magna) wurde die 1. german. Völkerwanderung (um 150–295) durch die Abwanderung der Goten von der Weichselmündung zum Schwarzen Meer (um 150 bis um 180) ausgelöst: Abdrängung der Burgunder nach W, der Wandalen nach S, der Chatten um 162 über den Limes und der Markomannen über die Donau (166/167). Folge waren die Markomannenkriege Mark Aurels (166–175 und 177–180). 213 erschienen Teile der Alemannen am Limes, den sie 259/260 durchbrachen, an der unteren Donau standen 236 die Goten, die 249 bis nach Makedonien vorstießen, Kaiser Decius 251 bei Abritus (heute Rasgrad) schlugen, 267 bis nach Kappadokien vordrangen und 268 zur See zus. mit den Herulern und Bastarnen bis Sparta gelangten. Zwischen 257 und 260 wurden zum ersten Mal die Franken fassbar, die immer wieder Vorstöße ins Innere Galliens unternahmen. 269 begannen die Goten (jetzt erstmals in Ost- und Westgoten geschieden) ihre Wanderung auf den Balkan.

germanische Kunst: Adlerfibel (um 500)

Bereits im 3. Jh., bes. seit Konstantin d. Gr., verstärkte sich das german. Element im röm. Heer; G. stiegen zu den höchsten Befehlshaber- und Verwaltungsstellen des Röm. Reichs auf, z. B. Stilicho, Ricimer, Childerich I. Die Westgoten öffneten sich seit 341 dem arian. Christentum. In den Donauländern siedelten sich Goten, Heruler, Rugier, Skiren und Wandalen an. Die Unruhen begannen erst wieder mit der Durchbrechung der Rheinbefestigungen durch die Alemannen und Franken (nach 350; Aufgabe der Rheingrenze durch Rom 401), den Donauüberschreitungen durch Quaden und Markomannen (seit 357) sowie dem Wiederausbruch der Kämpfe mit den Westgoten (367). Durch den Vorstoß der Hunnen (375) wurde die 2. german. Völkerwanderung ausgelöst, in deren Verlauf auf dem Boden des Imperium Romanum german. Reiche entstanden, die im europ. Raum den antiken Zustand der Mittelmeerwelt beendeten. 413 entstand das Föderatenreich der Burgunder um Worms, von wo sie 443 in die Landschaft Sapandia um den Genfer See umgesiedelt wurden. 418/419–507 bestand das Westgotenreich von Tolosa (heute Toulouse), 429–533/534 das Wandalenreich in Afrika. Schließlich beseitigte 476 der Skire Odoaker das weström. Kaisertum. 486 beseitigte der Franke Chlodwig die letzten Reste röm. Herrschaft zwischen Somme und Loire (→ Fränkisches Reich). Schon 473 waren die seit 456 in Pannonien als Foederaten ansässigen Ostgoten unter der Führung Theoderichs nach Moesien aufgebrochen; 493 fielen sie in Italien ein, wo ihr Reich bis 553 bestand. Ebenfalls aus Pannonien kommend, besetzten die Langobarden 568 N-Italien, wo sie ein bis 774 bestehendes Reich errichteten.

Siedlung und Hausbau: Die G. wohnten meist in flussnahen Dörfern, Weilern oder Einzelhöfen, die teilweise befestigt waren. Besiedelt wurden sowohl Sand- und Lehm- als auch Marschböden. Im Nordseeküstengebiet und in Westfalen waren langrechteckige, dreischiffige, mit einem Giebel versehene Wohn-Stall-Häuser aus lehmverstrichenen Holzflecht- oder Grassodenwänden üblich, z. B. → Feddersen Wierde. In den anderen Regionen herrschten meist kleinere zwei- oder einschiffige Bauten vor; im Elbe-Oder-Gebiet wurden Wohnhäuser mit ovalem Abschluss an einer Schmalseite nachgewiesen. – Befestigungen lassen sich erst seit dem 3. Jh. v. Chr., wohl unter kelt. Einfluss, belegen. Häufiger werden sie im 4./5. Jh. bes. bei den Alemannen (Glauberg, Runder Berg).

Wirtschaft: Die Wirtschaft war agrarisch strukturiert. Angebaut wurde Weizen und Gerste, später auch Hafer, Roggen, Flachs, Hirse und Gemüse; von den Römern wurde der Weinbau übernommen. Von Bedeutung war die Zucht von Rind, Schaf und Schwein. Erzgewinnung und Metallverarbeitung lagen frühzeitig in der Hand von berufsmäßigen Handwerkern. Der Fernhandel mit dem Mittelmeergebiet (bes. mit Bernstein, Fellen und Wolle) geht bis in die Bronzezeit zurück; Kupfer und Zinn als Rohmaterialien für die Bronzeherstellung, Metallgeräte und Glasgefäße wurden nach Germanien eingeführt. Die Schifffahrt, die mit verhältnismäßig großen und seetüchtigen Schiffen betrieben wurde, erreichte im 4. Jh. n. Chr. (Nydamboot) ihren ersten Höhepunkt. Segelboote sind erst seit der Wikingerzeit (8. Jh.) bezeugt.

Gesellschaft und Recht: Anhand der Grab- und Siedlungsfunde kann man bereits für das 1. Jh. v. Chr. eine stärkere soziale Gliederung feststellen, doch erst der direkte Kontakt mit der röm. Welt seit Christi Geburt, der röm. Militärdienst und vermehrter Grundbesitz begünstigten größere Differenzierungen im Gesellschaftsaufbau und die Entwicklung einer aristokrat. Führungsschicht (Anlage von Fürstengräbern im 3.–7. Jh.). Eine stabile Adelsschicht, die sich durch ihre rechtl. Sonderstellung abhob, gab es aber erst in merowing.

Zeit. Die auf gemeinsamer Abstammung beruhende Sippe stellte das wichtigste soziale Gebilde dar. – Das Kriegswesen, ursprünglich auf Einzelkampf mit Lanze und Schild gerichtet, wandelte sich unter röm. Einfluss. Geschlossene Kampfesweise und Reiterei sind erst in der Kaiserzeit festzustellen. – Die Rechtsprechung beruhte auf mündlich tradiertem Recht. Verhandelt wurde auf dem Thing (→Ding). Private Rechtsstreite wurden häufig durch Fehden zwischen den Sippen ausgetragen, die durch das »Wergeld« genannte Bußgeld gesteuert wurden. (→germanische Volksrechte)

📖 *Die G. Geschichte u. Kultur der german. Stämme in Mitteleuropa, bearb. v.* B. KRÜGER, *2 Bde. Berlin* *2-51986–88.* – GRÖNBECH, W.: *Kultur u. Religion der G., 2 Bde. A. d. Dän. Darmstadt* *111991.* – FISCHER-FABIAN, S.: *Die ersten Deutschen. Der Bericht über das rätselhafte Volk der G. Tb.-Ausg. München* *131993.* – WOLFRAM, H.: *Die G. München* *21995.*

Germania [lat.], Personifikation Germaniens bzw. Dtl.s; in der röm. Antike als trauernde Gefangene, im Hoch-MA. als gekrönte Frau, im 19. Jh. als Walküre; nach 1850 volkstüml. Symbolfigur.

Germanicus, Siegertitel des →Drusus, seitdem Beiname seiner Nachkommen, darunter: Gaius **Julius Caesar G.,** röm. Feldherr, *Rom 24. 5. 15 v. Chr., †Daphne (bei Antiochia am Orontes) 10. 10. 19 n. Chr.; Sohn des Drusus, Adoptivsohn des Tiberius (4 n. Chr.), ⚭ mit →Agrippina d. Ä.; unternahm 14–16 n. Chr. als Oberbefehlshaber der acht Legionen am Rhein versch. letztlich erfolglose Feldzüge in das freie Germanien, wurde 17 n. Chr. von Tiberius zurückberufen; er erhielt ein außerordentl. Kommando im Orient. Von seinen Schriften sind Epigramme und ein astronom. Lehrgedicht erhalten.

Germani|en (lat. Germania), **1)** das von den Römern so benannte Siedlungsgebiet der Germanen. Nach der Eroberung des linksrhein. Gebiets durch Cäsar und Augustus unterschied man das **freie** oder **große G. (Germania libera** oder **magna)** nördlich der Donau, vom Rhein bis zur Weichsel, von den röm. Grenzprovinzen **Ober-G. (Germania superior)** mit Mainz und **Nieder-G. (Germania inferior)** mit Köln als Hauptort. Nieder-G. blieb auf das linke Rheinufer beschränkt, Ober-G. erstreckte sich über das rechte Ufergebiet hinaus und wurde durch den Limes gegen das freie G. abgegrenzt. Diese Gebiete wurden rasch romanisiert; die Standlager der Legionen entwickelten sich zu blühenden städt. Siedlungen. Dagegen galt das freie G. als rau und unwirtlich. Hauptquellen für die Kenntnis von G. sind die Werke von Cäsar und Tacitus (»Germania«).

2) im MA. (in lat. Form) Bez. für Deutschland.

Germanin *das* (Bayer 205, internat. Name Suramin®), stark wirksames Arzneimittel (Diphenylharnstoffabkömmling), das schon 1920 in die Therapie eingeführt wurde und bes. zur Verhütung und Behandlung der afrikan. Schlafkrankheit dient; zahlr. Nebenwirkungen (z. B. Nierenschäden) sind möglich.

germanische Kunst, das kunsthandwerkliche Schaffen im germanisch besiedelten Europa von der späten röm. Kaiserzeit bis zum Ende der Wikingerzeit, soweit es sich nach Darstellungsweisen und -inhalten vom mediterranen Kunstkreis abhebt. Die g. K. ist im Wesentlichen mit den Tierstilen identisch, die bis um 800 n. Chr. in Mitteleuropa und bis kurz nach 1100 in Skandinavien und auf den Brit. Inseln verbreitet waren. Bereits seit etwa 250 n. Chr. wurden röm. Vorbilder aus dem Darstellungsbereich der Tierwelt zunächst v. a. in Südskandinavien nachgeahmt (Bild- und Schriftzeugnisse [Runen] setzten etwa gleichzeitig ein); stilbildend wirkte sich die Tierornamentik jedoch erst ab dem 5. Jh. n. Chr. aus. – Abgesehen von Keramik mit oft reichem Dekor sind v. a. Arbeiten aus Bronze sowie Eisen (Fibeln, Beschläge, Verzierungen an Waffen u. a.) und auch Stein überliefert. Für die meisten Metallarbeiten sind Vorbilder aus Holz vorauszusetzen, nachweisbar bes. beim **Kerbschnittdekor** an Werken des 4.–6. Jh. Übliche Schmucktechniken bei Metall waren die Pressblechformung über Modeln, Tauschierung und Punzierung, dazu kamen im **farbigen Stil** (400–700) Niello und Glasschmelz (Cloisonné). Beim Bronzeguss war anschließende Feuervergoldung häufig. – Die g. K. wird zw. dem späten 5. Jh. und der Wikingerzeit in drei **Tierstile** gegliedert, der erste (mit Vorstufen) war nur in Skandinavien verbreitet, der zweite entstand vor 600 n. Chr. in der germanisch-roman. Kontaktzone. Neben ihm gibt es die Vendelstile B und C (in Skandinavien). Der Tierstil III wird auch als Vendelstil E bezeichnet, daneben bestand noch ein Vendelstil D. Beide gehen in die **Wikingerkunst** über (Mitte 9. bis 11. Jh.), bekannt durch das Schiffsgrab von Oseberg. Man unterscheidet den Borrestil, im 10. Jh. den Jellingstil und den Mammenstil sowie den Ringerikestil (spätes 10. bis spätes 11. Jh.), und ab 1050 den Urnesstil. Die g. K. stellt offenbar exemplarisch-sakrales Geschehen dar (»Heilsbilder«).

📖 *Kunst der Völkerwanderungszeit, hg. v.* H. ROTH. *Berlin u. a. 1979.*

germanische Religion und Mythologie, Zeugnisse für die Religion und Mythologie erstrecken sich im weitesten Sinne über einen Zeitraum

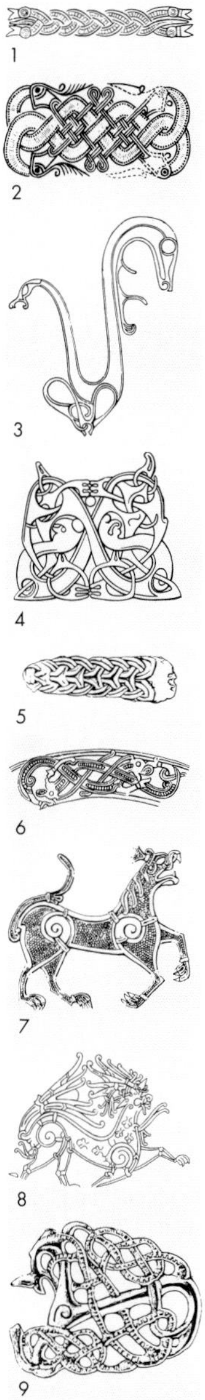

germanische Kunst: Zeichnungen von Verzierungen auf Kunstgegenständen; 1 Vendelstil B, 2 Vendelstil C, 3 Vendelstil D, Bronzebeschlag, 4 Vendelstil E, Fibel, 5 Borrestil, Riemenzunge, 6 Jellingstil, Ornamentband auf einem Silberbecher, 7 Mammenstil, 8 Ringerikestil, Wetterfahne, 9 Urnesstil, Fibel

von mehr als 2000 Jahren: die ältesten sind bronzezeitl. Felsritzungen in der schwed. Landschaft Bohuslän und der Sonnenwagen von Trundholm, ein Kultwagen (um 14./13. Jh. v. Chr.). – Älteste schriftl. Quellen über die german. Götterverehrung lieferte Tacitus, allerdings unter röm. Namen; so nennt er statt Tyr Mars, statt Donar Herkules. Die frühe Christianisierung im röm. Einflussbereich (bis 400) verschüttete die alte Religion, ausführl. Zeugnisse gibt es dagegen aus dem Bereich der nordgerman. Sprachen, der erst Jh. später christianisiert wurde, sie sind in den verschiedenen Fassungen der →Edda und der →Sagas überliefert. Die nordgerman. Mythologie kennt zwei Göttergeschlechter, die Wanen und die jüngeren Asen. Zu den Wanen gehören Freyr und Freyja, die der Fruchtbarkeit verbunden sind, zu den Asen der Herr des Kampfes Wotan (altnord. Odin), der Kämpfer gegen das Böse Donar (altnord. Thor), die Muttergöttin Frija (altnord. Frigg) und ihr Sohn Baldr, der Lichtgott; dämon. Züge trägt Loki. Neben dieser Götterwelt kannte die german. Mythologie viele Naturgeister und Dämonen (→Elfen). – Nach der german. Kosmologie der Edda entstanden zuerst die Götter aus den Gegensätzen Licht – Dunkelheit, Wärme – Kälte. Sie erschufen den Urriesen Ymir, aus dessen Körperteilen die geordnete Welt entsteht und deren Zentrum die Weltesche Yggdrasil ist. Die Welt ist dreigeteilt: Im Himmel (Asgard) wohnen die Götter, in der Mitte (Midgard) die Menschen (ihr Reich ist von der Midgardschlange umgeben), unter der Erde bei der Göttin Hel die Toten (ausgenommen die Gefallenen, die nach Walhall kommen). Diese Welt wird einst in einem totalen Zusammenbruch (Ragnarök) untergehen. Schon christlich geprägt ist die in der jüngeren Edda folgende Vision einer neuen konfliktlosen Welt. – Der Kult (Tier-, gelegentlich auch Menschenopfer) wurde innerhalb der Familie vom Hausvater, in größerem Kreis von polit. Führern vollzogen. Tempel gab es erst in nachröm. Zeit, in der Frühzeit waren heilige Haine kult. Mittelpunkt. – BILD Bronzezeit, Edda

📖 DEROLEZ, R. L. M.: *Götter u. Mythen der Germanen. A. d. Niederländ. Neuausg. Wiesbaden 1976.* – HASENFRATZ, H.-P.: *Die religiöse Welt der Germanen. Freiburg im Breisgau u. a. ²1994.* – HERRMANN, P.: *Dt. Mythologie, neu hg. v.* T. JUNG. *Berlin ³1994.* – SIMEK, R.: *Lexikon der german. Mythologie. Stuttgart ²1995.*

germanische Religion und Mythologie

Tacitus (Germania 1, 9, 2) über die Götterverehrung der Germanen:

»Im Übrigen halten sie es wegen der Erhabenheit der Himmlischen für unvereinbar, die Götter in Wände einzuschließen oder sie in Form eines menschlichen Gesichts abzubilden: Sie weihen Haine und Wälder und belegen das Geheimnisvolle, das sie nur in Ehrfurcht beschauen, mit Götternamen«.

germanische Religion und Mythologie: Odin, der Gott des Kampfes, der Ekstase und der intellektuellen Fähigkeiten (Stockholm, Historiska Museet)

Germanischer Lloyd [-lɔɪd], weltweit tätige neutrale technische Sachverständigenorganisation, gegr. 1867 in Hamburg als Überwachungsorganisation für den Bau und die sicherheitstechn. Ausrüstung von Schiffen, seit 1889 AG mit gemeinnützigem Charakter; Sitz Hamburg. Aufgaben sind die Besichtigung und Zertifizierung der Sicherheit und Qualität von See- und Binnenschiffen, Seebauwerken und anderen industriellen Einrichtungen wie auch von Qualitätsmanagementsystemen. Der G. L. veröffentlicht Schiffsregister und erlässt Vorschriften für Schiffsneubauten und -reparaturen.

Germanisches Nationalmuseum in Nürnberg, das größte der Gesch. der dt. Kunst und Kultur gewidmete Museum in Dtl., gegr. 1852, umfasst alle Epochen von der Frühzeit bis zum 20. Jh.; Spezialbibliothek mit etwa 500000 Bänden zur dt. Kunst- und Kulturgeschichte.

germanische Sprachen, Gruppe der →indogermanischen Sprachen. Ihr heutiger Bestand umfasst einschl. der jeweiligen früheren Ausprägung die »nordgerman. Sprachen« (Schwedisch, Dänisch, Norwegisch, Isländisch, Färöisch) und die »westgerman. Sprachen« (Englisch, Deutsch, Niederländisch, Friesisch sowie die Neusprachen Jiddisch und Afrikaans). Zu den g. S. gehören außerdem weitere fragmentarisch überlieferte, inzwischen untergegangene Sprachen, u. a. Gotisch, Burgundisch, Langobardisch und Wandalisch. Von der indogerman. Grundsprache heben sich die g. S. bes. durch folgende Charakteristika ab: a) die durch die german. (erste) →Lautverschiebung bewirkten Veränderungen; b) die Betonung der Stammsilbe gegenüber dem im Indogermanischen freien Wortakzent; c) Vereinfachung des grammat. Systems und Beschränkung auf zwei Tempora (Präsens, Präteritum) und das Entstehen von schwachen Verbformen.

Die historisch hervortretenden Stämme und Gruppierungen (→Germanen) lassen sich einem sprachl. Stammbaum nicht ohne weiteres zuordnen. Die früher vorgenommene Einteilung in Nord-, Ost- und Westgermanen wird fraglich, wenn man sie als eine früh vollzogene Teilung ansieht. Tatsächlich sind jedoch Germanen einerseits süd- und ostwärts gewandert (so im 3. Jh. v. Chr. die Bastarnen, seit dem 2. Jh. n. Chr. die Goten ans Schwarze Meer), andererseits die Burgunder und Wandalen süd- und weiterhin westwärts. Im 5. Jh. zogen auch die Goten nach Westen, ein Teil von ihnen hielt sich jedoch auf der Krim bis ins 16. Jh. Der Zusammenhang des »westgerman.« Bereichs ist durch Wanderungen und Bildung von neuen Stämmen durch Überschichtung entstanden. Die »ostgerman.« Sprachen (v. a. Gotisch) sind mit den Krimgoten und der Romanisierung der Ost- und Westgoten ausgestorben.

📖 HUTTERER, C. J.: *Die g. S. Ihre Geschichte in Grundzügen. Budapest ³1990.* – SCHWEIKLE, G.: *Germanisch-deutsche Sprachgeschichte im Überblick. Stuttgart ³1990.*

germanische Volksrechte, die im 5.–9. Jh. entstandenen ältesten Rechtsaufzeichnungen der german. Stämme, im Unterschied zu den für die röm. Bevölkerung einzelner german. Staaten bestimmten Rechtsbüchern (Leges Romanorum), veraltet auch **Leges Barbarorum** genannt. Sie sind in Vulgärlatein abgefasst, aber von german. Ausdrücken stark durchsetzt; nur Angelsachsen und Nordgermanen haben schon ihr ältestes Recht in der Volkssprache aufgezeichnet. Die g. V. sind keine Gesetze im neuzeitl. Sinn, sondern Aufzeichnungen geltender Gewohnheit, vom König mit dem Ziel der Rechtsbesserung veranlasst. Den größten Raum nehmen straf- und prozessrechtl. Bestimmungen ein; v. a. enthalten sie umfangreiche Bußkataloge. Die g. V. hatten personale Geltung für die Stammesgenossen, gleichviel, wo sie sich aufhielten, nicht territoriale Geltung für ein Stammesgebiet (Personalitätsgrundsatz). Sie sind vom röm. oder kanon. Recht beeinflusst (→deutsches Recht).

Es lassen sich drei Gruppen g. V. bestimmen: Die frühesten g. V. treten bei den auf ehem. röm. Boden siedelnden Germanenstämmen auf, voran die Gesetze der Westgoten **(Edictum Theoderici,** neuerdings wieder dem Ostgotenkönig Theoderich d. Gr. zugeschrieben, um 458; **Codex Euricianus,** das »Pariser Fragment«, um 475, sowie die auf seiner Grundlage geschaffene **Lex Visigothorum,** um 654). Davon beeinflusst entstand das Recht der Burgunder **(Lex Burgundionum,** um 500) und das älteste fränk. Gesetz, die **Lex Salica,** um 510. Später folgte für die ripuar. Franken (um Köln) die **Lex Ribuaria** und für die dem fränk. Herrschaftsbereich eingegliederten Alemannen der **Pactus Alemannorum** (erste Hälfte des 7. Jh.). Den Abschluss bildet das später als einziges der g. V. wissenschaftlich bearbeitete langobard. Recht **(Edictum Rothari,** um 643).

Als zweite Gruppe folgen im 7./8. Jh. die beiden süddt. Leges, das alemann. und das bayer. Volksrecht **(Lex Alemannorum, Lex Baiuvariorum).** Am Ende der Entwicklung stehen die Rechte der Sachsen **(Lex Saxonum)** und der Friesen **(Lex Frisionum)** und der Thüringer **(Lex Thuringo-**

Germanische Götter (Auswahl)

Name und Geschlecht	*myth. Bedeutung*	*Attribut*
Götter		
Odin (Ase) (Wuotan, Wodan, Wotan)	Herr der Götter, Gott des Krieges, der Toten und der Weisheit	Speer
Donar (Ase) (Thor)	Gott des Gewitters und der Fruchtbarkeit	Hammer
Týr (Ase) (Ziu, Tiu)	Kriegsgott	
Freyr (Vane) (Freir)	Gott des Lichts, des Friedens und des Reichtums	Eber
Loki	dämon., listiger Gott, Feind der Asen	
Baldr (Ase) (Balder, Baldur)	Sohn Odins, Gott des Lichts und der Gerechtigkeit	
Heimdall (Ase)	Seher und Wächter der Götter	Gjallarhorn
Hödr (Ase) (Hod, Hödur)	blinder Gott, Mörder Baldrs	
Forseti (Ase)	Sohn Baldrs, Schlichter des Streits	
Bragi (Ase)	Eroberer des Göttertranks, Gott der Dichtkunst	
Hönir	einer der Schöpfer der Menschen (zusammen mit Odin)	
Njörd (Vane)	Gott des Friedens, des Meeres und der Fruchtbarkeit	
Mimir	Herr der Weisheitsquelle	
Göttinnen		
Frija (Asin) (Frigg, Frea)	Göttin der Liebe und Ehe, Gemahlin Odins, Mutter Baldrs	Falken- oder Federgewand
Freyja (Vanin)	Göttin der Liebe und der Geburt	Brisingamen-Halsband, Federgewand
Idunn (Asin)	Göttin der Jugend, Gemahlin Bragis	Äpfel
Nanna (Asin)	Gemahlin des Baldr	
Sif (Asin)	Gemahlin Donars	goldenes Haar
Jörd (Asin)	Erdgöttin	
Hel (Riesin)	Herrin des Totenreichs	

rum), die auf Initiative Karls d. Gr. anläßlich des Reichstages zu Aachen 802/803 aufgezeichnet wurden.

Für die dem Personalitätsprinzip nicht unterworfenen Bevölkerungsteile entstanden z.T. eigene Gesetze **(Lex Romana Visigothorum,** auch **Breviarum Alarici,** 506; **Lex Romana Burgundionum,** vor 506; **Lex Romana Raetica Curiensis,** vor 765).

Wegen des späteren Erfassens christl. Einflüsse ursprünglicher ist das **nordische Recht,** das in den Aufzeichnungen des 12. und 13. Jh. den Rechtszustand des Früh-MA wiedergibt, so für Norwegen die Rechte der vier Dingbezirke, für Island die Grágás (»Graugans«). Das vom christl. Gedankengut stark geprägte älteste **angelsächsische Recht** geht auf die Könige von Kent und Wessex zurück.

Germanismus [lat.] *der,* eine in eine andere Sprache übertragene Eigentümlichkeit der dt. Sprache.

Germanistik *die,* Wiss. von der Entwicklung der dt. Literatur und Sprache; sie schließt auch die Skandinavistik sowie vielfach auch die Volkskunde ein. Unterteilt wird die G. in **dt. Philologie,** die Wiss. von der dt. Sprache **(dt. Sprachwiss.)** und Lit. **(dt. Literaturwiss.);** seit Ende des 19. Jh. mit den Teilfächern **Alt-G.** (Sprache und Lit. der Frühzeit und des MA.) und **Neu-G.** (Lit. der Neuzeit); seit Ende der 1960er-Jahre entwickelte sich als 3. Teilgebiet die **(germanist.) Linguistik.**

Geschichte: Nach ersten Ansätzen im Humanismus waren es v.a. die dt. Sprachges., die die Sprachkunde (J. G. Schottel) und Textforschung (ahd. Textausgaben) förderten. Im letzten Drittel des 18. Jh. richtete sich das Augenmerk auf die Lit. des Hoch-MA. (J. G. Herder). Um Grammatik und Wortschatz bemühte sich u.a. J. C. Adelung. Die Romantik griff v.a. die Ansätze Herders auf, die literar. Zeugnisse des MA. wurden als Zeugnisse des Wirkens eines Volksgeistes gesammelt (A. von Arnim, C. Brentano), übersetzt (L. Tieck), aufbereitet (A. W. und F. Schlegel, L. Uhland), ediert (P. H. von der Hagen). Bedeutung erlangte v.a. die »Dt. Grammatik« (1819–37, 4 Tle.) von J. Grimm, die Entdeckung der Ablautgesetze der dt. Sprache und die Konzeption des »Dt. Wörterbuches« (1854 ff.). K. →Lachmann begr. die germanist. Textkritik. W. Wackernagel edierte, wie später K. Bartsch, auch altfrz. Texte. W. H. Riehl begr. die germanist. Volkskunde. Bedeutung erlangte der literaturhistor. Ansatz von G. G. →Gervinus. – Die →Junggrammatiker machten Sprache zum Gegenstand naturwiss. Analyse (O. Behagel, W. Scherer, H. Paul, W. Streitberg u.a.). Der Positivismus betrieb v.a. weitere Quellenerschließung. W. Scherers Anstoß zur Erforschung der neueren Lit.geschichte führten Erich Schmidt, A. Sauer, F. Muncker u.a. fort; Lit.- und Sprachwiss. nahmen seit Ende des 19. Jh. eigenständige Entwicklungen. Die im 20. Jh. von W. →Dilthey begr. geisteswiss. Methode bestimmten v.a. R. Unger, H. Korff, F. Strich, F. Schultz, F. Gundolf, O. Walzel. Die »Alt-G.« wurde durch A. Heusler, G. Ehrismann, C. von Kraus, H. Schneider, J. Schwietering, T. Frings getragen, Mundartforschung und Sprachgeographie vorangetrieben (G. Wenker, F. Wrede, »Dt. Sprachatlas«, 1927 ff.; K. Bohnenberger, W. Mitzka).

Unter dem Eindruck der Vereinnahmung der G. durch den Nationalsozialismus orientierte sich die Sprachwiss. nach 1945 zunächst an Humboldt und den Romantikern, während die Literaturwiss. sich auf werkimmanente Textinterpretationen konzentrierte und an Strömungen u.a. im angloamerikan. Bereich anknüpfte. Profilbestimmend für die nächsten Jahrzehnte waren Strukturalismus, Marxismus, Psychoanalyse, soziolog., empirisch-analyt., rezeptionsästhet. und systemtheoret. Fragestellungen. Trotz unterschiedl. Ansätze und Einflüsse germanist. Forschung in der Bundesrep. Dtl. und der DDR wurden in der Zeit der dt. Teilung bestimmte Arbeiten (u.a. Goethe-Wörterbuch) gemeinsam weitergeführt. (→Literaturwissenschaft, →Sprachwissenschaft)

📖 HERMAND, J.: *Geschichte der G. Reinbek 1994.* – ROMPELTIEN, B.: *G. als Wissenschaft. Zur Ausdifferenzierung u. Integration einer Fachdisziplin. Opladen 1994.* – *Wissenschaftsgeschichte der G. im 19. Jh., hg. v.* J. FOHRMANN *u.* W. VOSSKAMP. *Stuttgart u. a. 1994.* – *Zeitenwechsel. Germanist. Literaturwissenschaft vor u. nach 1945, hg. v.* W. BARNER *u.* C. KÖNIG. *Frankfurt am Main 1996.*

Germanium *das,* chem. Symbol **Ge,** metall. Element aus der 4. Hauptgruppe des Periodensystems. Ordungszahl 32, relative Atommasse 72,59, Dichte 5,323 g/cm^3, Schmelzpunkt 937,4 °C. Siedepunkt 2830 °C. – G. ist ein graues, sehr sprödes, metallisch glänzendes Halbmetall, das in seinen chem. Eigenschaften zw. Silicium und Zinn steht. Aufgrund seiner besonderen Kristallstruktur (die G.-Atome bilden ein Diamantgitter) ist G. in seinen durch Dotierung stark beeinflussbaren elektr. Eigenschaften ein dem Silicium ähnl. →Halbleiter. G. kommt in den seltenen Mineralen Argyrodit und Germanit vor und fällt als Nebenprodukt bei der Kupfer- und Zinkgewinnung an; Reinstdarstellung von G.-Einkristallen, z.B. für die Halbleitertechnik, durch →Zonenschmelzen. Verwendung zur Herstellung spezieller Dioden, Transistoren sowie für opt. Spezialgeräte. G.-Legierungen dienen zum Bau elektron. Mess- und Schaltgeräte.

Germantown ['dʒə:məntaʊn], Stadtteil von Philadelphia, USA; Hauptort der Pennsylvaniadeutschen. – 1683 von dt. Einwanderern (Menno-

Germer: Weißer Germer (Höhe 60-140 cm)

Gernrode: Die zum großen Teil im 10. Jh. erbaute Stiftskirche Sankt Cyriakus ist die älteste noch erhaltene ottonische Basilika; der Innenraum wird bestimmt durch den Wechsel von Pfeilern und Säulen und die auf byzantinische Vorbilder zurückgehenden Langhausemporen

niten) unter Führung von F. D. Pastorius gegründet.

Germer (Veratrum), Gattung der Liliengewächse; Stauden mit breiten, längsfaltig genervten Blättern und endständiger Blütenrispe. Der **Weiße G.** (Veratrum album), bis 1,4 m hoch, mit grünl. Blüten; er ist wegen seines Gehalts an Alkaloiden in allen Teilen (bes. im Wurzelstock) sehr giftig.

Germer ['gə:mə], Lester Halbert, amerikan. Physiker, *Chicago (Ill.) 10. 10. 1896, †Gardiner (N. Y.) 3. 10. 1971; wies 1927 mit C. J. Davisson die Elektronenbeugung beim Durchgang durch Materie nach (→Materiewellen).

Germering, Stadt im Landkreis Fürstenfeldbruck, Oberbayern, 35 800 Ew.; Wohngemeinde und Ind.standort am westl. Stadtrand von München; Metall verarbeitende, chem. Industrie.

Germersheim, **1)** Landkreis im RegBez. Rheinhessen-Pfalz, Rheinl.-Pf., 463 km², (1996) 119 300 Ew.

2) Krst. von 1) in Rheinl.-Pf., an der Mündung der Queich in den Oberrhein, 19 700 Ew.; Fachbereich Angewandte Sprachwiss. der Univ. Mainz; Möbel-, Glas-, Textil- u. a. Ind.; Rheinhafen. – Kath. Pfarrkirche (2. Hälfte 14. Jh., wurde 1682–97 nach Zerstörung wieder aufgebaut). – G., auf dem Boden eines ehem. Römerkastells angelegt, wird 1090 erstmals erwähnt, erhielt 1276 Stadtrecht (Reichsstadt); kam 1330 an Kurpfalz; 1792–1814 frz. besetzt; 1814–16 unter österr.-bayer. Verw., 1816 an Bayern, seit 1834 Festung (1922/23 geschleift).

Germigny-des-Prés [ʒɛrmiɲide'pre], Gemeinde im Dép. Loiret, Frankreich, im Loiretal, 400 Ew. Die Kirche des Bischofs Theodulf von Orléans (806 geweiht, 1869 verändernd restauriert) ist ein Hauptwerk karoling. Baukunst in Frankreich.

Germiston ['dʒə:mɪstən], Stadt in der Prov. Gauteng, Rep. Südafrika, 1670 m ü. M., 134 000 Ew.; Goldbergbau und -raffinerie, vielseitige Ind.; Eisenbahnknotenpunkt und -werkstätten.

Gernhardt, Robert, Schriftsteller und Zeichner, *Tallinn 13. 12. 1937; war ab 1962 Cartoonist und Texter der satir. Zeitschrift »Pardon«, 1979 Mitbegründer der Zeitschrift »Titanic«; neben den Text und Zeichnung eng verbindenden Bildgedichten und -geschichten stehen größere Satiren wie die fiktive Künstlerbiographie »Die Wahrheit über Arnold Hau« (1966) u. a. G. veröffentlichte zus. mit seiner Frau, der Malerin Almut G. (*1941, †1989), auch Kinderbücher.

Robert Gernhardt

Gernika-Lumo (span. Guernica y Luno), Stadt im span. Baskenland, Prov. Vizcaya, 17 800 Ew.; war bis 1877 der Tagungsort des Landtags von Vizcaya, der sich hier unter einer alten Eiche versammelte; das bask. Nationallied »Gernikako Arbola« spielt darauf an. Im Span. Bürgerkrieg zerstörte die dt. →Legion Condor am 26. 4. 1937 durch Bomben die Stadt (Gemälde von P. Picasso).

Gernrode, Stadt im Landkreis Quedlinburg, Sa.-Anh., am NO-Rand des Harzes, 4 100 Ew.; Luftkurort; Holzwarenind.; Schmalspurbahn (»Selketalbahn«) nach Harzgerode. – Von dem 959 gegr. Frauenstift Sankt Cyriakus ist die Stiftskirche, eine roman. doppelchörige Emporenbasilika als bed. Denkmal otton. Baukunst erhalten; im südl. Seitenschiff Hl. Grab mit hervorragendem figürl. Schmuck (um 1060). – Entstand als Weiler des Stiftes; Ende des 12. Jh. Markt-, 1539 Stadtrecht.

Gernsbach, Stadt und Luftkurort im Landkreis Rastatt, Bad.-Württ., im nördl. Schwarzwald, 14 600 Ew.; Papiermacher-Fachschule; Pappe- und

Papierindustrie. – Spätgotisch sind die Liebfrauenkirche (14. Jh.) und die Jakobskirche (15. Jh.); frühbarockes ehem. Rathaus (1617/18); Schloss Eberstein (13., 16. und 19. Jh.). – Seit 1243 Stadt.

Gernsheim, Stadt im Landkreis Groß-Gerau, Hessen, am Rhein im Hess. Ried, 9600 Ew.; chem. u. a. Ind., Erdgasspeicheranlage; Hafen; seit 1356 Stadtrecht; kam 1803 an Hessen-Darmstadt.

Gero, Markgraf der Elbmark (937–65), †20. 5. 965; erhielt von Otto I. den Oberbefehl in den Grenzgebieten beiderseits der Elbe; eroberte 939 Brandenburg, zerschlug 940 den Bund der Wenden und besiegte 955 mit Otto I. die Elbslawen; gründete 948 die Bistümer Havelberg und Brandenburg.

Geröll, durch fließendes Wasser oder Brandung gerundete Gesteinsstücke. G.-Anhäufungen werden **Schotter,** verfestigte **Konglomerat** genannt.

Gerolstein, Stadt im Landkreis Daun, Rheinl.-Pf., in der Eifel, 7300 Ew.; Altertumsmuseum; Abfüllung kohlensäurehaltiger Mineralwässer; Metall verarbeitende Ind.; Luftkurort. – G. entstand um die 1115 gegr. Burg Gerhardstein (heute Löwenburg) und erhielt 1336, erneut 1952 Stadtrecht.

Gerolzhofen, Stadt im Landkreis Schweinfurt, Bayern, am Steigerwald, 7000 Ew. – Stadt- und Heimatmuseum; spätgot. Pfarrkirche und Rathaus, ehem. fürstbischöfliche Amtshäuser, Reste der Stadtbefestigung (15./16. Jh.), Fachwerkhäuser (16./17. Jh.). – Erstmals 1327 als Stadt erwähnt.

Gerona [xe'rona], Stadt und Provinz in Spanien, → Girona.

Geronimo [xɛ-, engl. dʒɪ'rɔnɪməʊ], indian. Name Goyathlay, Häuptling der Chiricahua-Apachen, *Juni 1829, †Fort Sill (Okla.) 17. 2. 1909; führte 1882–86 in S-Arizona die letzten erbitterten Kämpfe gegen die übermächtigen amerikan. Truppen unter Gen. George Crook. Später lebte er als Farmer in Oklahoma.

George Gershwin

Geronten [grch. »Greise«], im alten Griechenland die Ältesten, die dem König als Adelsrat zur Seite standen und Recht sprachen; später auch in manchen oligarch. Staaten die Mitgl. des Rates, der **Gerusia.** In Sparta, wo dieser aus 28 (mit den Königen 30) auf Lebenszeit gewählten, über 60-jährigen Männern bestand, bildeten die G. als eine Art Staatsrat ein wichtiges Organ der Verfassung.

Gerontokratie *die,* → Altenherrschaft.

Gerontologie *die* (Alternsforschung), die Lehre vom Altern des Menschen und den damit verbundenen körperl. (→ Geriatrie), seel. und sozialen Auswirkungen. Durch den wachsenden Anteil der über 60 Jahre alten Personen an der Gesamtbev. gewinnt die G. zunehmend an Bedeutung.

Gerresheim, seit 1909 Stadtteil von → Düsseldorf.

Gers [ʒɛ:r], **1)** *der,* linker Nebenfluss der Garonne in der Gascogne, SW-Frankreich, 178 km lang.

2) frz. Dép. in der Gascogne, umfasst das Armagnac, 6257 km², (1990) 174600 Ew., Hptst. Auch.

Friedrich Gerstäcker: Holzstich (1866)

Gersau, Kurort im Kanton Schwyz, Schweiz, am N-Ufer des Vierwaldstätter Sees, 440 m ü. M., 1800 Ew.; Seiden-, Holzindustrie. – Klasszist. Kirche (1807–1812). – G. gehörte 1390–1798 als selbstständige Rep. zur Eidgenossenschaft und kam 1817 zum Kt. Schwyz.

Gerschom Ben Jehuda, gen. Meor ha-Gola (»Leuchte des Exils«), jüd. Talmudgelehrter, *um 960, †Mainz 1028; Rektor der Mainzer Talmudakademie, prägte das mittelalterl. Judentum in Dtl., Frankreich und Italien.

Gersfeld (Rhön), Stadt im Landkreis Fulda, Hessen, 482 m ü. M., in der Hohen Rhön, an der Fulda, 6400 Ew.; Textil-, Holzind., Gelenkwellenbau; Wintersport-, Luft- und Kneippkurort, Segelsportzentrum (Wasserkuppe). – Barockes Schloss (1740; Rokokofestsaal), ev. spätbarocke Pfarrkirche (1780–88). – Seit 1359 Stadt, 1816 kam G. an Bayern, 1866 an Preußen.

Gershwin ['gə:ʃwɪn], George, amerikan. Komponist und Pianist, *New York 26. 9. 1898, †Beverly Hills (Calif.) 11. 7. 1937; verband Elemente der von Europa beeinflussten amerikan. Musik mit Jazzelementen.

Werke: Konzerte: Rhapsody in blue (1924); Ein Amerikaner in Paris (1928); Oper: Porgy und Bess (1935).

📖 Ewen, D.: *G. G. Vom Erfolg zur Größe. A. d. Amerikan. Tb.-Ausg. München 1991.*

Gerson [ʒɛr'sɔ̃], Jean de, eigtl. Jean Charlier de G., gen. Doctor Christianissimus, frz. Theologe, *Gerson (bei Rethel, Dép. Ardennes) 14. 12. 1363, †Lyon 12. 7. 1429; ein führender Theologe auf dem Konstanzer Konzil (1414–18), Gegner von J. Wycliffe und J. Hus; verteidigte den → Konziliarismus; Gegner der Ansicht, der Tyrannenmord sei erlaubt.

Gerstäcker, Friedrich, Schriftsteller, *Hamburg 10. 5. 1816, †Braunschweig 31. 5. 1872; durchreiste 1837–43 Amerika und unternahm später noch vier große Weltreisen; schrieb Abenteuerromane (»Die Flußpiraten des Mississippi«, 3 Bde., 1848); auch Erzählungen und Reiseberichte (»Hell und Dunkel«, 2 Bde., 1859; »In Mexico«, 4 Bde., 1871). Seine Berichte über Amerika bilden eine zuverlässige, durch ethnograph. Studien angereicherte Geschichtsquelle.

Gerste (Hordeum), Grasgattung mit großem Formenreichtum, eine der ältesten europ. und asiat. Kulturpflanzen. – Die Urkulturformen der G. in Ostasien gingen aus der sechszeiligen (Zahl der Körnerzeilen an den Ähren) Wildform hervor; aus Kreuzung mit der zweizeiligen Wildform entstanden zweizeilige Kulturformen. Beide umfassen je drei Gruppen. Durch Kreuzungen können alle Zwischentypen erreicht werden. Die angebauten, fast durchweg einjährigen Formen der **Saat-G.** (Hordeum vulgare) haben häufig begrannte Ähren und sind Sommer- **(Sommer-G.)** oder Winterfrucht **(Winter-G.).** Ferner gibt es unbegrannte Formen, die **Nacktgersten.** Wild-G. sind **Mäuse-G.** (Hordeum murinum) an Wegrändern und **Strand-G.** (Hordeum marinum) an Küsten.

Gerste: (von links): Zweizeilige Sommergerste und dreizeilige Strandgerste

G. eignet sich aufgrund kurzer Vegetationszeit und geringen Feuchtigkeitsbedarfs auch für Gebirgs- und nördl. Lagen. G. wird meist zur Schweinefütterung (geschrotet) und zur Bierherstellung (verarbeitet zu Malz) verwendet. Während die **Futter-G.** einen möglichst hohen Eiweißgehalt haben soll, wird bei der **Brau-G.** ein hoher Stärke- und niedriger Eiweißgehalt gefordert. – In der Weltgetreideproduktion steht die G. nach Weizen, Reis, Mais an 4. Stelle; 1994 wurden weltweit 160,8 Mio. t G. produziert, davon in der EG 29,8 Mio. t, in Russland 27 Mio. t, Kanada 11,7 Mio. t und den USA 8,2 Mio. t.

Gerstenberg, Heinrich Wilhelm von, Schriftsteller, *Tondern (Sønderjylland) 3. 1. 1737, †Altona (heute zu Hamburg) 1. 11. 1823; Sohn eines dän. Offiziers, 1775–84 dän. Konsul in Lübeck. Seine »Briefe über Merkwürdigkeiten der Litteratur« (3 Bde., 1766–70) mit ihrer Verherrlichung Shakespeares und sein Trauerspiel »Ugolino«) eröffneten die Bewegung des →Sturm und Drang. Das »Gedicht eines Skalden« (1766) leitete die Bardendichtung (→Barde) ein.

📖 Wagner, A. M.: *H. W. v. G. und der Sturm u. Drang, 2 Bde. Heidelberg 1920–24.*

Briefe
über
Merkwürdigkeiten
der
Litteratur.

SOCRATES

Erste Sammlung.

Schleswig und Leipzig,
bey Joachim Friedrich Hansen. 1766.

Heinrich Wilhelm von Gerstenberg: Titelbild des ersten Bandes der »Briefe über Merkwürdigkeiten der Litteratur« (1766)

Gerstenkorn (Hordeolum), akut-eitrige Entzündung einer Wimperntalgdrüse des Augenlidrandes **(äußeres G.)** oder akute Entzündung einer Meibom-Drüse im Lidknorpel **(inneres G.).** – *Behandlung:* feuchtwarme Umschläge oder trockene Wärme, antibiot. Salben.

Gerstenmaier, Eugen, Theologe und Politiker (CDU), *Kirchheim unter Teck 25. 8. 1906, †Remagen 13. 3. 1986; in nat.-soz. Zeit Mitgl. der Bekennenden Kirche und des →Kreisauer Kreises;

Eugen Gerstenmaier

Valeska Gert

nach dem 20. 7. 1944 verhaftet und zu sieben Jahren Zuchthaus verurteilt. 1945–51 leitete er das Hilfswerk der EKD. 1949–69 MdB, 1956–69 stellv. Vors. der CDU, 1954–69 Bundestagspräs. (Rücktritt aufgrund öffentl. Kritik an seinen Wiedergutmachungsansprüchen aus nat.-soz. Zeit).

📖 *E. G. im Dritten Reich. Eine Dokumentation, hg. v.* F. VON SCHLABRENDORFF. *Stuttgart 1965.*

Gẹrster, 1) Georg, schweizer. Fotograf, *Winterthur 30. 4. 1928; Verfasser wiss. Bildreportagen; 1953 drehte er den Film »Die Wüste lebt«.

2) Ottmar, Komponist, *Braunfels 29. 6. 1897, †Leipzig 31. 8. 1969; schrieb Opern, u. a. »Enoch Arden« (1936), »Die Hexe von Passau« (1941), »Der fröhliche Sünder« (1963), Kammermusik, Orchester- und Vokalwerke.

📖 MALTH, R.: *O. G. Leben u. Werk. Leipzig 1988.*

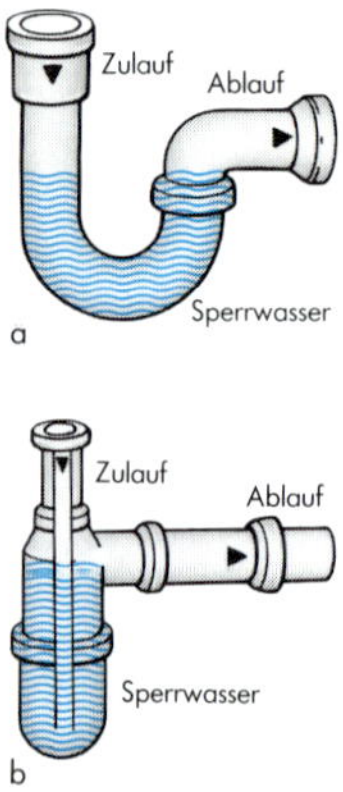

Geruchverschluss: a Rohrgeruchverschluss, b Flaschengeruchverschluss

Gersthọfen, Stadt im Landkreis Augsburg, Bayern, am Lech, 19 100 Ew.; Ballonmuseum; chem. Industrie. – Seit 1969 Stadt.

Gẹrstner, Karl, schweizer. Grafiker und Maler, *Basel 2. 7. 1930; seine Bilder, Reliefs, Objekte und Plastiken befassen sich mit kinet. Strukturen unter Einbeziehung serieller Elemente; auch kunsttheoret. Untersuchungen.

Gẹrt, Valeska, eigtl. V. Gertrud Samosch, Tänzerin, Pantomimin und Kabarettistin, *Berlin 11. 1. 1892, †Kampen (Sylt) 15. 3. 1978; wirkte bes. in Berlin; seit 1925 auch Filmrollen; schrieb u. a. »Katze von Kampen« (1973; autobiogr.).

Gẹrtrud, Tochter und Erbin Kaiser Lothars III., Mutter Heinrichs des Löwen, *18. 4. 1115, †Klosterneuburg 18. (20.?) 4. 1143; ihre Heirat (1127) mit dem Welfen Herzog Heinrich dem Stolzen von Bayern (†1139) führte zum Streit zw. Welfen und Staufern. In zweiter Ehe heiratete sie 1142 Heinrich Jasomirgott.

Gẹrtrud von Hẹlfta, gen. die Große, Zisterzienserin und Mystikerin, *in Thüringen (?) 1256, †Helfta (heute zu Eisleben) 13. 11. 1302; kam im Alter von fünf Jahren ins Kloster Helfta; erlebte mehrmals Christusvisionen, die sie in lat. Sprache niederschrieb; Heilige, Tag: 16. 11.

Gẹrtsch, Franz, schweizer. Maler, *Mörigen (bei Biel) 8. 3. 1930; malt seine großformatigen Bilder in altmeisterl. Technik nach fotograf. Vorlagen, Vertreter des →Fotorealismus.

Karl Gerstner: »Color Form Blau«, Di-Version (1977; Privatbesitz)

Geruchssinn

In der Nasenhöhle liegt die Riechregion mit ungefähr 10 Millionen Sinneszellen. Offenbar gibt es verschiedene Sinneszellen für unterschiedliche Geruchsqualitäten. Wie diese im Einzelnen erkannt werden, ist noch weitgehend unklar. Der komplexe Geruchseindruck aber entsteht erst im Gehirn.

Die hohe Kunst der Parfümeure, mehr als 10 000 verschiedene Gerüche auseinander halten zu können, hat also gewiss auch etwas mit dort abgespeicherten Geruchsmustern zu tun. Doch selbst deren Begabung wirkt recht verkümmert im Vergleich mit manchen Tieren. Hunde etwa können noch nach Tagen der Fährte eines Menschen folgen. Und der Aal nimmt von manchen Stoffen sogar einzelne Moleküle wahr.

Geruchsorgane (Riechorgane, olfaktorische Organe), der Wahrnehmung von Geruchsstoffen dienende chem. Sinnesorgane (→Geruchssinn) bei tier. Organismen und beim Menschen. Die Geruchssinneszellen (Osmorezeptoren) liegen bei Wirbellosen über den ganzen Körper verstreut oder treten gehäuft an bestimmten Stellen auf. Spinnen und Krebse tragen sie an den Gliedmaßen, Insekten überwiegend an den Antennen. Bei Luft atmenden Wirbeltieren und beim Menschen ist das G. als Riechschleimhaut im oberen Teil der Nasenhöhle (Riechfeld, Regio olfactoria) ausgebildet. Sie hat bei Wirbeltieren mit stark ausgeprägtem Geruchssinn (Makrosmaten, z. B. Nagetiere, viele Huftiere, Raubtiere) eine durch Faltenbildung stark vergrößerte Oberfläche. Sehr viel einfacher strukturiert ist die Riechschleimhaut bei Tieren mit geringem Riechvermögen (Mikrosmaten), zu denen u. a. der Mensch gehört. Kriechtiere, Lurche und viele Säugetiere besitzen als besonderes G. das →Jacobson-Organ.

Geruchssinn (Geruch), durch niedrige Reizschwellen gekennzeichneter, bei höheren Tieren und beim Menschen in Nasenorganen lokalisierter Fernsinn, der mithilfe besonderer Geruchsorgane als chem. Sinn die Wahrnehmung von Geruchsstoffen ermöglicht. Die Geruchsreize werden bei Wirbeltieren (einschl. Mensch) über paarige Geruchsnerven dem Gehirn zugeleitet. – Zur Unterscheidung versch. Düfte sind mehrere Typen von

Rezeptoren notwendig. – Viele Gerüche haben ausgesprochen angenehme, andere unangenehme Affektkomponenten; daher können sie das emotionale Verhalten beeinflussen. Auch haben Düfte häufig einen hohen Gedächtniswert und können als Schlüsselreize wirken. Bei Dauerreizung durch einen bestimmten Geruchsstoff unterliegt der G. einer ausgeprägten Adaption, d.h., die Geruchsempfindung erlischt (ohne jedoch die Empfindlichkeit für andere Stoffe zu beeinflussen). Je nach Konzentration kann derselbe Stoff ganz versch. Geruchsempfindungen hervorrufen.

🕮 PLATTIG, K.-H.: *Spürnasen u. Feinschmecker. Die chem. Sinne des Menschen. Berlin u.a. 1995.* – CORBIN, A.: *Pesthauch u. Blütenduft. Eine Geschichte des Geruchs. A.d. Frz. Berlin 19.–22. Tsd. 1996.*

Geruchsstoffe (Riechstoffe), gas- oder dampfförmige bzw. gelöste chem. Stoffe, auf die die Geruchssinneszellen ansprechen; z.B. äther. Öle, Schwefelverbindungen, Chlor.

Geruchverschluss, Einrichtung bei Grundstücksentwässerung und Sanitärtechnik, die das Austreten von Abwassergasen in das Gebäude verhindert. Beim **Rohr-G.** (Traps) bildet ein s- oder u-förmig gebogenes Rohr, in dem Wasser steht, den Verschluss. Beim **Flaschen-G.** (Siphon) taucht das Ablaufrohr in die in einem flaschenförmigen Behälter befindl. Sperrflüssigkeit.

Gerụndium [lat.] *das, lat. Grammatik:* die Flexionsform des Infinitivs, z.B. *ars scribendi,* die Kunst des Schreibens.

Gerundịvum [lat.] *das, lat. Grammatik:* vom Infinitiv abgeleitetes Adjektiv mit passiver Bedeutung, z.B. *facinus laudandum,* eine zu lobende, lobenswerte Tat.

Gerusịa [grch.] *die,* der Rat der →Geronten.

Gerüst, Hilfskonstruktion aus Holz, Stahl u.a. für Maurer-, Stuck-, Schalungsarbeiten u.a. Man unterscheidet das abgebundene G. zum Einrüsten hoher Bauwerke und zur Aufnahme hoher Lasten; das Bock-G. aus Stahl- oder Holzschragen und Bohlen für Rüstungen im Gebäude; für Reparaturen das Ausleger-G., aus dem Bauwerk auskragend als Schutz- und Arbeitsrüstung sowie das Hänge-G., an der Gebäudefront mit Haken und Hängeeisen befestigt; das Lehr-G., ein ingenieurmäßig berechnetes und abgebundenes G. zur Unterstützung und Formgebung von Gewölben, z.B. im Brückenbau.

Gervịnus, Georg Gottfried, Historiker, Literarhistoriker und Politiker, *Darmstadt 20. 5. 1805, †Heidelberg 18. 3. 1871; 1835 Prof. in Heidelberg, 1836 in Göttingen, 1837 als einer der →Göttinger Sieben amtsenthoben; ab 1844 wieder Prof. in Heidelberg. 1848 vorübergehend Mitgl. der Frankfurter Nationalversammlung; 1853 wegen seiner demokrat. Ideen erneut entlassen, lebte er fortan als Privatgelehrter in Opposition auch zu der späteren polit. Entwicklung in Deutschland. – In seiner »Gesch. der poet. Nationalliteratur der Deutschen« (5 Bde., 1835–42) legte er die Grundlange für die Analyse der geschichtl. Bezüge von Literatur.

Georg Gottfried Gervinus: anonymer Stahlstich (1848)

🕮 HÜBINGER, G.: *G. G. G. Histor. Urteil u. polit. Kritik. Göttingen 1984.* – WAGNER, J. F.: *Germany's 19th century Cassandra. The liberal federalist G. G. G. New York u.a. 1995.*

Gẹryon, *grch. Mythos:* ein Riese mit drei Leibern und drei Köpfen, dessen Rinderherde Herakles gewinnen muss (zehnte Arbeit).

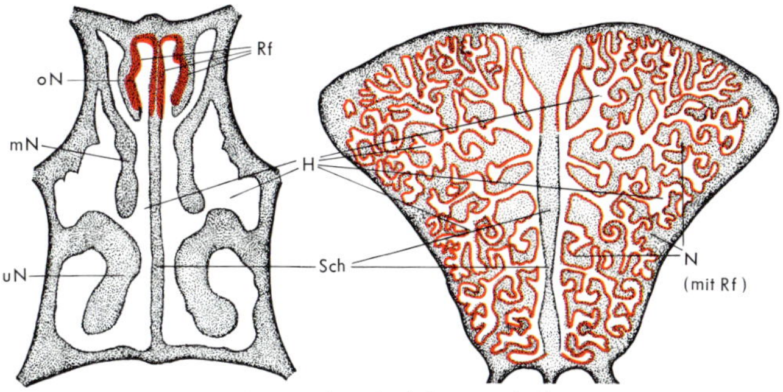

Geruchsorgane (von links): Querschnitt durch die Nasenhöhle eines Mikrosmaten (Mensch) und eines Makrosmaten (Reh); oN obere Nasenmuschel, mN mittlere Nasenmuschel, uN untere Nasenmuschel, Rf Riechfläche, H Nasenhöhle, Sch Nasenscheidewand, N Nasenmuscheln (durch Faltenbildung stark oberflächenvergrößert und mit Riechepithel besetzt)

Gẹrz, Jochen, bildender Künstler und Schriftsteller, *Berlin 4. 4. 1940; kam über die abstrakte Dichtung zur bildenden Kunst; wichtiger Vertreter der →Prozesskunst. Mit seiner Frau, der Bildhauerin Esther Shalev-G. (*1948), entwarf er ein 12 m hohes »Mahnmal gegen Faschismus, Krieg, Gewalt – für Frieden und Menschenrechte«, das 1986 in Hamburg-Harburg errichtet wurde. BILD S. 232

ges, *Musik:* Halbton unter g.

Gesamtdeutsche Partei Deutschlands, Abk. **GPD,** seit 1965 Name der 1961 aus dem Gesamtdt. Block/Bund der Heimatvertriebenen und Entrechteten und der Dt. Partei gebildeten Partei; 1972 aufgelöst.

Jochen Gerz: »Reflexionen über Kunst« (1991; Paris, Galerie Crousel Robelin Bamer)

Gesamtdeutscher Block/Bund der Heimatvertriebenen und Entrechteten, Abk. **GB/BHE,** polit. Partei, gegr. 1950/51 als **Bund der Heimatvertriebenen und Entrechteten,** der 1952 seinem Namen die Bez. »Gesamtdt. Block« voranstellte. Der GB/BHE (Vors.: 1950/51–54 W. Kraft; 1954/55 T. Oberländer, 1955–58 F. von Kessel) trat bes. für die Interessen der durch Kriegs- und Nachkriegsereignisse geschädigten Gruppen ein; 1953–55 gehörte er der Bundesregierung an. Unter seinem Vors. F. Seiboth schloss sich der GB/BHE 1961 mit der Dt. Partei zusammen (→Gesamtdeutsche Partei Deutschlands).

Gesamtdeutsche Volkspartei, Abk. **GVP,** polit. Partei, gegr. 1953 von G. Heinemann und Helene Wessel, strebte die Wiedervereinigung Dtl.s durch Neutralisierung an, lehnte die Wiederbewaffnung Dtl.s und die westorientierte Außenpolitik Adenauers ab; löste sich 1957 auf.

Gesamtgläubigerschaft, die Gläubigermehrheit, bei der jeder Gläubiger die ganze Leistung fordern kann, der Schuldner aber nur einmal (an einen beliebigen Gläubiger) zu leisten braucht (§ 428 BGB; Ggs. →Gesamtschuld). Erfüllung, Erlass und Verzug eines Gläubigers wirken allen Gläubigern gegenüber. Der Gläubiger, der die Leistung empfangen hat, ist den anderen regelmäßig ausgleichungspflichtig (§ 430 BGB). Im *österr.* und im *schweizer.* Recht gilt eine im Wesentlichen entsprechende Regelung.

Gesamtgut, →eheliches Güterrecht.

Gesamthandsgemeinschaft (Gemeinschaft zur gesamten Hand), Form der gemeinschaftl. Berechtigung an einem Sondervermögen, über das die Gemeinschafter nur zus. verfügen können; Ggs. Bruchteilsgemeinschaft (→Eigentum). Arten: Gesellschaften (Gesellschaft des bürgerl. Rechts, OHG, KG), nichtrechtsfähiger Verein, ehel. Gütergemeinschaft, Erbengemeinschaft. – Die G. hat keine eigene Rechtsfähigkeit. Dem Gesamthänder steht kein verfügbarer Anteil am einzelnen Vermögensgegenstand, sondern lediglich ein Anteil am gesamten gemeinschaftl. Vermögen zu. Dieser Anteil ist i. d. R. unübertragbar. Für die Verbindlichkeiten der G. haftet das gemeinschaftl. Vermögen, daneben oft jeder Gesamthänder als Gesamtschuldner.

Gesamthochschule (Universität-Gesamthochschule, Abk. U-GH), Hochschulart im dt. Bildungswesen, in der Institutionen des tertiären Bildungswesens (Univ., spezialisierte Hochschulen, PH, FH) organisatorisch zusammengefasst sind und bei der innerhalb der einzelnen Fachrichtungen nach Inhalt, Dauer und Abschluss unterschiedl. Studiengänge angeboten werden. Die G. war im Hochschulrahmen-Ges. des Bundes (seit 1976 in Kraft) als Ziel der Neuordnung des akadem. Bildungswesen vorgesehen, konnte sich aber als Regelinstitution nicht durchsetzen. G. gibt es (1996) in Duisburg, Essen, Kassel, Paderborn, Siegen, Wuppertal und Hagen (Fernuniv.). Auch die Bundeswehruniv. sind als G. eingerichtet.

Gesamtkunstwerk, Vereinigung von mehreren Kunstarten (Dichtung, Musik, bildende Kunst, Schauspielkunst, Tanz) zu einem einheitl. Kunstwerk. Die Festspiele der Barockzeit kamen dem Gedanken des G. nahe; R. Wagner versuchte, in seinen Musikdramen G. zu schaffen. Im 20. Jh. hat die Idee des G. v. a. die Theaterkunst (z. B. E. Piscator), die Architektur (Bauhaus) und dadaist. Strömungen (K. Schwitters) beeinflusst. Sie liegt auch den audiovisuellen Experimenten der Farbenmusik (z. B. A. N. Skrjabin) zugrunde sowie neueren musiktheatral. Konzeptionen (z. B. K. Stockhausen) und den →Multimediaveranstaltungen .

📖 *Der Hang zum G. Europ. Utopien seit 1800, bearb. v.* S. Häni *u. a., Ausst.-Kat. Kunsthaus Zürich u. a. Aarau u. a.* ^{2}*1983.* – *G. Zwischen Synästhesie u. Mythos, hg. v.* H. Günther. *Bielefeld 1994.*

Gesamtschuld, das zw. Gläubiger(n) und mehreren Schuldnern bestehende Schuldverhältnis, aufgrund dessen jeder Schuldner zur ganzen Leistung verpflichtet ist, der Gläubiger aber die Leistung nur einmal fordern kann. Erfüllung durch einen Gesamtschuldner befreit auch die Übrigen; ebenso hat Gesamtwirkung i. d. R. der zw. Gläubiger und einem Gesamtschuldner vereinbarte Erlass (§ 421 ff. BGB). Die G. kann durch Vertrag oder Gesetz entstehen (z. B. Haftung der Miterben für Nachlassverbindlichkeiten). Untereinander sind die Gesamtschuldner kraft Gesetzes verpflichtet, zur Befriedigung des Gläubigers mitzuwirken und, wenn einer den Gläubiger befriedigt hat, ihm Ausgleich zu leisten. – In *Österreich* (§§ 891–896

ABGB) gelten ähnl. Bestimmungen, auch in der *Schweiz* (»Schuldnersolidarität«, Art. 143–150 OR).

Gesamtschule, Schulzentrum, das mehrere Schularten (Haupt-, Realschule, Gymnasium) zusammenfasst. Nach dem unterschiedlich engen Grad des Zusammenschlusses wird zw. der **additiven** oder **kooperativen G.** (die herkömml. Schularten bleiben inhaltlich im Wesentlichen erhalten) und der **integrierten G.** (weitgehend schulartübergreifend) unterschieden. Integrierte G. bestehen in sämtl. Bundesländern, teils als Regelschulen neben dem gegliederten Schulsystem, auch anstelle desselben (bis zur gymnasialen Oberstufe), in anderen als Versuchsschule. Bildungspolitisch blieb das Konzept der G. kontrovers.

📖 Hanisch, G.: *Integrierte G. Eine Bilanz. Wien u. a. 1988.* – Hensel, H.: *Die neuen Kinder u. die Erosion der alten Schule. Lichtenau u. a. ⁷1995.* – *25 Jahre G. in der Bundesrep. Dtl., hg. v.* H. Gudjons *u.* A. Köpke. *Bad Heilbrunn 1996.*

Gesamtstimme, die →Kuriatstimme.

Gesamtstrafe, Strafmaß, das zu verhängen ist, wenn ein Täter wegen mehrerer strafbarer Handlungen, die in →Realkonkurrenz zueinander stehen, verurteilt wird. Die G. wird durch Erhöhung der verwirkten schwersten Strafe gebildet. Dabei darf die G. die Summe der Einzelstrafen nicht erreichen und bei zeitigen Freiheitsstrafen 15 Jahre, bei Geldstrafen 720 Tagessätze nicht übersteigen; die Vermögensstrafe ist auf das Tätervermögen begrenzt (§ 54 StGB).

Gesamtunterricht, auf die Erhaltung der Einheit und des Zusammenhangs kindl. Erlebens zielender, nicht in Sachfächer aufgespaltener Unterricht; erste Ansätze der Reformpädagogik; heute als Anfangsunterricht in der Grundschule.

Gesamtvereinbarung (Kollektivvereinbarung), *Recht:* Oberbegriff für Betriebsvereinbarung und Tarifvertrag.

Gesandter (lat. Legatus), diplomat. Vertreter eines Staates bei einem anderen Staat oder einer inter- oder supranat. Organisation. Seit der Wiener Diplomatenrechtskonvention von 1961 gibt es drei protokollar. Rangklassen: a) Botschafter und Nuntien; b) G.i.e.S., Minister und Internuntien; c) Geschäftsträger (→Diplomat). Der G. leitet die einer Botschaft entsprechende **Gesandtschaft**.

Das völkerrechtl. **Gesandtschaftsrecht** gibt allen Völkerrechtssubjekten das Recht, G. zu entsenden und zu empfangen, und gewährt den G. Schutz und Stellung der Diplomaten. Es gehört zu den ältesten völkerrechtl. Normen, dessen erste umfassende Kodifizierung durch das Wiener Reglement (1815) bzw. das Aachener Protokoll (1818) erfolgte. Eine umfassende Neuordnung stellt die »Wiener Konvention über diplomat. Beziehungen« vom 18. 4. 1961 dar.

Gesang, die Ausübung von Musik mit der menschl. Stimme, sowohl von einem einzelnen Sänger (Solo-G.) als auch von mehreren Sängern zugleich (Chor-G.); auch Bez. für eine abgeschlossene musikal. Einheit (G.-Stück, Lied). I. d. R. ist G. an Worte oder Texte mit deutlich geprägtem Sinnzusammenhang gebunden; für bestimmte G.-Stile, wie Jodeln, Vokalise und Scat, werden Laute oder Silben verwendet. – G. ist eine der ältesten kulturellen Leistungen des Menschen. Der Kunst-G. der abendländ. Musiktradition geht auf den christl. Kult-G. (gregorian. Choral) und auf den Vortrag volkssprachl. Dichtung (häufiger Lyrik als Epik), u. a. durch →Troubadours, Trouvères und Minnesänger (→Minnesang), in Spät-MA. und Frührenaissance mit Zentrum an Höfen in der Provence und Italien (Trecento-Madrigal) zurück. In dieser Zeit wurde ein wesentl. Moment des G.-Vortrags die freie Hinzufügung von Ausschmückungen zum Notentext. Seit Anfang des 17. Jh. (G. Caccini) wird im Kunst-G. (Belcanto) der in der Dichtung vorgegebene und musikalisch gestaltete dramat. Affekt ausgedrückt. Im Lied seit Ende des 18. Jh. dient die gesangl. Gestaltung überwiegend lyr. Ausdruck. In der neuen Musik des 20. Jh. wird G. auch (ohne Wiedergabe sprachl. Texte) als Variante des Instrumentalen eingesetzt.

📖 Göpfert, B.: *Handbuch der Gesangskunst. Wilhelmshaven ²1991.* – Brünner, R.: *Gesangstechnik. Regensburg ²1993.*

Gesang: »The Singing Party«, Gemälde eines englischen Malers (18. Jh.; Washington, National Gallery of Art)

Gesangbuch, für den gottesdienstl. Gebrauch bestimmte Sammlung kirchl. oder geistl. Lieder. 1501 erschien ein erstes tschech. G. der Böhm. Brüder. Auf M. Luther, der dem Gesang der Gemeinde im Gottesdienst hohen Wert beimaß, gehen das Erfurter »Enchiridion« und das »Geystl. gesangk Buchleyn« (beide 1524) sowie das Klugsche (1529 ff.) und das Babstsche G. (1545 ff.) zurück. Ältestes kath. G. ist das »New Gesangbüchlin Geystl. Lieder« von M. Vehe (1537). Gesangbücher neuerer Zeit sind das »Evang. Kirchengesangbuch« (1950) sowie das »Gotteslob – Kath. Gebet- und Gesangbuch« (1975).

Gesangverein, Vereinigung zur Pflege vorwiegend volkstüml. A-cappella-Chorliteratur. Die Geschichte der G. beginnt mit der 1809 von C. F. Zelter gegr. Berliner →Liedertafel. Im Deutschen Sängerbund e. V. sind heute über 15 000 G. zusammengefasst.

Gesäß (Gesäßbacken, Nates, Clunes), aus Muskulatur (drei unterschiedlich große Muskeln) und einem dicken Fettpolster bestehender Körperteil, dessen knöcherne Grundlage das Becken ist.

Gesäßschwielen, unbehaarte, oft lebhaft gefärbte Hornhautstellen am Gesäß mancher Affen (Mandrille, Paviane).

gesättigte Kohlenwasserstoffe, →Kohlenstoffverbindungen.

Gesäuse, 16 km langes Durchbruchstal der Enns durch die Ennstaler Alpen zw. Admont und Hieflau, Steiermark (Österreich); bei Hieflau Staudamm mit Kraftwerk.

Geschäftsanteil, *Recht:* 1) bei der Genossenschaft der Betrag, bis zu dem sich der einzelne Genosse mit Einlagen an der Genossenschaft beteiligt; 2) bei der GmbH der Anteil eines Gesellschafters am Gesellschaftsvermögen; er bestimmt sich nach dem Betrag der von ihm übernommenen Stammeinlage im Verhältnis zum Stammkapital. Der G. ist vererblich und veräußerbar, doch kann die Veräußerung satzungsgemäß an die Zustimmung der GmbH gebunden sein (»vinkulierter Geschäftsanteil«).

Geschäftsbedingungen, Allgemeine, Abk. **AGB,** für eine Vielzahl von Verträgen vorformulierte Vertragsbedingungen, die eine Vertragspartei (Verwender) der anderen Vertragspartei bei Abschluss des Vertrages auferlegen, z. B. als Liefer- oder Zahlungsbedingungen, als G. im Rahmen von Bank- oder Versicherungsgeschäften. Die AGB werden i. d. R. von Verbänden einzelner Wirtschaftszweige oder Unternehmen aufgestellt. Sie dienen der Vereinfachung des Geschäftsverkehrs, benachteiligen aber oft den schwächeren Teil. Im Sinne des Verbraucherschutzes und der Vertragsgerechtigkeit wurde daher das AGB-Ges. vom 9. 12. 1976 erlassen. Danach werden AGB nur Vertragsbestandteil, wenn der Verwender ausdrücklich auf sie hingewiesen oder die Möglichkeit zur Kenntnisnahme geboten hat sowie die andere Vertragspartei mit der Geltung einverstanden ist. Bestimmungen, die so ungewöhnlich sind, dass mit ihnen nicht zu rechnen war oder die den Partner unangemessen benachteiligen oder sonst gegen Treu und Glauben verstoßen, sind hinfällig. Zielgleiche Schutzbestimmungen enthält auch das *österr.* ABGB (§§ 864a, 879). In der *Schweiz* unterliegt die gerichtl. Prüfung von G. den allgemeinen Grundsätzen von Recht, Billigkeit und Verkehrssitte.

📖 SCHLÜNDER, B.: *AGB-Gesetz in Leitsätzen. München* ²*1992.* – SCHLÜNDER, B.: *AGB, Prüfung u. Gestaltung. München 1994.* – EBERSTEIN, H. H.: *Die zweckmäßige Ausgestaltung von allgemeinen G. im kaufmänn. Geschäftsverkehr. Heidelberg* ⁴*1997.*

Geschäftsbericht, Bericht eines Unternehmens oder Konzerns zur Erläuterung des Jahresabschlusses. Seit In-Kraft-Treten des Bilanzrichtlinien-Ges. vom 19. 12. 1985 ist der Erläuterungsteil Bestandteil des Jahresabschlusses, die wirtsch. Situation ist seitdem im Lagebericht darzustellen.

Geschäftsbesorgungsvertrag, ein Dienst- oder Werkvertrag, der auf selbstständiges Wahrnehmen fremder Rechts- oder Wirtschaftsinteressen gerichtet ist (z. B. Anwalts- oder Bankberatungsvertrag, Baubetreuungsvertrag). Auf ihn finden die Vorschriften über den Auftrag mit Ausnahme der jederzeitigen Kündigungsmöglichkeit analoge Anwendung.

Geschäftsfähigkeit, die Fähigkeit, durch eigenes Handeln Rechtsgeschäfte rechtswirksam vornehmen zu können. Sie wird mit Eintritt der Volljährigkeit erlangt. Bis zum Erreichen der G. sind für den nicht (voll) Geschäftsfähigen der oder die gesetzl. Vertreter handlungsbefugt. **Geschäftsunfähig** sind Minderjährige bis zur Vollendung des 7. Lebensjahrs und Personen, die sich in einem die freie Willensbestimmung ausschließenden (nicht nur vorübergehenden) Zustand krankhafter Störung der Geistestätigkeit befinden. Die Willenserklärung eines Geschäftsunfähigen ist nichtig (§§ 104, 105 BGB). **Beschränkt Geschäftsfähige** (Minderjährige ab vollendetem 7. bis zum 18. Lebensjahr) können ohne Zustimmung ihres gesetzl. Vertreters rechtlich wirksam vornehmen: Rechtsgeschäfte, die ihnen lediglich einen rechtl. Vorteil bringen (z. B. Schenkung einer Sache, mit der keine Rechtspflichten verbunden sind; die wirtsch. Vorteilhaftigkeit ist ohne Belang); Geschäfte, die sie mit ihrem Taschengeld abwickeln (§ 110, »Taschengeldparagraph«); bei Ermächtigung zum Betrieb eines selbstständigen Erwerbsgeschäfts Geschäfte, die sie in diesem Rahmen abschließen; Geschäfte zur Eingehung oder Aufhebung vom gesetzl. Vertreter generell erlaubter Arbeitsverhältnisse. Zustimmungspflichtige Rechtsgeschäfte, die der beschränkt Geschäftsfähige zunächst ohne Einwilligung des gesetzl. Vertreters schließt, sind schwebend unwirksam, d. h. im Falle der Nichtgenehmigung kommen sie nicht zustande und der andere Vertragspartner trägt das volle Risiko. – Die Entmündigung, die bisher zur Geschäftsunfähigkeit oder beschränkten G. führte, wurde mit Wirkung vom 1. 1. 1992 durch das Betreuungs-Ges. vom 12. 9. 1990 abgeschafft. Die →Betreuung hat keine Auswirkungen auf die Geschäftsfähigkeit. Hat das Vormundschaftsgericht jedoch angeordnet, dass der Betreute zu einer Willenserklärung, die den Aufgabenbereich des Betreuers betrifft, dessen Zustimmung bedarf, finden die Vorschriften über beschränkte G. Anwendung (§1903 BGB).

Ähnl. Regelungen gibt es in *Österreich* (dort beginnt die G. mit dem 19. Lebensjahr) und in der *Schweiz* (das ZGB spricht von »Handlungsfähigkeit«).

Geschäftsführer, i.w.S. derjenige, der für einen anderen Geschäfte führt; i.e.S. Organ der GmbH.

Geschäftsführung, die in der Leitung eines Unternehmens oder Verbandes ausgeübte Tätigkeit. Im Gesellschaftsrecht die leitende Tätigkeit für die Gesellschaft. Sie umfasst die tatsächl. und rechtl. Maßnahmen, die Gesellschaftszwecke fördern sollen, ausgenommen Fragen, die die Grundlagen der Ges. selbst betreffen. Die G. besitzt im Innenverhältnis zu den Gesellschaftern die **Geschäftsführungsbefugnis.** In der GmbH sind Geschäftsführer das gesetzl. Vertretungsorgan.

Geschäftsführung ohne Auftrag, Geschäftsbesorgung, Vornahme von Rechtsgeschäften und rechtlich bedeutsamen Handlungen für einen anderen, die weder aus Auftrag noch aus einem anderen rechtsgeschäftl. oder gesetzl. Grund herleitbar ist (§§677–687 BGB; Beispiel: Löschen eines Brandes auf dem Grundstück des abwesenden Nachbarn). Das Geschäft ist so zu führen, wie es dem Interesse des Geschäftsherrn und seinem mutmaßl. oder wirkl. Willen entspricht, andernfalls, d.h., wenn der Geschäftsführer den gegenteiligen Willen des Geschäftsherrn kannte oder erkennen musste, hat er entstandene Schäden zu ersetzen. Bei der berechtigten G.o.A. kann der Geschäftsführer vom Geschäftsherrn gleich einem Beauftragten Ersatz seiner Aufwendungen verlangen.

Geschäftsgeheimnis (Betriebsgeheimnis), jede betriebl. Tatsache, die nur einem begrenzten Personenkreis bekannt ist und an deren vertraul. Behandlung der Unternehmer erkennbar ein berechtigtes Interesse hat. Die bloße Deklaration einer beliebigen innerbetriebl. Tatsache zum G. lässt ein G. im Rechtssinne nicht entstehen. G. sind straf-, delikts- und wettbewerbsrechtlich geschützt.

Geschäftsgrundlage, *Recht:* die Umstände, die von den Parteien eines Vertrages bei dessen Abschluss als wesentlich und als vorhanden oder bestehen bleibend vorausgesetzt, aber nicht in den Vertrag aufgenommen wurden. Bes. bedeutsam sind G. bei Dauerschuldverhältnissen (z.B. bei Miet- oder Darlehensverträgen). Bei Fehlen oder Wegfall der G. (grundlegende Änderung der Verhältnisse) kann im Streitfall ein Gericht nach dem Grundsatz von Treu und Glauben den Vertrag den veränderten Umständen anpassen. Ist dies nicht möglich, kann im Einzelfall auch ein Rücktritts- oder Kündigungsrecht des Schuldners entstehen. (→Clausula rebus sic stantibus).

📖 Brockmeyer, G.: *Das Rechtsinstitut der G. aus der Sicht der ökonom. Analyse des Rechts. Frankfurt am Main u.a. 1993.*

Geschäftsjahr (Wirtschaftsjahr), *Betriebswirtschaft:* Zeitabschnitt von höchstens 12 Monaten, für den die Bilanz aufgestellt wird (§240 HGB). Das G. muss nicht mit dem Kalenderjahr übereinstimmen.

Geschäftsordnung, die rechtl. Ordnung der Organisation und des Geschäftsganges einer Einrichtung des privaten, des Verwaltungs-, des Verfassungsrechts oder des Gerichtswesens. Die Verf.organe erlassen ihre G. aufgrund des ihnen zustehenden Selbstorganisationsrechts selbst.

Geschäftssprache, die → Amtssprache.

Geschäftsstelle, bei jedem Gericht und jeder Staatsanwaltschaft eingerichtete, mit Urkundsbeamten besetzte Stelle, durch die u.a. Beurkundungen, Ausfertigungen von Urteilen, Zustellungen und sonstige nichtrichterl. Handlungen vorgenommen werden, soweit diese nicht dem Rechtspfleger übertragen sind.

Geschäftsträger (frz. Chargé d'Affaires), Angehöriger der untersten Rangklasse der →Gesandten, der nur beim Außenministerium des Empfangsstaates akkreditiert ist. Der **ständige G.** gehört zur 3. Rangklasse der Missionschefs. Der **G. ad interim** vertritt den landesabwesenden Missionschef.

Geschäftsübernahme, der vertragl. Übergang eines Handelsgeschäfts von dem bisherigen Inhaber auf einen Erwerber. Führt dieser die Firma fort, haftet er ohne Rücksicht auf die Abmachungen mit dem Veräußerer für die alten Geschäftsverbindlichkeiten und ist Gläubiger der Außenstände. Abweichende Vereinbarungen mit dem Veräußerer haben Wirkung gegenüber Dritten nur bei Mitteilung an sie oder Eintragung ins Handelsregister.

Geschäftsverteilung, *Gerichtswesen:* die durch das Gerichtspräsidium jährlich im Voraus bestimmte Besetzung der Spruchkörper (Einzelrichter, Kammer, Senate) und Verteilung der Geschäfte auf sie nach allgemeinen Merkmalen (z.B. Anfangsbuchstaben der Namen, örtl. Bezirke), fest-

Nicht die Gewehrkugeln und Generäle machen **Geschichte,** *sondern die Massen.*

Nelson Mandela

Ich weiß nicht, ob die Geschichte sich wiederholt: Ich weiß nur, dass die Menschen sich wenig ändern.

Octavio Paz

gehalten im G.-Plan. Im laufenden Geschäftsjahr ist eine Änderung der G. nur aus zwingenden Gründen statthaft. Die G. ist wesentlich zur Erfüllung des Gebots des gesetzl. Richters (Art. 101 GG).

Geschäftswert, → Firmenwert.

Gescher, Stadt im Kr. Borken, NRW, im westl. Münsterland, 16200 Ew.; Heimat- und Glockenmuseum; Textilind., Glockengießerei; seit 1969 Stadt.

Geschichte [ahd. gisciht »Geschehnis«, »Ereignis«], urspr. das augenblickl., zufällige Ereignis; heute i. w. S. der Ablauf allen Geschehens in Raum und Zeit (Erd-, Natur-G.), i. e. S. der Entwicklungsprozess der menschl. Gesellschaft als Ganzes oder ihrer Individuen (Menschheits-G.), ihrer ökonom., polit., ideolog., sozialen und kulturellen Ausformung (u. a. Wirtschafts-, Sozial-, Geistes-, Kultur-G.), also das politisch-soziale Beziehungsgeflecht zw. den Menschen in allen seinen zeitl. Bezügen (d. h. in Vergangenheit, Gegenwart und Zukunft). G. ist ihrem Wesen nach zugleich der Prozess ihrer bewussten Aneignung durch den Menschen und somit, aus versch. Bedeutungsfeldern erwachsen, ein politisch-sozialer Grundbegriff, der die (kalendermäßige) Gleichzeitigkeit des (strukturell) Ungleichzeitigen begrifflich erfassen und wiss. erforschen will. (→ Geschichtsbild, → Geschichtsphilosophie, → Geschichtsschreibung, → Geschichtswissenschaft)

📖 Schreiner, K.: *Bewegende Kräfte. Ursache u. Wirkung in der G. Münster 1990.* – Bloch, M.: *Apologie der G. oder der Beruf des Historikers. A. d. Frz. Stuttgart ³1992.*

Geschichtsbewusstsein, das erst im 19. Jh. terminologisch formulierte Bewusstsein von der geschichtl. Bedingtheit menschl. Existenz und von einem sinnvollen Geschichtsverlauf, das im Entwurf handlungsleitender Zukunftsperspektiven mündet. Typologisch lassen sich vier Grundmuster der histor. Sinnbildung herausarbeiten: die exemplar., die traditionale, die genet. und die krit. Form der histor. Deutung der menschl. Vergangenheit. Das moderne Geschichtsdenken ist durch die genet. Form des G. gekennzeichnet, die sich in der Zeit der Aufklärung in Europa durchgesetzt hat. Im öffentl. Leben manifestiert sich G. als Geschichtskultur, bestimmt von Wiss., Politik und Kunst. Diese entwickeln aus den ihnen eigenen Elementen Vernunftpotenziale zur Bewältigung der Gegenwartsprobleme und ermöglichen den Blick auf die zeitl. Prozesse, die von der Vergangenheit in die Gegenwart geführt haben.

📖 Rüsen, J.: *Histor. Orientierung. Köln u. a. 1994.* – Hesse, H.: *Auseinandersetzen mit Geschichte. Heinsberg 1996.*

Geschichtsbild, die Gesamtheit vorwiss. oder wiss. begründeter Vorstellungen, die das Geschichtsbewusstsein eines Menschen, einer Gruppe, eines Volkes oder einer Nation bestimmen; im Wechselspiel mit dem Gegenwartsbewusstsein entstanden, ist es selbst Ergebnis eines geschichtl. Prozesses. Das G. des Einzelnen erweist den histor. Standort seines Urteilens und Handelns, das G. von Gruppen, Völkern oder Nationen die Motivation ihrer Zielsetzungen.

📖 Ferro, M.: *Geschichtsbilder. Beispiele aus aller Welt. A. d. Frz. Frankfurt am Main u. a. 1991.*

Geschichtsklitterung [zu klittern »klecksen«, »schmieren«], nach J. → Fischart Bez. für einen nicht auf Reflexion und Erkenntnis, sondern auf sinnentstellende und parteil. Beweisführung gerichteten Umgang mit geschichtl. Stoffen.

Geschichtsphilosophie, der Teil der Philosophie, der sich zum einen mit der Deutung der Geschichte, d. h. mit der Frage nach einem hinter den ermittelten Fakten verborgenen Sinn und diesen zugrunde liegenden historischen Gesetzmäßigkeiten und Strukturen beschäftigt, zum anderen die Möglichkeiten und Grenzen geschichtswiss. Erkennens aufzeigt als auch die Methodologie der Geschichtsschreibung erforscht. Der Begriff G. wurde von Voltaire eingeführt.

Eine systemat. G., nach versch. geschichtlichen Betrachtungen in der Antike (Herodot, Thukydides), setzt erst mit dem christl. Begriff der → Heilsgeschichte ein. Geschichte wurde hier als zielgerichtetes Geschehen verstanden, das vom Anfang der Weltschöpfung über Sündenfall, Erlösung bis zu Jüngstem Gericht und Weltende reicht und die ganze Menschheit umfasst (lineares Geschichtsbild). Diese G. (eigtl. Geschichtstheologie) Augustinus' war für die mittelalterl. Chroniken verbindlich. Die Annahme einer stufenförmigen Entwicklung fand einen Höhepunkt bei Joachim von Floris.

Die G. bis zu Hegel und Marx ist weithin eine Verweltlichung dieser teleolog. Geschichtsbetrachtung. G. B. Vico sah Geschichte als Abfolge von Epochen kulturellen Wachstums und Verfalls, zwar noch durch die göttl. Vorsehung bestimmt, die tatsächlich jedoch mit dem Gesetz des Prozesses gleichgesetzt wird. Für die Aufklärung wurde die Weltgeschichte zum stetigen Fortschritt aus dem Dunkel der Unvernunft und Barbarei zum Sieg der Vernunft. Diesem Aufbauschema folgten alle Geschichtsschreiber der Zeit, auch noch I. Kant und J. G. Fichte. Für J. G. Herder, den Schöpfer der dt. G., der Vicos und C. Montesquieus geschichtsphilosoph. Ansätze aufnahm und der Romantik weitergab, bedeutete geschichtl. Fortschritt die Entwicklung zur Humanität. Der Höhepunkt der idealist. G. wird durch G. W. F. Hegel bezeichnet: Die von der Weltvernunft beherrschte Weltgeschichte ist »der Fortschritt des Geistes im Bewusstsein der Freiheit«. Mit der materialist. Umkehrung der hegelschen Dialektik begründeten K. Marx und F. Engels ihre Geschichtsauffassung des histor. Materialismus (→ Marxismus).

Mit Hegel und Marx enden die Versuche, mit einem geschlossenen philosoph. System eine umfassende Geschichts- und Seinsdeutung zu geben. Die Kritik S. Kierkegaards und F. Nietzsches an Hegel und seiner Geschichtsauslegung führte dann bei beiden zu einer Besinnung auf den Menschen, der sich durch seine Individualität den gedachten Systemen entziehe. Weiterhin jedoch werden geschichtsphilosoph. Betrachtungen von unterschiedl. Ansatzpunkten aus angestellt. Die positivist. Geschichtsphilosophen der frühen frz. und engl. Soziologie (A. Comte, H. Spencer) versuchten, auf naturwiss. Wege die Entwicklungsgesetze der Gesellschaft aufzudecken; sie sahen in der Entwicklung der Technik und der durch sie bedingten Zivilisation den Hauptantrieb der geschichtl. Bewegung und den Maßstab des Fortschritts. Gegenüber diesem naturwiss. Ansatz betonten bes. die Historiker des 19. Jh. die Einmaligkeit, den Freiheitsgehalt und die Irrationalität der Geschichte. Die Relativierung aller Werte als Folge des Historismus, A. Schopenhauers und Nietzsches radikale Kulturkritik und ein zunehmender Geschichtspessimismus führten im 20. Jh. dazu – soweit nicht aus dem Erbe Vicos und der Romantik wieder Kulturzyklentheorien mit organ. Gesetzen von Wachstum und Verfall der Kultur formuliert wurden (O. Spengler) –, dass die G. von der »Universalhistorie« abrückte. Auf gesamtphilosoph. Deutungen der Weltgeschichte wurde verzichtet oder gar die Möglichkeit einer solchen prinzipiell verneint (T. Lessing, später auch die krit. G.). Wird heute noch von einer Einheit der Weltgeschichte gesprochen, dann nur im Sinn eines Wirkungszusammenhangs, der sich aus einer Mehrzahl selbstständig gewachsener Kulturen ergibt (A. Toynbee). Seit 1900 wird G. vielfach als Lehre von den Formen und Möglichkeiten geschichtsphilosoph. Denkens, Erkennens und Begreifens betrieben (H. Rickert, W. Dilthey, M. Weber).

📖 LÖWITH, K.: *Weltgeschichte u. Heilsgeschehen. Die theolog. Voraussetzungen der G. A. d. Engl. Stuttgart u. a.* [8]*1990.* – SCHAEFFLER, R.: *Einführung in die G. Darmstadt* [4]*1991.*

Geschichtsschreibung (Historiographie), der Versuch, anhand der Darstellung von Vorgängen, Zuständen und Personen Geschichte bewusst werden zu lassen. Grundlegend für alle G. ist bis heute das vielschichtige Wechselverhältnis von Geschichtsbild und Gegenwartsbewusstsein geblieben. Als Disziplin der → Geschichtswissenschaft steht die G. wegen ihres prinzipiell empir. Charakters in einem Spannungsverhältnis zur Geschichtsphilosophie.

Altertum: Bei Ägyptern, Babyloniern, Assyrern u. a. wurden die Taten der Herrscher in Inschriften, gelegentlich auch in Annalen, gerühmt. Ansätze zu einer G. mit histor. Kritik und der Frage nach geschichtl. Wahrheit finden sich bei den Hethitern, ähnlich bei den Israeliten, die zudem ihre eigene Vergangenheit als Heilsgeschichte verstanden. Um Erfahrung weiterzugeben, wollten die Griechen das Traditionsgut mit einem unbedingten Wahrheitsanspruch überliefern und Gründe und Zusammenhänge histor. Vorgänge aufzeigen (v. a. Herodot, später als »Vater der Geschichte« bezeichnet); Thukydides gilt mit der Darstellung des Peloponnes. Krieges als Schöpfer der histor. Monographie. Ab dem 4. Jh. v. Chr. entstanden v. a. nach rhetor. Regeln verfasste Geschichtswerke. Diese G. erreichte in der röm. Kaiserzeit zu Beginn des 2. Jh. mit Tacitus ihren Höhepunkt. – Neben die G. trat ab etwa dem 4. Jh. v. Chr. die Biographie bzw. biograph. Behandlung histor. Stoffe (Plutarch, Sueton).

Mittelalter: Der allg. Rückgang der Schriftlichkeit zu Beginn des MA. betraf auch die G.; sie begann nur zögernd im Zuge der Rezeption antiker Kulturformen, getragen fast nur von Geistlichen, daher in lat. Sprache. Es entwickelten sich die für längere Zeit deutlich unterschiedenen Gattungen Biographie (Vita), Annalen, Chronik und Gesta. Die geistigen Auseinandersetzungen des 11. Jh. bewirkten u. a. eine verstärkte Hinwendung zur Weltchronik, die ihren Höhepunkt im geschichtstheolog. Werk Ottos von Freising fand. Vom italien. Frühhumanismus des 14. Jh. an wechselte die G. zw. Quellenkritik (Konstantin. Schenkung) und Geschichtsklitterung, zw. zeitgeschichtl. Interesse und Memoirenliteratur (P. de Commynes). Mit der polit. G. seit dem Ende des 15. Jh. entwickelte sich die moderne Staatengeschichte.

16. und 17. Jahrhundert: Unter dem Einfluss der Glaubenskämpfe wurde die von den Humanisten vernachlässigte Kirchengeschichte wieder entdeckt. Die Mauriner entwickelten die philolog. Quellenkritik und begründeten die histor. Hilfswissenschaften wie z. B. die Urkundenlehre.

18. Jahrhundert: Die G. der Aufklärung überwand die heils- und territorialgeschichtl. Verengung durch eine an der Entwicklung der Menschheit orientierte Universalgeschichte. Neue Sachgebiete wurden erschlossen oder entstanden: Gesellschafts-, Kultur-, Rechts-, Verfassungs-, Wirtschafts-, Kolonialgeschichte. Von besonderer Bedeutung für die Entwicklung der deutschen G. war die frz. Aufklärungshistoriographie (Voltaire, Montesquieu); sie wurde wesentlich gefördert durch die Göttinger histor. Schule (J. C. Gatterer, A. Heeren, A. L. von Schlözer, L. T. von Spittler), die Geschichtsvereine und die wiss. Akademien.

19. Jahrhundert: Bahnbrechend für die moderne Geschichtswiss. und G. wirkte die Vollendung der histor. Methode durch den dt. Historismus, der die Kategorien Entwicklung und Individualität zu Leitprinzipien der G. machte und die Vergangenheit in ihrer Eigentümlichkeit zu verstehen suchte (L. von Ranke, B. G. Niebuhr; in Frankreich A. Thierry). Die philologisch-histor. Methode (Quellenedition) wurde zur Grundlage aller Geschichtsforschung. Befruchtend wirkten die histor. Schulen der Rechtswissenschaft und der Nationalökonomie. In enger Verbindung zu den polit. Tendenzen der Zeit standen die liberale (K. W. von Rotteck, K. T. Welcker, G. G. Gervinus, F. C. Dahlmann) sowie die preußisch-kleindt. (J. G. Droysen, H. von Treitschke, H. von Sybel) und die österr.-großdt. Richtung der G. (J. von Ficker, A. Ritter von Arneth, O. Klopp). In bewusstem Gegensatz zu dieser polit. G. wurde von W. H. von Riehl, G. Freytag und J. Burckhardt die Kulturgeschichte zum vornehml. Gegenstand histor. Darstellung gemacht. K. Lamprecht, L. von Stein und der Marxismus begründeten die Sozialgeschichte, W. Dilthey und F. Meinecke die Ideengeschichte.

20. Jahrhundert: Die G. als Erzeugnis und Erbteil der bürgerl. Epoche erlebte am Ende des 19. Jh. mit der »Krise des Historismus« (F. Meinecke) eine Erschütterung, die vom modernen naturwiss. Weltbild (Positivismus) ihren Ausgang nahm. Der Übergang zu einer sich auch als Sozialwissenschaft verstehenden G. setzte sich, getragen v. a. von den Impulsen durch M. Weber, erst in der Folge der polit. Katastrophen und sozialen Krisen des 20. Jh. durch (soziale Strukturgeschichte).

🕮 *G. u. Geschichtsbewußtsein im späten MA., hg. v.* H. PATZE. *Sigmaringen 1987.* – CERTEAU, M. DE: *Das Schreiben der Geschichte. A. d. Frz. Frankfurt am Main u. a. 1991.* – GUNDOLF, F.: *Anfänge deutscher G. von Tschudi bis Winckelmann, hg. v.* E. WIND. *Neuausg. Frankfurt am Main 1993.* – ROTHERMUND, D.: *Geschichte als Prozeß u. Aussage. München 1995.* – SIMON, C.: *Historiographie. Eine Einführung. Stuttgart 1996.*

Geschiebe 1): Gekritztes Geschiebe

Geschichtswissenschaft, die method. Erforschung der Geschichte des Menschen als soziales Wesen, betrieben auf der Grundlage der kritisch gesicherten Überlieferung (»Quellen«); Voraussetzung für eine wiss. begründete →Geschichtsschreibung. Die G. stellt sich die Aufgabe, alle bezeugten geschichtl. Tatbestände möglichst genau und vollständig festzustellen sowie ihre Zusammenhänge, Bedingtheiten und Wirkungen verständlich zu machen. Ideologiekritisch in ihrem method. Ansatz, sucht sie die Wurzeln der Gegenwart freizulegen (oft in dialekt. Vermittlung) und deren geschichtl. Struktur erkennbar zu machen. Ihrem Wesen nach kann die G. dem politisch Handelnden keine Anweisungen bereitstellen, aber die Bedingungen erhellen, unter denen sich polit. Handeln vollzieht. Demzufolge ist die Frage nach dem Sinn der Geschichte allenfalls negativ einzugrenzen.

Einteilung und Organisation von Forschung und Lehre folgen im Wesentlichen entsprechend der Eigenart ihrer Überlieferung bis heute der klass. Periodisierung in Alte, Mittlere und Neuere Geschichte, innerhalb der Letzteren wird noch zw. Neuester Geschichte (seit der Frz. Revolution bzw. der Industrialisierung) und Zeitgeschichte (»zeitgenöss. Geschichte«) unterschieden; hinzu kommen die Vor- und Frühgeschichte. Die histor. Hilfswiss. stellen die Mittel zur krit. Erforschung der Quellen bereit (u. a. Paläographie, Urkundenlehre, Chronologie, Genealogie, Heraldik). Kleinere landschaftl. und staatlich-polit. Einheiten erforscht die Landesgeschichte; besondere Aspekte der Geschichte behandeln Kultur-, Rechts-, Religions-, Wirtschaftsgeschichte u. a. Die Verfassungsgeschichte, urspr. stark an Institutionen und staatl. Normen orientiert, nähert sich heute der Sozialgeschichte. Die Grenze zu den von sozialwiss. Methodologie bestimmten Nachbardisziplinen ist heute oft fließend. – In der modernen G. herrscht ein Methodenpluralismus; im 20. Jh., ausgehend von Frankreich (Schule der »Annales«: F. Baudel, G. Duby), gewannen sozialgeschichtl. Fragestellungen an Bedeutung, zuletzt in der Erforschung der Alltagsgeschichte (»Geschichte von unten«).

🕮 *Geschichtl. Grundbegriffe. Histor. Lexikon zur politisch-sozialen Sprache in Deutschland, hg. v.* O. BRUNNER *u. a., 7 Bde. u. 2 Register-Bde. Stuttgart* [1–4]*1972–97, teilw. Nachdr.* – BOROWSKY, P. *u. a.: Einführung in die G., 2 Bde. Opladen* [2–5]*1980–89.* – BRUNNER, K.: *Einführung in den Umgang mit Geschichte. Wien* [2]*1991.* – BRANDT, A. VON: *Werkzeug des Historikers. Eine Einführung in die histor. Hilfswissenschaften. Stuttgart u. a.* [13]*1992.* – SELLIN, V.: *Einführung in die G. Göttingen 1995.*

Geschiebe, 1) *Geowissenschaften:* von Gletschern oder Inlandeis transportierte, eisfreien Landesteilen oder dem Eisuntergrund entstammende und beim Transport mehr oder weniger aufgearbeitete Gesteinstrümmer, die in den Moränen abgelagert werden. G. sind oft durch mechan. Beanspruchung kantengerundet abgeschliffen (z. B.

Facetten-G.) oder durch parallele Schrammen **(gekritztes G.)** gezeichnet. Sehr große G. heißen **Findlinge** oder **errat. Blöcke.**

2) *Gewässerkunde:* alles feste, an der Sohle eines Wasserlaufs transportierte Material: Geröll, Sand u.a.

Geschiebemergel, von Geschiebe durchspickter Mergel, das Material der Grundmoräne; durch Auslaugung des Kalkgehalts (Verwitterung) wird er zu **Geschiebelehm (Blocklehm).**

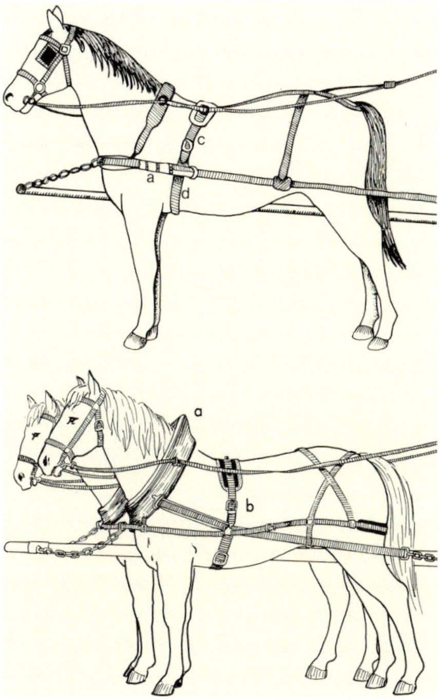

Geschirr 2): Sielengeschirr (a Brustblatt, b Halsriemen, c Kammdeckel), darunter Kummetgeschirr (a Kummet, b Bauchgurt)

Geschirr, 1) *allg.:* alle zur Zubereitung und Einnahme von Mahlzeiten dienenden Geräte, bes. Gefäße.

2) *Landwirtschaft:* (Beschirrung, Anspannung) Riemen- und Lederzeug, das die Verbindung der Zugtiere mit einem Fahrzeug herstellt. Man unterscheidet bei Pferden das **Sielen-G.** (Brustblatt-G.), besteht aus einem die Brust umfassenden, von einem Halsriemen und einem Kammdeckel gehaltenen breiten Brustblatt, und das **Kummet-G.** (gepolsterter Leder- oder Stoffbalg um die Halsbasis) für schweren Zug, das **Joch** (Nacken- oder Stirnjoch) bei Ochsen, eine hölzerne oder eiserne, schwach gebogene Platte.

3) *Textiltechnik:* die Schäfte an der Webmaschine mit dem gesamten Bewegungsantrieb.

Geschirrspüler (Geschirrspülmaschine), vollautomatisch arbeitendes Haushaltgerät zum Reinigen und Trocknen von Essgeschirr mit Heißwasser (55–65 °C) unter Zugabe von chem. Reinigungsmitteln. Zum Reinigen wird die Aufprallwirkung des in Bewegung gesetzten Wassers genutzt.

Geschlecht, 1) *Biologie:* (Sexus) Bez. für die unterschiedl. Ausprägung der Gameten und auch für die entsprechende phänotyp. Ausprägung der die Gameten erzeugenden Lebewesen im Hinblick auf ihre Aufgabe bei der Fortpflanzung. Liegen begeißelte Gameten unterschiedl. Gestalt vor (Anisogamie), werden die Mikrogameten oder Spermien als **männlich,** die Makrogameten oder Eizellen als **weiblich** bezeichnet, ebenso die sie erzeugenden Individuen. Bei Beweglichkeit nur des einen Gametentyps wird der beweglichere Gamet i.d.R. als männlich eingestuft, liegen keinerlei Unterschiede vor, werden die Gameten willkürlich als + und – bezeichnet. **Zwitter (Hermaphroditen)** sind in der Lage, Gameten beiderlei G. gleichzeitig oder nacheinander zu erzeugen. Bei den Metazoen unterscheiden sich i.d.R. auch die die Gameten erzeugenden Individuen in ihrer geschlechtl. Ausprägung. Hiervon sind entweder nur die Fortpflanzungsorgane, Keimdrüsen und ihre Ausführgänge betroffen (primäre G.-Merkmale) oder auch körperl. Merkmale, die nicht unbedingt mit der Fortpflanzung in direktem Zusammenhang stehen (sekundäre G.-Merkmale). Das biolog. Zeichen für männl. Individuen ist ♂ (Speer und Schild des Mars), für weibl. Individuen ♀ (Spiegel der Venus), für Zwitter ⚥.

2) *Genealogie:* auf einen gemeinsamen Ahnen zurückgehende Gruppe von Menschen, die aufgrund ihrer Blutsverwandtschaft erblich näher miteinander verbunden sind.

3) *Grammatik:* → Genus.

4) *Recht:* im german. und mittelalterl. Recht die durch agnat. Abkunft gekennzeichnete Verwandschaftsgemeinschaft. Das G. bildete den ältesten und engsten Rechts- und Friedensverband innerhalb des Stammes und trat im Kampf als militär. Einheit auf. Im Spät-MA. auch Bez. für die wirtsch. und politisch einflussreichen Patrizierfamilien größerer Städte.

Geschlechterbuch, Deutsches, → Genealogie.

Geschlechterkunde, die → Genealogie.

Geschlechterturm, befestigter Wohnturm des Stadtadels im MA., bes. in der Toskana; sollte neben seiner verteidigungstechn. Funktion bei Auseinandersetzungen innerhalb der Stadt auch den Machtanspruch der jeweiligen Familie symbolisieren.

Geschlechterverhältnis (Sexualproportion), zahlenmäßiges Verhältnis von Männern und Frauen. Das G. wird bestimmt durch das Verhältnis von Knaben- zu Mädchengeburten (i.d.R.

105–106 Knaben zu 100 Mädchen). Infolge der höheren Sterblichkeit der Männer ist i. Allg. das G. um das 5. Lebensjahrzehnt ausgeglichen; danach setzt ein wachsender Frauenüberschuss ein.

Geschlechtlichkeit, → Sexualität.

Geschlechtsbestimmung, 1) *Entwicklungsphysiologie:* (Geschlechtsdeterminierung) die Festlegung des jeweiligen Geschlechts eines Organismus (oder bestimmter Bezirke) durch Faktoren, die die urspr. allen Zellen zugrunde liegende bisexuelle Potenz in entsprechender Weise, d. h. zum männl. oder weibl. Geschlecht hin, beeinflussen. Man unterscheidet zw. **phänotyp. G.,** bei der innere oder äußere Umweltfaktoren das Geschlecht bestimmen (z. B. ändert es sich bei Napfschnecken mit dem Alter, junge Tiere sind männlich, alte Tiere sind weiblich), und **genotyp. G.,** bei der v. a. in den Geschlechtschromosomen liegende geschlechtsdeterminierende Gene das Geschlecht bestimmen.

2) *Medizin:* (Geschlechtsdiagnose) die Feststellung des Geschlechts. Beim Menschen kann das Geschlecht eines Kindes bereits in der Frühschwangerschaft (etwa ab der 16. Schwangerschaftswoche) mittels Chromosomenanalyse aus den Zellen des Fruchtwassers, das durch Amniozentese (→ Schwangerschaftsuntersuchungen) entnommen wird, sicher bestimmt werden. Besondere Bedeutung hat die Geschlechtsdiagnose bei Patienten mit gestörter Geschlechtsentwicklung und unsicherer Zuordnung zu einem Geschlecht (→ Intersexualität, → Geschlechtskontrolle). Neben der Chromosomenanalyse kann die einfachere Darstellung des X- oder Y-Chromatins eingesetzt werden. Bei weibl. Individuen (Vorhandensein von zwei oder mehr X-Chromosomen) findet sich im Zellkern nicht in Teilung begriffener Zellen (z. B. aus einem Abstrich der Mundschleimhaut) ein (oder mehrere) Chromatinkörperchen (**Geschlechtschromatin,** → Barr-Körperchen) und an den Kernen eines Teils der Leukozyten ein trommelschlegelförmiges Anhängsel **(Drumstick)**.

Geschlechtsdrüsen (Keimdrüsen, Gonaden), drüsenähnlich aufgebaute Organe bei den meisten mehrzelligen Tieren und beim Menschen, in denen sich die Keimzellen (Ei- oder Samenzellen) und Geschlechtshormone bilden. Die G. (beim Mann → Hoden, bei der Frau → Eierstock) gehören zu den inneren → Geschlechtsorganen.

Geschlechtserziehung (Sexualerziehung), → Sexualpädagogik.

geschlechtsgebundenes Merkmal, Merkmal, dessen Erbsubstanz (Gen) in den Geschlechtschromosomen (X- und Y-Chromosom) lokalisiert ist und sich daher geschlechtsgebunden weitervererbt (geschlechtsgebundene Vererbung, z. B. die Bluterkrankheit).

Geschlechtshormone (Sexualhormone), alle Hormone, die die Entwicklung und Funktion der Geschlechtsdrüsen und Geschlechtsorgane bestimmen und steuern und für die Ausbildung der Geschlechtsmerkmale beim Menschen und den Wirbeltieren verantwortlich sind. I. e. S. versteht man unter den G. nur die **Keimdrüsenhormone;** diese gehören chemisch zu den Steroiden und werden in männl. (Androgene) und weibl. (Östrogene und Gestagene) unterteilt. I. w. S. werden auch die aus Glykoproteinen bestehenden **gonadotropen Hormone** (→ Gonadotropine) zu den G. gezählt. – **Androgene** sind Hormone, die v. a. im Hoden, weiterhin in der Nebennierenrinde und in geringen Mengen im Eierstock gebildet werden; Hauptvertreter sind **Testosteron** und **Androstendion,** weitere Vertreter das **Androsteron,** ein typ. Metabolit der Androgene mit noch erhebl. androgener Wirksamkeit, und das nur schwach wirksame **Adrenosteron.** Die Androgene werden in der frühen Embryonalperiode gebildet; ihr Vorhandensein bewirkt die Entwicklung der männl. Geschlechtsorgane und sekundären Geschlechtsmerkmale des Mannes, typisch männl. Körperbau, Reifung der Samenzellen, Geschlechtstrieb u. a. Neben der sexualspezif. Wirkung haben sie einen Eiweiß aufbauenden (anabolen) Effekt, beeinflussen das Knochenwachstum u. a. – **Östrogene** werden v. a. in den Graaf-Follikeln und im Gelbkörper, in der Plazenta und in geringerem Umfang auch in der Nebennierenrinde und im Hoden gebildet; Hauptvertreter sind **Östron, Östradiol** und **Östriol.** Sie beeinflussen das Wachstum der weibl. Geschlechtsorgane und sind für die Ausbildung sekundärer Geschlechtsmerkmale der Frau, weibl. Körperbau (Fetteinlagerung) verantwortlich. Zusammen mit den Gestagenen bewirken sie die zykl. Veränderungen an den weibl. Geschlechtsorganen, den Aufbau und die Abstoßung der Gebärmutterschleimhaut (→ Menstruation) und die Vorbereitung der Gebärmutter auf die Einnistung des befruchteten Eies. Daneben wirken sie auf den Stoffwechsel, den Knochenbau, die Blutgerinnung u. a. – Die **Gestagene** werden v. a. im jeweiligen Gelbkörper des Eierstocks **(Gelbkörperhormone, Corpus-luteum-Hormone)** und in der Plazenta, in geringerem Umfang auch in der Nebenniere gebildet; Hauptvertreter ist das **Progesteron.** Sie beeinflussen die weibl. Geschlechtsorgane durch Zusammenwirken mit den Östrogenen und haben spezielle Funktionen bei der Einnistung des befruchteten Eies sowie bei der Erhaltung der Schwangerschaft.

Die Sekretion der G. unterliegt dem übergeordneten Einfluss der Hypophyse. Deren Tätigkeit wird durch einen Teil des Zwischenhirns, den Hypothalamus, gesteuert, der Neurohormone produziert, die als Freisetzungsfaktoren (Releasinghormone) auf die Hypophyse wirken, sodass diese die Gonadotropine ausschüttet. Die Gonadotropine wirken ihrerseits auf die Geschlechtsdrüsen und veranlassen sie zur Ausschüttung der Keimdrüsenhormone.

Geschlechtskontrolle, die seit den Olympischen Spielen 1968 verbindliche ärztl. Untersuchung von Sportlerinnen zur Geschlechtsdiagnose. Dadurch soll gesichert werden, dass nur Personen mit eindeutig weibl. Kerngeschlecht an Frauenwettkämpfen teilnehmen.

Geschlechtskrankheiten (venerische Krankheiten), Infektionskrankheiten, die überwiegend durch Geschlechtsverkehr übertragen werden und deren Erscheinungen v.a. an der Haut und an den Schleimhäuten der Geschlechtsorgane auftreten. Zu den G. des Menschen gehören →Tripper, →Syphilis, weicher →Schanker und →Lymphogranuloma inguinale. – G. sind in Dtl. meldepflichtig; *Behandlung* und Bekämpfung der G. sind nach dem Ges. zur Bekämpfung der G. vom 23. 7. 1953 (mit späteren Änderungen) geregelt. Der die G. feststellende Arzt muss die Ansteckungsquelle und eventuelle Kontaktpersonen ermitteln und darauf dringen, dass diese sich in ärztl. Beobachtung oder Behandlung begeben. Geschlechtskranke haben sich des Geschlechtsverkehrs zu enthalten. Sie sind verpflichtet, sich vor der Eheschließung auf Ansteckungsgefahr hin untersuchen zu lassen. Falls Unbedenklichkeit nicht bescheinigt werden kann, haben sie den künftigen Ehepartner über die Krankheit zu informieren. Bestimmte Verstöße gegen das Gesetz sind mit Strafe oder mit Geldbuße bedroht. – In *Österreich* ist die Regelung ähnlich (Ges. zur Verhütung und Bekämpfung von G. vom 22. 8. 1945), ebenso in der *Schweiz* (Bundes-Ges. über die Bekämpfung übertragbarer Krankheiten des Menschen vom 18. 12. 1970).

Die G. stellen jedoch nur eine Gruppe innerhalb der »sexuell übertragbaren Krankheiten« (engl. sexually transmitted diseases; Abk. STD) dar. Die STD schließen weitere Erreger wie Hefepilze, Trichomonaden, Bakterien und versch. Viren mit ein. – Über *G. der Tiere* →Beschälseuche, →Scheidenkatarrh.

📖 RAAB, W.: *Sexualfibel. Sexualität – Kontrazeption – G. – AIDS. Stuttgart u. a.* ²*1995.*

Geschlechtsmerkmale, kennzeichnende Merkmale des männl. und weibl. Geschlechts, deren Bildung bereits während der Embryonalentwicklung beginnt. **Primäre G.** sind die Gesamtheit der Geschlechtsorgane; **sekundäre G.** können an allen Körperteilen auftreten (beim Mann Bart, Körperbehaarung, Adamsapfel, bei der Frau Brüste, breiteres Becken, höhere Stimme); **tertiäre G.** betreffen den gesamten Körperbau sowie funktionelle und psych. Unterschiede. Die volle Herausbildung der sekundären und tertiären G. erfolgt in der Reifephase (Pubertät) unter hormonalem Einfluss.

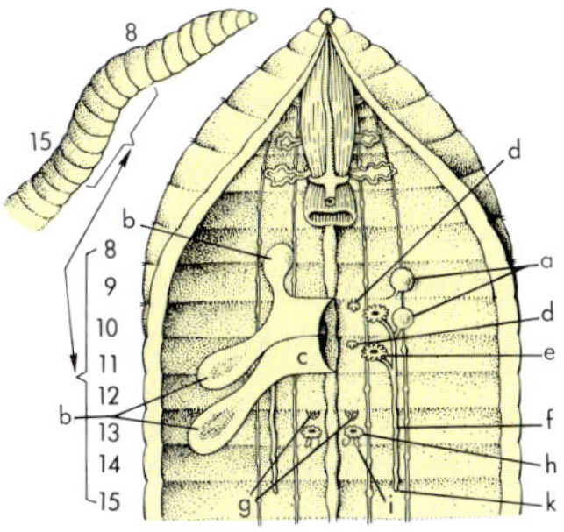

Geschlechtsorgane von Wirbellosen am Beispiel des Regenwurms; a Samentaschen, b Samenblasen, c Samenkapsel (rechtsgeöffnet), d Hoden, e Flimmertrichter des Samenleiters f, g Eierstöcke, h Wimpertrichter des Eileiters i, k Samenleitermündung; 8–15 Körpersegmente

Geschlechtsorgane (Genitalien, Genitalorgane, Fortpflanzungsorgane, Geschlechtsteile), die unmittelbar der geschlechtl. Fortpflanzung dienenden Organe der Lebewesen. Bei den Tieren und beim Menschen stellen sie gleichzeitig die primären Geschlechtsmerkmale dar. Die G. lassen sich in äußere und innere G. gliedern. Die **äußeren G.** des Mannes umfassen Penis und Hodensack, die der Frau große und kleine Schamlippen, Kitzler und Bartholin-Drüsen. Zu den **inneren G.** gehören beim Mann Hoden, Nebenhoden, Samenleiter, Bläschendrüse und Vorsteherdrüse, bei der Frau Eierstock, Eileiter, Gebärmutter und Scheide. Die G. der Wirbellosen bestehen oft nur aus (meist paarig angelegten) Eierstöcken bzw. Hoden. Bei allen Wirbeltieren (Ausnahme Rundmäuler) besteht eine enge Verbindung zw. Geschlechts- und Exkretionsorganen, die daher als Urogenitalsystem zusammengefasst werden.

Geschlechtskrankheiten: Anzahl der Erkrankten

Krankheit	1977[1]	1987[1]	1992[2]	1993[2]	1994[2]
Tripper	54277	15473	8698	6503	5215
Syphilis	8592	1852	1389	1349	1039
weicher Schanker	158	51	37	23	15
Lymphogranuloma venereum	46	16	42	44	36
Mehrfachinfektionen	175	65	18	14	13
insgesamt	63248	17457	10184	7933	6318

[1] alte Bundesländer. – [2] Gesamtdeutschland.

Bei vielen Sporenpflanzen werden die männl. G. Antheridien, die weibl. G. Oogonien, die G. der Moose und Farnpflanzen Archegonien genannt. Bei den Samenpflanzen sind die Staubblätter die männl., die Fruchtblätter die weibl. Geschlechtsorgane.

Geschlechtsreife, Lebensalter, in dem die Fortpflanzungsfähigkeit eines Lebewesens eintritt; hängt von klimat., physiolog., soziolog. und individuellen Bedingungen ab. Beim Menschen erfolgt die G. gegen Ende der →Pubertät.

Geschlechtstrieb, →Sexualität.

Geschlechtsumwandlung, ärztl. Maßnahmen zur Änderung der Geschlechtsmerkmale. Eine G. wird vorgenommen, wenn keine eindeutige Geschlechtszugehörigkeit besteht (Intersexualität) oder wenn eine starke Identifikation mit dem anderen Geschlecht mit hierdurch verursachten psych. Konflikten vorliegt (Transsexualität). Nach einer Vorbehandlung mit Sexualhormonen des angestrebten Geschlechts, die zu Bartwuchs (Androgene) oder Wachstum der Brüste (Östrogene) führt, werden durch plastisch-chirurg. Eingriffe die geschlechtsbestimmenden Merkmale geschaffen. – Rechtl. Grundlage für eine G. ist das Transsexuellen-Ges. vom 10. 9. 1980. Danach besteht unter gewissen Voraussetzungen die Möglichkeit, durch Entscheidung des Amtsgerichts Vornamen zu ändern und im Personenstandsregister eintragen zu lassen. Nach einer operativen G. kann von unverheirateten und fortpflanzungsunfähigen Antragstellern eine gerichtl. Feststellung der Geschlechtszugehörigkeit in einem entsprechenden Verfahren beantragt werden.

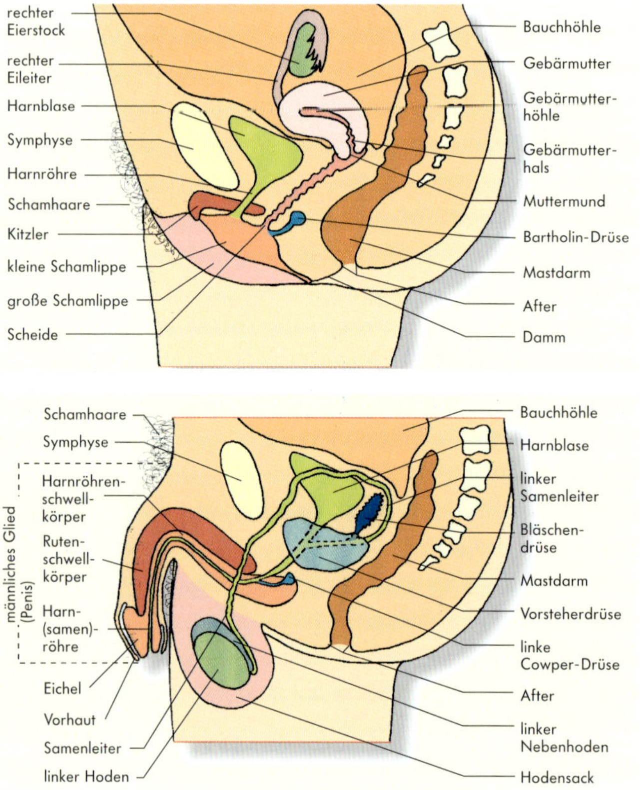

Geschlechtsorgane der Frau (im Unterschied zur Schemazeichnung liegen im weiblichen Körper Harnröhre, Scheide und Darm enger beieinander), darunter die des Mannes (im Unterschied zur Schemazeichnung liegt im männlichen Körper die Vorsteherdrüse dichter beim Mastdarm)

Geschlechtsverkehr (Geschlechtsakt, Beischlaf, Coitus, Koitus, Kohabitation), genitale Vereinigung, beim Menschen durch Einführung des Penis in die Vagina (entsprechend der →Kopulation bei Tieren) und rhythm. Hin- und Herbewegen des Penis in der Vagina. Beim ersten G. kommt es bei der Frau meist zur →Defloration. Die biolog. oder Zeugungsfunktion (Begattung) liegt in der Übertragung männl. Keimzellen in den weibl. Organismus mit der mögl. Folge einer Befruchtung und Schwangerschaft. Die psych. Funktion des G. besteht v.a. in der Befriedigung des Geschlechtstriebs. Die soziale Funktion betrifft die sexuelle und seel. Partnerbindung, die beim Menschen (im Ggs. zum Tier) an keine Brunstzyklen gebunden ist. Über die sog. Normalität des G. gibt es keine verbindl. Kriterien. Dies gilt sowohl für die Form, die vielfach durch zahlr. Koituspositionen und Sexualtechniken (wie Fellatio und Cunnilingus) variiert wird, als auch für die Häufigkeit des G. – *Strafrecht:* G. zw. nahen Verwandten (→Inzest), mit abhängigen Personen, Kindern oder Widerstandsunfähigen, →Vergewaltigung und →sexueller Missbrauch sind strafbar (§§173ff. StGB). – *Zivilrecht:* sog. Deflorationsanspruch (→Verlöbnis).

Geschlechtswort, *Sprache:* der →Artikel.

Geschlechtszelle, die Keimzelle, →Gameten.

Geschmack, 1) *allg.:* das Vermögen, Schönes und Hässliches zu beurteilen. – Im 18. Jh. zentraler Begriff der philosoph. Ästhetik.

2) *Biologie:* →Geschmackssinn.

Geschmacksmuster, flächige Muster (z.B. Stoff- oder Tapetenmuster, Modeschnitte) oder räumlich-plast. Modelle (z.B. Lampen), die ästhetisch wirken und nach dem G.-Ges. vom 11. 1. 1876 (mehrfach geändert) für den Urheber schutzfähig sind, vorausgesetzt, sie sind als neues und eigentüml. Erzeugnis anzusehen. Durch das Merkmal des ästhetischen Gehalts unterscheiden sich G. wesentlich vom →Gebrauchsmuster. Der G.-Schutz, d.h. die dem Urheber vorbehaltene ausschließl. Befugnis, das G. nachzubilden und zu verbreiten, währt fünf Jahre (Verlängerung auf höchstens 20 Jahre) ab Anmeldung zum **Musterregister,** das beim Patentamt geführt wird. Das G.-Recht ist vererbbar und übertragbar und gegen Verletzungen rechtlich geschützt. International ist der G.-Schutz in der Pariser Verbandsübereinkunft sowie im Haager Musterabkommen geregelt.

📖 GERSTENBERG, E.: *Geschmacksmustergesetz. Kommentar u. Handbuch, bearb. v.* M. BUDDEBERG. *Heidelberg* ³*1996*. – NIRK, R. *u.* KURTZE, H.: *Geschmacksmustergesetz. Kommentar. Köln u. a.* ²*1997*.

Geschmacksorgane, mit besonderen Rezeptoren (z.B. Geschmacksknospen) ausgestattete Organe, die der Geschmackswahrnehmung dienen, z.B. bei den Wirbeltieren die →Zunge, bei Wirbellosen Geschmacksrezeptoren im Mundbereich, oder an den Tarsen. (→Geschmackssinn)

Geschmackssinn (Geschmack), chem. Sinn zur Wahrnehmung von Nahrungsstoffen und zum Abweisen ungenießbarer bzw. schädl. Substanzen beim Menschen und bei Tieren. Der G. ist ein Nahsinn mit relativ hohen Reizschwellen. Neben der Kontrolle der Nahrung ist er auch stark beteiligt an der Steuerung der Speichel- und Magensaftsekretion. Die Zellen des G. **(Geschmacksrezeptoren)** sprechen auf gelöste Substanzen (Geschmacksstoffe) an. Sie liegen bei den Wirbeltieren fast ausschl. im Bereich der Mundhöhle. Bei Säugetieren und beim Menschen stehen die sekundären Geschmacksrezeptoren mit dazwischen liegenden Stützzellen in sog. **Geschmacksknospen** zusammen; deren spindelförmige Sinneszellen stehen mit einem Fortsatz, durch einen feinen Kanal, der sich in eine nach der Mundhöhle öffnenden Grube **(Geschmacksporus)** erweitert, mit der Mundhöhle in Verbindung. An ihrer Basis treten Nervenfasern aus, die Geschmacksimpulse zu den betreffenden Gehirnzentren weiterleiten. Der erwachsene Mensch hat etwa 2000 Geschmacksknospen, die v.a. auf den vorderen und seitl. Zungenteilen und am Zungenrand liegen. Die vielfältigen Sinnesempfindungen, die z.B. beim Abschmecken von Speisen und beim Kosten von Getränken auftreten, beruhen v.a. auf dem Zusammenwirken von Geschmacks- und Geruchsempfindungen. Die vier **Grundqualitäten des G.** sind süß, sauer, salzig und bitter. Süß schmeckt man mit der Zungenspitze, sauer an den Zungenrändern, salzig an Rändern und Spitze, bitter erst am Zungengrund.

📖 PLATTIG, K.-H.: *Spürnasen u. Feinschmecker. Die chem. Sinne des Menschen. Berlin u. a. 1995*.

Geschoss, 1) *Bauwesen:* (Stockwerk, Etage) Teil eines Gebäudes, der die auf einer Ebene liegenden Räume umfasst.

2) *Waffentechnik:* Bez. für einen festen Körper, der aus einer Schusswaffe abgefeuert wird und sich auf einer ballist. Flugbahn ohne Eigenantrieb oder Steuerung fortbewegt. Maßgebend für die Größenordnung eines G. ist das →Kaliber der Schusswaffe. Nach der Verwendung unterscheidet man G. für Handfeuerwaffen und Maschinengewehre, Spreng-G., panzerbrechende G., Leuchtspur-G., Träger-G. (»Mutter-G.«) u.a., nach der Art der Stabilisierung im Flug zw. drallstabilisierten G., die aus gezogenen Rohren verschossen werden, und flügelstabilisierten G., die aus glatten Rohren verfeuert und im Flug durch ein Leitwerk oder Flügel stabilisiert werden.

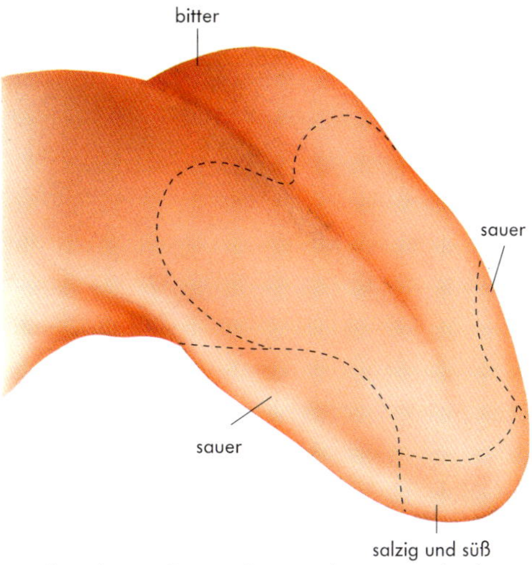

Geschmackssinn: Zungenschema mit den vier Grundqualitäten des Geschmacks

Geschütze, Feuerwaffen, die aufgrund ihrer Größe und ihres Gewichts im Unterschied zu den Handfeuerwaffen keine freihändige Handhabung erlauben.

Hauptteile eines Geschützes sind das Geschützrohr, die Lafette, die (teil- oder vollautomat.) Ladeeinrichtung und die Zieleinrichtung. Das Geschützrohr besteht aus dem eigtl. Rohr (bei modernen G. mit Mündungsbremse oder Rauchabsauger), dem das Rohr nach hinten gasdicht abschließenden Verschluss, dem Bodenstück (gasdichte Verbindung zw. Rohr und Verschluss) und der mechan. oder elektr. Abfeuerungseinrichtung. Im Rohr wird das zu verschießende Geschoss durch den Gasdruck beschleunigt, der im Ladungsraum (hinterer Teil des Rohres) durch Verbrennen der Treibladung entsteht. Die Lafette dient als Schieß- und (gegebenenfalls) Fahrgestell, sie nimmt die beim Schuss auftretenden Kräfte auf und leitet sie in den Erdboden bzw. die Fundamentierung ab. Bestandteile der Lafette sind Rohrwiege, Rohrrücklaufeinrichtung (Rohrbremse und -vorholer), Ausgleicher und Richtmaschinen, die die vertikale und horizontale Bewegung des Rohres ermöglichen.

Geschützarten: Grundsätzlich werden G. nach den Kriterien Kaliberlänge (Länge des Rohres, angegeben als Vielfaches des jeweiligen Kalibers), Anfangsgeschwindigkeit des Geschosses, Schussweite, Art der Flugbahnkrümmung und Rohrerhöhungswinkel in Kanonen, Haubitzen und Mörser unterteilt, jede dieser Arten nach Kalibergröße

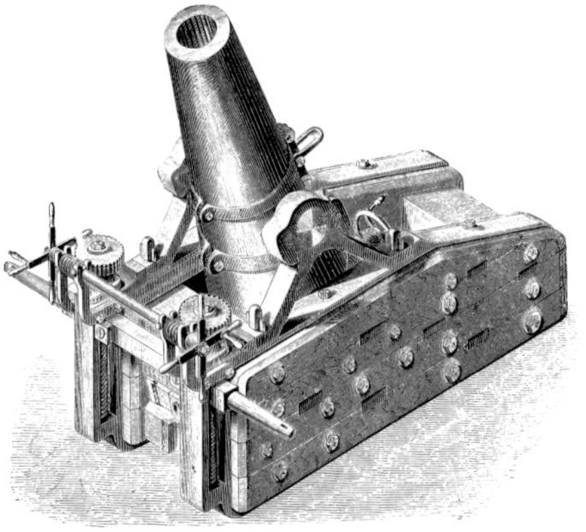

Geschütze: Die schwere Feldkanone auf Radlafette kam im Dreißigjährigen Krieg zum Einsatz, darunter der im Deutsch-Französischen Krieg 1870/71 eingesetzte deutsche Mörser

und G.-Gewicht als schwer, mittel oder leicht klassifiziert. Kanonen sind G. mit hoher Kaliberlänge (d.h. einem im Verhältnis zur Kalibergröße relativ langen Rohr), hoher Anfangsgeschwindigkeit des Geschosses, relativ gestreckter, rasanter Geschossflugbahn und geringem Rohrerhöhungswinkel. Früher v.a. zur Erreichung hoher Schussweiten eingesetzt (im 1. und 2. Weltkrieg als **Fern-G.**), werden Kanonen heute als ausgesprochene **Flachfeuer-G.** für die Bekämpfung direkt sichtbarer Ziele verwendet. **Haubitzen** sind G. mit mittlerer Kaliberlänge, mittlerer Anfangsgeschwindigkeit des Geschosses, gekrümmter Geschossflugbahn (die durch Variierung der Treibladungsstärke den Erfordernissen angepasst werden kann) und mittlerem Rohrerhöhungswinkel. Aufgrund ihrer vielseitigen Einsatzmöglichkeit ist die Haubitze die heute verbreitetste Artilleriewaffe. **Mörser** sind G. für so genanntes Steilfeuer; sie sind gekennzeichnet durch geringe Kaliberlänge, geringe Anfangsgeschwindigkeit des Geschosses, stark gekrümmte Geschossflugbahn und großen Rohrerhöhungswinkel. Seit dem 2. Weltkrieg spielen sie aufgrund ihrer geringen Reichweite keine Rolle mehr, ihr Wirkungsprinzip lebt jedoch im Granatwerfer der Infanterie (vielfach ebenfalls als Mörser bezeichnet) weiter.

Geschichte: Die G. stehen am Anfang der Entwicklung der Feuerwaffen überhaupt. Im 14. Jh. verwendete man zunächst verhältnismäßig kleinformatige, aus Eisen geschmiedete oder aus Bronze gegossene Rohre. Größere Rohre bestanden aus schmiedeeisernen, über einem Holzdorn längs zusammengefügten Stäben, über die in erhitztem Zustand – ähnlich wie bei der Fassherstellung – Eisenreifen gezogen wurden. Als Geschosse dienten anfänglich Steinkugeln, seit der 2. Hälfte des 15. Jh. auch gusseiserne Kugeln. Als Auflage für die G.-Rohre dienten zu Beginn Holzgerüste, seit Ende des 15. Jh. zweirädrige (Kasten-)Lafetten, bei denen die Rohre mittels Schildzapfen in der Senkrechten schwenkbar waren. Ende des 14. Jh. setzte sich für die Herstellung der Rohre der Bronzeguss durch, Mitte des 16. Jh. der Eisenguss. Bekannte G.-Typen des späten MA. und der frühen Neuzeit waren die großkalibrigen **Metzen** und **Kanonen,** die **Mörser, Tümmler** und **Böller;** speziell zum Brescheschießen dienten Bombarden, Mauerbrecher und Hauptbüchsen. Kartaunen (kleine Hauptbüchsen), Falkone und Schlangen waren für den Krieg im Feld vorgesehen. Im 16./17. Jh. setzte sich für Flachfeuer-G. die Bez. Kanone durch, bis zum Ende des 17. Jh. hatte sich die Haubitze als dritte allg. G.-Art neben Mörser und Kanone herausgebildet. Um die Mitte des 19. Jh. lösten die **Hinterlade-G.** mit gezogenem Rohr die bis dahin üblichen **Vorderlade-G.** ab, hierdurch konnten Treffgenauigkeit, Reichweite und Feuergeschwindigkeit erheblich gesteigert werden. Gegen Ende des 19. Jh. wurde das mit Rohrrücklauf, Verschluss mit selbsttätigem Auswerfer und Gussstahlmantelrohr versehene **Schnellfeuer-G.** entwickelt, die Einführung hochexplosiver Brisanzgeschosse ließ die herkömml. Festungsanlagen wertlos werden.

Bis zum Anfang des 20. Jh. unterschied man nach dem Verwendungszweck im Wesentlichen nur zw. den auf Kriegsschiffen eingebauten **Schiffs-G.** (seit Ende des 19. Jh. in drehbaren G.-Türmen untergebracht) und den bei den Heeren eingesetzten (eigentl.) **Artilleriegeschützen.** Zu diesen gehörten die mittels Pferde- oder Kraftzug relativ beweglich gemachten Feld-G. der Feldartillerie (leichte und mittlere Kanonen und Haubitzen) und die schweren Belagerungs-G. der Fußartillerie (vorwiegend großkalibrige Mörser, zum Transport meist in Teillasten zerlegt), daneben fest eingebaute Festungs-G. (für den Seezielbeschuss in der speziellen Form der Küsten-G.). Im 1. Weltkrieg wurden **Flugabwehr-** und **Panzerabwehr-G.** eingeführt, Kanonen als Bord-G. in Panzerfahrzeuge und Flugzeuge eingebaut. Im 2. Weltkrieg begann man die Möglichkeiten der Motorisierung durch Einführung von Selbstfahrlafetten auszunutzen. Für spezielle Einsätze gegen weit entfernte Ziele und Festungsanlagen wurden in beiden Weltkriegen G. auf schienengestützten Lafetten verwendet (Eisenbahn-G.), für den Einsatz im Hochgebirge zerlegbare Gebirgs-G., nach deren Vorbild später auch für den Fallschirmeinsatz geeignete Luftlandegeschütze. Als unmittelbare Unterstützungswaffen erhielt die Infanterie rückstoßfreie Leicht-G. und spezielle Infanteriegeschütze. Nach 1945 entwickelte man die **Panzerhaubitze,** ein in einem gepanzerten Turm untergebrachtes G. auf Vollkettenfahrgestell.

geschützte Pflanzen und Tiere, wild wachsende Pflanzen, deren Beschädigung oder Entfernung vom Standort wegen ihrer Seltenheit verboten oder nur beschränkt zulässig ist, sowie wild lebende Tiere, deren mutwillige Tötung, missbräuchl. Aneignung und Verwertung sowie Störung und Beeinträchtigung ständig oder zeitweise verboten ist. Eingeschlossen in diesen Schutz sind Entwicklungsformen, Lebensstätten, Lebensräume und Lebensgemeinschaften. Der gesetzl. Schutz ist im Wesentlichen im Rahmen des Bundesnaturschutz-Ges. (i. d. F. v. 12. 3. 1987) und der Bundesartenschutzverordnung (vom 18. 9. 1989) vorgesehen. Ergänzt wird dies durch internat. Vereinbarungen, denen sich Dtl. angeschlossen hat, und Regelungen innerhalb der EU (→Rote Liste, →Washingtoner Artenschutzabkommen). Hiervon unberührt bleiben die Vorschriften von Pflanzenschutzrecht, Tierseuchenrecht, Tierschutzrecht sowie Forst-, Jagd- und Fischereirecht.

Geschwader [von italien. squadra »Viereck«], in der Marine ein organisator. und takt. Verband gleichartiger Kriegsschiffe, von einem **G.-Kommandeur** geführt; in der Luftwaffe ein fliegender Verband, auf Regimentsebene von einem **G.-Kommodore** geführt.

Geschwindigkeit, eine als Maß für die Schnelligkeit einer Bewegung dienende physikal. Größe, Formelzeichen υ; in der *Mechanik* bei einer gleichförmigen Bewegung (Betrag und Richtung der G. bleiben konstant) der Quotient aus dem im Zeitintervall Δt zurückgelegten Weg Δs und der Zeit Δt, $\upsilon = \Delta s / \Delta t$. Bei ungleichförmiger Bewegung bezeichnet die so definierte G. die **Durchschnitts-G. (mittlere G.)** in der Zeitspanne Δt. Die **Momentan-G.** ergibt sich dann als Differenzialquotient zu $\upsilon = \mathrm{d}s/\mathrm{d}t$. Die G. ist eine vektorielle physikal. Größe, d. h. sie ist charakterisiert durch Betrag und Richtung. Bezeichnet man mit $\boldsymbol{s}$ die gerichtete Wegstrecke, so gilt $\boldsymbol{\upsilon} = \mathrm{d}\boldsymbol{s}/\mathrm{d}t$ oder, für den

Geschütze: Feldhaubitze der Bundeswehr, darunter das bei der Artillerietruppe der Bundeswehr eingesetzte Standardgeschütz, die Panzerhaubitze M-109 A3G

Geschwindigkeiten verschiedener Bewegungsvorgänge und sich bewegender Objekte

elektromagnetische Wellen, Licht	299 792 km/s	Solarmobil[3] (1994)	161 km/h
Umlaufgeschwindigkeit Erde-Sonne[1]	29,8 km/s	Flug des Mauerseglers	180 km/h
Erdbebenwellen am Erdkern	11 km/s	Luftkissenfahrzeug[3]	164,6 km/h
bemanntes Weltraumfahrzeug[2] (Apollo 10, 1969)	39 897 km/h	Reizleitung motorischer Nerven beim Menschen	140–250 km/h
Schall im Wasser	5 220 km/h	Radrennfahrer (fliegender Start)	70 km/h
Umlaufgeschwindigkeit Mond-Erde[1]	3 600 km/h	Galopprennpferd	69,6 km/h
Düsenverkehrsflugzeug Concorde[1]	2 200 km/h	100-m-Läufer (Bestleistung)	36,5 km/h
Erdrotation am Äquator	1 670 km/h	Radfahrer (normal)	15–20 km/h
Schall in der Luft	1 220 km/h	Fußgänger	5 km/h
Fallschirmspringer im freien Fall in 27,4 km Höhe[2] (1960)	1 006 km/h	Fortbewegung Pantoffeltierchen	rd. 10 m/h
motorgetriebenes Auto[3] (1991)	696,3 km/h	Fortbewegung Weinbergschnecke	3 m/h
Hochgeschwindigkeitszug TGV	515,3 km/h	Wachstum des Pilzes Schleierdame (Dictyophora)	5 mm/min
Magnetschwebebahn Transrapid[3] (1988)	450 km/h	Haarwachstum beim Menschen	7 mm/Mon.
Elektroauto[3] (1990)	100,5 km/h	geologische Sedimentation	1 mm/Jahr

[1] Durchschnittsgeschwindigkeit. – [2] Höchstgeschwindigkeit. – [3] Geschwindigkeitsrekord.

von einem festen Bezugspunkt zum jeweiligen Ort des Körpers (Massenpunktes) weisenden, von der Zeit abhängigen Ortsvektor $\boldsymbol{r}(t)$, $\mathfrak{v} = d\boldsymbol{r}/dt$. Die Richtung des G.-Vektors entspricht der Bewegungsrichtung und fällt mit der Richtung der Bahntangente zusammen. Der Betrag dieses Vektors heißt auch **Bahn-G.** Die auf ein festes Koordinatensystem bezogene G. ist die **Absolut-G.,** im Ggs. zur **Relativ-G.,** mit der sich zwei Körper gegeneinander bewegen. Bei krummlinigen Bewegungen wird oft die →Winkelgeschwindigkeit angegeben.

In der *Wellenlehre* unterscheidet man bei der Ausbreitung von Wellen die Phasen- und Gruppen-G. Mit der **Phasen-G.** pflanzt sich eine Wellenfläche konstanter Erregung fort, während die **Gruppen-G.** diejenige G. ist, mit der sich der Schwerpunkt einer endlich ausgedehnten Wellengruppe und damit die im Wellenfeld enthaltene Energie fortbewegt. Spezielle Ausbreitungs-G. sind die →Lichtgeschwindigkeit bei elektromagnet. Wellen und die →Schallgeschwindigkeit bei Schallwellen. – Die Licht-G. $c_0 \approx 299\,792$ km/s im Vakuum bildet nach der →Relativitätstheorie die natürl. obere Grenze aller überhaupt mögl. G., mit denen sich Materie oder Energie bewegen können. Die Gruppen-G. einer Welle muss daher stets kleiner, dagegen können Phasen-G. größer als die Licht-G. sein. Gruppen-G., die klein sind gegen die Licht-G., addieren sich vektoriell, **relativist. G.,** d.h. solche, die mit der Licht-G. vergleichbar sind, nach dem relativist. Additionstheorem der G.

Die wichtigsten G. in der *Raumfahrt* sind die →kosmischen Geschwindigkeiten (Kreisbahn-, Flucht-G. sowie 3. oder 4. kosm. G.); in der *Luftfahrt* wird zw. versch. →Fluggeschwindigkeiten differenziert. – SI-Einheit der G. ist Meter durch Sekunde (m/s); im Verkehr wird auch km/h, in der Seefahrt →Knoten, in der Luftfahrt auch die →Machzahl *(Ma)* verwendet. Für die Umrechnung gilt: 1 m/s = 3,6 km/h; 1 kn = 1,852 km/h; 1 *Ma* ≈ 340 m/s ≈ 1225 km/h (in Bodennähe). Die Winkel-G. wird in rad/s oder s^{-1} bestimmt.

Die **G.-Messung** kann elementar als Längen- und Zeitmessung erfolgen, z.B. bei Fahrzeugen mit versch. Geschwindigkeitsmessern, bei Teilchen mit →Flugzeitspektrometern. Strömungs-G. werden z.B. aus dem Durchfluss durch einen Querschnitt oder mithilfe von Anemometern (→Windmessung) gemessen. Sehr hohe G., z.B. von Sternen, Meteoren, Flugzeugen, auch von Molekularstrahlen, lassen sich indirekt mithilfe des →Doppler-Effekts (z.B. über Radarverfahren) bestimmen.

Geschwindigkeitsmesser, 1) bei Landfahrzeugen →Tachometer.

2) (Fahrtmesser) bei Luftfahrzeugen ein Bordinstrument, das die Fluggeschwindigkeit misst. Zur Eigengeschwindigkeits- oder Fahrtmessung dienen Messfühler, die einen geschwindigkeitsabhängigen Überdruck oder Unterdruck messen und an einem in Geschwindigkeitseinheiten geeichten Druckmessgerät anzeigen. Wird das als Machzahl bezeichnete Verhältnis der Eigengeschwindigkeit zur Schallgeschwindigkeit angezeigt, so heißt das Gerät **Machmeter.** Die Geschwindigkeit über Grund kann bei Bodensicht mit opt. Geräten und ohne Bodensicht mit Doppler-Radar oder mit Trägheitsnavigationsgeräten gemessen werden.

3) bei Schiffen die →Fahrtmessanlage.

Geschwister, von denselben Eltern abstammende Kinder. Man unterscheidet vollbürtige (leibl.) G. und, wenn sie nur einen Elternteil gemeinsam haben, halbbürtige G. (Stief-G., Halb-G.); G. sind auch minderjährig Adoptierte.

Geschworener, in Dtl. frühere Bez. für →Schöffe. In *Österreich* (»Geschworner«) und der *Schweiz* Laienrichter an einem Geschworenengericht (→Schwurgericht).

Geschwulst (Tumor), i.w.S. jede örtlich begrenzte (umschriebene) Schwellung von Gewebsteilen (Organen), z.B. durch Entzündungserreger oder mechan. Einwirkung, die sich nach Beseitigung der Ursache zurückbildet; i.e.S. eine krankhafte Gewebsneubildung **(Neoplasma, Blastom),** die aus körpereigenen Zellen hervorgegangen ist und abweichend vom Gesamtplan des Organismus wuchernd wächst. Es kann in der Entwicklung zwar zu Stillstand, Schrumpfung mit Verhärtung und Vernarbung kommen, i.d.R. aber nicht zu einer Spontanheilung (Rückbildung ohne Therapie). Eine **gutartige G. (benigne G.)** wächst verdrängend, ist meist abgekapselt und bleibt auf den Ursprungsort beschränkt. Eine **bösartige G. (maligne G.),** z. B, Karzinom (Krebs), Sarkom, Lymphom, wächst schnell und zerstörend in benachbartes Gewebe ein, bildet häufig Metastasen und führt ohne rechtzeitige Behandlung zum Tod.

Geschwür (Ulkus), örtl. Substanzdefekt der Haut oder Schleimhaut mit schlechter Heilungstendenz, z.B. →Beingeschwür, →Magengeschwür, →Zwölffingerdarmgeschwür; G. können krebsig entarten.

Geseke, Stadt im Kr. Soest, NRW, am Hellweg, 19200 Ew.; Textil-, Möbel-, Zementind., Eisengießerei, Maschinenbau. – Im Ortsteil Eringerfeld Wasserschloss (Hauptbauzeit 1676–79). – 833 erstmals erwähnt, erhielt um 1217 Stadtrecht.

Geselchtes, süddt. und österr. Bez. für geräucherte gekochte Fleischwaren.

Gesell, 1) Arnold Lucius, amerikan. Kinderpsychologe, *Alma (Wisc.) 21. 6. 1880, †New Haven

(Conn.) 29. 5. 1961; Prof. an der Yale University, erforschte und dokumentierte die kindl. psychophys. Entwicklung bis zur Pubertät.

Werke: Das Kind von 5 bis 10 (1949); Jugend. Die Jahre von 10 bis 16 (1956).

2) Jean Silvio, Finanztheoretiker, *Sankt-Vith (Belgien) 17. 3. 1862, †Eden (heute zu Oranienburg) 11. 3. 1930; 1919 Finanzmin. der bayer. Räterep., Begründer der »Freiwirtschaftslehre«, mit der er eine »freisoziale Ordnung« schaffen wollte. Wesentl. Prämissen seiner Theorie waren die Abschaffung des Bodenmonopols und Abführung von Pacht an den Staat sowie die Einführung von Freigeld (auch Schwundgeld, eine Geldart, deren Nominalwert sich ständig nach festem Plan verringert, damit die vom Horten ausgehende Störungen der Wirtschaft vermieden werden).

Werk: Natürl. Wirtschaftsordnung durch Freiland und Freigeld (1916).

Geselle, Handwerker, der eine ordnungsgemäße Ausbildungszeit (meist drei Jahre) durchlaufen und vor der Handwerkskammer oder Innung die **G.-Prüfung** bestanden hat. Als Zeugnis wird der **G.-Brief** ausgestellt. – Im MA. lebte der G. in Arbeits- und Wohngemeinschaft im Haushalt des Meisters. Im Spät-MA. bildeten sich das G.-Wandern (Walz) und G.-Bruderschaften heraus.

Gesellenbruderschaften, seit dem 14. Jh. übl., häufig nach Art der Zünfte organisierte Standesvertretung der Handwerksgesellen; formten sich in der frühen Neuzeit allmählich zu Verbänden mit sozialpolit. Zielsetzung um, die auch Arbeitskämpfe führten. Mit der Abschaffung der Zünfte im 19. Jh. lösten sich die meisten G. auf, andere gingen in →Gesellenvereine (Arbeitervereine) und später in Gewerkschaften über.

Gesellenvereine, im Übergang zur Ind.gesellschaft (19. Jh.) entstandene freie Zusammenschlüsse von unselbstständigen Handwerkern auf fachl. oder konfessioneller Grundlage mit dem Ziel, Fortbildung und Geselligkeit zu pflegen bzw. soziale Unterstützung zu geben. Bes. kath. G. gewannen große Bedeutung (A. →Kolping).

Gesellschaft, 1) *allg.:* vieldeutig gebrauchter Begriff, der im weitesten Sinne die Verbundenheit von Lebewesen (Pflanzen, Tiere, Menschen) mit anderen ihrer Art und ihr Eingeschlossensein in den gleichen Lebenszusammenhang bezeichnet; allein auf den Menschen bezogen meint G. die Menschheit schlechthin oder bestimmte begrenzte Teile davon (z.B. die Menschen einer Nation) und weist auf deren Gliederung, (Rang-)Ordnung und bes. strukturiertes Beziehungssystem hin. Der Begriff G. wurde urspr. auch in vielerlei, z.T. bis heute geltenden besonderen Zusammenhängen verwendet, z.B. für gelehrte Vereinigung, Geheim-G. und Handelsgesellschaft.

2) *Recht:* Vereinigung mehrerer Personen zur Erreichung eines gemeinsamen Zwecks, z.B. als →Handelsgesellschaft oder →Gesellschaft des bürgerlichen Rechts.

3) *Soziologie:* Die menschl. G. bildet auf jeder ihrer Entwicklungsstufen sowie in ihren unterschiedl. Formen und Ordnungen versch. **G.-Systeme.** Alle höher entwickelten G.-Ordnungen zeigen eine Stufung nach Ständen oder Klassen. In neuerer Zeit deutet der Begriff »pluralist. G.« darauf hin, dass sich die herkömml. Strukturen zugunsten eines vielschichtigen Gruppen- und Wertsystems auflösen.

Während im MA. die **ständ. G.** als Ausdruck der göttl. Weltordnung verstanden wurde und dem absoluten Staat zugeordnet war, entfaltete die in den bürgerl. Revolutionen seit 1789 entstehende **bürgerl. G.** eine Gegenbewegung, die im Wesentlichen durch wirtsch.-techn. Ursachen bedingt war (Klassenbildung, Industrialisierung, Verstädterung, Auflösung patriarchal. Ordnungen, Rationalisierung u.a.). Es entstanden dabei G.-Theorien von sehr unterschiedl. Ansätzen her (→Soziologie). Von histor. Bedeutung war die vom Marxismus entwickelte These, die soziale Revolution werde, unter Aufhebung des Staats, naturnotwendig die **klassenlose G.** verwirklichen. Dem stehen im Rahmen der G.-Kritik und G.-Reform die Anhänger einer pluralist. »offenen« G. (K. R. Popper) gegenüber, nach denen Reformen schrittweise erfolgen sollen.

🕮 TÖNNIES, F.: *Gemeinschaft u. G. Leipzig ^{8}1935. Nachdr. Darmstadt 1991.* – POPPER, K. R.: *Die offene G. u. ihre Feinde, 2 Bde. A. d. Engl. Tübingen ^{7}1992.* – ELIAS, N.: *Die G. der Individuen, hg. v.* M. SCHRÖTER. *Frankfurt am Main u. a. ^{3}1996.*

Gesellschaft der Freunde, →Quäker.

Gesellschaft des bürgerlichen Rechts (BGB-Gesellschaft), Abk. **GbR,** die auf Vertrag beruhende Vereinigung mehrerer Personen zur Erreichung eines gemeinsamen Zwecks; sie besitzt keine Rechtsfähigkeit (§§ 705 ff. BGB). Die Gründung einer G. d. b. R. erfordert einen (i. d. R. formfreien) Gesellschaftsvertrag. Die Geschäftsführung steht in Ermangelung einer Vereinbarung allen Gesellschaftern gemeinsam zu; das Gesellschaftsvermögen (Beiträge, erworbene Gegenstände u. a.) ist stets gemeinschaftl. Vermögen der Gesellschafter, es gehört ihnen zur gesamten Hand (→Gesamthandsgemeinschaft). Für die Gesellschaftsschulden haften die Gesellschafter meist als Gesamtschuldner (→Gesamtschuld). Zwangsvollstreckungen in das Gesellschaftsvermögen bedürfen eines Titels gegen alle Gesellschafter. Der einzelne Gesellschafter kann weder über seinen Anteil alleine noch über einzelne Gegenstände des Gesellschaftsvermögens verfügen; möglich ist aber, im

Man kann nicht in der **Gesellschaft** *leben und frei von ihr sein.*

Wladimir Iljitsch Lenin

Einvernehmen mit den anderen Gesellschaftern, Mitgliedschaft und Vermögensanteil an andere zu übertragen. Die G. d. b. R. wird u. a. aufgelöst bei Erreichen des Zwecks, Tod oder Konkurs eines Gesellschafters oder durch Kündigung. – In *Österreich* (§§ 1175 ff. ABGB) und der *Schweiz* (Art. 530 ff. OR, »einfache Gesellschaft«) gelten ähnl. Bestimmungen.

Gesellschaft Deutscher Chemiker, Abk. **GDCh,** Fachorganisation der Chemiker in Dtl., Sitz: Frankfurt am Main. 1949 in der Tradition der Deutschen Chemischen Gesellschaft (1867) und des Vereins Dt. Chemiker (1887) aus Vorläufervereinigungen in den Besatzungszonen gegründet; Aufgabe: Förderung der Chemie und der Chemiker auf gemeinnütziger Grundlage, u. a. durch wiss. Tagungen und die Herausgabe von Fachliteratur.

Gesellschaft Deutscher Naturforscher und Ärzte e. V., Vereinigung zur Förderung der Naturwissenschaften und der Medizin. 1822 in Leipzig gegr.; neu gegr. 1950 in Göttingen.

Gesellschaften für christlich-jüdische Zusammenarbeit, Vereinigungen von Christen und Juden in Dtl., die sich für ein besseres Verhältnis zw. Christen und Juden bei gegenseitiger Achtung aller Unterschiede einsetzen und für den Abbau von Vorurteilen eintreten. Die in Dtl. bestehenden Gesellschaften (1996: 77 mit etwa 15 000 Mitgl.) sind im Dt. Koordinierungsrat der G. f. c.-j. Z. (gegr. 1949, Sekretariat: Bad Nauheim) zusammengeschlossen, der dem International Council of Christians and Jews (Sekretariat: Heppenheim/Bergstraße) angehört. Die G. f. c.-j. Z. veranstalten jährlich im März eine Woche der Brüderlichkeit.

Gesellschafter, Mitgl. einer Personenges. oder Anteilsinhaber einer GmbH.

Gesellschafterversammlung, →Gesellschaft mit beschränkter Haftung.

Gesellschaft für Anlagen- und Reaktorsicherheit, Abk. **GRS,** unabhängige, technisch-wissenschaftl. Expertenorganisation, die sich mit Fragen zur kerntechn. Sicherheit und zur nuklearen Entsorgung befasst. Zu den Arbeitsschwerpunkten der GRS gehören Forschung und Entwicklungsarbeiten, sicherheitstechn. Untersuchungen und Erstellung von Gutachten. Hauptauftraggeber sind das BMU und das BMBF, Hauptgesellschafter ist der Bund und die TÜVs (je 46 %). Mit der frz. IPSN (Institut de Protection et de Sûreté Nucléaire) arbeitet die GRS u. a. in Projekten zur kerntechn. Sicherheit in Mittel- und Osteuropa zusammen.

Gesellschaft für Biotechnologische Forschung mbH, Abk. **GBF,** Großforschungseinrichtung in Braunschweig-Stöckheim, gegr. 1968; Träger: Bundesrep. Dtl. und das Land Niedersachsen.

Gesellschaft für deutsche Sprache, Vereinigung zur Pflege der dt. Sprache, gegr. 1947 in Lüneburg; Nachfolgeorganisation des dt. Sprachvereins; Sitz (seit 1965): Wiesbaden. Ztschr.: »Muttersprache« (seit 1949) und »Sprachdienst« (seit 1957).

Gesellschaft für Deutsch-Sowjetische Freundschaft, Abk. **DSF,** Massenorganisation in der DDR; 1947 als »Gesellschaft zum Studium der Kultur der Sowjetunion« gegr., 1949 umbenannt; nach der Wiedervereinigung Dtl.s 1990 umorganisiert, heißt seit 1992 »Brücken nach Osten« – Föderation von Gesellschaften zur Völkerverständigung.

Gesellschaft für Mathematik und Datenverarbeitung mbH, heute →GMD – Forschungszentrum Informationstechnik.

Gesellschaft für Schwerionenforschung mbH, Abk. **GSI,** Darmstadt, gegr. 1969 (Träger: Bundesrep. Dtl. und das Land Hessen), eine der Großforschungseinrichtungen in Dtl. (→Hermann von Helmholtz – Gemeinschaft Deutscher Forschungszentren).

Gesellschaft für Sport und Technik, Abk. **GST,** 1956–90 Massenorganisation in der DDR zur vormilitär. und wehrsportl. Ausbildung v. a. Jugendlicher.

Gesellschaft für Wirtschafts- und Sozialwissenschaften – Verein für Socialpoltik, Vereinigung von Wirtschaftswissenschaftlern und Praktikern des Wirtschaftslebens zur Erörterung wirtsch. und sozialer Fragen sowie für die Klärung von Fach- und Studienfragen der Wirtschafts- und Sozialwissenschaften; Sitz: Köln. Sie verleiht den Gossen-Preis (seit 1997) und gibt u. a. die »Ztschr. f. Wirtschafts- und Sozialwiss.« heraus. Sie wurde 1872 u. a. von G. Schmoller, L. Brentano und A. H. G. Wagner als **Verein für Socialpolitik** (Eintragung 1873; jetziger Name seit 1955) gegründet (1936 Selbstauflösung, 1948 neu gegr.) und orientierte sich an den Lehren der histor. Schule der Nationalökonomie. Er war gegen den strikten Freihandel, befürwortete eine den nat. Interessen entsprechende Wirtschaftspolitik sowie eine reformerisch orientierte Sozialpolitik.

Gesellschaft Jesu, die →Jesuiten.

Gesellschaft mit beschränkter Haftung, Abk. **GmbH,** eine Handelsgesellschaft mit eigener Rechtspersönlichkeit und mit einem bestimmten Kapital (**Stammkapital;** mindestens 50 000 DM), das von den Gesellschaftern durch Einlagen (**Stammeinlagen;** mindestens 500 DM pro Gesellschafter) aufgebracht wird (GmbH-Ges. vom 20. 4. 1892, u. a. durch Ges. vom 4. 7. 1980 reformiert). Die Gründung erfolgt durch eine oder mehrere Personen, die in notarieller Urkunde einen Gesellschaftsvertrag (Satzung) abschließen und die Stammeinlagen übernehmen. Die GmbH erlangt Rechtsfähigkeit durch Eintragung ins Handelsregister. Die GmbH ist stets Handelsgesellschaft und Kaufmann im Sinne des HGB. Sie muss in ihrem Firmennamen immer den Zusatz »mit beschränkter Haftung« (oder die entsprechende Abk.) führen, den Gegenstand des Unternehmens oder den Namen eines Gesellschafters erkennen lassen.

Organe der GmbH sind die Geschäftsführung und die Versammlung der Gesellschafter. Bei GmbH mit mehr als 500 Arbeitnehmern ist ein Aufsichtsrat zur Überwachung der Geschäftsführung vorgeschrieben. Der oder die Geschäftsführer werden im Gesellschaftsvertrag oder durch Beschluss der Gesellschafterversammlung bestellt. Ihre Bestellung kann jederzeit, meist jedoch nur aus wichtigem Grund, widerrufen werden. Hiervon ist die Kündigung des der Bestellung zugrunde liegenden Dienstvertrages zu unterscheiden. Die Geschäftsführung hat nach außen unbeschränkte Vertretungsmacht. Sie ist der Gesellschafterversammlung als der Versammlung der an der Gesellschaft beteiligten Gesellschafter rechenschaftspflichtig. Für Verbindlichkeiten haftet nur das Gesellschaftsvermögen. Allerdings kann eine persönl. Haftung der Geschäftsführer entstehen, wenn diese bei Überschuldung der GmbH nicht rechtzeitig den Konkurs beantragen. Im Innenverhältnis der Gesellschafter besteht ferner eine Ausfallhaftung für nicht erbrachte Stammeinlagen sowie evtl. eine Nachschusspflicht.

Auflösungsgründe sind Verfehlen des Gesellschaftszwecks, gesetzwidrige Handlungen der Gesellschaft, Konkurs u. a. – Im Ausland wurde die dt. Gesellschaftsform vielfach übernommen; in *Österreich* durch das GmbH-Gesetz vom 6. 3. 1906, in der *Schweiz* durch Ges. vom 18. 12. 1936 (Art. 772 ff. OR). Das Stammkapital beträgt in Österreich mindestens 500 000 öS (Stammeinlage pro Gesellschafter mindestens 1 000 öS), in der Schweiz mindestens 20 000 sfr.

📖 MEHRMANN, E. *u. a.: Die GmbH. Gründung u. Führung. Düsseldorf u. a. ³1994. – Gründung, Gestaltung u. Betreuung der GmbH. Handelsrecht – Steuerrecht, bearb. v.* R. SCHWEDHELM *u. a. Bonn 1995.* – HÖHN, R.: *Die Geschäftsleitung der GmbH. Organisation, Führung u. Verantwortung, Kontrolle durch Aufsichtsrat u. Beirat. Köln ²1995.*

Gesellschaftsinseln (frz. Îles de la Société), zu Französisch-Polynesien gehörende Inselgruppe im Pazif. Ozean, vulkan. Ursprungs, von Korallenriffen umgeben. Die südöstl. »Inseln über dem Winde« (mit Tahiti) und die nordwestl. »Inseln unter dem Winde« (mit Raiatéa und Bora Bora) sowie ganz im W die drei Atolle Mahipaa, Sciully und Bellingshausen umfassen zus. 1647 km² mit (1988) 162 500 Ew.; Hauptstadt Frz.-Polynesiens und der Inseln über dem Winde ist Papeete (auf Tahiti), der Inseln unter dem Winde Uturoa (auf Raiatéa); Kokospalm-, Zitrus-, Brotfruchtbaumkulturen, Anbau von Bananen, Taro, Vanille; Ausfuhr von Kopra, Vanille, Phosphaten. – 1767 entdeckt, erhielten sie 1769 durch J. Cook zu Ehren der Königl. Geograph. Gesellschaft in London ihren Namen; wurden 1842 frz. Protektorat, 1880/88 frz. Kolonie.

Gesellschaftskritik, die krit. Reflexion über Mängel der Rechts- und Sozialordnung, des öffentl. Lebens überhaupt. Einerseits wissenschaftl. Analyse der Gesellschaft, andererseits publizist., literar. oder künstler. Protesthaltung, richtet sich die G. gegen kulturelle, soziale oder polit. Missstände. Zugrunde liegen ihr Vorstellungen von einer besseren, gerechteren Gesellschaftsordnung. – Die G. geht auf die Aufklärung und auf die Zeit der Industrialisierung zurück; damals wurde nach polit. und wirtsch. Umwälzungen die bestehende Gesellschaftsordnung radikal infrage gestellt. Neben der Forderung nach einem Umsturz der bestehenden Gesellschaftsstrukturen insgesamt (→Revolution, →Marxismus) entwickelten sich evolutionäre Strömungen, die Veränderungen durch eine allmähliche gesellschaftl. Reformpolitik anstrebten. Bedeutend nach dem 2. Weltkrieg waren v. a. eine kultur-konservative G., die an den Erscheinungen der modernen Massengesellschaft Anstoß nahm, die →kritische Theorie und die G. von der alternativen Seite.

📖 WALZER, M.: *Zweifel u. Einmischung. G. im 20. Jh. A. d. Amerikan. Frankfurt am Main 1991.* – WALZER, M.: *Kritik u. Gemeinsinn. Drei Wege der G. A. d. Amerikan. Frankfurt am Main 1993.*

Gesellschaftslied, im Ggs. zum Volks- und Kunstlied das Lied einer bestimmten Gesellschaftsschicht, z. B. Trink-, Festlieder der Studenten. Blütezeit: 1600–1800.

Gesellschaftsordnung (Gesellschaftssystem), die Gesamtheit der wirtsch., rechtl., sozialen und polit. Beziehungen innerhalb einer Gesellschaft, eines Staats oder einer Staatengruppe; verstanden als Ordnung nach bestimmten Prinzipien oder wirksamen Faktoren (leitende Ideen, Wirtschaftsordnung).

Gesellschaftsstück, 1) *Kunst:* Darstellung von Menschen in geselligem Beisammensein, eine Art des Genrebildes; bes. in der holländ. Malerei des 17. Jh. (G. Terborch, J. Steen, P. de Hooch, Vermeer van Delft). Eine eigene Gattung des G. sind die Fêtes galantes (»galante Feste«) der frz. Malerei des 18. Jh. (u. a. A. Watteau). BILD S. 250

2) *Literatur:* →Konversationsstück.

Gesellschaftstanz, Bez. für lehrbare, nicht oder wenig improvisierte Tanzformen, die im Ggs. zum Bühnen-, Sakral- und Volkstanz v. a. der Ge-

Gesellschaftsstück 1): Jan Steen, »Nach dem Trinkgelage« (um 1665; Amsterdam, Rijksmuseum)

selligkeit dienen. Aufgekommen als Paartanz an italien. Fürstenhöfen des 15. Jh., waren seine Zentren im 16./17. Jh. der frz. und span. Hof, seine Formen Branle, Bourrée, Gavotte, Allemande, Chaconne, Gigue, Sarabande, Courante, Gaillarde und Menuett. Bes. beliebt waren im 19. Jh. Walzer, Polka, Galopp und Cancan, Anfang des 20. Jh. nord- und südamerikan. Tanzformen, wie Boston, Tango, Charleston, Rumba, und nach 1945, neben den in das Programm der Tanzsportvereinigungen eingegangenen Standardtänzen und den lateinamerikan. Tänzen (→Tanzsport), bes. Blues, Jive, Rock 'n' Roll, Boogie-Woogie und Beat sowie eine Vielzahl von meist kurzlebigen Tänzen, wie Bossa Nova, Twist, Letkiss, La Bostella und Shake.

📖 GÜNTHER, H. *u.* SCHÄFER, H.: *Vom Schamanentanz zur Rumba. Die Geschichte des G. Stuttgart [3]1993.* – FINK, M.: *Der Ball. Eine Kulturgeschichte des G. im 18. u. 19. Jh. Innsbruck u. a. 1996.*

Gesellschaftsvertrag, →Vertragslehre.

Gesellschaftswissenschaften, die →Sozialwissenschaften.

Gesellschaft vom Göttlichen Heiland, die →Salvatorianer.

Gesellschaft zur Vereinigung des Weltchristentums, →Vereinigungskirche.

Gesenk, 1) *Bergbau:* Blindschacht (→Schacht), der von oben nach unten zur Verbindung zweier Sohlen niedergebracht (abgeteuft) wurde.

2) *Metallbearbeitung:* Werkzeug mit zwei- oder mehrteiliger Hohlform zum Warm- oder Kaltumformen unter Hämmern und Pressen. Oberteil **(Ober-G., Stempel)** und Unterteil **(Unter-G.),** die unter Druck gegeneinander bewegt werden, umschließen das Werkstück ganz oder zu wesentl. Teilen und geben ihm dadurch ihre Form **(G.-Formen),** z. B. beim G.-Schmieden.

Gesenke (tschech. Jeseník), der östl. Teil der →Sudeten, gegliedert in das Hohe G. oder →Altvatergebirge und das Niedere G. oder Mährische G. im SO.

Geserichsee (poln. Jezioro Jeziorak), See in Polen, westl. Ostpreußen, 34,6 km² groß, bis 12 m tief; 1860 durch den Oberländ. Kanal mit Elbing verbunden.

Gesetz, 1) sprachl. oder mathemat. Formulierung regelhafter Zusammenhänge zw. Phänomenen aller Art in Logik, Mathematik, Natur und Gesellschaft. Log. **Denk-G.** beschreiben die allgemeinsten Verfahrensweisen des Denkens bei der Bildung von Begriffen, Urteilen und Schlüssen oder drücken Folgerungen aus, die sich durch Anwendungen der log. G. ergeben. Die sich auf die reale Welt beziehenden **Natur-G.** erhält man durch generalisierende (unvollständige) Induktion aus beobachteten Einzelfällen. Von den **Seins-G.,** den Regeln, wie etwas notwendig ist oder geschieht, werden die **normativen G. (Sollens-G.)** unterschieden. Zu diesen zählen die Rechts-G. und die moral. G. Die Wiss.theorie unterscheidet zw. empir. und theoret. bzw. zw. beschreibenden und begründenden G. Die **empir. G.** (z. B. das Fallgesetz) stellen die Regelmäßigkeiten im Gegenstandsbereich einer Wiss. fest, erklären die be-

Gesellschaftstanz (von links): Auftakt zur Gaillarde, dargestellt auf einem Stich aus dem 16. Jh.; Tango argentino (um 1914); Rock 'n' Roll (1956)

obachtete Verknüpfung von Beobachtungsgrößen als allgemein gültig und ermöglichen so Voraussagen über den Ausgang von Experimenten. **Theoret. G.** (z.B. Newtons Gravitationsgesetz) beschreiben und erklären den Zusammenhang einzelner empir. G., wobei Erklärung hier die Möglichkeit der Ableitung der empir. G. aus dem übergeordneten theoret. Gesetz bedeutet. Die theoret. **Grund-G.** lassen sich nur noch durch Invarianzeigenschaften und Kausalprinzipien weiter begründen. Daneben spielen Wahrscheinlichkeitsaussagen **(statist. G.)** eine bed. Rolle. – In der *Mathematik* werden als G. strukturelle Eigenschaften bezeichnet, die innerhalb eines Objektbereiches (z.B. dem der ganzen Zahlen) beweisbar sind (z.B. die Kommutativität bei der Addition) oder aber abstrakt als definierende Eigenschaften **(Axiome, Theoreme)** gefordert werden.

Auch die Sozial-, Sprach- und (teilweise) Geisteswiss. einschl. der Psychologie arbeiten empirisch, suchen also analog zu den Natur-G. allg. Gesetzlichkeiten. In der Geschichtsphilosophie gibt es versch. Versuche, die geschichtl. Entwicklung unter Entwicklungs- oder Bewegungs-G. **(histor. Gesetze)** zu fassen (im 20. Jh. noch bei O. Spengler und im Marxismus). Demgegenüber hat z.B. W. Dilthey die erkenntnistheoret. und method. Selbstständigkeit der Geisteswiss. zu sichern gesucht.

2) *Recht:* In einem allgemeinen Sinne die von einem Organ des Gemeinwesens gesetzte Regel, die rechtsverbindlich und für die Zukunft das Zusammenleben ordnet. Typisch ist die Allgemeinheit des G., d.h. die abstrakte Formulierung der Regel für unbestimmt viele Sachverhalte und Personen, worin auch die Vorstellung zum Ausdruck kommt, Ges. müssten vernünftig und für alle gleich sein. In Dtl. unterscheidet man: **G. im formellen Sinn:** der in einem verfassungsmäßig vorgesehenen, förml. Gesetzgebungsverfahren unter Beteiligung der Volksvertretung zustande gekommene Rechtssatz. – **G. im materiellen Sinn:** jede Rechtsnorm, die die Rechtsbeziehungen zw. Bürgern, Bürgern und Hoheitsträgern oder Hoheitsträgern untereinander regelt, d.h. jede hoheitl., generelle und abstrakte Regelung mit allgemein verbindl. Wirkung. Dazu zählen neben den formellen G. die Satzungen, das Gewohnheitsrecht und das EG-Recht, das unmittelbar für den Bürger gilt. In einigen Fällen haben die Entscheidungen des Bundesverfassungsgerichts G.-Kraft. Vom Verwaltungsakt und Richterspruch unterscheidet sich das G. dadurch, dass es nicht einen oder mehrere Einzelfälle, sondern eine unbestimmte Vielzahl von Fällen regelt. An das G. sind alle drei Staatsgewalten gebunden. Zw. den versch. G. im materiellen Sinn besteht eine Rangordnung; das höherrangige G. geht dem niedrigerrangigen G. vor. An der Spitze der Normenpyramide steht die Verf., darunter das förml. G., unter diesem die Rechtsverordnung und die Satzung. Im Bundesstaat hat das Bundesrecht Vorrang vor dem Landesrecht.

3) *Religion:* durch göttl. Offenbarung oder Tradition gesetzter Kanon von Normen und Vorschriften zur Regelung des religiösen und alltägl. Lebens. Das G. gilt als Ausdruck des göttl. Willens; seine Befolgung ist für die Mitgl. der Religionsgemeinschaften verbindlich, z.T. heilsnotwendig; klass. Gesetzesreligionen sind das Judentum und der Islam.

Gesetzblatt, zentrales Amtsblatt für die Veröffentlichung von Gesetzen, in Dtl. auf Länder- und auf Bundesebene (→Bundesgesetzblatt).

Gesetzbuch, ein großes, ein ganzes Sachgebiet regelndes Gesetzeswerk, z.B. BGB, HGB, SGB.

Gesetz der großen Zahl

Bei seinen Untersuchungen zur Wahrscheinlichkeitslehre beschäftigte sich Jakob Bernoulli unter anderem mit den Chancen bei Glücksspielen. Seine bedeutendste Erkenntnis in diesem Zusammenhang ist das »Gesetz der großen Zahl«. Darin geht es um das Verhalten einer Folge von Zufallsversuchen, etwa Münzwürfen mit den Ausgängen »Kopf« oder »Zahl«. Notiert man das Verhältnis der Anzahl günstiger Ausgänge (z.B. »Kopf«) zur Anzahl möglicher Ausgänge (z.B. dreimal »Kopf« bei fünf Würfen, also ein Verhältnis von $^3/_5$) und erhöht die Zahl der Versuche immer weiter, so streben die notierten Zahlenverhältnisse, die als relative Häufigkeiten bezeichnet werden, einer bestimmten Zahl als Grenzwert zu. Dieser Grenzwert dient dann als Wahrscheinlichkeitsmaß für den betrachteten Ausgang des Zufallsversuchs. Beim Münzwurf findet man die Zahl $^1/_2$ als Grenzwert, das heißt, der Ausgang »Kopf« hat die Wahrscheinlichkeit $^1/_2$.

Gesetz der großen Zahl, Theorem der Wahrscheinlichkeitsrechnung; danach nähert sich die Wahrscheinlichkeit dafür, dass bei einer genügend großen Anzahl von Versuchen die Häufigkeit eines Ereignisses ungefähr gleich der Wahrscheinlichkeit seines Eintreffens ist, beliebig nahe eins.

Gesetzesinitiative, →Gesetzgebungsverfahren.

Gesetzeskonkurrenz, im Strafrecht die Verletzung mehrerer Strafnormen durch dieselbe strafbare Handlung, wobei die eine Strafnorm die andere ausschließt. So schließt z.B. der Raub (§ 249 StGB) den Diebstahl (§ 242 StGB) aus.

Gesetzeskraft, Verbindlichkeit eines Gesetzes (→Gesetzgebungsverfahren).

Gesetzesrolle (Thorarolle), →Thora.

Gesetzesvorbehalt, dem Gesetzgeber von der Verf. ausdrücklich eingeräumte Befugnis, ein Grundrecht unmittelbar durch Ges. einzuschränken oder die Verw. gesetzlich zur Einschränkung

Wer **Gesetze** *schafft, muss streng, wer Gesetze handhabt, milde sein.*

chinesisches Sprichwort

zu ermächtigen. Der **einfache G.** ermächtigt den Gesetzgeber allg. zu Begrenzungen, der **qualifizierte G.** erlaubt die Einschränkung nur zu bestimmten Zwecken oder unter bestimmten Voraussetzungen.

gesetzgebende Gewalt (Legislative), die dem Staat zustehende Befugnis, Gesetze zu erlassen (→ Gewaltenteilung). Im Ständestaat des späten MA. lag die g. G. beim Landesherrn unter Zustimmung der Stände, im absolutist. Staat beim Landesherrn allein. In der konstitutionellen Monarchie übt sie der Monarch zus. mit dem Parlament, in den parlamentarisch-demokrat. Staaten die **gesetzgebende Versammlung** (Parlament) oft zus. mit dem Staatspräs. (USA) und einer zweiten Kammer (z. B. Bundesrat) aus.

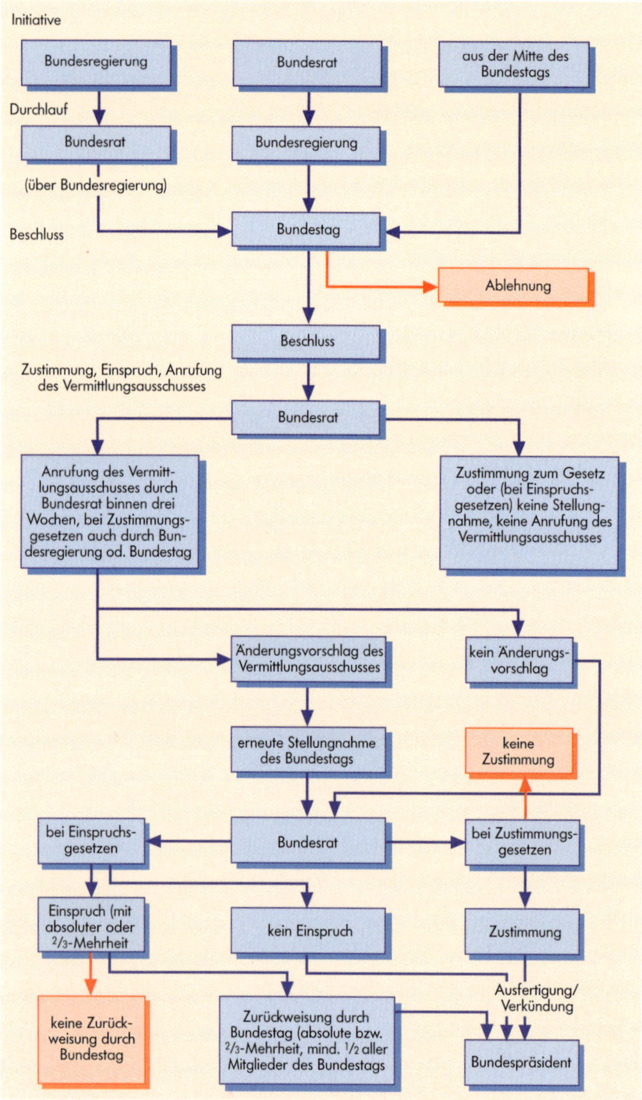

Gesetzgebungsverfahren in Deutschland

Gesetzgebung, die staatl. Rechtsetzung, soweit sie im Erlass von formellen Gesetzen besteht, durch die gesetzgebende Gewalt (→ Gesetzgebungsverfahren).

Gesetzgebungsnotstand, in Dtl. ein verfassungsmäßiger Zustand zur vorübergehenden Beseitigung der Handlungsunfähigkeit der Reg. aufgrund fehlender Mehrheiten im Bundestag (Art. 81 GG). Hat ein Antrag des Bundeskanzlers, ihm das Vertrauen auszusprechen, keine Mehrheit gefunden und wird das Parlament nicht aufgelöst und kein anderer Kanzler gewählt, so kann der Bundespräs. auf Antrag der Bundesreg. mit Zustimmung des Bundesrates für eine Gesetzesvorlage den G. erklären, wenn der Bundestag die Vorlage ablehnt, obwohl die Bundesreg. sie als dringlich bezeichnet hat. Das Gleiche gilt für die Ablehnung einer mit der Vertrauensfrage des Bundeskanzlers verbundenen Gesetzesvorlage. Lehnt der Bundestag nach Erklärung des G. die Vorlage erneut ab, so gilt das Gesetz gleichwohl als zustande gekommen, wenn der Bundesrat ihm zustimmt. Ist der G. erklärt, kann während der Amtszeit eines Bundeskanzlers innerhalb einer Frist von sechs Monaten jedes weitere vom Bundestag abgelehnte Gesetz erlassen werden. Der G. ist nicht dazu bestimmt, auf äußeren Einflüssen beruhende Gefahren für den Bestand des Staats oder die öffentl. Sicherheit zu überwinden (→ Notstandsverfassung); er dient lediglich der Überwindung einer Reg.krise.

Gesetzgebungsverfahren, in der Verf. festgelegtes Verfahren, in dem Gesetze (im formellen Sinn) zustande kommen. In Dtl. können Bundesgesetze nur erlassen werden, soweit dem Bund die ausschließl. oder konkurrierende Gesetzgebungskompetenz zusteht oder der Bund Rahmenvorschriften erlassen kann; sonst verbleibt die Gesetzgebungskompetenz bei den Ländern. Zur **ausschließl. Gesetzgebungskompetenz** (Art. 73 GG) gehören u. a. die Außen- und die Verteidigungsangelegenheiten, die Staatsangehörigkeit, das Währungs-, Geld-, Münz- und Messwesen, die Post und die Telekommunikation. **Rahmenkompetenz** (Art. 75 GG) besitzt der Bund u. a. für die allgemeinen Grundsätze des Hochschulwesens, der Presse oder der Raumordnung. Im großen Bereich der **konkurrierenden Gesetzgebung** (Art. 74 GG) haben die Länder die Befugnis zur Gesetzgebung, soweit und solange der Bund von seinem Gesetzgebungsrecht keinen Gebrauch macht. Eine Gesetzgebungskompetenz eigener Art ist das verfassungsrechtlich nicht ausdrücklich geregelte Recht zur Gesetzgebung **kraft Sachzusammenhangs** oder aus der **Natur der Sache.** Im Bund werden Gesetzesvorlagen von der Bundesreg., durch den Bundesrat oder aus der Mitte des Bundestages bei diesem eingebracht **(Gesetzesinitiative).** Gesetzesvorlagen der Bundesreg. sind zunächst dem Bundesrat zuzuleiten und gehen mit dessen Stellungnahme an den Bundestag, während Vorlagen des Bundesrats durch die Bundesreg. mit Stellungnahme an den Bundestag zu leiten sind. Dort werden die Bundesgesetze in dreimaliger »Lesung« beraten. Nach Annahme im Bundestag werden die Bundesgesetze dem Bundesrat vorgelegt. Dieser kann gegen das vom Bundestag beschlossene Gesetz den →Vermittlungsausschuss anrufen, der eine Änderung des Bundesgesetzes vorschlagen kann, worauf der Bundestag erneut beraten muss. Bei →Zustimmungsgesetzen, d.h. Ges., die der Zustimmung des Bundesrates bedürfen, ist das vom Bundestag beschlossene Bundesgesetz abgelehnt, wenn der Bundesrat nicht zustimmt. Bei Gesetzen, die der Zustimmung des Bundesrats nicht bedürfen, kann dieser nach Beendigung des Vermittlungsverfahrens Einspruch (im Ggs. zu den Zustimmungsgesetzen »Einspruchgesetze« gen.) einlegen. Den Einspruch kann der Bundestag mit derselben Mehrheit zurückweisen, mit der der Bundesrat ihn beschlossen hat; damit ist der Bundesrat überstimmt. Die rechtswirksam beschlossenen Bundesgesetze werden vom Bundespräs. nach Gegenzeichnung durch den Bundeskanzler oder die zuständigen Bundesmin. ausgefertigt und im Bundesgesetzblatt verkündet (Voraussetzungen des In-Kraft-Tretens). Der Tag des In-Kraft-Tretens soll im Bundesgesetz bestimmt sein; wenn nicht, tritt dieses mit dem 14. Tag nach Ausgabe des entsprechenden Bundesgesetzblatts in Kraft. Über die Vereinbarkeit der Bundesgesetze mit dem GG entscheidet das Bundesverfassungsgericht (→Normenkontrolle).

In *Österreich* werden Gesetzesvorlagen von der Bundesreg., von Abg. des Nationalrates, vom Bundesrat oder als Volksbegehren beim Nationalrat eingebracht und beraten. Gegen Gesetzesbeschlüsse kann der Bunderat ein suspensives Veto einlegen, wenn nicht der Nationalrat einen Beharrungsbeschluss fasst. Ges., die Vermögen und Finanzen des Bundes betreffen, kann der Bundesrat nicht blockieren, Ges., die die Kompetenz der Länder beschränken, bedürfen seiner Zustimmung. Der Bundespräs. beurkundet das verfassungsgemäße Zustandekommen der Bundesges., der Bundeskanzler veranlasst die Kundmachung im Bundesgesetzblatt.

In der *Schweiz* besitzen jeder der beiden Räte (National- und Ständerat), jedes Ratsmitglied, der Gesamtbundesrat und jeder Kanton und Halbkanton das Recht der Gesetzesinitiative; seit 1891 haben die Stimmberechtigten zudem das Recht, in Bezug auf Verfassungsänderungen ein entsprechendes Verfahren durch Volksinitiative in Gang zu bringen. Hat die Gesetzesinitiative Erfolg, muss der Bundesrat einen Gesetzentwurf (»Vorlage«) ausarbeiten, der der Bundesversammlung zugeleitet und in beiden Kammern beraten und über den Beschluss gefasst wird. Bei unterschiedlichen Voten der Räte findet ein »Differenzbereinigungsverfahren« statt. Können die Differenzen nicht bereinigt werden, ist die Vorlage gescheitert, im anderen Falle findet eine Schlussabstimmung statt und der Erlass wird im Bundesblatt veröffentlicht. Innerhalb der folgenden 90 Tage können 50 000 Stimmbürger oder acht Kantone verlangen, dass über das Ges. das Referendum (Volksabstimmung) abgehalten wird. Bei Verfassungsges. findet das Referendum in jedem Falle statt (»obligator. Referendum«).

📖 SANNWALD, R.: *Die Neuordnung der Gesetzgebungskompetenzen u. des G. im Bundesstaat. Einführung, Erläuterungen, Materialien. Köln 1995.* – MÜLLER, MARTHA D.: *Auswirkungen der Grundgesetzrevision von 1994 auf die Verteilung der Gesetzgebungskompetenzen zw. Bund u. Ländern. Münster 1996.* – ULLRICH, N.: *G. u. Reichstag in der Bismarck-Zeit. Berlin 1996.*

gesetzliche Erbfolge, →Erbfolge.

gesetzlicher Richter, der gerichtl. Spruchkörper (Einzelrichter, Kammer, Senat), der für eine konkrete richterl. Entscheidung sachlich, örtlich und instanziell sowie hinsichtlich der tatsächlichen Besetzung nach dem Geschäftsverteilungsplan (→Geschäftsverteilung) zuständig ist. In Art. 101 GG ist grundrechtsartig geboten, dass niemand seinem g. R. entzogen werden darf.

gesetzlicher Vertreter, →Stellvertretung.

Gesetzmäßigkeit der Verwaltung, der in Art. 20 Abs. 3 GG niedergelegte Grundsatz, dass die Verw., d.h. die Exekutive, an die Gesetze (Verf., Ges., Verordnung, Satzung) gebunden ist, ihr Handeln also hierin Grundlage und Grenze findet. Diese Bindung an höherrangiges Recht bezeichnet man als **Vorrang des Gesetzes.** Zur G. d. V. wird auch der **Vorbehalt des Gesetzes** gerechnet, wonach die Verw. für belastende Eingriffe in die Rechte des Bürgers einer gesetzl. Ermächtigung bedarf.

Gesicht (Facies), vorderer Abschnitt des Kopfes der Säugetiere (v. a. des Menschen), der vom unteren Rand des Unterkiefers bis zur Haargrenze reicht. Man unterscheidet am G. eine Stirn-, Augen-, Nasen-, Mund-, Kinn- und Wangenpartie.

Gesichtsfeld, 1) *Optik:* (Sichtfeld) bei opt. Instrumenten der durch die Feldblende (G.-Blende) begrenzte sichtbare Bildausschnitt. Der **G.-Winkel** ist der doppelte Wert des Winkels, den ein zum Rand des G. gehörender Strahl mit der opt. Achse bildet.

2) *Sinnesphysiologie:* Gesamtheit aller Objekte der Umgebung, die bei ruhendem Auge wahrgenommen werden (im Unterschied zum Blickfeld). Die Ausdehnung des G. ist durch die Pupillenweite, die Tiefe der Lage des Auges in der Augenhöhle, den Öffnungsgrad der Lider und durch die Gesichtsknochen bestimmt. **G.-Störungen** sind Sehstörungen, die in einer Einengung der Außengrenzen des G. oder im Auftreten von Ausfallbezirken (Skotomen) bestehen.

Gesichtslini|e (Sichtlinie, Visionsradius), *Astronomie:* Verbindungslinie zw. Beobachter und Gestirn.

Gesichtsmuskellähmung, die →Fazialislähmung.

Gesichtsmuskeln (mimische Muskulatur), um Auge, Mund, Nase und Ohr angeordnete Muskeln, die keine Gelenke bewegen; verursachen Furchen, Falten und Grübchen und können damit psych. Vorgänge (Freude, Traurigkeit, Schreck u.a.) ausdrücken; die G. werden vom Gesichtsnerv (VII. Hirnnerv) versorgt.

Gesichtsnerv, der →Fazialis.

Gesichtsplastik, Maßnahmen der →plastischen Chirurgie zur Wiederherstellung oder Änderung der Gesichtsformen (z.B. als Lippen-, Nasen-, Lidplastik) und der Bewegungsfunktionen, wenn diese durch Verletzungen, Erkrankungen (z.B. Hauttuberkulose, -krebs) oder angeborene Missbildungen beeinträchtigt sind. Auch kosmet. Gründe können bestimmend sein (z.B. beim →Facelifting).

Gesichtssinn, die Fähigkeit von Tieren und dem Menschen, sich mithilfe der Augen als Lichtsinnesorganen in der Umwelt zu orientieren.

Gesichtsurnen, eisenzeitl. Tongefäße mit schemat. Gesichtsdarstellungen, die zur Beisetzung von Leichenbrand dienten; bes. in Pommerellen **(G.-Kultur).**

Gesichtswinkel, Winkel zw. den Hauptstrahlen, die vom Knotenpunkt der Augenlinse zu zwei Begrenzungspunkten des betrachteten Objekts verlaufen. Der G. bestimmt die Größe des Netzhautbildes. (→Sehwinkel)

Gesims (Sims), der horizontalen Gliederung von Mauern dienendes Bauglied, mit schrägen Abdeckflächen (Schräg-G.) an Außenwänden dient es dem Regenschutz. Es ist z.T. unterschnitten (Kaff-G.) und liegt vielfach auf Konsolen auf. Man unterscheidet Fuß- oder Sockel-G. am Unterbau, Gurt-G. zw. den einzelnen Geschossen und Kranz-G. am Dachansatz. Fernen kommen G. an Fenstern und Türen vor.

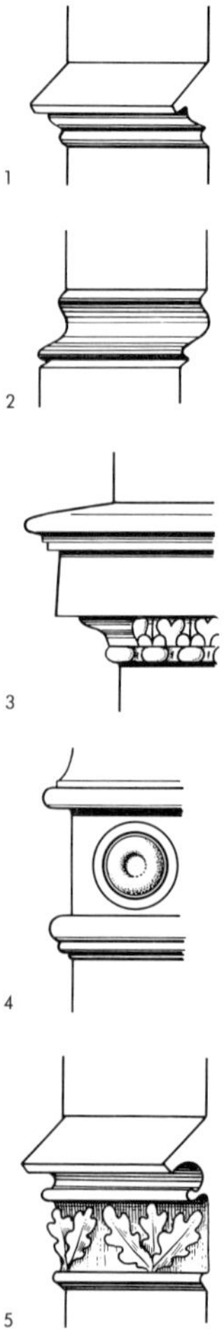

Gesims: 1 gotisches Kaffgesims, 2 gotisches Sockelgesims, 3 und 4 antike Gurtgesimse, 5 gotisches Kranzgesims

Gesinde, Bez. für persönlich abhängige Arbeitskräfte, die (als Mägde, Knechte) in Hausgemeinschaft mit der (bäuerl.) Familie lebten. Landesrechtl. G.-Ordnungen regelten die Rechtsbeziehungen (im Dt. Reich bis 1918, in Österreich und in der Schweiz bis 1926).

Gesinnung, die durch Werte bestimmte sittl. Grundhaltung eines Menschen, die als Motivation und Zielorientierung in den Urteilen und Handlungen erscheint.

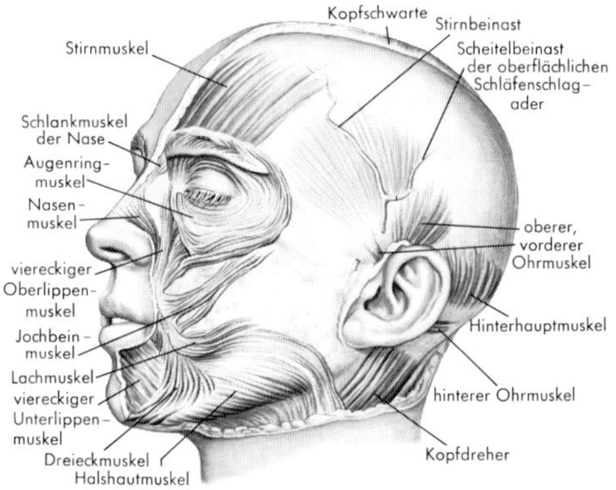

Gesichtsmuskeln

Gesinnungsethik, Richtung der →Ethik, die den sittl. Wert einer Handlung an deren Intention und Inhalt bemisst, nicht hingegen an der Wirkung dieser Handlung (Erfolgsethik).

Gesira [arab. »Insel«] *die* (Gasira, Gezira, Al-Djazira), Ebene zw. Weißem und Blauem Nil, wichtigstes und am dichtesten bevölkertes Agrargebiet der Rep. Sudan, südlich von Khartum, ein Bewässerungsgebiet (8820 km²), entstanden durch die Errichtung der Staudämme bei Sennar (1925) und Er-Roseires (1974) im Blauen Nil sowie zahlr. Kanäle. G. ist weltweit der größte Agrarbetrieb unter einheitl. Leitung (gemeinsam durch Pächter, G.-Gesellschaft und Staat); Anbau v.a. von Baumwolle; für Eigenbedarf u.a. Mais, Hirse, Weizen.

Gesichtsurnen aus Steinkistengräbern in Pommern (etwa 5. Jh. v. Chr.)

Gesner, 1) Conrad, schweizer. Polyhistor und Naturforscher, *Zürich 26. 3. 1516, †ebd. 13. 12. 1565; legte für die Literaturgeschichte ein Verzeichnis altsprachl. Autoren an (»Bibliotheca universalis«); sein »Mithridates« ist ein erster Versuch sprachvergleichender Darstellung. Als Naturforscher beschäftigte er sich mit medizin., chem., geolog. Themen und verfasste Werke über Tiere und Pflanzen. In Zürich gründete er eine Naturaliensamml. und einen botan. Garten.

2) Johann Matthias, Philologe, *Roth 9. 4. 1691, †Göttingen 3. 8. 1761; reformierte den klass. Unterricht an den gelehrten Schulen.

Gesneri|engewächse [nach C. Gesner] (Gesneriazeen, Gesneriaceae), trop. und subtrop. Familie mit 1800 Arten; kleine Bäume, Sträucher oder Kräuter, z.T. Epiphyten. Warmhauspflanzen, z.B. Gloxinie, Usambaraveilchen.

gespalten, *Heraldik:* ein durch einen senkrechten Schnitt in zwei verschiedenfarbige Hälften zerlegter Wappenschild oder ein so zerlegtes Wappenbild; die rechts stehende Farbe wird bei der Wappenbeschreibung zuerst genannt.

Gespan [ungar.] *der,* in Ungarn der Graf (Comes); als Leiter eines Verwaltungsbezirks (Komitat) Vertreter des Königs. Seit 1867 war der Ober-G. Vertreter der Regierung.

Gespenst, im *Volksglauben* Unheil verkündende, Grauen erregende Erscheinung (meist in Menschengestalt).

Gespenstheuschrecken, (Gespenstschrecken, Phasmatodea, Phasmida), artenreiche Ordnung der Geradflügler, nur in warmen Ländern (v.a. im trop. SO-Asien); 5–35 cm lange träge Pflanzenfresser, geflügelt oder ungeflügelt, die z.T. Blättern **(Wandelndes Blatt)** oder dürren Ästen **(Stabheuschrecke)** täuschend ähneln. Einige Arten sind bei Massenauftreten schädlich (Kahlfraß).

Gesperre, →Sperrgetriebe.

Gespinst, 1) *Textiltechnik:* in mechan. Spinnverfahren hergestellter, praktisch endloser Faden (Garn).

2) *Zoologie:* netzartiges oder kokonförmiges Fadengebilde von manchen Spinnentieren, Tausendfüßern und Insekten.

Gespinstmotten (Yponomeutidae, Hyponomeutidae), Familie der Schmetterlinge, als Raupen gesellig in Gespinstnestern an Zweigen; schädlich bes. an Obstbäumen, so z.B. die **Apfelbaumgespinstmotte.** BILD S. 256

Gesprenge, feingliedriger Aufbau aus Fialen und Tabernakeln, meist mit Figuren besetzt, über dem Mittelschrein spätgot. Altäre.

Gessenay [ʒesˈnɛ], frz. Name von →Saanen (Schweiz).

Geßler, in der Sage von W. →Tell der tyrann. Landvogt; als geschichtl. Figur umstritten, um 1470 im »Weißen Buch« von Sarnen gen. (in anderen Chroniken **Grysler**). Der Name stammt von einem habsburg. Ministerialengeschlecht im Aargau.

Geßler, Otto, Politiker (DDP), *Ludwigsburg 6. 2. 1875, †Lindenberg i. Allgäu 24. 3. 1955; Jurist, war 1913–19 Oberbürgermeister von Nürnberg, 1920–28 Reichswehrmin.; leitete mit Generaloberst H. von Seeckt den Aufbau der Reichswehr. 1944/45 war er in Haft (KZ Ravensbrück).

Conrad Gesner

Geßner, Salomon, schweizer. Dichter und Maler, Zürich 1. 4. 1730, †ebd. 2. 3. 1788; urspr. Buchhändler, dann Zürcher Ratsherr und Kantonalbeamter, verkehrte mit K. W. Ramler, F. von Hagedorn, C. M. Wieland. Als Maler und Zeichner wie als Dichter zielte G., von der klassizist. Vorstellung der Antike ausgehend, auf pastellartig zarte Schilderungen eines paradies. Naturzeitalters. Seine in anmutig rhythm. Prosa verfassten »Idyllen« (1756), die er selbst illustrierte, bilden einen formvollendeten Abschluss der Schäferdichtung des Rokoko.

Salomon Geßner: Von Geßner gestaltetes Titelblatt zur Erstausgabe seiner »Idyllen« (1756)

Gestagene, weibl. →Geschlechtshormone.

Gestalt, 1) *allg.:* äußere Erscheinung (eines Menschen), Form (eines Stoffes).

2) *Ästhetik:* die äußere, wahrnehmbare Erscheinungsform eines Kunstwerkes, oft synonym mit Form gebraucht. Als Begriffskorrelat zu Gehalt meint G. die ästhet., stilist., strukturale Durchgestaltung eines literar. Stoffes.

3) *Psychologie:* Wahrnehmungseinheit, die sich als geschlossene Ganzheit von ihrer Umgebung (»Grund«) abhebt und durch ihr inneres Ordnungsgefüge **G.-Qualitäten** aufweist, z.B. transponierbar ist (z.B. Melodie aus einer Tonart in eine andere). Wie die →Ganzheit ist die G. durch die weitere G.-Qualität der »Übersummativität«, d.h. die über die quantitative Zusammensetzung der in ihr umschlossenen Teile hinausgehende, qualitativ neue Einheit charakterisiert. Als Erklärung für das Zustandekommen von G. aus bestimmten Elementen wurden eine Reihe von G.-Faktoren oder **G.-Gesetzen** aufgestellt (z.B.

Otto Geßler

Nähe, Ähnlichkeit, Stabilität, gute Form). In der →Gestaltpsychologie und in der Ganzheitspsychologie wird der Begriff G. auch auf Handlungen, Gedächtnisinhalte und Denkvorgänge angewandt.

Gespinstmotten: Die Raupen der Apfelbaumgespinstmotte bilden von Mai bis Juni in Apfelbäumen dichte Gemeinschaftsgespinste, in denen sie sich auch verpuppen

Gestaltpsychologie, eine 1912 von M. Wertheimer begründete psycholog. Richtung, die den Begriff der →Gestalt in der Psychologie zum allg. Prinzip erhob und v.a. im Bereich der Wahrnehmung, später auch in der Persönlichkeits- und Sozialpsychologie anwandte. Ihre Ansätze waren gegen eine zergliedernde Elementenpsychologie und die Assoziationspsychologie gerichtet. Die bedeutendsten Vertreter der G. waren W. Köhler, K. Koffka, K. Lewin (Berliner Schule), fortgeführt wurde sie u.a. durch W. Metzger. Ähnliche Konzepte hatte auch die →Ganzheitspsychologie.

📖 FITZEK, H.: *G. Geschichte u. Praxis. Darmstadt 1996.*

Gestaltungsklage, *Zivilprozess:* Klage, die eine Umgestaltung der Rechtslage unter den Parteien anstrebt (z.B. bei Ehescheidung). G. sind nur in den gesetzlich bestimmten Fällen zulässig.

Gestaltungsrecht, ein subjektives Recht, dessen Ausübung eine Veränderung der bestehenden Rechtslage herbeiführt. Man unterscheidet **selbstständige G.** (z.B. Aneignung) und **unselbstständige G.,** die im Rahmen eines bestehenden Rechtsverhältnisses ausgeübt werden (z.B. Kündigung, Anfechtung).

Gestaltungstests, Gruppe v.a. persönlichkeitsdiagnost. Tests, die auf der Deutung der vom Probanden zu gestaltenden zeichner. oder sonstigen bildner. Aufgaben beruht.

geständert, *Heraldik:* Fläche, die durch Spaltung, Teilung, eine rechte und eine linke Schrägteilung in acht gleichmäßige, in der Mitte zusammenlaufende Dreieckplätze (»Ständer«) geteilt ist.

Geständnis, 1) *Strafprozess:* das Eingestehen eines Sachverhalts. Es unterliegt dem Grundsatz freier Beweiswürdigung, das Gericht braucht ihm nicht zu folgen. Die Erzwingung eines G. ist verboten; bei der Vernehmung eines Beschuldigten darf die Freiheit der Willensentschließung und -betätigung nicht beeinträchtigt werden durch Misshandlung, Ermüdung, körperl. Eingriff, Verabreichung von Mitteln, Quälerei, Täuschung oder Hypnose (§ 136 a StPO). Das Verbot gilt ohne Rücksicht auf die Einwilligung des Beschuldigten. Entsprechend sind die Narkoseanalyse oder die Verwendung eines Lügendetektors nicht statthaft. Ein unter Verstoß hiergegen gewonnenes G. ist vor Gericht nicht verwertbar. – Die *österr.* StPO verbietet das »Verlocken« zum G. Auch das *schweizer.* Gesetz verbietet die freie Willensbetätigung ausschließende Vernehmungsmethoden.

2) *Zivilprozess:* die Erklärung einer Partei, dass eine vom Gegner behauptete Tatsache wahr sei. Die zugestandene Tatsache bedarf keines Beweises (§§ 288 ff. ZPO).

Gestänge, mehrere durch Gelenke verbundene Stangen und Hebel zum Übertragen von Bewegungen und Kräften, z.B. Schalt-G. für Kupplungen und Getriebe, Bohr- und Förder-G. im Bergbau und bei der Erdölgewinnung (Bohrturm).

Gestapo, Abk. für die →**Ge**heime **Sta**ats**po**lizei.

Gesta Romanorum [lat. »die Taten der Römer«], Titel einer mlat. Novellensammlung des 13./14. Jh. mit moralisierender Tendenz; bed. Quellenwerk, dem viele Dichter Stoffe entnommen haben.

Geste, Chansons de [ʃãˈsɔ̃dˈʒɛst, frz.], Heldenepen des frz. MA., von unbekannten Verfassern, über Ereignisse aus der nat. Geschichte, bes. aus der Karolingerzeit. Insgesamt sind etwa 80 Epen erhalten. In der überlieferten Form sind die ältesten am Ende des 11. Jh. entstanden (»Chanson de Roland«). Im 13. Jh. wurden die histor. Stoffe durch wunderbare, aus dem breton. Artuskreis geschöpfte Abenteuer ersetzt.

📖 *Altfrz. Epik, hg. v.* H. KRAUSS. *Darmstadt 1978. – Europ. Heldendichtung, hg. v.* K. VON SEE. *Darmstadt 1978.*

Gestein, in sich homogene Mineralgemenge, die räumlich ausgedehnte, selbstständige geolog. Körper bilden und die Erdkruste und den oberen Erdmantel aufbauen. In überwiegender Mehrzahl bestehen die G., zu denen auch Lockermassen (u.a. Kies, Sand) und besondere Bildungen (z.B. Erdöl) gerechnet werden, aus kristallinen Mineralen einer oder mehrerer Arten (mono- oder polymineral. G.). Daneben können natürl. Gläser, organ. Festsubstanzen, Flüssigkeiten und auch Gase am Aufbau beteiligt sein. Von den über 2000 bekannten Mineralarten sind nur etwa 250 für die Gesteinsbildung wesentlich; die wichtigsten gehören überwiegend zur Gruppe der Silikate. Außer durch die mineral. Zusammensetzung werden G. durch ihr Gefüge und durch ihre geolog. Lagebeziehungen charakterisiert. Das Alter eines G. kann aus der Lagerung und eingeschlossenen Fossilien (relatives Alter) oder durch physikalisch.-chem. Untersuchung bestimmt werden (→Altersbestimmung). Nach den Bildungsbedingungen werden unterschieden: →magmatische Gesteine, →Sedimentgesteine, →metamorphe Gesteine.

📖 *Gesteine, bearb. v.* W. MARESCH *u.* O. MEDENBACH. *München 1996.*

Gesteinsglas, amorphes Erstarrungsprodukt von vulkan. Schmelze, entstanden durch rasches Abkühlen der Lava, z.B. Obsidian, Bims- und Pechstein.

Gesteinskunde, die →Petrologie.

Gẹstik, Gesamtheit der Gesten (→Gebärdensprache).

Gestirne, alle Himmelskörper, insbesondere die Sonne, Planeten und ihre Monde und die Sterne.

Gestọse [Kw. aus **Gest**ationstoxik**ose**] *die,* schwangerschaftsinduzierter Hochdruck (früher **Schwangerschaftstoxikose**), Sammelname für ursächlich durch eine Schwangerschaft (Gestation) ausgelöste oder begünstigte Erkrankung. Man unterscheidet im Wesentlichen die in den ersten 3 bis 4 Monaten auftretende **Früh-G.** (z.B. Schwangerschaftserbrechen) und die ab dem 7. Monat nachzuweisende **Spät-G.** (→Eklampsie). Ursachen können neben Gefäßveränderungen und Stoffwechselstörungen auch ein höheres Lebensalter der Schwangeren oder eine familiäre Bluthochdruckdisposition sein.

gestückt, *Heraldik:* lang gestreckte Fläche, die aus Stücken versch. Färbung zusammengesetzt ist, bes. bei Schildrändern.

gestürzt, *Heraldik:* auf den Kopf gestellt.

Gestüt [mhd., zu Stute], staatl. oder private Einrichtung zur Pferdezucht.

Gestütsbrand, geschütztes Brandzeichen der Pferde aus den staatl. Hauptgestüten.

Gesualdo [dʒezu'aldo], Don Carlo, Fürst von Venosa (seit 1586), italien. Komponist, *Neapel um 1560, †ebd. 8. 9. 1613; herausragender Madrigalist; komponierte u.a. 6 Bücher fünfstimmiger Madrigale (1594–1611).

Gesundheit, das »normale« (bzw. nicht »krankhafte«) Befinden, Aussehen und Verhalten sowie das Fehlen von der Norm abweichender ärztl. Befunde. Nach der Definition der Weltgesundheitsorganisation ist G. ein »Zustand vollkommenen körperl., geistigen und sozialen Wohlbefindens und nicht allein das Fehlen von Krankheiten und Gebrechen«.

Gesundheitsamt, eine in jedem Stadt- und Landkreis zur einheitl. Gestaltung des öffentl. Gesundheitsdienstes eingerichtete Behörde. Aufgaben sind z.B. die Durchführung der ärztl. Aufgaben der Gesundheitspolizei, der gesundheitl. Volksbelehrung, der Schulgesundheitspflege, der Familienberatung.

Gesundheitspass, →Notfallausweis.

Gesundheitsreform, Bez. für versch. Strukturreformen im Gesundheitswesen. In erster Linie geht es bei den 1989 (G.-Gesetz), 1993 (Gesundheitsstruktur-Ges.) und 1997 (Beitragsentlastungs-Ges.) in Kraft getretenen G. darum, die Beiträge für die Krankenversicherung zu stabilisieren und die Kosten für Leistungen zu begrenzen, u.a. durch Einführung und Erhöhung von Eigenbeteiligungen (Zuzahlungen). Betroffen von den Einsparungen durch die G. sind neben den Versicherten auch Ärzte, Zahnärzte, Krankenhäuser und die Pharmaindustrie. U.a. umfassen die G. auch Maßnahmen, die auf eine effizientere und kostenbewusstere Ressourcenverwendung zielen, z. B die Abschaffung des Selbstkostendeckungsprinzips und der Pflegesätze zugunsten einer leistungsgerechten Vergütung. (→Krankenversicherung, →Gesundheitswesen)

Gesundheitsschutz, betrieblicher, die zum Arbeitsschutz gehörende Verhütung arbeitsbedingter Gesundheitsgefahren. Der von den Berufsgenossenschaften auf seine Einhaltung zu überwachende G. verpflichtet die Arbeitgeber, u.a. den Arbeitnehmer über Risiken zu unterrichten, seinen Gesundheitszustand überprüfen zu lassen und Arbeits- und Produktionsmittel sowie Arbeitsverfahren den Bedürfnissen des Menschen anzupassen. Arbeitnehmer haben u.a. von ihnen festgestellte potenzielle Gefahren zu melden.

Gesundheitsvorsorge, die Gesamtheit der Maßnahmen zur Verhütung und Früherkennung von Krankheiten sowie zur Vermeidung von Rückfällen (→Präventivmedizin).

Gesundheitswesen, das System von Einrichtungen und Beschäftigten zur Erhaltung, Förderung oder Wiederherstellung der Gesundheit. Das G. gliedert sich im Wesentlichen in den ambulanten und stationären Sektor, den öffentl. Gesundheitsdienst und in weitere Dienstleistungsbereiche (u.a. Rettungsdienste) sowie in die Hersteller medizinisch wichtiger Produkte (pharmazeut. Industrie, Gerätehersteller). Eigenständig organisiert ist das Sanitätswesen der Bundeswehr. – Der stationären Versorgung dienen die Krankenhäuser, Rehabilitationseinrichtungen (einschließlich Kurkliniken) und Hochschulkliniken (auch für Ausbildung, Forschung und Lehre zuständig), die in Dtl. 1993 insgesamt 784000 Betten zur Verfügung stellten. Bei den Akutkrankenhäusern sind die öffentl. Körperschaften (Kommunen, Länder, Bund) und die freigemeinnützigen Institutionen die größten Träger. Neben den Forschungseinrichtungen (Max-Planck-Inst., Dt. Krebsforschungszentrum u.a.)

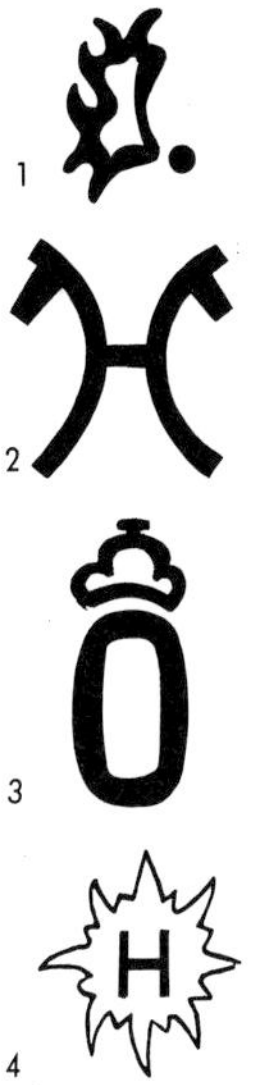

1 2 3 4

Gestütsbrand: Gestütsbrände einiger in Deutschland gezüchteter Pferderassen; 1 Trakehner, 2 Hannoveraner, 3 Oldenburger, 4 Haflinger

sind wesentl. Elemente des G. die Krankenkassen und Krankenversicherer (Träger der gesetzl. [GKV] bzw. privaten Krankenversicherung), die Berufsgenossenschaften (im Rahmen der gesetzl. Unfallversicherung) sowie die Landesversicherungsanstalten und die Bundesversicherungsanstalt für Angestellte (Rentenversicherung und Rehabilitation). Die gesetzl. Krankenversicherung (GKV) stellt ein grundlegendes Ordnungsprinzip für das G. dar.

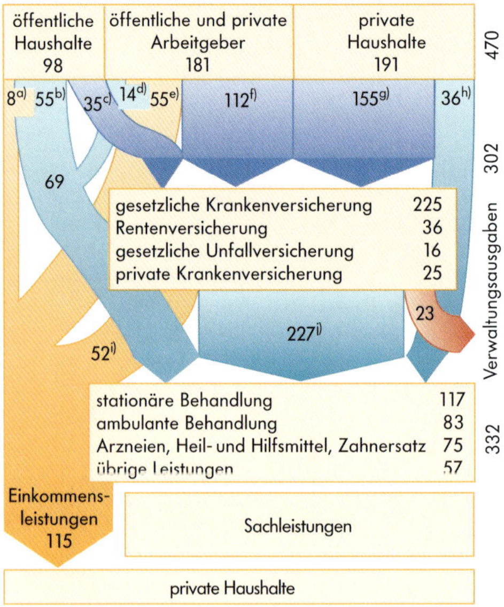

a) Einkommensleistungen, u. a. Renten bei Berufs- und Erwerbsunfähigkeit nach dem BVG. – b) Sachleistungen, laufende und investive Zuschüsse. – c) Zuschüsse und Erstattungen an die Versicherungsträger. – d) Sachleistungen, insbesondere Beihilfen und Fürsorgeleistungen. – e) Einkommensleistungen, vor allem Entgeltfortzahlung. – f) + g) Beitragsleistungen an die Versicherungsträger. – h) gesundheitsbezogener Leistungsaufwand. – i) Einkommensleistungen, u. a. Berufs- und Erwerbsunfähigkeitsrenten, Krankenhilfe, Verletztengelder. – j) Sachleistungen.

Gesundheitswesen: Finanzierungsströme 1994 in Deutschland (in Milliarden DM)

Andere Modelle sind das staatl. G., das durch Steuermittel finanziert wird und in dem i.d.R. staatl. Instanzen die Leistungen erbringen (z.B. in Großbritannien eingeführt von W. Beveridge of Tuggal) und das marktwirtschaftlich orientierte G. der USA, wo Selbstzahler oder privat versicherte Personen private Dienstleistungen in Anspruch nehmen.

Mit 1,8 Mio. Beschäftigten und finanziellen Aufwendungen von 440 Mrd. DM (1993) in Dtl. besitzt das G. eine große volkswirtsch. Bedeutung. Für die Aufgaben des ambulanten und stationären Sektors kommt (mit Ausnahme der Krankenhausinvestitionen, die derzeit von den Ländern finanziert werden) die GKV auf. Für den ambulanten Sektor werden Leistungsspektrum und Vergütungsniveau zw. den Spitzenverbänden der niedergelassenen Ärzte und denen der Kassenverbände ausgehandelt. Die Vergütung erfolgt nicht unmittelbar durch die Patienten, sondern durch die Krankenkassen (Sachleistungsprinzip) und ist weitgehend leistungsbezogen (Einzelleistungsvergütung). Die Summe aller Leistungen ist durch ein Budget begrenzt (Gesamtvergütung). Im stationären Sektor wurde die bisherige Finanzierung durch Pflegesätze (die zw. den Kassenverbänden und den einzelnen Krankenhäusern ausgehandelt wurden) 1996 abgelöst von der Finanzierung durch Fallpauschalen und pauschalierte Sonderentgelte, Abteilungs- und Basispflegesätze. Dadurch soll die Vergütung stärker mit einzelwirtsch. Anreizen versehen werden.

Die Gesamtverantwortung für das G. in Dtl. liegt bei Bund und Ländern, den Trägern der **Gesundheitspolitik.** Diese übertragen staatl. Aufgaben z.T. auf Körperschaften des öffentl. Rechts (Kassen, Rentenversicherer, Berufsgenossenschaften und kassenärztl. Vereinigungen) und räumen privaten Anbietern erhebl. Anteile an der Leistungserbringung und Produktion ein (Arztpraxen, pharmazeut. Industrie, Apotheken, private oder privat-gemeinnützige Krankenhäuser, Hersteller medizin. Geräte). Die Struktur des G., dessen Grundlagen ab 1883 mit Einführung der einzelnen Zweige der Sozialversicherung geschaffen wurden, hat durch die Gesundheitsreformen der letzten Jahren wesentl. Änderungen erfahren. Die bis Anfang der 70er-Jahre dauernde Phase der Expansion

Ausgaben für Gesundheit nach Ausgabenträgern (in Mio. DM)

Ausgabenträger	früheres Bundesgebiet				Deutschland	
	1970	1980	1990	1994	1992	1994
öffentliche Haushalte*)	9871	26069	40492	52322	57696	63046
gesetzliche Krankenversicherung	24712	88427	139843	184643	207316	224971
Rentenversicherung	6561	11853	20089	28573	27114	35947
gesetzliche Unfallversicherung	2520	6270	9163	14751	13275	15415
private Krankenversicherung	3616	8815	17188	23440	21530	24754
Arbeitgeber	16495	37968	53354	61539	67203	69114
private Haushalte	5899	13434	23571	31717	32719	36326
insgesamt	69674	192836	303700	396985	426853	469573

*) ohne Arbeitgeberleistung, abzüglich Pflegesatzeinnahmen (funktionale Abgrenzung).

des G. wurde 1977 mit dem Krankenversicherungs-Kostendämpfungs-Ges. der sozialliberalen Reg. und 1982 mit der Kostendämpfungspolitik durch die christlich-liberale Reg. fortgesetzt. Die damit angestrebte Begrenzung der Ausgaben in der Krankenversicherung wurde jedoch auch mit dem 1989 in Kraft getretene Gesundheitsreform-Ges. nicht erreicht. Mit dem Gesundheitsstruktur-Ges. von 1993 wurde deshalb eine Organisationsreform des Kassenwesens durchgesetzt und die Vergütung im ambulanten und stationären Sektor umgestellt. Mit dem Beitragsentlastung-Ges. wurden 1997 weitere Kürzungen eingeführt (u.a. durch höhere Zuzahlungen bei Leistungen der GKV) und die Krankenkassen zu weiteren Sparmaßnahmen verpflichtet.

Der große Leistungsumfang und die Reaktionsschnelligkeit, kombiniert mit den für alle sozialen Schichten relativ guten Zugangschancen zu den Einrichtungen des G., sind im internat. Vergleich herausragende Merkmale des G. in Dtl. Gleichzeitig wird aber häufig eine mangelnde Patienten- und Bevölkerungsorientierung kritisiert. Während einerseits die Krankenhausausgaben und z.T. die Arzneimittelpreise überdurchschnittlich gestiegen sind (»Kostenexplosion«), ist andererseits der Anteil der Ausgaben der GKV am Bruttoinlandsprodukt relativ stabil geblieben. Die gestiegenen GKV-Beitragssätze sind sowohl Reaktion auf den Ausgabenanstieg als auch Folge von Beitragsverlusten aufgrund der Arbeitslosigkeit.

Seit Anfang der 90er-Jahre etabliert sich in der Gesundheitspolitik die »Public-Health-Forschung«, bei der Verfahren, Technologien und Arzneimittel auf Qualität, Wirksamkeit, Wirtschaftlichkeit, Patientenorientierung und soziale Verträglichkeit systematisch überprüft und bewertet werden. Wachsendes Interesse findet u.a. die **Gesundheitsökonomie;** sie beschäftigt sich mit den klassischen volkswirtschaftl. Problemstellungen, z.B. mit der Frage, wie die Produktionsfaktoren kombiniert werden müssen (Faktorallokation), um einen optimalen Nutzen im G. zu erreichen.

📖 ALBER, J.: *Das G. der Bundesrep. Deutschland. Frankfurt am Main u. a. 1992.* – WANEK, V.: *Machtverteilung im G. Frankfurt am Main 1994.* – BESKE, F. *u.a.: Das G. in Deutschland. Struktur – Leistungen – Weiterentwicklung. Köln ²1995.*

Gesundheitszeugnis, für bestimmte Personen (z.B. an Schulen Beschäftigte, bei berufl. Umgang mit Lebensmitteln), in bestimmten Krankheitsfällen (z.B. bei Geschlechtskrankheiten) oder zur Vorlage bei einer Versicherung auszustellende Bescheinigung des Gesundheitsamts oder eines approbierten Arztes mit Auskunft darüber, ob der Zeugnisinhaber frei ist von bestimmten ansteckenden Krankheiten, bzw. über seinen allg. Gesundheitszustand.

Sylvia Geszty

Geszty [ˈgɛsti], Sylvia, Sängerin (Koloratursopran) ungar. Herkunft, * Budapest 28. 2. 1934; wurde bes. bekannt in Opernpartien von W. A. Mozart und R. Strauss.

geteilt, *Heraldik:* ein durch einen waagerechten Schnitt in zwei verschiedenfarbige Hälften zerlegter Wappenschild oder ein so zerlegtes Wappenbild.

Geten, im Altertum ein zum Stamm der Thraker gehöriges Reitervolk an der unteren Donau, von Herodot erstmals erwähnt (5. Jh. v. Chr.).

Gethsemane [hebr. »Ölkelter«], Gartengebiet am Fuß des Ölbergs bei Jerusalem; Stätte des Gebets und der Gefangennahme Jesu (Mk. 14, 32 ff.).

Getränkesteuer, kommunale Verbrauchs- und Aufwandsteuer, die auf die Abgabe von Getränken zum Verzehr an Ort und Stelle erhoben wird. Die G., dem Aufkommen nach eine Bagatellsteuer, wurde in Dtl. von den meisten Ländern beseitigt.

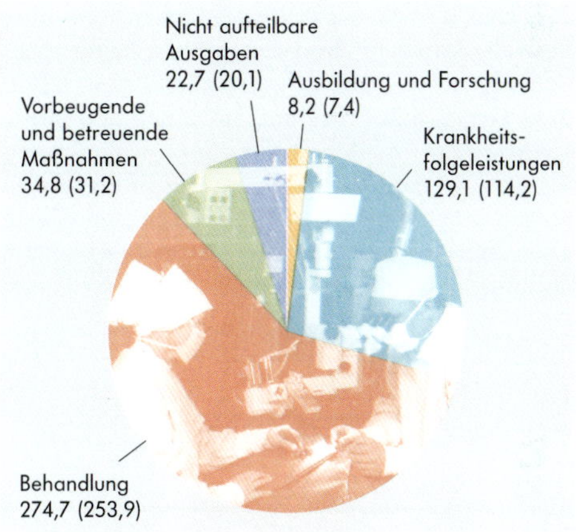

Gesundheitswesen: Ausgaben für Gesundheit 1994 (1992) in Deutschland (in Milliarden DM)

Getreide [mhd. getregede »was der Erdboden trägt«] (Zerealien) Kulturpflanzen, die wegen ihrer stärkemehlreichen, trockenen Kornfrüchte oder Samen in vielen Sorten feldmäßig angebaut werden. Hauptbrotfrüchte **(Korn, Körner-, Mehlfrüchte)** stammen in Europa am häufigsten aus der Fam. Gräser, aus der Fam. Knöterichgewächse der Buchweizen. Für Mitteleuropa sind Haupt-G.: Weizen, Roggen, Gerste, Hafer, für Asien Reis, für Zentralafrika Hirse, für Lateinamerika Mais. Die Frucht der grasartigen G.-Pflanzen ist von saftarmen Blättchen (Spelzen) umschlossen (bespelzt) oder unbespelzt. Der Kornkörper besteht aus der Frucht- und Samenschale, dem Keimling und dem Mehlkörper. Dieser enthält in den Zellschichten unter der Schale viel Eiweiß (Kle-

Inhaltsstoffe der Getreidekörner im Vergleich zum Weizenmehl Type 405 (Mittelwerte in 100 g essbarem Anteil)

Getreideart	Energiegehalt kJ (kcal)	Wasser g	Eiweiß g	Fett g	Kohlenhydrate g	Ballaststoffe g	Mineralstoffe g	Vitamine E mg	B_1 µg	B_2 µg	Nicotinamid mg	B_6 mg
Weizen (ganzes Korn)	1 520 (363)	13,2	11,7	2,0	69,3	2,0	1,8	3,2	480	140	5,1	0,44
Roggen (ganzes Korn)	1 503 (359)	13,7	11,6	1,7	69,0	2,1	1,9	2,2–4,5	350	170	1,8	0,29
Hafer (entspelzt)	1 620 (387)	13,0	12,6	7,1	62,9	1,5	2,8	3,2	520	170	2,4	0,96
Gerste (entspelzt)	1 549 (370)	11,7	10,6	2,1	71,8	1,5	2,3	4,2	430	180	4,8	1,7
Mais	1 570 (375)	12,5	9,2	3,8	71,0	2,2	1,3	9,5	360	200	1,5	1,7
Hirse (geschältes Korn)	1 599 (382)	12,1	10,6	3,9	70,7	1,1	1,6	1,35	260	140	1,8	0,75
Reis (unpoliert)	1 553 (371)	13,1	7,4	2,2	75,4	0,7	1,2	4,5	410	91	5,2	0,35–1,00
Reis (poliert)	1 540 (368)	12,9	7,0	0,6	78,7	0,2	0,5	0,4	60	32	1,3	0,15
Buchweizen (geschältes Korn)	1 524 (364)	12,8	9,8	1,7	72,4	1,6	1,7	3,7	240	150	2,9	–
Weizenmehl (Type 405)	1 540 (368)	13,9	10,6	0,98	74,0	0,1	0,39	2,3	60	30	0,7	0,18

ber), weiter innen bes. Stärke. – Welterzeugung (1994, in Mio. t): Mais 570; Reis 535; Weizen 528; Gerste 161; Hafer 33,7; Roggen 22,6.

Geschichte: Die archäolog. Funde sprechen für die Entstehung des G.-Anbaus im 9. Jt. in Vorderasien, bes. in den Randgebieten von Mesopotamien. Die aus Vorderasien stammenden (ältesten) G.-Sorten Gerste und Weizen erreichten über Thessalien im 5. Jt. Mitteleuropa. In bandkeram. Siedlungen des 5. und 4. Jt. kommen Emmer, Einkorn, Gerste und Hirse vor. Im westl. und nördl. Alpenvorland, in dem zahlr. Seerandsiedlungen von der Jungsteinzeit an gute Erhaltungsbedingungen boten, trat neben Brotweizen und Gerste schon früh der Hafer auf. Roggen ist als sekundäre Kulturpflanze erst zu Beginn des letzten vorchristl. Jahrtausends angebaut und durch die um 800 v. Chr. einsetzende Klimaverschlechterung in Mitteleuropa entscheidend verbreitet worden.

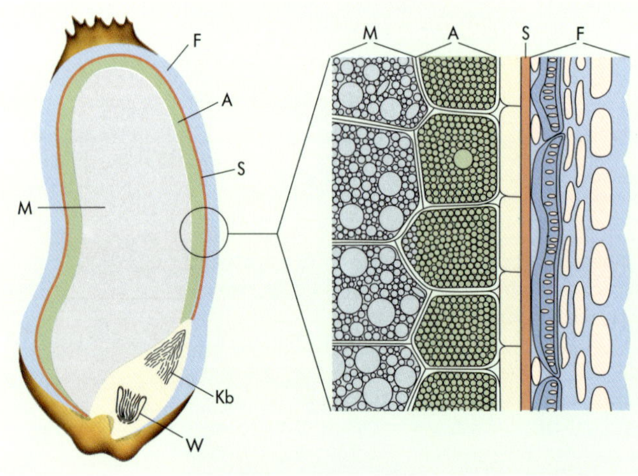

Getreide (von links): längs aufgeschnittenes Weizenkorn; im Korn unten rechts liegt der Keimling, erkennbar sind Keimblatt (Kb) und Keimwurzel (W); daneben Ausschnitt aus dem Randbereich des Korns; M Mehlkörper mit Stärkekörnern und Kleberprotein (kleinste Partikel), A Aleuronschicht mit Proteinkörnchen und (hier in einer Zelle) Ölkügelchen, S Samenschale, F Fruchtwand. M und A können leicht voneinander getrennt werden; M wird durch Mahlen und Sieben Feinmehl gewonnen, aus A und S zusammen die Kleie

📖 ROHRLICH, M. *u.* BRÜCKNER, G.: *Das G., 2 Bde. Berlin* [2]*1966–67.* – RENZENBRINK, U.: *Die sieben G. Nahrung für den Menschen. Dornach* [3]*1993.*

Getreidehalmwespe (Cephus pygmaeus), nicht stechende Blattwespe, gelb geringelter Hinterleib; Getreideschädling.

Getreidehandel, ältester und bedeutendster Zweig des Handels mit landwirtsch. Erzeugnissen. Er umfasst den »Effektivhandel«, der die Deckung des Bedarfs durch die Lieferung von Getreide durch den Verkäufer zum Gegenstand hat, und den »Spekulativhandel«, der sich ausschl. auf die Preisbildung bezieht und seine Entstehung dem Bestreben des Effektivhandels nach Risikosicherung bes. bei Importen und Exporten verdankt.

Getreidelaubkäfer, mehrere Arten der Blatthornkäfergattung **Anisoplia;** befressen Blüten und Körner.

Getreidelaufkäfer (Zabrus tenebrioides), ein schwarzer Laufkäfer, der die Körner in der Ähre ausfrisst; die Larve frisst an den Blättern der jungen Getreidepflanzen.

Getreidemotte (Sitotroga cerealella), Falter aus der Familie Tastermotten; in Nord- und Mitteleuropa Vorratsschädling.

Getreidereinigungsmaschine (Saatgutbereiter), in der Landwirtschaft oder in der Müllerei verwendete Maschine, die die Getreidekörner von Unkrautsamen, Bruchkörnern, Fremdkörnern, Stroh, Spreu u. a. trennt. Die wichtigsten Trennverfahren: a) Trennen nach Dicke und Breite der Körner mittels Langloch- (Dicke) oder Rundlochsieben (Breite); b) Trennen nach langen (Getreidekörner) und runden Körnern (Unkrautsamen, Fremdkörner, Bruchkörner) mittels Zellenausleser (Trieur) oder Schrägbandausleser (schräg geneigtes langsam umlaufendes Band, das lange Körner oben abwirft, runde herunterrollen lässt); c) Trennen nach aerodynam. Eigenschaften mithilfe von Windsichtern. – Meist ist mit der Getreidereinigung auch eine Sortierung verbunden.

Getrenntleben der Ehegatten, →Ehescheidung.

Getriebe, mechan. Maschinenelement zur Übertragung und Wandlung von Drehzahlen, Bewegungsrichtungen und Drehmomenten (z.B. Schalt-G. bei Kfz). Ein G. besteht aus mindestens zwei G.-Gliedern (einem Antriebs- und einem Abtriebsglied), die gegeneinander beweglich und in einem gemeinsamen Gestell beweglich gelagert sind. Die Verwendung zusätzl. Glieder sowie die Erhöhung der Anzahl der Antriebe und/oder Abtriebe führt zu einer Vielzahl von G.-Formen. Diese lassen sich jedoch auf eine begrenzte Zahl von Grund-G. zurückführen. Nach ihren Merkmalen unterscheidet man: →Rädergetriebe, →Zugmittelgetriebe, →Schraubengetriebe, →Kurbelgetriebe, →Kurvengetriebe, →Sperrgetriebe und →Druckmittelgetriebe.

📖 *Getriebetechnik. Grundlagen, hg. v.* J. VOLMER. *Berlin ^{2}1995.*

Getriebeöle, Schmieröle für Getriebe. Der geforderte Schmierfilm ausreichender Druckaufnahmefähigkeit wird durch geeignete Viskositäten (für Kraftfahrzeug-G. in SAE-Viskositätsklassen (von 70 W bis 250 W festgelegt; →SAE) und Hochdruckzusätze erreicht. G. müssen gegen Korrosion schützen, dürfen nicht schäumen und Dichtungsmaterialien nicht angreifen.

Getter [engl.] *der,* Substanzen (z.B. Barium, Calcium, Cäsium, Magnesium), die dazu dienen, letzte Spuren von störenden oder schädl. Gasen aus Hochvakuumräumen (z.B. Elektronenröhren, Glühlampen) durch Sorption oder direkte chem. Reaktion zu binden.

Getterionenpumpe, →Ionenpumpe.

Getto (Ghetto) [italien.] *das,* behördlich erzwungenes und räumlich beschränktes Wohnviertel für Juden, erstmals 1531 für Venedig belegt. Das Gemeindeleben innerhalb der G. folgte den Regelungen der jüd. Selbstverwaltung mit eigener Gerichtsbarkeit und Kulturhoheit, die seit der Spätantike in jüd. Städten und freiwilligen Wohngemeinschaften (Judenviertel; seit etwa 1000 [Verbot des Zusammenlebens von →Juden und Christen, verschärft bes. seit dem 16. Jh.], Judengassen, Judenquartiere) gebräuchlich waren. Mit der Verleihung der nominellen Bürgerrechte im 18. und 19. Jh. wurden die Zwangs-G. allmählich abgeschafft, zuletzt (1870) in Rom. – Während des 2. Weltkriegs wurde die jüd. Bev. ab 1940 in Polen und ab 1941 im Baltikum von den nat.-soz. Besatzungsbehörden u.a. in den Städten Lublin, Lemberg, Wilna, Kaunas, Riga und Warschau erneut in G. gezwungen; im Warschauer G. kam es 1943 zum Aufstand (→Warschau). – Die heutige Soziologie benutzt den Begriff nicht mehr »nur« zur Kennzeichnung räuml. Beschränkung, sondern beschreibt mit ihm auch die Lage von Bevölkerungsgruppen, denen aufgrund ihrer (persönlich, aber auch gesellschaftlich bedingten) Lebenssituation eine Teilnahme am geistigen, kulturellen und polit. Leben der Gesamtgesellschaft nicht möglich ist oder die als Minderheiten diskriminiert sind.

📖 BARTOSZEWSKI, W.: *Das Warschauer Ghetto – wie es wirklich war. Zeugenbericht eines Christen. Neuausg. Frankfurt am Main 1986.* – SCHWARBERG, G.: *Das G. Göttingen ^{2}1993.*

Getty ['getɪ], Jean Paul, amerikan. Industrieller, *Minneapolis (Minn.) 15. 12. 1892, †Sutton Place (bei Guildford) 6. 6. 1976; durch das von seinem Vater übernommene Unternehmen Getty Oil Co. (seit 1984 zur Texaco Inc.) erwirtschaftete G. ein sehr großes Vermögen und betätigte sich als Kunstmäzen. Er gründete 1953 in Malibu (Calif.) das **J. Paul Getty Museum** (u.a. Antikenkollektion, Samml. illuminierter Handschriften, Gemälde des 15.–19. Jh., Kunsthandwerk, Fotografiensammlung). Das **Getty Center for the History of Art and the Humanities,** ein Forschungsinst. für Kunst- und Geistesgeschichte, gibt die

Getreidelaufkäfer: Käfer (Länge etwa 1,5 cm), darunter eine von der Larve angefressene Jungpflanze

Versorgung mit Getreide in den Ländern der Europäischen Union (EU 12)[1] und in Deutschland (in 1000 t Getreidewert

Gliederung	Europäische Union		Deutschland	
	1985/86[2]	1994/95	1985/86[2][3]	1994/95[4]
Anbaufläche (1 000 ha)	35719	31812	4884	6235
Erzeugung (verwendbar)	160431	161517	25915	36329
Lagerbestandsänderung	1354	−11860	490	−4278
Einfuhr	10915	6384	7169	5995
Ausfuhr	27520	29031	5440	12600
Inlandsverwendung	143202	147102	27154	34002
darunter Futter	88670	88407	17161	20999
Industrie	10061	12327	2704	3570
Nahrung	36639	38686	5841	7539
Nahrungsverbrauch (kg je Kopf)	84,9	78,5	74,3	71,3
Selbstversorgungsgrad (%)	112	110	95	107

[1] ohne die 1995 beigetretenen Staaten (Schweden, Finnland, Österreich). – [2] Zeitraum: August/Juli. – [3] alte Bundesländer. – [4] Gesamtdeutschland.

Paul Getty

wichtigste kunstwiss. Bibliographie heraus (RILA). G. Center und G. Museum (mit Ausnahme der archäolog. Abteilung) wurden 1997 in einem Neubau in Los Angeles zusammengeführt.

Gettysburg ['getɪsbəːg], Stadt in Pennsylvania, USA, 7000 Ew. – Die Niederlage der Konföderierten in der Schlacht bei G. (1.–3. 7. 1863) war der Wendepunkt im →Sezessionskrieg. Auf dem Schlachtfeld, das 1895 zur nat. Gedenkstätte erklärt wurde, verkündete am 19. 11. 1863 A. Lincoln die freiheitl. Grundsätze seiner Politik **(G. Address).**

Stan Getz

Getz, Stan (Stanley), amerikan. Jazzmusiker (Tenorsaxophonist), *Philadelphia (Pa.) 2. 2. 1927, †Malibu (Calif.) 6. 6. 1991; einer der stilbildenden Vertreter des Cooljazz.

Geulincx ['xøːlɪŋks], Arnold, niederländ. Philosoph, *Antwerpen 31. 1. 1624, †Leiden Nov. 1669; war 1646–58 Prof. in Löwen, trat nach seiner Entlassung zum Kalvinismus über und lehrte ab 1665 in Leiden kartesian. Philosophie. G. löste das kartesian. Problem der Wechselwirkung zw. ausgedehntem Körper und nicht ausgedehnter, nicht materieller Seele mithilfe des von ihm begründeten →Okkasionalismus. Bed. waren auch seine Ausführungen zu einer an Augustinus und Franz von Sales orientierten Demuts- und Pflichtethik.

Geusen:
Geusenpfennig (Vorder- und Rückseite)

Geusen (niederländ. Geuzen), zunächst die Unterzeichner der 1566 abgefassten Bittschrift, mit der die Niederlande polit. und relig. Freiheiten von König Philipp II. von Spanien forderten, dann alle niederländ. Aufständischen; sie trugen als Abzeichen den **G.-Pfennig.** Die **Meer-** oder **Wasser-G.** bekämpften die Spanier zur See. – Die **G.-Lieder** besingen die polit. Ereignisse z.Z. des G.-Bundes.

GeV, Einheitenzeichen für **G**iga**e**lektronen**v**olt, bes. in der Hochenergiephysik benutzte Energieeinheit; 1 GeV = 10^9 eV.

Gevelsberg [-f-], Stadt im Ennepe-Ruhr-Kreis, NRW, am N-Rand des Sauerlands, 33700 Ew.; Herstellung von Kleineisenteilen, Elektroartikeln, Maschinen und Kunststofffabrikaten. – Entstand im 13. Jh.; seit 1886 Stadt.

Geviertschein, *Astronomie:* →Aspekt.

Gewächshaus, künstlich erwärmtes Glashaus, um Pflanzen (Blumen, Zierpflanzen, Gemüse) unabhängig von den klimat. Verhältnissen an- und aufzuziehen. G. sind meist mit Lüftung und gelegentlich mit Zusatzbeleuchtung und Beregnungsanlagen ausgestattet. Nach den mittleren Temperaturen in der kalten Jahreszeit unterscheidet man zw. dem **Kalthaus** (bis 12 °C), dem **temperierten Haus** (12–18 °C) und dem **Warmhaus (Treibhaus;** ab 18 °C).

Gewaff, *Jägersprache:* die vorstehenden Eckzähne beim männl. Schwarzwild (Keiler); die Eckzähne des Oberkiefers werden als »Haderer«, die des Unterkiefers als »Gewehre« oder »Hauer« bezeichnet.

Gewährfrist, →Viehkauf.

Gewährleistung, die gesetzl. Verpflichtung eines Schuldners, für die Mängelfreiheit einer Sache oder eines Rechts einzustehen. G.-Vorschriften gibt es beim →Kauf, bei der →Miete und beim →Werkvertrag. Die wichtigsten Rechte, die der Gläubiger aus der G. hat, sind →Minderung, →Wandlung und →Schadensersatz.

Gewahrsam, 1) *Polizei-* und *Ordnungsrecht:* in den Polizeigesetzen der Länder geregelter Freiheitsentzug, der ohne richterl. Entscheidung längstens bis zum Ende des folgenden Tages währen darf. Er ist zulässig, wenn er erforderlich ist, um eine unmittelbar bevorstehende erhebl. Störung der öffentl. Sicherheit und Ordnung abzuwehren, Leib und Leben zu schützen oder zur Identitätsfeststellung.

2) *Strafrecht:* das tatsächl., von einem Herrschaftswillen getragene Herrschaftsverhältnis einer Person über eine Sache, das nach den Auffassungen des tägl. Lebens bestimmt wird. G. ist nicht gleichbedeutend mit dem →Besitz im bürgerl. Recht.

3) *Zivilrecht:* die tatsächl. Herrschaft einer Person über eine Sache, im Wesentlichen identisch mit dem unmittelbaren →Besitz des bürgerl. Rechts (Ausnahme: Erbenbesitz des § 857 BGB). G. ist Voraussetzung der →Pfändung bewegl. Sachen. Der Gerichtsvollzieher braucht die Eigentumsverhältnisse an der gepfändeten Sache nicht zu prüfen, sondern darf grundsätzlich die Sache pfänden, die er im G. des Schuldners vorfindet (§ 808 ZPO).

Gewalt, die Anwendung von phys. oder psych. Zwang gegenüber Menschen. G. umfasst 1) die rohe, gegen Sitte und Recht verstoßende Einwirkung auf Personen (lat. violentia), 2) das Durchsetzungsvermögen in Macht- und Herrschaftsbeziehungen (lat. potestas). Während z. B. das Englische und das Französische dieser sprachl. Unterscheidung des Lateinischen folgen, vereinigt das Deutsche beide Aspekte und verwischt hierdurch die grundlegenden Unterschiede zwischen staatl. Machtbefugnis einerseits und über sie hinausgehender G.-Herrschaft und individueller Gewalttätigkeit andererseits. Moderne Staatsverf. weisen dem Staat die ausschließl. Befugnis zu, auf seinem Staatsgebiet phys. G. (lat. vis) einzusetzen oder ihren Einsatz zuzulassen. Dieses **staatl. G.-Monopol** ist wesentl. Teil der inneren Souveränität eines Staates; es wurde in einem jahrhundertelangen Prozess den verschiedenen gesellschaftl. Kräften entzogen und soll im Verhältnis der Bürger zueinander freiheits-, rechts- und wohlfahrtssichernd wirken.

Die *Psychologie* bestimmt G. als Ausdruck von Aggression, entweder im Sinne eines ererbten oder durch Frustration verursachten menschl. Triebs oder als sozial vermitteltes und gelerntes Verhalten.

Im *Strafrecht* ist G. vielfach Tatbestandsmerkmal einer Straftat (z. B. bei Raub, Vergewaltigung) und meint zunächst den Einsatz phys. oder psych. Mittel, die auf das Opfer einen Zwang (im Sinne einer lat. »vis absoluta«) ausüben, der seinen Willen ausschaltet und einen tatsächl. oder nur vermuteten Widerstand beseitigt (hierzu zählen auch narkot. Mittel oder Hypnose ohne Wissen und Wollen der Betroffenen). Sie kann auch eine nur mittelbare Beeinflussung sein, die dem Opfer einen Entscheidungsspielraum lässt (lat. »vis compulsiva«), so z. B. bei Nötigung oder Erpressung.

Im *Zivilrecht* ist der Begriff der »elterlichen G.« durch den der →elterlichen Sorge ersetzt worden; →Schlüsselgewalt. – Neben den genannten Aspekten wird das Wort G. auch im Sinne von Kraft (»Natur-G.«) und als Metapher (»Rede-G.«) gebraucht.

📖 *G. – Faszination u. Furcht, hg. v.* F. MEYER-GOSAU *u.* W. EMMERICH. *Leipzig 1994.* – ARENDT, H.: *Macht u. G. A. d. Engl. München u. a.* [10]*1995.*

Gewaltenteilung (Gewaltentrennung), die Unterscheidung der drei Hauptfunktionen des Staates Legislative (Gesetzgebung), Exekutive (Vollziehung) und Judikative (Rechtsprechung) sowie deren Zuweisung an unterschiedl., voneinander unabhängige Staatsorgane (Parlament, Reg., Gerichte) zur Verhinderung von Machtmissbrauch und zur rechtsstaatl. Sicherung bürgerl. Freiheiten. Die G. wurde in der Neuzeit als eine der Ideen der Aufklärung zuerst von J. Locke (1690) aufgegrifffen und von diesem, beschränkt auf die Trennung von Exekutive und Legislative, als Strukturprinzip moderner Verfassungen gefordert. Montesquieu (»De l'esprit des lois«, 1748) wies der richterl. Gewalt ihre eigene Rolle zu und wurde durch seine Vorstellungen von gegenseitiger Verschränkung und Mitbeteiligung der drei Gewalten zu einem System kontrollierenden Gleichgewichts zum Urheber der neuzeitl. liberalen G.-Lehre. Sie ist das Kernprinzip konstitutioneller und parlamentarisch-demokrat. Verfassungen. Die G. wurde zum bestimmenden Faktor der amerikan. Unionsverf. von 1787 und der frz. Verf. von 1791. In Dtl. setzte sich das Prinzip der G. erstmals in der Weimarer Reichsverf. (1919) durch. Das GG verankert es in Art. 20 als unantastbaren Kernbestand. Allerdings wird im parlamentar. System die G. nicht in ihrer ursprüngl. Ausprägung praktiziert. Durch das Angewiesensein der Reg. auf eine Mandatsmehrheit im Parlament, die Vereinbarkeit von Regierungsamt und Mandat (Kompatibilität) und die große tatsächl. Bedeutung der von der Reg. erarbeiteten Gesetzesvorschläge, die die Reg. mit der ihr nahe stehenden Mandatsmehrheit abstimmt, ist die eigentl. Kontrollfunktion der Opposition und, im polit. Sinne, der Öffentlichkeit, bes. den Medien, zugefallen. Allerdings darf nach weit verbreiteter Ansicht nicht übersehen werden, dass die Medien (oft die »Vierte Gewalt« gen.) in ihrer Gesamtheit keine dem Gemeinwohl verpflichtete Kontrollfunktion wahrnehmen, sondern selbst versuchen, zum Nutzen eigendefinierter Interessen Einfluss zu nehmen. – Auch das *schweizer.* Verf.recht wird vom Grundsatz der G. durchdrungen. Das *österr.* Verf.recht spricht den Grundsatz der G. lediglich für den Bereich von Justiz und Verw. aus (Art. 94 Bundes-Verf.-Gesetz).

gewaltfreier Widerstand, Bez. für Aktionen von Einzelnen oder Gruppen gegen Inhaber der

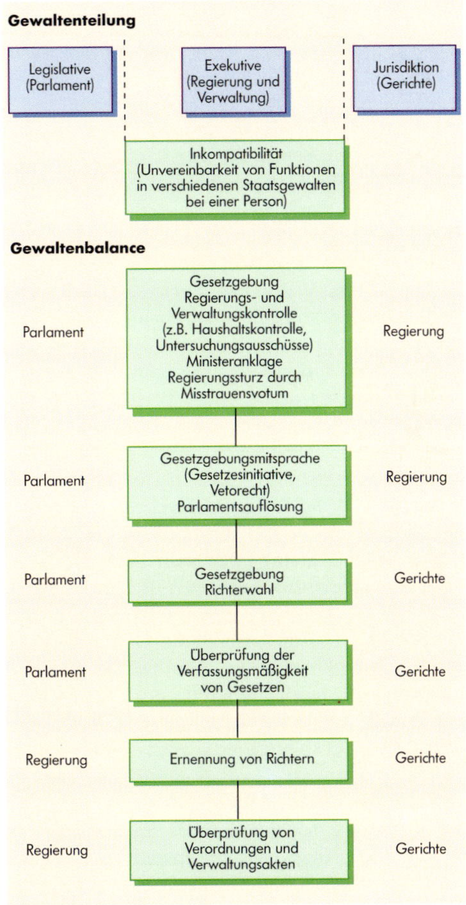

Gewaltenteilung: schematische Darstellung von Gewaltenteilung und Gewaltenbalance (Verschränkung und wechselseitige Kontrolle der Gewalten)

Der **Gewalt** *auszuweichen ist Stärke.*

Laozi

Was mit Gewalt erlangt worden ist, kann man nur mit Gewalt behalten.

Mahatma Gandhi

Staatsgewalt, die ohne Gewaltmittel, aber unter Hinnahme von Gesetzesverletzungen durchgeführt werden. Aktionsformen des oft von basisdemokrat. Vorstellungen (→Demokratie) geprägten und von Bürgerinitiativen getragenen g. W. sind Protestveranstaltungen, passiver Widerstand (Steuerboykott, Sitzstreik), ziviler Ungehorsam (Übertretung oder Nichtbeachtung von Gesetzen), Besetzungen, Blockaden, Hungerstreik. Bed. Vertreter des g. W. waren M. Gandhi und M. L. King.

gewaltfreier Widerstand

passiver Widerstand

*Als König Friedrich Wilhelm IV. von Preußen im November 1848 seine Truppen zur Einschüchterung der Nationalversammlung in Berlin einmarschieren ließ, wies der damalige Präsident der Versammlung, Hans Victor von Unruh (*1806, †1886), den angebotenen bewaffneten Schutz der Bürgerwehr mit den Worten zurück: »Ich wäre entschieden der Meinung, dass hier nur passiver Widerstand geleistet werden könne.« Der Ausdruck ist schon älter, wurde aber erst durch Unruhs Ausspruch weiter verbreitet.*

Gewaltverhältnis, das zw. dem Staat und dem Einzelnen bestehende Pflichten- und Rechteverhältnis. Als **allg. G.** bezeichnet es die aus der Unterworfenheit unter die Staatsgewalt folgende allg. Rechtsstellung des Staatsbürgers und des Ausländers, die sich z.B. in Steuerpflicht, Wehrpflicht, Grundrechten, Wahlrecht, Rechtsschutzanspruch äußert. Das herkömmlich so genannte **besondere G.** (heute auch Sonderverhältnis, Sonderstatusverhältnis, Einordnungsverhältnis gen.) ist gekennzeichnet durch ein bes. enges Verhältnis des Gewaltunterworfenen zu einem bestimmten Träger staatl. Gewalt. Es kann auf freiwilliger Grundlage (z.B. Beamte, Richter) oder auf gesetzl. Zwang beruhen (z.B. Soldaten, schulpflichtige Kinder). Durch das besondere G. wird der aus dem allg. G. sich ergebende Status zwar nicht aufgehoben, jedoch zweckbestimmt weiteren Beschränkungen unterworfen. Absolute Grenzen für Grundrechtseinschränkungen im besonderen G. ergeben sich aus der Menschenwürde, dem Gleichheitsgebot und der Wesensgehaltsgarantie der Grundrechte. Freiheitsbeschränkungen im Rahmen eines besonderen G. bedürfen grundsätzlich einer gesetzl. Grundlage.

Gewaltverzicht, *Völkerrecht:* der Verzicht eines Staates auf Androhung oder Anwendung von Gewalt zur Lösung strittiger Fragen, entweder als einseitig verpflichtende Erklärung oder im Rahmen mehrseitiger Abkommen. Das **Gewaltverbot** ist Bestandteil des allgemeinen Völkerrechts. Bereits in den Haager Abkommen (1907) postuliert, wurden Gewaltverbote mit der Satzung des Völkerbundes (1919) und dem Briand-Kellogg-Pakt (1928) wirksam. Nach dem 2. Weltkrieg fand die Pflicht zum G. Eingang in die Charta der Vereinten Nationen (UN), die ihren Mitgl. verbietet, Gewaltmaßnahmen gegen die Unabhängigkeit und Integrität anderer Staaten zu ergreifen. Gewaltanwendung zur Landesverteidigung oder vom Sicherheitsrat der UN beschlossene militär. Sanktionen stehen dem G. nicht entgegen. Auch die »Schlussakte« der Konferenz über Sicherheit und Zusammenarbeit in Europa (KSZE) von 1975 enthält eine umfassende G.-Erklärung. Dtl. hat den Grundsatz des G. in das GG aufgenommen (Art. 26).

Gewände, durch schrägen Einschnitt in die Mauer entstehende Fläche an Fenstern und Portalen; in der roman. und got. Baukunst profiliert oder abgestuft, reich ornamental ausgeschmückt sowie u.a. mit Figuren ausgestattet.

Gewandhaus (Tuchhalle), im späten MA. errichtetes Haus der Tuchmacherzunft. Außer Lager- und Verkaufsräumen besaß das G. auch Räume für gesellige Veranstaltungen und war damit oft kultureller Mittelpunkt einer Stadt. Berühmt sind die Tuchhallen der flandr. Städte (z.B. Brügge, 13.–15. Jh.); das Braunschweiger G. (1591) wurde 1948–50 wiederhergestellt, das Leipziger G. (nach 1477; 1882–84 erneuert) wurde 1943 zerstört, 1964 abgerissen; als »Neues G.« wurde 1977–81 an anderer Stelle ein Konzerthaus errichtet.

Gewandhausorchester, eines der ältesten dt. Konzertorchester, ben. nach dem Leipziger Gewandhaus, in dessen Saal ab 1781 die zuerst von J. A. Hiller geleiteten Gewandhauskonzerte stattfanden. 1884 bezog das G. das erneuerte Gebäude. Seit 1981 spielt das G. im Neuen Gewandhaus. Bed. Dirigenten: F. Mendelssohn Bartholdy, A. Nikisch, W. Furtwängler, B. Walter, H. Abendroth, F. Konwitschny, V. Neumann, K. Masur, H. Blomstedt.

Gewann, urspr. Ackergrenze, an der der Pflug gewendet wird, später Bez. für die Gesamtheit der Felder, die an einen gemeinsamen Grenzstreifen reichen.

Gewässer, alle Ansammlungen von Wasser auf und unter der festen Erdoberfläche, als **stehendes** (Tümpel, Weiher, Teich, See u.a.) und **fließendes G.** (Quelle, Rinnsal, Bach, Fluss, Strom), als unterird. G. (Grund-, Karst-, Höhlenwasser), als natürl. und künstl. G., als Süß-, Salz- und Brackwasser. Die G. werden von der →Hydrologie, der →Meereskunde und der Gletscherkunde (→Gletscher) erforscht.

Gewässerausbau, Baumaßnahmen zur Umgestaltung eines Gewässers mit dem Ziel, das Bett festzulegen und zu sichern, benachbarte Flächen vor Hochwasser zu schützen, eine günstige Vorflut sicherzustellen und Nutzungen (Schifffahrt, Energiegewinnung, Wasserentnahme und -rückgabe, Fischerei, Erholung, Sport) zu ermöglichen.

Gewässererwärmung, Temperaturerhöhung der Gewässer durch Einleiten von →Abwärme. Dadurch können tief greifende negative ökologische Veränderungen eintreten: Verringerung der Selbstreinigungskraft des Gewässers und Gefährdung der Gewässerfauna sowie klimat. Veränderungen des Umlandes.

Gewässergüteklassen, Einteilung der Fließgewässer in Klassen je nach dem Verschmutzungsgrad. Nach der Belastung v.a. mit organ. Substanzen, die mikrobiell abbaubar sind, und den dabei entstehenden anorgan. Abbauprodukten sowie nach dem dabei auftretenden Sauerstoffverbrauch unterscheidet man vier Haupt- und drei Zwischenstufen. KARTE S. 266

Gewässerschutz, alle Maßnahmen zum Schutz der Gewässer (oberird. Gewässer, Küstengewässer und Grundwasser) vor Verunreinigungen bes. durch Abwässer, Abfälle u.a. wassergefährdende Stoffe, um das Wasser optimal nutzen zu können und gesundheitl. Gefahren und Beeinträchtigungen abzuwenden. Der Reinheitsgrad der Gewässer (Gewässergüte) ist wichtig für die Trink- und Brauchwasserversorgung, außerdem für die Fischerei und die Bewässerung.

Der Reinheitszustand der Gewässer ist abhängig von den natürl. Verhältnissen im Einzugsgebiet (u.a. Größe, Oberflächenbeschaffenheit, Niederschlagshöhe, Untergrundschichten, Besiedlungsdichte, Flächennutzung), von den zugeführten Verunreinigungen insbesondere der Abwässer, vom Sauerstoffgehalt und der Selbstreinigungskraft des Gewässers. Bei Gewässerverunreinigungen sind von Bedeutung die Sink- und Schwimmstoffe, die Krankheitserreger aus Fäkalien, zersetzungsfähige Stoffe, chemisch-physikalisch bedenkl. Stoffe, die aufgrund ihrer giftigen Wirkung oder wegen ionisierender Strahlung oder infolge hoher Konzentration gesundheitsschädlich sind oder die Selbstreinigungskraft schädigen, und solche Stoffe, die von der Selbstreinigung nicht erfasst werden (z.B. Salze, Mineralöle, Pflanzenschutzmittel, radioaktive Substanzen), die die Nutzung des Wassers beeinträchtigen oder die das Wasser oder die in ihm lebenden Tiere durch Geruch und Geschmack ungenießbar machen, ferner die →Eutrophierung fördernde Nährstoffe. Techn. Möglichkeiten zum G. sind bei oberird. Gewässern die Reinigung und Desinfektion oder die mengenmäßige Beschränkung der eingeleiteten Abwässer und die Verbesserung der Selbstreinigungskraft z.B. durch künstl. Belüftung. Der Schutz des unterird. Wassers ist durch techn. Sicherungen gegen das Übertreten von Schadstoffen in den Untergrund möglich (→Wasserschutzgebiet). Jede Nutzung bedeutet einen Eingriff in das natürl. Gewässerökosystem und wirkt sich i.d.R. negativ auf das Gewässer und seinen Umkreis aus. Wasserbau wurde jahrzehntelang als techn. →Gewässerausbau betrieben, was eine starke Schwächung der Stabilität und damit der natürl. Funktionstüchtigkeit der Gewässerökosysteme zur Folge hatte.

Recht: Schutzbestimmungen zum G. enthalten bes. das Wasserhaushaltsges. des Bundes und die entsprechenden Ges. der Länder. Feste Stoffe dür-

Gewandhaus: (von links): Das als Konzerthaus 1977–81 erbaute »Neue Gewandhaus« in Leipzig mit dem Mende-Brunnen (1886) im Vordergrund; das 1522–25 erbaute spätgotische Gewandhaus in Zwickau fungiert seit 1823 als Stadttheater

fen in oberird. Gewässer nicht eingeleitet werden. Das Einleiten verschmutzter Abwässer oder von Fremdstoffen ist nicht durch den Gemeingebrauch gedeckt, entsprechende Anlagen unterliegen der Überwachung. Wer Gewässer verunreinigt, haftet auch ohne Verschulden (Gefährdungshaftung). Dem G. dienen zudem zahlreiche andere Normen, z. B. das Wasch- und Reinigungsmittelges. oder internat. Abkommen zum Schutz der Meere.

📖 KLAPPER, H.: *Eutrophierung u. G. Wassergütebewirtschaftung, Schutz u. Sanierung von Binnengewässern. Jena u. a. 1992.*

Gewässeruntersuchung dient u. a. zur Feststellung des Verschmutzungsgrades eines Gewässers. **Ökolog. Methoden** beurteilen die Beschaffenheit eines Gewässers aufgrund der vorhandenen pflanzl. und tier. Lebewesen. Diese dienen als Leitformen (Indikatoren) im Saprobiensystem. Einige Pflanzen und Tiere sind an bestimmte Verschmutzungsgrade gebunden und von der chem. Beschaffenheit des Wassers innerhalb enger Grenzen abhängig. **Physiolog. Methoden** beurteilen den Verschmutzungsgrad anhand chem. und physikal. Kenngrößen. Der Biomassentiter bestimmt die Wassergüte durch photoelektr. Messung der Trübung von Organismensuspensionen bestimmter Testkulturen. Die Trübungsmesswerte werden als Äquivalentwerte einer bekannten Kieselgursuspension angegeben.

Gewässerversauerung, Versauerung fließender und stehender Gewässer; Ursache ist die beträchtlich gestiegene Bodenversauerung, ausgelöst von sauren Niederschlägen. Folgen sind u. a. eine Verarmung der Artenvielfalt und der Rückgang der Fischfauna. Inwieweit für die Wasserversorgung wichtige Grundwasservorkommen durch saure Depositionen beeinträchtigt werden, lässt sich bisher nur schwer beurteilen.

Gewässerverschmutzung, über die Selbstreinigungskraft hinausgehende Belastung der Gewässer mit Schadstoffen; führt zu einer erhebl. Gefährdung von Tieren und Pflanzen in den Gewässern und in den Uferbereichen. (→Gewässerschutz)

Gewebe, 1) *Biologie:* Verbände aus miteinander in Zusammenhang stehenden Zellen annähernd gleicher Bauart und gleicher Funktion **(einfache G.)** oder zusammengesetzt aus zwei oder mehr Zelltypen **(komplexe G.).** Durch Zusammenschluss mehrerer G. können höhere Funktionseinheiten (Organe, Organsysteme) entstehen. – **Pflanzl. G.:** Algen und Pilze haben im Allg. Schein-G. (Plektenchyme; aus miteinander verflochtenen Zellfäden bestehende Zellverbände). Moose (auch hoch differenzierte Algen) haben z. T., die Sprosspflanzen (Farne und Samenpflanzen) stets unterschiedlich differenzierte echte Gewebe. Ihr Entstehungsort sind die Meristeme (→Bildungsgewebe). Durch Zellteilung, Zellstreckung und Differenzierung zur endgültigen Form gehen aus den Meristemen Dauer-G. hervor. – **Tier. G.** treten bei den Eumetazoen (G.-Tiere) auf. Sie gehen aus den versch. Keimblättern bzw. einem →Blastem hervor. Nach Entwicklung, Bau und Leistung werden hauptsächlich unterschieden: Deck-G. (→Epithel), Stütz- und Füll-G. (→Bindegewebe), Muskel-G. (→Muskeln), Nerven-G. (→Nerven).

2) *Textiltechnik:* flächenförmiges Textilerzeugnis aus mindestens zwei rechtwinklig gesetzmäßig gekreuzten Fadensystemen. Die **Kette** verläuft in der Längsrichtung, der **Schuss** senkrecht dazu. Die Art der Fadenkreuzung heißt →Bindung.

Gewebefilter, zur Abtrennung von Feststoffen aus Gasen dienende filternde Abscheider. Als Filtermaterial werden versch. Textilien in gewebter (z. B. Baumwolle) und nicht gewebter Form (z. B. Nadelfilz, Vliese) verwendet. Auf der Filteroberfläche bildet sich ein Filterkuchen, der die Filter-

Gewässergüteklassen

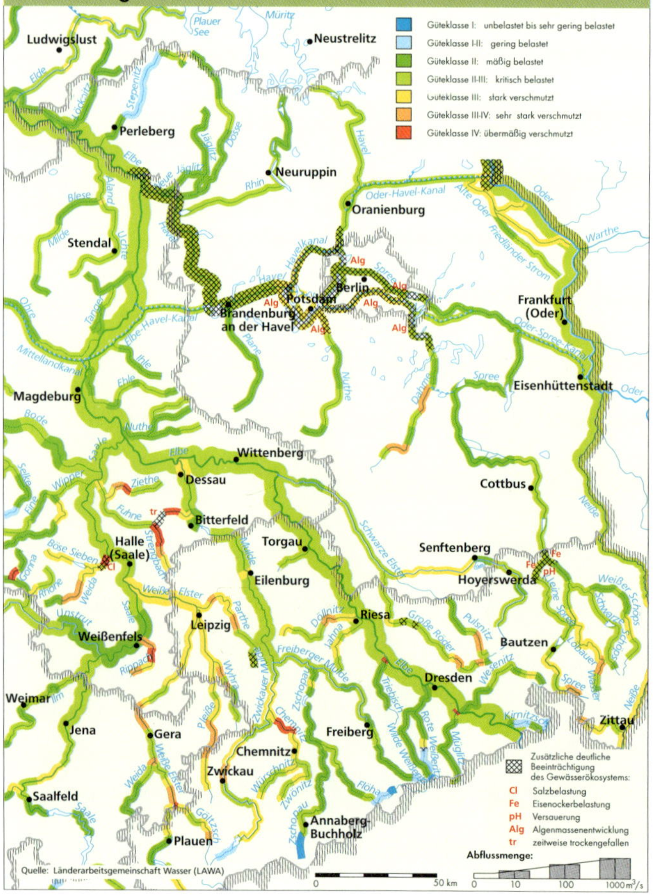

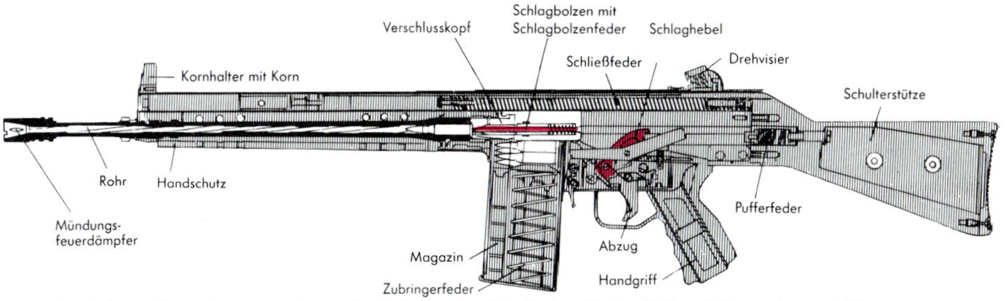

Gewehr: Schema des vollautomatischen Selbstladegewehrs G 3; Rückstoßlader, Kaliber 7,62 mm, Länge 102 cm, Gewicht ohne Magazin 4,1 kg

wirkung stark erhöht, aber auch zu einem Anstieg des Druckes führt. Die G. müssen daher durch Rütteln, Klopfen, Vibrieren oder Druckluft gereinigt werden. G. werden meist als Schlauch- oder Taschenfilter gebaut.

Gewebekultur, →Zellkultur.

Gewebelehre, die →Histologie.

Gewebetypisierung, immunolog. Feststellung der Verträglichkeit von Geweben unterschiedl. Organismen, die v.a. bei der Organtransplantation zur Ermittlung einer optimalen Spender-Empfänger-Kombination dient. Die G. beruht auf einer Bestimmung der Gewebsantigene des →HLA-Systems.

Gewebeverträglichkeit (Histokompatibilität), Verträglichkeit zw. Empfänger- und Spendergewebe bei einer Transplantation. Sie ist von der Identität der Blutgruppen und der möglichst weitgehenden Übereinstimmung der Histokompatibilitätsantigene des →HLA-Systems abhängig, die durch eine Gewebetypisierung vorab geklärt wird. Da die molekulare Struktur dieser Antigene genetisch verankert ist, findet sich vollständige G. nur bei eineiigen und damit erbgleichen Zwillingen. In jedem anderen Fall setzen immunbiolog. Reaktionen ein, die ohne immunsuppressive Therapie (→Immunsuppression) zur Abstoßung des Transplantats führen.

Gewebezüchtung, die →Zellkultur.

Gewebshormone, in versch. Geweben erzeugte hormonähnl. Stoffe, z.B. Gastrin, Sekretin, Angiotensin, Acetylcholin.

Gewebsverpflanzung, *Medizin:* →Transplantation.

Gewehr, langläufige, mit beiden Händen zu bedienende Handfeuerwaffe, die i.d.R. an der Schulter in Anschlag gebracht wird. Je nach Verwendung unterscheidet man →Jagdgewehre, Sport-G. (v.a. Kleinkaliber- und Luft-G.) und **Militär-G.** Als Militär-G. werden heute fast nur vollautomat. Hochleistungswaffen verwendet. Sie sind als Vollautomat für Dauerfeuer (Feuerstöße) mit einer theoret. Feuergeschwindigkeit zw. 600 und 1000 Schuss je min oder als Halbautomat (Selbstlader) für gezieltes Einzelfeuer verwendbar. Scharfschützen-G. sind mit einem Zielfernrohr ausgestattet. Mit den meisten G. können auch G.-Granaten verfeuert werden. Die Munition wird aus Magazinen zugeführt, die 20–30 Schuss fassen. Moderne G. sind vielfach in Blechprägetechnik gefertigt, häufig werden auch Kunststoffe verwendet.

Geschichte: Die Entwicklung des G. zeigt zwei Haupttypen: **Vorderlader** (14. Jh. bis zur Mitte des 19. Jh.) und **Hinterlader.** – Die ältesten, im ersten Drittel des 14. Jh. aufgetretenen G. waren **Handbüchsen.** Wegen ihres großen Gewichts mussten sie beim Schießen durch G.-Gabeln oder Hakenstangen gestützt werden **(Hakenbüchsen, Arkebusen).** Die Pulverladung wurde durch eine Lunte mit der Hand gezündet. Im 15. Jh. wurde das **Luntenschloss** erfunden, bei dem die Zündung durch einen niederschlagenden Hahn mit einem Zündschwamm erfolgte. Die nun als **Muskete** bezeichneten G. wurden allmählich leichter, sodass sie freihändig gebraucht werden konnten. Seit dem 17. Jh. wurde der Feuerstein für die Zündung verwendet. Das **Radschloss** besaß ein stählernes Rad, auf dem ein durch den Hahn gehaltenes Stück Schwefelkies auflag. Beim **Schnappschloss** wurde der Funke nicht gerissen, sondern geschlagen. Daraus entwickelten sich das **Batterie-, Stein-** oder **Flintschloss** unter Verwendung von Flint- oder Feuersteinen (Feuerstein-G.). All diese Waffen hatten i. Allg. glatte Rohre und waren Vorderlader, wodurch die Feuergeschwindigkeit äußerst beschränkt war. Bereits im 18. Jh. entwickelte man verstärkt gezogene Büchsen (v.a. Jagdwaffen). Den Abschluss der Vorderladerentwicklung bildete das **Perkussionssystem** mit einem Zündhütchen. Mitte des 19. Jh. ging man zu Hinterladern über (preuß. Zündnadel-G.), wodurch v.a. die Feuergeschwindigkeit wesentlich gesteigert wurde. Eine weitere Verbesserung brachten die Metallpatrone und die Senkung des Kalibers mit sich. In der 2. Hälfte des 19. Jh. setzte die Entwicklung des **Mehrlader-G.** ein (Repetier-G.), das mit seinem Magazin (3–10 Patronen) die Ladezeiten verkürzte. Mit solchen Waffen, deren Kaliber zw.

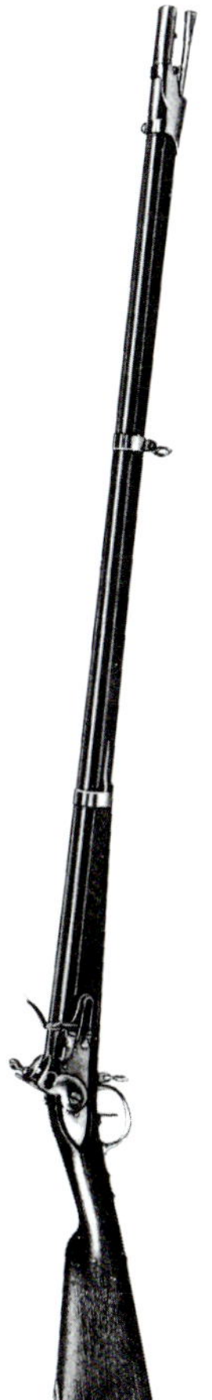
Gewehr: französische Steinschlossmuskete, Kaliber 17,5 mm (2. Hälfte des 18. Jh.)

6,5 und 8 mm lag, war die Masse der Streitkräfte in beiden Weltkriegen ausgestattet. **Selbstlade-G.** wurden vereinzelt bereits im 1. Weltkrieg verwendet. Die weitere Entwicklung, die im 2. Weltkrieg einsetzte, führte zu **vollautomat. G.,** bei denen die Patrone durch den Gasdruck oder den Rückstoß in die Kammer eingeführt wird.

🕮 Philip, C.: *Enzyklopädie der Handfeuerwaffen. A. d. Engl. Erlangen 1995.*

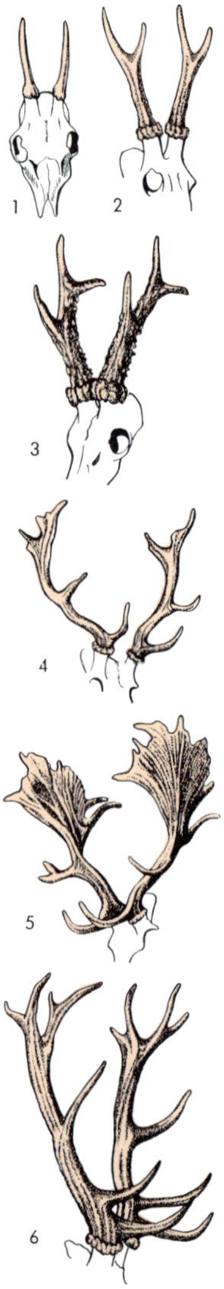

Geweih:
1–3 Entwicklung des Rehgehörns; 1 Spießer, 2 Gabler, 3 Sechser; 4 und 5 Geweih des Damhirsches, 4 Löffler, 5 Kapitalschaufler; 6 Geweih des Edelhirsches, Vierzehnender

Gewehrgranate, Granate, die mit oder ohne besondere Vorrichtungen (Schießbecher) mit einem Gewehr verschossen wird, v.a. mit Hohlladung zur Panzerabwehr; Reichweite bis 100 m.

Geweih, paarige, knöcherne Stirnwaffen beim männl. Geschlecht der meisten Hirscharten (beim Rentier auch beim weibl. Geschlecht). Das G. besteht aus zwei Stangen, die auf Stirnbeinfortsätzen, den **Rosenstöcken,** stehen. Die kranzförmige Verdickung der Stangenbasis heißt **Rose,** die Erhabenheiten auf der Stangenoberfläche heißen **Perlen,** zw. ihnen verlaufen Längsfurchen, die **Riefen.** Durch Abzweigung von der Stange entstehen **Enden** oder **Sprossen.** Drei oder mehr Enden in der Stangenspitze bilden die **Krone.** Stark verbreiterte Abflachung der Stange führt zur Bildung der **Schaufel.**

Das G. wird alljährlich abgeworfen und neu gebildet, wobei Jugendformen durchlaufen werden, bis die Reifeform erreicht und einige Jahre wiederholt wird. Im hohen Alter wird das G. wieder geringer (zurückgesetzt). Das fertige G. besteht aus totem Knochen mit einer dichten äußeren Rindenschicht und einer inneren porösen Knochensubstanz. Das Abwerfen der Stangen wird durch die Auflösung der Knochenschicht zw. Rosenstock und Stange ermöglicht. Die Knochenwunde der Abwurfstelle verschorft und wird von der Haut des Rosenstockrandes überwachsen. Aus dieser Narbenhaut geht der **Bast** hervor, eine Haut mit plüschähnl. Haaren, die das wachsende G. bedeckt und ernährt. Das neue G. ist zunächst knorpelig weich **(Kolben);** während des Wachsens wird es durch Verknöcherung von der Basis zur Spitze hin allmählich hart. Nach beendetem Wachstum stirbt der Bast ab und wird durch Reiben **(Fegen)** an Baumstämmen abgestreift; dabei wird der weiße Knochen braun. Das Wachstum des G. wird durch Hormone, z.B. der Hoden und Hirnanhangsdrüse, gesteuert.

In der *Jägersprache* heißt das G. beim Rothirsch auch **Gefänge, Gewicht,** beim Rehbock **Gehörn, Gewicht(e)l, Krone,** beim Dam- und Elchhirsch **Schaufeln.** Die weiteste innere Entfernung der Stangen voneinander ist die **Auslage.** Die Enden an den Stangen des Rothirsches heißen von unten nach oben **Aug(en)sprosse, Eissprosse** (fehlt oft), **Mittelsprosse, Kronenenden.** Am Rehgehörn werden **Vorder-, Mittel-** und **Hinterspross** unterschieden. Nach der Zahl der Enden an beiden Stangen spricht man von **Spießer, Gabler, Sechs(end)er** (Endstufe beim Rehbock), **Acht(end)er.** Ein Hirsch mit bes. kräftig entwickeltem G. wird **Kapitalhirsch,** ein Damhirsch oder Elch **Kapitalschaufler** genannt. Unregelmäßigkeiten am G. entstehen durch Beschädigungen in der Bastzeit, Verletzung oder Bruch des Rosenstocks, Ernährungsstörungen und Verlust oder Verkümmerung der Hoden **(Perückengeweih).**

Geweihfarn (Platycerium), Gattung der Tüpfelfarngewächse in den trop. Regenwäldern, wo sie in den Astgabeln der Bäume als Epiphyten wachsen; mit aufrechten, lederigen, gabelig verzweigten, geweihähnl. Blättern; als Zimmerpflanze häufig ist Platycerium bifurcatum.

Gewerbe, auf Dauer angelegte Wirtschaftstätigkeit, erfolgend auf eigene Rechnung, eigene Verantwortung und eigenes Risiko, zur Erzielung von Gewinn, unter Beteiligung am allg. wirtsch. Verkehr. Kein G. bilden Tätigkeiten im Rahmen der Land- und Forstwirtschaft oder eines freien Berufs. Das G. setzt sich aus Industrie, Handwerk, Haus-G. und Verlagswesen zusammen. Die Gesamtheit der G.-Betriebe wird als **gewerbl. Wirtschaft** bezeichnet.

Gewerbearzt, im öffentl. Gesundheitswesen an den staatl. Arbeitsschutzbehörden der Länder tätiger Arzt. Zu seinen Aufgaben gehören Beratung und Unterstützung der Gewerbeaufsichtsämter in Fragen der Arbeitshygiene und -medizin, v.a. die Prüfung der Einhaltung von Arbeitsschutzvorschriften einschl. der Diagnose und Anzeige von Berufskrankheiten.

Gewerbeaufsicht, die staatl. Überwachung der Einhaltung bes. von arbeits- und immissionsschutzrechtl. Bestimmungen durch die Gewerbebetriebe (in der GewO und in zahlr. landesrechtl. Vorschriften geregelt). Die Durchführung der G. obliegt in den Ländern den **G.-Ämtern** (früher »Gewerbepolizei« genannt) bzw. in einigen Bereichen Sonderaufsichtsbehörden, z.B. Bergämtern. – In *Österreich* ist die G. den Bezirksverwaltungsbehörden und den Arbeitsinspektoraten zugewiesen. In der *Schweiz* ist die Ordnung der G. kantonal verschieden.

Gewerbebetrieb, Betrieb, der die Voraussetzungen eines →Gewerbes erfüllt; unterliegt der Gewerbesteuer.

Gewerbeförderung, Gesamtheit der wirtschaftspolit. Maßnahmen von Staat, Wirtschaftsverbänden, Industrie- und Handels- sowie Handwerkskammern zur Förderung der gewerbl. Wirtschaft. Die G. umfasst v.a. Maßnahmen zur Stärkung der Wettbewerbsfähigkeit von gewerbl. Klein- und Mittelbetrieben (z.B. Rationalisierung von Produktion und Organisation, betriebswirtsch. und techn. Beratung, Nachwuchsausbildung und Unternehmerweiterbildung, Förderung der Marktbeziehungen durch Ausstellungen und Messen, Finanzhilfen und Steuervergünstigungen, Förderung von Existenzgründungen).

Gewerbefreiheit, das dem Einzelnen zustehende Recht, ein Gewerbe im Rahmen der gesetzl. Bestimmungen zu betreiben. In Dtl. ist die G. durch Art. 12 GG verfassungsrechtlich geschützt und Deutschen vorbehalten, während der Grundsatz der G. in seiner einfachgesetzl. Normierung im § 1 GewO für jedermann, also auch für Ausländer, gilt. – Die G. entwickelte sich unter Beseitigung des früheren Zunftzwangs aufgrund der Wirtschaftslehre des Liberalismus und wurde zuerst während der Frz. Revolution (1791) in Frankreich, seit Mitte des 19. Jh. auch in anderen Staaten eingeführt, so in Dtl. durch die GewO von 1869 (→ Gewerberecht). – In *Österreich* gewährleistet die G. Art. 6 des Staatsgrund-Ges. von 1867, in der *Schweiz* Art. 31 der Bundesverf., wobei jedoch Beschränkungen zum Schutze gefährdeter Wirtschaftszweige und Berufe zulässig sind.

Gewerberecht, gesetzl. Bestimmungen zur Regelung der Gewerbe. Das G. hat sich in Dtl. aus dem Polizeirecht zu einem selbstständigen Gebiet innerhalb des Wirtschaftsverwaltungsrechts entwickelt und unterliegt der konkurrierenden Gesetzgebung des Bundes (Art. 74 Ziff. 11 GG). – Grundlage des dt. G. ist die **Gewerbeordnung (GewO)** vom 21. 6. 1869 (mit zahlreichen Änderungen), wobei wichtige Materien in Sonder-Ges. neu geordnet sind. Die GewO geht vom Grundsatz der Gewerbefreiheit aus und fixiert deren Beschränkungen zur Gewährleistung der öffentl. Sicherheit unter Berücksichtigung des Arbeitsschutzes. Sie enthält besondere Regelungen über die Einteilung der Gewerbe (stehendes Gewerbe; Reisegewerbe; Messen, Ausstellungen, Märkte), zulässige Maßnahmen der Gewerbeüberwachung, Voraussetzungen der Gewerbezulassung, Einrichtung des Gewerbezentralregisters, arbeitsrechtl. Vorschriften. – In *Österreich* gilt die GewO von 1994. In der *Schweiz* ist das G. zum größten Teil noch kantonal geregelt.

Gewerbesteuer, Ertragsteuer, der alle Gewerbebetriebe unterliegen. Die G. ist durch das G.-Gesetz vom 21. 3. 1991 bundeseinheitlich geregelt. Ihr Aufkommen steht vornehmlich den Gemeinden zu (→ Gemeindesteuern). Steuerbemessungsgrundlagen sind der Gewerbeertrag und das Gewerbekapital; deshalb wird auch von **Gewerbeertragsteuer** und **Gewerbekapitalsteuer** gesprochen. Die G. wird berechnet, indem Gewerbeertrag (korrigierter steuerl. Gewinn) und Gewerbekapital (korrigierter Einheitswert des Gewerbebetriebs) mit einer **Steuermesszahl** (bundeseinheitlich grundsätzlich 5 % bzw. 0,2 %) multipliziert und zu einem einheitl. **Steuermessbetrag** zusammengezählt werden, den das Finanzamt durch den G.-Messbescheid festsetzt. Die G.-Schuld ergibt sich durch Multiplikation des Steuermessbetrages mit einem Prozentsatz, dem **Hebesatz,** dessen Höhe die hebeberechtigte Gemeinde bestimmt.

Mit einem Aufkommen von (1995) 42,2 Mrd. DM ist die G. viertwichtigste Steuer in Dtl. und trotz G.-Umlage (20 % des Aufkommens) wichtigste originäre Steuerquelle der Gemeinden. Die Gewerbekapitalsteuer ist mit Wirkung vom 1. 1. 1998 abgeschafft. Zum Ausgleich erhalten die Gemeinden 2,2 % vom Umsatzsteueraufkommen.

Gewerbezentralregister, beim Bundeszentralregister in Berlin geführtes Register, in dem die gewerbebezogenen Verwaltungsentscheidungen und Gerichtsurteile (Straftaten, bestimmte Ordnungswidrigkeiten) seit 1976 erfasst werden; es soll gegenüber gewerberechtlich unzuverlässigen oder ungeeigneten Personen eine einheitl. Untersagungs- und Genehmigungspraxis ermöglichen. Die Eintragungen unterliegen gewissen Tilgungsfristen.

gewerbliche Arbeitnehmer, gruppenspezif. Bez. für unselbstständig Beschäftigte in der gewerbl. Wirtschaft (Industrie, Handel, Handwerk, Dienstleistungsgewerbe) im Unterschied zu Angestellten, Arbeitern und Beamten im Staatsdienst.

gewerblicher Rechtsschutz, Inbegriff der zum Schutz der geistig-gewerbl. Betätigung im wirtsch. Wettbewerb erlassenen Vorschriften des Patent-, Gebrauchsmuster-, Geschmacksmuster-, Marken- und Wettbewerbsrechts. Das Urheber- und Verlagsrecht werden meist nicht zum g. R. gezählt, wenngleich es auch ähnl. Zielsetzungen dient.

gewerbsmäßiges Handeln, *Strafrecht:* eine Handlungsweise des Täters in der Absicht, sich durch die wiederholte Begehung einer Straftat eine nicht nur vorübergehende Einnahmequelle zu verschaffen; wirkt teils strafbegründend (z. B. § 180 a Abs. 1 StGB, Betreiben eines Bordells), teils strafverschärfend (z. B. § 260 StGB, gewerbsmäßige Hehlerei).

Gewerkschaften, Organisationen lohn- oder gehaltsabhängiger Arbeitnehmer, um bestimmte, v. a. wirtsch. und soziale Interessen durchzusetzen. In Wirtschaftssystemen, die demokratisch verfasst und marktwirtschaftlich strukturiert sind, treten die G. als unabhängige Arbeitnehmerorganisationen in Erscheinung; dabei bedeutet Unabhängigkeit v. a. die freie Wahl der zur Erreichung der Ziele für angemessen erkannten Mittel auf der Grundlage rechtsstaatlich und verfassungsrechtlich garantierter Formen polit. Entscheidungsbildung;

Geweihfarn: Platycerium bifurcatum (Länge der Blätter bis 70 cm)

Unabhängigkeit bedeutet dabei nicht polit. Neutralität. Um wirksam agieren zu können, bedürfen unabhängige G. im Allg. eines Mindestmaßes an polit. Bewegungsfreiheit, die bes. auf Versammlungs-, Vereins- und Koalitionsfreiheit beruht. Unabhängige G. bejahen den Streik als das letztlich entscheidende Kampfmittel.

Freie Gewerkschaften

Allg. Deutscher Gewerkschaftsbund (A. D. G. B.), 35 Verbände mit 4 867 000 Mitgliedern	Allg. Freier Angestelltenbund (Afa), 14 Verbände mit 446 000 Mitgliedern	Allg. Deutscher Beamtenbund (A. D. B), 23 Verbände mit 180 000 Mitgliedern

Christlich-nationale Gewerkschaften
Deutscher Gewerkschaftsbund

Gesamtverband der christl. Gewerkschaften Deutschlands, 18 Verbände mit 720 000 Mitgliedern	Gesamtverband Deutscher Angestelltengewerkschaften (Gedag), 14 Verbände mit 558 000 Mitgliedern

Freiheitlich-nationale Gewerkschaften
Gewerkschaftsring
Deutscher Arbeiter-, Angesellten- und Beamtenverbände

Verband der deutschen Gewerkvereine (Hirsch-Duncker), 22 Verbände mit 168 000 Mitgliedern	Gewerkschaftsbund der Angestellten, 302 000 Mitglieder und 6 weitere Verbände mit 59 000 Mitgliedern	Ring deutscher Beamtenverbände mit 40 000 Mitgliedern

Allgemeiner Eisenbahnverband 40 000 Mitglieder

Gewerkschaften: Gewerkschaftsrichtungen im Deutschen Reich

Nach Gesetzgebung und Rechtsprechung gelten G. ebenso wie Arbeitgeberzusammenschlüsse in der Bundesrep. Dtl. als Koalitionen, die vom Mitgliederwechsel unabhängig sind, die freiwillig gebildet, von Parteien, Kirchen sowie vom Staat unabhängig und auf überbetriebl. Grundlage organisiert sind, deren wichtigste Aufgabe der Abschluss von Tarifverträgen ist, die zu diesem Zweck Druck ausüben können, dabei aber die geltenden Schlichtungsregelungen anerkennen. Über diese rechtswiss. Definition hinaus gilt und galt v. a. in der Geschichte der Arbeiterbewegung als wichtigstes Ziel gewerkschaftl. Zusammenschlüsse die Selbsthilfe Lohnabhängiger (v. a. zu Beginn der industriellen Revolution) gegen Armut sowie Kinderarbeit, unzumutbare Arbeitsbedingungen (12- bis 17-Stunden-Tag, zu niedrige Löhne usw.) und fehlende soziale Sicherung (v. a. gegen Arbeitslosigkeit, Krankheit und Alter). Der gewerkschaftl. Kampf um die Verbesserung der Lebens- und Arbeitsbedingungen richtete sich nicht allein gegen Arbeitgeber, sondern auch gegen den Staat, der die notwendigen gesetzl. Rahmenbedingungen schaffen sollte (Normalarbeitstag, Arbeitsschutzgesetzgebung, staatl. Sozialversicherung, Betriebsverfassung sowie als notwendige Voraussetzung gewerkschaftl. Zusammenschlüsse eine gesetzlich abgesicherte → Koalitionsfreiheit). Heute gelten als wichtigste, auch gesetzlich abzusichernde Ziele betriebl. und überbetriebl. Mitbestimmung, Vermögensbildung in Arbeitnehmerhand, Wiederherstellung der Vollbeschäftigung durch versch. Maßnahmen der Arbeitszeitverkürzung (35-Stunden-Woche, Urlaubsverbesserungen), Verbesserung des Bildungs- und Ausbildungswesens sowie der Schutzgesetze für Jugendliche, Frauen und Behinderte.

Organisationsformen: G. bildeten sich zunächst nach dem **Berufsverbandsprinzip,** bei dem sich Arbeitnehmer getrennt nach Berufsgruppen organisieren. Dieses Prinzip ist heute noch z. B. bei den Trade Unions in Großbritannien und den USA vorherrschend; in W-Europa entwickelte sich um 1900 das **Industrieverbandsprinzip** (ein Betrieb – eine G.), nach dem sowohl die Einzel-G. des → Deutschen Gewerkschaftsbunds (DGB) als auch die Arbeitgeberverbände in Dtl. gegliedert sind. Sind G. auf bestimmte Weltanschauungen festgelegt bzw. die G.-Bewegung eines Landes nach Weltanschauungszugehörigkeit gegliedert, spricht man von **Richtungsgewerkschaften.** Die G.-Geschichte kennt v. a. folgende: 1) **freie** bzw. **sozialist. G.** als Teil der sozialist. Arbeiterbewegung; in Dtl. schlossen sich nach Aufhebung des Sozialistengesetzes (1890) die (der SPD nahe stehenden) Freien G.-Gruppen 1892 in Halberstadt zur Generalkommission der G. Dtl.s zusammen. Die SPD hatte ideologisch und personell auf diese G. großen Einfluss. Entgegen den Absichten A. Bebels u. a., die dafür eintraten, dass die Partei die Richtlinien ihrer Arbeiterorganisationen bestimmte, blieben diese jedoch unabhängig (Mannheimer Abkommen zw. den freien G. und der SPD, 1906); 1919 bildeten die freien G. in Dtl. den Allg. Dt. Gewerkschaftsbund (ADGB), dem der Allg. freie Angestelltenbund (Afa-Bund), gegr. 1920, und der Allg. Dt. Beamtenbund (ADB), gegr. 1921, angeschlossen waren. Wichtigstes polit. Konzept in den 1920er-Jahren war die Forderung nach Wirtschaftsdemokratie (sozialpolit. Maßnahmen gegen wirtsch. Macht, Ausbau betriebl. Mitbestimmung, Einführung regionaler und überbetriebl. Selbstverwaltungsorgane, Förderung der öffentl. Unternehmen sowie der Genossenschaften). 2) **Kommunist. G.** entstanden in Russland bzw. der Sowjetunion, ČSR, Großbritannien, Frankreich, Österreich und Polen und bildeten 1921 die Rote

Gewerkschaftsinternationale (RGI), der sich auch revolutionäre Gruppen innerhalb der dt. freien G. anschlossen, die sich 1928 als Revolutionäre Gewerkschaftsopposition (RGO) unter der Führung der KPD vom ADGB abspaltete. 3) **Syndikalist. G.** bestanden v.a. in den letzten anderthalb Jahrzehnten des 19. Jh.; sie haben den Gedanken des Ind.verbandsprinzips am stärksten propagiert; Ziel der syndikalist. G. ist ein Wirtschaftssystem der Arbeiterselbstverwaltung. Syndikalist. G. entstanden zuerst in Frankreich (1892 Gründung der Fédération des Bourses du Travail) und hatten v.a. in Südamerika und Spanien (1910 Gründung der Confederación Nacional del Trabajo [CNT]) größeren Einfluss. 4) **Christl. G.** bildeten sich innerhalb der christlich-sozialen Bewegung zuerst Ende des 19. Jh. in Dtl.; sie gründeten 1901 den Gesamtverband christl. G., der nach dem Prinzip der Interkonfessionalität arbeitete. 1919 kam es zur Gründung des Dt. Gewerkschaftsbundes (DGB), der sich an der Zentrumspartei orientierte. In der Bundesrep. Dtl. sind die christl. (kath. orientierten) G. im 1959 gegründeten Christl. Gewerkschaftsbund Dtl. (CGB) zusammengefasst. 5) Gegen die klassenkämpfer. G.-Auffassung der freien, kommunist. und syndikalist. G. bildeten sich 1868 neben den christl. G. die dem Linksliberalismus nahe stehenden **Hirsch-Dunckerschen Gewerkvereine,** die nach dem Selbsthilfeprinzip schon früh Hilfskassen für ihre Mitgl. einrichteten; 1868 erfolgte die Gründung des Verbandes der Dt. Gewerkvereine, der 1919 mit Angestellten- und Beamtenorganisationen den Gewerkschaftsring dt. Arbeiter-, Angestellten- und Beamtenverbände gründete. 6) Die wirtschaftsfriedl. G. (sog. **gelbe G.**) lehnten den Arbeitskampf ab und proklamierten die Arbeitgeber und -nehmer zusammenfassende Werkgemeinschaft. 1899 in Frankreich entstanden, entwickelten sie sich meist mit Arbeitgeberunterstützung ab 1905 auch in Deutschland.

Mitgliederstruktur: Die G. entwickelten sich zuerst als Berufsgruppen-G. getrennt für Arbeiter, Angestellte (→Angestelltengewerkschaften) und Beamte. In Dtl. sind die Deutsche Angestellten-Gewerkschaft (DAG) und der Dt. Beamtenbund (DBB) nach diesem Berufsgruppenprinzip organisiert. – Dem Prinzip der Richtungs-G., dem Berufsverbands- sowie dem Berufsgruppenprinzip steht das Prinzip der **Einheits-G.** gegenüber, die alle Berufsgruppen umfasst und nach dem Ind.verbandsprinzip in Einzel-G. gegliedert ist. 1949 wurde in der Bundesrep. Dtl. der DGB nach diesem Prinzip aufgebaut. Trotz Konkurrenz von DAG, DBB und CGB ist er mit seinen Einzel-G. (nach Zusammenschlüssen 11 [1998]) sowohl in der Tarifpolitik als auch als Dachorganisation in der Wirtschafts- und Sozialpolitik eine einflussreiche Kraft. Obwohl Mitgl. bzw. Wähler aller Parteien im DGB organisiert sind, besteht – auch in den Führungsgremien – eine starke SPD-Mehrheit. – In der sowjet. Besatzungszone wurde 1945 der →Freie Deutsche Gewerkschaftsbund (FDGB) als Dachorganisation von 15 Einzel-G. gegründet.

Internat. Organisationen: Die freien G. gründeten 1913 den Internat. Gewerkschaftsbund (IGB), der 1919 als internat. Dachorganisation der reformist. G. Europas und zeitweilig der USA neu konstituiert wurde (1919: 32 Mio. Mitgl.; zu Beginn des 2. Weltkriegs faktisch aufgelöst). 1921 gründeten die kommunist. G. die Rote Gewerkschaftsinternationale (RGI). 1945 kam es zur Gründung des Weltgewerkschaftsbundes (WGB), in dem auch amerikan. und sowjet. G. vertreten waren. Wegen der durch den Kalten Krieg einsetzenden Spannungen kam es 1949 zur Gründung des →Internationalen Bundes Freier Gewerkschaften (IBFG) durch nichtkommunist. G. Als christl. G.-Internationale ging 1968 aus dem 1920 gegründeten Internat. Bund Christl. Gewerkschaften (IBCG) der Weltverband der Arbeitnehmer (WVA) hervor.

📖 *Quellen zur Geschichte der dt. Gewerkschaftsbewegung im 20. Jh., begr. v.* E. Matthias, *hg. v.* K. Schönhoven *u.* H. Weber, *auf zahlr. Bde. ber. Köln 1985 ff.* – *Geschichte der dt. G. von den Anfängen bis 1945, hg. v.* U. Borsdorf. *Köln 1987.* – Schönhoven, K.: *Die dt. G. Frankfurt am Main* *²1988.* – Schneider, M.: *Kleine Geschichte der G. Bonn 1989.* – Nickel, W.: *Taschenbuch der dt. G. Aufgaben – Organisation – Praxis. Köln 1995.*

Gewerkschaftsbanken, →Gemeinwirtschaftsbanken.

Gewicht, 1) *allg.:* umgangssprachl. Bez. für die durch Wägung ermittelte →Masse eines Körpers.

2) *Maß- und Eichwesen:* Kurzbez. für Gewichtsstück oder Wägestück.

3) *Mathematik:* Zahlenangabe, die die Bedeutung einer Größe im Vergleich zu anderen ausdrückt, bes. bei der Bildung (Gewichtung) von **gewogenen (gewichteten) Mittelwerten.**

4) *Physik:* Bez. für die **Gewichtskraft** (Formelzeichen G oder F_G) oder **Schwerkraft,** mit der ein Körper vom Schwerefeld eines Himmelskörpers (z.B. der Erde) angezogen wird. Ihr Betrag ergibt sich aus dem Produkt aus der Masse m des Körpers und der am Ort des Körpers herrschenden Fallbeschleunigung g zu $G = mg$; sie wird in →Newton gemessen.

Gewichtheben, das wettkampfgerechte Reißen und Stoßen möglichst großer Massen in Form einer Scheibenhantel auf einem 4 m × 4 m großen Heberboden. Wettkämpfe werden in Gewichtsklassen in den beiden genannten Einzeldisziplinen in der angegebenen Reihenfolge und außerdem durch Addition der Bestleistungen jedes Wett-

Gewichtheben: Stoßen mit Hocke

Gewichtheben: Reißen mit Ausfall

kämpfers als olymp. Zweikampf ausgetragen. Die Scheibenhantel muss möglichst geradlinig und auf kürzestem Weg regelgerecht vom Boden zur Hochstrecke (Halten über dem Kopf) gebracht werden. Jedem Wettkämpfer stehen je Disziplin drei Versuche zu, die beste Leistung wird gewertet. Bei gleicher Leistung ist derjenige besser platziert, der sie früher als der andere schaffte (zeitl. Reihenfolge im Wettkampf). Olymp. Sportart seit 1896, Weltmeisterschaften seit 1905 (seit 1995 auch für Frauen), Europameisterschaften seit 1896 (seit 1986 auch für Frauen).

Gewichtsanalyse, die → Gravimetrie.

Gewichtsklassen, für Boxer, Ringer, Gewichtheber, Judoka u.a. verbindl. Klassifikation nach der Körpermasse (Körpergewicht), um notwendige Voraussetzungen für einen objektiven sportl. Leistungsvergleich zu schaffen.

Gewichtskraft, *Physik:* → Gewicht.

Gewichtsprozent, Abk. **Gew.-%,** unkorrekte Bez. für Masseprozent (→ Konzentration).

Gewichtszoll (spezifischer Zoll), Zollberechnung auf der Grundlage einer Gewichtseinheit, im Unterschied zum Wertzoll.

Gewichtung, *Mathematik:* → Gewicht.

Gewinde, *Technik:* schraubenlinienförmige regelmäßige Profilierung auf einem zylindr. oder schwach kon. Schaft **(Außen-G.)** oder auf der Innenfläche eines zylindr. Hohlkörpers **(Innen-G).** Dieses mechan. Formelement ermöglicht eine jederzeit lösbare Verbindung zw. zwei mit korrespondierenden G. versehenen Teilen, z.B. Schraubenmutter und Schraubenbolzen, sowie die Umwandlung einer Dreh- in eine Längsbewegung. Einen vollen Umlauf der Schraubenlinie bezeichnet man als Gang, der Weg, um den sich die Schraubenmutter bei einer vollen Umdrehung auf dem Schraubenbolzen verschoben hat, ist die Ganghöhe oder Steigung. Steigt die Schraubenlinie nach rechts an, so handelt es sich um das normalerweise verwendete **Rechts-G.,** bei Anstieg nach links um ein **Linksgewinde.**

Je nach Verwendungszweck werden G. mit unterschiedl. G.-Profil (Schnittbild eines G.-Ganges) eingesetzt. **Spitz-G.** (Dreieckprofil) werden für Befestigungszwecke verwendet, **Trapez-G.** zur Kraft- und Bewegungsübertragung in beiden Richtungen, **Sägen-G.** zur Kraftübertragung in einer Richtung, **Rund-G.** zur Kraft- und Bewegungsübertragung, wenn Kerbwirkung infolge scharfer Ecken zu vermeiden ist. Bei den für Schrauben genormten G. unterscheidet man Normal-, Grob- und Fein-G. Die Angabe von G.-Außendurchmesser und Steigung erfolgt bei **metr. ISO-G.** in dezimalen Teilen oder Vielfachen von Millimetern, bei **Zoll-G.** bzw. **Withworth-G.** in Zoll bzw. Inch (heute v.a. in angelsächs. Ländern).

G. können von Hand (z.B. mit Schneideisen, Schneidkluppe) oder maschiniell (z.B. Drehmaschine, durch Fräsen, Pressen oder Gießen) hergestellt werden.

Gewinn, *Betriebswirtschaftslehre:* Differenz zw. Einnahmen und Ausgaben, Ertrag und Aufwand bzw. Erlösen und Kosten. Die Differenz zw. allen Einnahmen und allen Ausgaben während der Lebensdauer eines Unternehmens wird als **Total-G.** bezeichnet. Aus der Notwendigkeit der Ermittlung von G.-Größen für Teilperioden (meist ein Geschäftsjahr) ergibt sich der **Perioden-G. (Buch-G., patagor. G.);** er erscheint in der Geschäftsbuchführung unter Beachtung der handels- und steuerrechtl. Vorschriften doppelt: in der → Gewinn-und-Verlust-Rechnung als Saldo sowohl des leistungsbedingten als auch des nicht mit dem eigentl. Betriebszweck zusammenhängenden (neutralen) Ertrags und Aufwands, in der → Bilanz als Überschuss des Eigenkapitals am Ende der Periode gegenüber dem Stand zu Beginn, abzüglich der Eigenkapitaleinlagen und zuzüglich der Eigenkapitalentnahmen. Der **Bilanz-G.** ist der von den Kapitalgesellschaften ausgewiesene Erfolg unter Berücksichtigung der G.-Verwendung. In der Kosten- und Leistungsrechnung wird der G. je Periode **(Betriebs-G., kalkulator. G.)** als Differenz der Leistung (Erlös) und des dafür aufgewandten Verbrauchs (Kosten) und der **Stück-G.** als Differenz von Preis (Erlös) je Produktmengeneinheit und Stückkosten ermittelt.

Gewichtheben: Gewichtsklassen (Männer)

Fliegengewicht	bis 54 kg
Bantamgewicht	bis 59 kg
Federgewicht	bis 64 kg
Leichtgewicht	bis 70 kg
Mittelgewicht	bis 76 kg
Leichtschwergewicht	bis 83 kg
Mittelschwergewicht	bis 91 kg
1. Schwergewicht	bis 99 kg
2. Schwergewicht	bis 108 kg
Superschwergewicht	über 108 kg

Bei den Frauen gibt es Gewichtsklassen bis 46 kg, 50 kg, 54 kg, 59 kg, 64 kg, 70 kg, 76 kg und 83 kg sowie über 83 kg.

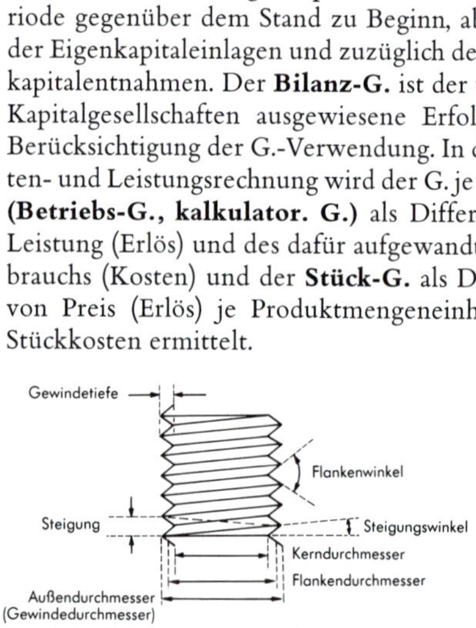

Gewinde: Schema eines Gewindes

In der *Volkswirtschaftslehre* ist der **Unternehmer-G.** kein Preis für einen besonderen Produktionsfaktor, sondern eine Restgröße, die sich ergibt, wenn von den Erlösen zunächst die Kosten für fremde Produktionsfaktoren (einschl. Abschreibungen) abgezogen werden. Von dem dadurch entstehenden Unternehmereinkommen gelangt man zum Unternehmer-G., wenn man die Kosten für eigene Produktionsfaktoren berücksichtigt. Das ist neben kalkulator. Pacht und kalkulator. Zins auch der kalkulator. Unternehmerlohn (Entgelt für die geleistete Arbeit des Unternehmers einschl. Risikoprämie). In der klass. Nationalökonomie wurden Unternehmer-G. und kalkulator. Unternehmerlohn zu **Profit** i.e.S. zusammengefasst; Profit i.w.S. bezeichnet den Kapitalertrag als Verzinsung des eingesetzten Eigen- und Fremdkapitals (Kapital-G.).

Dem G. kommt unter marktwirtsch. Bedingungen eine wichtige Steuerungs- und Anreizfunktion zu. Hohe G. veranlassen z.B. potenzielle Anbieter, neu in den Markt einzutreten (Imitationswirkung), und bisherige Anbieter, die Produktion auszudehnen (Kapazitätswirkung) sowie verbesserte Verfahren anzuwenden (Innovationswirkung).

Gewinnabführungsvertrag (Ergebnisabführungsvertrag), Unternehmensvertrag, durch den eine AG, Kommanditgesellschaft auf Aktien oder GmbH sich verpflichtet, ihren Gewinn an ein anderes Unternehmen abzuführen; auch die Verpflichtung, das Unternehmen für Rechnung eines anderen zu führen (§291 Aktien-Ges.). Körperschaftsteuerlich wird der G. nur unter bestimmten Voraussetzungen anerkannt.

Gewinnbeteiligung, 1) *Betriebswirtschaft* und *Sozialpolitik:* vom Arbeitgeber über die Entlohnung hinaus gewährte Beteiligung der Arbeitnehmer am Geschäftsergebnis. Die G. soll die Bindung an den Betrieb fördern, die Arbeitsmoral verbessern und zu sparsamem Materialverbrauch anregen. Die G. bietet darüber hinaus Gelegenheit zur Vermögensbildung. Die Gewerkschaften stehen den vorhandenen Formen der G. kritisch gegenüber, da sie von ihr eine Stärkung des Betriebsegoismus und eine Schwächung des Solidaritätsgedankens der Arbeitnehmer befürchten. – Die G. kann in Gestalt einer Ergebnis- oder Erfolgsbeteiligung erfolgen, wobei als Bemessungsgrundlage der jährl. Erfolg (i.d.R. der Gewinn) dient. Denkbar ist eine jährl. Auszahlung eines Gewinnanteils an die einzelnen Arbeitnehmer oder an die Gesamtbelegschaft (z.B. in Form freiwilliger Sozialleistungen), Gutschrift auf ein Sonderkonto, von dem Auszahlungen nur in Sonderfällen vorgenommen werden, z.B. bei Ausscheiden aus dem Betrieb (hierbei bleibt das Kapital dem Betrieb für Investitionen erhalten), oder die Ausgabe von Anteilscheinen, z.B. **(Belegschaftsaktien).** Bei Letzterem hat die G. die Form der Kapitalbeteiligung angenommen. Bereits im 19. Jh. führten einzelne Unternehmer wie z.B. Heinrich Freese (*1853, †1944) und E. Abbe die G. ein. Nach 1945 fand die G. nach versch. Verfahren weitere Verbreitung. In den USA und Großbritannien ist sie verbreitet, in Frankreich seit 1968 für Betriebe mit mehr als 100 Arbeitnehmern gesetzlich eingeführt.

📖 SCHNEIDER, H. J. *u.* ZANDER, E.: *Erfolgs- u. Kapitalbeteiligung der Mitarbeiter in Klein- u. Mittelbetrieben. Freiburg im Breisgau* [4]*1993.*

2) *Versicherungswesen:* gesetzlich geregelte Verteilung der erwirtschafteten Überschüsse an die Versicherten. Formen der G. in der Lebensversicherung: Auszahlung der Überschüsse, Verrechnung mit den Prämienzahlungen, Verwendung der Überschüsse zur Erhöhung der Versicherungssumme (Bonussystem). G. sind in geringerem Umfang auch in der Kranken-, Unfall- und Kfz-Versicherung üblich.

Gewinnmaximierung, Ziel einer Unternehmensstrategie, die darauf ausgerichtet ist, die Differenz zw. Erlös und Kosten für einen bestimmten Zeitraum so groß wie möglich zu gestalten.

Gewinn-und-Verlust-Rechnung, Abk. **GuV** (Erfolgsbilanz), nach §242 HGB neben der Bilanz Bestandteil des zum Ende einer Rechnungsperiode aufzustellenden Abschlusses der doppelten → Buchführung. In ihr werden die Salden der Erfolgskonten, getrennt nach Aufwendungen und Erträgen, einander gegenübergestellt. Die Differenz ist der Erfolg der Periode (Gewinn oder Verlust). Als Teil des Jahresabschlusses hat die GuV die Aufgabe, das Zustandekommen des Erfolgs aus den einzelnen Erfolgsquellen nach Art und Höhe erkennbar zu machen, dadurch einen Einblick in das Zustandekommen des Ergebnisses zu vermitteln und so die Bilanz zu ergänzen. Das Aktien-Ges. schreibt eine Mindestgliederung in Staffelform vor. Für andere Gesellschaftsformen ist auch die Kontenform zulässig.

Gewinnvortrag, Teil des Gewinns einer Kapitalges., der nicht an die Gesellschafter verteilt und nicht in die Gewinnrücklagen eingestellt, sondern auf das nächste Jahr übertragen wird.

Gewirke, flächenförmiges Textilerzeugnis, das durch Bilden von Maschen aus einem oder mehreren Fadensystemen hergestellt wird. (→ Wirkerei)

Gewissen, das persönl. Bewusstsein vom sittl. Wert oder Unwert des eigenen Verhaltens, die Fähigkeit der moral. Selbstbeurteilung.

Psychologie: Das G. entwickelt sich im Sozialisierungsprozess (→ Sozialisation) durch die Auseinandersetzung mit der Umwelt und deren Normen und Verhaltensregeln. Bis etwa zum 7. oder 8. Lebensjahr werden (elterl.) Vorschriften als Normen aufgenommen. Dann wird diese »heterogene Moral« (J. Piaget) von einer autonomen abgelöst; eigene Entscheidungsfähigkeit aufgrund selbststän-

Wer nur um **Gewinn** *kämpft, erntet nichts, wofür es sich lohnt zu leben.*

Antoine de Saint-Exupéry

Nach Meinung der Sozialisten ist es ein Laster, Gewinne zu erzielen. Ich bin dagegen der Ansicht, dass es ein Laster ist, Verluste zu machen.

Winston Churchill

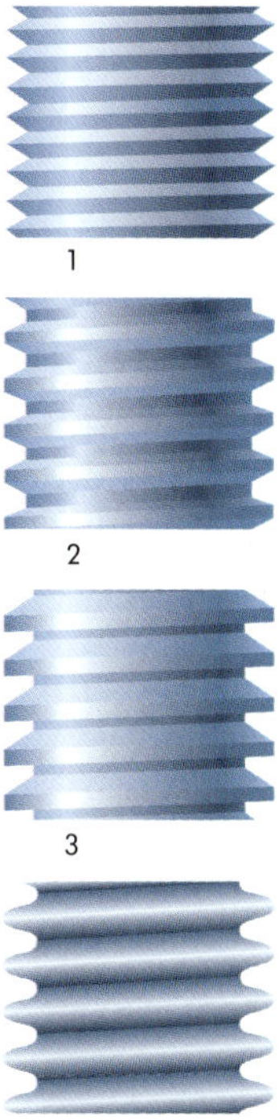

Gewinde: Verschiedene Gewindeformen; 1 Spitzgewinde, 2 Trapezgewinde, 3 Sägengewinde, 4 Rundgewinde

Der Handelnde ist immer gewissenlos; es hat niemand **Gewissen** *als der Betrachtende.*

Goethe

diger Orientierung und erster Wertschemata (z.B. freiwillig angenommener Spielregeln) werden ausgebildet. In der Reifezeit vollzieht sich die eigentl. Distanzierung von bisher eingenommenen Verhaltensregulationen zugunsten eines normierenden personalen Bezugssystems. Die Psychoanalyse bezeichnet das Über-Ich als Repräsentanten des Gewissens.

G. in der christl. *Theologie* wurde als systemat. Lehre von der objektiven Richtschnur für das Handeln des Menschen und seiner subjektiven Entscheidung dazu von der Scholastik entwickelt. Die Bibel kennt keine Lehre vom G., beschreibt aber an vielen Stellen den Sachverhalt. Gott spricht den Menschen an und gibt ihm damit das Bewusstsein seiner Gebote und seiner Gnade. Im A.T. und im Sprachgebrauch Jesu steht für G. »das Herz des Menschen« (das gut oder böse sein kann). Paulus führt aus der spätantiken Popularphilosophie den Begriff Syneidesis ein, der dort die innere (göttl.) Stimme des Menschen beschreibt. Die späten Schriften des N.T. verbinden das gute G. mit dem Glauben und beschreiben damit das Wesen christl. Existenz (1. Tim. 1,5). Nach der Lehre der Scholastiker verfügt der Mensch über sittl. Urgewissheiten und ist frei, sein konkretes Handeln im Einzelfall daran auszurichten. Luther lehnt die Annahme sittl. Urgewissheiten und freier menschl. Entscheidungsmöglichkeiten ab. Das menschl. G. ist für ihn Gefangener der Sünde, das allein durch seine Gebundenheit im Glauben frei wird zu entscheiden.

📖 LAUN, A.: *Das G. Oberste Norm sittl. Handelns. Eine krit. Analyse. Innsbruck u.a. 1984.* – FISCHER-FABIAN, S.: *Die Macht des G. Von Sokrates bis Sophie Scholl. Neuausg. Stuttgart u.a. 1988.* – FOERSTER, H. VON: *Wissen u. G. Versuch einer Brücke. A.d. Amerikan. Frankfurt am Main ³1996.*

Gewissensehe, bis 1983 im kath. Eherecht Bez. für eine mit ausdrückl. bischöfl. Erlaubnis ohne Aufgebot in kanon. Form (→Eherecht) geschlossene, aber auf Bitten der Eheleute von allen Beteiligten geheim zu haltende Ehe.

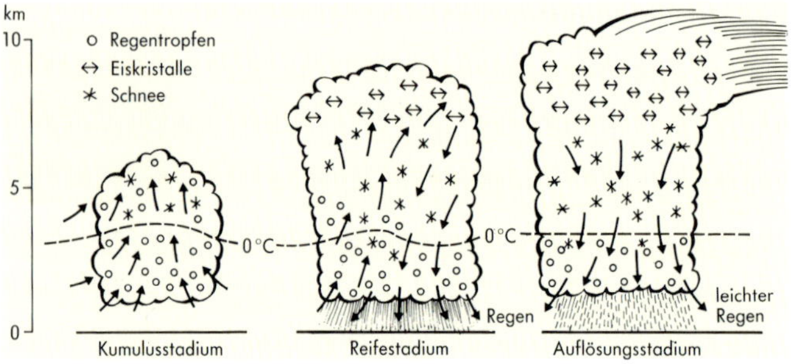

Gewitter: schematische Darstellung der Entwicklungsstadien einer Gewitterwolke

Gewissensfreiheit, →Glaubens-, Gewissens- und Bekenntnisfreiheit.

Gewitter, bei hoch reichender feuchtlabiler Schichtung der Atmosphäre und relativ hohem Wasserdampfgehalt der Luft auftretende Wettererscheinung mit einer oder mehreren plötzl. luftelektr. Entladungen, die sich durch ein kurzes Aufleuchten (→Blitz) und ein krachendes oder rollendes Geräusch (→Donner) äußern und mit starken, meist schauerartigen Niederschlägen und heftigen Windböen einhergehen. G. entstehen bevorzugt

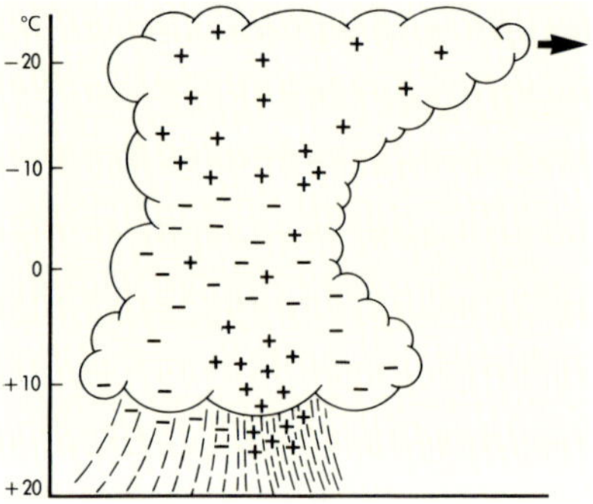

Gewitter: Schema des Ladungsaufbaus einer Gewitterwolke

an Luftmassengrenzen (Kaltfront) als **Front-G.** oder seltener durch lokale Überhitzung am Boden (im Sommer) als **Wärmegewitter.** In der **G.-Wolke (Cumulonimbus),** meist über 10 km hoch und im oberen Teil als ambossförmige Eiswolke ausgebildet, herrscht eine starke Konvektion mit Bildung von festem Niederschlag (bisweilen Hagel). Blitzentladungen erfolgen zw. Wolken (Wolkenblitz) oder zw. Wolke und Erde (Erdblitz). Die Druckwelle im Blitzkanal erzeugt den Donner.

Jedes G. besteht aus mehreren etwa gleich großen Zellen; jede G.-Zelle durchläuft ihre eigene, typ. Entwicklung: Jugend- oder Cumulusstadium, Reife- oder Cumulonimbusstadium und Auflösungs- oder Altersstadium. Jeweils mehrere Zellen sind in einem G. gleichzeitig wirksam; alte, absterbende Zellen werden durch neue ersetzt; wenn keine Zellen mehr gebildet werden, endet das G. Eine G.-Wolke im Reifestadium ist in den oberen Teilen positiv, in den unteren negativ geladen; meist ist aber in den unteren, negativ geladenen Wolkenteilen in Nähe der Wolkenuntergrenze noch ein kleines Gebiet mit positiver Ladung eingelagert, das mit der Hauptniederschlagszone zusammenfällt. Erfahrungsgemäß beginnt die Elektrisierung in den Quellwolken mit der Bildung und Bewegung von Niederschlag. Da sich der Prozess bei Temperaturen unter 0 °C vollzieht, müssen auch feste Niederschlagsteilchen beteiligt sein.

Im Allg. nimmt die Zahl der G. von den Tropen nach höheren Breiten ab. In der Äquatorialzone ist im Mittel mit 100–160 G.-Tagen pro Jahr zu rechnen, in mittleren Breiten mit 15–50. Die G.-Häufigkeit nimmt zum Landesinnern zu und erreicht meist mit Annäherung an die Gebirge ihr Maximum.

📖 BAATZ, H.: *Mechanismus der G. u. Blitze. Berlin u. a.* [2]*1985.*

GewO, Abk. für **Gew**erbe**o**rdnung.

gewohnheitsmäßiges Handeln, strafbegründendes oder straferhöhendes Merkmal einer Straftat, die auf dem durch wiederholte Begehung hervorgerufenen Hang des Täters zu dem betreffenden Delikt beruht. Der Begriff des »Gewohnheitsverbrechers«, der 1933 in das StGB eingeführt wurde, ist 1969 beseitigt worden.

Gewohnheitsrecht, das Recht, das durch stetige, von Rechtsüberzeugung getragene Übung innerhalb einer Rechtsgemeinschaft entstanden ist, im Unterschied zum gesetzten, in einem förml. Gesetzgebungsverfahren erlassenen Recht. G. spielte bes. in älteren Kulturstufen eine Rolle, als staatl. Rechtsetzung nicht oder nicht genügend wirksam wurde. Das Privatrecht des angelsächs. und des röm. Rechts sind Beispiele für große Rechtssysteme, die auf gewohnheitsrechtl. Grundlage entstanden, wie überhaupt G. im Privatrecht seinen Platz fand, im Ggs. zum öffentl. Recht, wo es nur ganz untergeordnete Bedeutung gewann. Mit dem G. verbinden sich die **Observanzen** als den nur örtlich geltenden Regeln des Gewohnheitsrechts.

Gewöhnung, *Pharmakologie* und *Medizin:* Wirkungsabnahme einer Substanz (Arzneimittel, Genussmittel) bei wiederholter Gabe der gleichen Dosis, z. B. durch herabgesetzte Ansprechbarkeit des Erfolgsorgans. Man unterscheidet die **akute G.** (Tachyphylaxie) von der **chron. G.** (Toleranz).

Gewölbe, gekrümmte Raumdecke aus Steinen, Beton oder Stahlbeton, die ihre Eigen- und Nutzlast als G.-Schub über Widerlager auf Wände, Stützen oder Fundamente überträgt, und zwar beim **geschlossenen G.** auf alle Umfassungswände, beim **halboffenen G.** auf zwei einander gegenüberliegende Wände und beim **offenen G.** auf Pfeiler oder Stützen. Das **Tonnen-G.,** ein halboffenes G., ist ein liegender Teilzylinder, dessen zwei offene Seiten als Kappen und die zwei geschlossenen Seiten als Wangen bezeichnet werden. Die rechtwinklige Durchdringung von zwei Tonnen-G. gleicher Größe führt zum **Kreuzgrat-G.** Das **Kloster-G.,** ein geschlossenes G., besteht aus vier Wangen, das davon abgeleitete **Kuppel-G.** ist bei rechteckigem Grundriss als Hänge- oder Zwickelkuppel, bei kreisförmigem Grundriss mit halbkugelförmiger Überdeckung ausgebildet. Andere G.-Formen entstehen als Durchdringung mehrerer Tonnengewölbe. Beim **Kreuzrippen-G.** leiten die vier Kappen den Schub nach den vier Jochecken ab, die Grate sind als Rippen ausgebildet, im Scheitelpunkt liegt der Schlussstein.

Gewölle, Speiballen aus unverdauten Haaren, Federn, Knochen u. a., etwa bei Greifvögeln, Eulen und Krähen.

Gewürze, Stoffe, mit denen Lebensmittel schmackhafter gemacht werden, v. a. gedörrte **Gewürzpflanzen.** Geschmack und Geruch der G. gehen meist auf äther. Öle zurück. Man verwendet Früchte und Samen (Paprika, Pfeffer, Piment, Vanille, Muskat, Zitrone, Senf u. a.), Blüten und Knospen (Nelken, Kapern), Rinde (Zimt), Wurzeln und Rhizome (Ingwer, Gelbwurzel, Sellerie u. a.), Zwiebeln (Zwiebel, Knoblauch u. a.), Blätter und Kraut (Borretsch, Dill, Bohnenkraut, Petersilie, Majoran, Lorbeerblätter u. a.). – Die G. regen über Geruchs- und Geschmacksorgane den Appetit an, fördern Speichel- und Magensaftsekretion und wirken z. T. bakterienfeindlich.

Geschichte: Pfeffer, Zimt, Ingwer u. a. G. erhielten die Römer aus Indien, bes. durch Vermittlung der Araber. Im späten MA. lag der G.-Handel (bes. Pfeffer) fast ausschl. bei Arabern und Venezianern. Mit der Entdeckung des direkten Seewegs nach Indien übernahmen die Portugiesen das Monopol, die Hanse vermittelte die importierten G. nach Mittel- und N-Europa. Nach der Eroberung der Molukken (1607) behaupteten die Niederländer das G.-Monopol, später die Briten. ÜBERSICHT S. 276

📖 KÜSTER, H.: *Wo der Pfeffer wächst. Ein Lexikon der Kulturgeschichte der G. München 1987.* – SIEWEK, F.: *Exot. G. Herkunft, Verwendung, Inhaltsstoffe. Basel 1990.* – NORMAN, J.: *Das große Buch der G. A. d. Engl. Aarau 1991.*

Gewürzinseln, die → Molukken.

Gewürznelke (Nelke, Näg(e)lein), getrocknete, 12–17 mm lange Blütenknospe des **Gewürznelkenbaums** (Syzygium aromaticum) der Molukken. Der Geruch stammt vom **Nelkenöl (Gewürznelkenöl).**

Gewürzstrauch (Calycanthus), artenarme Gattung der G.-Gewächse in Nordamerika und Japan; z. B. der **Erdbeergewürzstrauch** (Calycanthus floridus) mit stark nach Erdbeeren duftenden dunkelrotbraunen Blüten; auch Zierstrauch.

Gewürztraminer, Rebsorte, → Traminer.

Geyer, Stadt im Landkreis Annaberg, Sachsen, 603 m ü. M., im mittleren Erzgebirge, 4600 Ew.; Heimatmuseum (in einem 42 m hohen Wachturm); Posamenten-, Strumpf-, elektrotechn. und Holzwarenind.; Erholungs- und Wintersportort. – Mitte des 14. Jh. gegr., entwickelte sich mit dem Aufblühen des Zinn- und Silbererzbergbaus zur Stadt (1467 Stadtrecht).

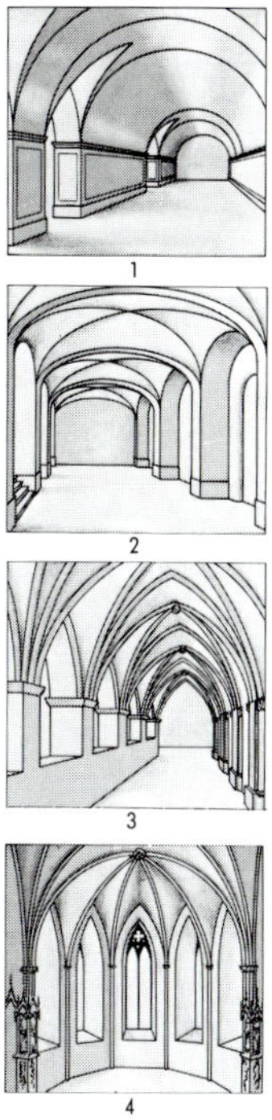

Gewölbe:
1 Tonnengewölbe,
2 Kreuzgratgewölbe,
3 Klostergewölbe,
4 Kreuzrippengewölbe

Gewürzstrauch:
Die Blätter des Erdbeergewürzstrauchs (Höhe bis 3 m) enthalten Ölzellen und verströmen, wenn man sie zerreibt, wie die Blüten einen erdbeerähnlichen Duft

Gewürze und Gewürzpflanzen (Auswahl)

deutscher Name	*Heimat*	*verwendeter Pflanzenteil*	*hauptsächliche Verwendung*
Anis	östl. Mittelmeergebiet	Früchte	Süßspeisen, Gebäck, Getränke
Basilikum	Indien	Kraut, Blätter	Salate, Kalb-, Lammfleisch, südeurop. Spezialitäten
Bohnenkraut	Mittelmeergebiet	Kraut	Kräutermischungen, Bohnengerichte
Borretsch	Kleinasien	Blätter	Salate
Dill	Westasien	Blätter, Früchte	Soßen, Salate, Fleischgerichte, Einleggurken
Estragon	Südrussland	Kraut	Kräuteressig, Soßen
Gartenkresse	Ägypten bis Südwestasien	Grundblätter	Salate, Kräutermischungen, Soßen
Gewürznelken	Molukken	Blütenknospen	Süß- und Fleischspeisen, zum Einmachen
Ingwer	trop. Asien	Wurzelstock	Fleischspeisen, Süßspeisen
Kardamom	Südindien	Früchte	Gebäck, Liköre, Wurst
Kerbel	Osteuropa, Südwestasien	Blätter	Suppen, Soßen
Knoblauch	Asien	Zwiebel	Fleischgerichte, Salate
Kümmel	Europa, Asien	Früchte	Brot, Käse, Gemüse, Fleischgerichte
Liebstöckel	Persien	Blätter	Suppen, Soßen, Fleischgerichte, Salate
Majoran	Mittelmeergebiet	Kraut	Wurst, Eierspeisen, Fleisch- und Geflügelgerichte
Meerrettich	Südosteuropa	Wurzel	Fisch- und Fleischgerichte, Soßen
Muskat	Bandainseln	Samen (M.-Nuss), Samenmantel (M.-Blüte, Macis)	Fleisch-, Fisch-, Gemüsegerichte, Wurst
Oregano	Südeuropa	Blätter	italienische Gerichte
Paprika	Südamerika	Früchte: Samen entfernt (süßer P.), mit Samen (scharfer P.)	Fleischgerichte, Suppen, Salate, Gemüse, Fisch
Petersilie	östl. Mittelmeergebiet	Kraut	Suppen, Fleisch-, Fischgerichte, Gemüse, Salate
Pfeffer	Vorderindien, Malabarküste	ganze, unreif geerntete, ungeschälte Früchte (schwarzer P.), reife, geschälte Früchte (weißer P.), unreife Früchte (grüner P.)	Fleischspeisen, Salate, Suppen, Soßen
Piment	Mittel- und Südamerika, Jamaika	unreife, getrocknete Beeren	Backwaren, Fisch- und Fleischgerichte, Soßen
Pimpinelle	Europa	Blätter	Kräutersoßen, Marinaden
Rosmarin	Mittelmeergebiet	Blätter	Hammel-, Wild-, Schweinefleisch, Suppen, Salate
Safran	Griechenland, Orient	Narbenäste der Blüten	Kuchen, Reisgerichte
Salbei	Mittelmeergebiet	Blätter	Leber-, Fisch- und Fleischgerichte
Schnittlauch	Europa	Blätter	Fleischgerichte, Wurst, Salate
Soja	Südostasien	Samen	Fleischgerichte, Soßen
Thymian	Mittelmeergebiet	Kraut	Fleisch- und Fischgerichte, Soßen, Suppen
Vanille	Mittelamerika	unreife Schoten	Süßspeisen
Zimt	Ceylon	Rinde	Süßspeisen, Gewürzmischungen
Zwiebel	Westasien	Zwiebel	Fleisch-, Fischgerichte, Salate, Soßen, Gemüse

Geyer, Florian, fränk. Reichsritter, *Giebelstadt (bei Würzburg) um 1490, †bei Rimpar (bei Würzburg) 9. 6. 1525; war 1519–23 Truppenführer im Dienst des Deutschordenshochmeisters Albrecht d.Ä.; trat zum Luthertum über und übernahm im Bauernkrieg 1525 die Führung des Tauber(taler)haufens. Sein Ziel war ein auf das Bauern- und Bürgertum gegründetes Reich ohne adlige und geistl. Vorrechte. Nach der Schlacht bei Ingolstadt (nahe Würzburg) am 4. 6. 1525, an der er nicht teilgenommen hatte, wurde er auf der Flucht erschlagen. – Drama von G. Hauptmann (1896).

Geysir [altisländ., zu geysa »wild strömen«] *der* (neuisländ. Geisir, dt. auch Geiser), heiße Quelle in jungvulkan. Gebieten, die in meist regelmäßigen Zeitabständen eine Wasserfontäne ausstößt. Ihr Wasser stammt größtenteils aus dem bodennahen Grundwasser; es gelangt in die Tiefe, wo es durch vulkan. Wärme erhitzt wird. Wegen des Drucks der darüber stehenden Wassersäule kann es bei 100 °C nicht sieden. Erst bei Erreichen der diesem Druck entsprechenden Siedetemperatur wird ein Teil des Wassers ausgeworfen. Diese geringe Druckentlastung genügt, um einen Teil des Wassers in Dampf zu verwandeln, der beim Aufstieg das überlagernde Wasser explosionsartig mitreißt. Nach dem Ausbruch fließt kühleres Wasser aus dem Grundwasserbereich nach und der Vorgang wiederholt sich. Viele G. setzen Sinterkrusten **(Geysirit, Kieselsinter)** in oft bizarren und farbenprächtigen (Eisenlösungen) Formen ab, z.T. terrassenförmig. G. sind verbreitet in SW-Island, auf der Nordinsel von Neuseeland, im Yellowstone-Nationalpark (USA), vereinzelt in Japan, Mexiko, im Bismarckarchipel und auf Kamtschatka.

Geysir Strokkur (Butterfässchen) auf Island

Géza ['ge:zɔ] (dt. Geisa), ungar. Herrscher aus der Dynastie der Arpaden (→Árpád), →Ungarn, Geschichte.

gezahnt, *Heraldik:* eine Teilungslinie, die in vielfachem Zickzack verläuft.

gezeichnetes Kapital, das in der Bilanz auszuweisende Nominalkapital von Kapitalgesellschaften (Grundkapital der AG; Stammkapital der GmbH); Teil des Eigenkapitals.

Gezeiten (Tiden), period. Niveauschwankungen der festen Erdkruste, des Meeres und der Atmosphäre, die durch das Zusammenwirken der Anziehungskräfte zw. Erde, Mond und Sonne und der mit den Bewegungen dieser Himmelskörper verbundenen Fliehkräfte erzeugt werden.

1) **G. des Meeres** sind rhythm. Schwankungen des Meeresspiegels, auf dem größten Teil der Meere mit etwa 12- bis 13-stündiger Periode. Das Steigen des Wassers von Niedrigwasser zu Hochwasser heißt **Flut,** das Fallen **Ebbe,** die Dauer des Steigens **Flut-** oder **Steigdauer,** des Fallens **Ebb-** oder **Falldauer;** beide sind nicht gleich lang und ergeben zus. eine **Tide.** Der Höhenunterschied von Hoch- und Niedrigwasser heißt **Tidenhub.**

Bei der Bildung der G. überwiegt der Einfluss des Mondes; der Einfluss der Sonne macht sich v.a. in dem wechselnden G.-Hub bemerkbar. Stehen Mond und Sonne mit der Erde in einer Linie (bei Neu- und Vollmond), so bewirken ihre sich verstärkenden Kräfte hohe Hochwasser und niedrige Niedrigwasser, also einen großen G.-Hub **(Springflut, Springtide);** im ersten und letzten Mondviertel schwächen sich ihre Kräfte **(Nipp-G., Nipptide).** Hierzu kommen noch Einflüsse der Erdoberfläche (Winde, Wassertiefe usw.), sodass die G. örtlich ganz unterschiedlich ausgeprägt sind. Die G. verschieben sich von Tag zu Tag annähernd entsprechend der Kulmination des Mondes um etwa 50 Minuten.

Die mittleren Springtidenhübe betragen 11 cm in der Ostsee, bis zu 4 m an der dt. Nordseeküste, bis zu 11,5 m im Ärmelkanal (Bucht von Saint-Malo) und erreichen mit 10–14 m, maximal bis zu 21 m im Golf von Maine (Fundybai) die höchsten Werte im gesamten Weltmeer. Die Umkehr des G.-Stromes (das **Kentern,** mit **Still-** oder **Stauwasser**) tritt nur an der Küste ein; auf offener See wirkt sich die Richtungsänderung in einer Drehung der Stromrichtung (bei steigendem Wasser **Flutstrom,** bei fallendem **Ebbstrom**) aus. Die **G.-Ströme** erreichen in der Nordsee (Dt. Bucht) über 1 m/s, im Skjerstadfjord bei Bodø (N-Norwegen) 8 m/s (Höchstwert); bekannt ist der →Malstrom.

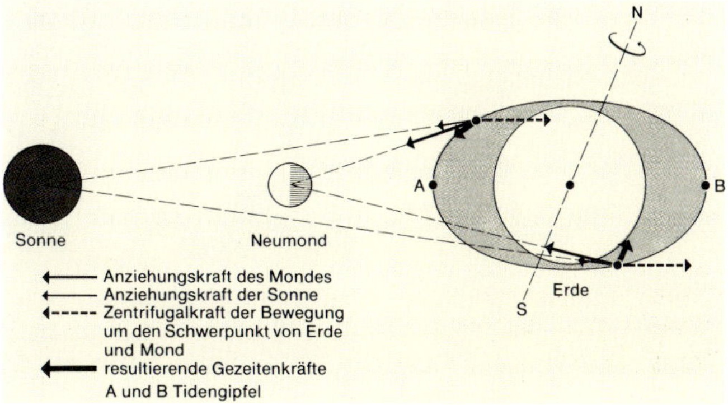

Gezeiten: Schema der Entstehung der Springtiden durch den Einfluss von Sonne und Mond

Guido Gezelle (Büste des zeitgenössischen belgischen Bildhauers Jules Lagae)

Boutros Boutros-Ghali

In → Gezeitenkraftwerken wird die Energie der G. genutzt. Die große Bedeutung der G. für Schifffahrt, Wasserbauwesen u. a. macht eine **G.-Vorhersage** wichtig. Sie wird von hydrograph. Ämtern durchgeführt und in jährlich erscheinenden **G.-Tafeln** veröffentlicht.

2) Die **G. der Atmosphäre** sind v. a. sonnen-, aber auch mondbedingte Druckwellen. Unter ihnen ist die zwölfstündige Periode mit Minimum um 4 und 16, Maximum um 10 und 22 Uhr Ortszeit mit 1,5 hPa Amplitude in den Tropen stets, in Mitteleuropa mit 0,5 hPa nur bei stationärem Hochdruckwetter gut beobachtbar.

3) **G. der festen Erde (Erd-G.):** Auch der feste Erdkörper erfährt durch die Gravitationswirkung von Mond und Sonne eine Deformation, die in Äquatornähe 0,5 m in einer zwölfstündigen Periode erreichen kann. Überlagert wird dieser primäre Effekt durch Schollenverbiegungen, verursacht durch die Wassermassenverlagerung der Meeres-G., durch atmosphär. Druckschwankungen und thermisch bedingte Bodendeformationen.

📖 SAGER, G.: *Mensch u. G. Wechselwirkungen in 2 Jahrtausenden. Köln 1988.*

Gezeitenkraftwerk (Flutkraftwerk), Wasserkraftwerk, bei dem Ebbe und Flut zur Energiegewinnung genutzt werden. Aus bei Flut gefüllten Speicherbecken fließt das Wasser bei Ebbe zurück und treibt dabei Turbinen an, beim doppelt wirkenden G. wird auch das einströmende Wasser genutzt. Der mittlere Tidenhub sollte mindestens fünf Meter betragen. Das erste G. mit 24 Rohrturbinen, die je 10 MW leisten, wurde 1966/67 in Frankreich im Golf von Malo errichtet, dessen 750 m langer Damm die Trichtermündung des Flusses Rance absperrt. Ein zweites, kleines G. steht an der Kislayabucht in Russland.

Gezeitenkraftwerk: Das 1966/67 errichtete Gezeitenkraftwerk an der Rancemündung bei Saint-Malo; der 750 m lange Staudamm trennt das Speicherbecken vom Meer ab

Gezeitenreibung, Summe der durch die Gezeitenbewegungen hervorgerufenen Reibungskräfte; umfasst die Reibung der ozean. Gezeitenströme am Meeresboden und die innere Reibung der an der Gezeitenbewegung teilnehmenden festen und flüssigen Teile der Erde. Die G. verzögert die Erddrehung, sodass in 100 Jahren die Tageslänge um rund 1/600 s zunimmt. Aus ihrem Einfluss wird auch eine relative Westdrift der Kontinente abgeleitet.

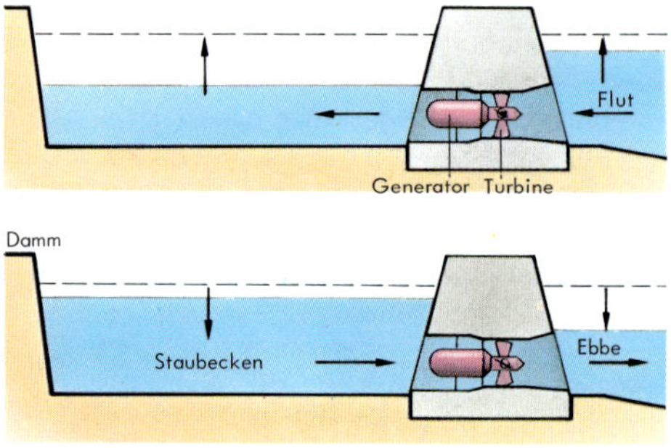

Gezeitenkraftwerk: Schema der Funktionsweise; Auffüllen des Beckens bei Flut (oben) und Ausströmen des Wassers bei Ebbe

Gezelle [xə'zɛlə], Guido, flämischer Dichter, *Brügge 1. 5. 1830, † ebd. 27. 11. 1899; Priester, Lehrer und Mundartforscher; gilt als größter fläm. Lyriker. Seine Gedichte sind geprägt von Naturgefühl, Religiosität und Liebe zu Volk und Heimat (»Im Kranz der Gezeiten«, 1893).

Gezira [-z-], Gebiet in der Republik Sudan, → Gesira.

g-Faktor, *Physik:* der → Landé-Faktor.

GfK, Abk. für Konsum-, Markt- und Absatzforschung; Teil einer in der Markt-, Absatz- und Verbrauchsforschung (u. a. Analyse der Fernsehnutzung) tätigen AG, gegr. 1934; Sitz: Nürnberg.

GFK, Abk. für → **g**las**f**aserverstärkte **K**unststoffe.

GG, Abk. für → **G**rund**g**esetz.

g. g. T., Abk. für → **g**rößter **g**emeinsamer **T**eiler.

Ghadamis (Gadames, Ghudamis), Oasenstadt in NW-Libyen, Handelsplatz an der Grenze zu Tunesien und Algerien, 30 000 Ew. – G. hieß in der Antike **Cydamus** (Ruinen aus röm. Zeit). In byzantin. Zeit war G. Bischofssitz, im 19. Jh. ein Zentrum arab. Sklavenhändler.

Ghaghara *die* (Gogra), linker Nebenfluss des Ganges, etwa 1 000 km lang, entspringt im westl. Himalaja in Tibet, China, durchfließt Nepal und mündet oberhalb Patna in Indien.

Ghali (Boutros-Ghali), Boutros, ägypt. Diplomat, *Kairo 14. 11. 1922; Jurist, Prof. für Völkerrecht; war 1977–91 Staatssekr. im Außenministe-

Ghana

Fläche: 238 533 km²
Einwohner: (1995) 17,45 Mio.
Hauptstadt: Accra
Verwaltungsgliederung: 10 Regionen
Amtssprache: Englisch
Nationalfeiertage: 6. 3. und 1. 7.
Währung: 1 Cedi (¢) = 100 Pesewas (p)
Zeitzone: WEZ

rium, 1991 stellv. MinPräs. (zuständig für Außenpolitik), 1992–96 GenSekr. der UNO.

Ghana, früheres afrikan. Reich, → Gana.

Ghana (amtlich engl. Republic of G.; dt. Rep. G.), Staat in W-Afrika, grenzt im W an die Rep. Elfenbeinküste, im N an Burkina Faso, im O an Togo und im S an den Golf von Guinea (Atlantik).

Staat und Recht: Nach der neuen Verf. (am 28. 4. 1992 durch Referendum gebilligt) ist G. eine präsidiale Rep. mit Mehrparteiensystem. Staatsoberhaupt und oberster Inhaber der Exekutive ist der direkt gewählte Präs., der das Kabinett beruft. Die Legislative liegt beim Einkammerparlament (bis zur Durchführung von Wahlen wird diese Aufgabe vom Provisor. Nat. Verteidigungsrat, PNDC, wahrgenommen). Zu den seit Mai 1992 legalisierten Parteien gehören u. a. der Nationaldemokrat. Kongress und die Neue Patriot. Partei.

Landesnatur: An die 535 km lange, wenig gegliederte Küste (im O mit Lagunen) schließt sich nach einer 30–60 km breiten Küstenebene ein stark zertaltes Hochland an, das in der Ashantischwelle bis 788 m ü. M. ansteigt und nach N ins Becken des mittleren Volta (150–300 m ü. M.) übergeht. Der Volta, Hauptstrom von G., ist im Unterlauf durch den Akosombodamm zum Voltasee aufgestaut (mit 8 482 km² größter Stausee der Erde). Der S hat feuchtheißes Klima (zwei Regenzeiten) mit Küstensavanne, trop. Regenwald und regengrünem Feuchtwald; im N überwiegt Trockensavanne (eine Regenzeit).

Bevölkerung: Sie besteht aus zahlreichen Stammesgruppen, größte sind die Akan (Ashanti, Fanti u. a., insgesamt 52 % der Ew.), Ewe 12 % (im SO), Mosi und Dagomba (im N, 16 %), außerdem Hausa, Fulbe, Mande u. a. Etwa 2 Mio. Ghanaer leben im Ausland. 36 % der Bev. leben in Städten. Großstädte: Accra, Kumasi, Tema, Sekondi-Takoradi, Cape Coast. – Allg. Schulpflicht besteht vom 6. bis 12. Lebensjahr (Analphabetenquote unter 40 %); Univ. in Legon bei Accra (seit 1961), Kumasi (seit 1961), Cape Coast (seit 1962). – Über 60 % der Bev. sind Christen (v. a. im S), etwa 20 % bekennen sich zu afrikan. Religionen, 16 % sind sunnit. Muslime (bes. im N).

Wirtschaft, Verkehr: Grundlage ist die Landwirtschaft, sie erbringt mit Forstwirtschaft und Fischerei 50 % des Bruttoinlandprodukts und bis zu 80 % der Exporterlöse. Zur Selbstversorgung werden Mais, Hirse, Maniok, Jamswurzeln, Zuckerrohr, Reis, Erdnüsse, Gemüse und Bananen angebaut, für den Export Kakao. Viehhaltung v. a. im Norden; ²⁄₃ des benötigten Fleisches müssen importiert werden. Wald bedeckt etwa 35 % der Gesamtfläche; er liefert Mahagoni u. a. Harthölzer (der Export ist rückläufig). Fischerei an der Küste und im Voltasee. Von den reichen Bodenschätzen werden Gold, Diamanten, Mangan, Bauxit gewonnen. Die Industrie umfasst v. a. Holzverarbeitung, Textil- und Nahrungsmittelind., wichtigster Standort ist Tema (Erdölraffinerie, Aluminiumhütte). Elektr. Energie liefert v. a. das Kraftwerk am Akosombodamm (auch Energieexport). Haupthandelspartner sind Dtl., Großbritannien, USA und die Niederlande. – Das Verkehrsnetz ist im S und SW gut, im N kaum ausgebaut; 950 km Eisenbahnstrecken, 38 000 km Straßen (davon 7 500 km befestigt). Der Export geht über den Hafen von Takoradi (von den Kakao-, Holz- und Bergbauzentren gut erreichbar), die Einfuhr über Tema (gute Verbindungen zu den Ind.zentren). Auf dem Voltasee Binnenschifffahrt. Internat. Flughafen ist Kotoka bei Accra, nat. Luftfahrtges. »Ghana Airways«.

Geschichte: 1471 erreichten portugies. Seefahrer die Oberguineaküste im Bereich des heutigen G. Seitdem trieben Portugiesen (bis 1624), Engländer (seit 1553), Niederländer (1612–1871), Dänen (1658–1850) und Brandenburger (1683–1717) einen durch Stützpunkte gesicherten Goldhandel (daher der frühere Name **Goldküste**) und Sklavenhandel (bis zu seinem Verbot 1807). 1821 übernahm die brit. Regierung die privaten brit. Handelsgesellschaften und errichtete 1874 die Kronkolonie Gold Coast; um die Jahrhundertwende wurden das

Staatswappen

GH

Internationales Kfz-Kennzeichen

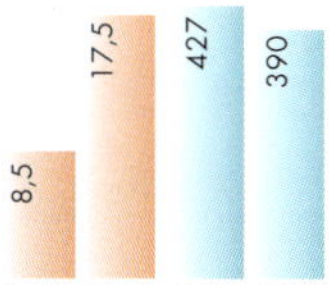

Bevölkerung (in Mio.)
Bruttosozialprodukt je Ew. (in US-$)

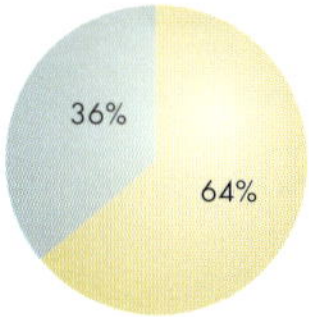

Bevölkerungsverteilung 1994

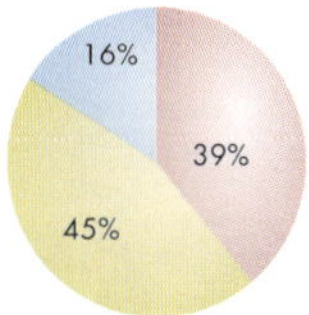

Bruttoinlandsprodukt 1994

Reich der Ashanti und das nördl. Hinterland angeschlossen, 1922 verwaltungsmäßig auch das Mandatsgebiet West-Togo (Togoland). 1957 erhielt die Goldküste unter dem Namen G. die Unabhängigkeit. Nach Ausrufung der Republik (1960; Präsidialverf.) wurde MinPräs. (1951–60) K. Nkrumah

Staatspräs. (1960–66; durch Militärputsch gestürzt). 1969 löste ein parlamentar. Reg.system (MinPräs. A. Busia) das 1966 errichtete Militärregime ab. 1972–79 stand G. wieder unter der Herrschaft von Militärregierungen. Der aufgrund der Verf. von 1979 amtierende Präs. H. Limann (seit Sept. 1979) wurde um die Jahreswende 1981/82 durch einen Militärputsch unter J. Rawlings (seitdem Staatschef) gestürzt. Nach 1983 leitete Rawlings ein wirtsch. Sanierungsprogramm und eine allmähl. Demokratisierung ein. 1992 wurde Rawlings zum Präs. gewählt.

🕮 GNIELINSKI, S. VON: *G. Tropisches Entwicklungsland an der Oberguineaküste. Darmstadt 1986.* – SCHMIDT-KALLERT, E.: *G. Gotha 1994.*

Michel de Ghelderode

Gheorghe Gheorghiu-Dej

Gharapuri [Hindi], Insel in der Bucht von Bombay, → Elephanta.

Ghardaïa, Hauptort des → Mzab.

Ghasali (Al-G., Algazel), Abu Hamid Muhammad, islam. Theologe, Philosoph und Mystiker, *Tus (bei Meschhed) 1059, †ebd. 1111; lehrte in Bagdad; wandte sich gegen Versuche, die islam. Lehre auf die grch. Philosophie zu gründen; versöhnte die Frömmigkeit der Mystik (→ Sufismus) mit der orth. islam. Theologie; lebte 1095–1106 zurückgezogen als Sufi.

Ghasel [arab. »Gespinst«] *das* (Gasel), aus Arabien stammende, von Persern, Türken und Indern übernommene Gedichtform, besteht i. d. R. aus 3–15 Verspaaren: das erste (Königshaus) ist gereimt, der gleiche Reim kehrt in allen geradzahligen Zeilen wieder, die ungeradzahligen bleiben ungereimt (aa ba ca da). Ein Meister des G. war Schams od-Din Mohammed, gen. Hafis. Dt. G. schrieben u. a. F. Schlegel, Goethe, A. von Platen, F. Rückert, R. Hagelstange.

Ghasi (Gasi) [arab.], Ehrentitel für Muslime im Kampf gegen Ungläubige; später der osman. Sultane.

Ghasnawiden (Gasnawiden, Ghaznawiden), islam. Herrschergeschlecht türk. Herkunft, regierte vom 10. bis 12. Jh. im heutigen Afghanistan und im Pandschab sowie zeitweise in O-Persien; ben. nach der Residenzstadt Ghasna (→ Ghazni), in der die Samaniden von Buchara um 977 den türk. Heerführer Sebüktigin (†997) als Statthalter einsetzten; sein Sohn Mahmud (997/998–1030) erlangte die Unabhängigkeit von den Samaniden und eroberte große Gebiete. Sein Sohn Masud I. (1030–41) verlor Persien an die Seldschuken (1040). 1150 wurden die G. von den iran. Ghoriden aus Ghasna verdrängt, 1187 auch aus Lahore.

Ghassaniden, arabisches Fürstengeschlecht, herrschte unter byzantin. Oberhoheit bis 636 über Teile Syriens, Palästinas und des Ostjordanlandes, benannt nach dem arab. Stamm Ghassan, der sich 490 n. Chr. auf byzantin. Gebiet ansiedelte. Die G. waren monophysit. Christen.

Ghats, die Küstengebirge der Halbinsel Vorderindien. Die stärker beregneten und landwirtschaftlich genutzten **Westghats,** 1500 km lang, bis 2695 m ü. M., fallen steil zur Westküste ab. Die **Ostghats,** nur bis 1628 m ü. M., dachen sich sanfter nach O ab und laufen an den Nilgiribergen mit den Westghats zusammen.

Ghazni [-z-] (Ghasni, Gazni, Ghasna), Provinzhauptstadt in SO-Afghanistan, 2138 m ü. M., 32000 Ew.; Handelszentrum mit großem Basar; Metall- und Lederhandwerk. – Aus der Zeit der Ghasnawiden stammen zwei reich ornamentierte Ziegeltürme (11./12. Jh.) und ein 1957 ff. ausgegrabener Ziegelpalast (1112 vollendet). – G. war Residenz der → Ghasnawiden, 1150 zerstört, 1221 von den Mongolen, 1504 von den Moguln erobert.

Ghelderode [niederländ. 'xɛldəro:də, frz. gɛldɔ'rɔd], Michel de, eigtl. Adhémar Martens, belg. Schriftsteller frz. Sprache, *Ixelles 3. 4. 1898, †Brüssel 1. 4. 1962; schrieb über 50 expressionistisch-visionäre Dramen, häufig mit christl. Thematik; meist in grotesker Derbheit und antibürgerlicher Haltung (»Don Juan«, 1928; »Barabbas«, 1931; »Pantagleize«, 1934; »Ein Abend des Erbarmens«, 1955).

Gheorghe Gheorghiu-Dej [ge'orge geor'giu 'deʒ], 1965–90 Name der rumän. Stadt → Onești.

Gheorghiu-Dej [geor'giu 'deʒ], Gheorghe, rumän. Politiker, *Bârlad (Moldau) 8. 11. 1901, †Bukarest 19. 3. 1965; urspr. Arbeiter, 1933 in Haft, organisierte den Widerstand gegen die Herrschaft I. Antonescus. Als Gen.-Sekr. (1945–54; Erster Sekretär 1955–65) der KP hatte er entscheidenden Anteil an der Umwandlung Rumäniens in einen kommunist. Staat. 1952–55 war er MinPräs., 1961–65 Vors. des Staatsrats.

Gherardesca [ge-], Ugolino della, italien. Adliger, *um 1220, †Pisa 1289; Anhänger der ghibellin., dann der guelf. Partei, versuchte als »Capitano del popolo« (seit 1285) in Pisa ein persönl. Regiment aufzurichten, wurde 1288 gestürzt, in einem Turm gefangen gesetzt, wo er mit mehreren Söhnen und Enkeln verhungerte. – Literarisch gestaltet u. a. von Dante, G. Chaucer in den »Canterbury Tales« und H. W. Gerstenberg (1768).

Ghetto, → Getto.

Ghiaurov [ˈgjaʊrɔf], Nicolai, bulgar. Opernsänger (Bass), *Welingrad (Region Plowdiw) 13. 9. 1929; singt v. a. die großen Basspartien italien. und frz. Opern des 19. Jahrhunderts.

Ghibellinen, → Guelfen und Ghibellinen.

Ghiberti [gi-], Lorenzo, italien. Bildhauer, *Florenz 1378, †ebd. 1. 12. 1455; neben Donatello der bedeutendste Bildhauer der Frührenaissance in Florenz, siegte im Wettbewerb für die 2. Bronzetür (Nordtür) des Baptisteriums in Florenz, die er 1403–24 ausführte; schuf 1412–29 drei Bronzestandbilder für Or San Michele in Florenz und 1425–52 die 3. Tür (Osttür, die »Paradiestür«) des Baptisteriums. Seine in der Gotik wurzelnde Kunst entwickelte sich im Ggs. zum Realismus Donatellos zu einem rhythmisch ausgewogenen harmon. Stil, der bis in die Hochrenaissance fortwirkte. Seine »Denkwürdigkeiten« gehören zu den wichtigsten Quellenschriften der italien. Kunstgeschichte.

📖 NAGEL, B.: *L. G. u. die Malerei der Renaissance. Frankfurt am Main u. a. 1987.*

Ghica (auch Ghika, Ghyka), rumän. Bojarenfamilie alban. Abstammung, die im 17. Jh. in die Donaufürstentümer einwanderte, wo sie bis zum 19. Jh. zahlreiche Hospodare stellte.

Ghiorso [gɪˈɔːsəʊ], Albert, amerikan. Physiker, *Vallejo (Calif.) 15. 7. 1915; seit 1969 Leiter der Schwerionenbeschleunigeranlage des Lawrence Radiation Laboratory an der University of California in Berkeley; Arbeiten über Radioaktivität, Neutronen und die Eigenschaften der Atomkerne schwerer Elemente. G. war zus. mit G. T. Seaborg Mitentdecker zahlreicher → Transurane.

Ghirlandaio [gi-], Domenico, eigtl. Domenico di Tommaso Bigordi, italien. Maler, *Florenz 1449, †ebd. 11. 1. 1494; schuf Tafelbilder und monumentale Freskomalereien (Sixtin. Kapelle, Vatikan, 1481/82; Santa Trinità, Florenz, 1482/83–85; Kapelle Tornabuoni in Santa Maria Novella, ebd., 1486–90). In seinen religiösen Darstellungen, die er meist in zeitgenöss. Umgebung malte, spiegelt sich das weltl. Leben der Renaissance. Zu den schönsten Porträts des florentin. Quattrocento zählt das Bildnis der »Giovanna Tornabuoni« (1488). Zu seinen Schülern gehörte Michelangelo.

Lorenzo Ghiberti: Szenen aus der Geschichte von Jakob und Esau, Bildtafel der Paradiestür des Baptisteriums in Florenz (1425–52)

Ghislandi [gi-], Giuseppe, Ordensnamen Fra Vittore, Fra Galgario, Fra Paolotto, italien. Bildnismaler, *Bergamo 4. 3. 1655, †ebd. 3. 12. 1743; gehörte zu den gesuchtesten Porträtisten seiner Zeit; schuf ausdrucksstarke Bilder mit kräftigen Farbakzenten und Helldunkelwirkungen.

Ghislanzoni [gi-], Antonio, italien. Schriftsteller, *Lecco 25. 4. 1824, †Caprino Bergamasco (Prov. Bergamo) 16. 7. 1893; Opernsänger, später

Domenico Ghirlandaio: »Darbringung der Jungfrau im Tempel«, Fresko aus dem Zyklus des Marienlebens in der Kapelle Tornabuoni von Santa Maria Novella in Florenz (1486–90)

Verfasser u. a. der Libretti zu G. Verdis Opern »Die Macht des Schicksals« (1869) und »Aida« (1871).

Ghọm, Stadt in Iran, →Kum.

Ghor (Al-Ghaur), der Jordangraben zw. dem See Genezareth und dem Toten Meer.

Alberto Giacometti: »Der Wagen«, Bronze (1950; Zürich, Kunsthaus)

Ghosttown [ˈgəʊstˈtaʊn, engl.] *die,* →Geisterstadt.

Ghostwriter [ˈgəʊstraɪtə, engl.] *der,* anonymer Autor, der im Auftrag und unter dem Namen einer anderen Person Reden, Pressebeiträge oder Bücher schreibt.

GHz, Einheitenzeichen für **Gigahertz**, 1 GHz = 10^9 Hz.

G. I. [dʒiːˈaɪ; amerikan., Abk. für **g**overnment **i**ssue »Staatseigentum«] *der,* in den USA früher Aufdruck auf der Ausrüstung der Soldaten; daher übertragen für: amerikan. Soldat.

Giacomẹtti [dʒa-], **1)** Alberto, schweizer. Bildhauer, *Stampa (Bergell) 10. 10. 1901, †Chur 11. 1. 1966, Sohn von 3); lebte seit 1923 mit Unterbrechungen (1942–45) in Paris. Seine Arbeiten stellen einen bed. Beitrag zur Plastik des Surrealismus dar. Nach 1945 entstanden die für ihn typ., dünnen, überlängten Figuren, Figurengruppen, Köpfe und Büsten mit rissigen Oberflächen. Daneben steht sein graf. Hauptwerk »Paris sans fin«, eine Serie von 150 Lithographien (1969).

Ivar Giaever

📖 *A. G., hg. v.* R. Hohl. *Stuttgart* ^{2}*1987.* – Lord, J.: *A. G. Ein Portrait. A. d. Amerikan. Weinheim* ^{3}*1995.* – *A. G., hg. v.* T. Stooss *u. a. Ausst.-Kat. Kunsthalle Wien u. a. 1996.*

2) Augusto, schweizer. Maler, *Stampa (Bergell) 16. 8. 1877, †Zürich 9. 6. 1947, Vetter von 3); vom Jugendstil ausgehend, gelangte er nach 1910 als einer der ersten Maler zur abstrakten Malerei. G. entwarf auch Glasfenster, Mosaiken und Plakate.

3) Giovanni, schweizer. Maler und Grafiker, *Stampa (Bergell) 7. 3. 1868, †Glion (Kt. Waadt) 25. 6. 1933, Vater von 1), Vetter von 2); war einer der führenden schweizer. Nachimpressionisten.

Giaever [ˈjeːvər], Ivar, amerikan. Physiker norweg. Herkunft, *Bergen 5. 4. 1929; Forschungen zur Supraleitung, Halbleiterphysik und Biophysik. Für die experimentelle Entdeckung von Tunnelerscheinungen in Halbleitern bzw. Supraleitern (→Tunneleffekt) erhielt er 1973 den Nobelpreis für Physik (mit L. Esaki und B. D. Josephson).

Giambologna [dʒamboˈloɲa] (Giovanni da Bologna, Jean de Boulogne), italien. Bildhauer fläm. Herkunft, *Douai 1529, †Florenz 13. 8. 1608; seit 1556 in Florenz tätig, gehörte zu den führenden Meistern des Manierismus. Er schuf Monumentalwerke in Marmor und Bronze sowie Kleinbronzen. Die Bronzebildner des Frühbarocks (H. Reichle, H. Gerhard, A. de Vries) waren seine Schüler. – Zu seinen Hauptwerken gehören der Neptunbrunnen in Bologna (1563–67) und der »Merkur« (1580, Florenz, Bargello); mit dem »Raub der Sabinerin« (1579–83, Florenz, Loggia dei Lanzi) gelang ihm eine der schönsten Lösungen einer Figura serpentinata (einer um die Mittelachse geschlängelten Figur), sowie der 25 m hohe »Apennin« (1580–81) im Garten der Medici-Villa in Pratolino bei Prato.

Giannone [dʒa-], Pietro, italien. Jurist und Rechtshistoriker, *Ischitella (Prov. Foggia) 7. 5. 1676, †Turin 17. 3. 1748; gilt als einer der ersten Vertreter der Rechts- und Verfassungsgeschichte, forderte die Säkularisierung des kirchl. Besitzes und die Unterwerfung des Klerus unter die weltl. Gerichtsbarkeit; 1736 inhaftiert.

Giannọtti [dʒa-], Donato, italien. Humanist, *Florenz 27. 11. 1492, †Rom 27. 12. 1573; war Sekretär der »Kanzlei des Rats der Zehn« in Florenz (1527–30); nach Rückkehr der Medici verbannt, ging er nach Rom. G. verfasste als überzeugter Republikaner mehrere Schriften über die Staatsform Venedigs und entwarf eine ideale demokrat. Regierungsform für Florenz; schrieb auch zwei Lustspiele mit feiner psycholog. Beobachtung.

Giant's Causeway [ˈdʒaɪənts ˈkɔːzweɪ; engl. »Riesendamm«], Kliffküstenabschnitt im N Nordirlands, fast 5 km lang, mit regelmäßigen, von der Brandung abgeschliffenen Basaltsäulen.

Giap, Vo Nguyen [vɔ ŋuiən ʒap], vietnames. General, →Vo Nguyen Giap.

Giauque [dʒɪˈəʊk], William Francis, amerikan. Physikochemiker, *Niagara Falls (Kanada) 12. 5. 1895, †Oakland (Calif.) 28. 3. 1982; Prof. in Berkeley (Calif.), arbeitete über chem. Thermodynamik und Tieftemperaturphysik, entdeckte die Sauerstoffisotope ^{17}O und ^{18}O in der Erdatmosphäre

Gibbons: (von links): Weißhandgibbon und Siamang

und wandte 1933 erstmals die adiabat. Entmagnetisierung paramagnet. Stoffe zur Erreichung von Temperaturen unter 1 K an; erhielt 1949 den Nobelpreis für Chemie für seine Beiträge zur Tieftemperaturphysik.

Gibberelline [nlat.], Pflanzenhormone, natürl. Wuchsstoffe in einigen niederen Pilzen (z.B. Gibberella fujikuroi als parasit. Pilz an Reispflanzen) und höheren Pflanzen. Sie beeinflussen u.a. die Regulierung des Streckungswachstums und die Blütenbildung.

Gibbon ['gɪbən], Edward, brit. Historiker, * Putney (heute zu London) 8. 5. 1737, † London 16. 1. 1794; schrieb eine die Zeit vom Tod Marc Aurels (180) bis zum Fall Konstantinopels (1453) umfassende »Gesch. des Verfalls und Untergangs des Röm. Reiches« (6 Bde., 1776–88), in der er die These von der Schuld des Christentums am Untergang Roms vertritt.

Giambologna: »Raub der Sabinerin« (1579–83; Florenz, Loggia dei Lanzi)

Gibbons [frz.] (Langarmaffen, Hylobatidae), Familie schwanzloser, in Familienverbänden lebender Affen mit sehr langen Armen. G. sind Baumbewohner südostasiat. Dschungel und Bergwälder, sie hangeln und klettern ausgezeichnet. Die größte Art, der glänzend schwarze **Siamang** (Symphalangus syndactylus), mit einer Sitzhöhe bis zu 90 cm, lebt auf Sumatra und der Malaiischen Halbinsel. Der **Silber-G.** (**Wau-Wau,** Hylobates moloch), mit weißl. Haarkranz um sein schwarzes Gesicht, ist auf Java und Borneo heimisch, der meist schwarze **Hulock** (Hylobates hoolock) und der hellere **Weißhand-G.** oder **Lar** (Hylobates lar) leben in Vorderindien.

William F. Giauque

Gibbons ['gɪbənz], Orlando, engl. Komponist, getauft Oxford 25. 12. 1583, † Canterbury 5. 6. 1625; wurde 1619 Hofvirginalist und 1623 daneben Organist von Westminster Abbey in London; führender Vertreter der engl. → Virginalisten.

Gibbs [gɪbz], Josiah Willard, amerikan. Mathematiker und Physikochemiker, * New Haven (Conn.) 11. 2. 1839, † ebd. 28. 4. 1903; schuf den Begriff der thermodynam. Phase, stellte die → gibbssche Phasenregel auf und führte versch. thermodynam. Funktionen ein.

Gibbs-Funktion ['gɪbz-; nach J. W. Gibbs], die freie → Enthalpie.

Gibbsit *der,* Mineral, → Hydrargillit.

Josiah W. Gibbs

gibbssche Phasenregel ['gɪbz-], von J. W. Gibbs formulierte Aussage über die Anzahl *f* der thermodynam. Freiheitsgrade (d.h. der frei wählbaren intensiven Zustandsgrößen) eines thermodynam. Systems, dessen *p* koexistierende Phasen und *k* chem. Komponenten sich im Gleichgewicht befinden: $f = k - p + 2$. Beispiel: Für die drei Aggregatzustände von Wasser gibt es $1 - 3 + 2 = 0$ Freiheitsgrade, d.h., sie können gemeinsam nur an einem einzigen Punkt (Tripelpunkt) existieren.

Gibbus [lat. »Buckel«] *der,* →Kyphose.

Gibeon (in der Vulgata Gabaon), Ort im alten Israel, heute El-Djib, 9 km nordwestlich von Jerusalem; berühmte alttestamentl. Kultstätte (mit Traumorakel) der israel. Könige (1. Kön. 3, 4 ff.).

Gibich (mhd. Gibeche, lat. Gibica), Name eines burgund. Königs, der wahrscheinlich Ende des 4. Jh. die Burgunder in Mainfranken beherrschte; gilt als Vater →Gundahars. Dem Nibelungenlied ist er unbekannt, erscheint aber in den mittelhochdt. Heldenepen.

Gibli [arab.] *der,* Name des →Schirokko in Libyen.

Gibraltar

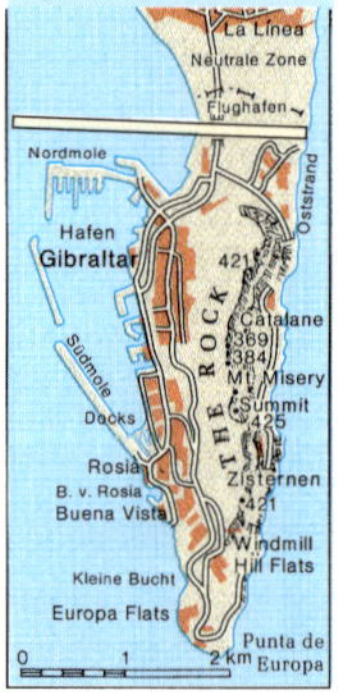

Gibraltar [auch -'taːr, span. xiβral'tar, engl. dʒɪ'brɔːltə], Halbinsel an der S-Spitze der Iber. Halbinsel, am O-Eingang der Straße von G.; brit. Kronkolonie, 6,5 km², 27 100 Ew.; besteht aus einem Jurakalkfelsen (425 m ü. M.), der durch eine flache, sandige, 800 m breite Landenge (Nehrung) mit dem Festland verbunden ist. Auf der Westseite liegt die Stadt G. mit Kriegs- und Handelshafen, Erdöl- und Verbrauchsgüterind. (Tabakwaren, Kaffee); Fremdenverkehr. Über 50 % der Erwerbstätigen stehen in zivilen und militär. Diensten der brit. und NATO-Marine- und Luftstreitkräfte. Die Umgangssprache (Giannito) ist eine span. Mundart mit brit. Lehnwörtern, Amtssprache Englisch. An den Felshängen von G. lebt als einzige wilde Affenart Europas der Magot **(G.-Affe).**

Geschichte: Der Felsen von G. und das gegenüberliegende Massiv Djebel Musa an der afrikan. Küste wurden im Altertum die »Säulen des Herakles« gen. Der heutige Name geht auf den arab. Feldherrn Tarik zurück, der hier 711 ein Kastell anlegte. 1462 wurde G. von den Spaniern erobert, 1704 von den Engländern eingenommen (im Utrechter Frieden 1713 wurde der Besitz bestätigt). Nach dem 2. Weltkrieg lebte der Konflikt zw. Spanien (das G. beansprucht) und Großbritannien wieder auf. 1967 sprachen sich etwa 95 % der stimmberechtigten Bev. für den Verbleib bei Großbritannien aus; 1970 verfügte Spanien eine Blockade, die nach Verhandlungen 1982 teilweise und 1985 vollständig aufgehoben wurde.

Gibraltar
Wappen

Gibraltar, Straße von (Meerenge von G., span. Estrecho de G.), Meerenge zw. der Iber. Halbinsel (Spanien) und Nordafrika (Marokko), an der engsten Stelle (zw. Kap Cires und östlich von Punta Marroqui) 14,2 km breit, etwa 60 km lang; der Sattel der untermeer. Schwelle erreicht 286 m u. M. Die Meerenge ist von großer verkehrsgeograph. (und damit strateg.) Bedeutung, da durch sie der gesamte Verkehr zw. Mittelmeer und Atlant. Ozean verläuft und damit auch ein Großteil der Schiffsrouten zw. dem westl. und nördl. Europa und Asien. Eine starke Oberflächenströmung transportiert relativ salzarmes Wasser vom Atlantik ins Mittelmeer, während salzreicheres Mittelmeerwasser in einem schwächeren Unterstrom abfließt.

Straße von Gibraltar

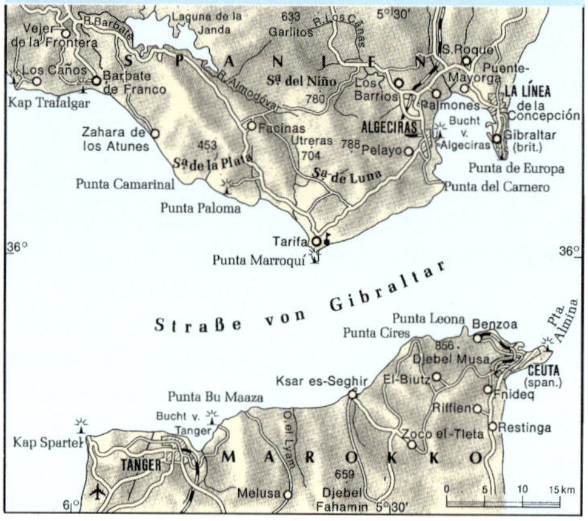

Gibran Khalil [dʒi'braːn x-], christlich-libanes. Schriftsteller, →Djubran.

Gibson ['gɪbsn], Mel, eigtl. Frank Dunn, austral. Schauspieler, *Peekskill (N. Y.) 3. 1. 1956; zunächst an austral. Theatern, dann Darsteller v. a. in Actionfilmen (»Brennpunkt L. A.«, 1989 und 1992, »Braveheart«, 1994/95); seit 1993 auch Regisseur und Produzent.

Gicht [ahd. firgiht(e), urspr. »Behexung«, zu jehan »sagen«] (Arthritis urica, früher volkstümlich Zipperlein), krankhafte Störung des Purinstoffwechsels beim Menschen, bei der es durch Anstieg des Harnsäurespiegels im Blut (Hyperurikämie) zur Ablagerung harnsaurer Salze bes. in Gelenken und ihrer Umgebung sowie in inneren Organen kommt. Die **primäre G.** ist eine dominant erbl. Krankheit, die vorwiegend bei Männern auftritt. Sie kann lange Zeit ohne Beschwerden verlaufen; Kälteeinwirkung, Infektionskrankheit, größerer Alkoholgenuss u. a. können einen **akuten G.-Anfall** auslösen, der bes. nachts oder frühmorgens auftritt und mitunter einige Tage anhalten kann. Meist ist hiervon ein einzelnes Gelenk betroffen, überwiegend ein Großzehengrundgelenk **(Podagra),** auch das Sprunggelenk, ein Finger- oder Handgelenk **(Chiragra)** oder Kniegelenk **(Gonagra),** aber auch Sehnenscheiden und Faszien. Kennzeichen sind starke Schmerzen und Berührungsempfindlichkeit, Entzündung mit Schwellung, Rötung und Überwärmung sowie Allgemeinreaktionen wie Fieber, Krankheitsgefühl, Herzjagen. Die **chron. G.** führt zu **G.-Knoten (Tophi)** in Gelenknähe und am Ohrknorpel, zu Nierensteinen und Nierenschädigung **(G.-Niere)** mit fortschreitender Nierenfunktionsstörung. Ursache der **sekundären G.** sind v.a. verminderte Harnsäureausscheidung infolge Nierenfunktionsstörungen sowie Blutkrankheiten.

Behandlung: Im akuten Anfall v.a. Colchicin (Phagozytosehemmstoff), entzündungshemmende Mittel (auch Corticosteroide) sowie Ruhigstellung der befallenen Gelenke und Anwendung kühlender feuchter Umschläge; allg. wird eine Normalisierung des Harnsäurespiegels durch medikamentöse Senkung der Harnsäurebildung und Steigerung der Harnsäureausscheidung sowie durch Einschränkung der Purinzufuhr (fleischarme Ernährung, Verzicht auf Innereien) und des Alkoholkonsums angestrebt. – Unter den **Haustieren** kommt G. hauptsächlich bei Vögeln (Hühner, Enten, Tauben) vor, oft infolge eines Vitamin-A-Mangels.

📖 HEIDELMANN, G. *u.* THIELE, P.: *G. Ratgeber für Gichtkranke u. Gichtveranlagte. Berlin 1990.* – MERTZ, D. P.: *Hyperurikämie u. G. Grundlagen, Klinik u. Therapie. Stuttgart u. a. ⁶1993.*

Gicht, *Hüttentechnik:* das Oberteil eines Schachtofens einschl. Beschickungsöffnung und Arbeitsplattform **(G.-Bühne);** auch Bez. für die bei intermittierender Beschickung nach Masse und Zusammensetzung festgelegte Menge von Möller und Koks.

Gichtel, Johann Georg, Rechtsanwalt, Theosoph, *Regensburg 4. 5. 1638, †Amsterdam 21. 1. 1710; urspr. Lutheraner; wollte das in theolog. Orthodoxie erstarrte luth. Kirchenwesen aus dem Geist der Mystik heraus erneuern. Aus Dtl. ausgewiesen, lebte er seit 1668 in Amsterdam; gab die Schriften seines Lehrers J. Böhme heraus. Seine Anhänger werden **Gichtelianer** oder wegen ihrer Ehelosigkeit **Engelsbrüder** (nach Mt. 22, 30) genannt.

Gichtgas, das aus Schachtöfen (Hochöfen) an der Gicht austretende gut brennbare Gasgemisch (→Eisen, Verhüttung), das vor der weiteren Verwendung gereinigt werden muss.

Giddens ['gɪdənz], Anthony, brit. Soziologe, *Edmonton (heute zu London) 18. 1. 1938; versucht in seiner Theorie der Strukturierung den herkömml. Gegensatz zw. den Annahmen individuell handelnder Subjekte und »objektiver« gesellschaftl. Gegebenheiten und Systeme zu überwinden. – *Werke:* Die Konstitution der Gesellschaft. Grundzüge einer Theorie der Strukturierung (1984); Konsequenzen der Moderne (1990).

Giddings ['gɪdɪŋz], Franklin Henry, amerikan. Soziologe, *Sherman (Conn.) 23. 3. 1855, †Scarsdale (N. Y.) 11. 6. 1931; seit 1894 Prof. an der Columbia University New York; vertrat eine evolutionist., psycholog. Theorie der Gesellschaft. Seine spätere behavioristisch-quantitative Theorie des »pluralist. Verhaltens« sozialer Gruppen beeinflusste die empir. Sozialforschung.

Gibraltar: Der Felsen von Gibraltar

Gide [ʒid], André, frz. Schriftsteller, *Paris 22. 11. 1869, †ebd. 19. 2. 1951; streng prot. erzogen; reiste 1893/94 nach Algerien und Tunesien; gehörte zunächst zum Kreis um P. Valéry und S. Mallarmé, auch die ersten Werke waren symbolistisch geprägt (u.a. das fiktive Reisetagebuch »Die Reise Urians«, 1893); beeinflusste – auch als Mitbegründer der Zeitschrift »La Nouvelle Revue Française« (1909) – das geistige Leben in Frankreich bis zum

André Gide

André Gide: Federzeichnung (1911)

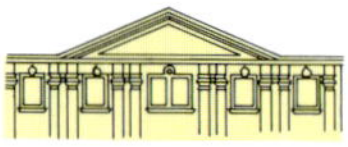
1

2

3

4

5

6

Giebel:
1 Dreiecksgiebel,
2 Treppengiebel,
3 Segmentgiebel,
4 verkröpfter Giebel,
5 gesprengter Giebel,
6 geschweifter Giebel

Edward Gierek

2. Weltkrieg. Sein eigenes Werk ist sehr vielseitig und wird bestimmt durch Revolte gegen Gesellschaft und Moral, auch durch Reflexion über die Problematik hemmungsloser Selbstverwirklichung (»Der Immoralist«, Erz., 1902; »Die enge Pforte«, Erz., 1907; »Die Pastoral-Symphonie«, Nov., 1919). Zu seinen literar. Mitteln gehören Ironie und das Aufbrechen traditioneller Erzählstrukturen (»Die Verliese des Vatikan«, R., 1914; »Die Falschmünzer«, R., 1925, sein erzähler. Hauptwerk). Zeugnisse seines ständigen Strebens nach geistiger Emanzipation sind die autobiograph. Schriften, u.a. »Stirb und werde« (1923) und »Tagebuch« (3 Bde., 1939–50), der umfangreiche Briefwechsel und die Essays. G. schrieb auch zahlr. Reiseberichte sowie Dramen und Gedichte; er übersetzte u.a. Goethe und Shakespeare. 1947 erhielt er den Nobelpreis für Literatur.

📖 THIERRY, J.-J.: *A. G. Paris 1986. – A. G. u. Deutschland, hg. v.* H. T. SIEPE *u.a. Düsseldorf 1992.* – MARTIN, C.: *A. G. mit Selbstzeugnissen u. Bilddokumenten. A.d. Frz. Reinbek 41.–42. Tsd. 1995.*

Gideon (in der Vulgata Gedeon), charismat. Führergestalt des A.T., einer der großen Richter Israels; bekämpfte den Baalskult; Anführer und Sieger im Kampf gegen die Midianiter (Ri. 6–8).

Giebel, senkrechter, meist dreieckiger Dachabschluss zw. den geneigten Flächen des Satteldachs. – Der G. des grch. Tempels ist ein von Gesimsen umrahmtes, mit plast. Bildwerken geschmücktes flaches Dreieck **(G.-Feld, Tympanon),** zuweilen mit einem →Akroterion verziert. Die Baukunst des MA. bildete den G. als gedeckten oder freien G. aus. Die Gotik besetzte die Schrägen mit Krabben, bekrönte die Spitze mit einer Kreuzblume und schmückte das spitzwinklige G.-Feld mit Statuen und Maßwerk. Im Profanbau war neben dem einfachen Steil-G. der gestufte, das Dach überragende **Treppen-G. (Staffel-G.)** beliebt, der mit Zinnen, mit Maßwerk und Friesen, mit Blendbogen u.a. geschmückt sein konnte (bes. im norddt. Backsteinbau). Renaissance und Barock belebten die G.-Linie durch Volutenübergänge und gliederten die Fläche mit Pilastern und Säulen. Der Klassizismus wandte sich wieder dem flach geneigten antiken G. zu (→Frontispiz). Seit der italien. Renaissance wurde der G. auch als dekoratives Motiv, z.B. als Fensterbedachung, verwendet. An der Barockfassade wechseln **Dreiecks-G.** und **Segment-G.** häufig in rhythm. Folge. Wird das rahmende Gesims im Mittelteil des G. unterbrochen, entsteht der **gesprengte G.,** wird das Gesims vor- oder zurückgestuft, der **gekröpfte Giebel.**

Giebichenstein, seit 1900 Stadtteil von Halle (Saale); auf einem Porphyrfelsen über der Saale **Burg G.,** die 968 an die Erzbischöfe von Magdeburg kam.

Giehse, Therese, Schauspielerin, *München 6. 3. 1898, †ebd. 3. 3. 1975; 1925–33 und ab 1953 an den Münchner Kammerspielen; 1933 gründete sie in München mit Erika und Klaus Mann das literar. Kabarett »Die Pfeffermühle«, mit dem sie noch im selben Jahr nach Zürich emigrierte; schrieb »Ich hab nichts zum Sagen« (Erinnerungen, 1973).

Gielen, Michael, österr. Dirigent und Komponist dt. Herkunft, *Dresden 20. 7. 1927; seit 1986 Chefdirigent des Sinfonieorchesters des Südwestfunks Freiburg und Baden-Baden, setzt sich bes. für zeitgenöss. Musik ein; als Komponist von der seriellen Musik beeinflusst.

Gielgud ['gɪlgʊd], Sir (seit 1953) Arthur John, britischer Schauspieler, *London 14. 4. 1904; bed. Shakespeare-Darsteller (Hamlet); seit 1933 auch Regisseur; zeitweilig Direktor des Queen's Theatre und des Haymarket Theatre in London.

Giemsa, Gustav, Apotheker und Chemiker, *Blechhammer (heute Blachownia Śląska, bei Kędzierzyn-Koźle) 20. 11. 1867, †Biberwier (Bez. Reutte) 10. 6. 1948; entwickelte eine Färbemethode **(G.-Färbung),** bei der bestimmte Krankheitserreger durch Färbung mit Azur-Eosin-Lösung nachgewiesen werden können.

Giengen an der Brenz ['giŋən-], Stadt im Landkreis Heidenheim, Bad.-Württ., am Rand der Schwäb. Alb, 18 600 Ew.; Elektro-, Textil- und Spielwarenind. – Vom 13. Jh. bis 1803 Reichsstadt.

Gierek ['gjɛrɛk], Edward, poln. Politiker, *Porąbka (Wwschaft Bielsko-Biała) 6. 1. 1913; Bergarbeiter, lebte 1924–34 in Frankreich und nach einem vorübergehenden Aufenthalt in Polen 1937–48 in Belgien. Während des 2. Weltkrieges war er ein führendes Mitgl. der belg. Widerstandsbewegung. 1948 nach Polen zurückgekehrt, schloss er sich dort der kommunist. Poln. Vereinigten Arbeiterpartei (PZPR) an. Als Nachfolger W. Gomułkas bemühte er sich als Erster Sekr. des ZK der PZPR (1970–80) um Reformen in der Wirtschaftsverwaltung. Im Zusammenhang mit der Streikbewegung 1980 musste er zurücktreten. 1981 wurde G. aus der Partei ausgeschlossen und war 1981/82 in Haft.

Gieren [niederl., eigtl. »schief stehen«], Drehbewegung eines Fahrzeugs in der waagerechten Ebene um eine lotrechte Achse, bewirkt durch ein **Giermoment:** Lenkvorgang, Einfluss von Wind, Seegang, Steuerungsungenauigkeit, Spurspiel im Gleis.

Gierke, Otto von, Jurist (Rechtshistoriker), *Stettin 11. 1. 1841, †Berlin 10. 10. 1921; ein führender Deutschrechtler seiner Zeit; bemühte sich, dem Genossenschaftsgedanken im BGB Geltung zu verschaffen. Dem die Rechtstellung des Einzelnen betonenden, dem wiss. Rechtspositivismus entwachsenden Entwurf zum BGB stellte G. die Forderung nach einem »Tropfen sozialen Öls« gegenüber, die er in seinem Werk »Die soziale Aufgabe des Privatrechts« (1889) bekräftigte. – *Weitere Werke:* Das dt. Genossenschaftsrecht, 4 Bde. (1868–1913); Das Wesen der menschl. Verbände (1902).

Giers (Girs), Nikolai Karlowitsch, russ. Politiker, *bei Radziwiłłów (heute Tscherwonoarmejsk, Gebiet Rowno) 21. 5. 1820, †Sankt Petersburg 26. 1. 1895; war 1882–95 Außenmin. Alexanders III.; schloss 1887 den Rückversicherungsvertrag mit Dtl., nach Verschlechterung der dt.-russ. Beziehungen 1893 eine Militärkonvention mit Frankreich.

Gießen 3): Das 1533-39 erbaute »Neue Schloss« (links) mit dem Zeughaus (1586-90)

Giersch (Geißfuß, Aegopodium podagraria), häufiges, weiß blühendes Doldengewächs mit dreizähligen, oft unvollständig geteilten (ziegenfußähnl.) Blättern, in Laubwäldern, Gebüschen und an Zäunen; lästiges Gartenunkraut.

Giersch, Herbert, Volkswirtschaftler, *Reichenbach im Eulengebirge (heute Dzierżoniów) 11. 5. 1921; 1955–69 Prof. in Saarbrücken, seit 1969 in Kiel und ebd. 1969–89 Präs. des Instituts für Weltwirtschaft, 1964–70 Mitgl. des Sachverständigenrats zur Begutachtung der gesamtwirtsch. Entwicklung, ab 1960 Mitgl. im wiss. Beirat beim Bundesmin. für Wirtschaft. G. gilt als Vertreter einer angebotsorientierten Wirtschaftspolitik. – *Werke:* Allg. Wirtschaftspolitik, 2 Bde. (1960–77); Marktwirtsch. Perspektiven für Europa (1993).

Giese, Hans, Psychiater und Sexualwissenschaftler, *Frankfurt am Main 26. 6. 1920, †Saint-Paul (bei Nizza) 22. 7. 1970; Leiter des Inst. für Sexualforschung in Hamburg, trat u. a. durch sexualwiss. Untersuchungen an Studenten hervor. Mit H. Bürger-Prinz gab er seit 1952 die »Beiträge für Sexualforschung« heraus; schrieb u. a.: »Der homosexuelle Mann in der Welt« (1958), »Psychopathologie der Sexualität«, 3 Bde. (1959–62, mit V.-E. von Gebsattel u. a.).

Gieseking, Walter, Pianist, *Lyon 5. 11. 1895, †London 26. 10. 1956; genoss bes. als Interpret der impressionist. Klaviermusik Weltruf; schrieb »So wurde ich Pianist« (1963).

Gießen, → Gießverfahren.

Gießen, 1) RegBez. in Hessen, 5381 km², (1996) 1,057 Mio. Ew., umfasst die Landkreise G., Lahn-Dill-Kreis, Limburg-Weilburg, Marburg-Biedenkopf, Vogelsbergkreis.

2) Landkreis in Hessen, 855 km², (1996) 252 700 Einwohner.

3) Krst. von 2) und Verw.sitz von 1), Hessen, an der Lahn im Gießener Becken, 73 700 Ew.; Justus-Liebig-Univ. (gegr. 1607), FH G.-Friedberg, Oberhess. und Liebig-Museum, Theater; botan. Garten; Werkzeugmaschinenbau, feinmechan., elektrotechn., opt., pharmazeut., Nahrungsmittelind., Gummierzeugung. – Aufgrund der Kriegszerstörungen (rd. 70 %) hat G. sein histor. Stadtbild weitgehend eingebüßt. Das »Alte Schloss« (14., 16./17. Jh.; Umbau 1893–1905) ist seit 1944 Ruine; das »Neue Schloss« (ein Fachwerkbau, 1533–39) und das benachbarte Zeughaus (1586–90) wurden zu Inst. der Univ. umgestaltet. – G. entstand um eine nach 1150 durch die Grafen von Gleiberg erbaute Wasserburg; 1248 erstmals als Stadt gen.; fiel 1265 an Hessen (1567 Hessen-Marburg, seit 1604 Hessen-Darmstadt und Sitz der Reg. von Oberhessen). 1977–79 war G. Teil der Stadt Lahn.

Gießerei, Betrieb, in dem mithilfe von → Gießverfahren Formstücke aus Metallen oder Kunststoffen erzeugt werden.

Gießharze, Reaktionsharze, die in Formen gegossen werden und durch Polyaddition (Epoxid- und Polyurethan-G.) oder Polymerisation (ungesättigte Polyester-, Polybutadien- und Silicon-G.) zu vernetzten **Gießharzformstoffen** aushärten.

Gießkannenschwamm (Venusblumenkorb, Euplectella aspergillum), Art der Glasschwämme im westl. Pazifik. Der 30–60 cm hohe, leicht gebogene, rohrartige Körper ist von vielen Öffnungen durchbrochen.

Gießverfahren, Verfahren zur Erzeugung von Gussstücken aus Metallen und Kunststoffen. Für das Gießen in verlorenen Formen (je Gussstück eine Form) werden die **Gussformen** aus Formsand (mit der Grundsubstanz Quarz), gebunden jeweils durch Ton oder Zement mit Wasser oder Kunstharz, Öl oder Wasserglas als Binder, hergestellt. Beim **Nassguss** werden kleine Gussstücke in ungetrockneten Gussformen hergestellt, beim **Trockenguss** werden die Formen vorher gebrannt. Unter **Feinguss** oder **Präzisionsguss** werden G. verstanden, die außer mit verlorenen Formen auch mit verlorenen Modellen arbeiten

Therese Giehse

Michael Gielen

Gießen 3)
Stadtwappen

Otto von Gierke

(große Maßgenauigkeit und Oberflächengüte). Ebenfalls mit verlorenen Modellen arbeitet das **Vollform-G.,** bei dem das Modell aus Polystyrolschaumstoff beim Eingießen der Schmelze vergast und den Hohlraum freigibt. Während beim Sandguss die Form nach jedem Guss zerstört werden muss, lassen sich beim Gießen in Dauerformen **(Kokillenguss)** zahlr. Abgüsse mit immer derselben Form erzielen. Die Kokillen bestehen aus Stahl, Gusseisen oder warmfesten, legierten Stählen. Beim **Blockguss** werden Blöcke, die für die Warmverformung bestimmt sind, in Kokillen gegossen. Das Metall wird entweder von oben in die Form (fallender Guss) oder durch einen Einguss von unten eingegossen (steigender Guss). Ein weiteres Verfahren ist der →Strangguss. Nach dem **Schleudergussverfahren** werden Rohre und andere zylindr. Hohlkörper durch Eingießen der Schmelze in rotierende Kokillen unter der Wirkung der Zentrifugalkraft ohne Hilfe eines Kernes hergestellt. Beim **Verbundguss** wird an ein festes Metallteil ein weiteres aus einem anderen Metall angegossen. Bei **Druck-G.** mit metall. Dauerformen unterscheidet man das Kaltkammerverfahren, bei ihm wird für jedes Gussstück erneut das flüssige Metall in die Druckkammer gefüllt, und das Warmkammerverfahren, bei ihm ist die Druckkammer ständig mit flussigem Metall gefüllt.

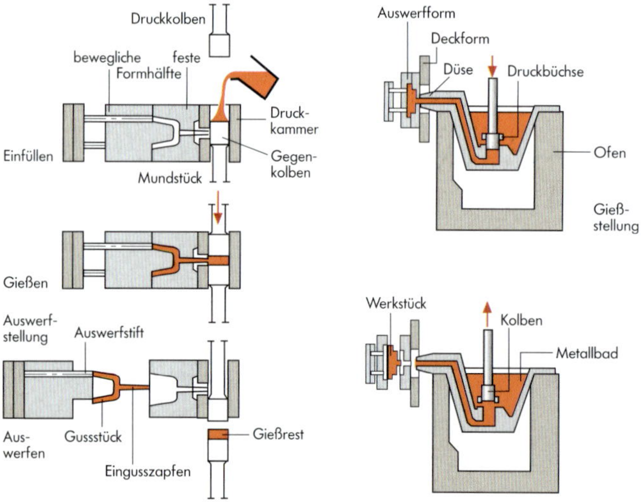

Gießverfahren (von links): Druckgießverfahren; Kaltkammerverfahren und Warmkammerverfahren

Eisenguss wird aus **Gusseisen** (mit 2–4% Kohlenstoff) hergestellt, das entweder unmittelbar dem Hochofen entnommen oder aus Gießereiroheisen (meist unter Zusatz von Schrott) in Kupol- oder elektr. Öfen umgeschmolzen wird. Im **Grauguss (GG)** liegt der Kohlenstoff als Graphit in lamellarer Form vor, der dem Eisen ein graues Bruchaussehen verleiht. Im **Hartguss** ist der Kohlenstoff als Eisencarbid gebunden unter Bildung eines ledeburitischen Gefüges (→Stahl), das dem Eisen eine hohe Härte verleiht. Bei →Temperguss liegt der Kohlenstoff als Graphit vor, wodurch er schweißbar wird. Der **Stahlguss** (Stahlformguss) wird in der Hauptmenge aus einem Stahl mit 0,1–0,5% Kohlenstoff hergestellt. Daneben gibt es legierten Stahlguss mit veränderten Eigenschaften.

Beim **Nichteisenmetallguss** werden Schwer- und Leichtmetallguss unterschieden. Die wichtigsten Werkstoffe für den **Schwermetallguss** sind Zinnbronze, Rotguss und Gussmessing, wobei sämtl. Form- und Gussverfahren Anwendung finden; Zinklegierungen werden fast ausschl. im Druckgussverfahren verarbeitet. Hierbei werden die Metalle im teigigen oder flüssigen Zustand unter hohem Druck (meist mit Hilfe eines Kolbens oder mit Druckluft) in eine Dauerform gepresst. Besondere Vorteile sind u.a. die Korrosionsbeständigkeit und die Verschleißeigenschaften der Werkstoffe. Der **Leichtmetallguss** umfasst Aluminium- und Magnesiumlegierungen; diese werden vorzugsweise im Druckguss- oder Kokillengussverfahren verarbeitet.

Gießen von Kunststoffen: Kunststoff-Formteile oder -Halbzeug werden hergestellt, indem man flüssige, pastöse oder aufgeschmolzene Vorprodukte (z.B. Gießharze, vernetzende Elastomer-Vorprodukte, polymerisierbare Monomere) in Gießformen durch chem. Umwandlung oder durch Erkalten zu harten bis gummiartig weichen Körpern erstarren lässt. Im Rotationsguss fertigt man Hohlkörper aus PVC-Pasten oder Polyäthylenpulver; dabei lässt man die Formen im Heißluftofen mäßig schnell um zwei Achsen rotieren.

Geschichte: Der Eisenkunstguss war in China seit dem 6. Jh. v. Chr., im Abendland seit dem 14. Jh. bekannt; der direkte Guss aus dem Hochofen kam erst im 15. Jh. auf. 1851 stellte J. Mayer in Bochum Stahlformguss her. Das Gusseisen als Werkstoff begann seit dem 18. Jh. in Maschinenbau und Bauwesen eine wesentl. Rolle zu spielen. Auch in der bildenden Kunst wurde der Eisenguss verwendet, bes. im Barock und Klassizismus und bei den Denkmälern des 19. Jh. Noch heute werden Plaketten und Kleinplastiken in Eisenguss hergestellt.

📖 *5000 Jahre Gießen von Metallen, hg. v.* G. ENGELS *u.* H. WÜBBENHORST. *Düsseldorf* ³*1994.* – *Gießerei-Lexikon, begr. v.* E. BRUNHUBER, *hg. v.* S. HAASE. *Berlin* ¹⁷*1997.*

Giffard [ʒiˈfaːr], Henry Jacques, frz. Luftschiffkonstrukteur, *Paris 8. 1. 1825, †ebd. 14. 4. 1882; baute 1852 das erste halbstarre Luftschiff (angetrieben mit einer Dampfmaschine von 3 PS) sowie Fesselballone für Weltausstellungen; erfand 1858 den Injektor für Dampfkessel.

Eine Auswahl der wichtigsten giftigen Wild- und Zierpflanzen in Mitteleuropa

Pflanzenarten	*giftige Pflanzenteile*	*Gefährlichkeitsgrad*
Aronstab, Gefleckter (Arum maculatum)	alle Pflanzenteile einschließlich der Beeren	++
Bärenklauarten, v.a. Riesenbärenklau (Heracleum mantegazzianum)	alle Pflanzenteile, bes. der Saft	++
Bilsenkraut, Schwarzes (Hyoscyamus niger)	alle Pflanzenteile, bes. die Samen	+++
Christrose (Helleborus niger)	alle Pflanzenteile	++
Dieffenbachiaarten	alle Pflanzenteile	+++
Eibe, Gemeine (Taxus baccata)	alle Pflanzenteile, ausgenommen der rote Samenmantel	++
Eisenhutarten, v.a. Blauer Eisenhut (Aconitum napellus)	alle Pflanzenteile, bes. die Wurzelknollen und Samen	+++
Engelstrompete (Datura suaveolens)	alle Pflanzenteile	+++
Fingerhutarten, v.a. Roter Fingerhut (Digitalis purpurea)	alle Pflanzenteile	+++
Gartenbohne (Phaseolus vulgaris)	rohe Hülsen, rohe Kerne	++
Germerarten, v.a. Weißer Germer (Veratrum album)	alle Pflanzenteile, bes. der Wurzelstock	+++
Gloriosaarten	alle Pflanzenteile	++
Goldregenarten, v.a. Laburnum anagyroides	alle Pflanzenteile, bes. reife Samen	++
Hahnenfußarten, u.a. Scharfer Hahnenfuß (Ranunculus acris) und Gifthahnenfuß (Ranunculus sceleratus)	alle Pflanzenteile	+
Herbstzeitlose (Colchicum autumnale)	alle Pflanzenteile	+++
Hundspetersilie (Aethusa cynapium)	alle Pflanzenteile	+++
Kartoffel (Solanum tuberosum)	Keime, unreife, grün gewordene, Knollen und alle oberird. Pflanzenteile	+++
Lebensbaumarten, v.a. Thuja occidentalis	Blätter, Zapfen, Holz	+++
Maiglöckchen (Convallaria majalis)	alle Pflanzenteile, bes. die Blüten und Samen	++
Oleander (Nerium oleander)	alle Pflanzenteile	++
Pfaffenhütchen (Euonymus europaeus)	alle Pflanzenteile, bes. die Früchte	++
Rhododendronarten, u.a. Rododendron mollis	Blüten einschließlich Nektar	++
Sadebaum (Juniperus sabina)	alle Pflanzenteile, bes. die Zweigspitzen	+++
Schierling, Gefleckter (Conium maculatum)	alle Pflanzenteile	+++
Seidelbast (Daphne mezereum)	alle Pflanzenteile außer Fruchtfleisch, bes. die Samen	+++
Stechapfel (Datura stramonium)	alle Pflanzenteile, bes. die Blüten und Früchte	+++
Tabak (Nicotina tabacum)	alle Pflanzenteile	+++
Tollkirsche (Atropa belladonna)	alle Pflanzenteile	+++
Wasserschierling (Cicuta virosa)	alle Pflanzenteile, bes. der Wurzelstock	+++
Wunderbaum (Ricinus communis)	Samen	+++
Zaunrübenarten (Bryonia alba und Bryonia dioica)	alle Pflanzenteile, bes. die Beeren und Wurzeln	++

+ giftig. – ++ stark giftig, kann zu schweren Vergiftungserscheinungen führen. – +++ sehr stark giftig, schon geringe Mengen lebensgefährlich.

Gifhorn, 1) Landkreis im RegBez. Braunschweig, Ndsachs., 1562 km^2, (1996) 162600 Ew.

2) Krst. von 1), Ndsachs., 54 m ü.M., an der Aller, 43500 Ew.; Mühlenmuseum; Metall-, Nahrungsmittelind., Bremsenherstellung. – Trapezförmig angelegtes Schloss (1533–81), barocke Pfarrkirche. – Seit dem 14.Jh. Stadt.

Gift, →Gifte.

Giftdrüse, Drüse, deren Sekret zum Betäuben oder Töten der Beute bzw. zur Abwehr dient (z.B. bei Schlangen und Insekten).

Gifte [ahd. gift »Gabe«], **1)** in der Natur vorkommende oder künstlich hergestellte organ. und anorgan. Stoffe, die nach Eindringen in den menschl. oder tier. Organismus zu einer spezif. Erkrankung (Vergiftung) mit vorübergehender Funktionsstörung, bleibendem Gesundheitsschaden oder zum Tod führen; auch für Pflanzen schädl. Stoffe (Herbizide) werden oft G. genannt. Zahlr. Tiere, Pflanzen und Mikroorganismen bilden G., die als **Toxine** bezeichnet werden. Nach Herkunft und Verwendung kann man G. einteilen in **pflanzl. G.** (z.B. Atropin), **tier. G.** (z.B. Bufotenin, Melittin, Tetrodotoxin), **Bakterien-G.** (z.B. Botulinustoxin), **Umwelt-G.** (z.B. Quecksilber, Pestizide), **gewerbl. G.** (z.B. Benzol, Blei, Cadmium), **Genuss-G.** (z.B. Alkohol, Nikotin) u.a. Um die **Toxizität** (Giftigkeit) zu charakterisieren, legt man die Höhe der geringsten schädl. Dosis zugrunde. Starke G. sind Substanzen, die bereits in kleinsten Mengen schwerwiegende Folgen hervorrufen. Die Giftwirkung kann innerhalb kurzer Zeit nach einmaliger Gabe (akute Toxizität) oder erst nach längerer (Wochen und Monate) Anwendung (chron. Toxizität) eintreten. G. können äußerlich wirken **(lokale Giftwirkung)** oder erst nach Aufnahme in das Blut und Gewebe **(resorptive Giftwirkung).**

Recht: Die Verwendung von G. und der Umgang mit G. ist durch Gesetze und VO geregelt. Hierzu gehören in Dtl. v.a. die Gift-VO der Länder, die Gefahrstoff-VO (→Gefahrstoffe) und das →Chemikaliengesetz. Bestimmungen über die Handhabung und den Schutz vor G. enthalten auch das Pflanzenschutz-Ges. und die VO über Anwendungsverbote für Pflanzenschutzmittel.

📖 MARTINETZ, D. *u.* LOHS, K.: *Gift. Magie u. Realität, Nutzen u. Verderben. München 1986.*

2) Stoffe, die ein bestimmtes Material zerstören oder einen techn., physikal. oder chem. Vorgang hemmen oder zum Stillstand bringen.

Giftmüll, Abfall, der giftige oder die Umwelt schädigende Stoffe enthält. (→Sondermüll)

Giftnattern (Elapidae), Familie der Schlangen mit vorn gefurchten Giftzähnen im Vorderteil des Oberkiefers. Das beim Biss ausgestoßene Gift wirkt bes. auf das Nervensystem des Opfers; der Tod erfolgt durch Lähmung des Atemzentrums. Gefürchtet sind in Afrika die baumbewohnenden über 2 m langen **Mambas** (Dendroaspis), die dort und v.a. in Asien heim. **Hutschlangen** (Kobras, Naja), in S- und SO-Asien die **Kraits** (Bungarus). In Australien gehören die meisten Schlangen zu den Giftnattern.

Gigantomachie: Detail vom großen Fries des Zeusaltars von Pergamon (180–160 v. Chr.; Berlin, Antikensammlung)

Giftpflanzen, Pflanzen, die Substanzen enthalten, die durch Berührung oder Aufnahme in den Körper beim Menschen und bei Tieren Vergiftungserscheinungen mit zuweilen tödl. Ausgang hervorrufen. Manche Gifte werden durch Trocknen oder Kochen unwirksam, z.B. bei den Samen der Gartenbohne.

Giftschlangen, Schlangen mit einem oder zwei Paar Giftzähnen, die mit Giftdrüsen verbunden sind. Bes. gefährliche G. sind u.a. →Giftnattern, →Seeschlangen und →Vipern.

Gifttiere, Tiere mit Gift in Blut, Gewebe oder Drüsen, das dem Beuteerwerb und/oder der Verteidigung dient. **Giftdrüsen** können an der Körperoberfläche verstreut liegen (so Nesselzellen der Quallen und Korallen, Hautdrüsen der Kröten) oder mit zahn- oder dornförmigen Körperfortsätzen verbunden sein, z.B. Giftstacheln der Skorpione, Bienen, giftige Flossenstrahlen mancher Fische, Giftzähne der Giftschlangen.

Giftzähne, für den Beutefang modifizierte, mit einer Giftdrüse in Verbindung stehende Zähne im Oberkiefer der Giftschlangen und im Unterkiefer der Krustenechsen. Die G. der Giftschlangen besitzen einen geschlossenen Kanal **(Röhrenzähne)** oder eine offene Rinne **(Furchenzähne).**

Gifu, Hptst. der japan. Präfektur G., auf Honshū, 410000 Ew.; Univ.; Textil-, Kunststoff-, Papier-, Porzellanindustrie. – Ehem. Burgstadt; Zen-Tempel (17. Jh.).

Gig [engl.], **1)** *die* auch *das,* leichtes, schnelles Ruderboot (Beiboot), früher bes. für Kriegsschiffkommandanten.

2) *die* auch *das,* im Sport Übungsruderboot mit Außenkiel und Ausleger, breiter und schwerer als Rennboote.

3) *das,* zweirädriger einspänniger Pferdewagen.

Giga [von grch. gígas »Gigant«, »Riese«], Vorsatzzeichen **G,** Vorsatz vor Einheiten für den Faktor 10^9; z.B. 1 Gigawattstunde (GWh) = 1 Mrd. Wattstunden (Wh).

Giganten, *grch. Mythos:* Riesengeschlecht mit schlangenartigen Beinen, von Gaia aus dem Blut des Kronos geboren. Die G. erhoben sich gegen die olymp. Götter (→Gigantomachie) wurden aber von Zeus mithilfe des Herakles zurückgeschlagen.

Gigantija, Tempelkomplex (UNESCO-Weltkulturerbe) auf Gozo, Malta. Der monumentale, aus zwei Tempeln bestehende und von einer gemeinsamen Mauer umfasste Baukomplex stammt aus der 2. Hälfte des 4. Jt. v. Chr. Der südl. Kultbau stellt den Beginn der vorgeschichtl. Monumentalarchitektur Maltas dar.

Gigantismus *der, Medizin:* der →Riesenwuchs.

Gigantomachie *die, grch. Mythos:* Kampf der Giganten gegen Zeus; als Darstellung in der grch. Kunst seit etwa 570 v. Chr. nachweisbar (Vasen, Kleinkunst), wurde ein wichtiges Thema der Architekturplastik, z.B. Metopen am Parthenon; in der hellenist. Kunst: Sockelfries des Pergamonaltars (Berlin).

Gigli ['dʒiʎi], Beniamino, italien. Sänger, *Recanati (Prov. Macerata) 20.3.1890, †Rom 30.11.1957; wurde seit 1914 bekannt als lyr. Bühnentenor; Konzertsänger; gestaltete auch Filmrollen.

Gigolo ['ʒigolo, frz.] *der,* 1) früher Bez. für Eintänzer, ein in Tanzlokalen als Tanzpartner angestellter Mann; 2) abwertend: geckenhafter, meist von Frauen ausgehaltener jüngerer Mann.

Gigots [ʒi'go:; frz. »Hammelkeule«] (Keulenärmel, Schinkenärmel), keulenförmig nach oben erweiterte Ärmel der weibl. Biedermeiermode.

Gigue [ʒig, frz.] *die* (Jig), aus der irisch-schott. Jig hervorgegangener lebhafter Tanz des 17./18. Jh., Grundbestandteil der →Suite. Formen: die frz. G. im punktierten $^4/_4$- oder $^3/_4$-Takt mit imitierender Stimmführung und die nicht fugierte italien. Giga im schnellen $^{12}/_8$- oder $^6/_8$-Takt.

Gijón [xi'xɔn], Hafen- und Ind.stadt an der N-Küste Spaniens, größte Stadt Asturiens, 263 000 Ew.; Museen; Eisen- und Stahlind., Schiff- und Maschinenbau, chem. u.a. Ind. Im Hafen Ausfuhr von Kohle, Erz und Schwerind.produkten; Seebad. – Paläste (15. und 16. Jh.). – G., 715 von den Arabern gegr., war nach 722 Residenz der astur. Könige; im Bürgerkrieg 1936 fast völlig zerstört.

Gilan, Landschaft und Provinz in N-Iran, am SW-Rand des Kasp. Meeres, mit feuchtwarmem Klima; Reisanbau, Tee-, Zitruskulturen; Hauptort: Rescht.

Gilatier, Art der →Krustenechsen.

Gilawüste ['dʒi:lə-] (engl. Gila Desert), Trockengebiet in SW-Arizona, USA, Teil der Sonorawüste; wird durchflossen vom **Gila River,** einem linken Nebenfluss des Colorado River, 1014 km lang, der in New Mexico entspringt.

Gilbert, 1) [ʒil'bɛ:r], Jean, eigtl. Max Winterfeld, Komponist, *Hamburg 11. 2. 1879, †Buenos Aires 20. 12. 1942, Vater von 2); typ. Vertreter der Berliner Operettentradition (u.a. »Die keusche Susanne«, 1910); schrieb auch Tonfilmmusik.

2) [ʒil'bɛ:r], Robert, Librettist und Textdichter, *Berlin 29. 9. 1899, †Muralto (bei Locarno) 20. 3. 1978, Sohn von 1); verfasste Gesangstexte zu über 60 Operetten (z.B. »Im weißen Rössl«, »Feuerwerk«) und Liedertexte zu über 100 Tonfilmen (u.a. »Die Drei von der Tankstelle«).

3) ['gɪlbət], Walter, amerikan. Molekularbiologe, *Boston (Mass.) 21. 3. 1932; Prof. an der Harvard University. Mit F. Sanger entwickelte er versch. Methoden zur Bestimmung der Reihenfolge der DNS-Bausteine. Dafür erhielten beide die Hälfte des Nobelpreises für Chemie 1980 (die andere Hälfte ging an P. Berg).

4) ['gɪlbət], William, engl. Naturforscher und Arzt, *Colchester 24. 5. 1544, †London 30. 11. 1603; Leibarzt Elisabeths I. und des Königs Jakob I., fasste die Erkenntnisse älterer Autoren zu einer Lehre vom Magnetismus und Erdmagnetismus zusammen (1600) und beschrieb elektr. Erscheinungen, für die er den Begriff »Elektrizität« prägte.

Gilbertinseln ['gɪlbət-], Inselgruppe (16 Atolle) im mittleren Pazifik, 286 km^2, (1990) 67 500 Ew.; gehören zu →Kiribati.

Gilbweiderich (Gelbweiderich, Felberich, Lysimachia), Gattung der Primelgewächse mit etwa 150 Arten in gemäßigten Gebieten, v.a. in Europa und O-Asien; in Europa u.a. der **Gemeine G.** (Lysimachia vulgaris), über 1 m hoch, mit gelben Blüten.

Gilde [mnd. »Innung«, »Trinkgelage«, urspr. »gemeinsamer Trunk anlässlich eines abgeschlossenen Rechtsgeschäfts«], urspr. Bez. für »Opfergelage«, womit zugleich die kultisch-religiöse wie die gesellige Seite dieses genossenschaftl. Gebildes zum Ausdruck gebracht wurde. G. bezeichnete dann v.a. die freie Vereinigung von Berufsgenossen zur Förderung gemeinsamer Interessen, Pflege der Geselligkeit und zur gegenseitigen Hilfeleistung. In manchen Gegenden Dtl.s wurden auch Innungen und Zünfte als G. bezeichnet. Die Anfänge reichen im Fränk. Reich ins 8., in England ins 10., in Skandinavien ins 11. Jh. zurück. Im MA. gab es hauptsächlich Schutz-G. (gewährten dem Einzelnen Rechtsschutz), Gewerbe-G. (Handwerks- und Kaufmanns-G. mit gemeinsamen wirtsch. Interessen; überragendes Beispiel: die Hanse), religiös-kultisch bestimmte G. (religiöse Bruderschaften) sowie bes. in Nord-Dtl. Bauern-G. Mit der Herausbildung der liberal verfassten und marktwirtsch. funktionierenden Ind.gesellschaft gingen die G. unter. An ihre Stelle traten z.T. Handwerksinnungen, Berufs- und Interessenverbände.

Gildenschaft (Gilde), in der Jugendbewegung wurzelnde student. Korporation; der Verband der G. entstand 1920 als Dt.-Akadem. G. (Dt. Akadem. G., Abk. DAG), seit 1923 Großdt. G.; 1958 erneuert als Dt. G. (Abk. DG). – 1959 wurde die »Akadem. G. in Österreich« (AGÖ) gegründet.

Gildensozialismus, in Großbritannien entstandene, dem Syndikalismus nahe stehende sozialist. Bewegung, suchte durch Gewerkschaftsorganisationen die Selbstverwaltung nach Art der mittelalterl. Gilden auf die moderne Wirtschaft zu übertragen. Das »Guilds Restoration Movement« (gegr. 1906) und die »National Guilds League« (gegr. 1915) suchten die Ideen des G. zu verwirklichen. Nach dem Scheitern des G. 1925 lebte sein Gedankengut in der Labour Party fort.

Gilead (in der Vulgata Galaad), bibl. Landschaft im Ostjordanland; Siedlungsgebiet der israelit. Stämme Gad, Manasse und Ruben (4. Mose 32).

Gilels, Emil Grigorjewitsch, russischer Pianist, *Odessa 19. 10. 1916, †Moskau 14. 10. 1985; trat bes. als Interpret der Klavierwerke W. A. Mozarts und der Klaviermusik des 19. Jh. hervor.

Gilet [ʒi'le:, frz.] *das,* hochgeschlossene, schoß- und ärmellose Weste; um 1780 aufgekommen.

Walter Gilbert

Gilbweiderich: Gemeiner Gilbweiderich

Emil Gilels

Gịlgal (in der Vulgata Galgala), Heiligtum im alten Israel (nordöstlich von Jericho), an dem um 1020 v. Chr. Saul zum König eingesetzt wurde (1. Sam. 11, 14 f.); Stätte der Rechtsprechung (1. Sam. 7, 16) und Mittelpunkt Israels unter Josua (Jos. 4, 19 ff.).

Gilgamesch als Bezwinger eines Löwen, Reliefplatte aus Dur-Scharrukin, Assyrien (8. Jh. v. Chr.; Paris, Louvre)

Gịlgamesch, sumer. König der 1. Dynastie von Uruk, der um 2600 v. Chr. lebte und in einem Zyklus sumer. Kurzepen (nach 2000 v. Chr. verfasst) verherrlicht wird. In akkad. Sprache wurde nach dem 12. Jh. v. Chr. die zwölf Tafeln umfassende »ninevit. Fassung« geschaffen **(G.-Epos),** die auch die urspr. selbstständige Sintflutsage mit in eine straffe, gut gegliederte Komposition einbezieht; gilt als größtes literar. Werk der Babylonier.

Gilgamesch-Epos

Gegen Ende des 2. Jahrtausends entstand in Babylonien das Gilgamesch-Epos um einen frühgeschichtlichen Herrscher, der schon im 3. Jahrtausend als Gott verehrt wurde, aus voneinander zunächst unabhängigen Einzelerzählungen. Um Gilgamesch, den König von Uruk, vom Mauerbau in Uruk und der Knechtung seiner Untertanen abzulenken, erschaffen die Götter Enkidu, der zu Gilgameschs Freund und Begleiter wird. Beide zusammen bestehen mehrere Abenteuer wie die Tötung des Riesen Huwawa und des Himmelsstieres. Nach Enkidus Tod, den Gilgamesch nicht hinnehmen will, begibt dieser sich auf eine (Jenseits-)Reise; sie führt ihn über das »Wasser des Todes« und zu dem Sintfluthelden Utnapischtim, der Gilgamesch das Geheimnis eines in den unterirdischen Gewässern wachsenden verjüngenden Pflanze enthüllt. Menschliche Grunderfahrungen wie das Erlebnis der Freundschaft, aber auch Fragen nach Tod und Jenseits oder das Bewusstsein von der Bedrohtheit menschlicher Existenz (in der Sintflutsage) finden auf diese Weise schon in ältester Zeit literarischen Ausdruck.

Ausgabe: Das G.-Epos, hg. v. A. Schott, bearb. v. W. von Soden. Neudr. Stuttgart 1994.

Gịlgit, Hochgebirgslandschaft in dem unter pakistan. Verwaltung stehenden Teil Kaschmirs, mit Gipfeln über 6 000 m ü. M. und ausgedehnter Vergletscherung; in den Tälern Anbau von Getreide und Obst; durch G. führt die Karakorumstraße von Islamabad nach China (Pass Kunjirap Daban, 4 890 m ü. M.). Hauptort ist G. (5 000 Ew.) im Tal des G. (Nebenfluss des Indus).

Giljạken (Eigenbez. Niwchen), ein am unteren Amur und auf dem nördl. Sachalin wohnhaftes altsibir. Fischervolk, etwa 5 000 Menschen; seit dem 19. Jh. orth. Christen; Elemente eigener Religion (Bärenkult, Schamanismus) sind noch lebendig.

Gill [dʒɪl] *das,* in Großbritannien gebräuchl. Hohlmaß für Flüssigkeiten und feste Stoffe: 1 gi = $^{1}/_{32}$ gallon = 142,065 cm^3; in den USA für Flüssigkeiten, auch im Apothekengebrauch: 1 gi (US) = 118,295 cm^3.

Gill [gɪl], Arthur Eric Routon, brit. Bildhauer, Grafiker und Typograph, * Brighton 22. 2. 1882, † Uxbridge (heute zu London) 17. 11. 1940; schuf neben Plastiken und Reliefs mit religiösen Themen u. a. Schriften für die Golden Cockerell Press und Titelblätter für die Cranach-Presse.

Gịlle, 1) Christian Friedrich, Maler und Lithograph, * Ballenstedt 20. 3. 1805, † Wahnsdorf (heute zu Radebeul) 9. 7. 1899; Schüler J. C. C. Dahls, widmete sich ab 1850 der Landschaftsmalerei; schuf Ölskizzen, die bereits Elemente des Impressionismus vorwegnehmen.

2) Sighard, Maler und Grafiker, * Eilenburg 25. 2. 1941; wendet sich in einer expressiven, malerisch-vitalen Auffassung, z. T. sinnbildhaft, v. a. Porträts, Alltags- und Landschaftsmotiven zu (Deckengemälde »Lied von der Erde«, 1979–81, Leipzig, Gewandhaus).

Gịlles, 1) Barthel, Maler, * Rendsburg 31. 8. 1891, † Wees (bei Flensburg) 19. 11. 1977; Vertreter der Neuen Sachlichkeit; zeichnet ein exakt beobachtetes Porträt der Menschen und der Lebenssituation der 20er-Jahre, ab 1929 auch mit sozialkrit. und antimilitarist. Tendenzen.

2) Werner, Maler, * Rheydt (heute zu Mönchengladbach) 29. 8. 1894, † Essen 23. 6. 1961; gestaltete in leuchtenden Farben Mythisches in visionärer Symbolsprache mit abstrakten und surrealist. Elementen.

Gillespie [gɪ'lespɪ], Dizzy, eigtl. John Birks, amerikan. Jazzmusiker (Trompeter, Bandleader, Komponist), * Cheraw (S. C.) 21. 10. 1917, † Englewood (N. J.) 6. 1. 1993; war neben C. Parker und T. Monk führender Vertreter des Bebop; beeinflusste zahlr. Trompeter des Modernjazz.

Gillette [ʒɪ'let], King Camp, amerikan. Industrieller, * Fond du Lac (Wis.) 5. 1. 1855, † bei Los An-

Barthel Gilles: Die Braut (1926; Privatbesitz)

geles (Calif.) 10. 7. 1932; erfand die Rasierklinge und den Rasierapparat, gründete 1901 in Boston die heutige **The G. Company.**

Gillingham ['dʒɪlɪŋəm], Stadt in der Cty. Kent, SO-England, am Ästuar des Medway, Nachbarstadt von Chatham, 95 400 Ew.; Marinehafen; Nahrungsmittelind., Metallverarbeitung.

Gillray ['gɪlreɪ], James, brit. Karikaturist, *Chelsea (heute zu London) 13. 8. 1757, †London 1. 6. 1815; erwies sich in seinen Grafiken (etwa 700, meist Radierungen) als außerordentlich dynam. und scharfer Kritiker polit. und sozialer Missstände seiner Zeit sowie allg. menschlicher Schwächen.

Gilly, Friedrich, Architekt, *Altdamm (heute als Dąbie zu Stettin) 16. 2. 1772, †Karlsbad 7. 8. 1800; Sohn des Baumeisters David G. (*1748, †1808); Schüler von F. W. von Erdmannsdorff und C. G. Langhans, Prof. an der Berliner Bauakademie; lieferte Entwürfe für ein Denkmal Friedrichs d. Gr. (1796, nicht ausgeführt) und für das Berliner Schauspielhaus (ab 1797), die ihn als einen bed. Planer des dt. Klassizismus auszeichnen.

Gilman ['gɪlmən], Alfred Goodman, amerikan. Pharmakologe und Biochemiker, *New Haven (Conn.) 1. 7. 1941; seit 1981 an der University of Texas in Dallas; erhielt gemeinsam mit M. Rodbell 1994 den Nobelpreis für Physiologie oder Medizin für die Entdeckung der G-Proteine und deren Bedeutung für die Signalübertragung in Zellen.

Gilson [ʒil'sɔ̃], Étienne Henry, frz. Philosoph, *Paris 13. 6. 1884, †Cravant (Dép. Yonne) 19. 9. 1978; war 1932–51 Prof. am Collège de France; bed. Vertreter des Neuthomismus; Historiker v. a. der Philosophie des MA.; arbeitete eine grundsätzl. Differenz im Seinsverständnis des abendländ. Denkens heraus: wahre Wirklichkeit als Sein (Thomas von Aquin) gegen wahre Wirklichkeit als Wesen (Platon, Aristoteles).

Gimpel [zu mhd. gumpen »hüpfen«] (Dompfaff, Blutfink, Pyrrhula pyrrhula), europ.-asiatischer, Nadelwälder bewohnender Finkenvogel mit dickem Schnabel; unterseits ist das Männchen rot, das Weibchen grau, oberseits schwarz; Bürzel weiß.

Gin [dʒɪn, engl.] *der,* Branntwein mit Wacholdergeschmack, etwa 40 Vol.-% Alkohol; oft als Mixgetränk **Ginfizz** mit Sodawasser, Zitronensaft, Zucker u. a. zubereitet.

Ginastera [xinas'tera], Alberto Evaristo, argentin. Komponist, *Buenos Aires 11. 4. 1916, †Genf 25. 6. 1983. Seine Musik basiert auf argentin. und indian. Folklore und modernen Kompositionstechniken; schrieb u. a. Opern, Ballette, Orchester- und Kammermusik.

Gingellisamen, die Ölfrucht vom →Ramtill.

Ginger ['dʒɪndʒə], engl. Bez. für →Ingwer.

Gingerale ['dʒɪndʒəreɪl, engl.], Erfrischungsgetränk aus Mineralwasser, das mit Ingweressenz oder span. Pfefferextrakt und Zucker versetzt ist.

Gingiva [lat.] *die,* das →Zahnfleisch.

Gingivektomie [lat.-grch.] *die,* chirurg. Behandlung bestimmter Formen von Zahnbettentzündungen durch Abtragen des Zahnfleischrandes bis zum Grund der Zahnfleischtasche.

Gingivitis *die,* die →Zahnfleischentzündung.

Ginkgo [japan.] *der* (G. biloba), urtüml., zu den Nacktsamern gehörender, zweihäusiger Baum Ostasiens, mit fächerförmigen Blättern und gelben essbaren Samen; in China und Japan seit alters her als heiliger Baum angepflanzt.

Ginsberg ['gɪnzbə:g], Allen, amerikan. Schriftsteller, *Paterson (N. J.) 3. 6. 1926, †New York 5. 4. 1997; Dichter der →Beat Generation; schreibt in der Tradition W. Whitmans Dichtungen in rhythm. Prosa, vielfach brutal-realistisch (»Das Geheul«, 1956; »Kaddisch«, 1961; »Planet news«, 1968; »Der Untergang Amerikas«, 1972; »Überlegungen zur Poesie«, 3 Bde., dt. 1988).

Gimpel (Männchen)

Alfred G. Gilman

Dizzy Gillespie

Ginkgo

Viele der Bäume, die in Deutschland ganz selbstverständlich Parks, Gärten und Alleen zieren, sind ursprünglich chinesische Arten. Manche von ihnen haben sich sogar aus den Kunsträumen der Gärten, wo sie kultiviert wurden, heraus in die freie Natur verbreitet. Hierzu zählen beispielsweise der Götterbaum (Ailanthus altissima) und auch der Weiße Maulbeerbaum (Morus alba). Dieser wurde in vielen europäischen Ländern angepflanzt, weil seine Blätter der Seidenraupe die Nahrung liefern. Auch der beliebte Ginkgobaum (Ginkgo biloba) ist ein fernöstlicher Gast. Die klimatische Stabilität Ostchinas sorgte dafür, dass dieses lebende Fossil die Zeiten überdauern konnte, denn der Ginkgo entwickelte sich sehr früh in der Evolution. Sein Alter wird auf 300 Millionen Jahre geschätzt, aufgefundene Versteinerungen früherer Exemplare datieren 160 Millionen Jahre zurück.

Ginster: Deutscher Ginster

Natalia Ginzburg

Ginsburg, Witali Lasarewitsch, sowjet. Physiker, *Moskau 4. 10. 1916; entwickelte 1950 zus. mit L. D. Landau eine phänomenolog. Theorie der Supraleitung **(G.-Landau-Theorie);** arbeitete u. a. zur Kristalloptik und zur Theorie der Ferroelektrizität.

Ginseng [chines.] *der* (Panax ginseng), in der Mandschurei und in Korea wild wachsende, u. a. in Japan auch kultivierte Art der Araliengewächse mit goldgelber, rübenartiger Wurzel. Sie gilt seit altersher als Allheilmittel **(Kraftwurz),** als Aphrodisiakum und als lebensverlängernd; sie enthält u. a. Saponine und Glykoside. – Der **Amerikan. G.** (Panax quinquefolius) stammt aus dem nordöstl. Nordamerika.

Ginster (Genista), Gattung der Schmetterlingsblütler, mit gelben Blüten und rutenförmigen Zweigen; Sträucher und Halbsträucher meist trockener Standorte, z. B. **Deutscher G.** (Genista germanica), **Färber-G.** (Genista tinctoria). Zu einer anderen Gattung gehören Besen- und Stechginster.

Ginsterkatze, Gattung der →Schleichkatzen.

Ginzberg, Zwi Ascher, Schriftsteller, →Achad Haam.

Ginzburg, Natalia, geb. Levi, italien. Schriftstellerin, *Palermo 14. 7. 1916, †Rom 8. 10. 1991; verfasste Romane in knappem und unsentimentalem Stil, u. a. »Die Stimmen des Abends« (1961), »Caro Michele« (1973), »Die Stadt und das Haus« (1984), außerdem Erzählungen, biograph. Aufzeichnungen »Mein Familien-Lexikon« (1963), Essays und Dramen.

Giorgione: »Drei Philosophen« (um 1503/04; Wien, Kunsthistorisches Museum)

PFLUG, M.: *N. G. Eine Biographie. Berlin 4.–6. Tsd. 1996.*

Gioconda, La [-dʒoˈkonda, italien.], Gemälde von Leonardo da Vinci, →Mona Lisa.

giocoso [dʒoˈkozo, italien.], musikal. Vortragsbezeichnung: heiter, scherzhaft.

Giolitti [dʒoˈlitti], Giovanni, italien. Politiker, *Mondovi (Prov. Cuneo) 27. 10. 1842, †Cavour (Prov. Turin) 17. 7. 1928; war bis 1921 mehrmals MinPräs.; zwang 1920 G. D'Annunzio zur Räumung von Fiume (Rijeka). Er förderte die Sozial- und Arbeitsgesetzgebung und erweiterte das Wahlrecht; 1914/15 war er Gegner des Kriegseintritts Italiens; später suchte er zunächst ein Bündnis mit den aufsteigenden Faschisten, stellte sich aber 1926 gegen die Ausnahmegesetze.

Giono [ʒjɔˈno], Jean, frz. Schriftsteller, *Manosque (Dép. Alpes-de-Haute-Provence) 30. 3. 1895, †ebd. 8. 10. 1970; konsequenter Pazifist; blieb in seinem Schaffen seiner Heimat eng verbunden. Seine zahlr. Romane schildern einfache Menschen in fast myst. Kontakt mit der Natur (Pan-Trilogie: »Der Hügel«, 1929; »Der Berg der Stummen«, 1929; »Ernte«, 1930), später behandeln sie histor. Themen (»Der Husar auf dem Dach«, 1951; »Das unbändige Glück«, 1957).

Giordano [dʒorˈdaːno], **1)** Luca, gen. Luca fa presto, italien. Maler und Radierer, *Neapel 18. 10. 1634, †ebd. 3. 1. 1705; tätig in Neapel, Rom, Florenz, Venedig und 1692–1702 in Madrid als Hofmaler Karls II.; einer der markantesten italien. Barockmeister; schuf dekorative Fresken und Ölgemälde mit kräftigen Helldunkelwirkungen und von leuchtender Farbgebung.

2) Ralph, Publizist und Schriftsteller, *Hamburg 20. 3. 1923; arbeitete zunächst als Fernsehdokumentarist (Samml. »Die Spur – Reportagen aus einer gefährdeten Welt«, 1984); bemüht sich um Aufhellung der nat.-soz. Judenverfolgung (Familienroman »Die Bertinis« 1982; verfilmt 1988; »Die zweite Schuld oder Von der Last ein Deutscher zu sein«, 1987) und der Nahost-Problematik (»Israel. Um Himmelswillen Israel«, 1991) sowie um die Analyse gesellschaftpolit. Konstellationen.

3) Umberto, italien. Komponist, *Foggia 28. 8. 1867, †Mailand 12. 11. 1948; bed. Vertreter des Verismus, schrieb u. a. die Opern »Andrea Chénier« (1896), »Fedora« (1898), »Madame Sans-Gêne« (1915), »Il Re« (1929).

Giorgio [ˈdʒordʒo], Francesco di, →Francesco di Giorgio Martini.

Giorgione [dʒorˈdʒoːne], eigtl. Giorgio da Castelfranco, italien. Maler, *Castelfranco Veneto (bei Treviso) 1478, †Venedig vor dem 25. 10. 1510; einer der bedeutendsten Vertreter der venezian. Hochrenaissance. Mit dem Hochaltarbild für San Liberale in Castelfranco Veneto (»Thronende Madonna mit den Heiligen Franziskus und Liberale«, um 1504) prägte G. einen neuen Typus der →Sacra conversazione, für den das Vorherrschen der Landschaft gegenüber der Architektur bezeichnend ist. Seine Behandlung von Farbe und Licht wurde zur Grundlage der venezian. Malerei des 16. Jh. (Tizian u. a.). – *Weitere Werke:* Judith (um 1500; Sankt Petersburg, Eremitage); Bildnis einer jungen Frau (auch »Laura«, 1506; Wien, Kunsthistor. Museum); Die drei Philosophen (um 1503/04; ebd.); Das Gewitter (um 1507/08; Venedig, Akademie).

Giorgi-System ['dʒordʒi-; nach dem italien. Physiker G. Giorgi, *1871, †1950], ein →Maßsystem.

Giotto ['dʒotto], von der ESA 1985 mit der Trägerrakete Ariane gestartete europ. Raumsonde; flog 1986 in etwa 600 km Entfernung am Halleyschen Kometen vorbei und passierte 1992 den Kometen Grigg-Skjellerup, dessen Staubschweif sie durchquerte (wobei sie Daten u. a. über Staub- und Plasmateilchen lieferte). 1999 soll G. in 219 000 km Entfernung wieder an der Erde vorbeifliegen.

Giotto di Bondone ['dʒotto-], italien. Maler und Baumeister, *Colle di Vespignano (bei Florenz) 1266 (?), †Florenz 8. 1. 1337; Schüler von Cimabue (nach neuerer Forschung von P. Cavallini), tätig in Florenz, Assisi, Rom, Padua, Neapel, Mailand, seit 1334 Dombaumeister in Florenz. Er überwand den strengen Schematismus der byzantin. Schule (Maniera greca) durch den neuen Wirklichkeitsgehalt seiner Kunst, die lebensnahe Gestalten von plast. Körperlichkeit in einem klar überschaubaren Bildraum darstellte. G. malte v. a. monumentale Freskenfolgen von dramat. Eindringlichkeit. Er gilt als Wegbereiter einer auf Naturbeobachtung und Psychologie gestützten Gestaltungsweise. An allen Wirkungsstätten G.s bildeten sich Schulen, die die Phasen seiner Entwicklung widerspiegeln.

Werke: Kruzifix für die Kirche Santa Maria Novella, Florenz (zw. 1290/1300); Fresken in der Oberkirche von San Francesco zu Assisi (ab 1290); Freskenzyklus in der Arenakapelle in Padua (zw. 1304/13); Kruzifix (1317, ebd.); Madonna (zw. 1306/10, Florenz, Uffizien); Fresken in Santa Croce in Florenz (zw. 1317/28).

📖 Battisti, E.: *G. A. d. Italien. Neuausg. Genf 1990.* – Bellosi, L.: *G. A. d. Italien. Neuausg. Florenz 1992.* – M. Imdahl: *G., Arenafresken. ³1996.*

Giovanni da Bologna [dʒo'vanni da bo'loɲa], niederländisch-italien. Bildhauer, →Giambologna.

Giovanni di Paolo [dʒo'vanni-], italien. Maler, *Siena um 1403, †ebd. 1482; malte Altar- und kleinere Andachtsbilder in einem sehr persönl. Stil mit bewegten Figuren in fantast. Landschaften (Szenen aus dem Leben des hl. Johannes des Täufers, um 1453/54).

Giotto di Bondone: »Die Begegnung Joachims und Annas an der Goldenen Pforte«, Ausschnitt aus einem Fresko (zwischen 1304 und 1313; Padua, Arenakapelle)

Giovo ['dʒo:vo], Alpenpass, →Jaufen.

Gipfelkonferenz (Gipfeltreffen), Treffen leitender Staatsmänner, urspr. die Konferenzen der 4 Hauptsiegermächte des 2. Weltkriegs (USA, UdSSR, Großbritannien, Frankreich) seit 1945.

Gips (Selenit), monoklin-prismat. Mineral, $CaSO_4 \cdot 2H_2O$, farblos oder weiß, bisweilen gefärbt; Härte 1,5 bis 2, Dichte 2,3 g/cm³; Kristalle oft sehr groß, plastisch biegsam, vollkommen spaltbar **(Marienglas),** dicktafelig, oft krummflächig, zuweilen rosettenartig verwachsen (G.-Rose, →Wüstenrose), häufig Zwillingsbildung (Schwalbenschwanz- und Montmartrezwillinge); weiterhin treten feinfaserige **(Faser-G., Atlasspat)** und feinkörnige (→Alabaster) Aggregate auf. **Stink-G.** ist durch Bitumen verunreinigt. G. kommt vor als konkretionäre Ausscheidung in Tonen und Mergeln, als Verwitterungsprodukt sulfid. Erze, als Verdunstungsrest sulfathaltiger Wässer in Wüsten

Ralph Giordano

Giotto

In der fünften Novelle des sechsten Tages rühmt Giovanni Boccaccio in seinem »Decamerone« die malerischen Fähigkeiten Giottos:

»Giotto ... war mit so vorzüglichen Talenten begabt, dass die Natur ... nichts hervorbringt, was er mit Griffel, Feder oder Pinsel nicht dem Urbild so ähnlich darzustellen gewusst hätte, dass es nicht als ein Abbild, sondern als die Sache selbst erschienen wäre, weshalb denn der Gesichtssinn der Menschen nicht selten irregeleitet ward und für wirklich hielt, was nur gemalt war ... Er ist es gewesen, der die Kunst wieder zu neuem Lichte erhoben hat, nachdem sie jahrhundertelang wie begraben unter den Irrtümern derer lag, die durch ihr Malen mehr die Augen der Unwissenden zu kitzeln, als der Einsicht der Verständigen zu genügen, bestrebt waren.«

(Wüstenrose) und v.a. als selbstständiges Gestein im Bildungsbereich von Salzlagerstätten neben Anhydrit (oder entsteht durch dessen Umwandlung). – Technisch nutzt man das Vermögen des G., das durch Erhitzen (Brennen) teilweise oder ganz verlorene Kristallwasser beim Anrühren mit Wasser wieder aufzunehmen und dabei zu erhärten. Bei Erhitzen des Dihydrats auf etwa 110 °C entsteht **gebrannter G.** (Halbhydrat, $CaSO_4 \cdot 12H_2O$), bei 130–160 °C **Stuck-G.** (Gemisch aus viel Halbhydrat und wenig Anhydrit). Technisch wichtig ist v.a. grobkristalliner G. **(G.-Gestein),** der in großem Umfang für die Baustoffind. abgebaut wird **(Bau-G.).** Zunehmend fällt heute G. bei der Rauchgasentschwefelung der Verbrennungsgase von Kraftwerken an **(Rauchgas-G., REA-G).**

Gipsbauplatten, leichte Platten aus Baugips mit oder ohne Zuschlag- oder Füllstoffe, z.T. mit Poren bildenden Zusätzen; dienen zum Bau von Zwischenwänden **(Gipswände)** und als Einschub für Verkleidungen. **Gipskartonplatten** haben beiderseits eine Rohpappenschicht.

Gipshut → Salzstock.

Gipskraut (Gypsophila), artenreiche Gattung der Nelkengewächse. Gartenzierpflanze ist z.B. das buschige, graugrüne, zierlich verästelte **Rispige G.** (**Schleierkraut,** Gypsophila paniculata).

Gipsverband, fester Stützverband aus Gipsbinden. Diese werden einige Sekunden in lauwarmes Wasser getaucht und erhärten nach dem Anlegen innerhalb weniger Minuten. Der G. dient zum Ruhigstellen von Gliedmaßen bes. bei Knochenbrüchen. – Das **Gipsbett** ist eine dem Körper angepasste Gipsschale zur Behandlung von Wirbelsäulenverkrümmungen u.a. Das **Gipskorsett (Gipsmieder)** um den Rumpf wird z.B. bei Wirbelbrüchen, die **Gipskrawatte** bei Verletzungen der Halswirbelsäule verwendet. – Anstelle des G. werden heute auch Kunststoffverbände aus thermoplast. Polyestermaterial und Hartschaumverbände aus Polyurethan verwendet, die sich durch geringes Gewicht, gute Durchlässigkeit für Röntgenstrahlen, hohe Festigkeit, Wasserunempfindlichkeit und schnelle Belastbarkeit auszeichnen.

1 2 3 4

Gips:
1 Spaltstück,
2 Gipsrose,
3 Durchkreuzungszwilling,
4 Fasergips

Giraffe (lat. Camelopardalis, Camelopardus), Sternbild in der Nähe des Polarsterns.

Giraffen [italien.-arab.] (Giraffidae), afrikan. Paarhuferfamilie mit zwei fellbedeckten Knochenzapfen auf dem Schädel. Die zu den Langhals-G. gehörende **Giraffe** (Giraffa camelopardalis) mit bes. langem Hals, hohen Vordergliedmaßen, kurzem, steilem Rücken, von 5 bis 6 m Scheitelhöhe, lebt in kleineren Rudeln, meist in offener Savanne, wo Baumlaub mit der Greifzunge gepflückt wird.

Giraffen: Sterngiraffen

Nach der Fellzeichnung unterscheidet man acht Unterarten, u.a. **Netz-G.** mit weißem Netz auf braunem Grund und **Stern-G.** mit breiten, ausgefransten hellen Bereichen. Zu den Kurzhals-G. gehört das im äquatorialen Waldgebiet Afrikas lebende, 150–170 cm hohe **Okapi** (Okapia johnstoni), dessen Vorderbeine nur unmerklich länger sind als die Hinterbeine; es hat einen viel kürzeren Hals als die Giraffe und ist rotbraun mit zebraartiger Schwarzweißstreifung der Schenkel und Beine.

Giraldi [dʒi'raldi], Giambattista, gen. Cintio oder Cinzio, italien. Dichter, * Ferrara 1504, † ebd. 30. 12. 1573; schrieb die erste klass. italien. Tragödie »Orbecche« (1541). Seine Novellen knüpfen an G. Boccaccio an und dienten u.a. Shakespeare (»Othello«) als Vorlage.

Giralgeld [ʒi'ra:l-], → Buchgeld.

Girard [ʒi'ra:r], Jean-Baptiste, schweizer. Pädagoge, Franziskaner, gen. Père Grégoire, * Freiburg 17. 12. 1765, † ebd. 6. 3. 1850; führte die gegenseitige Unterrichtung der Schüler nach A. → Bell und

Giraffen: Okapi (Höhe 150–170 cm)

J. →Lancaster (Monitorsystem) ein, was ihm 1823 als »unmoralisch und irreligiös« untersagt wurde.

Girardi [ʒi'rardi], Alexander, österr. Schauspieler und Sänger, *Graz 5.12.1850, †Wien 20.4.1918; seit 1871 an versch. Wiener Bühnen als Charakterkomiker und in Operetten, seit 1918 am Burgtheater; berühmt in Rollen von F. Raimund. Nach ihm benannt ist der Girardihut, ein flacher geradrandiger Strohhut, den er mit Vorliebe trug.

Girardon [ʒirar'dɔ̃], François, frz. Bildhauer, *Troyes 17. 3. 1628, †Paris 1. 9. 1715; führender Bildhauer unter Ludwig XIV., schuf in kühl akadem. Stil Bildwerke für die königl. Schlösser und Gärten, Bildnisbüsten und Grabdenkmäler, z.B. für Kardinal Richelieu in der Kirche der Sorbonne (1694).

Giraud, 1) [ʒi'ro], Albert, eigtl. A. Kayenbergh, belg. Schriftsteller, *Löwen 23. 6. 1860, †Brüssel 26.12.1929; in seiner Lyrik v.a. den frz. Parnassiens verpflichtet; Mitgründer der Bewegung »Jeune Belgique«.

2) [dʒi'ra:ud], Giovanni Graf, italien. Lustspieldichter, *Rom 28. 10. 1776, †Neapel 31. 10. 1834; schrieb von C. Goldoni beeinflusste Komödien.

Giraudoux [ʒiro'du], Jean, frz. Diplomat und Schriftsteller, *Bellac (Dép. Haute-Vienne) 29. 10. 1882, †Paris 31. 1. 1944; war seit 1910 im diplomat. Dienst, 1939/40 Leiter des Informationsdienstes. Bed. v.a. als Dramatiker, gestaltete er in geistvoll-iron. Sprache sein humanist. Grundanliegen in antiken, bibl., auch fantast. Stoffen, u.a. »Amphitryon 38« (1929); »Der Trojan. Krieg findet nicht statt« (1935); »Sodom und Gomorrha« (1943). Die Figuren agieren als Typen in einer Welt, die jenseits der Wirklichkeit steht (»Die Irre von Chaillot«, hg. 1945). Schon früh setzte G. sich für die frz.-dt. Verständigung ein (»Siegfried oder Die zwei Leben des Jacques Forestier«, R., 1922, dramatisiert »Siegfried«, 1928).

📖 BODY, J.: *G. et l'Allemagne. Paris 1975.* – ROBICHEZ, J.: *Le théâtre de G. Paris 1976.* – DUFAY, P.: *J. G. Biographie. Paris 1993.*

Giresun, Hptst. der Provinz G., Türkei, am Schwarzen Meer, 67500 Ew.; Haselnussverarbeitung und -export, Holzind.; Hafen; in der Umgebung Haselnusskulturen und Maisanbau. – G. ist das antike Kerasus.

Girke, Raimund, Maler, *Heinzendorf (heute Jasienica, Wwschaft Bielsko-Biała) 28. 10. 1930; gelangte, ausgehend vom Tachismus, zu monochromen, durch den Farbauftrag strukturierten Kompositionen, die er in den 60er-Jahren durch geometr. Formen zu gliedern begann.

Girlitz (Serinus serinus), etwa 12 cm langer, dem Kanarienvogel nahe verwandter Finkenvogel Europas, Kleinasiens und NW-Afrikas; mit leuchtend gelbem Bürzel und (Männchen) leuchtend gelber Stirn und Brust; Weibchen stärker gestreift, mit mehr Grautönen.

Giro ['ʒi:ro; italien. »Kreislauf«] *das, Bankwesen:* 1) das →Indossament; 2) bargeldlose Zahlung durch Giralgeld, →Giroverkehr.

GiroCredit Bank AG der Sparkassen ['ʒi:ro-], Spitzeninstitut der österr. Sparkassenorganisation, Sitz: Wien, gegr. 1937; unter heutiger Bez. seit der Fusion mit der Österr. Credit-Institut AG 1992.

Giro d'Italia ['dʒi:ro-] (Italien-Rundfahrt), *Radsport:* seit 1909 alljährlich ausgetragenes Etappenrennen (außer 1915–18 und 1941–45) für Berufsfahrer.

Girona [ʒ-] (span. Gerona), **1)** Provinz in NO-Spanien, Katalonien, 5910 km², (1991) 509600 Ew.

2) Hptst. von 1), an der Mündung des Oñar in den Ter, 70900 Ew.; Bischofssitz (seit etwa 247); Textil-, Kork- u.a. Industrie. – Ummauerte Altstadt, got. Kathedrale (14./15. Jh.) mit roman. Kreuzgang, arab. Bäder (1295 im Mudéjarstil verändert). – Gründung der Iberer, röm. **Gerunda**, 713–1015 unter maur. Herrschaft.

Girona 2)
Stadtwappen

Gironde [ʒi'rɔ̃d] *die,* **1)** der gemeinsame Mündungstrichter von Garonne und Dordogne, SW-Frankreich.

2) frz. Dép. beiderseits von 1), 10000 km², (1990) 1,21 Mio. Ew.; Hptst.: Bordeaux.

Gipskraut:
Rispiges Gipskraut

Girondisten [ʒirɔ̃-], die gemäßigten Republikaner der Frz. Revolution, ben. nach den Abg. aus dem Dép. Gironde; zu ihren Führern gehörten J.-M. Roland und A. Condorcet; sie vertraten das wohlhabende, nationalist. Bürgertum der Provinz. Die G. setzten 1792 die Kriegserklärung an Österreich und zus. mit den Jakobinern den Sturz der Monarchie durch. Im Nationalkonvent verloren sie die Macht an die jakobin. Bergpartei; am 2. 6. 1793 wurde im Konvent die Ächtung der G. durchgesetzt, die meisten ihrer Abg. wurden hingerichtet. (→Frankreich, Geschichte)

Gironella [xiro'nεʎa], José María, span. Schriftsteller, *Darnius (Prov. Girona) 31. 12. 1917; schrieb u.a. eine Romantrilogie über die Zeit des Span. Bürgerkriegs und die Nachkriegsjahre: »Die Zypressen glauben an Gott« (1953), »Reif auf Olivenblüten« (1961) und »Ha estallado la paz« (1966).

Giroverkehr ['ʒi:ro-], der bargeldlose Zahlungsverkehr; aufgrund eines Überweisungsauftrags werden Beträge auf den Konten der Bankkunden ab- und zugeschrieben (Belastung und Gutschrift). Die für buchungsmäßige Übertragungen verfügbaren Beträge heißen →Buchgeld. Neben dem Überweisungsauftrag kann auch mit Einzugsermächtigung, Abbuchungsauftrag oder Scheck über das Buchgeld verfügt werden. Träger des G. sind: 1) die **Bundesbank/Landeszentral-**

Jean Giraudoux

Valéry Giscard d'Estaing

banken als zentrale Abrechnungsstellen für den gesamten bankmäßigen Überweisungsverkehr zw. den Kreditinstituten; 2) die **Sparkassen-** und **Giroverbände** sowie **Girozentralen (Spar-G.)** (jede Sparkasse gehört einer Girozentrale an, die den Geldausgleich der angeschlossenen Sparkassen vermittelt); 3) das Gironetz der **Kreditgenossenschaften** (Volksbanken, Spar- und Darlehnskassen); 4) die **Kreditbanken** (Großbanken, Regionalbanken, Privatbankiers). – Der G. setzt voraus, dass der Zahlende und der Zahlungsempfänger **Girokonten** unterhalten (im Unterschied zu Sparkonten ohne Überweisungsverkehr). Die Girokonten werden nicht oder nur gering verzinst. Die wirtsch. Bedeutung des G. liegt in Beschleunigung und Rationalisierung des Zahlungsverkehrs. (→Abrechnungsverkehr, →Clearing)

Girozentralen ['ʒi:ro-], Zentralbanken der Sparkassen. Die G. pflegen den bargeldlosen Zahlungsverkehr, fungieren für die ihnen angeschlossenen Sparkassen als Liquiditätssammelbecken und unterstützen diese im Kredit-, Wertpapier- und Auslandsgeschäft. Gewährträger (Haftungsträger) der öffentlich-rechtlich organisierten G., die i. d. R. gleichzeitig Landesbankfunktionen ausüben, sind zumeist die regionalen Sparkassen- und Giroverbände und die betreffenden Bundesländer. In Dtl. existieren (1995) zwölf regionale G. Spitzeninstitut der G. ist die →Deutsche Girozentrale – Deutsche Kommunalbank.

gis, *Musik:* 1) das um einen Halbton erhöhte g; 2) Zeichen für gis-Moll.

Giseh: Der älteste erhaltene ägyptische Sphinx (um 2500 v. Ch.), im Hintergrund die Cheopspyramide

Gisborne ['gɪzbɔ:n], Hafenstadt im O der Nordinsel Neuseelands, 31 900 Ew.; Ausfuhr von Gefrierfleisch und Obst; Konservenfabrik u. a. Industrie.

Giscard d'Estaing [ʒiskardɛs'tɛ̃], Valéry, frz. Politiker, *Koblenz 2. 2. 1926; 1962–66 und 1969–74 Finanz- und Wirtschaftsmin., gründete 1966 die den Gaullisten nahe stehende Unabhängige Republikan. Partei (bis 1973 deren Vors.). 1974–81 Staatspräs., begann G. d'E. seine Amtszeit mit einem Reformprogramm (u. a. Liberalisierung der Abtreibungs- und Scheidungsgesetzgebung) und leitete ein umfangreiches Programm zur friedl. Nutzung der Kernenergie ein. In seiner Europapolitik förderte er die integrativen Ziele der EG. Mit militär. Interventionen hielt er Frankreichs Präsenz in Afrika aufrecht. Er schrieb u. a. »Macht und Leben« (1988, Erinnerungen).

Giseh (Gizeh, Giza, Gise, Gize, arab. El-G.), ägypt. Governoratshptst. am Nil, gegenüber von Kairo, 2,2 Mio. Ew.; Univ.; kopt. Bischofssitz; Zigarettenherstellung, elektrotechn. u. a. Ind. – Westlich von G. am Rand der Libyschen Wüste befinden sich die Pyramiden der Pharaonen Cheops, Chephren und Mykerinos und der älteste erhaltene ägypt. Sphinx (um 2500 v. Chr.; UNESCO-Weltkulturerbe); bed. Fremdenverkehr.

Gisel, Ernst, schweizer. Architekt, *Adliswil 8. 6. 1922; gilt als einer der Pioniere der neuen schweizer. Architektur, u. a. Mitgestalter des Märk. Viertels in Berlin (1966–71); Rathaus in Fellbach (1979 ff.).

Gisela, Kaiserin, *um 990, †Goslar 15. 2. 1043, Tochter Herzogs Hermann II. von Schwaben, Enkelin Königs Konrad von Burgund, ⚭ in 3. Ehe (1017?) mit dem späteren König und Kaiser (seit 1027) Konrad II., auf dessen Politik sie großen Einfluss nahm. Sie war die Mutter Herzog Ernst II. von Schwaben und Kaiser Heinrichs III. Ihre burgund. Verwandtschaft trug dazu bei, dass Konrad zum Erben Burgunds eingesetzt wurde.

Giselher (Gislahar, lat. Gislaharius), burgund. König des 5. Jh.; im »Nibelungenlied« Bruder Gunthers.

Gislebertus (Gillebert), frz. Bildhauer des 12. Jh., namentlich bekannt nur durch seine Signatur im Tympanon der Westfassade der Kathedrale Saint Lazare in Autun. Sein sehr persönlicher Stil erlaubt es, ihm fast den gesamten Skulpturenschmuck dieser Kirche zuzuschreiben (um 1125–35).

Gissen, *Seefahrt:* den Standort eines Schiffes auf der Karte nach Kurs und Geschwindigkeit schätzen (ohne exakte Ortsbestimmung).

Gitagovinda *das,* Sanskrit-Kunstgedicht, in dem der ind. Gott Govinda (d. i. Krishna) in Liedern gefeiert wird, in 12 Gesängen von Jayadeva

(12. Jh.). Die Handlung stellt die eifersüchtige Entzweiung, Sehnsucht und Wiedervereinigung Krishnas mit seiner Geliebten, der Hirtin Radha, dar.

Gitarre [span., von arab. qītārah, zu grch. kithára »Zither«] *die* (Guitarre), Zupfinstrument mit achtförmigem Korpus, Zargen, flachem Boden und flacher Decke, in die ein Schallloch eingelassen ist. Die sechs an einem Querriegel befestigten Saiten der heutigen G. laufen über den Hals mit Bünden zum leicht abgeknickten Wirbelkasten und sind auf E–A–d–g–h–e[1] gestimmt. – In Europa ist die G. seit dem 13. Jh. in Spanien belegt. Sie hatte zunächst nur vier Saiten. Im 17. Jh. gelangte die G., nun mit 4–5 doppelchörigen Saiten bezogen, nach Italien und Frankreich, wo sie sowohl in der Kunstmusik als auch in der Volksmusik beliebt war. Im 18. Jh. erhielt die G. die heute übl. Bespannung mit sechs Einzelsaiten. Mit der Erneuerung der Spieltechnik durch F. Tárrega und A. Segovia erfuhr die G. im 20. Jh. eine künstler. Wiederbelebung, die sich in anspruchsvoller G.-Literatur niederschlug (u.a. M. de Falla, H. Villa-Lobos, H. W. Henze, C. Halffter). Durch die dt. Jugendbewegung um 1900 wurde die G. (Klampfe, Zupfgeige) ein beliebtes Laieninstrument. – In der modernen Unterhaltungs-, Jazz- und Popmusik findet als Melodie- und Begleitinstrument bes. die →Elektrogitarre Verwendung. (→Hawaiigitarre)

📖 SCHMITZ, A.: *Die G. Hamburg 1988.*

Gitter, **1)** *Bauwesen:* Bauteile aus miteinander gekreuzten Holz- oder Metallstäben, aus Drahtgeflecht oder gelochten Blechen.

2) *Elektrotechnik:* gitterförmige Elektroden, die zur Steuerung oder Beschleunigung von Elektronen in →Elektronenröhren dienen.

3) *Kristallographie:* →Kristallgitter.

4) *Optik:* (Beugungs-G., optisches G.) period. Anordnung vieler gleichartiger beugender Objekte, die v.a. zur Erzeugung von Beugungsspektren (→Beugung) dienen. **Amplituden-G.** ändern die Intensität (d.h. den Betrag der komplexen Amplitude) des Lichtes, **Phasen-G.** dessen Phase örtlich periodisch. Opt. Strich-G. werden für durchgehendes Licht auf ebenen Glasplatten **(Transmissions-G.)** oder für reflektiertes Licht auf spiegelnden Oberflächen **(Reflexions-G.)** mit eng nebeneinander eingeritzten Linien versehen, die mechanisch (bis 2000 Linien/mm) oder durch holograph. Interferenzverfahren (bis 6000 Linien/mm) erzeugt werden. Der Abstand zweier benachbarter G.-Elemente heißt **G.-Konstante.** Hohlspiegel als konkave Beugungs-G. bilden gleichzeitig ab und sind auch im Ultravioletten und im Infraroten brauchbar. Das Auflösungsvermögen hängt von der Beugungsordnung und der Gesamtzahl der Linien auf der G.-Fläche ab.

Gitarre: Miniatur aus den »Cantigas de Santa Maria« Alfons' X., des Weisen; links eine Guitarra latina, rechts wohl eine Guitarra morisca (um 1280; El Escorial, Kloster San Lorenzo)

Gitterpilz (Gitterschwamm, Clathrus ruber), südeurop. Art der Bauchpilze. Dem Fruchtkörper entspringt eine etwa apfelgroße, leuchtend rote, übel riechende Gitterkugel; die Gitterleisten tragen auf der Innenseite eine dunkle, zerfließende Sporenmasse.

Gitterpilz

Gitterschlange, die →Pythonschlangen.

Gitterschwingungen, kollektive Schwingungen der Gitterbausteine (Atome, Ionen oder Moleküle) in einem Kristall um ihre Gleichgewichtslage, deren Amplitude mit der Temperatur zunimmt. Am absoluten Nullpunkt sind lediglich die nur quantenmechanisch erklärbaren Nullpunktschwingungen angeregt. Die G. bestimmen u.a. die Wärmeleitung in Festkörpern; die Wechselwirkung der G. mit den Elektronen sind Ursache des elektr. Widerstands. Die Energiequanten der G. nach den Gesetzmäßigkeiten der Quantenmechanik sind die **Phononen**, sog. Quasiteilchen.

Gitterstoff, →Canevas.

Giuliani [dʒu'liani], Giovanni, italien. Bildhauer, *Venedig 1663, †Heiligenkreuz (Bez. Baden, NÖ) 5. 9. 1744; arbeitete zw. 1680 und 1690 bei Andreas Faistenberger in München, trat 1711 in das Zisterzienserstift Heiligenkreuz ein, wo seine Hauptwerke entstanden; viele seiner Werke befinden sich heute im Stiftsmuseum.

Giuliano da Maiano [dʒu'lia:no -], italien. Baumeister und Bildhauer, *Maiano (heute zu Fiesole) 1432, †Neapel 17. 10. 1490; baute 1473ff. den Palazzo Spannocchi in Siena; 1477 zum Dombaumeister in Florenz berufen; 1474–86 schuf er mit dem Dom von Faenza sein bedeutendstes Werk; 1485 von König Alfons II. nach Neapel berufen.

Giunta: Verlegermarke von Lucantonio Giunta

Karl Gjellerup

Gladbeck Stadtwappen

Giulini [dʒuˈliːni], Carlo Maria, italien. Dirigent, *Barletta 9. 5. 1914; war 1953–56 an der Mailänder Scala, 1973–76 Chefdirigent der Wiener Symphoniker, 1978–84 des Los Angeles Philharmonic Orchestra.

Giulio Romano [ˈdʒuːlio -] (Giulio Pippi), eigtl. Giulio di Pietro Gianuzzi, italien. Maler und Baumeister, *Rom 1499, †Mantua 1. 11. 1546; Schüler und Mitarbeiter Raffaels (Loggien des Vatikans), führte 1520–24 dessen Arbeiten in der röm. Villa Madama und im Vatikan (Sala di Constantino) zu Ende; 1525–35 schuf er mit dem Palazzo del Te in Mantua ein Hauptwerk des Manierismus; entwarf auch Bildteppiche und Goldschmiedearbeiten.

Giunta [ˈdʒunta] (span. Junta), italien. Drucker- und Verlegerfamilie aus Florenz, deren Druckwerke Giuntinen heißen. Lucantonio G. (*1457, †1538) siedelte 1490 nach Venedig über, verlegte illustrierte Bücher und stellte seit etwa 1503 in eigener Druckerei u.a. kostbare liturg. Werke her. Sein Bruder Filippo G. (*1450, †1517) druckte in seiner 1497 in Florenz gegr. Druckerei grch. und lat. Klassiker. Auch in Rom, Burgos, Madrid und Lyon waren Familienmitgl. erfolgreich tätig.

Giurgiu [ˈdʒurdʒu], Hptst. des Bezirks G. in Rumänien, am linken Ufer der Donau, gegenüber der bulgar. Stadt Russe (Eisenbahn- und Straßenbrücke), 74 000 Ew.; Werft, Zucker-, Konservenfabrik, chem. Ind.; Donauhafen (Erdölumschlag).

giusto [ˈdʒusto, italien.], **tempo g.,** musikal. Vortragsbezeichnung: in angemessenem, normalem Zeitmaß; auch im Sinne von →a tempo.

Giza [-z-](Gizeh), ägypt. Stadt, →Giseh.

Gjandscha, Stadt in Aserbaidschan, →Gäncä.

Gjellerup [ˈgɛlərob], Karl, dän. Schriftsteller, *Roholte (auf Seeland) 2. 6. 1857, †Dresden 11. 10. 1919; Pfarrerssohn und Theologe, lebte seit 1892 in Dresden; wandte sich vom Christentum ab und fand im Buddhismus seine geistige und dichter. Welt (»Die Hügelmühle«, 1896; »Der Pilger Kamanita«, 1906; »Die Weltwanderer«, 1910); 1917 erhielt er (zus. mit H. Pontoppidan) den Nobelpreis für Literatur.

Gjirokastër [gjiroˈkastər] (grch. Argyrokastron), Bezirks-Hptst. im südl. Albanien, am Dhrino, 24 900 Ew.; Waffenmuseum. Terrassenförmige Stadtanlage (unter Denkmalschutz) mit Moscheen (18. Jh.), orth. Kathedrale (1774), türk. Festung (19. Jh., auf Fundamenten einer venezian. Anlage des 14. Jh.).

GKSS-Forschungszentrum Geesthacht GmbH, Abk. **GKSS,** gegr. 1956 als Gesellschaft für Kernenergieverwertung in Schiffbau und Schifffahrt, eine Großforschungseinrichtung der →Hermann von Helmholtz-Gemeinschaft Deutscher Forschungszentren; Träger: Bundesrep. Dtl., Länder Bremen, Hamburg, Brandenburg, Ndsachs., Schlesw.-Holstein. Schwerpunkte: Materialforschung, Umweltforschung, Trenn- und Umwelttechnik.

Glabella [lat.] *die,* knöcherne Erhebung am Stirnbein über der Nasenwurzel (zw. den Brauenbögen). Wichtiger anthropolog. Messpunkt (Kopflänge).

Glace [glas; frz. »Eis«] *die, Kochkunst:* 1) Zuckerguss (Glasur); 2) sirupartig eingekochte Fleischbrühe.

Glacé [glaˈse; frz. »Glanz«] *der,* ein glänzendes, schillerndes Gewebe aus verschiedenfarbigen Kett- und Schussfäden.

Glacéleder [glaˈse-], sehr weiches, dehnbares Leder aus Lamm- oder Zickelfellen.

Glacis [glaˈsi, frz.] *das, Militärwesen:* Vorfeld einer Festung, eine flach abfallende Böschung.

Gladbeck, Stadt im Kr. Recklinghausen, im nördl. Ruhrgebiet, NRW, 79 300 Ew.; chem., Metall-, Textil- und elektrotechn. Ind. – 1873–1971 Steinkohlenbergbau; seit 1919 Stadt.

Gladenbach, Stadt im Landkreis Marburg-Biedenkopf, im Lahn-Dill-Bergland (Gladenbacher Bergland), Hessen, 12 300 Ew.; Kneippheilbad; industrielle Kleinbetriebe; Fremdenverkehr.

Gladiatoren [lat., zu gladius »Schwert«], im antiken Rom berufsmäßige Fechter, die in öffentl. Schaustellungen auf Tod und Leben miteinander oder gegen wilde Tiere kämpften. Diese Kämpfe, wohl etrusk. Ursprungs, sind in Rom zum ersten Mal 264 v.Chr. nachgewiesen. Sie wurden urspr. bei Leichenfeiern veranstaltet, seit Beginn des 1. Jh. v.Chr. auch im Rahmen der von den Behörden veranstalteten Spiele. Die G. waren Sklaven und verurteilte Verbrecher, seit dem 1. Jh. v.Chr. auch Freie. Sie wurden in besonderen Schulen **(ludi)** ausgebildet (z.B. in Capua und Pompeji) und nach ihrer Bewaffnung benannt. Anfang des 5. Jh. n.Chr. wurden die G.-Spiele von Kaiser Honorius endgültig verboten.

GRANT, M.: *Die G. A. d. Engl. Stuttgart 1970.*

Gladiatoren

Welcher römische Kaiser trat als Gladiator auf?

*Kaiser Lucius Commodus (*161, †192), Sohn und Nachfolger des Mark Aurel. Nicht weiter auf kaiserliche Würde bedacht, trat Commodus in eine Gladiatorenschule ein und kämpfte dann im Circus maximus gegen Löwen, Panther und die Spitzenprofis seiner Zeit.*

Der hünenhafte Starringer Narcissus war ständiger Begleiter des Kaisers, um stets als Trainingspartner zur Verfügung zu stehen. Eben dieser Narcissus erwürgte ihn dann im Auftrag einer Verschwörergruppe am Silvestertag des Jahres 192 und setzte damit einer zwölfjährigen Gewaltherrschaft ein Ende.

Gladiatoren: Darstellung eines Kampfes Mann gegen Mann, Mosaik (Rom, Galleria Borghese)

Gladiọle [lat. »kleines Schwert«] *die* (Gladiolus, Siegwurz), Gattung der Schwertliliengewächse mit etwa 150 Arten, in Europa, Asien, Afrika. Die purpur blühende **Sumpfsiegwurz** (Gladiolus palustris) steht unter Naturschutz. Durch Kreuzungen südafrikan. Arten wurden Zierpflanzen gezüchtet.

Gladkọw, Fjodor Wassiljewitsch, russ. Schriftsteller, *Tschernawka (Gebiet Saratow) 21. 6. 1883, †Moskau 20. 12. 1958; 1906–09 nach Sibirien verbannt; schildert in seinen Industrieromanen »Zement« (1926) und »Energie« (1933) die menschl., wirtsch. und polit. Schwierigkeiten beim Aufbau nach Revolution und Bürgerkrieg.

Gladsakse ['glaðsagsə], Gemeinde im NW der Agglomeration Kopenhagen, Dänemark, 61 000 Ew.; vielseitige Ind.; Standort des Fernsehsenders von Kopenhagen.

Gladstone ['glædstən], William Ewart, brit. Politiker, *Liverpool 29. 12. 1809, †Hawarden (Flintshire, Wales) 19. 5. 1898; wurde 1832 konservatives Mitgl. des Unterhauses und war 1843–45 Handels-, 1845/46 Kolonialmin., 1852–55 und 1859–66 Schatzkanzler. Als Anhänger des Freihandels wechselte er 1859 zur Liberalen Partei und war 1867–74 deren Führer. Als Premiermin. (1868–74, 1880–85, 1886 und 1892–94) setzte er innenpolit. Reformen durch (u.a. Wahlrechtsreform, Einführung der allg. Schulpflicht) und bemühte sich vergeblich, Irland die Autonomie (Homerule) zu gewähren; er war ein polit. Gegenspieler B. Disraelis.

Glagọliza [altkirchenslaw. glagol »Wort«] *die* (glagolitische Schrift), die älteste, von →Kyrillos und Methodios um 862 geschaffene kirchenslaw. Schrift; in ihr ist die Mehrzahl der ältesten altkirchenslaw. Sprachdenkmäler geschrieben. Die ältere bulgarisch-makedon. oder **runde G.** wurde seit dem 10. Jh. von der offizielleren Kyrilliza zurückgedrängt, blieb aber als kroat. oder **eckige G.** in Küstenkroatien und auf dalmatin. Inseln (Krk) bis ins 20. Jh. für liturg. Zwecke in Gebrauch. (→Kirchenslawisch)

Glaise von Họrstenau [glɛ:z-], Edmund, österr. General, Militärhistoriker und Politiker, *Braunau am Inn 27. 2. 1882, †(Selbstmord) Lager Langwasser 20. 7. 1946; verfasste als Pressereferent des österr. Armeeoberkommandos (1914–18) dessen Heeresberichte. 1925–38 war er Direktor des Kriegsarchivs. Er leitete die Herausgabe der Dokumentation »Österreich-Ungarns letzter Krieg 1914–18« (7 Bde., 1930–38). 1936–38 war er Min. ohne Geschäftsbereich, 1938 Vizekanzler. Nach Errichtung des »Unabhängigen Staates Kroatien« war G. v. H. 1941–44 »Dt. Bevollmächtigter General« in Agram (Zagreb).

Glåma ['glo:ma], Fluss in Norwegen, →Glomma.

Glạns [lat.] *die, Anatomie:* die →Eichel.

Glanz, als physikal. Größe der Quotient aus dem gerichtet und dem diffus reflektierten Anteil des auf eine Fläche fallenden Lichtstroms; i. w. S. die Eigenschaft einer Licht reflektierenden Fläche, insbesondere von Mineralen, je nach Beleuchtungs- und Beobachtungsrichtung versch. Helligkeitseindrücke hervorzurufen.

Glanze, metallisch glänzende, meist graue Sulfidminerale, z.B. Blei-, Silber-G., die sich von Blenden und Kiesen durch ihre Undurchsichtigkeit bzw. andere Farben unterscheiden.

Glanzfische (Lampridae), Fischfamilie mit der einzigen Art →Königsfisch.

Glanzgras (Phalaris), Gattung der Süßgräser. Das **Rohr-G.** (Phalaris arundinacea), eine europ. Uferpflanze, ist 0,80–2,50 m hoch. Das **Kanariengras** (Phalaris canariensis), 15–40 cm hoch, liefert den **Glanz-, Spitz-** oder **Kanariensamen** für Stubenvögel.

Glanzkäfer, Käferfamilie mit rd. 2 000 Arten. Der 1,5–2,7 mm lange erzgrüne **Raps-G.** (Meligethes aeneus) kann an Raps- und Rübsenpflanzen schädlich werden.

Glanzkohle, →Steinkohle.

Glạrner, Fritz, amerikan. Maler schweizer. Herkunft, *Zürich 20. 7. 1899, †Locarno 18. 9. 1972; lebte in Paris und New York; wurde unter dem Einfluss von P. Mondrian ein entschiedener Vertreter des Konstruktivismus (Wandbild in der Hammarskjöld-Bibliothek des Gebäudes der Vereinten Nationen, 1961). BILD S. 302

Glạrner Ạlpen, Alpengruppe in der Schweiz, zw. Rhein- und Reusstal, im dreigipfligen Tödi 3 614 m ü. M. (Piz Russein).

Glạ̈rnisch *der,* Bergstock der Glarner Alpen, Schweiz; höchster Gipfel: Bächistock (2 914 m ü. M.).

Glạrus, 1) Kanton im deutschsprachigen Gebiet der Schweiz, 685 km², (1995) 39 400 Ew.; umfasst das Einzugsgebiet der Linth vom Walensee bis zum Hauptkamm der Glarner Alpen; Almwirt-

Gladiole: Zuchtform (Höhe bis 1 m)

William Ewart Gladstone

Glanzkäfer: Rapsglanzkäfer (Größe 1,5 - 2,7 mm)

Fritz Glarner: Relational Painting, Tondo Nr. 3 (1945; New York, Sammlung Lucie Glarner)

Glarus 1)
Kantonswappen

schaft, Textil-, elektron. Ind., Maschinenbau; Fremdenverkehr. – Im Tal G., seit dem 7. Jh. von Alemannen besiedelt, hatte das Kloster Säckingen Besitz (1395 Loskauf); seit dem Sieg bei Näfels (1388) von den Habsburgern unabhängig. Seit 1352 Verbindung mit der schweizer. Eidgenossenschaft, seit 1473 Vollmitglied. Die Mehrheit der Bev. schloss sich 1528 der Reformation an; 1623–1837 bestanden getrennte Verwaltungen für beide Konfessionen. 1803 als Kanton G. anerkannt.

2) Hauptort von 1), im breiten Linthtal am Fuß des Glärnisch, 472 m ü. M., 5 700 Ew.; Kunsthaus (Schweizer Kunst des 19./20. Jh.), Haus Brunner mit Glasmalerei- u. a. Samml. – Seit 1419 Hauptort des Kt.; nach dem Großbrand von 1861 auf schachbrettartigem Grundriss wieder aufgebaut.

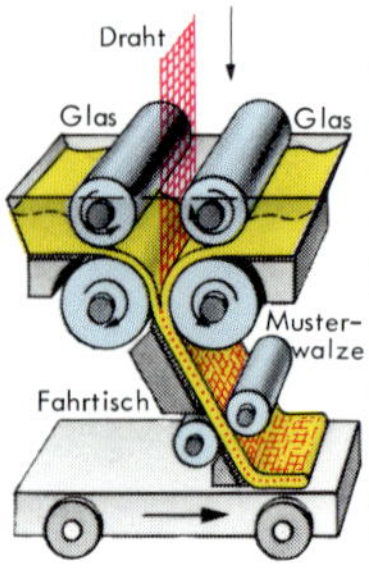

Glas:
Schema des Walzverfahrens bei der Drahtglasherstellung

Glas [ahd., urspr. »Bernstein«], ein fester, in seiner überwiegenden Masse nichtkristalliner (amorpher), spröder anorgan. Werkstoff, der keinen definierten Schmelzpunkt besitzt, sondern mit steigender Erwärmung stetig (d. h. ohne sprunghafte Änderung seiner Eigenschaften) in einen weichen und schließlich flüssigen Zustand übergeht. Strukturell gesehen besteht G. aus einem unregelmäßig räumlich verketteten Netzwerk bestimmter molekularer Bauelemente (z. B. SiO_4-Tetraeder), in das große Kationen eingelagert sind. G. besitzt eine geringe Wärmeleitfähigkeit und einen hohen elektr. Widerstand. G. kann durch Gießen, Blasen, Pressen und Walzen verformt werden. Die Hauptbestandteile des G. sind die eigtl. G.-Bildner, Flussmittel und Stabilisatoren. Die wesentlichsten **G.-Bildner** sind Siliciumdioxid (SiO_2), Bortrioxid (B_2O_3) und Phosphorpentoxid (P_2O_5), z. B. in Form von Quarzsand, Bergkristall (v. a. für Quarz-G.), Borsäure u. a. Das **Flussmittel** erniedrigt den Schmelzpunkt und bewirkt, dass die G.-Schmelze bereits bei Temperaturen unterhalb 1500 °C durchgeführt werden kann; als Flussmittel dienen v. a. Carbonate, Nitrate und Sulfate von Alkalimetallen. **Stabilisatoren** sollen das G. chemisch beständig machen; es werden hierzu v. a. Erdalkalimetalle sowie Blei und Zink, meist in Form ihrer Carbonate oder Oxide, verwendet. Für die Verarbeitung und Formgebung des G. sind Zähigkeit, Oberflächenspannung und Neigung zur Kristallisation von besonderer Bedeutung. Diese Eigenschaften werden u. a. durch Art und Menge der erschmolzenen Rohstoffe bestimmt: Quarzsand, Soda, Natriumsulfat, Kalkstein, Dolomit, Feldspat, Pottasche, Borax, Salpeter, alkalihaltige Gesteine, Mennige, Baryt, Zinkoxid, Arsenik und Natriumchlorid. Die gemahlenen, nach genau berechneten Gewichtsanteilen eingewogenen, meist mit G.-Scherben versetzten Rohstoffe werden gemischt, und das Gemenge wird in einen Tiegel oder Hafen oder in eine Wanne eingelegt. Die niedrig schmelzenden Gemengebestandteile greifen den höher schmelzenden Sand an, wobei sich Alkali- und Erdalkalisilikate bilden. Zugleich entweichen die aus den Rohstoffen freigesetzten Gase, z. B. Kohlendioxid aus den Carbonaten. Am Ende dieser Rauschmelze liegt eine inhomogene, stark schlierige und blasenreiche Schmelze vor. Im Verlauf des anschließenden Läutervorganges, der Blankschmelze, wird die Schmelze von allen sichtbaren Einschlüssen, bes. den Gasblasen, befreit. Dies geschieht z. B. durch Zugabe von Läuterungsmitteln (Glaubersalz, Salpeter); sie führen zur Bildung großer Sauerstoffblasen, die die kleinen Blasen in sich aufnehmen, aufsteigen und aus der Schmelze austragen. Die Gasblasen setzen die Schmelzmasse in Bewegung und dienen der Homogenisierung der Schmelze. Der Blasenauftrieb erfordert eine hinreichend niedrige Viskosität der G.-Schmelze, d. h. Temperaturen zw. 1400 und 1600 °C; bei etwa 1250 °C ist das G. bereits zu zäh, um noch Blasen entlassen zu können. Die Verarbeitung des G. ist jedoch erst bei 900 bis 1200 °C möglich.

Formgebung: Zur manuellen Formgebung durch Blasen dient die Glasmacherpfeife, ein 1–1½ m langes Eisenrohr mit Mundstück. Massenware, bes. Flaschen, Verpackungsgläser, Glühlampen- und Röhrenkolben, wird auf halb- oder vollautomatische Maschinen geblasen, z. T. auch durch Schleudern geformt. Press-G. (z. B. Wirtschafts-G., G.-Bausteine, Profil-G.) entsteht durch Einpressen oder Einblasen einer abgemessenen Schmelzmenge in Stahlformen. G.-Röhren und -Stäbe werden meist durch einen Ziehprozess hergestellt. Die Massenfabrikation von Flach-G. geschieht nach unterschiedl. Verfahren: a) Maschinen-G., das im

Glas

1

2

3

4

5

6

7

| **1** Becher aus dem Grab Thutmosis' III., Höhe 8,5 cm (um 1450 v. Chr.; München, Staatliche Sammlung Ägyptischer Kunst) | **2** Becher aus Diatretglas (4. Jh.; Trier, Landesmuseum) | **3** Kelchglas mit Gold und Kristallemail (um 1912; München, Sammlung G. P. Woeckel) | **4** Schale aus Fadenglas von Paolo Venini, Höhe 40 cm (1952; München, Die neue Sammlung) | **5** Humpen mit Emailmalerei, böhmische Arbeit (1595; Mannheim, Reiss-Museum) | **6** Jugendstilvase aus Klostermühle, Böhmen (um 1902; Freiburg im Breisgau, Augustinermuseum) | **7** moderne Gläser aus der Serie »Asimmetria« von Bjørn Wiinblad

Bauwesen und für zahlr. techn. Zwecke am meisten verwendete **Tafel-G.,** wird in Dicken von etwa 0,4 bis 20 mm (Dünn-, Fenster-, Dick-G.) mit Maschinen gezogen. Die Schmelze wird als breites, endloses Band unmittelbar aus der Wanne gehoben und so weit spannungsfrei gekühlt und verfestigt, dass das Band von Förderwalzen oder -rollen durch einen Kühltunnel bewegt werden kann, an dessen Ende es in beliebiger Länge abgeschnitten wird. b) **Guss-G.** stellt man ebenfalls in großen Mengen durch Gießen und Walzen auf großen Stahltischen her. Dabei können Muster (Ornament-G.) oder Drahtgeflechte (→Drahtglas) mit eingewalzt werden. Durch anschließendes Schleifen und Polieren lässt es sich zu planparallelem **Spiegel-G.** verarbeiten. G.-Fliesen werden hauptsächlich aus gefärbtem Guss-G. angefertigt. c) **Float-G.** führt man während der Abkühlung in der gewünschten Enddicke über eine Zinnschmelze, wobei ohne weitere Nachbearbeitung ein Spiegelglasband mit blanken Oberflächen entsteht. G. für opt. Zwecke, das völlig homogen und frei von Fremdeinschlüssen (Blasen, Schlieren) sein muss, wird entweder in Stahlformen zu Blöcken gegossen und dann mechanisch weiterverarbeitet oder auch aus dem Speiser (mechan. Dosiervorrichtung) einer Platinwanne zu Barren oder Stangen gegossen. Nach der Formgebung muss das G. einen Kühlungsprozess durchlaufen, der umso längere Zeit beansprucht, je größer das G.-Volumen und die Wärmedehnung sind und je homogener und spannungsärmer das G. sein muss.

Besondere Glasarten: **Brillengläser** sind meist gepresste, farblose Krongläser, die zur Korrektur ungenügender Sehschärfe konvex oder konkav gekrümmte Flächen erhalten. **Einschmelzgläser** sind in ihrer Wärmeausdehnung bestimmten Metallen angepasst und werden zur Herstellung vakuumdichter Verbindungen von G. mit Metallen verwendet. **G.-Lote** erweichen bei bes. niedriger Temperatur (300–500 °C); sie eignen sich daher für eine innige Verbindung von Gläsern untereinander, mit Metallen oder anderen Werkstoffen, ohne Anwendung unzulässig hoher Temperaturen. **Sicherheits-G.** dient dem Schutz gegen Verletzung durch Splitter bei Bruch, gegen Einbruch und Feuerwaffenbeschuss. Man unterscheidet: **Verbund-G.**, das aus zwei oder mehr normalen G.-Tafeln mit Kunstharz zusammengepresst wird (bei dickeren Scheiben **Panzer-G.**), und einscheibiges, thermisch vorgespanntes G., das bei Bruch in Krümel ohne Splitterbildung zerfällt. **Thermometergläser** zeichnen sich durch bes. geringe therm. Nachwirkung (Volumenänderung) auch bei höheren Temperaturen aus. Weitere besondere G.-Arten sind →Filterglas, →Kristallglas, →lichtempfindliche Gläser, →optisches Glas, →Quarzglas, →Goldglas.

Einen Teil der *Glaskunst* bildet künstlerisch gestaltetes G., früher **Kunstgläser** genannt. In der Masse gefärbtes G. kann einfarbig (z. B. Rubin-G.) oder mehrfarbig sein. Durch Zusammenschmelzen von verschiedenfarbigem G. entsteht das marmorierte Schmelz- oder Achat-G. Beim Faden-G. (auch Filigran-G.) werden von farbloser G.-Masse umhüllte, meist aus weißem Milch-G. bestehende Fäden zu einem stabartigen Bündel zusammengeschmolzen; dieses wird dann beim Blasen gedreht oder geschwungen, sodass sich mannigfache Spiralwindungen der Fäden ergeben. Werden zwei G.-Blasen, deren Fäden senkrecht zueinander laufen, übereinander geschmolzen, so entsteht das Netz-G. oder gestrickte G. Um Mosaik- oder Millefiori-G. herzustellen, werden verschiedenfarbige G.-Stäbe zu Bündeln zusammengeschmolzen, die, in dünne Scheiben geschnitten, geometr. oder Blumenmuster ergeben. Bei Überfanggläsern wird eine dünne Schicht von farbigem oder getrübtem G. (Milchüberfang-G.) über ein farbloses geschmolzen, bei Zwischengoldgläsern eine ausgeschnittene Goldfolie zw. zwei G.-Schichten eingelassen. Nach Erkalten kann G. bemalt (Kaltmalerei), vergoldet, mit Emailfarben aus zerstoßenem farbigen G. (Email-G.) geschmückt werden. G.-Inkrustationen sind in G. eingelassene, weiße, keram. Reliefs. Die Oberfläche kann durch G.-Schliff, ähnlich dem Edelsteinschliff, verziert werden, auch durch Ätzung und durch Ritzen oder Stippen mit der Diamantnadel.

Geschichte: In Mittel- und N-Europa sind importierte G.-Perlen aus der frühen und mittleren Bronzezeit gefunden worden. Die ersten G.-Gefäße waren Behälter aus meist blauem G. mit bunter Fadenmusterung, die um einen Sandkern geformt wurden (Sandkerngefäße); sie traten um 1500 v. Chr. in Ägypten und Mesopotamien auf. Aus Assyrien sind Keilschrifttexte von etwa 1700 bis 700 v. Chr. bekannt, die über Öfen, Schmelzen und G.-Rezepte unterrichten. Kurz vor der Zeitenwende wurde in Syrien die G.-Pfeife erfunden, die eine weitgehende Industrialisierung des Glasmachergewerbes ermöglichte. Diese Technik wurde von den Römern nach Italien gebracht. Die Römer riefen in Gallien und um Köln eine bed. G.-Ind. ins Leben. So stellte man im Rheinland, bes. in Köln, neben dem Gebrauchs-G. reich geschnittene Gefäße und Schlangenfadengläser her. Die Römer entwickelten versch. Arten des Luxus-G., z. B. das mehrschichtige, geschnittene Überfang- oder Kameo-G. und die unterschnittenen Netzgläser. Sie haben G. auch zuerst als Fensterfüllung verwendet. Im Abendland folgte auf das röm. G. das auf wenige Formen beschränkte merowingisch-fränk. G. Auf der Insel Murano bei Venedig befanden sich seit dem Ende des 13. Jh. die meisten G.-Hütten des alten Europa, sie wurde Hauptsitz der Brillenherstellung. Ebenfalls Ende des 13. Jh. erfand Briani in Venedig das Aventurin-G. Hier begann unter dem Einfluss islam. G.-Künstler im 14./15. Jh. die eigtl. Entwicklung des europ. Kunst-G. Nach Erfindung des klaren Kreide-G. und des Bleikristalls (1674) wurden gegen Ende des 17. Jh. G.-Schliff und G.-Schnitt beliebt. Diese in Prag zur Vollendung gebrachte Technik breitete sich im 18. Jh. v. a. in Nürnberg, Böhmen, Schlesien, Thüringen, Hessen und den Niederlanden aus. Am Ende des 19. Jh. begann man mit der Massenfertigung im Pressglasverfahren. Um 1900 versuchte der Jugendstil die alten handwerkl. Techniken zu beleben. Das Bauhaus führte die Ansätze einer neuen G.-Kunst weiter. In der modernen G.-Kunst kamen neue Impulse bes. von skandinav. und italien. Künstlern. – Bis in die 2. Hälfte des 19. Jh. gab es im Wesentlichen zwei Gruppen von G.: Alkali-Kalk-Silikate und Alkali-Blei-Silikate. O. Schott führte systematisch neue Oxide ein, von denen bes. Borsäure zur Herstellung von Gerätegläsern und opt. Gläsern wichtig wurde. Die seltenen Erden wurden in den 30er-Jahren des 20. Jh. von Huggins und Sun als G.-Bestandteile eingeführt. Maschinelle Herstellungsmethoden und kontinuierl. Schmelzverfahren wurden, beginnend im 19. Jahrhundert, insbesondere in den USA entwickelt.

📖 PATURI, F. R.: *Die Geschichte vom G. Aarau u. a. 1986. – Sotheby's großer Antiquitäten-Führer G. Von den Ursprüngen bis zur Kunst des 20. Jh., hg. v.* D. BATTIE *u. a. München 1992.*

Glas|aal, 6–8 cm lange Jugendform des Aals (→Aale).

Glasbau: Ludwig Mies van der Rohe, Seagram Building in New York (1954–58)

Glasbau (Glasarchitektur), zu Beginn des 19. Jh. entwickelte Bauform, bei der die Fassaden weitgehend durch Glasflächen gebildet werden. Die techn. Voraussetzung war die beginnende Massenproduktion von Glas, gestaltbildend wurde das Glas jedoch erst in Verbindung mit der Eisenarchitektur. In England wurden Gewächshäuser mit sphärisch gewölbter Glashaut zur Aufzucht exot. Pflanzen entwickelt. Nach dem Vorbild barocker Orangerien entstanden Palmenhäuser sowie Ausstellungsbauten, z.B. 1851 der Kristallpalast in London. Das durchlaufende Oberlicht prägte neue Bautypen: Bahnhofs- und Markthallen, Museen, Passagen, Fabrikhallen. Die Vervollkommnung der Skelettkonstruktion aus Gusseisen, später aus Stahl, führte dazu, dass die urspr. skelettfüllende Scheibe zum konstruktionsumhüllenden Vorhang (Curtainwall) wurde. Die Fassade hatte ihre tragende Rolle verloren. Die Trennung in tragende und raumbildende Elemente führte zum fließenden Raum (Dt. Pavillon der Internat. Ausstellung in Barcelona, 1929) und zum allseitig verglasten Innenraum (Farnsworth House, Fox River, Ill., USA, 1950), beide Bauten errichtete L. Mies van der Rohe. Das Turmhochhaus aus Glas und Stahl wurde seit den 50er-Jahren zum Wahrzeichen vieler Wirtschaftsunternehmen (Seagram Building in New York, 1954–58; Mannesmann-Hochhaus, Düsseldorf, 1958). Ein prominentes Beispiel für das Zusammenspiel von Skelettbau und Glas sind die 1996 fertig gestellten Leipziger Messehallen (BILD Leipzig).

📖 *Glasfassaden – Konstruktion u. Gestaltung, bearb. v.* D. HEZEL. *Stuttgart* [4]*1995. – Transparente Architektur. Glasfassaden mit structural glazing, bearb. v.* P. RICE *u.* H. DUTTON. *A. d. Frz. Basel u. a. 1995.*

Glasbausteine, durchscheinende, auch farbige, volle oder hohle Glaskörper, die v.a. als nicht tragende Bauelemente für Licht gebende Außen- und Innenöffnungsabschlüsse dienen; entsprechend **Glasdachsteine** oder **Glasdachziegel.**

Helmuth von Glasenapp

Glasenapp, Otto Max Helmuth von, Indologe und Religionswissenschaftler, *Berlin 8. 9. 1891, †Tübingen 25. 6. 1963; 1928–45 Prof. in Königsberg, seit 1946 in Tübingen, erforschte die Religion und Philosophie Indiens. – Die Religionen Indiens (1943); Die Philosophie der Inder (1949) u.a.

Glaser, handwerklicher Ausbildungsberuf (drei Jahre). G. verglasen Fenster, Türen und Zwischenwände mit Glasscheiben.

Donald A. Glaser

Glaser ['gleɪzə], Donald Arthur, amerikan. Physiker, *Cleveland (Ohio) 21. 9. 1926; entwickelte die →Blasenkammer **(G.-Kammer)** zum Nachweis von Elementarteilchen und erhielt dafür den Nobelpreis für Physik 1960.

Glaserkitt, ein Leinölkitt, →Kitt.

Gläserne Kette, von B. Taut im Nov. 1919 angeregter, bis Dez. 1920 geführter Briefwechsel aventgardist. Architekten (u.a. M. Taut, H. Scharoun, W. Gropius, H. und W. Luckhardt), der dem Austausch von Ideen und Meinungen zu Architekturprojekten dienen sollte.

Glasfasern, aus geschmolzenem Glas nach verschiedenen Verfahren (z.B. Düsenziehen, -blasen) hergestellte anorgan. Fasern (Durchmesser unter 0,03 mm) mit hoher Zugfestigkeit, chem. und therm. Beständigkeit, Lichtdurchlässigkeit sowie gutem Isoliervermögen. **Isolierfasern** mit geringen Reinheitsanforderungen werden für den Schall-, Wärme- sowie Brandschutz verwendet und **Textil-G.** aus Aluminiumborosilikatglas mit weniger als 0,8% Alkali dienen zur Kunststoffverstärkung; **Lichtleitfasern** mit bes. hohen Reinheitsanforderungen werden in der Glasfaseroptik eingesetzt (→Lichtleiter). Dabei werden die stabförmigen Vorformen am Ende aufgeschmolzen und zu einer Faser ausgezogen. Zum Schutz gegen Feuchtigkeit und mechan. Beschädigung werden G. mit Kunststoffen oder Keramik beschichtet.

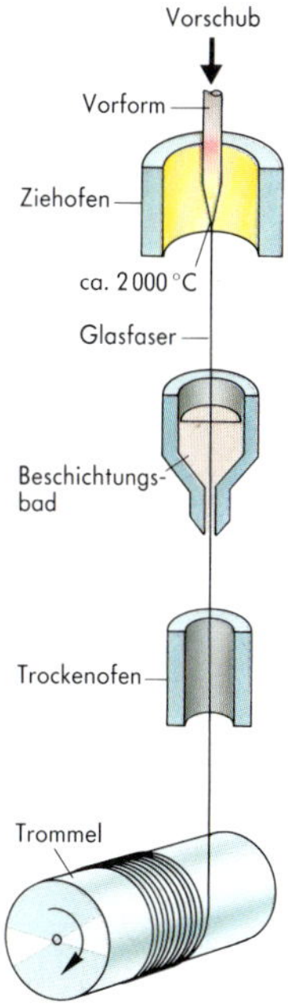

Glasfasern: Ziehen von Lichtleitfasern

Glasfaseroptik, →Faseroptik, die sich mit der Licht- und Bildübertragung in Glasfasern als →Lichtleiter beschäftigt.

glasfaserverstärkte Kunststoffe, Abk. **GFK,** Sammelbez. für Kunststoffe, die zur Erhöhung der Druck-, Biege-, Zug- und Schlagfestigkeit mit Textilglasfasern in Form von Matten, Geweben und Strängen aus parallelen Spinnfäden **(Rovings)** verstärkt sind. Als Kunststoffe kommen sowohl Du-

Glasflügler: Johannisbeerglasflügler (Spannweite etwa 1,8 cm)

Glasgow Stadtwappen

Sheldon L. Glashow

roplaste als auch Thermoplaste zur Anwendung. Verwendet werde GFK u.a. für Wellplatten, Glasfaserputz, Behälter, Karosserieteile, Boote, Sportgeräte sowie schlagfeste und wärmeformbeständige Formteile.

Glasflügler (Aegeriidae), Schmetterlingsfamilie mit etwa 1000 Arten mit schmalen, meist unbeschuppten Flügeln. Einige G. sind schädlich, bes. an Obstgehölzen, z.B. der Johannisbeer-G. (Synanthedon tipuliformis).

Glasgow ['glɑːsgəʊ], größte Stadt Schottlands, am Clyde, als Local Authority 175 km^2 mit 623900 Ew.; Sitz eines kath. Erzbischofs und eines anglikan. Bischofs; zwei Univ., Kunst- u.a. Hochschulen, Museum mit bed. Gemäldesammlung, Sitz der Schott. Oper, des Schott. Balletts, des Schott. Nationaltheaters und des Schott. Kammerorchesters. G. ist der größte Hafen Schottlands und hat Werften, Maschinenbau, elektron., chem., Textil-, Nahrungs- und Genussmittelind.; internat. Flughafen. – Kathedrale (13.–15. Jh.). – Um 550 gründete der hl. Kentigern hier eine christl. Gemeinde (Bau einer Kirche). G. besaß seit dem MA. eine Burg und Marktrecht (1189); erhielt 1450 das königl. Stadtprivileg; seit dem 17. Jh. bed. Handelsstadt (bes. im 18. Jh. durch den Amerikahandel); seit dem 19. Jh. Entwicklung zur Ind.stadt.

Glasgow ['glæsgəʊ], Ellen, amerikan. Schriftstellerin, *Richmond (Va.) 22. 4. 1874, †ebd. 21. 11. 1945; schilderte mit an H. James geschultem psycholog. Realismus soziale Probleme der Südstaaten (»So ist das Leben«, 1941).

Glashalbleiter, amorphe (nichtkristalline) anorgan. Halbleiter, die aus speziellen Gläsern (z.B. Chalkogenid-, Silikat- und Boratgläsern) bestehen, denen in der Schmelze Germanium, Arsen, Tellur, Jod u.a. Elemente in geringen Mengen als Dotierungsstoffe zugefügt werden.

Glasharfe, →Glasspiel.

Glasharmonika, →Glasspiel.

Glashow ['glæʃəʊ], Sheldon Lee, amerikan. Physiker, *New York 5. 12. 1932; postulierte 1961 die Existenz des Vektorbosons Z^0 (1983 bei CERN entdeckt), stellte 1970 die Hypothese von der Existenz eines vierten Quarks (Quark mit Charm) auf, die 1974 durch die Entdeckung des Psi-Teilchens bestätigt wurde. G. lieferte wesentl. Beiträge zur Theorie der vereinigten schwachen und elektromagnet. Wechselwirkung der Elementarteilchen (**G.-Weinberg-Salam-Theorie,** →Weinberg-Salam-Theorie). Für diese Arbeiten erhielt er zus. mit A. Salam und S. Weinberg 1979 den Nobelpreis für Physik. Mit H. Georgi (*1947) entwickelte er die Georgi-G.-Theorie zur Vereinheitlichung der starken, schwachen und elektromagnet. Wechselwirkung.

Glashütte, industrielle Anlage zur Glasherstellung.

Glashütte, Stadt im Weißeritzkr., Sachsen, im Müglitztal des Osterzgebirges, 5200 Ew.; Uhren-, feinmechan. und Kartonagenindustrie. – Um 1400 entstanden, seit 1506 Stadtrecht.

Glasigkeit, Pflanzenkrankheit, die wässrig durchscheinendes Gewebe bewirkt, z.B. bei Kartoffeln durch Stoffwechselstörung, bei Steckrüben durch Bormangel, bei Kakteen infolge überhöhter Luftfeuchtigkeit.

Glaskeramik, keram. Werkstoffe, die aus Glasschmelzen geeigneter Zusammensetzung nach glastechn. Verfahren (Ziehen, Pressen, Gießen) geformt und durch nachträgl. Wärmebehandlung und kristallkeimbildende Zusätze keramisiert werden. G. besitzt hohe Temperaturwechselbeständigkeit, Härte und Festigkeit.

Glaskopf, radialstrahliges Mineralaggregat mit meist glänzender, nierig-kugeliger Oberfläche; Brauner G. (Brauneisen), Roter G. (Eisenglanz), Schwarzer G. (Psilomelan), Grüner G. (Malachit).

Glaskörper, →Auge.

Glasmalerei, die Kunst, Glasfenster meist aus bemalten, zusammengesetzten und schließlich verbleiten Glasstücken herzustellen. Aus verschiedenfarbigen Glasplatten wurden nach einer Vorzeichnung einzelne Stücke geschnitten und durch Bleiruten miteinander verbunden, die zugleich die Umrisse und die stärksten Linien der Binnenzeichnung ergaben **(musiv. G.).** Als Malfarbe diente Schwarzlot, ein leichtflüssiges Bleiglas, das den Scheiben vor der Verbleiung im Ofen aufgeschmolzen wurde. Aus diesem konnten Linien, Muster oder Schriftzeichen herausgekratzt werden. Nach 1300 benutzte man als Glasmalfarbe auch Silbergelb oder Silberlot, im 15./16. Jh. kamen weitere Farben hinzu (u.a. Eisenrot). Allmählich breitete sich auch die Verwendung von Überfangglas aus. – Im Unterschied zur musiv. G. arbeitete

Glasmalerei

In romanischer Zeit waren die Glasmaler wie die Illuminatoren der Handschriften häufig Klosterinsassen wie Gerlachus, der sich in einem Fenster der Prämonstratenserabtei von Arnstein an der Lahn mit Farbtopf und Pinsel dargestellt hat – eines der seltenen Selbstbildnisse von Glasmalern im Mittelalter (um 1150/60; Münster, Westfälisches Landesmuseum). In gotischer Zeit schlossen sie sich im Umfeld von Bauhütten zu Großbetrieben mit entsprechender Arbeitsteilung zusammen. So waren 1351 an der Farbverglasung der Stephanskapelle von Westminster Palace 30 Glaser und Glasmaler beteiligt: Sechs »master glaziers« gingen 24 Glasschneider und Verbleier zur Hand. Daneben gab es damals schon kleine bürgerliche Werkstätten, aber auch Werkstattgemeinschaften wie diejenige von Peter Hemmel in Straßburg, die ihre Erzeugnisse weithin exportierten.

Glasmalerei: Detail aus einem Fenster von Louis Comfort Tiffany (1920)

die **Kabinettmalerei** nur mit Schmelzfarben auf farblosem Glas. Von völlig anderer Art ist die →Hinterglasmalerei.

Geschichte: Bed. frühe Zeugnisse stammen aus karoling. Zeit (aus dem Kloster Lorsch, wohl 9. Jh.; heute Hess. Landesmuseum in Darmstadt). Die frühesten vollständig erhaltenen Zeugnisse monumentaler G. sind die Prophetenfenster des Augsburger Doms (um 1100). Mit der Gotik setzte die eigentl. Blütezeit der G. ein, v.a. in Frankreich (Chartres, Bourges, Reims, Paris), dessen G. einwirkte auf England (Canterbury, Lincoln, York), Spanien (León), Italien (Assisi, Orvieto) und Dtl. (Straßburg, Marburg, Regensburg, Köln, Freiburg im Breisgau, Erfurt), das im 14. Jh. führend wurde. – Im Profanbau kam Ende des 15. Jh. die mit Emailfarben bemalte **Kabinettscheibe** auf; der Hausbuchmeister, H. Suess von Kulmbach, H. Baldung, A. Dürer, J. Breu d. Ä. u. a. haben Entwürfe und Skizzen geliefert. – Wieder aufgenommen wurde die G. im 19. Jh. Eine künstler. Erneuerung, bes. auch der kirchl. G., setzte erst im 20. Jh. ein, wobei die Künstler wieder von den handwerkl. Voraussetzungen der mittelalterl. Technik ausgingen (J. Thorn Prikker, F. Léger, M. Chagall, G. Meistermann, J. Schreiter u. a.).

Glasperlen aus Gräbern der Hallstattkultur in Slowenien (Ljubljana, Narodni muzej)

🕮 BRISAC, C.: *Glasfenster. 1000 Jahre europ. G., Fotos v.* Y. WATABE. *A. d. Frz. Freiburg im Breisgau u. a. 1985. – Dt. G. des Mittelalters, hg. v.* R. BECKSMANN, *2 Bde. Berlin 1992–95. – Die Welt der Glasfenster. Zwölf Jahrhunderte abendländ. G. in über 500 Farbbildern, Beiträge v.* L. LEE *u. a., Fotos v.* S. HALLIDAY *u.* L. LUSHINGTON. *A. d. Engl. Sonderausg. München 1992.*

Glasmetalle, die →metallischen Gläser.

Glasmeteorite, →Tektite.

Glasnost [russ. »Öffentlichkeit«] *die,* polit. Schlagwort, geprägt von M. S. Gorbatschow im Zusammenhang mit seiner Politik der →Perestroika in der 2. Hälfte der 1980er-Jahre, benannte als ein grundlegendes Prinzip der von ihm eingeleiteten Reformpolitik in der UdSSR die öffentl. Information und Diskussion über alle wichtigen gesellschaftl. Belange. Insbesondere mithilfe der Medien sollten die Transparenz der Entscheidungsfindung in Partei- und Staatsorganen sowie eine breite Meinungsbildung garantiert werden. G. stellte eine Abkehr von der restriktiven und selektiven Informationspolitik der KPdSU gegenüber der Bevölkerung dar und ermöglichte u. a. den Beginn einer krit. Aufarbeitung der sowjet. Geschichte (z. B. des Stalinismus) sowie das öffentl. Ansprechen von innergesellschaftl. Defiziten und Konflikten (Nationalitätenfragen, wirtsch. Probleme, Kriminalität, Bürokratismus, Korruption).

Glas|opal (Hyalit), →Opal.

Glasperlen, kugelige Körper aus Glas, die meist eine durchgehende Öffnung haben. **Venezian. G.** oder **Stickperlen** wurden aus Glasrohrabschnitten durch Rollen in erhitzten Eisentrommeln hergestellt. **Röm. Perlen** wurden aus Röhren vor der Lampe geblasen und mit einer irisierenden Schicht überzogen. Seit dem frühen 3. Jt. v. Chr. sind G. in Ägypten und Mesopotamien, seit dem 2. Jt. v. Chr. in Europa und den Mittelmeerkulturen als Bestandteil von Schmuck nachzuweisen. Im 13. Jh. begann in Venedig eine eigene G.-Ind., später wurden G. auch in Dtl. hergestellt, u. a. in Nürnberg. Farbige G. wurden für Stickereien auf Gewändern, Behängen, Möbelbezügen u. a. verwendet und waren bes. beliebt in der Biedermeierzeit.

Glass [glɑːs], Philip, amerikan. Komponist, *Baltimore (Md.) 31. 1. 1937. Seine zur →Minimal Music gehörenden Kompositionen entfalten ihren

Glasmalerei: Der Prophet Daniel, Prophetenfenster des Augsburger Doms (um 1100)

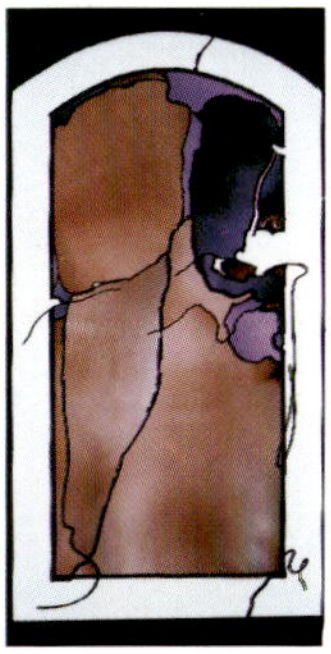

Glasmalerei: Johannes Schreiter »Fazit 53/1975/F«, Alternativfenster für die Maison Stief in La Couvertoirade (Département Aveyron), Frankreich

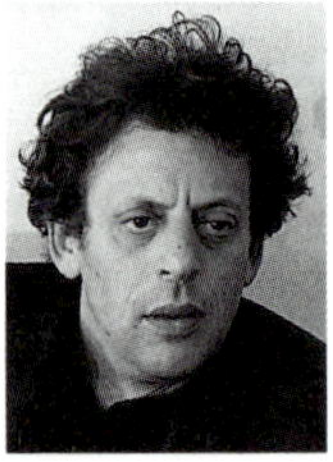

Philip Glass

Klang aus der Aufreihung, Wiederholung und Überlagerung kürzester, durch Akkordzerlegung gewonnener Tonfolgen.

Werke: Opern: Einstein on the beach (1976); Satyagraha (1980); Echnaton (1984); The making of the representative for planet 8 (1986); 1000 airplanes on the roof (1988); The fall of the house of Usher (1989); Itaipu für Chor und Orchester (1988), 3. Sinfonie (1995); Die Ehen zwischen den Zonen Drei, Vier und Fünf (nach D. Lessing, 1997).

Adolf Glaßbrenner

Glaßbrenner, Adolf, Schriftsteller, Pseud. Adolf Brennglas, *Berlin 27. 3. 1810, †ebd. 25. 9. 1876; bed. Berliner Journalist des Vormärz; Schöpfer der humoristisch-satir. Berliner Volksliteratur im 19. Jh. (»Berlin, wie es ist – und trinkt«, 33 Hefte, 1832–50; »Neuer Reineke Fuchs«, kom. Epos, 1846).

Glasschwämme (Hexactinellida), becher- oder trichterförmige Kieselschwämme in großen Meerestiefen.

Glasspiel (frz. Verrillon, engl. Musical glasses), Musikinstrument aus Gläsern, seit dem 15. Jh. bekannt, im 18. und 19. Jh. bes. beliebt, in versch. Formen gebaut. Eine einfache Art besteht aus einer Anzahl durch Wassereinfüllung abgestimmter Trinkgläser, die mit umwickelten Holzstäbchen geschlagen oder mit angefeuchteten Fingern am oberen Rand gerieben werden. Bei der von B. Franklin 1761 aus dem G. entwickelten **Glasharmonika** sind unterschiedlich große Glasglocken auf einer waagerechten Achse befestigt, die durch Pedalantrieb in Umdrehung versetzt werden. 1929 baute B. Hoffmann eine **Glasharfe,** die aus aufrecht auf einem Resonanzboden angebrachten Glasglocken versch. Größe und Wandstärke besteht.

Alexander Glasunow

Glasstahlbeton [-betɔŋ, -betɔ̃], ein Stahlbetonelement aus kreuzweise angeordneten Rippen und eingesetzten Glasvollkörpern; für lichtdurchlässige, belastbare Abdeckungen u. a.

Glastemperatur, die →Einfriertemperatur.

Glasunow, Alexander Konstantinowitsch, russ. Komponist, *Sankt Petersburg 10. 8. 1865, †Neuilly-sur-Seine 21. 3. 1936; Schüler von N. Rimski-Korsakow, ging 1928 nach Paris; Komponist konservativ-klassizist. Haltung. Schrieb u. a. neun Sinfonien, sinfon. Dichtungen, Instrumentalkonzerte, Kammermusik, Lieder und Ballette.

Glasur, 1) *Keramik:* glasartiger Überzug auf keram. Gegenständen, der ihnen Glanz verleiht und sie wasserdicht macht. Die Rohmischung besteht aus einer Aufschlämmung von Ton, Quarzmehl und einem wasserunlösl. Flussmittel in Wasser. Dieser G.-Schlicker wird auf den rohen oder vorgebrannten Scherben durch Tauchen oder Spritzen aufgetragen **(Glasieren)** und mit diesem gebrannt. Flussmittel für hochschmelzende G. (Porzellan) sind Alkalifeldspate und Kalkspat; für niedrigschmelzende G. dienen Bleioxid, Zinkoxid sowie blei- und bortrioxidhaltige Fritten als Flussmittel. Die für Steinzeug typ. Anflug- oder Salz-G. entsteht, wenn Kochsalz im Ofen zum Verdampfen gebracht wird.

2) *Kochkunst:* Zuckerguss auf Gebäck.

Glaswolle, aus kurzfädigen, leicht gekräuselten Glasfasern (Stapelfasern) bestehendes Material zur Schall- und Wärmedämmung.

Glatt *die,* linker Nebenfluss des Rheins im Kt. Zürich, Schweiz, Abfluss des Greifensees, durchfließt das 36 km lange, stark industrialisierte G.-Tal.

Glattbutt, Art der →Plattfische.

Glatteis, homogene Eisablagerung, entsteht durch das Gefrieren unterkühlter (um oder unter 0 °C) Niesel- oder Regentropfen auf Oberflächen.

Glatthafer (Arrhenatherum), Gattung mehrjähriger Gräser mit lockerer Rispe; ein wichtiges Futtergras ist der **Hohe G. (Franzosengras,** Arrhenatherum elatius).

Glattnasen, Familie der →Fledermäuse.

Glattnatter, →Schlingnatter.

Glattrohrkanone, eine moderne Hochleistungskanone bei Kampfpanzern (z. B. Leopard 2) mit einem innen glatten, verchromten Rohr, das eine größere Mündungsgeschwindigkeit als gezogene Rohre ermöglicht.

Glattstellung, *Börse:* Ausgleich in einem Spekulationsgeschäft durch An- und Verkauf von Wertpapieren oder Devisen.

Glasspiel: Glasharmonika (um 1800; Berlin, Musikinstrumenten-Museum)

Glättung, 1) *Elektrotechnik:* Verringerung der Schwankungen der Wechselspannungs- oder Wechselstromanteile einer gleichgerichteten Spannung bzw. eines gleichgerichteten Stromes durch →Siebschaltungen Energie speichernder Bauelemente (Kondensatoren, Drosselspulen).

2) *Statistik:* Bereinigung von Schwankungen innerhalb statist. Reihen durch rechner. oder graf. Methoden (→Trend).

Glattwale (Balaenidae), Familie der Bartenwale, 5–20 m lang, Kopf ein Drittel der Körperlänge; Kleintierfresser. Zu den G. zählt der **Grönlandwal** (Balaena mysticetus), bis 20 m lang. Er war im 17. Jh. in den Gewässern Grönlands wichtigstes Jagdtier und ist fast ausgerottet. Dies gilt auch für die Arten **Nordkaper** und **Südkaper.**

Glattwale: Der Grönlandwal ist mit bis zu 20 m Länge die größte Art der Glattwale

Glatz, 1) ehem. Grafschaft in Niederschlesien, im Gebirgskessel des → Glatzer Berglands. – Urspr. zu Böhmen gehörend, seit 1278 wiederholt mit schles. Fürstentümern verbunden; wurde 1526, endgültig 1561, Besitz der böhm. Krone und kam 1742 an Preußen.

2) Stadt in Polen, → Kłodzko.

Glatzer Bergland, das den **Glatzer Kessel** umgebende, zu den Sudeten gehörende waldreiche Hügelland beiderseits der Grenze zw. Polen und der Tschech. Rep., mit dem **Glatzer Schneegebirge** (im Großen Schneeberg 1425 m ü. M.), dem Reichensteiner, Habelschwerdter, Heuscheuer- und Eulengebirge; reich an Mineralquellen (mehrere Kur- und Badeorte).

Glatzer Neiße (poln. Nysa Kłodzka), linker Nebenfluss der Oder, in Schlesien, Polen, 182 km lang, entspringt im W des Glatzer Schneegebirges, mündet zw. Oppeln und Brzeg.

Glatzflechte (Borkenflechte, Kälberflechte, Rindertrichophytie), ansteckende Hautkrankheit (Trichophytie) bei Haustieren, v. a. bei Jungrindern, durch Pilze der Gattung Trichophyton (Deuteromyzeten) verursacht; mit Haarausfall und Ausbildung runder, kahler Flecke v. a. an Kopf und Hals, bei Saugkälbern bes. am Maul **(Teigmaul, Maulgrind).**

Glaube, 1) *christliche Theologie:* nicht allein das bloße Für-wahr-Halten transzendenter, der menschl. Ratio allein nicht zugängl. Gegebenheiten, sondern mehr noch die gelebte Gottesbeziehung des Menschen, bestimmt durch die freiwillige Unterwerfung unter den Willen Gottes und das vorbehaltlose Vertrauen auf seine Gnade. Das Konzil von Trient betont den G. schwerpunktmäßig als Akt der Zustimmung des menschl. Verstandes, der sich Gott unterwirft und die göttl. Offenbarungstatsachen annimmt. Luther und die reformator. Kirchen betonen dagegen den ausschl. gnadenhaften Charakter des christl. G.: Nicht aus verstandesmäßiger Einsicht oder guten Werken im Sinne christl. Ethik kommt das personale Verhältnis mit Gott zustande, sondern »sola fide«, allein aus G. Den G. gibt Gott »sola gratia«, allein aus Gnade. Er ist Geschenk Gottes, um das der Mensch bitten, das er aus eigener Kraft jedoch nicht erwerben kann. Einsicht und gute Werke sind nicht Voraussetzungen, sondern »Früchte des G.«. Quelle und Norm des G. ist die Hl. Schrift.

2) *Philosophie:* neben »Meinung« und »Wissen« eine der Weisen des Für-wahr-Haltens; im Ggs. zum »Wissen« das nicht methodisch begründete, im Ggs. zum »Meinen« dennoch zweifelsfreie Für-wahr-Halten, Ausdruck vollkommener Überzeugung; beruht auf interpersoneller Gewissheit.

3) *Religionswissenschaft:* Grundelement des religiösen Lebens; Bindeglied des Menschen zu dem als heilig verehrten und erlebten Numinosen (→ Numen). In den Naturreligionen oft nur als Furcht vor der Gottheit bestimmbar, wird G. in den Hochreligionen (bes. den monotheist. prophet. Offenbarungsreligionen) primär durch Unterwerfung unter und Vertrauen zu Gott bzw. der Gottheit bestimmt und hat eine die religiöse Ethik konstituierende und normierende Funktion (Gebote).

📖 FOHRER, G.: *G. u. Leben im Judentum. Heidelberg u. a. ³1991.* – SPROCKHOFF, H. VON: *Naturwissenschaft u. christl. G. – ein Widerspruch? Darmstadt 1992.* – EBELING, G.: *Das Wesen des christl. Glaubens. Freiburg im Breisgau u. a. 1993.*

Glaubensartikel (lat. Articuli fidei), in der christl. Theologie Bez. für einzelne Abschnitte des Glaubensbekenntnisses.

Glaubensbekenntnis, formelhafte Zusammenfassung der wesentl. Aussagen der christl. Glaubenslehre; Urformen der G. sind die frühchristl. Taufbekenntnisse; besondere Bedeutung haben die im Ergebnis der dogmat. Auseinandersetzungen des 4. und 5. Jh. entstandenen G. der ökumen. Konzilien, v. a. das Apostol. und das Nicän. Glaubensbekenntnis.

Glaubensdelikte, im kath. Kirchenrecht Vergehen gegen den christl. Glauben und die Einheit der Kirche, z. B. Apostasie, Häresie und Schisma, die die Exkommunikation nach sich ziehen.

Glaubens-, Gewissens- und Bekenntnisfreiheit, die Freiheit und das Recht des Einzelnen, religiöse, weltanschaul. und moral. Überzeugungen zu bilden, zu äußern und zu befolgen und sich in Religions- und Weltanschauungsgemeinschaften zusammenzuschließen. Es handelt sich um eines der ältesten, bereits in den Religionskriegen des 16. Jh. geforderten Grundrechte. In Dtl. ist die G.-, G.- und B. durch Art 4 sowie durch Art. 140 GG in Verbindung mit Art. 136–139, 141 der insoweit fortgeltenden Weimarer Reichsverf. gewährleistet, die auch das Recht auf ungestörte Reli-

Glatthafer: Der hohe Glatthafer (Höhe bis etwa 2 m) blüht von Mai bis August

Wo das Wissen aufhört, fängt der **Glaube** *an.*
Aurelius Augustinus

Es wachsen Glaube und Unschuld nur am Baume der Kindheit nach; jedoch sie währen nicht.
Dante Alighieri

gionsausübung (Kultusfreiheit, Art. 4 Abs. 2 GG) umschließen. Dieses Grundrecht verwehrt dem Staat Einmischungen in diesen höchst persönl. Bereich, gebietet ihm andererseits aber auch, Raum für seine Verwirklichung zu gewähren. Es bindet den Staat an das »Gebot der weltanschaulich-religiösen Neutralität«, das u. a. auch die Bevorzugung einzelner Kirchen verbietet. – Die Glaubens- und Weltanschauungsfreiheit schützt religiöse und nichtreligiöse Weltanschauungen gleichermaßen, ebenso die Freiheit, nichts zu glauben **(negative Glaubens- und Weltanschauungsfreiheit).** Das in Art. 7 Abs. 2 GG verankerte Recht, dass in Ausübung des religiösen Selbstbestimmungsrechts niemand zum Religionsunterricht gezwungen werden kann, ergänzt dieses Freiheitsrecht.

Die Gewissensfreiheit bezieht sich auf die sittliche, an den Vorstellungen von Gut und Böse orientierte, als innerlich verpflichtend erfahrene Gewissensentscheidung. In diesen Zusammenhang ist das Recht zur →Kriegsdienstverweigerung (Art. 4 Abs. 3 GG) gestellt.

In *Österreich* ist die Glaubens- und Gewissensfreiheit u. a. durch Art. 14 Staatsgrund-Ges. 1867 gewährleistet, darf aber nicht zur Vernachlässigung staatsbürgerl. Pflichten dienen. In der *Schweiz* ist sie in Art. 49 Bundesverf. verankert.

Glaubenskriege, →heilige Kriege, →Religionskriege.

Glauchau
Stadtwappen

Glauber, Johann Rudolf, Chemiker und Apotheker, *Karlstadt 1604, †Amsterdam 10. 3. 1670; synthetisierte neue Substanzen, entwickelte zahlr. chemisch-techn. Prozesse.

Glauberg, Basaltkuppe in der Wetterau, Hessen, 270 m ü. M.; seit der Jungsteinzeit befestigt (Ringwallanlage), seit kelt. Zeit Herrschersitz; Reste der 1245 urkundlich bezeugten Reichsburg **Glauburg.** Seit 1995 wurde am Fuß des G. ein frühkelt. Fürstengrabhügel (5. Jh. v. Chr.) freigelegt, mit reichen Beigaben, daneben die lebensgroße Sandsteinstele eines Herrschers mit »Blattkrone«, Panzer, Schwert und Schild (Bild Kelten).

Glaubersalz [nach J. R. Glauber] (Mirabilit), farbloses, monoklines Mineral, $Na_2[SO_4] \cdot 10\,H_2O$; Vorkommen in alpinen Salzlagerstätten und in Salzseen.

Glaubhaftmachung, *Prozessrecht:* Form des Beweises, die einen geringeren Grad der Wahrscheinlichkeit fordert als der volle Beweis; zugelassen nur in einzelnen Fällen, v. a. in Verfahren des vorläufigen Rechtsschutzes und der Wiedereinsetzung in den vorigen Stand. Mittel der G. sind präsente Beweismittel und eidesstattl. Versicherung (§ 294 ZPO).

Gläubiger, jemand, der kraft eines Schuldverhältnisses berechtigt ist, von einem anderen (dem **Schuldner**) eine Leistung zu fordern (§ 241 BGB).

Gläubigeranfechtung, Anfechtung von Rechtshandlungen des Schuldners durch den Gläubiger, der mit seinem vollstreckbaren Titel keine Erfüllung der fälligen Forderung gefunden hat. Durch die G. soll die Zwangsvollstreckung auf Werte ausgedehnt werden, die der Schuldner verschenkt oder absichtlich weggegeben hat, um die Zwangsvollstreckung zu vereiteln.

Gläubigerbegünstigung, →Konkursstraftaten.

Gläubigerversammlung, die vom Konkursgericht berufene und geleitete Versammlung der Konkursgläubiger. Die G. ist u. a. zuständig für die Wahl eines anderen als des urspr. vom Gericht eingesetzten Konkursverwalters, die Wahl eines Gläubigerausschusses zur Überwachung der Geschäftsführung des Konkursverwalters, die Prüfung der Schlussrechnung des Verwalters, Abstimmung über einen Zwangsvergleich. Zu dessen Annahme sind die einfache Mehrheit der erschienenen Gläubiger und die Dreiviertelmehrheit der Forderungsbeträge erforderlich; die nicht erschienenen Gläubiger sind an die Beschlüsse gebunden.

Gläubigerverzug (Annahmeverzug), Rechtstatbestand, der entsteht, wenn der Gläubiger die ihm von seinem Schuldner ordnungsgemäß angebotene Leistung nicht annimmt (§§ 293 ff. BGB). – In *Österreich* ist der Rechtstatbestand in § 1419 ABGB, in der *Schweiz* in Art. 91–96 OR geregelt.

Glauchau, Krst. des Landkreises Chemnitzer Land, Sachsen, an der Zwickauer Mulde, 28 100 Ew.; Textilind., Maschinenbau. – Barocke Stadtkirche (1726–28), Schloss Hinterglauchau (1460–70 und 1525 ff.) und Schloss Forderglauchau (1527 bis 1534). – G. erhielt im 13. Jh. Stadtrecht.

Glaucium, der →Hornmohn.

Glauke, *grch. Mythologie:* →Kreusa.

Glaukom [grch.] *das* (grüner Star), Sammelbegriff für Krankheiten des Auges mit erhöhtem Augeninnendruck infolge einer Abflussbehinderung oder einer vermehrten Produktion des Kammerwassers, aber auch infolge einer bestehenden oder vorausgegangenen Augenerkrankung. Die Abflussgeschwindigkeit wird wesentlich durch die Weite des vorderen Kammerwinkels bestimmt. Augen mit flachen Kammerwinkeln sind daher glaukomgefährdet (Engwinkel-G.). Auch die Pupillenerweiterung (durch Dunkelanpassung und bes. durch pupillenerweiternde Mittel) führt infolge Fältelung der Regenbogenhaut zu einer Einengung der Abflusswege. Das G. ist eine der wichtigsten Ursachen für Frühinvalidität und Erblindung. Rd. 2 % aller Personen über 40 Jahre sind, oft ohne es zu wissen, an chron. G. erkrankt oder glaukomgefährdet. Das **primäre G.** kann als Winkelblock-G. (Engwinkel-G.) und als Weitwinkel-G. (Glaucoma simplex) ablaufen. Das **Winkel-**

block-G. kommt in einer mehr chron. Verlaufsform mit anfallartigen akuten Drucksteigerungen und in einer akuten Verlaufsform vor (akuter G.-Anfall). Der G.-Anfall kann sich durch Gesichtsfeldtrübungen, Farbensehen oder halbseitigen Kopfschmerz ankündigen. Im Anfall wird ein unerträgl. Druckgefühl in den Augenhöhlen verspürt. Die am meisten verbreitete Form des G. ist das chronisch verlaufende **Weitwinkel-G.,** bei dem der Kammerwinkel zwar weit, der Kammerwasserabfluss aber behindert ist. Die Erkrankung macht zunächst kaum Beschwerden. Die Sehkraft kann ohne auffallende subjektive Beschwerden schon wesentlich vermindert und das Gesichtsfeld eingeengt sein. Beim **sekundären G.** ist der Augeninnendruck infolge anderer Augenleiden meist einseitig erhöht, z.B. bei Linsenluxation. Auch Entzündungen, Traumen und Gefäßveränderungen können zum sekundären G. führen. – Als **Glaucoma absolutum** bezeichnet man die völlige Erblindung als Endzustand eines G. jeder Ursache und Verlaufsform. – Beim kindl. Auge ist die Lederhaut noch nachgiebig. Daher kann der Augapfel sich hier bei einer Erhöhung des Innendrucks wesentlich vergrößern (kindl. G., →Hydrophthalmus). – Zur Behandlung des G. stehen versch. Medikamente und den Augeninnendruck senkende Operationsverfahren zur Verfügung. Bei unzureichender Behandlung kann Erblindung durch Schwund des Sehnervs eintreten.

📖 *G. Diagnostik u. Therapie, hg. v.* E. GRAMER *u. a. Stuttgart 1990.*

Glaukonit [grch.] *der,* dunkelgrüner, feinkörniger, magnesium- und eisenhaltiger Glimmer, der am Meeresboden durch Verwitterung (Halmyrolyse) von Biotit gebildet wird, im Bereich des tiefen Schelfs auch durch Mitwirkung von Organismen; Bestandteil von Grünsand.

Glaukophan [grch.] *der,* zu den Hornblenden (→Amphibole) zählendes, blaugraues bis schwärzlich blaues, monoklines Mineral, typ. Bestandteil vieler metamorpher Schiefer.

Glaukos, *grch. Mythos:* 1) ein bei Schiffern und Fischern wegen seiner Weissagungen beliebter Meeresgott, halb Fisch, halb Mensch; 2) ein Enkel des Bellerophon, Verbündeter der Trojaner, der mit Diomedes um der Gastfreundschaft willen die Rüstung (Gold gegen Erz) tauschte; getötet von Aias dem Großen.

Glauser, Friedrich, schweizer. Schriftsteller, *Wien 4. 2. 1896, †Nervi (Prov. Genua) 8. 12. 1938; 1921–23 Fremdenlegionär, war drogenabhängig und verbrachte die letzten Jahre in Heilanstalten und Gefängnissen; schrieb u.a. Kriminalromane um die Figur des Wachtmeisters Studer; sein Fremdenlegionärsroman »Gourrama« erschien postum (1940, ungekürzt 1974).

Glaux [grch.] *der,* Eule, hl. Vogel der Athene, Münzbild des athen. Geldes; auch Bez. der Münzen selbst, bes. der Tetradrachmen.

Glaux: Attisches Tetradrachmon, um 430 v. Chr., Durchmesser 22 mm (Vorder- und Rückseite)

glazial [lat.], i. w. S. das Eis betreffend, vom Eis geschaffen; i. e. S. eiszeitlich, in einer Eiszeit entstanden. Im Unterschied zu den Begriffen →glaziär und →glazigen bezieht sich g. vornehmlich auf Zeitalter und Klima.

Glazialerosion, die abtragende Tätigkeit der Gletscher und des Inlandeises. Das anstehende Gestein wird durch mitgeführte Geschiebe abgeschliffen, es kommt zu →Gletscherschliff, Gletscherschrammen und Kritzen; die vom Eis überwanderten Berge werden abgerundet, es entstehen Rundhöcker; Becken, Mulden und Talböden werden erweitert und tiefer gelegt (glaziale Übertiefung), dadurch bilden sich Trogtäler, Zungenbecken und Kare; Schwellen werden stärker herausmodelliert. Das Wegschieben des Lockermaterials durch die Stirn eines Gletschers oder durch vorrückende Inlandeismassen heißt **Exaration.**

glaziale Serie, die vom Inlandeis oder von Gletschern nach ihrem Abschmelzen hinterlassenen, stets regelhaft in gleicher Weise aufeinander folgenden Reliefformen. Vom ehem. Eiszentrum her betrachtet, besteht die g. S. im N Mitteleuropas aus flachwelligen oder kuppigen Grundmoränen, hügeligen Endmoränen, Sanderebenen und Ur-

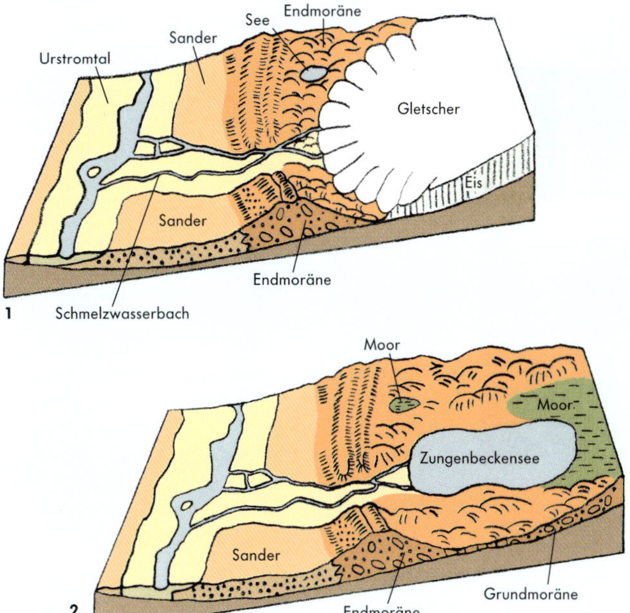

glaziale Serie: 1 von Schmelzwasserbach durchbrochener Endmoränenwall vor der im Rückzug begriffenen Gletscherzunge; 2 Grundmoräne, Zungenbeckensee, Endmoräne, Sander und Urstromtal nach Eisrückzug (= glaziale Serie)

stromtal; im Alpenrandgebiet sind es Zungenbecken, Endmoränen und Schotterfelder.

Glazial|isostasie, →Isostasie.

glaziär, in Gletschernähe oder im Umkreis eines Gletschers oder des Inlandeises entstanden; z. B. Schmelzwasserablagerungen oder Löss. Im Unterschied zu den Begriffen →glazigen und →glazial bezieht sich g. auf den Entstehungsraum.

glazigen, unmittelbar durch die Wirkung des Eises entstanden; gesagt von Ablagerungen und Abtragungsformen, z. B. Moränen, Drumlins, Oser, Trogtäler. Im Unterschied zu den Begriffen →glazial und →glaziär bezieht sich g. auf die Entstehungsursache.

glaziofluviatil, →fluvioglazial.

Glaziologie [lat.-grch.] *die,* die Gletscherkunde, →Gletscher.

GLCM [dʒi:elsi:'em], Abk. für engl. **g**round-**l**aunched **c**ruise **m**issile, landgestützter Marschflugkörper, →Cruisemissile.

Gleditschia [nach dem Botaniker J. G. Gleditsch, *1714, †1786] *die* (Gleditsia), Gattung der Hülsenfrüchtler, dornig mit Fiederlaub. Parkbaum ist z. B. die **Amerikan. G.** (Gleditsia triacanthos, fälschlich auch **Christusakazie** oder **Christusdorn** gen.) aus Nordamerika.

Gleditschia: Zweig der Amerikanischen Gleditschia mit Fruchthülsen

Glee [gli:] *der,* in der engl. Gesellschaft des 17. bis 19. Jh. beliebtes einfaches A-cappella-Lied für drei und mehr Solo-(meist Männer-)Stimmen. Hauptmeister war S. Webbe (*1740, †1816); in London bestand ein **Glee-Club** 1783–1857.

Glei, →Gley.

Gleichbehandlungsgrundsatz, allgemein der Rechtsgrundsatz, dass Personen, die sich in gleicher Rechtslage befinden, gleich zu behandeln sind; von besonderer Bedeutung im Arbeitsrecht, wo er die sachfremde Differenzierung von Arbeitnehmergruppen innerhalb eines Betriebes, bes. bei der Ausgestaltung der Arbeitsbedingungen, verbietet. Kein Verstoß gegen den G. ist aber die individuelle Besserstellung Einzelner. Der Geltungsumfang des G. für die Lohnfestsetzung ist umstritten; er zwingt aber als Verbot willkürl. Differenzierungen zur Anwendung objektiver Leistungsbewertungsgrundsätze. Auch im Verw.-, Gesellschafts- und Steuerrecht ist der G. zu beachten.

Gleichberechtigung, die rechtl. Gleichstellung von Mann und Frau, garantiert in Art. 3 Abs. 2 und 3 GG als Ausprägung des allg. Gleichheitssatzes. Der Staat darf den Unterschied der Geschlechter nicht als Anknüpfungspunkt für Ungleichbehandlung wählen. Eine Ausnahme ist nur zulässig, wenn biolog. Unterschiede die Verschiedenbehandlung erfordern (z. B. Mutterschutz); problematisch ist die Zulassung von Ausnahmen aus »funktionalen« Gründen, die meist auf der traditionellen gesellschaftl. Rollenverteilung beruhen.

Gleichen, Drei: Grabstein eines der Grafen von Gleichen mit seinen beiden Frauen (um 1250; Erfurter Dom)

Nach der Rechtsprechung des Bundesverfassungsgerichts ist die Arbeit der Frau in Haushalt und Familie als gleichwertig mit dem Beitrag des erwerbstätigen Ehemannes anzusehen. Die gesetzl. Bevorzugung eines männl. Erben, z. B. bei der Hoferbfolge, ist verfassungswidrig. Das Gleichberechtigungs-Ges. vom 18. 6. 1957 hat Bestimmungen des BGB zum Eherecht, ehel. Güterrecht und der elterl. Sorge an den Verfassungsgrundsatz angepasst. Das Eherechts-Ges. vom 14. 6. 1976 hat durch Regelungen über Versorgungsanwartschaften nach der Scheidung, über die Berechtigung beider Ehegatten zur Erwerbstätigkeit und über die Möglichkeit der Wahl des Geburtsnamens der Frau zum Familiennamen die G. im Familienrecht fortgeführt. Das Ges. über die Gleichbehandlung von Männern und Frauen am Arbeitsplatz vom 13. 8. 1980 fügte u. a. ein allg. Benachteiligungsverbot aufgrund des Geschlechts und das Gebot der geschlechtsneutralen Ausschreibung von Arbeitsplätzen in das BGB ein (§§ 611 a und b BGB). Auch im Sozialversicherungsrecht hat der Gesetzgeber die G. weitgehend festgeschrieben. Durch GG-Änderung vom 27. 10. 1994 ist der Staat zur tatsächl. Durchsetzung der G. und zum Hinwirken auf die Beseitigung bestehender Nachteile verpflichtet worden. – In *Österreich* lässt der verfassungsrechtl. Gleichheitssatz (Art. 7 Bundes-Verfassungs-Ges.) nur gesetzl. Differenzierungen zu, die in der Natur des Geschlechts begründet sind. In der *Schweiz* wird die G. seit 1981 durch Art. 4 Abs. 2 Bundesverf. verfassungsmäßig gesichert.

📖 Gerhard, U.: *Gleichheit ohne Angleichung. Frauen im Recht. Hannover 1990. – Frauengleichstellungsgesetze des Bundes u. der Länder. Kommentar für die Praxis ..., hg. v.* D. Schiek *u. a. Köln 1996.*

Gleichdruckturbine (Aktionsturbine), im Ggs. zur Reaktionsturbine mit gleicher Druckhöhe vor und hinter jedem Laufrad arbeitende Dampf- oder Gasturbine; bei Wasserturbinen veraltet für Freistrahlturbine (Pelton-Turbine).

Gleichenberg, Bad, → Bad Gleichenberg.

Gleichen, Drei, drei mittelalterl. Burgen auf drei nahe beieinander liegenden Bergkegeln zw. Arnstadt und Gotha in Thüringen: **Wachsenburg** (der heutige Bergfried von 1905, jetzt Museum), **Mühlburg** (Ruine) und **Wanderslebener Gleiche** (Ruine). Letztere, 1088 erstmals erwähnt, war Sitz des thüring. Grafengeschlechts von G. (seit 1162 so gen., 1631 ausgestorben). Die Sage von einer Doppelehe eines Grafen von G. dürfte durch den Grabstein (Erfurter Dom) eines Grafen von G. zw. seinen beiden Frauen angeregt worden sein. Literar. Behandlung u. a. bei Goethe (»Stella«, 1776).

Gleichen-Rußwurm, 1) Emilie Freifrau von, * Weimar 25. 7. 1804, † Schloss Greifenstein (Unterfranken) 25. 11. 1872, jüngste Tochter Schillers; veröffentlichte Beiträge zur Biographie Schillers und seiner Familie.

2) Karl Alexander Freiherr von, Schriftsteller, * Schloss Greifenstein (Unterfranken) 6. 11. 1865, † Baden-Baden 25. 10. 1947, Enkel von 1), Urenkel Schillers; schrieb »Schiller« (1913), »Kultur- und Sittengeschichte aller Zeiten und Völker« (1929–31; mit F. Wencker).

Gleichflügler (Pflanzensauger, Homoptera), weltweit verbreitete Ordnung pflanzensaugender Landinsekten mit etwa 30 000 Arten. Man unterscheidet die Unterordnungen Blattläuse, Blattflöhe, Schildläuse, Zikaden, Mottenschildläuse.

Gleichgeschlechtlichkeit, → Homosexualität.

Gleichgewicht, 1) *Biologie:* → biologisches Gleichgewicht, → ökologisches Gleichgewicht.

2) *Chemie:* (chem. G.) Zustand innerhalb einer umkehrbaren chem. Reaktion, bei dem Hin- und Rückreaktion die gleiche Reaktionsgeschwindigkeit haben. Dabei stehen die Konzentrationen oder Drücke der Ausgangs- und Endprodukte in einem bestimmten Verhältnis zueinander, das durch die **G.-Konstante (Massenwirkungskonstante)** angegeben wird (→ Massenwirkungsgesetz).

3) *Physik, Technik:* der Zustand eines Körpers oder Systems, bei dem maßgebende Zustandsgrößen zeitlich konstant sind und/oder Wirkungen und Gegenwirkungen sich aufheben. Man spricht von **dynam. G.,** wenn sich zwei entgegengesetzt verlaufende Prozesse in ihrer Wirkung aufheben.

Mechanik: Zustand eines starren Körpers oder eines Systems von starren Körpern, bei dem sich die Wirkungen aller angreifenden Kräfte gegenseitig aufheben, sodass weder eine resultierende Kraft noch ein resultierendes Drehmoment existiert **(stat. G.).** Je nachdem, ob ein System bei geringer Verschiebung aus der G.-Lage sich von selbst in Richtung auf das G. zurückbewegt, weiter davon entfernt oder auch in der neuen Lage im G. ist, heißt das G. **stabil, labil** oder **indifferent (metastabil).**

Thermodynamik: Ein abgeschlossenes System befindet sich im **thermodynam. G.,** wenn die Entropie ihren größtmögl. Wert erreicht hat. In einem offenen System kann ein stationärer Zustand (→ Fließgleichgewicht) auftreten.

Kernphysik: Beim radioaktiven Zerfall herrscht **radioaktives G.,** wenn von einer bestimmten Atomart in der Zeiteinheit ebenso viele Atome zerfallen wie aus einer anderen Art durch Zerfall gebildet werden.

4) *Politikwissenschaft:* (polit. G.) innenpolitisch: Bestrebungen, durch wechselseitige Kontrolle der Kräfte im Staat Macht zu begrenzen und verschiedenen gesellschaftl. Kräften Möglichkeiten zu ihrer Entfaltung zu geben, z. B. durch das Prinzip der Gewaltenteilung. Außenpolitisch: ausgewogenes Machtverhältnis zw. souveränen Staaten, v. a. im Hinblick auf ihre polit., wirtsch. und militär. Potenzen (z. B. das → europäische Gleichgewicht).

5) *Volkswirtschaftslehre:* Bez. für den Zustand eines Systems, das keine systemimmanenten Änderungstendenzen aufweist. Zentrale Bedeutung hat das **Markt-G.,** bei dem die geplanten Nachfrage- und Angebotsmengen mit dem G.-Preis übereinstimmen. Die Erreichung des **gesamtwirtsch. G.** (totales G.), gekennzeichnet durch Preisniveaustabilität, hohe Beschäftigungsrate, außenwirtsch. G. sowie stetiges und angemessenes Wirtschaftswachstum, ist ein wesentl. wirtschafts- und konjunkturpolit. Ziel jeder Volkswirtschaft.

Gleichgewichtskonstante, *Chemie:* → Massenwirkungsgesetz.

Gleichgewichtsorgane (statische Organe), Organe des Gleichgewichtssinns bei vielen Tieren und beim Menschen; dienen der Wahrnehmung der Lage des Körpers im Raum, und zwar meist mithilfe der Schwerkraftwirkung. Im Allg. liegen ein einheitl. größerer Körper **(Statolith)** oder mehrere kleine Körnchen beweglich einer bestimmten Gruppe von Sinneshärchen eines Sinnesepithels **(Schwererezeptoren, Gravirezeptoren)** auf, das meist in einer Grube oder in einer flüssigkeitserfüllten Blase **(Statozyste)** gelegen ist. Die Sinneshärchen werden durch den Statolithen bei einer Lageveränderung des Körpers in Richtung Schwerkraft verschoben, wodurch sich der Reiz

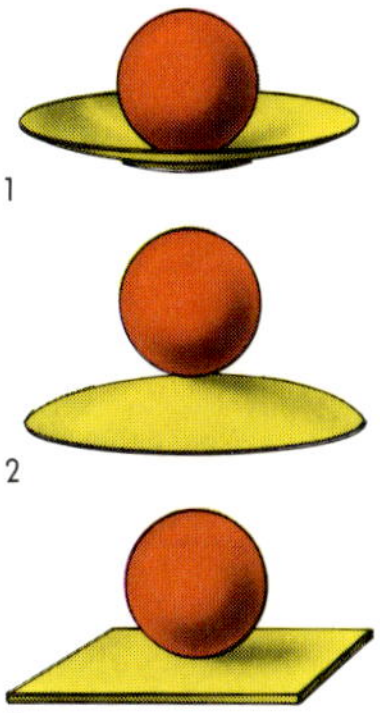
1
2
3

Gleichgewicht 3):
1 stabiles,
2 labiles,
3 indifferentes
Gleichgewicht

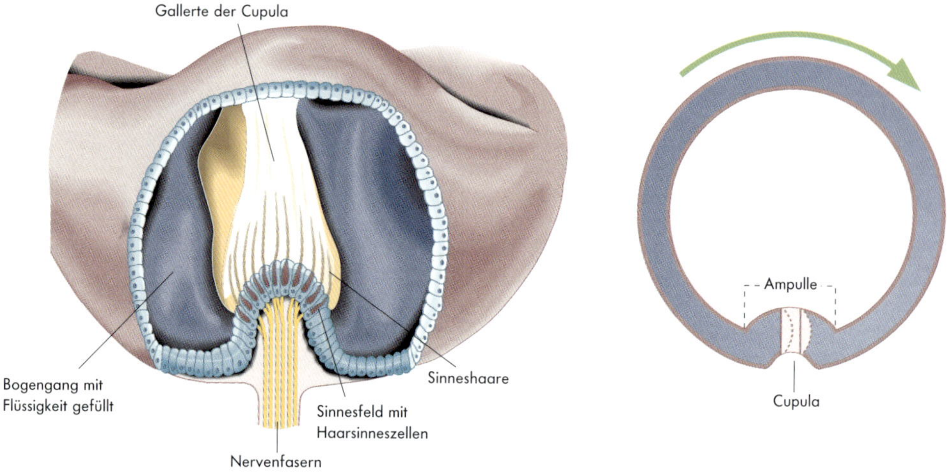

Gleichgewichtsorgane (von links): Schnitt durch die Ampulle eines Bogengangs; die Sinneshaare der Haarsinneszellen sind in eine gallertige Masse (Cupula) eingebettet, die mit der den Sinneszellen gegenüberliegenden Wand der Ampulle verbunden ist; daneben Schema eines Bogengangs mit Ampulle; eine Drehbewegung (Pfeil) führt aufgrund der Trägheit der Flüssigkeit zu einer Auslenkung der Cupula in die Gegenrichtung und somit zu einer Reizung der Sinneszellen

auf die Sinneshärchen der betreffenden Seite verlagert. Diese einseitige Reizung löst reflektorisch Kompensationsbewegungen aus, die den Körper wieder in die normale Gleichgewichtslage zurückzubringen versuchen. Das G. der Wirbeltiere (einschl. des Menschen) befindet sich im Labyrinth (Innenohr), die Sinneszellen liegen in den Sinnesfeldern des Utriculus, des Sacculus und der drei Bogengänge.

Gleichgewichtssinn (statischer Sinn, Schwerkraftsinn, Schweresinn), mechan. Sinn zur Wahrnehmung der Lage des Körpers bzw. der einzelnen Körperteile; im Hinter- bzw. Kleinhirn lokalisiert. Der G. ist für die aufrechte Körperstellung wichtig. (→Gleichgewichtsorgane)

Gleichheit, **1)** *Logik:* die Übereinstimmung zweier oder mehrerer Gegenstände, Gegenstandsmerkmale oder Sachverhalte hinsichtlich einer bestimmten, vieler oder aller Eigenschaften. Im letzteren Fall spricht man auch von Identität.

2) *Recht:* Im Recht meint G. heute v.a. die **G. vor dem Gesetz**, die sowohl die G. der Rechtsanwendung (»ohne Ansehen der Person«) als auch die Rechtssetzungs-G. (die den Gesetzgeber bindet) umschließt und in dieser Ausprägung verfassungsrechtlich gewährleistet ist. Das G.-Recht ist aus der naturrechtl. Idee von der angeborenen und unveräußerl. G. des Menschen hervorgegangen. Nach dem (nord)amerikan. und frz. Vorbild wurde es auch in die dt. Verf. des 19. Jh. übernommen. Der allgemeine G.-Satz (»Alle Menschen sind vor dem Gesetz gleich«) ist in Art. 3 Abs. 1 GG niedergelegt, spezielle Diskriminierungsverbote aufgrund des Geschlechts (→ Gleichberechtigung), der Abstammung, Rasse, Sprache, Heimat, Herkunft, der religiösen oder polit. Überzeugung, einer Behinderung enthalten die Abs. 2 und 3, sowie zugunsten nichtehel. Kinder Art. 6 Abs. 5 und hinsichtlich staatsbürgerl. Rechte Art. 33 und 38 GG.

G.-Verbürgungen enthalten auch Art. 7 und 26 des *österr.* Bundes-Verfassungs-Ges. sowie Art. 4 der *schweizer.* Bundesverfassung.

Gleichheitssatz (allgemeiner Gleichheitssatz), in Art. 3 Abs. 1 GG verankertes Grund- und Menschenrecht, wonach vor dem Gesetz alle Menschen gleich sind. Nur gleichartige Lebenssachverhalte sollen gleich, ungleichartige entsprechend ungleich behandelt werden.

Gleichheitszeichen, *Mathematik:* →Gleichung.

Gleichlauf, **1)** *Maschinenbau:* bei Maschinen übereinstimmende Drehungsrichtung einzelner Teile (Wellen, Zahnräder u.a.); Ggs. Gegenlauf.

2) *Rundfunk-* und *Fernsehtechnik:* in Hörrundfunkempfängern (Überlagerungsempfängern) die Übereinstimmung der Eigenfrequenzen mehrerer Schwingkreise im ganzen Abstimmbereich (sie ist für die Einknopfbedienung erforderlich); beim Fernsehen die Übereinstimmung der Ablenkung des Kathodenstrahls der Empfängerbildröhre mit der Abtastung des Bildes in der Aufnahmeeinrichtung, sie wird durch **G.-Signale** (Synchronisierungsimpulse) bewirkt. G.-Fehler bewirken »durchlaufende« Bilder.

Gleichlaufschwankungen (engl. Wow and flutter), *Elektroakustik:* kurzzeitige Änderungen der mittleren Bandgeschwindigkeit bei Bandgeräten oder der Drehzahl bei Plattenspielern, die sich als nieder- (»wow«) oder höherfrequente (»flutter«) Tonhöhenschwankungen bemerkbar machen. G. können verringert werden durch Schwungmassen (z.B. schwerer Plattenteller), Direktantrieb, elektronisch geregelte Antriebsmotoren. Bei der Wiedergabe von Videosignalen sind dies Schwankungen der Horizontal- und Farbträgerfrequenz und damit Verzerrungen und Farbverfälschungen.

gleichmächtig, *Mathematik:* → Mächtigkeit.

Gleichnis, in der Literatur Form des Vergleichs in literar. Sprache, bei dem ein Vorgang, eine Vorstellung oder ein Zustand durch einen entsprechenden Sachverhalt aus einem anderen sinnlich-gegenständl. Bereich veranschaulicht wird, wobei beiden Vorstellungen ein drittes Moment (Tertium Comparationis) gemeinsam ist. Anders als bei der → Metapher stellt das G. das Bild nicht an die Stelle der Sache (»Frühling des Lebens« für »Jugendzeit«), sondern es stellt beides, durch eine Vergleichspartikel verbunden, nebeneinander. (→ Parabel)

Gleichrichter, elektron. Geräte, Bauelemente oder Schaltungen zur Umwandlung (Gleichrichtung) von Wechselstrom in (pulsierenden) Gleichstrom unter Benutzung von Schaltelementen, die aufgrund ihrer elektr. »Ventilwirkung« den elektr. Strom nur (oder vorwiegend) in einer Richtung hindurchlassen, in der anderen Richtung hingegen entsprechend sperren. Mechan. G. mit synchron, im Takt des Wechselstroms rotierenden oder schwingenden Kontakten, die den Stromkreis im Nulldurchgang der Spannung für eine Halbwelle eventuell über Lichtbogen schließen, werden vorwiegend in G.-Messinstrumenten eingesetzt. Die elektromechan., Elektrolyt- und Röhren-G. sind inzwischen fast völlig von Halbleiter-G. verdrängt worden. **Halbleiter-G.** beruhen auf der Sperrschichtwirkung elektr. Halbleiter (Germanium, Silicium, Selen oder Kupfer(I)-oxid). Heute werden v.a. Germanium- und Siliciumdioden **(G.-Dioden)**, bei denen die G.-Wirkung durch den → p-n-Übergang zw. einer p- und einer n-leitenden Halbleiterschicht bewirkt wird, wegen ihrer geringen Größe, ihrer kleinen Spannungsverluste und ihrer mechan. Unempfindlichkeit in fast allen G.-Schaltungen und Stromrichtern der Leistungselektronik verwendet. Für größere Leistungen werden auch p-i-n-Dioden und Halbleiterdioden mit einer p-s-n-Sperrschicht sowie als steuerbare G. (→ Thyristor) eingesetzt.

G.-Schaltungen: Nach Art der Schaltungsanordnung unterscheidet man zw. **Einweg-G.**, die nur eine der beiden Halbschwingungen einer Periode ausnutzen, und **Zweiweg-G.**, bei der beide Halbschwingungen verarbeitet werden. Zu den Zweiweg-G. gehören die Mittelpunktschaltung, die einen Transformator mit sekundärseitiger Mittelanzapfung und zwei Dioden benötigt, und die Brückenschaltung, die aus vier Dioden besteht. Jede G.-Schaltung liefert einen Gleichstrom, dem ein Wechselanteil überlagert ist. Er ist beim Einweg-G. am größten und bei den Brücken-G. am geringsten. Zur → Glättung des pulsierenden Gleichstroms verwendet man eine Siebschaltung aus Ladekondensator, Drossel und Siebkondensator.

G.-Schaltungen (bes. in Form von Brückenschaltungen) befinden sich in Netzgeräten, die der Stromversorgung elektron. Geräte (z.B. Verstärker, Rundfunkempfänger, Taschenrechner, Ladegeräte für Akkumulatoren u.a.) dienen. In der Hochfrequenz-, Sende- und Empfangstechnik werden G.-Schaltungen zur Demodulation eingesetzt, in der elektr. Energietechnik sind sie als Stromrichter wichtig.

Gleichrichtereffekt (Sperreffekt, Sperrschichteffekt), starke Behinderung des Stromdurchgangs in einer Richtung, der Sperrrichtung, bei Metall-Halbleiter-Übergängen und zw. p- und n-leitenden Halbleiterbereichen (→ Halbleiter). Der G. wird u.a. bei Halbleiterdioden zur Gleichrichtung ausgenutzt. Der G. wurde 1875 von K. F. Braun entdeckt und von W. Schottky 1939 gedeutet, daher auch die Bez. **Schottky-Effekt.**

Gleichrichtwert, Mittelwert einer periodisch veränderl. Größe (z.B. Strom, Spannung), der durch Gleichrichtung der Wechselgröße entsteht.

Gleichschaltung, polit. Schlagwort aus der Zeit der nat.-soz. Machtergreifung, bezeichnet die Aufhebung des Pluralismus auf allen Ebenen des öffentl. Lebens zugunsten der nat.-soz. Politik und Ideologie. Der Begriff wird analog auf ähnl. Praktiken totalitärer Regierungen angewandt.

Gleichschein, *Astronomie:* die Konjunktion (→ Aspekt).

Gleichspannung, zeitlich konstante elektr. Spannung, die einen stets in die gleiche Richtung fließenden elektr. Gleichstrom verursacht; Ggs. Wechselspannung.

Gleichstrom, elektr. Strom, der ständig in gleicher Richtung fließt, im Ggs. zum → Wechselstrom. **Reiner G.** entsteht bei elektrochem. Vorgängen, z.B. in galvan. Elementen. Bei **pulsierendem G.,** technisch hergestellt durch → Generatoren oder Gleichrichter, ändert sich der Betrag der Stromstärke periodisch. Ist dem G. ein Wechselstromanteil überlagert, spricht man von Mischstrom.

Gleichstrommaschine, elektr. Maschine, aufgebaut als Gleichstrommotor (→ Elektromotor) oder als Gleichstromgenerator (→ Generator).

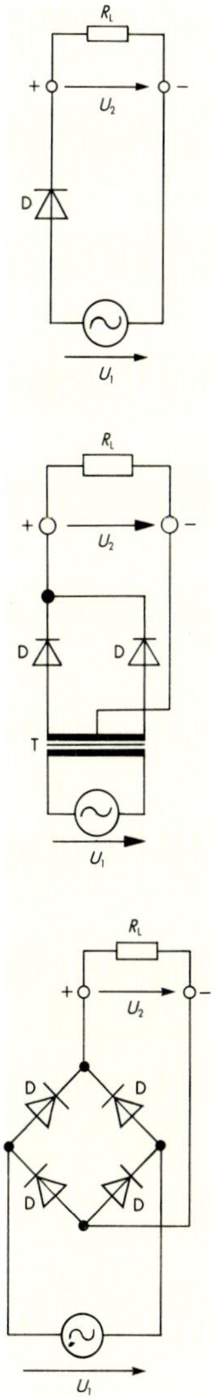

Gleichrichter (von oben): Einweggleichrichter in Einwegschaltung; Zweiweggleichrichter in Mittelpunktschaltung sowie in Brückenschaltung; D Diode (Gleichrichter), R_L Lastwiderstand (Verbraucher), T Transformator mit Mittelanzapfung, U_1 Wechselspannung, U_2 gleichgerichtete Spannung

Gleichung, 1) (chem. G.) →chemische Zeichensprache.

2) *Mathematik:* Ausdruck für eine Gleichheit von Größen (Zahlen, Funktionen), die durch das Gleichheitszeichen (=) dargestellt wird. Die Menge der Lösungen einer G. ist deren **Lösungsmenge.** Man unterscheidet **ident. G.,** die nur bekannte Größen enthalten oder für alle Werte der in ihnen enthaltenen Variablen gelten, z. B. $3+5=8$ oder $(a+b)(a-b)=a^2-b^2$, und **Bestimmungs-G.,** die nur für bestimmte Werte ihrer Variablen erfüllt sind, z. B. $3x+2=11$ für $x=3$. Spezielle erfüllbare G. sind Funktional-G. (z. B. Differenzial- und Integral-G.), deren Lösungen Funktionen sind. **Funktions-G.** wie $y=x^2+1$ beschreiben eine funktionale Abhängigkeit. – Nach der Art der Terme unterscheidet man **algebraische** und **nichtalgebraische (transzendente) G.** Eine algebraische G. entsteht durch Nullsetzen eines →Polynoms, dessen Grad auch der Grad der G. ist; G. 1., 2. bzw. 3. Grades heißen **lineare, quadrat.** bzw. **kub. G.** Für die transzendenten G. gibt es keine allg. Klassifizierung; wichtige Typen sind **Exponential-G., logarithm. G.** und **goniometr. G.,** bei denen die Variablen im Exponenten, im Argument eines Logarithmus bzw. einer trigonometr. Funktion vorkommen.

Gleichverteilungssatz der Energie (Äquipartitionstheorem), Satz der mechan. Wärmetheorie. Auf jeden Freiheitsgrad (der Translation, Rotation und Schwingung) eines Teilchens, das der Wärmebewegung unterworfen ist, entfällt bei der absoluten Temperatur T im statist. Mittel die gleiche Energie, nämlich $k \cdot T/2$ (k= Boltzmann-Konstante); der G. d. E. gilt nur bei genügend hohen Temperaturen. Auf den festen Körper angewandt, führt er auf die →Dulong-Petit-Regel.

Gleichwellenfunk, gleichzeitiger Betrieb mehrerer Rundfunksender auf derselben Frequenz mit demselben Programm; kann durch Interferenzen zu Störungen führen.

Gleichzeitigkeit, *Physik:* die durch zwei an verschiedenen Orten und in verschiedenen Bewegungszuständen befindl. Beobachter an ihren Uhren festgestellte zeitl. Übereinstimmung des Eintretens eines physikal. Ereignisses. Der Begriff der G., der auf der Annahme des gleichen Ablaufs der Zeit (absolute Zeit) an allen Punkten des Raumes beruht, wurde in der spez. →Relativitätstheorie neu gefasst.

Johann Wilhelm Ludwig Gleim (Ausschnitt eines zeitgenössischen Stahlstichs)

Gleim, Johann Wilhelm Ludwig, Dichter, *Ermsleben (Kr. Aschersleben-Staßfurt) 2. 4. 1719, †Halberstadt 18. 2. 1803; Mitbegründer des Halleschen Freundeskreises, wurde der führende Vertreter der →Anakreontiker. Im »Versuch in scherzhaften Liedern« (2 Tle., 1744–45) besang er die Freuden der Liebe und des Weines; schrieb ferner »Preußische Kriegslieder in den Feldzügen 1756 und 1757 von einem Grenadier« (1758), Epigramme, Oden, Fabeln, Romanzen und Balladen.

Gleis, die Fahrbahn von Schienenfahrzeugen (beim Eisenbahn-G. Teil des Eisenbahnoberbaus), bestehend aus zwei in gleich bleibendem Abstand (Spurweite) verlaufenden Stahlschienen, Schwellen und Schienenverbindungs- und -befestigungsmitteln.

Gleisbau, alle Arbeiten zur Herstellung und Erhaltung des Oberbaus von Schienenbahnen, wofür spezielle G.-Maschinen eingesetzt werden. Der Schotter wird mittels Schotterverteiler, -rechen, -pflug oder Gleishublader maschinell in die Schwellenfächer verteilt oder seitlich neben dem Gleis angehäuft und mit gleisfahrbaren Stopfmaschinen unter dem Schwellenrost bei gleichzeitigem Nivellieren und Richten des Gleises verdichtet. Die Schienen und Schwellen werden mit kranartigem Gerät verlegt. Auf Großbaustellen werden heute auch Schnellumbauzüge eingesetzt, die aus verschiedenen, hintereinander gestaffelten Maschinen bestehen und die Gleiserneuerung im Fließbandverfahren mit Leistungen bis 350 m/h vornehmen.

Gleiskettenfahrzeug (Kettenfahrzeug, Raupenfahrzeug), Fahrzeug, dessen Räder zur Verringerung der Bodenpressung auf Gleisketten laufen; Lenkung durch einseitiges Bremsen der Ketten. **Halbkettenfahrzeuge** haben zusätzlich Lenkräder. Verwendet werden G. als Geländefahrzeuge bei der Bau-, Land- und Forstwirtschaft und beim Militär (Panzer).

Gleitbauweise (Gleitschalungsfertigung), Bauweise bei turmartigen Betonbauten unter Verwendung einer Schalung, die dem Baufortgang entsprechend am Bauwerk hochgezogen wird und sich jeweils auf dem bereits betonierten Teil abstützt; die G. wird auch beim Betonstraßenbau eingesetzt.

Gleitboot, schnelles Motorboot, das sich infolge seines flachen Bodens, der oft eine Stufe aufweist **(Stufenboot),** bei höherer Geschwindigkeit durch Strömungsauftrieb teilweise aus dem Wasser hebt, sodass sich der Wasserwiderstand beträchtlich vermindert. G. »reiten« sozusagen auf ihrer eigenen Bugwelle.

gleitende Arbeitszeit, →Arbeitszeit.

gleitender Lohn, →Indexlohn.

gleitender Zoll (Gleitzoll), protektionistisch wirkender Einfuhrzoll, der mit steigendem (sinkendem) Preis der Ware fällt (steigt). Der g. Z. dient der flexiblen Abschirmung des Binnenmarktes vor Preisschwankungen auf dem Weltmarkt und vor ausländ. Konkurrenz.

Gleiter (Gleitflugzeug), einfaches, motorloses Flugzeug mit geringer aerodynamischer Güte zur Anfangsschulung von Segelfliegern.

Gleitflug, ohne zusätzl. Antrieb auf einer geneigten Bahn (Gleitbahn) erfolgender Flugzeugflug, wobei die in Flugrichtung liegende Komponente des Eigengewichts mit dem Luftwiderstand im Gleichgewicht steht. Der Winkel, den dabei die Flugbahn mit der Horizontalen bildet, heißt Gleitwinkel; sein Tangens entspricht dem Verhältnis von Widerstand zu Auftrieb **(Gleitzahl);** der Kotangens wird als **aerodynam. Qualität** bezeichnet.

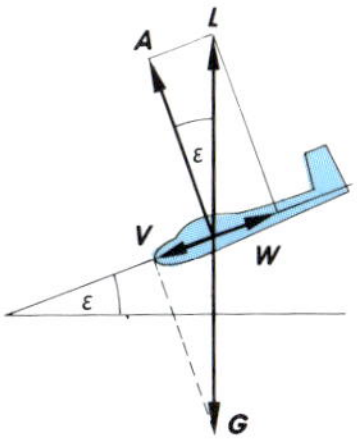

Gleitflug: Kräfte im freien Gleitflug; A Auftrieb, ε Gleitwinkel, G Schwerkraft, L Luftkraft, V Vortriebskraft (in Flugrichtung liegende Komponente von G), W Widerstand

Albert Gleizes: »Die Kathedrale von Chartres« (1912; Hannover, Niedersächsisches Landesmuseum)

Gleithang, *Geomorphologie:* der dem steilen Prallhang gegenüberliegende, sanft geneigte Talhang an der Innenseite einer Talkrümmung (→Mäander). Wegen geringer Fließgeschwindigkeit (der Stromstrich befindet sich nahe dem Prallhang) ist der G. Ablagerungsgebiet für das vom Fluss mitgeführte Sand- und Geröllmaterial. In flachem Gelände **Gleitufer** genannt.

Gleitkommadarstellung (Gleitpunktdarstellung), bes. in der Datenverarbeitung verwendete halblogarithm. Darstellung von Zahlen z der Form $z = m \cdot b^y$ durch Mantisse m und Exponent y; die Basis b hat einen festen ganzzahligen Wert (meist 2, 10 oder 16). Vorteil der G. gegenüber der →Festpunktdarstellung ist die einfache Erweiterung des Zahlenbereichs.

Gleitmodul, der →Schubmodul.

Gleitreibung, Form der →Reibung.

Gleitung, *Kristallographie:* plast. Deformationen, die an vielen Kristallen bei gerichteten mechan. Schubbeanspruchungen zu beobachten sind. Dabei werden Kristallschichten parallel zu einer Kristallgitterebene, der **Gleitebene,** in einer festgelegten Richtung **(Gleitrichtung)** verschoben, ohne dass Trennungen durch Spaltbarkeiten oder Brüche auftreten.

Gleitwegsender, Teil des Instrumentenlandesystems (→Landeführungssysteme) für die Vertikalführung eines landenden Flugzeugs.

Gleitzeit, →Arbeitszeit.

Gleiwitz, Stadt in Polen, →Gliwice.

Gleizes [glɛ:z], Albert, frz. Maler, Grafiker und Kunstschriftsteller, *Paris 8. 12. 1881, †Avignon 23. 6. 1953; wandte sich 1909 dem Kubismus zu, 1914 entstanden seine ersten abstrakten Bilder; in Auseinandersetzung mit dem Orphismus R. Delaunays entwickelte er einen eigenen, Farbe und Rhythmus betonenden Stil. Ab Mitte der 30er-Jahre weisen seine Bilder lyr. Züge auf. G. verfasste auch kunstwiss. Schriften, u.a. zum Kubismus.

Glemp, Józef, poln. katholischer Theologe, *Inowrocław 18. 12. 1928; 1981–92 Erzbischof von Gnesen und Warschau (in Personalunion), seit März 1992 (Bistumsneugliederung) von Warschau; Primas von Polen; seit 1983 Kardinal.

Józef Glemp

Glencheck [-tʃek, engl.] *der,* Musterungsart für Oberbekleidung, bei der durch den Wechsel farbiger Fäden in Kette und Schuss Karomuster Ton in Ton, teilweise auch größere »Überkaros« erzeugt werden.

Glendonite, sternförmige, walnuss- bis faustgroße Kristallaggregate, bestehend aus Pseudomorphosen überwiegend von Kalkspat nach Thenardit, die sich im unterkühlten Meerwasser in oder auf der oberen Lage des Meeresbodens bilden. Als fossile Klimazeugen seit dem Perm bekannt.

Glenn, John Herschel, amerikan. Astronaut, *Cambridge (Ohio) 18. 7. 1921; führte am 20. 2. 1962 als erster Amerikaner einen bemannten Raumflug aus (3 Erdumläufe in einer Mercury-Kapsel, Flugzeit 4 Std. 55 min); später engagierte er sich in der Politik.

John H. Glenn

Glenrothes [glenˈrɔθɪs], Stadt in O-Schottland, Verw.sitz der Local Authority Fife, 36650 Ew.; mehrere Gewerbeparks mit Elektronik- und Leichtindustrie. – 1948 als New Town gegründet.

Gletscher [von lat. glacies »Eis«] (österr. Kees oder Ferner, in Graubünden Woder, im Wallis Biegno, frz. Glacier, engl. Glacier, italien. Ghiacciaio, norweg. Brae, isländ. Jökull), Eisströme oder -felder, deren **Nährgebiet** (Eiszuwachs) in Firnfeldern oder -mulden der Hochgebirge und Polarländer oberhalb der →Schneegrenze liegt, wo jährlich mehr Niederschlag in fester Form fällt als abschmilzt (→Firn); der unteren Grenze dieser Zone folgt das **Zehrgebiet** des G. (Eisabnahme). Das in vielen Sommer- und Winterschichten übereinander gelagerte, sich unter Druck plastisch verhaltende (»fließende«) Eis bewegt sich durch die Schwerkraft zw. den Talhängen bergabwärts. Die Geschwindigkeit schwankt (in den Alpen jährlich

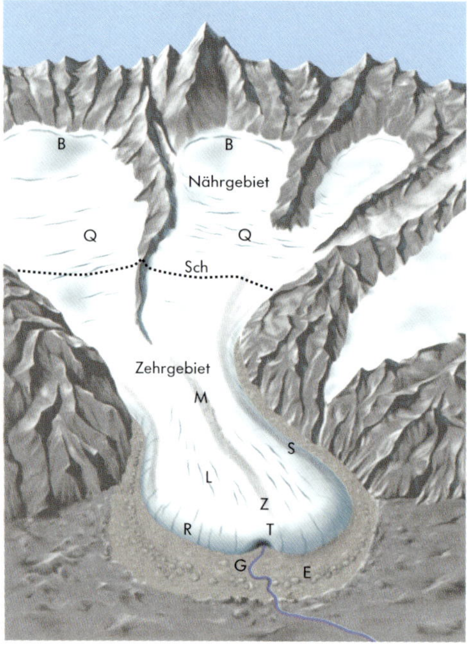

Gletscher: Aufbau eines Gletschers; B Bergschrund, Sch Schneegrenze, Q Querspalten, R Randspalten, L Längsspalten, M Mittelmoränen, E Endmoränen, S Seitenmoränen, Z Gletscherzunge, T Gletschertor, G Gletscherbach

40 bis 200 m, in O-Grönland bis mehrere km jährlich). Bei der Bewegung bilden sich die **G.-Spalten,** bis 40 m tief. Bis 100 m tief kann der **Bergschrund** werden, die bis über 30 m breite, das Firnfeld umziehende Spalte an der Grenze zw. bewegtem und am Fels festgefrorenem Eis. Die Abschmelzfuge zw. Fels und Firn heißt **Randkluft.** Über einem jäh abfallenden Untergrund entsteht der **G.-Bruch,** eine Eiskaskade von Blöcken, Zacken, Nadeln (Séracs), deren Trümmer wieder zusammenfrieren. Schützen Felsblöcke das darunter liegende Eis vor dem Abschmelzen, so entstehen **G.-Tische.** Die G. schmelzen oft erst weit unterhalb der Schneegrenze durch Abtauen von oben und durch zirkulierendes Schmelzwasser von unten. Dieses entströmt als **G.-Bach (G.-Milch)** der **G.-Zunge,** meist aus einer torähnl. Öffnung, dem **G.-Tor** (bis 40 m hoch). Man unterscheidet zwei Hauptarten der Vergletscherung: **Inlandeis** (Antarktis, Grönland), mit Vereisung ganzer Länder und Kontinente. Diesem ähnlich sind die Eiskappen oder Eisschilde (Spitzbergen) sowie die Plateau-G. (Norwegen, Island). Bei den **Gebirgs-G.** ist das Eis dem Relief untergeordnet; daher finden sich hier Sonderformen, wie Hang- oder Gehänge-G., Kar-G. und Tal-G. – Der Anteil der G. (BILD Montblanc) an der Gestaltung der Erdoberfläche ist beträchtlich, bes. haben die Glazialbildungen des →Eiszeitalters weitere Glaziallandschaften geschaffen. – Die **Gletscherkunde (Glaziologie)** ist die Lehre von der Entstehung, den Formen, der Wirkung und Verbreitung des Eises auf der Erde. Durch ihre Untersuchungen ermöglicht sie Rückschlüsse auf die Verhältnisse während der Eiszeiten und die Entstehung der Glaziallandschaft (→Moränen).

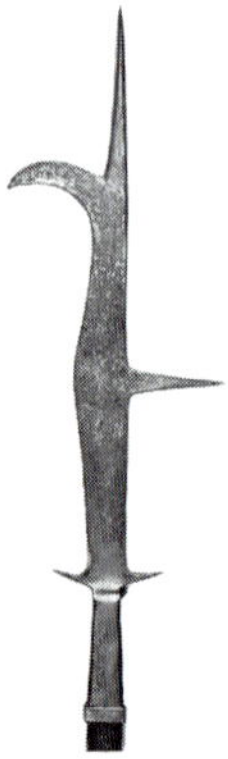

Gleve 2)

📖 MARCINEK, J.: *G. der Erde. Thun u. a. 1985.* – RÖTHLISBERGER, F. *u.* GEYH, M. A.: *10000 Jahre Gletschergeschichte der Erde, 2 Tle. Aarau u. a. 1986.* – *G., Schnee u. Eis. Das Lexikon zur Glaziologie, Schnee- u. Lawinenforschung in der Schweiz, hg. v. der Gletscherkommission der Schweizerischen Akad. der Naturwiss.en u. a. Luzern 1993.*

Gletscherbrand, →Lichtschäden.

Gletscherfloh, Art der →Springschwänze.

Gletschergarten, bes. gutes Beispiel ehem. Gletschertätigkeit in der Landschaft, mit Gletscherschliffen, -mühlen u.a. Glazialformen (Luzern, Inzell); häufig unter Naturschutz.

Gletschermühle, spiralwandige Röhre im Gletschereis, durch in Gletscherspalten herabstürzendes Wasser geschaffen. Auf dem Grund der G. entstehen oft im anstehenden Fels durch das unter hohem Druck stehende Schmelzwasser und die Erosionsleistung der mitgeführten Gesteinstrümmer Strudellöcher, die **Gletschertöpfe.**

Gletscherschliff (Eisschliff), durch Bewegung eines Gletschers vom Eis geschliffene Gesteinsfläche, oft mit eingeritzten Gletscherschrammen.

Gleukometer [zu grch. gleũkos »süßer Wein«] *das,* die Mostwaage (→Most).

Gleve (Glefe, Gläve) [frz.] *die,* **1)** *Heraldik:* die obere Hälfte einer Lilie.

2) *Militärwesen:* im MA. Hieb- und Stoßwaffe, eine Stange mit schwertartiger Klinge.

Gley *der* (Glei), unter Stau- oder Grundwassereinfluss stehender Bodentyp bes. in Niederungen.

Glia [grch.] *die,* die →Neuroglia.

Vergletscherte Flächen der Erde

Antarktis und subantarktische Inseln	13 593 300 km²
Arktis und subarktische Inseln	1 981 700 km²
davon: Grönland	1 726 400 km²
Kanadisch-Arktischer Archipel	151 800 km²
Spitzbergen	36 600 km²
Nowaja Semlja	23 600 km²
Sewernaja Semlja	18 300 km²
Franz-Josef-Land	13 700 km²
Island	12 300 km²
Asien[1]	185 200 km²
Nordamerikanischer Kontinent	124 500 km²
Südamerika (Anden)	25 900 km²
Europa[2]	6 100 km²
Neuseeland und Neuguinea	870 km²
Afrika	10 km²
Erde	etwa 15 917 600 km²

[1] ohne subarkt. Inseln. – [2] ohne Island und Spitzbergen.

Glied, *Anatomie:* 1) →Gliedmaßen; 2) männl. Geschlechtsorgan, →Penis.

Gliederfüßer (Arthropoden, Arthropoda), seit dem Kambrium bekannter Stamm der Gliedertiere, der mit über 850 000 Arten fast 70 % aller Tierarten umfasst; Körperlänge von unter 0,1 mm bis etwa 60 cm; mit Außenskelett aus Chitin. Da die Chitinkutikula nicht dehnbar ist, sind beim Wachstum der G. regelmäßige Häutungen und Neubildungen der Kutikula erforderlich. – Die G. stammen von Ringelwürmern ab. Demnach ist auch ihr Körper segmentiert. Urspr. trägt jedes Segment ein Paar Gliedmaßen, die sehr unterschiedlich ausgebildet sein können (z. B. als Laufbeine, Flügel, Saugrüssel, Fühler). Die Sinnesorgane (v. a. chem. und opt. Sinn) sind meist hoch entwickelt, ebenso das Zentralnervensystem. Zu den G. zählen v. a. Spinnentiere, Asselspinnen, Krebstiere, Tausendfüßer, Hundertfüßer und Insekten.

Gliedertiere (Artikulaten, Articulata), Gruppe von Stämmen wirbelloser Tiere, die durch echte Gliederung des Rumpfes gekennzeichnet sind. Die G. umfassen die Ringelwürmer, Stummelfüßer, Bärtierchen, Zungenwürmer, Gliederfüßer, insgesamt 75 % aller bekannten Tierarten.

Gliederungszahl, *Statistik:* Quote oder Anteilsziffer, die die Bedeutung einer Teilmasse an der Gesamtmasse misst, meist in Prozent, z. B.: Anzahl der Knabengeburten pro Gesamtzahl der Geburten.

Gliedmaßen (Extremitäten), v. a. der Fortbewegung (Bein, Flossen, Flügel), aber auch dem Nahrungserwerb (z. B. Mund-G.), der Fortpflanzung (z. B. Gonopoden), der Atmung oder als Tastorgane dienende, in gelenkig miteinander verbundene Teile gegliederte, paarige Körperanhänge bei Gliederfüßern und Wirbeltieren; beim Menschen unterscheidet man **obere G.** (Arme) und **untere G.** (Beine).

Gliedsatz, *Grammatik:* Nebensatz, der die Funktion eines Satzgliedes einnimmt.

Gliedstaaten, Mitgliedstaaten eines Bundesstaates. Die Benennung solcher Staaten variiert: in Dtl.: Länder, in Österreich: Bundesländer, in der Schweiz: Kantone, in den USA: Staaten. G. besitzen eine ursprüngl., nicht vom Zentralstaat abgeleitete Staatsgewalt; ihnen sind kraft Bundesverfassung bestimmte Aufgaben zugewiesen.

Glier, Reingold Morizewitsch, eigtl. Reinhold Glière, russ. Komponist belg. Abstammung, *Kiew 11. 1. 1875, †Moskau 23. 6. 1956; vereinte in seinen Werken folklorist. Elemente v. a. Russlands und der Ukraine und impressionist. Einflüsse; schrieb Sinfonien, Opern, Streichquartette, Konzerte, Lieder, Ballettmusiken.

Glima [isländ.] *die,* →Gürtelringen.

Länge und Fläche einiger Talgletscher

Gletscher	Länge in km	Fläche in km²
Hubbard-G. (Alaska)	122	3 400
Malaspina-G. (Alaska)	113	2 200
Fedtschenko-G. (Pamir, Tadschikistan)[1]	77	652
Columbia-G. (Alaska)	61	1 100
Biafo-G. (Karakorum, Pakistan)	59	544
Baltoro-G. (Karakorum, Pakistan)	57	754
Skeiðarárjökul (Island)[2]	50	1 300
Moreno-G. (Argentinien)[2]	30	257
Großer Aletsch-G. (Wallis, Schweiz)	25	87
Khumbu-G. (Himalaja, Nepal)	18	34
Gorner-G. (Wallis, Schweiz)	14	69
Mer de Glace (Montblancgruppe, Frankreich)	12	33
Franz-Josef-G. (Neuseeland)[2]	10	33
Nigardsbreen (Norwegen)[2]	10	48
Abramow-G. (Kirgistan)	9	26
Pasterze (Hohe Tauern, Österreich)	9	20
Forni (Ortler, Italien)	6	13
Vernagtferner (Ötztaler Alpen, Österreich)	3	10

[1] einschließlich Nebengletschern: 992 km². – [2] Abflussgletscher.

Glimmentladung, stromschwache, selbstständige →Gasentladung mit kalten Elektroden und charakterist. Leuchtschichten. Anwendung findet die Lichtemission der positiven Säule in Hochspannungsleuchtröhren und die des negativen Glimmlichts in →Glimmlampen.

Glimmer, artenreiche Gruppe gesteinsbildender Minerale der allgemeinen Zusammensetzung $M^IM^{II}_3$ $[(OH)_2|AlSi_3O_{10}]$ oder $M^IM^{III}_2$ $[(OH)_2|AlSi_3O_{10}]$, dabei bedeuten M^I meist K, M^{II} Mg, Fe und M^{III} Al; ein Teil des OH kann durch F ersetzt sein. Als Schichtsilikate sind alle G. parallel den Schichtebenen sehr gut spaltbar (Härte nach Mohs in Schichtebenenrichtung 2,5, sonst 4; Dichte 2,7–3,2 g/cm³). Kristalle blättrig bis tafelig, auch kurzsäulig; Aggregate dicht, plattig oder schuppig-körnig. G.-Blättchen sind elastisch biegsam, gut wärmeleitend und von hoher Isolierfähigkeit (Elektrotechnik). G. sind in großen Mengen in den meisten Magmatiten und Metamorphiten sowie in manchen Sedimenten enthalten. Wichtige G. sind der dunkle **Biotit** mit der Formel

Reingold Glier

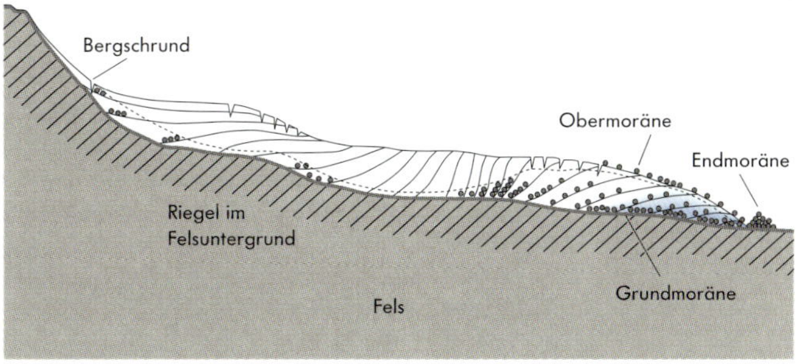

Gletscher: Längsschnitt durch einen Gletscher

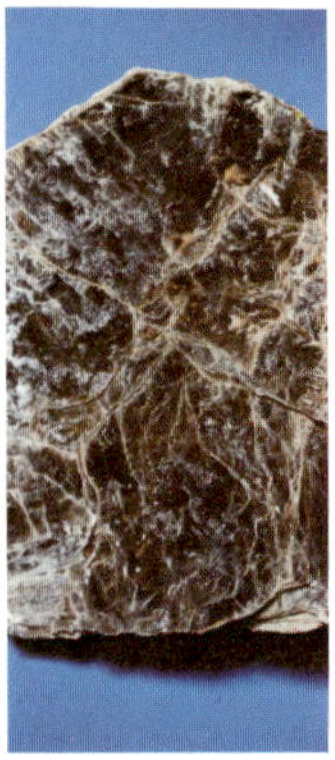

Glimmer: Biotit (Spaltstück)

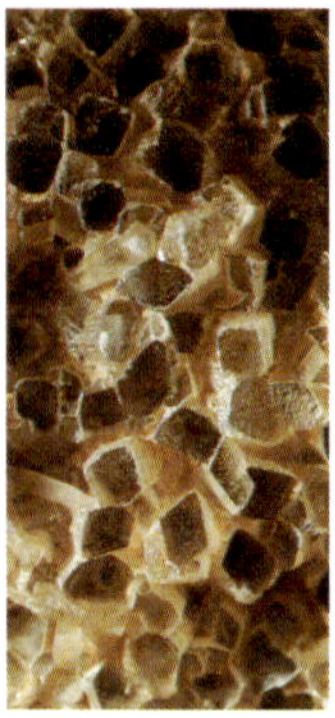

Glimmer: Muskovit

Glimmerschiefer

$K(Mg,Fe)_3[(OH,F)_2|AlSi_3O_{10}]$ und der helle **Muskovit** mit der Formel $KAl_2[(OH,F)_2|AlSi_3O_{10}]$, ferner die Lithium-G. (Lepidolith, Zinnwaldit) und Spröd-G. (Margarit).

Glimmerschiefer, metamorphe Gesteine, bestehen vorwiegend aus Quarz und Glimmer; gehören zu den kristallinen Schiefern.

Glimmlampe, eine → Gasentladungslampe, bei der die Glimmlichtbildung an der Kathode genutzt wird. Die Gasfüllung besteht meist aus Neon und Helium, sodass die G. ein rötl. Licht gibt. Leistung und Lichtausbeute sind gering (≈ 1 W bzw. 0,5 lm/W).

Glimmrelaisröhre [-rəlɛ:-, frz.] (Kaltkathodenthyratron), gasgefüllte Glimmentladungsröhre mit einer kalten Kathode, einer Anode und einer oder mehrerer Zündelektroden. Durch eine dauernd brennende, stromschwache Hilfsentladung wird eine Vorionisierung der Zünd- bzw. Hauptentladungsstrecke erreicht, die Röhre ist somit immer betriebsbereit; Anwendung daher bes. in Warn- und Alarmanlagen.

Glinka, Michail Iwanowitsch, russ. Komponist, *Nowospasskoje (Gouv. Smolensk) 1. 6. 1804, †Berlin 15. 2. 1857; Begründer einer nat. russ. Schule; schrieb Opern (»Ein Leben für den Zaren«, 1836; »Ruslan und Ljudmila«, 1842), Ouvertüren, Kammermusik, Klavierstücke und Lieder.

Gliom [von Glia] *das,* Sammelbez. für alle vom Nervenstützgewebe (Neuroglia) ausgehenden Geschwülste des Zentralnervensystems; Vorkommen v.a. im Gehirn, aber auch in Rückenmark, Netzhaut und peripheren Nerven. Ein bösartiges G. heißt **Glioblastom.**

glissando [italien.], Abk. **gliss.,** *Musik:* die gleitende Ausfüllung eines größeren Tonraumes; bei Streichinstrumenten das Gleiten eines Fingers zw. zwei Tönen; beim Klavier das schnelle Gleiten über die Tasten mit der Nagelseite eines Fingers; bei Blasinstrumenten (bes. in der Jazzmusik) das Hinüberschleifen von einem Ton zum nächsten.

Glisson-Schlinge [nach dem engl. Mediziner Francis Glisson, *1597, †1677], Zugvorrichtung, die an Kinn und Hinterhaupt angreift; sie dient zur Streckung und damit Entlastung bes. der Halswirbelsäule (z.B. bei Verrenkung der Wirbelkörper, Bandscheibenschäden).

Glittertind [-tin], mit seiner Firnhaube der höchste Berg Skandinaviens, 2472 m ü.M., im Jotunheim, Norwegen.

Gliwice [-tsɛ] (dt. Gleiwitz), Ind.stadt in der Wwschaft Katowice (Kattowitz), Polen, auf der Oberschles. Platte, 214500 Ew.; TH; Steinkohlenbergbau, Hütten- und Walzwerke, Kohlechemie, Maschinenbau; Endhafen des 41 km langen G.-Kanals von der Oder. – Vor 1276 als dt. Stadt neben einer slaw. Siedlung (Alt-G.) gegr., gehörte zu versch. schles. Herzogtümern, kam 1492 an das Herzogtum Oppeln, fiel 1742 an Preußen. Durch Bergbau und Eisenind. (1795 erster Kokshochofen auf dem Kontinent) rasche wirtsch. Entwicklung. – Am Abend des 31. 8. 1939 führten SS-Angehörige im Auftrag R. Heydrichs einen Überfall auf den Sender Gleiwitz durch, der der nat.-soz. Führung als Rechtfertigung (»poln. Grenzverletzung«) für den dt. Angriff auf Polen am 1. 9. 1939 diente.

global [lat.], weltumfassend; gesamt, allgemein, pauschal.

Globalisierung, schlagwortartig benutzte Bez. für die zunehmende weltweite Durchdringung von Märkten, v.a. bewirkt durch die wachsende Bedeutung der internat. Finanzmärkte, den Welthandel und die intensive internat. Ausrichtung von (multinationalen) Unternehmen (»Global players«) und begünstigt durch neue Telekommunikationstechniken sowie durch Finanzinnovationen. Diskutiert wird u.a., inwieweit die Einflussmöglichkeit einer nationalen (Wirtschafts-)Politik durch die G. eingeschränkt wird und welche Beschäftigungseffekte daraus erwachsen.

📖 ALTVATER, E. *u.* MAHNKOPF, B.: *Grenzen der G. Ökonomie, Ökologie u. Politik in der Weltgesellschaft. Münster 1996. – Grenzüberschreitende Produktion u. Strukturwandel. G. der dt. Wirtschaft, Beiträge v.* H.-H. HÄRTEL *u.a. Baden-Baden 1996.*

Globalsteuerung, die Beeinflussung makroökonom. Größen (Geldmenge, Investitionsvolumen, Konsum, Volkseinkommen) durch den Einsatz wirtschafts- und finanzpolit. Instrumente zur Erreichung eines gesamtwirtsch. Gleichgewichts mit stabilem Preisniveau, hohem Beschäftigungsstand und außenwirtschaftl. Gleichgewicht bei stetigem und angemessenem Wirtschaftswachstum. Die G. ist als staatl. Nachfragesteuerung ein zentrales Element der kurzfristig orientierten, antizyklischen keynesian. Stabilitätspolitik, mit der einer Über- bzw. Unterauslastung des Produktionspotenzials entgegengewirkt werden soll. In Dtl. wurde die G. im → Stabilitätsgesetz verankert.

Globalzession, die Abtretung einer Vielzahl von bestimmten oder genau bestimmbaren Forderungen eines Schuldners aus seinem Geschäftsbetrieb, gleichgültig, ob die Forderungen gegenwärtig oder zukünftig sind; G. dienen meist zur Sicherung eines Bankkredits. G. sind sittenwidrig, wenn sie den Schuldner zu stark einengen.

Globe Theatre ['gləʊb 'θɪətə], Londoner Theater am Ufer der Themse, erbaut (1599) und geleitet von Richard Burbage (*1567, †1619), dem Leiter der Truppe, der auch Shakespeare angehörte; wichtiges Zentrum des elisabethan. Theaters; 1644 abgerissen; eine Originalrekonstruktion wurde 1995 erbaut und 1996 eröffnet.

Globus (von links): Erdglobus von Gerhard Mercator, Durchmesser 41 cm (1541; Wien, Österreichische Nationalbibliothek); Himmelsglobus von Matthäus Seutter, Durchmesser 21 cm (1710; Wien, Österreichische Nationalbibliothek)

Globigerinenschlamm, kalkreiche (40–90% Kalkgehalt) Ablagerung in der Tiefsee, v.a. aus Schalen von Foraminiferen der Gattung Globigerina; bedeckt etwa 37% des Meeresbodens.

Globin [lat.] *das,* die Eiweißkomponente des Blutfarbstoffs →Hämoglobin.

Globule [lat. »Kügelchen«] *die, Astronomie:* kleine, annähernd rund erscheinende →Dunkelwolke hoher Dichte, die vor hellen Nebeln sichtbar wird. G. werden als Sterne im frühesten Stadium ihrer Entstehung angesehen.

Globuline, Gruppe weit verbreiteter Proteine im Zell- und Blutplasma, in Milch und Eiern; Träger wichtiger physiolog. Funktionen.

Globus [lat. »Kugel«], verkleinerte Nachbildung der Erde, eines anderen Weltkörpers oder der scheinbaren Himmelskugel durch eine Kugel (Durchmesser meist 20–50 cm). Der G. bietet die einzige Möglichkeit, Winkeltreue, Längentreue und Flächentreue gleichzeitig zu verwirklichen. **Erdgloben** sind entweder physikalisch, also topographisch (darunter auch Reliefgloben), oder thematisch (politisch, klimatisch, geologisch u.a.). **Himmelsgloben** bilden – entsprechend einer scheinbaren Betrachtung von außen – den Sternenhimmel spiegelbildlich ab. – Die Achse des drehbaren G. ist meist wie die Erdachse geneigt; der Roll-G. ist dagegen eine frei bewegl. Kugel. Älteste Himmelsgloben stammen aus dem 1. Jh. v.Chr., der älteste erhaltene Erd-G. (»Erdapfel« von M. Behaim, fertiggestellt 1492) befindet sich im German. Nationalmuseum in Nürnberg. Wertvolle Globen schufen u.a. Gerhard Mercator, Willem Janszoon Bleau (*1571, †1638), Vincenzo Maria Coronelli (*1650, †1718) und Matthäus Seutter (*1678, †1757).

Glocke, hohler, meist konkav gewölbter, fast kegelstumpfförmiger Klangkörper aus Metall, der von innen mit einem frei beweglich aufgehängten, metall. Klöppel oder von außen mit einem Hammer angeschlagen und zu Eigenschwingungen angeregt wird. Der G.-Klang ist gekennzeichnet durch vorwiegend nichtharmon. Teilschwingungen, die im unteren Frequenzbereich von großer Intensität und geringer Dämpfung sind, während sie im dichten oberen Bereich schnell abfallen. Die Kunst des G.-Gießers besteht darin, im unteren, tiefen Bereich möglichst harmon. Frequenzen zu erhalten. Der am längsten anhaltende, tiefste Ton (1. Teilton) ist die Unteroktave, der nächste, etwa eine Oktave höhere Ton (2. Teilton) bestimmt die Klangfarbe der G.; darüber sollten in annähernd exakten Intervallabständen die weiteren Teiltöne liegen. (→Klang)

Das G.-Gießen ist bis heute ein Kunsthandwerk. Zunächst wird mit dem Entwurf der »Rippe« (halber G.-Querschnitt) Profil, Größe, Gewicht, Tonhöhe und Innenharmonie der G. festgelegt. Ein aus luftdurchlässigen, ungebrannten Lehmsteinen aufgemauerter Kern, der dem inneren Hohlraum der G. entspricht, wird mittels einer zentriert aufgehängten Holzschablone mit Lehm glatt abgedreht, sodass der innere Kurvenzug der Rippe exakt abgeformt erscheint. Auf diesen Kern wird, isoliert

Michail Glinka

Glocke

Die größte Glocke der Welt ist nie geläutet worden.

Als die Glocke mit dem Namen »Zar Kolokol« 1735 auf den Turm des Iwan-Weliki-Klosters im Moskauer Kreml gezogen werden sollte, fiel sie herab. »Zar Kolokol« ist acht Meter hoch, hat an der breitesten Stelle einen Umfang von 20 Metern und wiegt rund 200 000 Kilogramm. Bei ihrem Sturz sprangen Stücke mit einem Gesamtgewicht von 11 000 Kilogramm ab, und die Glocke bohrte sich sechs Meter tief in die Erde.

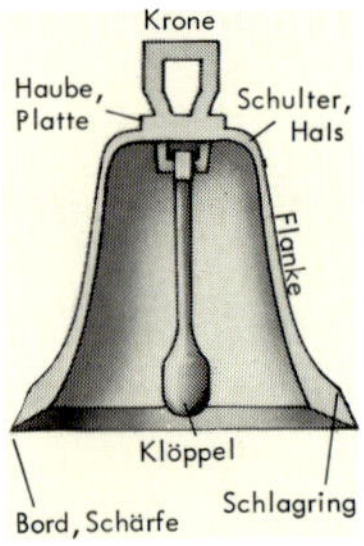

Glocke

durch Asche, Papier oder Rindertalg, eine Modell-G. aus Lehm geformt **(falsche G.),** auf die nach dem Abtrocknen der G.-Mantel in mehreren Schichten aufgetragen wird. Die Form der G.-Krone wird nach dem Wachsausschmelzverfahren gesondert vorbereitet und mit dem Mantel fest verbunden. Nachdem der Mantel getrocknet ist, wird er nach oben abgezogen, die Modell-G. wird vom Kern entfernt und der G.-Mantel wieder maßgerecht auf den Kern aufgesetzt. In den so entstandenen Hohlraum wird das flüssige Metall, die **G.-Speise,** eingefüllt. Die klass. Legierung für den G.-Guss ist die **G.-Bronze,** eine Gussbronze mit rd. 20–25% Zinn.

Kulturgeschichte: Die G. entwickelte sich wahrscheinlich aus tönenden Fruchtschalen oder Holzgefäßen, wurde dann aus Stein und v.a. aus Metall gefertigt. Eiserne, geschmiedete G. finden sich heute als Musikinstrumente in Afrika. Am verbreitetsten ist jedoch die gegossene G. Obwohl die G. als Signal- und Rhythmusinstrument auch profanen Aufgaben dient, nutzt man sie v.a. für mag. und kult. Zwecke. So soll ihr Klang z.B. Unheil abwenden oder auf die Gottheit einwirken. Oft dient die G. aber auch der Markierung bestimmter Abschnitte der Liturgie. – Von Vorderasien aus, wo man zuerst G. zu gießen verstand (das älteste erhaltene Exemplar stammt aus dem 9. Jh. v. Chr.), verbreitete sich die G. im 6. bis 8. Jh. n. Chr. nach Europa. Der G.-Guss wurde hier zunächst von Mönchen, seit dem 13./14. Jh. auch von Handwerkern betrieben. Bis zum 17. Jh. wurden G. ausschl. aus Bronze gegossen, seither wird auch Eisen, seit 1852 Stahl verwendet. G. in den heutigen großen Formen wurden erstmals im 14. Jh. hergestellt.

Glockenblume: Pfirsichblättrige Glockenblume

📖 *G. Gestalt, Klang u. Zier, hg. v.* M. SCHILLING. *München 1988.*

Glockenbecherkultur, endneolith. Kulturgruppe (Ende des 3. Jt. v. Chr.; Kupferzeit), gekennzeichnet u.a. durch stich- oder stempelverzierte, rötlich gefärbte Tonbecher in Glockenform. Ihr Verbreitungsgebiet umfasst v.a. Mittel-, NW-, W- und SW-Europa.

Glockenblume (Campanula), Gattung krautiger Pflanzen mit glockigen, meist blauen Blüten, z.B.: **Wiesen-G.** (Campanula patula), **Pfirsichblättrige G.** (Campanula persicifolia).

Glockenrebe

Glockenrebe (Cobaea), tropisch-amerikan. Kletterpflanze mit lang gestielten, meist glockigen weißen, grünen oder violetten Blüten.

Glockenspiel, Musikinstrument, das aus verschieden gestimmten Einzelglocken zusammengestellt ist. In China von mehr als tausendjähriger Tradition, kennt man das G. in Europa seit dem 9. Jh. Die frühen europ. G. bestanden aus nebeneinander aufgehängten Glöckchen, die mit Hammer oder Stäbchen angeschlagen wurden (Cymbal). Seit dem 12. Jh. gab es G. in Kirch- und Stadttürmen, später in eigenen Glockentürmen zum Stundenschlag der Uhren. Im 14. Jh. kam das mechan. G. auf, das mit einer Stiftwalze arbeitete und dessen Glocken von außen mit Klöppeln angeschlagen wurden. Die vergrößerte Zahl von Glocken (oft 2–4 Oktaven, chromatisch gestimmt) und die Einführung einer mit den Fäusten geschlagenen Klaviatur (ab 1510) erlaubten ein selbstständiges Musizieren, wobei der Glockenanschlag von innen erfolgte. Vom 16. bis 18. Jh. waren G. im Gebiet der heutigen Niederlande, Belgiens und N-Frankreichs weit verbreitet, später gelangten sie nach Dtl., England, Russland und in die USA. Eine Wiederbelebung wurde im frühen 20. Jh. von Belgien aus versucht. (→ Carillon)

Glockenstuhl, Traggerüst aus Holz oder Stahl, an dem die Glocke beweglich aufgehängt ist.

Glockentierchen, → Wimpertierchen.

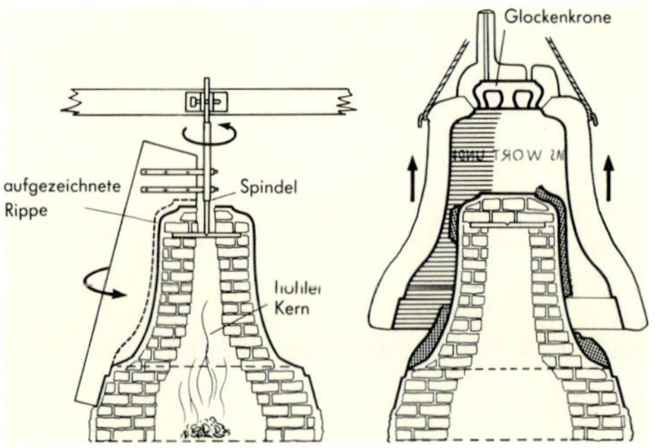

Glocke (von links): Schema des Abformens der Modellglocke und des Abhebens des Glockenmantels

Glockenturm, neben der Kirche stehender oder in den Baukörper integrierter Turm, der die Glockenstube mit den Glocken aufnimmt. Der freistehende G. kommt zuerst bei frühchristl. Basiliken Italiens vor (Campanile) und erscheint wieder häufiger im modernen Kirchenbau des 20. Jh.; nördlich der Alpen wurden Turm und Kirchengebäude seit karoling. Zeit i.d.R. miteinander verbunden. G. sind beim Kirchenbau allg. üblich. Eine Ausnahme bilden die Kirchen der Zisterzienser und der Bettelorden, deren Regeln nur einen Dachreiter erlauben.

Glọckner, Hermann, Maler, Grafiker und Plastiker, *Dresden 21. 1. 1889, †Berlin (West) 10. 5. 1987; leistete v.a. mit Collagen, Monotypien und architekturbezogener Kunst einen eigenständigen Beitrag zum europ. Konstruktivismus.

Glọcknergruppe, Bergmassiv in den Hohen Tauern, Österreich, an der Grenze von Osttirol/Kärnten; höchster Gipfel ist der **Großglockner** (3798 m ü.M.); er besteht aus zwei durch eine Scharte getrennten Spitzen, dem eigtl. Großglockner und dem **Kleinglockner** (3770 m ü.M.), und fällt nach N zur →Pasterze ab. Erstbesteigung: 29. 7. 1800. In der G. zw. Felber Tauern und Hochtor erheben sich u.a. die Glocknerwand (3730 m ü.M.), das Wiesbachhorn (3584 m ü.M.) und der Johannisberg (3467 m ü.M.). Die **Großglockner-Hochalpenstraße,** zw. Bruck und Heiligenblut 47,8 km lang, führt aus dem →Fuscher Tal über das Fuscher Törl (2428 m ü.M.) und den Pass Hochtor (2576 m, im Tunnel 2506 m ü.M.) ins Mölltal. Sie hat eine Abzweigung auf die Edelweißspitze (2571 m ü.M.) und eine zur Franz-Josephs-Höhe (2369 m ü.M.) oberhalb der Pasterze. BILD Pasterze

Głogów ['glɔguf] (dt. Glogau), Stadt in der Wwschaft Legnica (Liegnitz), Polen, 73000 Ew.; Oderhafen im Liegnitz-Glogauer-Kupferrevier; Kupferhütte, Nahrungsmittelind., Maschinenbau. – G. wurde im 2. Weltkrieg zu 90% zerstört, u.a. der Dom (13. Jh.), Barockschloss (17. Jh., seit 1964 Wiederaufbau), Jesuitenkirche (1694–1724). – Um 1010 gegr., 1251–1481 Hptst. des gleichnamigen Herzogtums, kam mit diesem 1331 unter böhm. Oberhoheit, fiel 1526 an Habsburg, 1742 an Preußen, 1945 an Polen.

Glomerulonephritis [lat.-grch.], eine →Nierenentzündung.

Glomma (Glåma) *die,* längster und wasserreichster Fluss Norwegens, kommt aus dem See Rien (748 m ü.M.), durchfließt den **Aursundsee** (684 m ü.M., 44 km², bis 52 m tief; Wasserfälle mit Kraftwerken unterhalb des Ausflusses), das Østerdal bis Kongsvinger, den See Øyeren und mündet bei Fredrikstad in den Oslofjord, 598 km lang.

Gloria [lat. »Ruhm«, »Ehre«] *das,* liturg. Formel zum Lobpreis der Herrlichkeit Gottes; 1) **kleines G.:** G. patri et filio et spiritui sancto (»Ehre sei dem Vater und dem Sohn und dem Hl. Geist«); 2) **großes G.,** Lobgesang der Engel (Lk. 2, 14): G. in excelsis Deo (»Ehre sei Gott in der Höhe«); Bestandteil der kath. Messe und des luther. Gottesdienstes.

Glorie [lat.] *die,* **1)** *allg.:* Ruhm, Glanz; Heiligenschein.

2) *Meteorologie:* Erscheinung von aufeinander folgenden, farbigen Ringen, die um den Schatten eines Objektes an einer Wolke oder an Nebel gesehen werden; entsteht durch Beugung des vom Nebel oder den Wolken reflektierten Lichts. Ein Schatten (manchmal von farbigen Ringen umgeben), der sehr groß erscheint, weil Wolken oder Nebel nicht weit vom Beobachter entfernt sind, wird **Brockengespenst** genannt.

Gloriole [lat.] *die,* →Heiligenschein.

Glorreiche Revolution, der ohne Blutvergießen (daher »glorreich«) erfolgte Sturz des engl. Königs Jakob II. und die Thronbesteigung durch dessen Tochter Maria und deren Ehemann Wilhelm (III.) von Oranien 1688/89 (→Großbritannien und Nordirland, Geschichte).

Glockenspiel: Teil des knapp 3 m hohen Musikinstruments aus Bronzeglocken, das 1978 aus einem um 433 v. Chr. angelegten Grab in der chinesischen Provinz Hubei geborgen wurde

Glossatoren, Vertreter der Rechtsschule von Bologna, um 1100 von Irnerius gegr. Die G. machten das »Corpus Iuris Civilis« durch Randbemerkungen **(Glossen)** verständlich, schieden Unbrauchbares aus und schufen so die Grundlage des gemeinen Rechts. Die bekanntesten G. des 13. Jh. waren Azo und Accursius. Abgelöst wurden die G. durch die **Postglossatoren** (Kommentatoren).

Glosse [grch. glõssa »Zunge«, »Sprache«] *die,* **1)** *allg.:* Randbemerkung, (spött.) Bemerkung.

2) *Literaturwissenschaft:* fremdes oder ungebräuchl. Wort, dann die Übersetzung oder Erklärung eines solchen Wortes (nicht der Sache). Verbreitet waren die G. von der Mitte des 8. bis zum 15. Jh. Hauptpflegestätten waren u.a. der Bischofssitz Freising, die Klöster Fulda, St. Gallen und Reichenau. G. erscheinen in Handschriften entweder zw. den Zeilen des Textes **(Interlinear-G.)** oder an den Rand geschrieben **(Marginal-** oder **Rand-G.).** Sie wurden entweder gemeinsam mit diesem Text wieder abgeschrieben und so tradiert oder zu **Glossaren** gesammelt. Neben den lat. G. zu kirchl. Texten (Bibel, Kanones, Texte von Kir-

Gloxinie
(Zuchtform)

Christoph Willibald Gluck
(Ausschnitt aus einem Gemälde, 1775)

Glucke

André Glucksmann

chenvätern) entstanden volkssprachl. G. zu lateinisch abgefassten Rechtstexten, bibl. Schriften oder Schullektüren sowie selbstständige Glossare. Ein alphabet. Glossar weltl. Gehalts ist der → Abrogans. Die urspr. nur als Übersetzungshilfe dienenden G. waren für die entsprechende volkssprachl. Prosa von Bedeutung und sind wichtige Sprachdenkmäler im Althochdeutschen, Altfranzösischen und Altenglischen. (→ Glossatoren).

3) *Publizistik:* kurzer, polem. Kommentar zu aktuellen Ereignissen.

Glossematik *die* (Kopenhagener Schule), von L. Hjelmslev u. a. in Dänemark begründete sprachwiss. Theorie: In der Annahme eines Parallelismus zw. Form und Inhalt der Sprachzeichen wird ein Text mittels mathematisch-deduktiver Methoden in kleinste Elemente der Ausdrucks- und Inhaltsebene zerlegt, deren Beziehungen untersucht werden, um eine universelle formale Grammatik zu erstellen. Das **Glossem** gilt als Oberbegriff für das sog. **Kenem** (Ausdrucksebene; entspricht den phonolog. Merkmalen) und das sog. **Plerem** (Inhaltsebene; entspricht den semant. Merkmalen). Die G. wurde als eine Fortsetzung der strukturalist. Theorie F. de Saussures entwickelt.

Glossolalie [zu grch. glõssa »Zunge« und laliá »unverständl. Rede«] *die* (Zungenreden), ekstat., unverständl. Sprechen, das der Deutung bedarf; im N. T. die besondere Gabe des Hl. Geistes (→ Charisma), zuerst beim Pfingstgeschehen Apg. 2, 4; in der → Pfingstbewegung noch heute üblich.

Glottertal, Talschaft (von der 34 km langen Glotter, Zufluss der Elz, durchflossen) und Gemeinde im südl. Schwarzwald, Landkr. Breisgau-Hochschwarzwald, Bad.-Württ., 2 900 Ew.; Fremdenverkehr, Weinbau (»Glottertäler«).

Glottis [grch.] *die,* der Stimmapparat, i. w. S. Stimmlippen und Stimmritze im Kehlkopf, i. e. S. die Stimmritze allein.

Glottiskrampf, der → Stimmritzenkrampf.

Glotz, Peter, Politiker (SPD) und Politikwissenschaftler, *Eger 6. 3. 1939; 1972–77 und 1983–96 MdB, 1974–77 parlamentar. Staatssekr. beim Bundesmin. für Bildung und Wiss., 1977–81 Senator für Wiss. in Berlin (West), 1981–87 Bundesgeschäftsführer der SPD. G. trat in der Öffentlichkeit als bildungs- und medienpolit. Sprecher seiner Partei hervor. Gründungsrektor (1996) der Univ. Erfurt.

Glotzauge, *Medizin:* der → Exophthalmus.

Gloucester ['glɔstə], Hptst. der Cty. Gloucestershire, England, am Severn, 101 600 Ew.; anglikan. Bischofssitz; Nahrungs- und Genussmittel-, Möbel-, Chemiefaser-, Flugzeugzulieferindustrie, Maschinenbau. Der Hafen ist durch einen 26 km langen Kanal mit dem Severnästuar verbunden. – Kathedrale (geweiht 1100, umgebaut 13.–15. Jh.). – G. geht auf die Ende des 1. Jh. n. Chr. gegründete röm. Kolonie Glevum zurück, von den Walisern später Caer Glow, den Angelsachsen Gleawecastre genannt, Hptst. des Königreiches Mercia; seit 1483 selbstständige Grafschaft, seit 1605 City.

Gloucester ['glɔstə], engl. Earls- und Herzogswürde; seit 1385 wird der Herzogstitel an Mitgl. der königl. Familie verliehen. – Humphrey, Herzog von G. (seit 1414), *1391, †Bury Saint Edmunds 23. 2. 1447, jüngster Sohn König Heinrichs IV., führte 1422–29 die Regentschaft für seinen unmündigen Neffen Heinrich VI.

Gloucestershire ['glɔstəʃɪə], Cty. in SW-England, 2 653 km², (1991) 528 400 Ew.; Hptst. Gloucester.

Gloxinie *die* (Sinningia speciosa), krautiges, tropisch-südamerikan. Gesneriengewächs mit knolligem Wurzelstock und großen Trichterblüten; Warmhauspflanze.

Glubb [glʌb], Sir (seit 1956) John Bagot, gen. G. Pascha, brit. Offizier, *Preston 16. 4. 1897, †Mayfield (Cty. East Sussex) 17. 3. 1986; 1939–56 Oberbefehlshaber der → Arabischen Legion; warf mit ihr 1941 den Aufstand im Irak nieder und führte sie im Palästinakrieg (1948–49). Von arab. Nationalisten als Repräsentant der brit. Kolonialmacht zunehmend angegriffen, entließ ihn König Husain II. 1956 aus dem Amt.

Głubczyce [gu̯up'tʃitsɛ] (dt. Leobschütz), Stadt in der Wwschaft Opole (Oppeln), Polen, am O-Rand der Sudeten, 14 000 Ew.; Nahrungsmittel-, Baustoff-, Textilindustrie. – 1107 als slaw. Siedlung bezeugt, um 1200 als Stadt mit dt. Recht bezeichnet; war Mutterstadt und 1253–1626 Oberhof der Orte mit Leobschützer Recht, seit 1377 zum Herzogtum Jägerndorf, kam 1742 zu Preußen und 1945 zu Polen.

Glucagon (Glukagon) [grch.] *das,* Polypeptid, Hormon der Bauchspeicheldrüse, synthetisch herstellbar, Gegenspieler des → Insulins, wirkt blutzuckererhöhend.

Głuchołazy [gu̯uxɔ'u̯azi] (dt. Ziegenhals), Stadt und Luftkurort in der Wwschaft Opole (Oppeln), Polen, 295 m ü. M., am Fuß der Ausläufer des Altvatergebirges, 15 000 Ew.; Metall-, Holzverarbeitungs-, Textil- u. a. Industrie. – Barocke Pfarrkirche (1729) mit frühgot. Westfassade. – Gegr. 1225, bis 1810 im Besitz der Breslauer Bischöfe.

Gluck, Christoph Willibald Ritter von (seit 1756), Komponist, *Erasbach (heute zu Berching, Kr. Neumarkt i. d. OPf.) 2. 7. 1714, †Wien 15. 11. 1787; u. a. in Italien, London, Wien und Paris tätig. G. erstrebte seit 1761 eine Erneuerung der Opernkunst. Die Opernhandlung sollte auf dramat. und psycholog. Wahrheit beruhen. Die Musik musste sich deshalb dem dramat. Ausdruck unterordnen; der Belcanto der italien. und das Ballett der frz.

Oper traten zurück. G. konnte sich gegen die Anhänger der italien. Oper in Paris, an ihrer Spitze N. Piccinni, mit seiner Reformoper »Iphigenie auf Tauris« (1779) endgültig durchsetzen; zu den Reformopern gehört u.a. auch »Orpheus und Eurydike« (1762). Später nahm Wagner G.s Ideen zum musikal. Theater wieder auf.

Weitere Werke: Alceste (1767); Paris und Helena (1770); Iphigenie in Aulis (1774); Armida (1777).

📖 EINSTEIN, A.: *G. Sein Leben – seine Werke. Neuausg. Kassel u. a. 1987.*

Glück, 1) günstige Fügung des Schicksals; als myth. Gestalt versinnbildlicht oder vergöttlicht (Fortuna).

2) zentraler Begriff in Philosophie und Religion. Das Streben nach G. erwächst aus der spezif. menschl. Situation, nicht allein reagierend das Leben meistern zu können, sondern aktiv durch Handeln gesetzte Zwecke und Werte verwirklichen zu müssen. Es entstand eine Vielzahl von G.-Vorstellungen, die sich einerseits zwischen den Polen individuell-privates G.-Verständnis – politisch-soziale G.-Vorstellung, andererseits zwischen den Polen äußere, materielle G.-Güter – Verinnerlichung des G.-Ideals bewegen: z.B. G. als Ergebnis von Einsicht, Erkennen und Weisheit, im Vollziehen des göttl. Willens, im schöpfer. Tätigsein, im polit. Handeln bzw. Fürsorgen sowie G. durch materiellen Reichtum, Macht oder Prestige.

3) seelisch gehobener Zustand, der sich aus der Erfüllung der Wünsche ergibt, die dem Menschen wesentlich sind.

Glucken (Lasiocampidae), dickleibige braune Nachtfalter; Raupen dicht behaart. Die Raupen von Kiefern- und Eichenspinner sind Baumschädlinge.

Glücksburg (Ostsee), Stadt im Kr. Schleswig-Flensburg, Schlesw.-Holst., an der Flensburger Förde, 6400 Ew.; Ostseeheilbad (seit 1830); Segelschule, Marinegarnison. – Wasserschloss (1582 bis 1587). – 1622–1779 Reg.sitz der Herzöge von Schleswig-Holstein-Sonderburg-Glücksburg; seit 1900 Stadt.

Glückshaube, die den Kopf des Neugeborenen nach Ausbleiben des termingerechten Blasensprungs haubenartig überziehenden Eihäute. Die G. bedeutet für das Kind erhöhte Erstickungsgefahr.

Glücksklee, volkstüml. Bez. für einheim. Kleearten mit ausnahmsweise vierzähligen Blättern; auch vierzählig beblätterte Sauerkleearten.

Glucksmann ['glyksman], André, frz. Philosoph und polit. Schriftsteller, *Boulogne-sur-Mer 19. 6. 1937; Vertreter der →Neuen Philosophie; wandelte sich vom Verfechter des Marxismus maoist. Richtung zum Kritiker jegl. geschlossener philosoph. Systeme und totalitärer Weltanschauungen.

Glücksburg (Ostsee): Blick auf das Wasserschloss (1582–87)

Glücksspiel, Spiel um Vermögenswerte, bei dem die Entscheidung über Gewinn und Verlust nicht im Wesentlichen von den Fähigkeiten und Kenntnissen und dem Grad der Aufmerksamkeit der Spieler, sondern allein oder überwiegend vom Zufall bestimmt wird (z.B. Bakkarat, Roulette, versch. Kartenspiele). Die öffentl. und die in geschlossenen Gesellschaften gewohnheitsmäßig betriebene Veranstaltung von G. ohne behördl. Erlaubnis sowie die Beteiligung hieran sind mit Geld- oder Freiheitsstrafe bis zu zwei Jahren bzw. sechs Monaten bedroht (§§284, 284a StGB), das gewerbsmäßige G. oder G. als Mitgl. einer Bande zur fortgesetzten Begehung solcher Taten mit Freiheitsstrafe von drei Monaten bis zu fünf Jahren; außerdem kann auf Vermögensstrafe erkannt werden. – Ähnl. Bestimmungen gelten im *österr.*

*Das **Glück** im Leben hängt von den guten Gedanken ab, die man hat.*

Mark Aurel

Glück

Das Glücksrad ist eine besonders im Mittelalter beliebte allegorische Darstellung vom Wechsel des Glücks und der menschlichen Schicksale. Das Rad ist schon in der Antike Attribut der griechischen Glücksgöttin Tyche und der römischen Fortuna. Diese werden meist mit Steuerruder oder Füllhorn in den Händen, Rad oder Kugel unter den Füßen dargestellt. Das Motiv des Rades der Fortuna verselbstständigte sich seit dem Mittelalter, besonders als Glücksrad, das sich dreht oder von Fortuna gedreht wird.

Das erste Beispiel eines solchen Glücksrads ist um 1100 eine Illustration zu einem der meistgelesenen Bücher des Mittelalters, Boethius' »Trost der Philosophie«. Die Gestalten (zunächst Könige, später Menschen aller Schichten), die sich an das Rad klammern, illustrieren den Wechsel des Glücks vom Aufstieg bis zum Fall, die Unsicherheit des menschlichen Daseins. Die Fensterrosen einiger romanischer Kirchen (z. B. am Münster in Basel) sind in der Form eines Glücksrades gebildet. Ein häufiges Motiv ist das Glücksrad dann wieder in der Grafik des 15. und 16. Jahrhunderts.

Glückstadt
Stadtwappen

Recht. In der *Schweiz* wurde 1993 die Aufhebung des Spielbankenverbots beschlossen.

Glückstadt, Hafenstadt an der Unterelbe, im Kr. Steinburg, Schlesw.-Holst., in der Kremper Marsch, 12 400 Ew.; Museum, Niederdt. Bühne; Mittelpunkt eines Gemüsebaugebietes mit Gemüsebauschule; Werft, Papier-, Farbenfabrik u.a. Ind., Spezialdruckerei für Werke in nichtlat. Schriften; Fähre nach Wischhafen. Im Hafen Liegeplatz für Spezialschiffe der Heringsfischerei. – Kirche (1618–23) mit reicher Barockausstattung; Palais Wasmer (1728). – 1616 vom dän. König gegr. (Konkurrenz zu Hamburg), mit strahlenförmigem Grundriss; bis 1867 Sitz des holstein. Obergerichts.

gluco... [grch.], eindeutschend **gluko...,** Wortbildungselement mit den Bedeutungen süß..., zucker...

Glucocorticoide (Glukokortikoide), Nebennierenrindenhormone, die den Kohlenhydrat- und Eiweißstoffwechsel beeinflussen und bes. die Zuckerneubildung (Gluconeogenese) aus Aminosäuren fördern. Als synthet. Hormonpräparate haben sie entzündungshemmende und antiallerg. Wirkung (ÜBERSICHT Hormone).

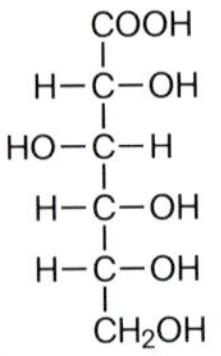

D-Gluconsäure
Gluconsäure

Gluconeogenese *die* (Glukoneogenese), in Leber und Nieren mögl. Neubildung von Glucose aus Nichtkohlenhydraten (Alanin, Glutaminsäure) zur Aufrechterhaltung des Blutzuckerspiegels bei Glucosemangel durch Hunger oder körperl. Arbeit.

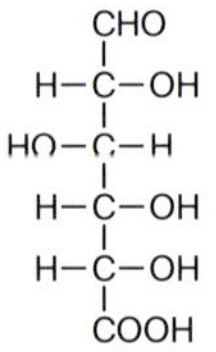

D-Glucuronsäure
(offenkettige Formel)
Glucuronsäure

Gluconsäure (D-Gluconsäure), durch milde Oxidation von Glucose entstehende Säure. Verwendung als Metallbeizmittel, in der Lebensmittelind., medizinisch in der Calciumtherapie. Die Salze und Ester der G. heißen **Gluconate**.

Glucosamin *das,* von der Glucose abgeleiteter Aminozucker, kommt in Chitin, Glykolipiden und Glykoproteinen vor.

Glücksspiel

Seit Jahrtausenden rennt der Mensch gegen den Zufall an, um sein Glück zu versuchen. So erzählt das 3000 Jahre alte hinduistische Werk Mahabharata von einem fanatischen Würfelspieler, der sich selbst aufs Spiel setzte, nachdem er schon seinen gesamten Besitz verloren hatte. Fast ebenso alt sind die Versuche, gegen das Glücksspiel anzukämpfen. Im antiken Sparta beispielsweise wurde das Würfelspiel verboten, und im Römischen Reich war der Einsatz von Geld bei Würfelspielen untersagt. Sogar zu biblischen Ehren kam das Glücksspiel zu jener Zeit, denn dort wird berichtet, wie die Soldaten um die Kleider des Gekreuzigten würfeln. Ansonsten hatte es die Kirche nicht so mit dem Spiel, denn 813 schloss das Mainzer Konzil all jene von der Kommunion aus, die dem Glücksspiel anhingen. Ludwig IX., der Heilige, verbot 1254 sogar die Herstellung von Würfeln, doch alle frommen Wünsche halfen wenig. Bis heute verzichtet der Staat nicht aufs Reglementieren, verdient aber kräftig am Glücksspiel mit.

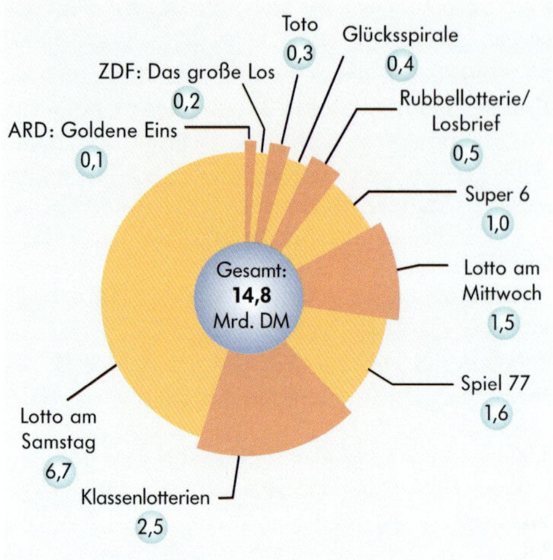

Glücksspiel: Gesamtumsätze der Lotterien 1996 in Milliarden DM

Glucose [grch.] *die* (Glukose, Traubenzucker, Dextrose), zu den Aldohexosen gehörender, biologisch bedeutsamster und in der Natur meistverbreiteter Zucker, ein Monosaccharid. G. kommt in vielen Pflanzensäften und Früchten sowie im Honig (in der D-Form) vor und ist am Aufbau vieler Di- und Polysaccharide (z.B. Rohrzucker, Milchzucker, Cellulose, Stärke, Glykogen) beteiligt. Im menschl. und tier. Organismus findet sich stets eine geringe Menge von G. im Blut gelöst, beim Erwachsenen pro Liter 0,8–1,0 g G. Die Bestimmung im Blut erfolgt überwiegend enzymatisch. G. ist ein wichtiges Zwischenprodukt im Stoffwechsel der Kohlenhydrate; in den Pflanzen entsteht G. durch Photosynthese. Sie findet als Bestandteil von Lebensmitteln, Infusionslösungen und Tabletten sowie zur Herstellung von Sorbit, Ascorbinsäure, Gluconsäure u.a. Verwendung.

Glucoside, die Glykoside der Glucose.

Glucuronsäure (D-Glucuronsäure), durch Oxidation der Glucose in der Leber entstehende Uronsäure, dient im Körper zur Entgiftung von Phenol, Benzoesäure u.a. körperfremden Stoffen.

Glühemission (glühelektrischer Effekt, Edison-Effekt, Richardson-Effekt), der 1883 von T. A. Edison entdeckte und 1901 von O. W. Richardson theoretisch gedeutete Austritt von Elektronen **(Glühelektronen)** aus der Oberfläche von glühenden Metallen oder Halbleitern. (→Glühkathode)

Glühen, 1) *Metallurgie:* eine →Wärmebehandlung von Metallen, v.a. Stahl, zum gezielten Verändern des Gefüges. Man unterscheidet Normalglühen (nur für Stahl gleichmäßig ferrit. Gefüges), Diffusionsglühen (Seigerungsausgleich), Grobkornglühen (Kornvergrößerung), Rekristallisationsglühen und Weichglühen (niedrige Festigkeitswerte, gute Umformbarkeit).

2) *Physik:* das Leuchten von Körpern bei Erwärmung, beginnt bei festen Körpern bei etwa 400 °C mit **Grauglut,** geht bei 525 °C in dunkle **Rotglut** über, erreicht bei etwa 1000 °C **Gelbglut** und bei 1200 °C **Weißglut,** die ihre volle Entfaltung bei etwa 1600 °C zeigt; zur Temperaturbestimmung mit Glühfarben → Pyrometer.

Glühkathode, negative, direkt oder indirekt geheizte Elektrode in Elektronenröhren, die unter Ausnutzung der Glühemission Elektronen aussendet.

Glühkathodenwandler, der → thermionische Umwandler.

Glühkerze, elektrisch betriebene Zündhilfe zum Anlassen von Dieselmotoren, die bei kaltem Dieselmotor durch zusätzliche Temperaturerhöhung der Luft die Selbstzündung des Kraftstoff-Luft-Gemisches ermöglicht. Man unterscheidet G. mit Glühdraht und mit Glühstab (Glühstiftkerzen). Die Anzahl der G. entspricht der Anzahl der Zylinder. Bei laufendem Motor werden die G. abgeschaltet.

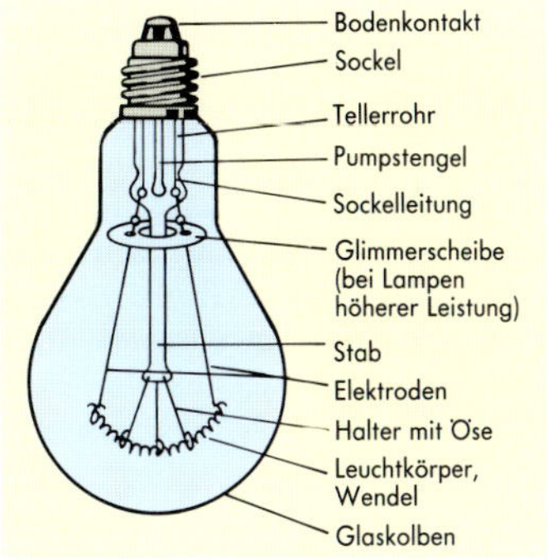

Glühlampe

Glühlampe, künstl., elektr. Lichtquelle, bei der ein schmelzbarer Draht (meist Wolfram) im Vakuum oder in chem. inaktiver Gasatmosphäre (meist Stickstoff, Argon, Krypton), um Oxidation und Verdampfen der Wendel sowie Schwärzung des Kolbens zu verhindern, zum Glühen gebracht wird. Der Glühdraht ist als Einfach- oder (meist) Doppelwendel ausgebildet und wird in einem Glas- oder Quarzkolben zw. zwei Stromzuführungselektroden gehalten. G. werden in versch. Kolbenformen im Leistungsbereich von 0,1 W bis 20 000 W sowie für Spannungen von 1 V bis 220 V und darüber hergestellt. Die Lichtausbeute beträgt 10 bis 20 lm/W, 5 bis 15 % der Leistungsaufnahme wird in Licht, der größere Teil in Wärme umgesetzt. G. werden zunehmend durch → Leuchtstofflampen ersetzt. Der Mechaniker H. Goebel baute 1854 die erste G. mit einem Bambuskohlefaden; zum wirtsch. Erfolg wurde die G. in Form der Kohlefadenlampe ab 1879 durch T. A. Edison geführt; die erste Metallfadenlampe konstruierte 1898 C. Auer von Welsbach.

Glühofen, metallurg. Ofen zur Wärmebehandlung von Metallen oder Legierungen. G. werden elektrisch oder durch feste, flüssige oder gasförmige Brennstoffe beheizt. Die Beschickung erfogt absatzweise (z. B. in Topf, Hauben, Herd-G.) oder kontinuierlich (z. B. Durchziehöfen für Draht). Soll eine Verzunderung des Glühgutes vermieden werden, wird das Glühgut unter einem Schutzgas, z. B. Stickstoff oder Wasserstoff, behandelt.

Glühwein, heißes Getränk aus Wein (bes. Rotwein), Zimt, Nelken, Zitronenschale und Zucker.

Glühwürmchen, → Leuchtkäfer.

Glukagon [grch.] *das,* → Glucagon.

gluko..., → gluco...

Glukosurie [grch.] *die* (Glykosurie, Glykurie), die Ausscheidung von Zucker (Glucose) im Harn; z. B. bei Diabetes mellitus oder organ. Nierenschädigungen. Eine vorübergehende G. entsteht bei übermäßigem Zuckergenuss.

Gluonen [zu engl. glue »Klebstoff«], zu den intermediären Bosonen gehörende masselose Austauschteilchen, die als → Feldquanten die starke Wechselwirkung zw. den → Quarks vermitteln und in acht Farb-(Colour-)Zuständen auftreten. (→ Quantenchromodynamik)

Glurns (italien. Glorenza), Gemeinde in der Provinz Bozen, Südtirol, Italien, im oberen Vintschgau, 920 m ü. M., 800 Ew.; Fremdenverkehr. – G. wurde 1304 Stadt, 1499 niedergebrannt; nach dem Wiederaufbau Grenzfeste gegen die Eidgenossen. – Spätgot. Pfarrkirche (Ende 15. Jh.); einzige vollständig erhaltene Stadtbefestigung Tirols mit Mauern und Toren (16. Jh.).

Glutaminsäure, Abk. **Glu** (α-Aminoglutarsäure), in der Natur weit verbreitete Aminosäure, kommt vor allem im Eiweiß des Quarks und der Getreidekörner (bis 45 %) vor. G. spielt im Zellstoffwechsel eine überragende Rolle, da sie über den Zitronensäurezyklus in Verbindung zum Kohlenhydratstoffwechsel steht. Sie ist an der Bildung von Aminosäuren beteiligt und bindet das beim Proteinabbau frei werdende giftige Ammoniak unter Bildung von Glutamin.

Glutardialdehyd, ölige Flüssigkeit, die u. a. als Gerbstoff verwendet wird.

Glutarsäure, kristalline Dicarbonsäure, die im Rübensaft vorkommt.

Glutathion *das,* Tripeptid aus Glycin, Cystein und Glutaminsäure, kommt in fast allen Zellen vor, ist als biolog. Redoxsystem von Bedeutung.

Gluten [lat.] *das,* der Pflanzenstoff → Kleber.

Glutin [lat.] *das,* Sammelbez. für Eiweiße der Gelatine und des **G.-Leims** (Knochenleim, Haut-

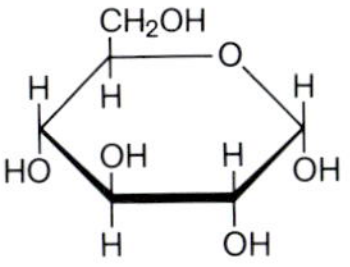

α-D-Glucose (Haworth-Formel)

Glucose

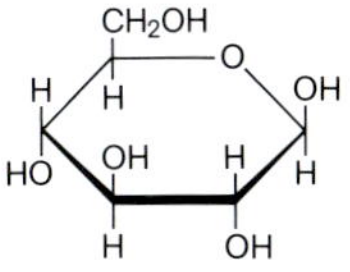

β-D-Glucose (Haworth-Formel)

Glucose

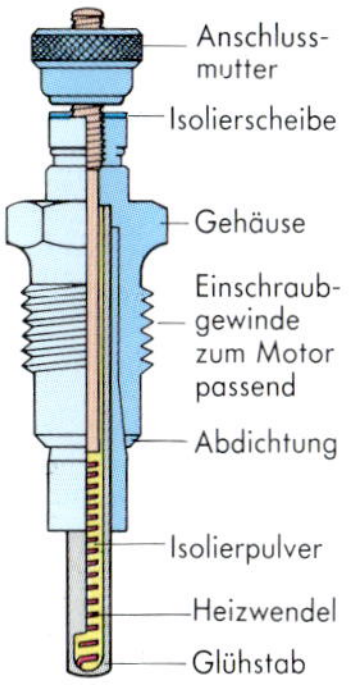

Glühkerze mit Glühstab

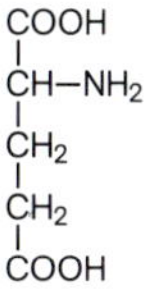

Glutaminsäure

leim, heute durch synthet. Klebstoffe ersetzt); in heißem Wasser löslich; die Lösung erstarrt beim Abkühlen zu Gallerte.

Glutwolke, wolkenartige Ansammlung heißer vulkan. Gase bei Vulkaneruptionen, die große Mengen von Feststoffen in Suspension halten. Die deshalb schweren G. strömen mit hoher Geschwindigkeit und zerstörender Wirkung hangabwärts; an der Basis oft schwere **Glutlawine** aus Lavatröpfchen und Ascheteilchen. Aus den abgelagerten Feststoffen entsteht → Ignimbrit.

Glyceride [grch.] *die,* Ester des Glycerins. Die G. der Stearin-, Palmitin-, Ölsäure sind die Hauptbestandteile der Fette und fetten Öle; es werden Mono-, Di- und Tri-G. unterschieden.

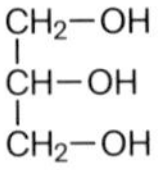

Glycerin

Glycerin [von grch. glykýs »süß«] *das* (Glyzerin, 1,2,3-Propantriol), einfachster dreiwertiger Alkohol. Die zähflüssige, hygroskop., süß schmeckende Flüssigkeit siedet bei 290 °C unter Zersetzung und ist mit Wasser mischbar. G. kommt in Form von Fettsäureestern in Fetten, Ölen und Phosphatiden vor. Es entsteht bei der alkohol. Gärung und ist deshalb in kleinen Mengen im Wein enthalten. G. wird durch Fettverseifung oder synthetisch hergestellt. – Verwendung u.a. zur Tabakbefeuchtung, in der Kosmetik zur Hautpflege sowie zur Herstellung von Alkydharzen, Polyurethanen und Nitroglycerin.

Glycidol *das* (2,3-Epoxy-1-propanol), farblose Flüssigkeit, aus der sich durch Veresterung oder Verätherung viele Produkte herstellen lassen, die die reaktive Epoxygruppe enthalten (Glycidester und Glycidäther). → Epoxidharze.

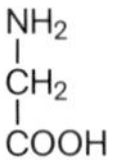

Glycin

Glycin [grch.] *das,* Abk. **Gly** (Glykokoll, Aminoessigsäure), einfachste nichtessenzielle Aminosäure, kommt v.a. in Gerüsteiweißstoffen vor und ist Bestandteil der Glykocholsäure.

glyco... [zu grch. glykýs], eindeutschend **glyko...,** süß...

Glycyrrhizin [grch.] *das* (Süßholzzucker), sehr süß schmeckendes Glykosid, kommt in der Süßholzwurzel vor; für Medikamente und in Tabakwaren verwendet.

Glykane [grch.], die → Polysaccharide.

glyko..., → glyco...

Glykocholsäuren, → Gallensäuren.

Glykogen [grch.] *das* (Leberstärke), wasserlösl. Reservekohlenhydrat, Speicherstoff für den tier. und menschl. Organismus. G. entsteht durch glykosid. Verknüpfungen von Glucosebausteinen. Molekülmasse 1 Mio. **(Muskel-G.)** bis etwa 16 Mio. **(Leber-G.).** Speicherort von G. ist die Leber, Vorkommen auch in den Muskelzellen. Der G.-Abbau im Muskel dient der Energieerzeugung. Die Steuerung des Aufbaus von G. in der Leber wird durch Insulin, die des Abbaus durch Adrenalin und Glucagon geregelt.

Glykogenspeicherkrankheit (Glykogenose), Enzymdefekt des Glykogenstoffwechsels, der mit einer krankhaft vermehrten Glykogenspeicherung in Leber, Nieren, Herz, Muskulatur und Zentralnervensystem verbunden ist. Bei der **hepatorenalen Glykogenese** (Gierke-Krankheit) ist die Freisetzung von Glucose aus Glykogen gestört. Anzeichen sind Fettstoffwechselstörungen, geistige Entwicklungshemmung und Infektanfälligkeit.

Glykokoll [grch.] *das,* → Glycin.

Glykol [grch.] *das* (Äthylenglykol), einfachster zweiwertiger Alkohol, ölige, farblose, süß schmeckende, giftige Flüssigkeit; Verwendung als Glycerinersatz und als Gefrierschutzmittel.

Glykoläther, sich von Glykolen ableitende Äther. Di-, Tri- und Polyäthylenglykole werden als Bremsflüssigkeiten, Weichmacher und Lösungsmittel verwendet. Verbindungen mit den Trivialnamen Methyl-, Äthyl-, Methyldiglykol u.a. haben Bedeutung als Lösungsmittel für Lacke, Druckfarben und Kugelschreiberpasten.

Glykolsäure (Hydroxyessigsäure), organische Säure in Pflanzensäften, bes. auch in unreifen Trauben, verwendet in der Textil- und Lederind. sowie als Entroster.

Glykolyse [grch.] *die,* in fast allen Lebewesen ablaufender mehrstufiger enzymat. Abbau der Glucose zur Energiegewinnung (ATP-Synthese). Aus einem Glucosemolekül entstehen unter anaeroben Bedingungen (Gärung) zwei Moleküle Milchsäure (Lactat; z.B. beim arbeitenden Muskel) oder zwei Moleküle Äthanol (bei der Hefegärung), unter aeroben Bedingungen zwei Moleküle Brenztraubensäure (Pyruvat), die über Acetyl-Coenzym A im → Zitronensäurezyklus weiter abgebaut werden.

Glykoproteine [grch.] (frühere Bez. Glykoproteide), kohlenhydrathaltige Eiweiße mit glykosidisch gebundenen Oligosacchariden an der Peptidkette. Zu den G. gehören u.a. Zelloberflächenantigene (z.B. Blutgruppenantigene) und die meisten Schleimsubstanzen.

Glykoside, organ. Verbindungen, die durch Reaktion der Hydroxylgruppe von Monosacchariden (→ Zuckerarten) mit Hydroxyl-, Amino- oder Thiolgruppen unter Wasserabspaltung gebildet werden. Je nach der Zuckerkomponente heißen sie Glucoside, Galaktoside usw. Viele Pflanzenfarb- und Riechstoffe sind G. Stickstoff-G. sind die Nucleoside, Sauerstoff-G. werden in der Pharmazie verwendet.

Glykosurie *die,* die → Glukosurie.

Glyoxylsäurezyklus (Glyoxalatzyklus, Krebs-Kornberg-Zyklus), Stoffwechselweg bei Mikroorganismen und Pflanzen; eine Variante des → Zitronensäurezyklus, bei der aktivierte Essigsäure (Acetyl-Coenzym A) nicht abgebaut, sondern zur

Synthese von Dicarbonsäuren verwendet wird. Die biolog. Bedeutung des G. liegt in der Möglichkeit, aus Acetyl-Coenzym A, das z.B. aus dem Fett[säure]abbau stammt, Kohlenhydrate (über die Bernsteinsäure) aufzubauen.

Glyptothek: Leo von Klenze, Glyptothek in München (1816–31)

Glyptik [grch.] *die,* die →Steinschneidekunst.

Glyptodon [grch.] (Riesengürteltier), ausgestorbene Gattung bis 3 m langer, 1,5 m hoher Gürteltiere aus dem Pleistozän Amerikas.

Glyptothek [grch.] *die,* eigtl. eine Sammlung von Gemmen. König Ludwig I. von Bayern übertrug diese Bez. auf das 1816–31 von L. von Klenze erbaute Antikenmuseum (Skulpturensammlung) in München. Seither wird G. auch allg. in dieser Bedeutung verwendet.

Glyzerin *das,* das →Glycerin.

Glyzinie, die →Wisteria.

GmbH, Abk. für **G**esellschaft **m**it **b**eschränkter **H**aftung.

GmbH & Co. KG, der Rechtsform nach eine →Kommanditgesellschaft, deren persönlich haftender Gesellschafter (Komplementär) eine →Gesellschaft mit beschränkter Haftung ist und deren Kommanditisten i.d.R. die Gesellschafter dieser GmbH sind. Sie ist eine jurist. Konstruktion, bei der die Haftung auf das Kapital der GmbH beschränkt wird.

GMD – Forschungszentrum Informationstechnik, Abk. **GMD,** gegr. 1968 als Ges. für Mathematik und Datenverarbeitung (Träger: Bundesrep. Dtl. sowie die Länder NRW und Hessen), eine der Großforschungseinrichtungen in Dtl., Mitglied der →Hermann von Helmholtz-Gemeinschaft Deutscher Forschungszentren; Forschungsschwerpunkte: Entwurfsverfahren für komplexe Systeme (wie Prozess- und Maschinensteuerungen), Kommunikationssysteme, multimediale Systeme, paralleles Rechnen. Hauptsitz: Schloss Birlinghoven/St. Augustin.

Gmeiner, Hermann, österr. Sozialpädagoge, *Alberschwende (Vorarlberg) 23. 6. 1919, †Innsbruck 26. 4. 1986; gründete 1949 das Sozialwerk SOS-Kinderdorf (→Kinderdörfer) zur Betreuung und Erziehung eltern- und heimatloser Kinder in familienartiger Gemeinschaft.

Hermann Gmeiner

Gmelin, Leopold, Chemiker und Physiologe, *Göttingen 2. 8. 1788, †Heidelberg 13. 4. 1853; entdeckte in der Galle das Cholesterin und Taurin, verfasste das »Hb. der theoret. Chemie ...« (3 Bde., 1817–19), als »G.s Hb. der anorgan. Chemie« vom **G.-Institut** in Frankfurt am Main herausgegeben (seit 1946).

GMT, Abk. für engl. **G**reenwich **M**ean **T**ime, →Zeit.

Gmünd, 1) →Schwäbisch Gmünd.

2) Stadt in Kärnten, Österreich, 732 m ü.M., 2600 Ew.; Heimat-, Porsche-Automuseum; Fremdenverkehr. – Stadtmauer, got. Kirche und Karner, Altes (seit 1886 Ruine) und Neues Schloss (17. Jh.). – 1292 als Stadt erwähnt.

3) Bezirksstadt in NÖ, im Waldviertel, 6000 Ew.; Glas-, Steinmuseum; Textil-, Möbel- u.a. Industrie. – Roman.-got. Pfarrkirche, Wohnhäuser aus Renaissance und Barock, Schloss (16. Jh.). – Vor 1200 gegr. als Grenzstadt mit Burg.

Gmunden, Bezirksstadt in OÖ, im Salzkammergut, am Traunsee, 440 m ü.M., 13100 Ew.; Handelsakademie, Museum, Theater; Bekleidungs-, keram. und Elektroind.; Luftkurort, Solebäder. – Am Traunsee Schloss **Ort** (auf künstl. Insel; 12. Jh., nach Brand 1634 wieder aufgebaut; forstl. Ausbildungsstätte), auf einem Hügel Schloss **Cumberland** (Tuberkulosespital). – Seit etwa 1280 Stadt; bis etwa 1850 Hauptort des oberösterr. Salzkammergutes (Salzamt).

Gnadauer Verband, →Gemeinschaftsbewegung.

Gnade [ahd. ginâda »Hilfe«, »Schutz«], die unverdiente Hilfe (eines) Gottes; in den prophet. Religionen (Judentum, Christentum, Islam) vornehmlich die unverdiente Vergebung menschl.

Gmünd 3): Renaissancefassaden mit Sgraffito

Sünden; in den Religionen ind. Herkunft in erster Linie die Erlösung aus dem ewigen Kreislauf der Wiedergeburten (Buddhismus). – Bezeichnet G. im A.T. die grundlose Auserwählung Israels zum Volk Gottes, so wird der Begriff im N.T. als Erlösungswerk Gottes in Jesus Christus auf die ganze Menschheit ausgedehnt. Nach Paulus ist Universalität der G. Gottes die Entsprechung zur Universalität der Sünde der Menschen (Röm. 5, 12–19), die grundlose unverdiente →Rechtfertigung der Sünder ihre wichtigste Wirkung (Röm. 3, 21–30). – Theologiegeschichtlich sind bei der Entwicklung der G.-Lehre unterschiedl. Schwerpunkte gesetzt worden. Für die Kirchenväter des Ostens bedeutete G. vor allem Vergöttlichung des Menschen. Im lat. Westen trat – vermittelt über Augustinus – mehr das anthropolog. Problem von G. und Freiheit in den Vordergrund des Interesses. Seit der Scholastik unterscheidet die kath. Theologie zw. der ungeschaffenen G. (gratia increata) als der G. Gottes und der geschaffenen G. (gratia creata) als den Gaben und Wirkungen, die die G. Gottes im Menschen zur Folge hat. Auf dieser Grundlage betonte das Konzil von Trient die Mitwirkung des Menschen als unerlässlich für seine Rechtfertigung. Luther griff in seiner G.-Auffassung unmittelbar auf den biblisch-paulin. G.-Begriff als der unverdienten Rechtfertigung der Sünder durch Gott zurück: Rechtfertigung erfolgt allein aus G. (sola gratia). Ausgeformt zur Rechtfertigungslehre ist dieses G.-Verständnis zum Charakteristikum reformator. Theologie geworden. (→Glaube)

📖 GRESHAKE, G.: *Geschenkte Freiheit. Einführung in die Gnadenlehre. Neuausg. Freiburg im Breisgau u.a. 1992. – Einführung in die Lehre von G. u. Rechtfertigung, Beiträge v.* O. H. PESCH *u.* A. PETERS. *Darmstadt* ^{3}*1994.*

Gnadenbild, in der kath. Frömmigkeit an Wallfahrtsorten verehrte gemalte oder plast. Bilder von Christus oder von Heiligen, v.a. von Maria; bekannte G. befinden sich in Altötting, Kevelaer und Tschenstochau.

Gnadenkraut: Gottesgnadenkraut

Gnadenkirchen, Bez. für die evang. Kirchen in Sagan, Freystadt, Militsch, Landeshut, Teschen und Hirschberg, die die schles. Protestanten »aus kaiserl. Gnade« nach der Konvention von Altranstädt (1707) bauen durften.

Gnadenkraut (Gratiola), Gattung der Rachenblütler. Die einzige einheim. Art **Gottes-G.** (Gratiola officinalis) hat weißl., lang gestielte Blüten, wächst auf feuchten Wiesen. Kraut und Wurzel enthalten u.a. das giftige **Gratiolin;** steht unter Naturschutz.

Gnadenrecht, →Begnadigung.

Gnadenstuhl, seit dem 12. Jh. in der bildenden Kunst nachweisbare Darstellung der Dreieinigkeit, bei der Gottvater den Sohn, meist als Kruzifix, im Schoß hält; über dem Haupt Christi schwebt die Taube, Symbol für den Heiligen Geist.

Gnadenwahl, *Theologie:* →Prädestination.

Gnapheus, Guilielmus (auch Fullonius), eigtl. Willem van de Voldersgraft oder de Volder, niederländ. Humanist, *Den Haag 1493, †Norden 29. 9. 1568; begründete bes. durch sein Stück vom verlorenen Sohn »Acolastus« (1529) das prot. lat. Schuldrama.

Gnadenstuhl: Tafelbild eines unbekannten Meisters aus der Steiermark (um 1425; London, National Gallery)

Gneis, *Petrologie:* artenreiche Gruppe metamorpher Gesteine mit deutl. Parallelgefüge und hohem Feldspatgehalt. I.d.R. herrschen körnig ausgebildeter Quarz und Feldspat (Alkalifeldspäte und/oder Plagioklase) gegenüber den lagig eingeregelten Glimmern und den anderen Mineralgemengteilen vor. Die G. werden benannt a) nach dem Metamorphosegrad (Epi-, Meso-, Kata-G.), b) nach dem Ausgangsgestein (z.B. Granit-G.), c) nach besonderen Gemengteilen (z.B. Serizit-G.), d) nach Aussehen und Struktur (z.B. Augen-G., Bänder-G.). **Ortho-G.** sind aus magmat. Gesteinen entstanden, **Para-G.** aus Sedimentgesteinen.

Gneisenau, August Wilhelm Anton Graf (seit 1814) Neidhardt von, preuß. Heerführer, *Schildau (bei Torgau) 27. 10. 1760, †Posen 23. 8. 1831; seit 1785 Offizier in preuß. Dienst; neben G. J. D. Scharnhorst bedeutendste Persönlichkeit der preuß. Heeresreform, in der er sich u.a. für die Volksbewaffnung und gegen die Prügelstrafe (abgeschafft 1808) wandte. In den Befreiungskriegen, für die er seit 1811 warb, hatte er (nach Scharnhorsts Tod) als Generalquartiermeister G. L. Blüchers (1813 und erneut 1815) entscheidenden Anteil an den Siegen bei Leipzig (1813) und →Waterloo (1815) und galt als bedeutendster militär. Gegenspieler Napoleons I. 1816 nahm er aus polit. Gründen den Abschied. 1825 zum Generalfeldmarschall ernannt, erhielt G. 1831 beim poln. Aufstand den Oberbefehl über vier Armeekorps im Osten, starb jedoch bald an der Cholera.

Gneist, Rudolf von (seit 1888), Jurist und Politiker, *Berlin 13. 8. 1816, †ebd. 22. 7. 1895; wurde 1844 Prof. in Berlin, war 1858–93 Mitgl. des preuß. Abgeordnetenhauses und 1868–84 MdR (nationalliberal). Als Verf. einer sozialen Staatslehre entwickelte er Grundsätze für eine preuß. Verwaltungsreform und setzte sich für die Schaffung einer selbstständigen Verwaltungsgerichtsbarkeit ein.

Gnesen (poln. Gniezno), Stadt in der Wwschaft Poznań (Posen), Polen, 71000 Ew.; Erzbischofssitz; Museum, Theater, Staatl. Pferdegestüt; Druckereien, Leder-, Textil-, Nahrungsmittelind., Fahrzeug- und Gerätebau. – Dom (spätgot. Backsteinbau; roman. Bronzetür) mit Grabmal des hl. Adalbert. – G., die älteste poln. Stadt (Burgsiedlung des späten 8. Jh.), wurde im 10. Jh. Fürstensitz und war – neben Posen – im 10. und 11. Jh. Hptst. Polens. 1000 bestätigte Otto III. die Gründung des **Erzbistums G.** durch Bolesław I. Chrobry (Akt von G.). 1243 erhielt G. als erste Stadt in Großpolen dt. Recht und war bis 1320 Krönungsstätte; seit dem späten MA. nur noch als Erzbischofssitz von Bedeutung; der Erzbischof von G. und Warschau ist zugleich Primas von Polen; in preuß. Zeit (1793–1806 und 1815–1918) Kreisstadt und Zentrum der poln. Nationalbewegung.

Gniezno ['gnjɛznɔ], Stadt in Polen, →Gnesen.

Gnome [grch.] *die,* kurzer Sinnspruch, der eine Erfahrung, Regel oder einen Grundsatz enthält; die Grenzen zur →Sentenz sind fließend.

Gnomen [Herkunft ungeklärt], dämon. Gestalten, die in Volksglaube und Volksmärchen Wald, Berg und Wasser bevölkern; insbesondere die zwerghaften Erdgeister.

Gnomon [grch.] *der,* **1)** *Astronomie:* (Schattenstab) Messgerät des Altertums (z. B. ein Obelisk), durch dessen Schattenlänge auf einer waagerechten Ebene die Höhe der Sonne bestimmt wird. Aus dem G. entwickelten sich die Sonnenuhren, die auch G. genannt werden.

2) *Mathematik:* a) in der grch. Mathematik die ebene Figur, die als Differenzfläche zweier Quadrate oder Rechtecke entsteht, b) die entsprechende Restfläche eines Parallelogramms.

gnomonische Projektion, ein →Kartennetzentwurf; wird auch in der Kristallographie genutzt.

Gnoseologie [grch.] *die,* Bez. für →Erkenntnistheorie.

Gnosis [grch. »Erkenntnis«] *die,* in der grch. Tradition Bez. der Erkenntnis überhaupt; im N. T. Bez. für die christl. Erkenntnis als Heilswahrheit (z. B. 1. Kor. 1, 5) und als falsche G. für Irrlehren (1. Tim. 6, 20). – Im heutigen Sprachgebrauch bezeichnet G. als allg. Begriff der Religionsphänomenologie das systematisch gefasste, nur wenigen Auserwählten zugängl. (göttl.) Geheimwissen in esoter. Religions- und Weltanschauungsgemeinschaften. In diesem Sinne (auch **Gnostizismus** gen.) zusammenfassende Bez. für mehrere spätantike religiöse dualist. Erlösungsbewegungen unterschiedl. Herkunft v. a. des 2. Jh. n. Chr., deren Erforschung zunächst nur indirekt auf der Grundlage der christl. Antihäretikerliteratur möglich war und sich erst seit der Entdeckung von kopt. Originaltexten in Nag Hammadi (1945/46) auf authent. Quellen stützen kann. Grundlegend für das gnost. Weltbild ist die Interpretation der Welt und der menschl. Existenz im Rahmen einer streng dualist. Konzeption. Die materielle Welt wird als von einem Demiurgen geschaffen und widergöttlich angesehen. In ihr sind Teile der jenseitigen göttl. Welt des Lichts (göttl. Funken) gefangen, die erlöst werden müssen. Der gnost. Kosmologie entspricht eine Anthropologie, die im Leib das Gefängnis der Seele sieht. Erlösung aus der Gefangenschaft ist durch Erkenntnis möglich, in der christl. G. durch Christus, den Gesandten des göttl. Lichts. Die christl. G. war im 2. Jh. weit verbreitet und führte zur ersten großen Glaubensauseinandersetzung in der frühen Kirche, in deren Ergebnis sie als häretisch verurteilt wurde. Die maßgebenden Gnostiker stammen aus dem Orient. Saturnil wirkte in Syrien, Basilides in Alexandria, Valentin in Rom.

📖 *G. u. Gnostizismus, hg. v.* K. RUDOLPH. *Darmstadt 1975.* – RUDOLPH, K.: *Die G. Göttingen ³1990, Nachdr. Göttingen 1994.* – BRUMLIK, M.: *Die Gnostiker. Tb.-Ausg. Frankfurt am Main 1995.*

Gnothi seauton [grch.], →erkenne dich selbst.

Gnus (Connochaetes), Gattung wiederkäuender Paarhufer; beide Geschlechter tragen seitwärts geschwungene Hörner. G. leben gesellig in Busch- und Grassteppen Afrikas. Das **Weißschwanzgnu** (Connochaetes gnou) kommt nur noch in Reservaten vor.

Go *das* (japan. I-go), ostasiat. Brettspiel, wird von zwei Teilnehmern mit 181 schwarzen und 180 weißen Steinen auf einem quadrat. Brett (goban) gespielt, das mit je 19 waagerechten und senkrechten Linien überzogen ist. Jeder Spieler sucht mit seinen Steinen zusammenhängende Ketten zu bilden; völlig eingeschlossene gegner. Steine gelten als erobert.

Goa, ind. Bundesstaat, an der W-Küste Vorderindiens, 3702 km², (1994) 1,24 Mio. Ew., Hptst. Panaji; im Delta der Flüsse Mandavi und Juari ertragreiche Reis- und Kokospalmenkulturen; Eisenerz-, Manganerz- und Bauxitabbau; Herstellung von Textilien, Düngemitteln, pharmazeut., elektron. u. a. Erzeugnissen; an den Stränden Fremdenver-

August Wilhelm Anton von Gneisenau (Ausschnitt einer Lithographie nach einem Öl-gemälde von Franz Krüger, 1819)

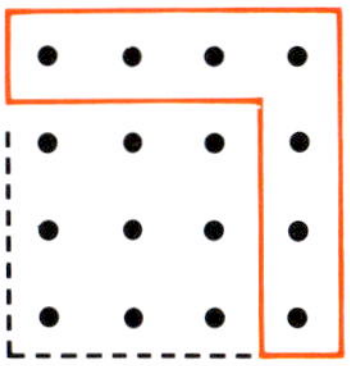

Gnomon 2) entstehend aus der Differenz zweier Quadrate, die den Quadratzahlen 16 und 9 entsprechen

kehr. Die Kirchen und Klöster (16./17. Jh.) der ehem. portugies. Hptst. Velha Goa (östlich von Panaji) sind heute Ruinenstätten (UNESCO-Weltkulturerbe). – Das seit Ende des 15. Jh. zum Sultanat Bijapur gehörende G. wurde 1510 portugiesisch (Eroberung durch A. de Albuquerque); 1951–61 zus. mit Daman und Diu Teil der weitgehend autonomen portugies. Überseeprovinz »Estado da India«. Nach Besetzung durch ind. Truppen (1961) erhielt G. mit Daman und Diu den Status eines ind. Unionsterritoriums; 1987 wurde G. Bundesstaat der Ind. Union.

Charles Albert Gobat

GOÄ, Abk. für → Gebührenordnung für Ärzte.

Goajiro [-'xiro] (Guajiro, Eigen-Bez. Wayú), südamerikan. Indianerstamm auf der Halbinsel Guajira, Kolumbien, z.T. auch in Venezuela, zu den Aruak gehörend; etwa 130 000 G.; Viehzüchter.

Goar, Heiliger, fränk. Missionar des 6. Jh., kam nach der Legende aus Aquitanien an den Rhein, Schutzpatron der (Rhein-)Schiffer und Gastwirte; Tag: in den Bistümern Limburg und Trier: 6. 7.

Gobat [go'ba], Charles Albert, schweizer. Politiker, *Tramelan (Kt. Bern) 21. 5. 1834, † Bern 16. 3. 1914; war 1884–90 Ständerat und 1890–1914 Nationalrat. 1902 erhielt er mit É. Ducommun den Friedensnobelpreis und leitete seit 1906 das Internat. Friedensbureau in Bern.

Boy Gobert

Gobbi, Tito, italien. Sänger (Bariton), *Bassano del Grappa 24. 10. 1913, † Rom 5. 3. 1984; Interpret bes. der Charakterrollen in italien. Opern; trat auch als Regisseur hervor.

Gobelin [gɔb'lɛ̃, frz.] *der,* gewebter Wandteppich, genannt nach der Färberfamilie G. im Paris des 15. Jh. (→ Bildwirkerei).

Gobert, Boy Christian, Schauspieler, Regisseur und Theaterleiter, *Hamburg 5. 6. 1925, † Wien 30. 5. 1986; spielte v. a. Bohemien- und Dandyrollen, sowohl auf der Bühne (Sternheims »Snob«), als auch im Film (»Wer sind Sie, Dr. Sorge?«); war 1969–80 Intendant des Thaliatheaters in Hamburg, seit 1980 Generalintendant in Berlin (West).

Jean Luc Godard

Gobi [mongol. »Wüste«] *die* (chines. Shamo [»Sandwüste«]), trockene Beckenlandschaft in Zentralasien, in der Mongolei und in China (Innere Mongolei), durchschnittlich über 1000 m ü. M., Längserstreckung fast 2 000 km; in Einzelbecken gegliedert, mit Salztonebenen, Salzsümpfen und -seen. Das Klima ist extrem kontinental; Kernwüsten vorwiegend im SW (Badainjaran-, Tengerwüste), der O ist steppenhaft (Viehzucht). Die Bev. besteht aus nomadisierenden Mongolen; von SO drangen chines. Kolonisten vor. Die G. wird von Karawanenstraßen und seit 1955 von der Transmongol. Eisenbahn durchquert.

Kurt Gödel

Gobineau [gɔbi'no], Joseph Arthur Comte de, frz. Schriftsteller und Diplomat, *Ville-d'Avray (Dép. Hauts-de-Seine) 14. 7. 1816, † Turin 13. 10. 1882; versuchte die Überlegenheit der »arischen« Rasse zu begründen (»Versuch über die Ungleichheit der Menschenrassen«, 4 Bde., 1853–55), wirkte u. a. auf F. Nietzsche, R. Wagner. Als Hauptwerk gelten heute seine Romane und Novellen.

Goch, Stadt im Kr. Kleve, NRW, im Niederrhein. Tiefland, an der unteren Niers, 31 200 Ew.; Textil-, Nahrungsmittel-, Kunststoffind., Maschinen- und Fahrzeugbau. – Im 2. Weltkrieg stark zerstört; die got. Pfarrkirche (14.–16. Jh.) wurde wieder aufgebaut; Steintor (14. Jh.), »Haus zu den fünf Ringen« (Backsteinbau, 16. Jh.). – 1261 erstmals als Stadt bezeichnet; fiel 1473 an das Herzogtum Kleve, 1614 an Brandenburg.

Göchhausen, Luise von, *Eisenach 13. 2. 1752, † Weimar 7. 9. 1807; seit 1783 Erste Hofdame der Herzogin Anna Amalia von Sachsen-Weimar-Eisenach. Sie verfertigte die einzige erhaltene Abschrift von Goethes »Urfaust« (1887 aufgefunden).

Godard [gɔ'da:r], Jean-Luc, frz. Filmregisseur, *Paris 3. 12. 1930 ; leitete mit »Außer Atem« (1960) die »Neue Welle« des frz. Films ein; drehte auch sozialkrit. Filme mit polit. Intention, u. a. »Die Geschichte der Nana S.« (1962), »Eine verheiratete Frau« (1964), »Weekend« (1968), »Numéro 2« (1975), »Détective« (1985), »Nouvelle Vague« (1990), »Deutschland Neu(N) Null« (1991), »Weh mir« (1993).

Godavari *die,* Fluss in Indien, rd. 1450 km, entspringt in den Westghats, quert den Dekhan, durchbricht die nördl. Ostghats, bildet zus. mit der Krishna ein fruchtbares Bewässerungsdelta am Golf von Bengalen.

Goddard ['gɔdəd], Robert Hutchings, amerikan. Physiker und Raketenpionier, *Worcester (Mass.) 5. 10. 1882, † Baltimore (Md.) 10. 8. 1945; befasste sich seit 1912 mit Problemen der Raketentechnik. Entwickelte ein Flüssigkeitsraketentriebwerk und startete 1926 die erste Flüssigkeitsrakete.

Gode [isländ. goði, von guð »Gottheit«] *der,* urspr. wohl Bez. des Priesters im german. Heidentum. Im Island des 9.–13. Jh. (also über die Christianisierung hinaus) jedoch Bez. der weltl. Häuptlinge, der alleinigen Träger der lokalen juristisch-polit. Gewalt. Das G.-Amt war vererbbar.

Godefroy [gɔd'frwa], Denis, niederländ. Goldschmied, → Gothofredus.

Gödel, Kurt, österr. Mathematiker und Logiker, *Brünn 28. 4. 1906, † Princeton (N. J.) 14. 1. 1978; lieferte grundlegende Beweise innerhalb der formalen Logik, z. B. zur Vollständigkeit und Widerspruchsfreiheit einer mathemat. Theorie; befasste sich auch mit philosoph. Fragen der Mathematik.

Godesberg, Bad, seit 1969 Stadtteil von → Bonn.

Godesberger Kreis, lockere Vereinigung von Gegnern der Politik K. Adenauers (1949/50); u.a. A. Hermes, R. Nadolny), setzte sich – im Hinblick auf die Wiedervereinigung Dtl. – für eine Verständigung mit der UdSSR und der DDR ein.

Godesberger Programm, →Sozialdemokratie.

Gödöllő, Stadt im Bezirk Pest, Ungarn, nordöstl. von Budapest, 30000 Ew.; landwirtsch. Univ.; elektrotechn., chem. Industrie. – Schloß (1744–50), nach 1867 königl. Sommerresidenz.

Godoy [go'ðoi], Manuel de G. y Álvarez de Faria, Herzog von Alcudia (1792), Prinz de la Paz (1795), span. Politiker, *Castuera (Prov. Badajoz) 12.5.1767, †Paris 4.10.1851; Liebhaber der Königin Maria Luisa und Günstling König Karls IV., war 1792–98 und 1801–08 Erster Minister. G. betrieb eine Politik des aufgeklärten Absolutismus, schloss 1795 ein Bündnis und 1807 einen Vertrag mit Frankreich über die Aufteilung Portugals. Da er sich skrupellos bereicherte, war er im Volk verhasst und wurde 1808 während des Aufstands gegen die frz. Besatzung gestürzt.

God Save the King ['gɔd 'seɪv ðə 'kɪŋ; engl. »Gott schütze den König«], **God save the Queen** [-'kwi:n; »Gott schütze die Königin«], brit. Nationalhymne (als solche seit 1825 belegt); bereits Mitte des 18. Jh. als patriot. Lied bei königl. Zeremonien gesungen. Die Weise wurde vielfach verwendet (»Heil dir im Siegerkranz«).

Godthåb ['gɔdhɔ:b, dän. »gute Hoffnung«], dän. Name von →Nuuk, Grönland.

Godunow, Boris Fjodorowitsch, russ. Zar, *um 1552, †23. 4. 1605; war Berater Zar Iwans IV., 1587/88–98 Regent unter Fjodor I. und machte durch die Errichtung des Moskauer Patriarchats (1589) die russ. Kirche unabhängig von Konstantinopel. Nach dem Tod Fjodors wurde er 1598 von der Reichsversammlung (Semski Sobor) zum Zaren gewählt. Sein Sohn und Nachfolger Zar Fjodor II. (*1589, †1605) wurde bereits nach sieben Wochen gestürzt. – Trauerspiel von A. S. Puschkin (1825); Oper von M. P. Mussorgski (1874).

Boris Godunow (Ausschnitt aus einem zeitgenössischen Kupferstich)

Godwin ['gɔdwɪn], **1)** Mary, geb. Wollstonecraft, engl. Schriftstellerin, *London 27. 4. 1759, †ebd. 10. 9. 1797, ⚭ mit 2); Anhängerin J.-J. Rousseaus, erste engl. Frauenrechtlerin.

2) William, engl. Schriftsteller, *Wisbech (Cty. Cambridgeshire) 3. 3. 1756, †London 7. 4. 1836, ⚭ mit 1); verfocht in polit. Schriften und Romanen die Ideen von Freiheit und Gleichheit (»Untersuchung über polit. Gerechtigkeit und ihren Einfluss auf Moral und Glückseligkeit«, 2 Bde., 1793).

Goebbels, Paul Joseph, Politiker, *Rheydt (heute zu Mönchengladbach) 29. 10. 1897, †(Selbstmord) Berlin 1. 5. 1945; schloss sich 1924 der NSDAP an, zeitweise Anhänger von G. Strasser, wurde Schriftleiter an nat.-soz. Zeitungen, 1926 Gauleiter von Berlin-Brandenburg, 1928 MdR, 1929 Reichspropagandaleiter; beherrschte ab 1933 als Reichsmin. für Volksaufklärung und Propaganda (seit März 1933) und als Vors. der Reichskulturkammer (seit Herbst 1933) durch Gleichschaltung aller Massenmedien weitestgehend das geistige und kulturelle Leben. Gestützt auf einen von ihm aufgebauten Propagandaapparat, trat G. mit demagog. Rhetorik als Verfechter der nat.-soz. Ideologie und ihres Führerkults hervor (Höhepunkt: Rede im Berliner Sportpalast, 18. 2. 1943, Aufruf zum »totalen Krieg«). Im Nov. 1938 war er maßgeblich an der Inszenierung der Judenpogrome (Reichspogromnacht) beteiligt. Nach dem 20. 7. 1944 »war er Reichsbevollmächtigter für den totalen Kriegseinsatz« und »Stadtpräs.« von Berlin. Am 29. 4. 1945 bestimmte ihn Hitler zu seinem Nachfolger als Reichskanzler. Neben Hitler und H. Himmler war G. einer der Hauptverantwortlichen für die nat.-soz. Verbrechen. – 1990 und 1992 wurden bisher unbekannte Teile seiner Tagebücher (1948, 1960 und 1977 als Fragmente hg.) entdeckt und publiziert.

Joseph Goebbels

📖 FRAENKEL, H. *u.* MANVELL, R.: *G. Der Verführer. A. d. Engl. Neuausg. München* ³*1995.* – REUTH, R. G.: *G. Neuausg. München u. a. 1995.*

Goebel ['gø-], Heinrich (Henry), dt.-amerikan. Mechaniker, *Springe 20. 4. 1818, †New York 16. 12. 1893; erfand 1854 (vor T. A. Edison) eine elektr. Glühlampe mit Glühfaden aus verkohlter Bambusfaser.

Goedeke ['gø-], Karl, Germanist, *Celle 15. 4. 1814, †Göttingen 27. 10. 1887; seit 1873 Prof. ebd.; bibliograph. Repertorium »Grundriß zur Gesch. der dt. Dichtung« (3 Bde., 1859–81; fortgeführt, 16 Bde., von E. Goetze u. a.).

Kurt Gödel

gödelsches Theorem

Das 1931 veröffentlichte gödelsche Theorem wurde für die Zahlentheorie formuliert, gilt aber für alle widerspruchsfreien logischen Systeme: Demnach gibt es in jedem dieser Systeme prinzipiell unentscheidbare Aussagen. Dies ist die Übersetzung eines uralten philosophischen Paradoxons in die Mathematik: Der Seher Epimenides war ein Kreter. Von ihm stammt der Satz »Alle Kreter sind Lügner«. Man kann nicht entscheiden, ob der Satz wahr oder nicht wahr ist, weil er auf sich selbst bezogen ist. Beide Annahmen (wahr oder nicht wahr) führen zu einem Widerspruch.

Goeppert-Mayer ['gœ-], Maria, amerikan. Kernphysikerin dt. Herkunft, *Kattowitz 28. 6. 1906, †San Diego (Calif.) 20. 2. 1972; entwickelte, zunächst unabhängig, dann in Zusammenarbeit mit J. H. D. Jensen, das Schalenmodell des Atom-

Hugo van der Goes: »Anbetung der Hirten«, Mitteltafel des »Portinari-Altars« (um 1475; Berlin, Gemäldegalerie)

kerns; erhielt dafür 1963 den Nobelpreis für Physik zus. mit J. H. D. Jensen und E. P. Wigner.

Maria Goeppert-Mayer

Goerdeler ['gœ-], Carl-Friedrich, Politiker, *Schneidemühl (heute Piła) 31. 7. 1884, †(hingerichtet) Berlin-Plötzensee 2. 2. 1945; Jurist, 1930 bis 1937 Oberbürgermeister von Leipzig, 1931–32 und 1934–35 zugleich Reichskommissar für Preisüberwachung, geriet nach anfängl. Mitarbeit im NS-Staat angesichts der Beseitigung des Rechtsstaates sowie der nat.-soz. Rassen- und Kirchenpolitik immer stärker in Opposition zur Diktatur Hitlers und seiner Partei. Als Oberbürgermeister von Leipzig trat er zurück, nachdem während seiner Abwesenheit auf Veranlassung der NSDAP das Denkmal F. Mendelssohn Bartholdys entfernt worden war. In wachsender Distanz zum NS-Staat entwickelte er sich zum Mittelpunkt des zivilen (bürgerl.) Widerstands. Nach Kriegsbeginn (1939), spätestens jedoch Ende 1941 kam er zu der Auffassung, dass nur eine Verhaftung Hitlers – ein Attentat auf ihn lehnte er ab – eine nationale Katastrophe verhindern könne. Für den Fall von Hitlers Sturz war G. von der bürgerlich-militär. Widerstandbewegung als Reichskanzler vorgesehen. Nach dem fehlgeschlagenen Attentat auf Hitler vom 20. 7. 1944 wurde G. verhaftet und am 8. 9. vom Volksgerichtshof zum Tode verurteilt.

Carl Friedrich Goerdeler

📖 RITTER, G.: *C. G. u. die dt. Widerstandsbewegung. Neuausg. Stuttgart ⁴1984.* – MEYER-KRAHMER, M.: *C. G. u. sein Weg in den Widerstand. Freiburg im Breisgau u. a. 1989.*

Goering ['gø-], Reinhard, Schriftsteller, *Schloss Bieberstein (bei Fulda) 23. 6. 1887, †(Selbstmord) Flur Bucha bei Jena 14.(?) 10. 1936; bed. sind seine expressionist. Dramen, v. a. die Tragödie »Seeschlacht« (1917) und »Die Südpolexpedition des Kapitäns Scott« (1929).

Goes, 1) [gø:s], Albrecht, Schriftsteller, *Langenbeutingen (heute zu Langenbrettach, Kr. Heilbronn) 22. 3. 1908; evang. Pfarrer, seit 1953 freier Schriftsteller, knüpft als Lyriker an die Tradition seiner schwäb. Heimat (E. Mörike) an; u. a. »Unruhige Nacht« (Erz., 1950); Laienspiele, Biographien und Predigten, Essays (»Noch und schon. 12 Überlegungen«, 1983).

2) [xu:s], Hugo van der, fläm. Maler, *Gent um 1440, †Kloster Roodendale (bei Brüssel) 1482; seit 1467 Meister in Gent, wohl seit 1475 (zeitweise geistig verwirrt) im Kloster; malte den für eine Kirche in Florenz gestifteten »Portinari-Altar« mit der Anbetung der Hirten als Mittelbild und der Familie des Stifters auf den Flügeln (um 1475; Florenz, Uffizien), das Hauptwerk der altniederländ. Malerei seit dem Genter Altar der Brüder van Eyck. In dem an symbol. Andeutungen reichen »Portinari-Altar«, dessen Wirkung v. a. auf die Florentiner Malerei bed. war, verbindet sich Monumentalität der Komposition mit realist. Genauigkeit. Die Behandlung der Architektur setzt die Kenntnis der Zentralperspektive voraus.

Weitere Werke: Anbetung der Könige (um 1475; Berlin, Gemäldegalerie); Anbetung der Hirten (um 1480; ebd.); Tod Mariä (um 1480; Brügge, Groeningemuseum).

Goethe ['gø-], **1)** Christiane von, *Weimar 1. 6. 1765, †ebd. 6. 6. 1816, Schwester von C. A. Vulpius; Lebensgefährtin von 2), Heirat 1806.

2) Johann Wolfgang von (seit 1782), Dichter, *Frankfurt am Main 28. 8. 1749, †Weimar 22. 3. 1832; Sohn des Kaiserl. Rates Johann Kaspar G. (*1710, †1782) und der Katharina Elisabeth, geb. Textor (*1731, †1808). Von fünf Geschwistern überlebte nur Cornelia (*1750, †1777) die Kindheit.

Jugendzeit und Frühwerke: 1765 nahm G. das vom Vater bestimmte Jurastudium an der Univ. Leipzig auf. In den sechs Leipziger Semestern schrieb er Gedichte im Ton des Rokoko (Liederbuch »Annette«, entstanden 1767; »Neue Lieder«, 1768), erlebnisgeprägte Bekenntnislyrik und Oden sowie dramat. Versuche in den Formen des zeitgenöss. Theaters. Eine gefährl. Lungenkrankheit zwang ihn 1768 zur Rückkehr ins Elternhaus; im Umgang mit pietist. Kreisen, v. a. mit Susanne von Klettenberg, beschäftigte sich G. mit hermet. und myst. Literatur. Dem schloss sich 1770/71 das Studium in Straßburg an. J. G. Herder vermittelte ihm die Aufklärungskritik J. G. Hamanns und seine eigenen sprachphilosoph. Ideen, lenkte den Blick auf Shakespeare und Ossian sowie auf eine neue Wertung der Antike (Homer, Pindar); in Straßburg

Johann Wolfgang von Goethe: Von dem englischen Porträtisten George Dawe geschaffenes Gemälde, das für lange Zeit in Russland verschollen war (1819; Weimar, Goethe-Nationalmuseum)

entstanden u.a. auch die »Sesenheimer Lieder« (F. → Brion). Das jurist. Abschlussexamen berechtigte G. zur Advokatur in Frankfurt am Main, die er im Herbst 1771 erhielt. Dort vollendete er das Drama »Götz von Berlichingen mit der eisernen Hand«; ebenso entstanden die großen Hymnen (»Wanderers Sturmlied«, »Mahomets Gesang«, »Prometheus«, »Ganymed«). In dieser Zeit galt G. als ein Hauptrepräsentant des Sturm und Drang, an dessen krit. Organ, den »Frankfurter gelehrten Anzeigen«, er sich zeitweise als Rezensent beteiligte. Sein erster Roman »Die Leiden des jungen Werthers« (1774, Neufassung 1787), ein Spiegelbild der Literatur der Empfindsamkeit, begründete seinen weltliterar. Ruhm. Der »Götz« erschien in 2. Fassung im Juni 1773. Die Geniebegeisterung des Sturm und Drang weckte das Interesse für den Helden des niederländ. Befreiungskampfes, der zur Zentralfigur des 1775 begonnenen Dramas wurde (»Egmont«, gedruckt 1788). Die mit den Grafen C. und F. L. zu Stolberg-Stolberg unternommene Reise in die Schweiz (1775) war die erste einer Reihe von Fluchten, mit denen G. sich hemmenden Verhältnissen entzog.

Weimar (1775–86): Im Nov. 1775 folgte G. einer Einladung des Herzogs Karl August nach Weimar, wo er einen literarisch engagierten Hofkreis vorfand (u.a. Charlotte von → Stein). Seine Aufgabe als Erzieher und Minister bestimmte seinen weiteren Berufsweg (1779 zum Geheimen Rat ernannt); er leitete die Gebiete der Finanzen, des Bergbaus, des Militärwesens, später auch das Theater und das Bildungswesen. In Weimar entstanden die großen Werke der Reifezeit, dazu die ästhet., naturwiss. und autobiograph. Werke. »Faust« reicht in die Frühzeit zurück (»Urfaust«, → Faust, J.). 1777 begann G. mit »Wilhelm Meisters theatral. Sendung« (Romanfragment, erschienen 1911), nach der italien. Reise zu »Wilhelm Meisters Lehrjahre« (4 Bde., 1795/96) erweitert, sowie »Iphigenie auf Tauris« (1779 aufgeführt) und 1780/81 auch »Torquato Tasso« (Prosafassungen); in der Lyrik bereicherte er den hymn. Stil wieder um liedhafte Elemente (u.a. »Erlkönig«). Daneben widmete er sich naturwiss. (Entdeckung des menschl. Zwischenkieferknochens, 1784), zeichner. und sammler. Betätigungen. Unter dem Druck der amtl. Verpflichtungen und der letztlich hoffnungslosen Leidenschaft für Charlotte von Stein entschied sich G. für eine Reise nach Italien.

1. Italienreise (1786–1788): Im Sept. 1786 brach G. von Karlsbad fast fluchtartig auf und kehrte erst Mitte 1788 nach Weimar zurück. Zu dem Hauptaufenthalt in Rom kam eine mehrmonatige Reise nach Neapel und Sizilien. In Italien vertiefte G. durch die Begegnung mit der Antike seine dichter. und ästhet., aber auch seine naturwiss. Anschauungen (»Urpflanze« in Palermo) und suchte bes. den Kontakt zu bildenden Künstlern. Seine frühere Dichtung und Gesinnung wurde hier zum Klassischen umorientiert, z.B. versch. Faustszenen und Versfassungen von »Iphigenie« (erschienen 1787) und »Torquato Tasso« (erschienen 1790). Die eigtl. poet. Frucht der Italienreise sind die »Röm. Elegien« (entstanden 1788–90, gedruckt 1795), ein

Goethe

»Die Leiden des jungen Werthers«

Goethes erster Roman, »Die Leiden des jungen Werthers«, war ein Zeitdokument der Empfindsamkeit. Werther, ein junger Mann mit hoch gesteigertem Selbstbewusstsein, der in seiner Maßlosigkeit des Gefühls überall an Grenzen stößt, geht am Zwiespalt zwischen Ich und Welt und an seiner Liebesleidenschaft zugrunde und sieht keinen anderen Ausweg als den Selbstmord. »Die Wirkung des Büchleins«, schrieb Goethe später in »Dichtung und Wahrheit«, »war groß, ja ungeheuer, weil es genau die rechte Zeit traf«. Werther wurde von einer ganzen Generation als Inbegriff des sensiblen Menschen, sein tragisches Schicksal als Ausdruck eines extremen Protests verstanden. Man weiß von einer wahren Epidemie von Selbstmorden à la Werther, ebenso zog die »Werthermode« (blauer Frack mit gelben Messingknöpfen, gelbe Weste, braune Stulpenstiefel, runder Filzhut und ungepudertes Haar) weite Kreise. Goethe, der in seinem Roman auch autobiographische Elemente – seine Liebe zu Charlotte Buff, der Braut des befreundeten Juristen J. C. Kestner – verarbeitet hatte, »rettete« sich vor den Gefahren, denen Werther erlegen war, durch die dichterische Gestaltung; der Roman begründete seinen weltliterarischen Ruhm.

Christiane von Goethe (Zeichnung von Johann Wolfgang von Goethe)

geistreicher Dialog mit den großen Liebesdichtern der »goldenen« Latinität (Tibull, Properz, Catull).

2. Italienreise: 1790 ging G. noch einmal für wenige Monate nach Italien. An die Stelle seiner ersten Italienbegeisterung trat nun ein skept. Bild der italien. Gesellschaft. Zeugnis davon geben die »Venetian. Epigramme« (1795 in Schillers »Musenalmanach« erschienen).

Die Auseinandersetzung mit der Frz. Revolution brachte u.a. das Lustspiel »Der Groß-Cophta« (1792), der burleske Einakter »Der Bürgergeneral« (1793), das erste Stück einer Fragment gebliebenen dramat. Trilogie »Die natürl. Tochter« (1799–1803, gedruckt 1803), das satir. Epos »Reineke Fuchs« (1794). 1792 begleitete G. Herzog Karl August in das Feldlager des gegen Frankreich verbündeten Koalitionsheeres bis zu dessen Rückzug vor den Franzosen.

Freundschaft mit Schiller: Die 1790er-Jahre sind geprägt durch die Zusammenarbeit mit Schiller (ab 1794), die bis zu Schillers Tod (1805) dauerte, ein Bund, der in der neueren dt. Geistesgeschichte einzigartig ist. Im Austausch mit Schiller wurde ein Stil entwickelt, der als **Weimarer Klassik** zur literarhistor. Epochenbezeichnung wurde. Für die Geschichte der dt. Dichtung wurde die krit. Einwirkung Schillers auf die großen Werke G.s ebenso wichtig wie seine poetologisch-ästhet. Reflexionen, so etwa bei der Umformung des »Wilhelm-Meister«-Romans, bei den Novellen (»Unterhaltungen dt. Ausgewanderten«, 1795), bei der Theorie eines modernen und doch den antiken Gattungsgesetzen entsprechenden Epos (»Hermann und Dorothea«, 1797) sowie bei der Umarbeitung des »Faust« und des »Egmont«. Zu den Bemühungen, die literar. Gattungen in ihren theoret. Grundlagen zu bestimmen (in dem gemeinsamen Aufsatz »Über ep. und dramat. Dichtung«, entstanden 1797, gedruckt 1827), trat die unmittelbare krit. Einwirkung auf die literar. und polit. Zustände der Gegenwart (»Xenien«, 1796); die Ztschr. »Die Horen«, »Die Propyläen«, ferner der »Musenalmanach« wurden zu Organen der klass. Kunst- und Literaturprogrammatik. G.s ästhet. und naturforschende Studien tendierten zu einem universalen System der Erscheinungen, das v.a. durch die Idee der Metamorphose bestimmt wird, die sowohl für die Pflanzen- und Tierwelt als auch im Prozess der geistigen Produktivität gilt. Auch in der Optik (»Zur Farbenlehre«, 2 Bde., 1808–10) vertrat G. diesen organ. Entwicklungsgedanken. Die anregende Zusammenarbeit mit Schiller bezeugen auch die Balladen des »Balladenjahres« 1797 (»Der Zauberlehrling«, »Der Gott und die Bajadere«).

1805–1813: G.s bisheriger Lebenskreis begann zu zerbrechen: 1803 starb Herder, 1805 Schiller, 1813 Wieland. Aus dem Kreis der Frühromantiker, dessen Zentrum zeitweise Jena war, kamen neue ästhet. und universalphilosoph. Ideen (J. G. Fichte, F. W. J. von Schelling). Anders als Schiller, der in seinen letzten Lebensjahren die klassizist. Position fest behauptete, setzte G. sich mit den ästhet. Ideen der Romantiker mit Interesse und Offenheit auseinander. Auf die theoret. und prakt. Wiederbelebung der romant. Sonettform durch die Brüder Schlegel und Z. Werner antwortete G. mit einem Zyklus von Sonetten (entstanden 1807/08, gedruckt 1815 I–XV, 1827 XVI, XVII). Der romant. Kritik galt die Dichtung G.s, v.a. als 1808 der vollendete 1. Teil des »Faust« erschienen war, als Gipfel der modernen Dichtung. In dieser Zeit entstanden auch bed. naturphilosoph. Gedichte und Novellen zu einer geplanten Fortsetzung des »Wilhelm Meister«. Daraus nahmen »Die Wahlverwandtschaften« (2 Tle., 1809) die Dimension eines eigenen Romans an. Daneben wurde die Arbeit an der Autobiographie fortgesetzt; im Weimarer Theater ließ G. Weltliteratur spielen (P. Corneille, P. Calderón, Shakespeare).

Altersperiode (1814–32): Die drei ersten Teile der Autobiographie »Aus meinem Leben. Dichtung und Wahrheit« , in der G. anhand seines Lebens den Wandel seiner Zeit darstellt, erschienen 1811–14, der 4. Teil, der bis zu der Berufung nach Weimar führt, postum 1833. Die Lektüre altpers. Dichtung, des »Divans« des pers. Dichters Hafis (in der dt. Übers. von J. von Hammer-Purgstall), regte G. zu dem neuen lyr. Stil seines »West-östl. Divans« (1819, erweitert 1827) an. Der »Divan« war wesentlich ein Ertrag der beiden Sommerreisen 1814 und 1815 in die Rhein-Main-Gegend, wo er auch Marianne von → Willemer kennen lernte. In

Goethe

Die Hinwendung Goethes zu einer als »klassisch« bezeichneten Literatur war ein Ergebnis eines persönlichen Reifeprozesses. Goethe kehrte sich vom Gefühlsüberschwang seiner Jugendwerke und von einer Darstellung des Individuell-Charakteristischen ab und der Gestaltung des Allgemein-Typischen zu. Eine wichtige Stufe dieser Entwicklung war seine 1786–1788 unternommene Reise nach Italien, auf der ihm Zeugnisse klassischer antiker Kunst begegneten und auf der er die einfachen »Urformen« an den Erscheinungen der Natur, der menschlichen Gestalt und der Kunst erfuhr, die allem Lebendigen zugrunde liegen. Diese versuchte er – auch zeichnerisch – festzuhalten. Ein weiterer bedeutender Impuls ging von dem Archäologen und Kunstgelehrten Johann Joachim Winckelmann aus. Dieser vertrat ein an der (vor allem griechischen) Antike orientiertes Schönheitsideal der »edlen Einfalt und stillen Größe«. So bildete sich die für die Klassik maßgebliche Idee der Humanität und Harmonie heraus, wie sie sich etwa in Goethes Drama »Iphigenie auf Tauris« gespiegelt findet.

Johann Wolfgang von Goethe: Johann Heinrich Wilhelm Tischbein, »Goethe in der römischen Campagna« (1787; Frankfurt am Main, Städelsches Kunstinstitut)

Weimar wurden die Orientstudien fortgesetzt. 1816 starb seine Frau Christiane. G.s Ruhm wuchs weltweit, seine Werke wurden in mehrere Sprachen übersetzt. 1826 kündigte er eine »Ausgabe letzter Hand« seiner Werke an. Den Briefwechsel mit Schiller veröffentlichte er selbst; die Herausgabe des Briefwechsels mit C. F. Zelter wurde verabredet, die Niederschrift der »Gespräche mit G. in den letzten Jahren seines Lebens« (3 Bde., veröffentlicht 1836–48) seines Sekretärs J. P. Eckermann wurde von G. sanktioniert. Der alte, aus der Schiller-Periode stammende Plan eines Epos »Die Jagd« wurde zu der »Novelle« umgearbeitet, einem Höhepunkt seiner ep. Alterskunst (1828). Die schon im Titel des ersten »Wilhelm Meister«-Romans (»Lehrjahre«) sich ankündigende Fortsetzung »Wilhelm Meisters Wanderjahre«, deren 1. Fassung (1821) G. nicht befriedigte, arbeitete er in einem langsamen, oft unterbrochenen Schaffensprozess zu ihrer endgültigen Fassung (1829) aus.

Der oft kritisierte, mitunter verkannte Altersstil des Erzählers G. wurde erst seit der Krise des modernen Romans als ein Versuch verstanden, mit der »offenen Form« einem disparaten Weltzustand zu entsprechen.

G. lebenslange lyr. Produktivität zeigt sich bes. faszinierend in der Alterslyrik: u.a. in den »Zahmen Xenien« (1827), den großen weltanschaul. Gedichten »Urworte. Orphisch« (entstanden 1817, gedruckt 1820), der »Paria-Trilogie« (entstanden 1821–23, gedruckt 1824), der »Trilogie der Leidenschaft« (entstanden 1823/24, gedruckt 1827) mit der sog. »Marienbader Elegie« und den sog. »Dornburger Gedichten« (u.a. »Dem aufgehenden Vollmonde«, 1828); auch der Abschluss seines Weltgedichts »Faust« fällt in diese Jahre. Der 1. Teil wurde durch den »Prolog im Himmel« bereits auf den barocken Welttheateraspekt (Einfluss Calderóns) hin orientiert. Ähnlich wie in »Wilhelm Meisters Wanderjahren« tritt im II. Teil des Faust – erst 1832 postum veröffentlicht – die Gestalt des Helden hinter der Fülle der in ihren naturhaften, politisch-sozialen und künstler. Bereichen entfalteten Welt stark zurück. Die gesamte abendländ. künstlerische Überlieferung wird produktiv verarbeitet. – Aus dem Nachlass wurden auch die Sprüche in Prosa, »Maximen und Reflexionen«, herausgegeben.

📖 STAIGER, E.: *G., 3 Bde. Zürich u.a.* $^{4-6}$*1970–81.* – FRIEDRICH VON MÜLLER: *Unterhaltungen mit G., hg. v.* R. GRUMACH. *Neuausg. München* ^{2}*1982.* – *G. im 20. Jh. Spiegelungen u. Deutungen, hg. v.* HANS MAYER. *Neuausg. Frankfurt am Main 1990.* – BOYLE, N.: *G. Der Dichter in seiner Zeit, auf 2 Bde. ber. A. d. Engl. München 1995 ff.* – CONRADY, K. O.: *G. Leben u. Werk, 2 Bde. Neuausg. Frankfurt am Main* ^{3}*1995–96.* – FRIEDENTHAL, R.: *G. Sein Leben u. seine Zeit. Neuausg. München u. a.* ^{9}*1995.* – *G.-Handbuch, hg. v.* B. WITTE *u. a., auf 4 Bde. ber. Neuausg. Stuttgart u. a. 1996 ff.*

Goetheanum ['gø-], *das,* von der »Allg. Anthroposoph. Gesellschaft« nach Modellen R. →Steiners in Dornach bei Basel errichtete Bauten (darin die »Freie Hochschule für Geisteswiss.«).

Goethe-Gesellschaft in Weimar ['gø-], internat. literarisch-wiss. Vereinigung; gegr. am 20. 6. 1885. Die G.-G. in W. gab das Goethe-Jb. heraus (34 Bde., 1880–1913), fortgeführt 1914–35 als Jb. der Goethe-Ges., 1936–71 unter dem Titel »Goethe«, seit 1972 u.d.T. »Goethe-Jb.«; ihre Bibliothek ist heute in die »Herzogin Anna Amalia Bibliothek« eingegliedert und gehört zur →Stiftung Weimarer Klassik.

Goethehaus ['gø-], Goethes Geburtshaus in Frankfurt am Main am Großen Hirschgraben, wurde 1863 für das Freie Deutsche Hochstift erworben und als Gedenkstätte eingerichtet. 1944 wurden das G. und der 1932 errichtete Museumsbau durch Brandbomben vernichtet; nach Rekonstruktion und Wiedereinrichtung 1951 Neueröffnung; 1997 Um- und Erweiterungsbau.

Goethe-Institut ['gø-] (offiziell G.-I. zur Pflege der deutschen Sprache im Ausland und zur Förderung der internationalen kulturellen Zusammenarbeit e.V.), gemeinnützige Organisation in Dtl. mit folgenden Aufgaben: Erteilung und Förderung von Deutschunterricht im In- und Ausland, fachl. Förderung ausländ. Deutschlehrer und Germanisten, kulturelle und wiss. Veranstaltungen im Ausland, Wahrnehmung von Aufgaben auswärtiger Kulturpolitik, bes. durch Vermittlung von Informationen über Dtl. im Auftrag des Auswärtigen Amtes. Das 1951 gegr. G.-I. (Zentralverwaltung: München) unterhält (1996) 150 Zweigstellen in 78 Ländern sowie in Dtl. 18 Unterrichtsstätten.

Goethe-Nationalmuseum: Das »Juno-Zimmer« in Goethes Wohnhaus am Frauenplan in Weimar

Goethe-Nationalmuseum ['gø-], Goethes Wohnhaus (ab 1782) am Frauenplan in Weimar. 1885 von der Goethe-Gesellschaft als G.-N. eröffnet; angegliedert sind weitere Gedenkstätten Weimars und des Umlandes (u.a. Goethes Gartenhaus, Schillerhaus, Dornburger Schlösser). 1945 Beschädigung des Goethehauses durch Bomben, 1949 Wiedereröffnung; seit 1991 →Stiftung Weimarer Klassik.

Goethe-Preise ['gø-], **1) Goethe-Preis der Stadt Frankfurt am Main,** 1926 gestifteter, seit 1961 mit 50000 DM dotierter Preis; wird seit 1927 jährlich, seit 1949 im Allg. alle drei Jahre an Goethes Geburtstag verliehen. Preisträger waren u.a.: S. George (1927), A. Schweitzer (1928), S. Freud (1929), M. Planck (1945), H. Hesse (1946), K. Jaspers (1947), T. Mann (1949), C. Zuckmayer (1952), Annette Kolb (1955), C. F. von Weizsäcker (1958), W. Gropius (1961), B. Reifenberg (1964), Carlo Schmid (1967), G. Lukács (1970), Arno Schmidt (1973), I. Bergman (1976), R. Aron (1979), E. Jünger (1982), G. Mann (1985), P. Stein (1988), W. Szymborska (1991), E. Gombrich (1994), H. Zender (1997).

2) Hansischer Goethe-Preis, von der Stiftung F. V. S. 1950 geschaffen, heute mit 50000 DM dotiert, wird seit 1959 i.d.R. alle 2 Jahre für besondere völkerverbindende und humanitäre Leistungen an Persönlichkeiten aus europ. Ländern verliehen. Preisträger waren u.a.: C. J. Burckhardt (1950), M. Buber (1951), E. Spranger (1952), T. S. Eliot (1954), G. Marcel (1955), P. Tillich (1958), T. Heuss (1959), B. Britten (1961), M. Sperber (1973), Carlo Schmid (1975), W. A. Visser't Hooft (1977), H.-G. Wormit (1979), A. Tovar (1981), K.-H. Hahn (1985), A. Sauvey (1988), C. F. von Weizsäcker (1989), Goethe-Gesellschaft in Weimar (1991), J. Starobinski (1993), N. Harnoncourt (1995), H. Weinrich (1997).

Goethe- und Schiller-Archiv ['gø-], literaturwiss. Forschungsinstitut und Sammelstätte von Handschriften und Urkunden zur Gesch. der neueren dt. Literatur in Weimar; Grundstock ist der handschriftl. Nachlass Goethes, der durch Walther Wolfgang von Goethe der Großherzogin Sophie von Sachsen-Weimar vermacht worden war (1885) und von dieser, zus. mit dem Nachlass Schillers (Schenkung von L. und A. von Gleichen-Rußwurm, 1889), in einem 1896 eingeweihten Bau untergebracht wurde. 1953 wurde das G.- und S.-A. mit anderen Weimarer Institutionen zu den »Nat. Forschungs- und Gedenkstätten der klass. dt. Lit. in Weimar« zusammengefasst (seit 1991 →Stiftung Weimarer Klassik).

Goethit [gø-; nach J. W. von Goethe] *der* (Nadeleisenerz), rhomb. Mineral, α-FeOOH, hellgelb bis braunschwarz; säulige, nadelige, haarförmige Kristalle, strahlige Aggregate, derb oder dicht; zuweilen kugelig mit samtartiger Oberfläche und seidigem Bruch **(Samtblende).** G. ist charakterist. Verwitterungsprodukt fast aller Eisenminerale,

Vincent van Gogh (von links): Caféterrasse bei Nacht (1888; Otterlo, Rijksmuseum Kröller-Müller); Der Spitalgarten von Saint-Rémy (1889/90; Otterlo, Rijksmuseum Kröller-Müller)

Vincent van Gogh (Selbstporträt, 1889; Paris, Musée d'Orsay)

häufiges natürl. Fe-Hydroxid und Hauptbestandteil des Brauneisens.

Goetz ['gœ-], **1)** Curt, Schauspieler, Schriftsteller, *Mainz 17. 11. 1888, †Grabs (Kt. St. Gallen) 12. 9. 1960; emigrierte 1939 nach Hollywood, lebte seit 1945 in der Schweiz. G. schrieb Gesellschaftskomödien mit geistreich-witzigen Dialogen, die z.T. unter seiner Regie verfilmt wurden (»Dr. med. Hiob Prätorius«, 1934; »Das Haus in Montevideo«, 1953) sowie den (ebenfalls verfilmten) Roman »Die Tote von Beverly Hills« (1951). Die Hauptrollen spielte er meist selbst, die weibl. Hauptrolle seine Frau Valérie von Martens (*1894, †1986).

2) Walter, Historiker, *Leipzig 11. 11. 1867, †Adelholzen (heute zu Bergen, Kr. Traunstein) 30. 10. 1958; Prof. in Tübingen, Straßburg und Leipzig (1933 freiwillige Emeritierung); 1920–28 MdR (DDP), gab u.a. heraus: Archiv für Kulturgesch. (seit 1912), Propyläen-Weltgesch. (1929–33).

Goeze ['gœ-], Johann Melchior, luther. Theologe, *Halberstadt 16. 10. 1717, †Hamburg 19. 5. 1786; seit 1755 Hauptpastor an der Katharinenkirche in Hamburg, streitbarer Anhänger der luther. Orthodoxie; bekämpfte die Aufklärung; bekannt geworden durch den Streit mit G. E. Lessing über die von diesem herausgegebenen »Fragmente des Reimarus«.

Gogarten, Friedrich, evang. Theologe, *Dortmund 13. 1. 1887, †Göttingen 16. 10. 1967; zus. mit K. Barth, R. Bultmann, E. Brunner u.a. einer der Begründer der →dialektischen Theologie; durch seinen Beitritt zu den →Deutschen Christen kam es zum Bruch mit Barth. Zunehmend rückte für G. das Problem der neuzeitl. Säkularisierung in den Mittelpunkt.

Gogh [go:k, gɔx, niederländ. xɔx], Vincent van, niederländ. Maler, *Groot-Zundert (bei Breda) 30. 3. 1853, †(Selbstmord) Auvers-sur-Oise (Dép. Val-d'Oise) 29. 7. 1890; Sohn eines Pfarrers, anfänglich Kunsthandlungsgehilfe, dann Laienprediger bei den Grubenarbeitern im belg. Kohlenrevier Borinage; begann in schweren, dunklen Farben das Leben der Bauern und Arbeiter zu schildern, ging 1886 zu seinem Bruder Theo nach Paris, wo er sich der hellen, lichten Malerei der Impressionisten anschloss und vom japan. Farbholzschnitt Flächigkeit und Umrisslinie übernahm. 1888 siedelte er nach Arles über. Hier entstanden die »Boote am Strand« (Amsterdam, Rijksmuseum V. van G.) und die »Caféterrasse bei Nacht« (Otterlo, Rijksmuseum Kröller-Müller); hier entwickelte G. auch seine Technik der Rohrfederzeichnung. Gemeinsam mit P. Gauguin wollte er eine Künstlerkolonie gründen; das Zusammenleben endete mit van Goghs Zusammenbruch im Dez. 1888. Nach der Selbstverstümmelung seines Ohres, klin. Behandlung und wiederholten Anfällen (bisher als Zeichen geistiger Verwirrung gewertet, doch nach neuesten Erkenntnissen wahrscheinlich Folgen einer Erkrankung des Innenohrs) ging van G. 1889 in die Heilanstalt von Saint-Rémy-de-Provence, wo Gemälde von ekstat. Ausdruckskraft entstanden (»Sternennacht«, 1889; New York, Museum of Modern Art). 1890 in Auvers-sur-Oise lebend, bediente sich van G. einer ornamentalen,

Curt Goetz

Friedrich Gogarten

den Jugendstil ankündigenden Gestaltungsweise: Die Formen werden aufgebrochen und ihre Rudimente zugunsten einer absoluten Bildwirkung verselbstständigt (»Weizenfeld mit Raben«, 1890; Amsterdam, Rijksmuseum V. van G.). Neben vielen Selbstbildnissen hinterließ er auch zahlr. dokumentarisch und literarisch bedeutende Briefe (u.a. an seinen Bruder Theo). Sein Werk, von dem v.a. Fauvismus und Expressionismus wichtige Impulse empfingen, ist für die Kunst des 20. Jh. von grundlegender Bedeutung.

Nikolai Gogol
(Lithographie)

📖 Leymarie, J.: *V. van G. A.d. Frz. Genf u.a. 1989.* – *V. v. G. Tekeningen, bearb. v.* J. van der Wolk *u.a., Ausst.-Kat. Rijksmuseum, Amsterdam 1990.* – Arnold, M.: *V. van G. Biographie. München 1993.* – Arnold, M.: *V. van G. Werk u. Wirkung. München 1995.*

Gogol, Nikolai Wassiljewitsch, russ. Schriftsteller, *Sorotschinzy (bei Poltawa) 1. 4. 1809, †Moskau 4. 3. 1852; entstammte dem ukrain. Kleinadel. Seinen ersten Erfolg hatte er mit den teils heiteren, teils dämonischen, stilisiert folklorist. Erzählungen »Abende auf dem Vorwerk bei Dikanka« (1831/32) über das Bauernleben in der Ukraine. Die Sammlung ukrain. Dorfgeschichten »Mirgorod« (1835) mit der isoliert stehenden histor. Novelle »Taras Bulba« zeigt Elemente der Satire und Groteske und leitet über zu den »Petersburger Novellen« mit surrealist. Einschlag (Sammlung »Arabesken«, 1835, mit »Das Porträt«, »Der Newski Prospekt« und »Aufzeichnungen eines Wahnsinnigen«; »Die Nase«, 1836). Wichtig für die Entwicklung der russ. Literatur (»natürl. Schule«) wurde seine Mitleidsethik in der Novelle »Der Mantel« (1840). Obwohl er mit der Komödie »Der Revisor« (1836) großen Erfolg hatte, fühlte sich G. als bloßer Zeitkritiker missverstanden und lebte 1836–48 im Ausland (meist in Rom). Sein großer Roman »Die toten Seelen« (1842), eine groteske Porträtgalerie in Unmenschlichkeit und Skurrilität erstarrter Gutsbesitzer, wurde wiederum rein aktualisierend aufgefasst. Tief religiös, war G. von der Idee des Dienens erfüllt. Nach 1840 verzweifelte er am Sinn seiner literar. Tätigkeit (Verbrennung des 2. Bandes seiner »Toten Seelen«) und ging zu direkter Predigt christl. Ideale über (»Ausgewählte Stellen aus dem Briefwechsel mit Freunden«, 1847).

Nikolai Gogol: Titelblatt der zweiten Auflage (1846) seines Romans »Die toten Seelen«

📖 Setschkareff, V.: *N. V. G. Leben u. Schaffen. Wiesbaden 1953.*

Gogra, Nebenfluss des Ganges, →Ghaghara.

Gog und Magog. Im A.T. (Ez. 38; 39) ist Gog ein sagenhafter König – vielleicht der Lyderkönig Gyges (ca. 685–652) – im Lande Magog. Durch Ezechiel verkündet ihm Gott seinen Krieg gegen Israel und seinen Untergang. Im N.T. (Offb. 20,8) bezeichnen G.u.M. den Feind des Gottesvolks im endzeitl. Kampf.

Göhrde *die,* Waldgebiet in der östl. Lüneburger Heide; Jungmoränenlandschaft; Teil des Naturparks Elbufer-Drawehn.

Goi (Goj) [hebr.] *der,* im A.T. Volk, später: die Heidenvölker im Ggs. zum auserwählten Volk Israel; im ostjüd. Kulturkreis allg. Bez. für Nichtjude, Christ.

Goiânia, Hptst. des Staates Goiás, Brasilien, 921 000 Ew.; Erzbischofssitz; staatl. und kath. Univ.; Handels- und Ind.zentrum. – Seit 1933 planmäßig als Hptst. (seit 1937) angelegt.

Goiás, Binnenstaat Brasiliens, im Brasilian. Bergland, 340 166 km², (1991) 4,01 Mio. Ew.; Hptst.: Goiânia. – Viehzucht, Reis-, Maisanbau, Bergbau (Zinn-, Titanerz, Bergkristall u.a.); seit Ende des 17. Jh. von Portugiesen besiedelt.

Go-in [gəʊˈɪn, engl.] *das,* demonstratives Eindringen in Vorlesungen, öffentl. Versammlungen u.a., um eine Diskussion zu erzwingen.

Going public [ˈgəʊɪŋ ˈpʌblɪk, engl.] *das,* 1) die Umwandlung einer Personengesellschaft in eine AG, verbunden mit der Börsenzulassung für die Aktien; 2) der »Gang an die Börse« einer AG, deren Aktien bisher noch nicht an der Börse notiert wurden.

Gokart ['go:ka:t; amerikan. »Laufwagen« (zum Gehenlernen)] *der,* Kleinstrennwagen ohne Federung, Aufbauten und Karosserie mit Antriebsmotoren von 100 bis 250 cm^3 Hubraum bei Hinterradantrieb ohne Differenzial. G.-Rennen auf Beton- oder Asphaltbahnen von 400–1200 m Länge.

Gokart: Gokart-Rennen

Gokstad, Ort bei Sandefjord, Prov. Vestfold, Norwegen. – Bei G. wurde 1880 in einem »Kongshaug« (Königshügel) u.a. ein hochseetüchtiges Langschiff gefunden, das einem Wikingerkönig des 9. Jh. als letzte Ruhestätte diente. Unter den Beigaben waren zwölf Pferde und sechs Hunde.

Göksu [türk. »Blauwasser«] (im Altertum Kalykadnos, im MA. Saleph), Fluss in Südanatolien, Türkei, 308 km lang, mündet bei Silifke ins Mittelmeer. Im G. ertrank 1190 Friedrich I. Barbarossa.

Golanhöhen (Golan, arab. Djolan), Landschaft im Bereich des südsyr. Basaltplateaus, südlich des Hermongebirges, mit vielen Vulkankegeln (bis über 1200 m ü.M.); 1800 km^2, etwa 30000 Ew. (jüd. Siedler, Araber, v.a. Drusen). – 1923 Syrien zugesprochen; 1967 israel. Besetzung und Vertreibung des überwiegenden Teils der Bev. (130000 Araber, Tscherkessen, Drusen), später israel. Neubesiedlung. Im 4. Israelisch-Arab. Krieg 1973 (→Nahostkonflikt) heftig umkämpft, 1974 Rückgabe des N-Teils (mit Kuneitra), Restteil 1981 von Israel annektiert (Rückgabe fraglich).

Gölbaşı [-ʃı], Dorf in der Prov. Antalya, S-Türkei. – Bei G. wurde ein lyk. Fürstengrab (Heroon) entdeckt; an dessen Umfassungsmauer zwei Reliefstreifen mit Szenen aus der grch. Heldensage angebracht waren (nach 400 v. Chr.; heute Wien, Kunsthistor. Museum).

Golconda (Golkonda), ind. Ruinenstadt bei Hyderabad in Andhra Pradesh, 1512–1687 Hptst. des gleichnamigen Sultanats, das 1687 durch den Mogulherrscher Aurangseb erobert wurde. G. ist von einer Umfassungsmauer aus Granit und einem Graben umgeben. Außerhalb liegen die Kuppelgräber der Sultane, denen jeweils eine kleine Moschee angegliedert ist.

Gold [ahd., eigtl. »das Blanke«] (lat. Aurum, chem. Symbol Au), metall. Element aus der 1. Nebengruppe des Periodensystems. Ordnungszahl 79, relative Atommasse 196,9665, Dichte 19,32 g/cm^3, Schmelzpunkt 1064 °C, Siedepunkt 3080 °C. – Reines G. ist rötlich gelb, sehr weich, außerordentlich dehn- und walzbar (→Blattgold); es wird meist in Form von G.-Legierungen verarbeitet. Bei Berührung mit Quecksilber bildet es sofort **G.-Amalgam.** Als typ. Edelmetall ist es sehr reaktionsträge und wird von Luft und Säuren nicht angegriffen. Königswasser sowie Cyanidlösungen lösen das Metall. In seinen Verbindungen ist G. v.a. ein- und dreiwertig. In fein verteiltem Zustand auf weiße Oxide geglüht, gibt es eine rote Farbe **(G.-Purpur).** Durch Verunreinigung mit Silber wird die Farbe heller, durch Kupfer dunkler. Kolloides G. in feiner Verteilung erscheint in versch. Tönungen zw. Schwarz, Blau, Rot und Gelb. Die elektr. Leitfähigkeit des G. beträgt etwa 67 %, die Wärmeleitfähigkeit 70 % von der des Silbers.

Der mittlere G.-Gehalt der Erdkruste liegt nur bei rd. 0,004 g/t. Wichtigstes Erzmineral ist das gediegene G.; es kommt vor als **Frei-G.** (sichtbare Aggregate) oder fein verteilt in Mineralen wie Pyrit oder Arsenkies. Oft liegt ein Silbergehalt vor, der im **Elektrum** bis 30 % ansteigt. G.- und G.-Silber-Telluride **(Calaverit, Krennerit, Sylvanit, Petzit)** sowie **Nagyagit** spielen eine wichtige Rolle. Auf primärer Lagerstätte findet sich G. als **Berg-G.,** auf sekundärer Lagerstätte als **Seifen-G.;** im Meerwasser ist G. mit 0,01 mg/m^3 enthalten. In Dtl. wurde früher das G. des Rheinsandes **(Rhein-G.)** gewonnen.

Das einfachste und älteste Verfahren der G.-Gewinnung ist das Waschen des Frei-G. aus Seifen, Flusssanden u.a. Außerdem kann der fein gemahlene Erzschlamm mit Quecksilber verarbeitet und das G. durch **Amalgamation** gebunden werden. Restl. G. wird dabei an amalgamierten Kupferplatten abgeschieden. Nach Abdestillieren des Queck-

Gokstad: Das wiederhergestellte Gokstadschiff aus dem 9. Jh. (Bygdøy, Museum der Wikingerschiffe)

silbers bleibt relativ reines G. zurück. Auch durch die 1889 eingeführte **Cyanidlaugung** kann das G. aus Erzen gewonnen werden. Die komplexen Cyanide werden an Zink, Aluminium, Aktivkohle oder Ionenaustauschern zersetzt und erhebl. G.-Mengen aus dem Anodenschlamm gewonnen. Durch elektrolytische Reinigung erhält man 99,98%iges **Elektrolytgold.**

Goldgewinnung (in t)

Land	1985	1988	1990	1992	1994
Republik Südafrika	671,7	621,0	605,1	614,1	583,9
USA	79,5	201,0	294,2	329,1	331,0
Australien	58,5	157,0	244,2	243,5	256,2
Russland	-	-	-	162,1	164,7
Kanada	90,0	134,8	169,4	161,4	146,1
China	59,0	78,0	95,0	118,0	130,0
Usbekistan	-	-	-	64,5	66,6
Philippinen	36,9	39,2	37,2	27,2	31,2
Kolumbien	26,4	33,4	32,5	29,9	25,5
Sowjetunion	271,0	280,0	270,0	13,5*)	19,8*)
Mexiko	8,0	10,4	9,6	10,4	14,6
Welt	1565,5	1908,8	2140,1	2250,9	2296,1

*) GUS-Staaten außer Russland und Usbekistan.

G. wird v.a. für Schmuckgegenstände und zu Münzzwecken (→Goldwährungen) verwendet, meist legiert mit Kupfer oder Silber; der G.-Gehalt wird in Tausendsteln (z.B. 333, 585, 750) oder in Karat angegeben (8 Kt, 14 Kt, 18 Kt); reines G. hat 24 Kt. Außerdem wird G. in der Galvanotechnik, in Legierungen zur Verbesserung der mechan. Festigkeit, in der Elektronik zur Kontaktierung von Halbleiterbauelementen, für Zahnersatz, für keram. Zwecke und zur Herstellung von G.-Rubinglas verwendet.

Gold
mit Quarz, darunter feinblättriges gediegenes Gold auf Nebengestein

Geschichte: G., mindestens seit 5000 v.Chr. bekannt, gehört mit Kupfer zu den ältesten von Menschen benutzten Metallen. Die Ägypter gewannen das G. aus dem Blauen Nil, betrieben aber um 2000 v.Chr. auch schon G.-Bergbau. Auch in Siebenbürgen kann man diesen bis etwa 2000 v.Chr. zurückverfolgen, in Böhmen bis etwa 1950 v.Chr. Königsgräber von Theben weisen Darstellungen des Wasch- und Schmelzprozesses der G.-Gewinnung auf. Die Griechen erhielten das G. von den Phönikern. Die Römer betrieben G.-Bergbau in Spanien. Auch die Germanen und Slawen waren mit dem G. als Schmuck und Zahlungsmittel vertraut. Im MA. kam das meiste G. in Europa aus den Sudeten-, Karpaten- und Alpenländern. Die G.-Suche war eine der Triebfedern der Entdeckungsreisen seit 1490 (→El Dorado). In Mexiko und Peru erbeuteten die Spanier große G.-Mengen. Seit dem 17. Jh. wurde G. in Brasilien, seit dem 18. Jh. in Russland und Sibirien gewonnen. Neue Funde in Kalifornien, Alaska, Australien, Südafrika führten im 19. Jh. zu hekt. Ausbeutung (G.-Fieber).

Wirtschaft: Nachdem G. traditionell Zahlungsmittel bzw. Bezugsgröße der Währungskurse war, wurde das G.-Währungssystem Mitte des 20. Jh. abgelöst. Seither konzentriert sich die wirtsch. Bedeutung des G. auf das Warengeschäft.

📖 Vilar, P.: *G. u. Geld in der Geschichte. A. d. Frz. München 1984.* – Trueb, L. F.: *G. Bergbau, Verhüttung, Raffination u. Verwendung. Zürich 1992.*

Gọld, Käthe, österr. Schauspielerin, *Wien 11. 2. 1907, †Wien 11. 10. 1997; kam über Bern, Breslau, München 1932 nach Berlin, wo sie v.a. in klass. Bühnenrollen Erfolg hatte; ab 1947 am Wiener Burgtheater.

Goldalgen (Chrysophyceae), Klasse der Algen mit rd. 1000 Arten im Süßwasser (nur wenige im Meer); einzellige, bewegl. oder festsitzende, goldbraune bis braune Algen.

Goldammer, Singvogel, →Ammern.

Gọłdap ['gɔu̯dap] (dt. Goldap), Stadt in der Wwschaft Suwałki, Polen, am **Goldapsee** (6,78 km²) und am Nordfuß der Seesker Höhen, 12000 Ew.; Fremdenverkehr (bes. Winter- und Wassersport). Nordöstlich von G. die **Rominter Heide.** – G., 1570 gegr., wurde 1656 von den Tataren sowie in beiden Weltkriegen schwer zerstört.

Goldaugen, *Zoologie:* die →Florfliegen.

Goldautomatismus, →Goldwährung.

gọldbachsche Vermutung [nach dem Mathematiker C. Goldbach, *1690, †1764], die noch unbewiesene Aussage, dass sich jede positive gerade Zahl ≧ 4 als Summe von zwei Primzahlen darstellen lässt. Beispiele: 12 = 5 + 7, 30 = 7 + 23.

Goldbarsch, der →Rotbarsch.

Gọldberg, Stadt in Polen, →Złotoryja.

Gọldberg, 1) Johann Gottlieb, Cembalist und Komponist, getauft Danzig 14. 3. 1727, †Dresden 13. 4. 1756; Schüler von J. S. Bach in Leipzig, der für ihn auf Bestellung des Grafen H. C. von Keyserlingk die **Goldberg-Variationen** schrieb.

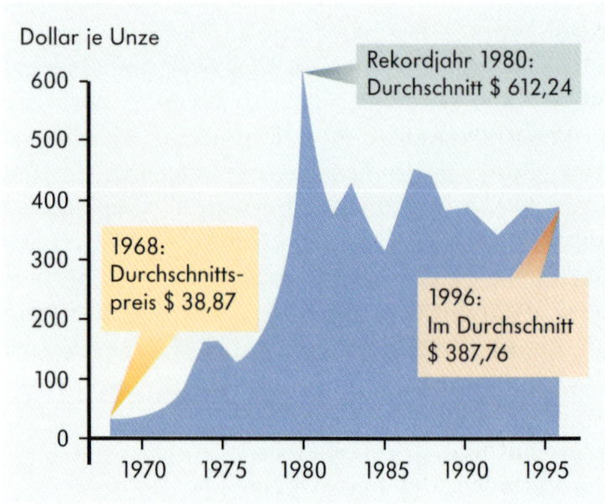

Gold: Entwicklung des Goldpreises im Jahresdurchschnitt (1968–1996)

Käthe Gold

Whoopi Goldberg

2) [ˈgəʊldbɜ:g], Whoopi, eigtl. Caryn Johnson, amerikan. Schauspielerin, *New York 13. 11. 1949; seit 1984 am Broadway; im Film u.a. in »Die Farbe Lila« (1986), »Nachricht von Sam« (1989), »The Player« (1992), »Sister Act« (2 Tle. 1992–93), »Naked in New York« (1994).

Goldbutt, ein Fisch, →Plattfische.

Gold Coast [ˈgəʊld ˈkəʊst], aus 18 Ortschaften bestehende Stadtgemeinde an der Küste von Queensland, Australien, südlich von Brisbane, 300 000 Ew.; bed. Fremdenverkehrsgebiet, Verw.-zentrum: Southport.

Golddistel, →Eberwurz.

Goldelfenbeinbildwerk (chryselephantines Bildwerk), Kultbild aus Holz, bei dem die unbekleideten Teile des Körpers mit Elfenbein und die bekleideten mit Gold belegt sind (Athena Parthenos in Athen, Zeus in Olympia; beide von →Phidias).

Gọlden, Volk in Sibirien, →Nanai.

Goldene Acht (Heufalter, Colias hyale), Art der Gelblinge; mit gelbl., dunkel geränderten Flügeln, Augenfleck in Form einer 8 auf den Hinterflügeln.

Goldene Acht: Männchen (Spannweite 4–5 cm)

Gọldene Aue, fruchtbare, lössbedeckte Niederung zw. Harz und Kyffhäuser, Sa.-Anh. und Thür., von der Helme durchflossen. Klimatisch zählt das Gebiet zu den trockensten und wärmsten in Dtl.; vollkommen waldfrei und größtenteils rein ackerbaulich genutzt.

goldene Bankregel, Liquiditätsgrundsatz der Banken, nach dem die gewährten Kredite ihrem Umfang und ihrer Fälligkeit nach den der Bank zur Verfügung stehenden Refinanzierungsmitteln entsprechen sollen.

Goldene Bulle, Bez. für das mittelalterl. Goldsiegel und – davon abgeleitet – für die hiermit versehenen Dokumente. **1)** wichtigstes Grundgesetz des Hl. Röm. Reiches, von Kaiser Karl IV. vorgelegt, auf den Reichstagen zu Nürnberg und Metz 1356 angenommen. Die sieben Kurfürsten wurden darin mit versch. Privilegien (Unteilbarkeit der Kurlande, Primogenitur) ausgestattet und endgültig als Wähler des dt. Königs bestätigt. Darüber hinaus enthielt die G. B. Bestimmungen über den Landfrieden, Beschränkungen des Fehderechts sowie das Verbot, andere Bündnisse als Landfrieden abzuschließen.

Goldene Bulle 1): Eine der erhaltenen Originalhandschriften der Goldenen Bulle von 1356 (Wien, Haus-, Hof- und Staatsarchiv)

2) G. B. Böhmens, von Friedrich II. 1212 erteiltes Privileg, das das böhm. Königtum absicherte.

3) G. B. Ungarns, das älteste, von Andreas II. erlassene Grundgesetz Ungarns (1222), legte die Freiheitsrechte des Adels fest.

Goldene Horde, historisches mongol. Teilreich (»Ulus«) in Osteuropa und Westsibirien; es umfasste 1223–36 das Reich des Dschötschi, das auch als Khanat Kiptschak bezeichnet wird; den Namen G. H. empfing das Khanat Kiptschak durch die Russen. Nach den Eroberungen des Batu Khan 1237–41 erstreckte sich das Reich der G. H. vom Aralsee bis fast zur Ostsee, vom Kaukasus bis vor Nowgorod. Mittelpunkt war das Mündungsgebiet der Wolga. Unter Khan Özbeg (1313–41) erlebte die G. H. ihre größte Machtentfaltung. Im 15. Jh. zerfiel der Staat (Abspaltung von Krim, Kasan, Astrachan, Sibirien).

goldene Pforte, Bildmotiv der christl. Kunst; gemäß der apokryphen Schilderung begegnen sich Anna und Joachim an der g. P. in Jerusalem (Stadttor) nach der Prophezeiung durch den Engel. Die g. P. wurde zum Symbol für die unbefleckte Emp-

Goldene Horde

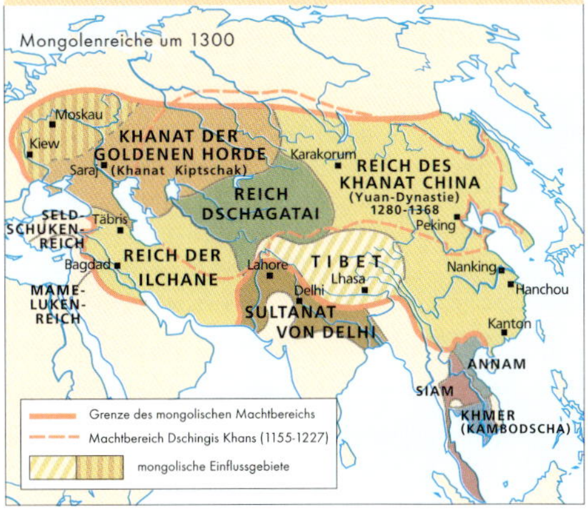

fängnis Marias, die den Beinamen »porta aurea« (goldene Pforte) erhielt.

Goldene Pforte, spätroman. Figurenportal (um 1230) am Dom in Freiberg, dessen Bildprogramm sich auf Themen und Motive der Mariologie konzentriert. Das urspr. reich vergoldete Portal ist der einzig erhaltene Teil des um 1200 vollendeten Vorgängerbaus.

Goldenes Vlies: Ordenszeichen des Österreichischen Ordens vom Goldenen Vlies

goldene Regel der Mechanik, Gesetzmäßigkeit der Mechanik, nach der es keine mechan. Vorrichtung gibt, durch die Arbeit eingespart werden kann; wird eine Kraft verkleinert, so verlängert sich der Weg und umgekehrt; Beispiel: Flaschenzug.

Goldene Rose (Tugendrose), aus Gold gefertigte Rose, gefüllt mit Moschus und Balsam, päpstl. Auszeichnung für Verdienste um die kath. Kirche; seit 1049 nachweisbar.

goldener Schnitt (lat. Sectio aurea, stetige Teilung), die Teilung einer Strecke *AB* durch einen Punkt *E* derart, dass sich die Länge der ganzen Strecke zu der größeren Strecke *AE* verhält wie diese zur restl. Strecke *EB*. Dieses Teilungsverhältnis findet man in der Kunst häufig (grch. Architektur, Renaissance).

Goldenes Dreieck, Grenzgebiet zw. Thailand, Birma und Laos; Hauptanbaugebiet von Schlafmohn (Opium- und Heroingewinnung); Schmuggelzentrum.

Goldenes Horn, rd. 6 km lange Meeresbucht am S-Ende des Bosporus, Türkei; histor. Hafen von Istanbul.

Goldenes Kalb, altisraelit. Kultbild – in Wirklichkeit ein Stierbild – in Anlehnung an kanaanäische Fruchtbarkeitskulte; von Moses (2. Mose 32) und den Propheten heftig bekämpft. Der sprichwörtl. Tanz um das G. K. gilt als Symbol für das Streben nach Reichtum.

Golden Gate: Blick auf die 2,15 km lange Golden-Gate-Brücke (1937)

goldener Schnitt

*In seinem Rechenbuch »Liber abaci« aus dem Jahre 1202 gab der italienische Mathematiker Leonardo Fibonacci (*um 1180, †nach 1240) die erste systematische Einführung in das indische Zahlenrechnen. Darin enthalten ist außerdem eine Darstellung des Rechnens mit arabischen Ziffern und ein Teil über Algebra, in dem er bereits negative Lösungen von Gleichungen angibt.*

Wir finden dort auch seine Betrachtungen zur Arithmetik, in denen die Fibonacci-Folge auftaucht. Diese kommt so zustande: Die ersten beiden Glieder werden zu 1 vorgegeben, alle nachfolgenden werden jeweils aus der Summe ihrer beiden Vorgänger gebildet, also: 1, 1, 2, 3, 5, 8, 13, 21 und so fort. Teilt man aber jedes Glied dieser Folge durch das vorhergehende, so erhält man eine neue Folge, die angenähert gegen die Zahl 1,6183 strebt, den so genannten goldenen Schnitt. Er gilt seit der Antike als Schlüssel für geometrische und besonders harmonische Proportionen. Vielleicht war es dieses Diktat antiker Ästhetik, das Ende des letzten Jahrhunderts in der Botanik die Hypothese aufbrachte, dass die Anzahl von Blütenblättern bei Blumen der Fibonacci-Folge gehorchten. Die kritische Betrachtung der Häufigkeitsverteilungen zieht den Wert der Fibonacci-Zahlen für eine solche Ordnung aber in Zweifel.

Goldenes Vlies, 1) *grch. Mythos:* das Fell des goldenen Widders, der Phrixos und seine Schwester Helle über den Hellespont trug. Iason und die →Argonauten holten das G. V. aus Kolchis zurück.

2) (Orden vom G. V.), burgund. Orden, gestiftet 1430 von Herzog Philipp dem Guten. Schutzpatron ist St. Andreas. Die Reg. des Ordens ging 1700 auf den König von Spanien aus dem Hause Habsburg über. Im Span. Erbfolgekrieg beanspruchten sowohl Philipp V. als auch Karl VI. das Großmeistertum, sodass zwei getrennte Orden entstanden. Das Archiv und der Schatz des G. V. befinden sich seit 1797 in Wien. Der Orden wird vom Prätendenten auf den Thron Österreichs und vom König von Spanien heute noch verliehen.

goldenes Zeitalter, sagenhaftes Zeitalter des Friedens und der Glückseligkeit, in dem nach der Überlieferung vieler Völker das älteste Menschengeschlecht lebte (literarisch gestaltet u. a. bei Hesiod und Vergil).

goldene Zahl, die Nummer des Jahres im 19-jährigen Mondzyklus, nach dem die Mondphasen (nahezu) wieder auf dieselben Tage des Sonnenjahres fallen. Die Bez. wird von der Angabe der g. Z. in alten Kalendern in Goldfarbe hergeleitet.

Golden Gate ['gəʊldən 'geɪt; »goldenes Tor«], die rd. 5 km lange Einfahrt in die Bucht von San Francisco, in Kalifornien, USA, an der schmalsten Stelle 1,6 km breit, von einer 2,15 km langen Straßenbrücke (**Golden-Gate-Brücke,** Spannweite 1,28 km, vollendet 1937) überspannt.

Golden Goal ['gəʊldən 'gəʊl; engl. »goldenes Tor«] *das,* das erste Tor in der Verlängerung eines Fußballspiels. Es entscheidet das Spiel, da dieses danach sofort beendet wird. So ersetzt das G. G. das Elfmeterschießen nach einer unentschiedenen Verlängerung. Es entspricht dem Sudden Death im Eishockey und entschied 1996 das Endspiel um die Fußball-Europameisterschaft sowie mehrere Begegnungen des olymp. Turniers in Atlanta.

Golden Twenties ['gəʊldən 'twentɪz; engl. »goldene Zwanziger«], zunächst in den USA, dann allg. Bez. für die Zeit vom Ende des 1. Weltkriegs bis zur Weltwirtschaftskrise 1929–32. Charakteristisch für die G. T. war neben wirtsch. Prosperität bes. die Ausbreitung neuer Kunst- und Kommunikationsformen (z. B. Jazz, Film, Schallplatte, Rundfunk).

Goldfisch, 1) *Astronomie:* das Sternbild →Schwertfisch.

2) *Zoologie:* (Carassius auratus auratus) als Jungfisch einfarbig graugrüne Zuchtform der Silberkarausche; nach meist etwa 8–12 Monaten rotgold bis golden, auch messingfarben bis blassrosa, z. T. mit schwarzen Flecken; wird in Aquarien etwa 10–30 cm lang, in Teichen bis 60 cm.

Goldgehalt, 1) Feingoldgewicht einer Goldmünze.

2) →Goldwährung.

Goldglas, ein Glasgefäß mit aufgeklebtem Blattgold. Figürl. oder ornamentale Verzierungen kommen durch Ausradieren des Blattgoldes zustande; gelangte im 4. Jh. in Rom mit frühchristl. Motiven zu großer Blüte. Eine gesonderte Gruppe bilden die **Fondi d'oro,** deren Böden mit Goldbildern geschmückt sind (Hauptfundorte: die röm. Katakomben). **Zwischengoldgläser** sind aus zwei ineinander passenden Gefäßen zusammengesetzt. Schon in der Antike bekannt, wurde diese Technik im 18. Jh. v. a. in Böhmen sehr beliebt.

Goldgrund, der für Christus-, Heiligen- und Herrscherdarstellungen gebräuchl. goldene Hintergrund, der, seit dem 4. Jh. in der byzantinisch-frühchristl. Kunst aufkommend, bis ins späte MA. bei Mosaiken, in Buch- und Tafelmalerei wie auch auf Altarretabeln mit figürl. Plastik zu finden ist. Im 15. Jh. begann der G. realist. Hintergrundgestaltungen zu weichen, war jedoch noch bis Anfang des 16. Jh. verbindlich für die Himmelszone auch über Landschaftsdarstellungen auf der Feiertagsseite des Flügelaltars. In der Ikonenmalerei hat sich der G. bis heute erhalten.

Goldhafer, ein →Grannenhafer.

Goldhähnchen (Regulinae), Unterfamilie der Grasmücken. Überwiegend grünlich gefärbt mit goldgelbem oder orangerotem Scheitel. In den Nadelwäldern Mitteleuropas brütet als kleinster heim. Waldvogel das 9 cm lange **Winter-G.** (Regulus regulus), das im Ggs. zum **Sommer-G.** (Regulus ignicapillus) keinen weißen Überaugenstreif hat.

Goldfisch

Warum schwimmen in chinesischen Lokalen immer Goldfische im Aquarium?

Die Goldfische sind lebendiger Ausdruck der altchinesischen Feng-Shui-Philosophie. Die Feng-Shui-Lehre beschäftigt sich mit günstigen und ungünstigen Einflüssen im Lebensbereich. Dazu gehört auch das bewusste Einsetzen der »fünf Elemente« Holz, Feuer, Erde, Metall und Wasser. Wasser ist zum Beispiel der Kommunikation und Literatur, Kunst und Musik förderlich. So haben die Goldfische keinen Wok zu fürchten, sind sie doch Botschafter des Wassers und Garanten für Glück und Wohlstand.
Warum ihre Anzahl im Aquarium allerdings ungerade sein muss, erschließt sich erst bei tieferem Studium des Feng-Shui.

Goldhamster (Mesocricetus auratus), Nagetier aus Syrien, 12–16 cm lang, mit großen Backentaschen, rötlich gelbem Rücken, weißl. Bauch und kurzem Schwanz; jährlich werden sechs- bis siebenmal 8–13 Junge (Tragezeit: 16 Tage) geworfen. Der G. wird zwei bis vier Jahre alt.

Goldhamster

werden noch gar nicht so lange als Haustiere gehalten. Erst 1930 wurde in Syrien ein weibliches Exemplar des Nagetiers mit einem Wurf von 12 Jungen entdeckt. Nur einmal, 100 Jahre vorher, war nahe der Stadt Aleppo ein Exemplar der Gattung gefunden worden. Alle heutzutage weltweit so emsig im Laufrad tippelnden Hamster stammen von dem 1930 gefundenen Goldhamsterweibchen ab.

Goldhasen, Nagetiere, →Agutis.

Goldhenne, der →Goldlaufkäfer.

Golding ['gəʊldɪŋ], Sir (seit 1988) William Gerald, engl. Schriftsteller, *Saint Columb Minor (Cornwall) 19. 9. 1911, †Perranarworthal (Cornwall) 19. 6. 1993. Seine streng gebauten, sprachlich dichten Romane (»Herr der Fliegen«, 1954; »Das Feuer der Finsternis«, 1979; »Papier-Männer«, 1984; »Fire Down Below«, 1989) behandeln in allegor. Einfachheit menschlich-moral. Grundprobleme. 1983 erhielt er den Nobelpreis für Literatur.

William Golding

Goldklausel (Goldwertklausel), Sonderform der Wertsicherungsklausel, nach der eine Schuld (einschl. Zinsen) in Goldmünzen oder auf der Grundlage des Goldwertes zurückgezahlt werden soll; in Dtl. nur mit Genehmigung der Dt. Bundesbank zulässig (§ 3 Währungs-Ges. von 1948).

Goldküste, Teil der Oberguineaküste, Westafrika, zw. Kap der drei Spitzen und Voltamündung; schon in vorkolonialer Zeit Goldausfuhr.

Der Name (Gold Coast) wurde auf die ehem. brit. Kolonie, das heutige →Ghana, übertragen.

Goldlack (Gelbveigelein, Cheiranthus cheiri), Kreuzblütler des östl. Mittelmeergebiets mit rotbraunen bis gelben samtigen, stark duftenden Blüten; Zierpflanze.

Goldlaufkäfer
(Länge 20-27 mm)

Goldlaufkäfer (Goldhenne, Goldschmied, Carabus auratus), 20–27 mm großer, goldgrüner Laufkäfer; Insektenfresser.

Gọldmann, 1) [gɔld'man], Lucien, frz. Philosoph, Literaturtheoretiker und Literatursoziologe, *Bukarest 20. 7. 1913, †Paris 8. 10. 1970; befasste sich mit marxist. Erkenntnistheorie und der Funktion der Literatur als Ausdruck sozioökonom. Strukturen und gesellschaftl. Interessenkonflikte; begründete im Anschluss an G. Lukács und J. Piaget den »genet. Strukturalismus«.

Werke: Dialektische Untersuchungen (1959), Soziologie des modernen Romans (1964), Lukács und Heidegger (1973).

2) Nahum, zionistisch-jüd. Politiker und Schriftsteller, *Wischnewo (Polen) 10. 7. 1894, †Bad Reichenhall 29. 8. 1982; lebte 1900–33 in Dtl., 1934 nach seiner Flucht aus Dtl zunächst in der Schweiz, seit 1940 in den USA. 1935–40 Repräsentant der Jewish Agency beim Völkerbund. 1951 wurde er Präs. des Jüd. Weltkongresses und 1956 Präs. der Jüd. Weltorganisation (bis 1968). G. war nach dem 2. Weltkrieg maßgeblich an den Wiedergutmachungsverhandlungen mit der Bundesrep. Dtl. und Österreich beteiligt.

Carlo Goldoni:
Titelblatt zu Carlo Goldonis Komödie »Der Diener zweier Herren« in einer frühen Werkausgabe, Kupferstich (1761)

Goldmark, allg. Bez. für die Währung des Dt. Reichs bis 1914 (offiziell nur »Mark« gen.). Nach dem 1. Weltkrieg Bez. für eine Recheneinheit, die 0,358423 g Gold entsprach und in der die dt. Reparationszahlen ausgedrückt wurden.

Gọldmark, Karl, österr. Komponist, *Keszthely (Bez. Veszprém, Ungarn) 18. 5. 1830, †Wien 2. 1. 1915; verband in effektvoller Instrumentierung Elemente der frz. großen Oper mit den harmon. und instrumentalen Neuerungen des frühen R. Wagner (»Die Königin von Saba«, 1875).

Goldmedaille [-medaljə, frz.], Siegpreis in Form einer Münze für den Sieger in sportl. Wettbewerben.

Goldmohn, →Eschscholtzia.

Goldmulle (Chrysochloridae), maulwurfähnl. Insektenfresserfamilie mit metallisch glänzendem Fell, in Steppen- und Sandgebieten Mittel- und S-Afrikas.

Goldnessel, →Taubnessel.

Goldọni, Carlo, italien. Dramatiker, *Venedig 25. 2. 1707, †Paris 6. 2. 1793; wirkte 1748–62 als Theaterdichter in Venedig. Er ersetzte die Commedia dell'Arte durch eine v. a. an Molière geschulte Rokokokomödie mit geschickter psycholog. Motivierung, realist. Charakterzeichnungen und volkstüml. Milieu. Seine etwa 150 Stücke umfassen Intrigen- und Rührstücke, Charakterkomödien und Sittenbilder (»Das Kaffeehaus«, 1743; »Der Diener zweier Herren«, 1753; »Die neugierigen Frauen«, 1753; »Mirandolina«, 1753; »Die vier Grobiane«, 1762; »Der Fächer«, Uraufführung 1765, erschienen 1789). 1762 siedelte er nach Paris über, wo er das italien. Theater bis 1764 leitete und mit Erfolg Lustspiele v. a. in frz. Sprache verfasste.

📖 HÖSLE, J.: *C. G. Sein Leben, sein Werk, seine Zeit. München u. a. 1993.*

Goldorfe, goldgelbe Zuchtrasse der europäischen Weißfischart Aland; in Zierfischteichen.

Goldparität, →Goldwährung.

Goldparmäne, Apfelsorte, →Apfel.

Goldpflaume (Chrysobalanus), trop. Gattung der Rosengewächse mit ledrigem Laub und weißen Blüten. Die südamerikanisch-westafrikanische **Ikako-** oder **Kakaopflaume** (Chrysobalanus icaco) hat pflaumengroße gelbe, rote oder schwarze essbare Früchte.

Goldpräparate, 1) *Medizin:* Arzneimittel, die Goldverbindungen (z. B. Aurothioglucose, Aurothiopolypeptid) enthalten; angewendet zur Basistherapie chronisch rheumat. Erkrankungen; Wirkungseintritt nach 1–3 Monaten. Die Anwendung ist durch erhebl. Nebenwirkungen eingeschränkt.

2) *Technik:* (Goldverbindungen), goldhaltige Substanzen zur techn. Verwendung z. B. **Goldsalz** (Natriumgoldchlorid) und **Goldchlorid** (Chlorogoldsäure) in Fotografie, Galvanotechnik, Glas- und Porzellanmalerei, Mischungen dieser Stoffe mit organ. Substanzen und Metallen wie **Glanzgold** oder **Poliergold,** zum Aufbrennen von Vergoldungen, **Gold-** oder **cassiusscher Purpur,** eine Mischung von kolloidem Gold und wasserhaltigem Zinndioxid, zum Rotfärben von Glasflüssen. Außerdem zählen **echte Goldbronze, Muschel-** oder **Malergold** zu den G.

Goldprimel (Douglasia), Gattung der Schlüsselblumengewächse, z.B. die niedrige, polsterförmige **Douglasia vitaliana** mit goldgelben Blüten; Steingartenpflanze.

Goldprobe (Strichprobe), seit dem Altertum ausgeübtes Verfahren zur zerstörungsfreien Ermittlung des Goldgehaltes von Rohgold, Goldmünzen oder Goldschmuck, z.B. durch Reiben der Gegenstände auf der polierten Fläche eines Probiersteines (Kieselschiefer).

Goldpunkt, → Goldwährung.

Goldregen (Laburnum), holzige Schmetterlingsblütlergattung mit dreizähligen Blättern, hängenden Blütentrauben und Fruchthülsen. Der südeurop. gelb blühende **Gemeine G.** (Laburnum anagyroides) und der **Alpen-G.** (Laburnum alpinum) sind Ziersträucher, die vor allem durch das Alkaloid Cytisin in allen Pflanzenteilen stark giftig sind.

Goldregenpfeifer (Pluvialis apricaria), etwa 28 cm langer Watvogel des feuchten, kurz bewachsenen Ödlandes, von der arkt. Tundra bis N-Europa; in Dtl. vom Aussterben bedroht.

Goldrute (Goldraute, Solidago), Korbblütlergattung mit rd. 80 meist nordamerikan. Arten; Stauden mit ungeteilten, wechselständigen Blättern und goldgelben Blütenkörbchen. Die meterhohe Art **Gemeine G.** (Solidago virgaurea) wächst in trockenen Wäldern und Gebüschen. Verwildert auf Ödland, auch als Gartenstaude, die **Kanadische G.** (Solidago canadensis).

Goldsalz, → Goldpräparate.

Goldschmidt, 1) Hans, Chemiker, *Berlin 18. 1. 1861, †Baden-Baden 25. 5. 1923; Erfinder der → Aluminothermie und des Thermitschweißens; führte auch die Weißblechentzinnung ein.

2) Richard, Zoologe, *Frankfurt am Main 12. 4. 1878, †Berkeley (Calif.) 25. 4. 1958; grundlegende Arbeiten zur Genphysiologie; entwickelte eine allg. Theorie der Geschlechtsbestimmung.

3) Victor Moritz, Mineraloge und Geochemiker, *Zürich 27. 1. 1888, †Vestre Aker (bei Oslo) 20. 3. 1947; Begründer der modernen Geochemie, stellte die ersten Tabellen der Ionen- und Atomradien auf und arbeitete über das geochem. Verteilungsgesetz der Elemente.

Goldschmied, Ausbildungsberuf des Handwerks ($3^1/_2$ Jahre) und der Ind. (drei Jahre). Der G. stellt Schmuck aus Edelmetall, oft mit Edelsteinen verarbeitet, her.

Goldschmiedekunst, die künstler. Verarbeitung von Gold und Silber sowie deren Legierungen zu Schmuck, Geräten, Gefäßen und Kleinplastiken. Techniken seit dem Altertum: Treiben, Gießen, Ziselieren, Punzieren, Gravieren, Niello, Löten, Granulieren, Tauschieren, Filigran, Emaillieren. Zur Verzierung werden u.a. Edel- und andere Schmucksteine, Perlen und Glasflüsse verwendet. Seit dem ausgehenden Altertum wird durch Stempelung der Feingehalt garantiert; eine besondere Form der Stempelung bildete das Beschauzeichen.

Zahlreiche Schatzfunde bezeugen G. des Altertums in Europa im 5. Jt. (Gräberfeld von Warna), in Ägypten, Mesopotamien (Ur) und Indien (Harappakultur) seit dem 3. Jt., Höhepunkt ägypt. (12. und 18. Dynastie), trojan. und myken. G. im 2. Jt., in dessen 2. Hälfte auch in N- und Mitteleuropa bronzezeitl. G. entstand (»Hut von Schifferstadt«, Speyer, »Kegel von Ezelsdorf«, Fund von Eberswalde). Im 1. Jt. (Eisenzeit) breites Spektrum europ. G.: Hallstattkultur, Skythen, Kelten (La-Tène-Kultur) sowie Etrusker. Mit dem Hellenismus wird der Schmuck polychrom (ind. und persisch-achämenid. Einflüsse). Die G. der Germanen wurde durch die röm. Tradition und den Tierstil der Skythen beeinflusst (Schatz von Pietroasa, Rumänien; 4. Jh.). Im christl. Europa und Byzanz zunächst v.a. Arbeiten für kirchl. Zwecke. In karoling. Zeit begann sich die kirchl. G. des MA. zu ihrer Blüte zu entfalten (Altarbekleidung in Sant' Ambrogio in Mailand; Bucheinbände). Hauptwerke der roman. G. entstanden v.a. im Rhein-Maas-Gebiet (Dreikönigsschrein im Kölner Dom, Heribertschrein in Sankt Heribert in Köln-Deutz; → Nikolaus von Verdun). Die G. der Gotik, die Zierformen der Baukunst übernahm, schuf v.a. reich ausgebildete Monstranzen. Die Renaissance pflegte neben der kirchl. bes. die weltl. G. (Cellini), die durch Aufträge von Adel und reichen Patriziern neue Impulse empfing. In Dtl. verband sich heim. Handwerkerüberlieferung mit dem ita-

Goldregen: Kulturform, Kreuzung aus Gemeinem und Alpengoldregen

Goldregenpfeifer im Sommerkleid (Größe etwa 28 cm)

Goldrute: Gemeine Goldrute (Höhe 15–100 cm)

lien. Geschmack, bes. in der Gestaltung von Prunkgerät. Zu den bekanntesten Meistern gehört W. Jamnitzer. Der Formenreichtum der Renaissance wurde im Barock und Rokoko weiterentwickelt (J. M. Dinglinger u. a.). Im 17. und 18. Jh. entstanden in Frankreich hervorragende Werke, seit 1800 auch in England, dessen schlichtes Tafelsilber vorbildlich wurde. Starken Auftrieb erhielt die G. während des Jugendstils. Es entstand ein neues Gefühl für die Möglichkeiten des Materials, dessen formgerechte Verarbeitung v. a. für Gebrauchsgegenstände angestrebt wurde.

Die G. war auch in außereurop. Kulturen verbreitet. In *Afrika* verfügten z. B. die Akan-Völker über eine ausgeprägte und hoch entwickelte G., die sich im Wesentlichen auf die Bedürfnisse der Höfe konzentrierte. Im *Amerika* der vorkolumb. Zeit sind Goldschmiedearbeiten v. a. bei den Mixteken und Muisca bezeugt (→ andine Hochkulturen, → mesoamerikanische Hochkulturen).

📖 *G. 5000 Jahre Schmuck u. Gerät, bearb. v.* H. Schadt. *Stuttgart 1996.*

Goldschnitt, Verzierung der Schnittflächen eines Buches durch Auflegen und Anreiben von

Goldschmiedekunst

1

2

3

4

5

6

| **1** Goldene Schmuckgegenstände aus dem kupferzeitlichen Gräberfeld von Warna, Ostbulgarien (2. Hälfte des 5. Jt. v. Chr.) | **2** Skythischer Prunkkamm aus dem Kurgan von Solocha, Ukraine (1. Hälfte des 4. Jh. v. Chr.) | **3** Goldmaske des afrikanischen Küstenstammes Adjukru, Elfenbeinküste (Anfang des 19. Jh.; Paris, Musée de l'Homme) | **4** Aus getriebenem Goldblech gefertigter spätbronzezeitlicher »Kegel von Ezelsdorf« aus Bayern, vermutlich Spitze einer Kultsäule (Ende des 2. Jt. v. Chr.; Nürnberg, Germanisches Nationalmuseum) | **5** Johann Melchior Dinglinger, »Hofhalt des Großmoguls zu Delhi (1701–08; Dresden, Grünes Gewölbe) | **6** Anhänger in Form eines Schwans, französische Arbeit aus Gold mit Email (um 1900; Pforzheim, Schmuckmuseum)

Blattgold; Staubschutz; heute meist ersetzt durch Farb- oder Metallschnitt.

Gold-Silber-Scheidung, Trennung von Gold und Silber bei goldhaltigem Silber oder silberhaltigem Gold. Bis zum ausgehenden MA. trennte man aufgrund der großen Affinität von Silber zu Schwefel durch Einrühren von elementarem Schwefel oder Schwefelantimon (**Scheidung durch Guss und Fluss** der Alchimisten). Dabei sonderte sich ein das Silber und die Verunreinigungen aufnehmender Stein vom gediegenen Gold (»Gold-Regulus«) ab. Goldhaltiges Silber scheidet man heute durch Herauslösen des Silbers mit heißer Salpetersäure **(Quartation)** oder heißer konzentrierter Schwefelsäure **(Affination)** oder durch Elektrolyse in Silbernitratlösung **(Möbius-Prozess);** silberhaltiges Gold durch Überführung des Silbers in flüssiges, auf dem geschmolzenen Gold schwimmendes Silberchlorid durch Chlorgas **(Miller-Prozess)** oder durch Elektrolyse in Goldchloridlösung **(Wohlwill-Prozess).**

Goldsmith ['gəʊldsmɪθ], Oliver, engl. Schriftsteller, *Pallas (Prov. Longford, Irland) 10. 11. 1728, †London 4. 4. 1774; schrieb neben polit. und geschichtl. Abhandlungen zwei bühnenwirksame bürgerl. Lustspiele und die Familienidylle in Prosa »Der Pfarrer von Wakefield« (1766), die durch ihre vorzügl. Charakterzeichnung große Wirkung auf die dt. Literatur hatte.

Goldstein ['gəʊldstaɪn], Joseph Leonard, amerikan. Mediziner, *Sumter (S. C.) 18. 4. 1940; seit 1977 Prof. für molekulare Genetik an der Univ. von Texas in Dallas; erhielt 1985 mit M. S. Brown für die Erforschung des Cholesterinstoffwechsels und der Arteriosklerose den Nobelpreis für Physiologie oder Medizin.

Goldstern (Gelbstern, Gilbstern, Gagea), lauchähnlich aussehende Gattung der Liliengewächse, meist mit gelben Blüten.

Goldtopas, Handelsname für einen durch starkes Erhitzen goldgelb gewordenen Amethyst.

Goldverbindungen, → Goldpräparate.

Goldwährung (Goldstandard), Währungssystem, in dem Gold als gesetzl. Zahlungsmittel dient oder in dem die gesetzl. Zahlungsmittel nach Maßgabe gesetzl. Vorschriften zu einem festgelegten Preis **(Goldparität)** in Gold umgetauscht werden können. Bei der **reinen Goldumlaufwährung** sind Goldmünzen das einzige gesetzl. Zahlungsmittel; bei der **gemischten Goldumlaufwährung** sind neben Goldmünzen Scheidemünzen und Banknoten im Umlauf, wobei der Banknotenumlauf durch Deckungsvorschriften an das Gold gebunden ist. In der **Goldkernwährung** fungiert als Zahlungsmittel nur Zeichengeld (Papiergeld und Scheidemünzen); die umlaufenden Banknoten sind durch einen entsprechenden Goldbestand bei der Notenbank (teilweise) gedeckt. Dabei besteht i. d. R. Einlösungspflicht der Banknoten in Gold. In der **Golddevisenwährung,** auch **Golddevisenstandard** (engl. **Gold exchange standard**), werden zur Deckung der umlaufenden Noten neben Gold zusätzlich in Gold konvertierbare Devisen zugelassen; es besteht im Allg. keine Noteneinlösungspflicht. – Bei allen G. können die Wechselkurse nur in engen Grenzen (bis zum oberen und unteren **Goldpunkt**) von der Goldparität abweichen, da die Devisenströme durch Goldtransfer ersetzt werden, sobald die Kurssteigerung über die mit der Goldversendung verbundenen Versicherungs- und sonstigen Kosten hinausgeht. Dieser **Goldautomatismus** leitet bei einem Zahlungsbilanzungleichgewicht gleichzeitig eine Tendenz zum Ausgleich ein: Bei einem Exportüberschuss fließt Gold zu, wodurch die Geldmenge im Überschussland steigt und im Defizitland fällt. Die dadurch ausgelösten Inflations- und/oder Deflationstendenzen bewirken eine Verschiebung der internat. Preisrelationen, durch die eine Bewegung zum Zahlungsbilanzausgleich angeregt wird. Im 19. Jh. hatten sich in allen wichtigen Handelsländern G. durchgesetzt, die jedoch nach dem 1. Weltkrieg zusammenbrachen und in den 1920er-Jahren nur vorübergehend wiederbelebt werden konnten.

Eine modifizierte Golddevisenwährung wurde nach dem 2. Weltkrieg durch das Abkommen von Bretton Woods (Gründung des Internat. Währungsfonds, IWF) geschaffen. Die zunehmende Geldentwertung in vielen Ländern, insbesondere auch im Leitwährungsland USA, führten zu steigender Diskrepanz zw. der Goldparität des Dollars und dem freien Goldpreis, wodurch starke Goldspekulationen hervorgerufen wurden, die die Mitgl. des IWF am 18. 3. 1968 zu einer Spaltung des Goldmarktes veranlassten. Seitdem gab es einen amtl. Goldpreis für die Verrechnung zw. den Notenbanken und einen freien Preis für Warengold. Die seit Ende der 60er-Jahre überproportional steigende Zunahme der Verbindlichkeiten der USA, die sich bei den ausländ. Zentralbanken als Erhöhung der Devisenreserven niederschlug, veranlassten die USA am 15. 8. 1971, die Einlösungspflicht des Dollars in Gold aufzuheben. Auch im Währungssystem des IWF hat das Gold seine Funktionen weitgehend eingebüßt. Nach den IWF-Statuten ist das Gold seit 1978 nicht mehr Ausdrucksmittel für den Preis der angeschlossenen Währungen, sondern die Staaten haben ihre Währungen anstatt in Gold in Sonderziehungsrechten zu definieren.

Goldwespen (Chrysididae), artenreiche Familie der Hautflügler, 1,5–13 mm lang, metallisch (rot, blau, grün) glänzend.

Oliver Goldsmith
(Ausschnitt einer Lithographie nach einer zeitgenössischen Vorlage, 1820)

Goldstern
(Höhe 8–25 cm)

Goldwespe
(Körperlänge 1,5–13 mm)

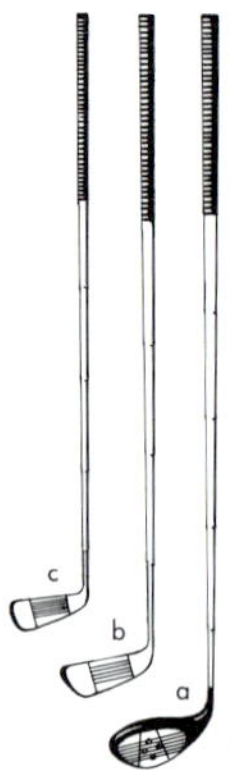

Golf:
a Holzschläger,
b Eisenschläger,
c Putter

Goldwurzel (Golddistel, Scolymus hispanicus), distelförmiger, gelb blühender Korbblütler im Mittelmeergebiet; Wurzelgemüse.

Golem [hebr. »Klumpen«] *der,* in der jüd. Mystik und Legende ein durch die angebl. Zauberkraft von hl. Sprüchen auf eine bestimmte Zeit belebter künstl. Mensch aus Lehm. Der Sagenstoff wurde seit J. Grimm (1808) häufig bearbeitet, wiederholt in der Romantik (A. von Arnim, E. T. A. Hoffmann). Die bekannteste Fassung erhielt der Stoff in dem Roman »Der G.« von G. Meyrink (1915).

Goleniów [gɔ'lɛnjuf] (dt. Gollnow), Stadt in der Wwschaft Szczecin (Stettin), Polen, im Mündungsgebiet der Oder, an der Ihna, 22000 Ew.; Holz- (bes. Möbel-), Lebensmittelind.; Flughafen von Stettin. – Stadtbefestigung, spätgot. Hallenkirche. – Gegr. 1268, 1648 schwedisch, 1720 zu Preußen.

Golf [engl., vielleicht von schott. goulf »Schlag«], zu den Ziel- und Treibspielen gehörendes Vollballspiel in naturgegebenem oder nur gering verändertem Gelände. Sinn des Spiels ist, mit möglichst wenig Schlägen den Ball mit einem Schläger über verschieden lange Bahnen in ein Loch zu spielen. Auf dem gewöhnlich 20–50 ha großen G.-Platz sind 9 oder 18 Bahnen (Löcher) angelegt: Dem **Abschlag** (engl. **Tee**) folgt eine gemähte Grasfläche **(Fairway),** die eigentl. Spielbahn, die seitlich von ungemähten Grasflächen **(Rough** oder **Rau),** Buschwerk, Bäumen, Gräben und Bächen umrahmt wird und in der sich künstlich angelegte Hindernisse (z. B. sandgefüllte **Bunker**) befinden. An das Fairway schließt sich eine auf 3–7 mm geschnittene Rasenfläche, das **Grün (Green),** an. Das **Loch (Hole)** im Grün, das bei Wettspielen regelmäßig umgesetzt wird, ist ein in den Boden eingelassener Hohlzylinder von 10,79 cm Durchmesser, der durch eine Richtungsfahne markiert ist. Für jede Bahn ist eine Durchschnittszahl von Schlägen **(Par)** angegeben, mit denen der G.-Ball vom Abschlag in das Loch auf dem Green gespielt werden kann. Sie beträgt für Bahnlängen bis zu 228 m drei, bis zu 434 m vier und über 434 m fünf Schläge. Dementsprechend liegt die Zahl der Schläge für den gesamten Platz fest. Sie heißt **Standard.** Es werden 18 Löcher, jedes Mal mit einem anderen Abschlag, gespielt. Man unterscheidet zwei Spielarten, das **Lochspiel,** bei dem zwei Parteien (Spieler) jedes einzelne Loch mit weniger Schlägen als der Gegner zu erreichen und damit zu gewinnen suchen, und das **Zählspiel,** bei dem die niedrigste Schlagzahl für alle Löcher entscheidet.

Der **G.-Ball** besteht aus Gummikern und Hartgummihülle. **G.-Schläger** unterscheidet man in Holzschläger (Woods) und Eisenschläger (Irons). Der Schlägerkopf der Woods ist aus Hartholz, Kunststoff oder Leichtmetall und hat eine Bleifüllung; er dient nur dem Treib- oder Weitschlag (bis 250 m). Zugelassen sind bis zu 14 verschieden geformte G.-Schläger. Am Abschlag darf der Ball zur Erleichterung des Schlages auf ein Tee (Aufsatz aus Holz, Gummi o. Ä.) gesetzt werden. Im Gelände muss der Ball immer von der Stelle weitergespielt werden, an die er durch den vorangegangenen Schlag gelangt war. Hierzu werden Irons, die einen löffelartigen Schlägerkopf aus Stahl haben, zum Heben des Balles beim Überspielen von Hindernissen oder zu Kurzschlägen verwendet. Auf dem Grün wird zum Einlochen der Putter (Schläger mit senkrechter Schlagfläche) verwendet. G. war olymp. Sportart 1904 und 1908.

G., ein urspr. schott. Nationalspiel, wird 1457 erstmals urkundlich erwähnt. 1608 gelangte es nach England, wo es im 19. Jh. sehr populär wurde. Ältester G.-Club der Welt ist der »Royal and Ancient Golf Club of St. Andrews« (Schottland), gegr. 1754. In Dtl. wurde der erste G.-Club 1895 in Berlin gegründet.

Golf [italien., von grch. kólpos »Busen«, »Meerbusen«, »Bucht«] *der* (engl. Gulf, frz. Golfe), Einschnitt des Meeres ins Festland, größere Meeresbucht, z. B. G. von Mexiko, Pers. Golf.

Golfkrieg, Bez. für zwei Kriege im Gebiet des Pers. Golfs:

1. G.: Krieg zw. Irak und Iran 1980–88; verursacht durch den Versuch Iraks, den 1975 in einem Vertrag mit Iran festgelegten Grenzverlauf am Schatt el-Arab auf militär. Weg zu verändern. Der Krieg begann im Sept. 1980 mit dem Einmarsch irak. Truppen in die iran. Provinz Khusistan. Nach Errichtung einer weiteren irak. Front in Kurdistan (Dez. 1980) gelang es den iran. Streitkräften 1982, fast das gesamte vom Irak besetzte Gebiet zurückzuerobern. Bis 1988 entwickelte sich nun ein »Abnutzungskrieg«, in dem der besseren Bewaffnung der irak. Armee die zahlenmäßige Überlegenheit der iran. Streitkräfte gegenüberstand. Zahlreiche Großoffensiven Irans (Propagierung eines »heiligen Kriegs«) erzielten kaum Geländegewinne auf

Golf

15

1457 verbot das schottische Parlament das Golfspielen.

Das Verbot wurde damit begründet, »dass die jungen Leute diesem Sport zu viel nachgehen und deshalb die kriegerische Ertüchtigung des Bogenschießens vernachlässigen«. 1488 hob König James IV. – selbst begeisterter Spieler – bei seiner Thronbesteigung das Verbot wieder auf. Es hielt sich ohnehin niemand daran.
Der Erlass des schottischen Parlaments ist die erste Erwähnung des Golfspiels überhaupt. Schottland ist unbestritten seine Heimat, und im schottischen St. Andrews wurde auch 1754 der Golfclub gegründet, nach dessen Regeln noch heute gespielt wird.

irak. Territorium. Neben einem 1984 entbrannten »Tankerkrieg« (beidseitige Angriffe auf Erdöl transportierende Tanker) kam es auch zu einem »Städtekrieg« (gegenseitige Bombardierung großer Städte und der Erdölförderzentren). Im Zusammenhang mit dem 1. G. unternahmen irak. Truppen eine Großoffensive (Einsatz chem. Waffen) gegen die im N-Irak lebenden Kurden, denen eine Unterstützung Irans angelastet wurde.

Von Anfang an bestand die Gefahr einer internationalen Ausweitung des Krieges. Die arab. Anrainerstaaten, bes. Saudi-Arabien und Kuwait, unterstützten Irak. Die USA, später auch Großbritannien und Frankreich, nahmen die Gefährdung der Erdöltransportwege zum Anlass, Flotteneinheiten in das Kriegsgebiet zu entsenden. Seit 1987 gerieten US-Kriegsschiffe, die unter US-Flagge fahrenden kuwait. Tankern Geleitschutz boten, in Kampfhandlungen mit iran. Seestreitkräften.

Der 1. G., der auf beiden Seiten etwa 1 Mio. Tote und Verwundete forderte, endete nach langwierigen Vermittlungsaktionen der UNO mit einem Waffenstillstand im Aug. 1988.

2. G.: Krieg zw. Irak und alliierten Streitkräften unter Führung der USA vom 17. 1. bis 28. 2. 1991. Dem 2. G. ging eine internat. Krise (**Golfkrise**) voraus: Sie begann, als Irak nach gescheiterten irakisch-kuwait. Gesprächen zur Beilegung eines Konfliktes um die Erdölförderung im gemeinsamen Grenzgebiet am 2. 8. 1990 Kuwait besetzte (Beseitigung der Monarchie und Angliederung Kuwaits als 19. irak. Provinz) und der UN-Sicherheitsrat daraufhin den »sofortigen und bedingungslosen Abzug aller irak. Soldaten« forderte. Am 6. 8. beschloss der UN-Sicherheitsrat ein Wirtschaftsembargo gegen Irak. Seit August entsandten die USA Truppen in die Golfregion (Aufmarsch in Saudi-Arabien) und setzten eine See- und Luftblockade durch. Daraufhin verwehrte der irak. Diktator Saddam Husain Tausenden Ausländern, insbesondere aus westl. Staaten, die Ausreise und ließ sie z. T. als »Schutzschilde« an strategisch wichtige Punkte des Landes bringen; verschiedene diplomat. Missionen erreichten die Freilassung der Geiseln. Der UN-Sicherheitsrat richtete im Nov. 1990 ein Ultimatum an Irak, das den Abzug der irak. Truppen bis zum 15. 1. 1991 forderte. Zahlreiche diplomat. Initiativen zur Verhinderung einer krieger. Auseinandersetzung scheiterten.

Nach Ablauf des von Irak nicht befolgten Ultimatums begannen am 17. 1. 1991 die militär. Operationen der alliierten Streitkräfte unter dem Oberbefehl des amerikan. Generals N. Schwarzkopf (Aktion »Wüstensturm«). Eine wochenlange Luftoffensive gegen Stellungen in Kuwait und Irak zielte auf die Zerstörung der irak. Luftwaffe und die Ausschaltung der irak. Elitetruppen (»Republikan. Garde«). Die Vernichtung der militär. Objekte und Kommandozentralen richtete auch im zivilen Bereich starke Zerstörungen an (u. a. in Bagdad, Basra). Am 24. 2. 1991 leiteten die alliierten Streitkräfte eine Landoffensive ein, befreiten Kuwait bis zum 27. 2. und besetzten auch südl. Teile des Irak. Bei ihrem Rückzug aus Kuwait setzten die irak. Truppen Öllager und Ölquellen in Brand. Nachdem Irak alle UN-Forderungen bedingungslos anerkannt hatte, trat am 28. 2. Waffenruhe ein. Die am 6. 4. 1991 vom Irak angenommenen Waffenstillstandsbedingungen legten u. a. die Inspektion und Vernichtung aller irak. Massenvernichtungswaffen fest. – Bestärkt durch die ablehnende Haltung der USA gegenüber dem Regime Saddam Husains und dessen Schwächung durch die Niederlage ausnutzend, begannen im März 1991 oppositionelle schiit. Kräfte und die → Kurden einen bewaffneten Aufstand, der nach anfängl. Erfolgen (Einnahme zahlreicher Städte im N) von Reg.truppen niedergeschlagen wurde. Die nachfolgenden Repressalien lösten eine Massenflucht der Kurden nach Iran und in das türk. Grenzgebiet aus.

📖 NIEMETZ, A.: *Brennpunkt Nahost. Geschichte u. Hintergründe polit. u. religiöser Konfrontationen. Neuausg. München 1993.* – TRAUTNER, B. J.: *Der erste u. der zweite G. Münster u. a. 1994.*

Golfkrieg-Syndrom, Bez. für das noch ungeklärte Auftreten von Krankheitserscheinungen (chron. Müdigkeit, Gedächtnisverlust, Muskel- und Gelenkschmerzen, Hautausschlag), unter denen in den USA sechs Jahre nach Ende ihres Einsatzes im 2. Golfkrieg mindestens 20 000 Menschen leiden.

Golfküstenebene, lagunenreicher, flacher Küstenbereich um den Golf von Mexiko bis zur Halbinsel Yucatán, in den USA und Mexiko; ausgedehnte Erdölfelder im Bereich von Salzstöcken, auf dem Festland und offshore.

Golfrat, gemeinsamer Rat arab. Staaten am Pers. Golf, 1981 gegr. als regionale Untergruppe der Arab. Liga. Mitgl.: Bahrain, Katar, Kuwait, Oman, Saudi-Arabien, Vereinigte Arab. Emirate. Ziele: Koordinierung von Außen-, Sicherheits- und Erdölpolitik.

Golfstrom, starke Meeresströmung, Teil des subtrop. antizyklonalen Stromwirbels im N-Atlantik, erstreckt sich als relativ schmales Band (Freistrahl) von etwa 150 km Breite zw. der Floridastraße (Floridastrom) bzw. Kap Hatteras und den Neufundlandbänken. Die Stromgeschwindigkeit ist mit Werten bis zu 2,5 m/s sehr hoch; Wassertransporte bis zu 150 Mio. m^3/s. Das G.-Wasser ist im Vergleich zu den umgebenden Wassermassen sehr warm und salzreich. Dabei ist der Übergang in Temperatur und Salzgehalt an der linken Flanke

Golfstrom

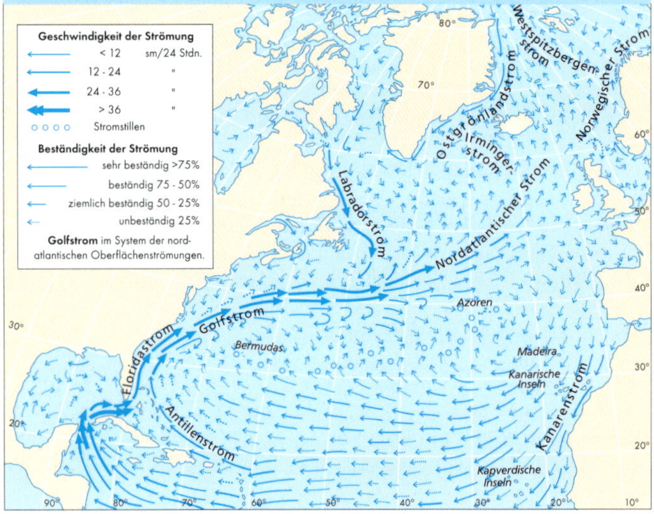

des G. sehr sprunghaft. Die Temperaturfront wird »Kalter Wall« genannt.

Erforschung: Der G. wurde 1513 von dem Spanier J. Ponce de León entdeckt; B. Franklin regte mit der ersten G.-Karte 1786 die navigator. Nutzung an. Die in den letzten Jahren vorangetriebene Forschung hat zu neuen Erkenntnissen, v. a. hinsichtl. der Fortsetzung des G. im →Nordatlantischen Strom, geführt.

Golgatha [hebr. gulgolet »Schädel«], allg. Bez. eines Hügels, im N. T. (Mt. 27, 33; Mk. 15, 22) »Schädelstätte«, der außerhalb der alten Stadtmauer Jerusalems gelegene Ort der Kreuzigung Jesu.

Golgi ['gɔldʒi], Camillo, italien. Histologe, *Corteno (heute Còrteno Golgi, bei Edolo, Prov. Brescia) 7. 7. 1844, †Pavia 21. 1. 1926; entwickelte zahlr. neue histolog. Färbemethoden und gewann dadurch wichtige Erkenntnisse über den Feinbau des Nervensystems, wofür er 1906 mit S. Ramón y Cajal den Nobelpreis für Physiologie oder Medizin erhielt.

Camillo Golgi

Goliarden, →Vaganten.

Goliath, Gestalt des A. T., Philister, wegen seiner Körpergröße der »Riese« gen.; wurde nach 1. Sam. 17, 49 f. von David mit einer Steinschleuder erschlagen.

Goliathkäfer, afrikan. Gattung der →Rosenkäfer.

Golizyn, Amalie, →Gallitzin.

Goll, 1) Claire, geb. Clara Aischmann, Schriftstellerin, *Nürnberg 29. 10. 1890, †Paris 30. 5. 1977, seit 1921 ⚭ mit 2); schrieb in dt. und frz. Sprache Erzählungen (»Der gestohlene Himmel«, 1962), Gedichte (z. T. mit ihrem Mann), Romane, Autobiographisches (»Traumtänzerin«, 1971; »Ich verzeihe keinem«, 1976).

2) Yvan (Ivan), eigtl. Isaac Lang, Pseudonyme Iwan Lassang, Tristan Torsi, frz.-dt. Schriftsteller, *Saint-Dié 29. 3. 1891, †Paris 27. 2. 1950, ⚭ mit 1); lebte seit 1919 in Paris, befreundet mit den Künstlern des Kreises um G. Apollinaire, 1939–47 in New York. Er begann als expressionistisch-pazifist. Dichter im Bewusstsein einer apokalypt. Zeitenwende (»Lothring. Volkslieder«, 1912; »Der Panamakanal«, Poem, 1914), entwickelte dann unter dem Einfluss A. Bretons und P. Éluards einen surrealist. Bilderreichtum, der ihm als Chiffre des Daseins diente (»Der Eiffelturm«, 1924). G. schrieb in dt., später fast nur in frz., einiges auch in engl. Sprache, u. a. »Poèmes d'amour« (1925, mit Claire G.), »Poèmes de la vie et de la mort« (1926, mit Claire G.), den Gedichtzyklus »Jean sans terre. Johann ohne Land«, (entstanden 1934–44, vollständig hg. 1957, in dt. Sprache »Traumkraut«, hg. 1951); ferner Prosa (»Die Eurokokke«, R., 1928; »Der Mitropäer«, R., 1928; »Sodom Berlin«, R., 1929). Sein Drama »Methusalem oder Der ewige Bürger« (1922) gilt als Vorläufer des absurden Theaters.

📖 Rieser-Spriegel, K.: *Untersuchungen zum dramat. Werk Y. G.s. Salzburg u. a. 1972.*

Claire und Yvan Goll: Bleistiftzeichnung von Otto Dix (1927)

Gollancz [gɔ'lænts], Sir (seit 1965) Victor, engl. Verleger und Schriftsteller, *London 9. 4. 1893, †ebd. 8. 2. 1967; gründete 1927 in London den Verlag **Victor Gollancz Ltd.** und 1936 den sozialist. **Left Book Club.** Erhielt 1960 den Friedenspreis des Dt. Buchhandels.

Göllheim, Gemeinde im Donnersbergkreis, Rheinl.-Pf., am Rand des Pfälzer Waldes, 3800 Ew. – In der **Schlacht bei G.** am 2. 7. 1298 fiel König Adolf von Nassau im Kampf gegen den Habsburger Albrecht I.

Gollnow [-no], Stadt in Polen, →Goleniów.

Gollwitzer, Helmut, evang. Theologe, *Pappenheim (Kr. Weißenburg-Gunzenhausen) 29. 12. 1908, †Berlin 17. 10. 1993; wurde 1957 Prof. in Berlin (West); seine wiss. Arbeit wurde stark durch sein polit. Interesse (v. a. an dem Verhältnis von Christentum und Marxismus) bestimmt; engagierte sich in den 60er-Jahren für die Studentenbewegung.

Golon [gɔ'lɔ̃], Anne, eigtl. Simone Golonbinoff, frz. Schriftstellerin, *Toulon 17. 12. 1921; schrieb, anfangs in Zusammenarbeit mit ihrem Mann Serge G. (*1903, †1972), die Serie der abenteuerlich-erot. »Angélique«-Romane (13 Bde., 1956–85) über die Zeit Ludwigs XIV.

Goltz, 1) Colmar Freiherr von der, preuß. und türk. General (G.-Pascha), *Bielkenfeld (Kr. Labiau; heute Polessk, Gebiet Kaliningrad) 12. 8. 1843, †Bagdad 19. 4. 1916; leitete 1883–96 den Neuaufbau des türk. Heeres. Wieder in preuß. Dienst, war er 1914 Generalgouv. in Belgien. 1915/16 schloss er mit einer türk. Armee die Briten bei Kut al-Amara in Mesopotamien ein, verhinderte ein britisch-russ. Zusammenwirken in Persien.

2) Rüdiger Graf von der, preuß. General, *Züllichau (heute Sulechów) 8. 12. 1865, †Kinsegg (heute zu Bernbeuren, Kr. Weilheim-Schongau) 4. 11. 1946; im 1. Weltkrieg Führer der »Ostseedivision«, mit der er 1918 die finn. Truppen unter C. G. Mannerheim gegen den Angriff der Roten Armee unterstützte.

Goltzius ['xɔltsi:ys], Hendrick, niederländ. Zeichner, Kupferstecher, Maler, *Mühlbracht (bei Venlo) 1558, †Haarlem 1. 1. 1617; hielt sich 1590/91 in Italien auf, wo er u. a. Werke der Antike, Raffaels und Michelangelos nachzeichnete. In seinen mehr als 300 Stichen bildete er eine neue, mit an- und abschwellenden Linien arbeitende Technik aus; nach 1600 v. a. spätmanierist. Gemälde.

Göltzsch [gœltʃ] *die,* rechter Nebenfluss der Weißen Elster, 41 km, entspringt bei Falkenstein im sächs. Vogtland, mündet oberhalb Greiz. Bei Netzschkau die 78 m hohe, 1846–51 erbaute **Göltzschtalbrücke** (575 m lang) der Eisenbahnlinie Leipzig–Hof.

Golubkina, Anna Semjonowna, russ. Bildhauerin, *Saraisk (Gebiet Moskau) 28. 1. 1864, †ebd. 7. 9. 1927; Schülerin A. Rodins, dessen Einfluss für ihre Arbeiten zunächst bestimmend wurde. Nach 1905 waren zeitweilig auch expressionist. Elemente und die Kunst der Naturvölker prägend.

Goma, Paul, rumän. Schriftsteller, *in Bessarabien 2. 10. 1935; 1956–62 inhaftiert, 1968–71 Redakteur; stellt in seinen Romanen (»Ostinato«, dt. 1971; »Die Tür«, dt. 1972, beide nur im Ausland veröffentlicht) persönl. Leiden und Empfindungen literarisch überhöht dar und kritisiert so grundsätzlich staatl. Übergriffe; lebt seit 1977 in Paris.

Gombert ['xɔmbərt], Nicolas, fläm. Komponist, *Brügge um 1490, †um 1556; Schüler von Josquin Desprez, etwa seit 1526 im Dienst Karls V.; einer der führenden niederländ. Meister; schrieb u. a. Motetten, Messen und Chansons.

Gömbös ['gømbøʃ], Gyula, G. von Jákfa, ungar. Politiker, *Murga (Bez. Tolna) 26. 12. 1886, †München 6. 10. 1936; Exponent der antisemitisch-nationalist. Gruppen des »Erwachenden Ungarn«, betrieb als MinPräs. (1932–36) die Zusammenarbeit Ungarns mit Italien und Österreich sowie mit dem nat.-soz. Deutschland.

Göltzsch: Blick auf die 575 m lange, 1846–51 erbaute Göltzschtalbrücke der Eisenbahnlinie Leipzig (bei Netzschkau)

Gombrich [-brɪtʃ], Sir (seit 1972) Ernst Hans Josef, brit. Kunsthistoriker österr. Herkunft, *Wien 30. 3. 1909; 1959–76 Direktor des Warburg Institute in London, befasste sich u. a. mit Ikonographie und Kunsttheorie der Renaissance.

Gombrowicz [-vitʃ], Witold, poln. Schriftsteller, *Małoszyce (bei Opatów, Wwschaft Tarnobrzeg) 4. 8. 1904, †Vence (bei Nizza) 25. 7. 1969; lebte 1939–63 in Argentinien. G. stand der Literatur und Philosophie der Existenzialisten nahe (»Die Tagebücher«, 3 Bde., 1957–66) und entwickelte einen eigenen grotesk-fantast. Stil (»Ferdydurke«, 1938; »Die Trauung«, 1953; »Verführung«, 1960).

Gomel (weißruss. Homel), Hptst. des Gebiets G., Weißrussland, am Sosch, 506 600 Ew.; Univ., Hochschule für Eisenbahnverkehrswesen; Ind. (Maschinenbau, Chemie, Glas, Elektrotechnik, Nahrungsmittel u. a.); Bahnknotenpunkt, Flusshafen.

Gomera, La, eine der Kanarischen Inseln, 378 km^2, 28 000 Ew., im Alto de Garajonay 1 487 m ü. M.; Hauptort San Sebastián de la G. (6 000 Ew.); Tomaten-, Bananen-, Wein-, Gemüsebau auf terrassierten, z. T. bewässerten Hängen; Fischfang und -verarbeitung.

Gomes ['gomɪʃ], Francisco da Costa, portugies. General und Politiker, *Chaves (Distrikt Vila Real) 30. 6. 1914; 1968–69 Oberbefehlshaber der portugies. Kolonialtruppen in Moçambique, 1970–72 in Angola, 1972–74 Generalstabschef, war als einer der führenden Köpfe der »Bewegung der Streitkräfte« im April 1974 am Sturz der Diktatur in Portugal beteiligt; von Sept. 1974 bis Juli 1976 Staatspräsident.

Gómez ['gomɛs], Juan Vicente, venezolan. General und Diktator, *San Antonio (Táchira) 24. 7.

Helmut Gollwitzer

Colmar Freiherr von der Goltz

Ernst Gombrich

1857, †Maracay 17. 12. 1935; 1908–14, 1915–29 und 1931–35 Präs., übte sein Amt gestützt auf die Armee aus. Er straffte die Verwaltung und förderte den wirtsch. Aufbau.

Nuño Gonçalves: Der Erzbischof, Teil der Tafel des Vinzenzaltars in der Lissaboner Kathedrale (zw. 1465 und 1467; Lissabon, Museu Nacional de Arte Antiga)

Gómez de la Serna ['gomeð - - -], Ramón, span. Schriftsteller, *Madrid 5. 7. 1891, †Buenos Aires 12. 1. 1963; im literar. Leben Spaniens von der Jahrhundertwende bis zum Span. Bürgerkrieg (Exil) dominierend; erfand die »greguerías«, paradox-humorist. Metaphern (»Greguerías«, 1917); schrieb auch zahlr. Romane (»Das Rosenschloß«, 1923) und Künstlerbiographien, auch Autobiographisches (»Automoribundia«, 1949).

Władysław Gomułka

Gommern, Stadt im Landkreis Jerichower Land, Sa.-Anh., am Ostrand der Elbtalaue, 7800 Ew.; Herstellung von Ausrüstungen für geolog. Bohrungen sowie von Bekleidung; Maschinen- und Anlagenbau. – Burg Guntmiri 948 erstmals gen.; erhielt 1656 Stadtrecht.

Gomorrha, Stadt im A.T. (1. Mose 19); nicht genau lokalisierbar am Südende des Toten Meeres, →Sodom und Gomorrha.

Gompers ['gɔmpəz], Samuel (Sam), amerikan. Gewerkschaftsführer, *London 27. 1. 1850, †San Antonio (Tex.) 13. 12. 1924; urspr. Zigarrenarbeiter, Gründer und 1886–1924 (mit Ausnahme von 1895) Präs. der American Federation of Labor; Gegner des Sozialismus in den Gewerkschaften.

Gomringer, Eugen, schweizer. Schriftsteller, *Cachuela Esperanza (Dep. Pando, Bolivien) 20. 1. 1925; arbeitete u.a. an der Ulmer Gesamthochschule für Gestaltung und als Werbefachmann in der Industrie; Hg. der Schriftenreihe »Konkrete Poesie«; schrieb die Essays »Josef Albers« (1968), »Zur Sache der Konkreten« (1988, 2 Bde.).

Goms (frz. Conches), das Tal der obersten Rhone (Rotten), Schweiz, von der Quelle bis zur Talstufe von Grengiols, Hauptort Münster (VS).

Gomułka [gɔ'muu̯ka], Władysław, poln. Politiker, *Białobrzegi (bei Krosno) 6. 2. 1905, †Warschau 1. 9. 1982; Schlosser, seit 1942 im Untergrund gegen die dt. Besatzungsmacht tätig, betrieb als Gen.-Sekr. der KP (1943–48) maßgeblich deren Zusammenschluss mit den Sozialisten (1948) zur »Poln. Vereinigten Arbeiterpartei« (poln. Abk. PZPR). 1945–49 war er stellv. MinPräs. und Min. für die »wiedergewonnenen Gebiete«. Wegen seiner selbstständigeren Politik gegenüber der sowjet. Partei- und Staatsführung zwang ihn die stalinist. Gruppierung im poln. ZK und Politbüro (u.a. B. Bierut) zum Rücktritt von seinen Ämtern (1948/49); 1951–54 inhaftiert. Nach seiner Rehabilitierung war G. 1956–70 Erster Sekr. der PZPR und Mitgl. ihres Politbüros (Rücktritt nach Unruhen).

Gon [zu grch. gōnía »Winkel«] *das,* Einheitenzeichen **gon,** v.a. in der Geodäsie verwendete gesetzl. Einheit des ebenen Winkels, früher »Neugrad« gen., definiert als der 100ste Teil des rechten Winkels oder durch 1 gon = (π/200) rad (→Radiant).

Gonaden [zu grch. gonḗ »Erzeugung«, »Samen«], die →Geschlechtsdrüsen.

Gonadotropine (gonadotrope Hormone), Hormone, die auf die Gonaden (Hoden, Eierstock) einwirken, diese zur Bildung der →Geschlechtshormone anregen und die Reifung von Ei- und Samenzellen bewirken.

Gonadotropin-Releasing-Hormon [-rɪ'li:sɪŋ-], Abk. **LH/FSH-RH,** Neurohormon aus dem Hypothalamus, das die Hirnanhangdrüse zur Bildung von Gonadotropinen anregt.

Gonçalves [gõ'salvɪʃ], Nuno, portugies. Maler, *um 1425, †vor 1492; seit 1450 Hofmaler König Alfons' V.; schuf den Vinzenzaltar für die Kathedrale in Lissabon (zw. 1465 und 1467; heute Museu Nacional de Arte Antiga). Das Werk, stilistisch von der niederländ. Malerei beeinflusst, besticht durch ausdrucksvolle Charakterisierung der Figuren und leuchtendes Kolorit.

Goncourt [gõ'ku:r], Edmond Huot de, *Nancy 26. 5. 1822, †Champrosay (heute zu Draveil, Dép. Essonne) 16. 7. 1896, und sein Bruder Jules Huot de, * Paris 17. 12. 1830, † ebd. 20. 6. 1870, frz. Schriftsteller; verfassten kultur- und kunsthistor. Studien (»Die Frau im 18. Jh.«, 1862; »Die Kunst des 18. Jh.«, 12 Tle., 1859–75) und schrieben gemeinsam Romane, in denen sie die Wirklichkeit wissenschaftlich exakt darzustellen suchten. Damit wurden sie zu Vorläufern des Naturalismus, den sie im Vorwort zu »Germinie Lacerteux. Der Roman eines Dienstmädchens« (1864) theoretisch begründeten. Im wohlhabenden Bürgertum spielt der Roman »Renée Mauperin« (1864). Nach dem Tod von Jules setzte Edmond die schriftsteller. Arbeit allein fort: »Die Dirne Elisa« (1877); »Juliette Faustin« (1881). Die Arbeit der Brüder G. ist dokumentiert im »Journal des G.« (unvollständig in 9 Bde. hg. 1887–96, vollständig in 22 Bde. 1956–58, dt. Auszüge u. a. 1905, 1947, 1969). – Die von Edmond de G. testamentarisch gestiftete **Académie G.** zählt zehn Mitgl., die nicht der Académie française angehören dürfen; sie verleiht jährlich einem in »Inhalt und Form originellen« frz. Prosawerk den **Prix G.**, den angesehensten frz. Literaturpreis.

📖 GRANT, R. B.: *The G. brothers. New York 1972.*

Göncz [gønts], Árpád, ungar. Schriftsteller und Politiker, * Budapest 10. 2. 1922; 1956 Teilnahme am Volksaufstand, wurde 1958 zu lebenslanger Freiheitsstrafe verurteilt, 1963 amnestiert. 1988 beteiligt sich G. an der Gründung des »Bundes Freier Demokraten«. 1989 wurde er Vors. des ungar. Schriftstellerverbandes, 1990 zunächst Parlaments-, am 3. 8. 1990 Staatspräs. (1995 wieder gewählt). G. gestaltet in seinen Werken häufig in histor. oder mytholog. Umkleidung Probleme menschl. Seins (»Der Sandalenträger«, 1974; »Pessimistische Komödie«, 1986).

Gond, Volk in Mittelindien (Gondwana), etwa 3,5 Mio.; besteht aus zahlr. Gruppen, die kulturell auf unterschiedl. Stufen stehen und in unterschiedl. Maße dem Hinduismus integriert sind. Ihre ursprüngl. Sprache, das **Gondi,** gehört zu den dravid. Sprachen.

Gondar (Gonder), Stadt in Äthiopien, nördlich des Tanasees, 2222 m ü. M., 88 000 Ew.; Sitz eines Bischofs der äthiop. Kirche; theolog. Schulen, Klöster; Goldschmiede-, Webwaren-, Sattlergewerbe. – Vom 17. bis 19. Jh. Residenz des Kaisers; in einem ummauerten Bereich Paläste und Kirchen (17. und 18. Jh.).

Gondel [italien.], **1)** *Luftfahrt:* Teil eines Luftfahrzeugs (z. B. Korb des Freiballons, Triebwerks-G. des Luftschiffs oder Flugzeugs).

2) *Schifffahrt:* schmales, unsymmetr., einseitig gerudertes venezian. Ruderboot für Fahrten auf Kanälen und Lagunen, wendig, mit geringem Tiefgang. Die unsymmetr. Form soll das Drehmoment ausgleichen, das durch den einseitigen Riemenantrieb entsteht. Der Vordersteven ist mit hohen, schwertartigen Stoßeisen versehen.

Gondwana, 1) histor. Landschaft in Mittelindien, südlich des Ganges, in Madhya Pradesh, Andhra Pradesh und Maharashtra; im 14.–18. Jh. von den Gond beherrscht, im 18. Jh. von den Marathen erobert.

Árpád Göncz

2) Großkontinent der Südhalbkugel, der vom Ende des Präkambriums bis ins Mesozoikum bestand und die alten Festlandkerne Südamerikas (Brasília, Guayana- und Patagon. Schild), Afrikas, Vorderindiens, Australiens (Australia) und der Antarktis verband; durch einen wechselnd breiten Meeresarm (→ Tethys) war er vom Großkontinent der Nordhalbkugel (→ Laurasia) getrennt. G. zerfiel gegen Ende des Mesozoikums vollständig in die heutigen Kontinente, die durch Vorgänge der → Plattentektonik zu ihrer heutigen Lage auseinander drifteten. Die Zusammengehörigkeit ist durch die Spuren der permokarbon. Vereisung und die fossilen Reste der einem kühlgemäßigten Klima angepassten **G.-** oder **Glossopterisflora** belegt.

Edmont und Jules de Goncourt: Lithographie von Paul Garvani (undatiert)

Gonfaloniere [italien. »Bannerträger«] *der,* im MA. Ehrentitel für Bevollmächtigte, auch militär. Führer, v. a. für die berufenen Verteidiger der Bischofssitze und Klöster. **G. della chiesa** (»Bannerträger der Kirche«) war der vom Papst verliehene Titel des Königs von Neapel, später des Herzogs von Parma. **G. della giustizia** (»Bannerträger der Gerechtigkeit«) hießen die Justizbeamten der italien. Stadtrepubliken.

Gong [malaiisch] *der,* selten *das,* Schlaginstrument asiat. Herkunft, bestehend aus einer am Rand umgebogenen Bronzescheibe, die mit einem

Filz- oder Lederschlägel angeschlagen wird; variiert von kleinen, meist auf eine feste Tonhöhe gestimmten Formen bis zum großen G. mit unbestimmter Tonhöhe. Das aus versch. großen Einzel-G. bestehende **G.-Spiel** ist bes. in Südostasien und auf Java und Bali verbreitet.

Iwan Gontscharow

Oblomowerei

Mit diesem Ausdruck, der aus dem Russischen stammt (russisch: oblomowschtschina), bezeichnet man eine Haltung, die von körperlicher und geistiger Trägheit zeugt, eine lethargische, tatenlose Tagträumerei. Er geht zurück auf den völlig passiven, nur seinen Gedanken nachhängenden adligen Gutsbesitzer Oblomow im gleichnamigen Roman von Iwan Alexsandrowitsch Gontscharow. – Das literarische Vorbild dieses Typus ist die in der russischen Literatur der ersten Hälfte des 19. Jahrhunderts geschaffene Figur des überflüssigen Menschen (russisch: »lischni tschelowek«). Sie erhielt in der frühen Erzählung »Tagebuch eines überflüssigen Menschen« (von Iwan S. Turgenjew) durch die Figur des Tschulkaturin, der von sich selbst sagt, er sei »ein überflüssiger Mensch und weiter nichts«, ihre später zum literaturgeschichtlichen Terminus gewordene Bezeichnung.

Gongga Shan [-ʃ-] (Minya G., Minja Konka), Berg in der Prov. Sichuan, China, Granitmassiv (7556 m ü. M.); vergletschert; Erstbesteigung 1932 von den Amerikanern R. L. Burdsall und T. Moore.

Gọ́ngora y Argọte, Luis de, span. Dichter, *Córdoba 11. 7. 1561, †ebd. 23. 5. 1627; wurde 1617 zum Priester geweiht, Ehrenkaplan König Philipps III.; fand erst um 1610 zu jenem »gehobenen Stil« (span. estilo culto), der nach ihm **Gongorismus** (auch **Kultismus,** span. **Culteranismo**) genannt wird (u. a. latinisierte Wendungen, kunstvolle, assoziationsreiche Metaphern, eine gewollt schwierige, gedrängte und dunkle Sprache). Dieser Stil stellt den Gipfel der spanischen manierist. Barocklyrik dar; musterhaft in den »Soledades« (entstanden 1613/14, gedruckt 1636). G. wurde im 19. Jh. durch Rubén Darío wiederentdeckt.

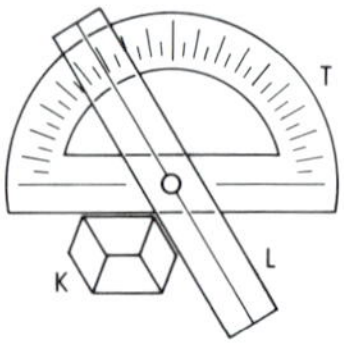

Goniometer: Anlegegoniometer: K Kristall, L Lineal, T Transporteur

Goniomẹter [grch.] *das* (Winkelmesser), Instrument zum Messen von Winkeln zw. zwei Ebenen, bes. zweier Kristall- oder Prismenflächen. Das **Anlege-** oder **Kontakt-G.** besteht aus zwei Linealen, von denen wenigstens das eine um den Mittelpunkt eines in Grade geteilten Halbkreises drehbar ist. Beim **Reflexions-G.** wird die Reflexion des Lichts zur Messung genutzt.

Iwan Gontscharow (zeitgenössischer Holzstich)

Goniometrie *die,* allg. die Lehre von der Winkelmessung, speziell das Teilgebiet der Trigonometrie, das sich mit den Eigenschaften der Winkelfunktionen (ältere Bez.: goniometr. Funktionen) befasst.

Gönnersdorf, Stadtteil von Neuwied, Rheinl.-Pfalz. – Bei G., oberhalb des Rheins, wurde 1968–76 eine altsteinzeitl. Jägersiedlung des Magdalénien ausgegraben; entdeckt wurden Behausungsgrundrisse, Werkzeuge, Beutereste und zahlr. Kunstwerke (Tier- und Menschengravierungen auf Schiefer, Statuetten, Schmuck).

Gonoblennorrhö̩ [grch.-lat.] *die,* der → Augentripper.

Gonochorịsmus [grch.-lat.] *der,* Getrenntgeschlechtigkeit bei Tieren, d. h., die männl. und weibl. Geschlechtszellen werden (im Unterschied zum Zwittertum) in versch. Individuen, den männl. und weibl. Tieren, gebildet.

Gonokọkken [grch.], gramnegative Bakterien der Gattung Neisseria, Erreger des → Trippers.

Gonorrhö̩ [grch.-lat.] *die,* der → Tripper.

Gọntard, Karl von (seit 1767), Baumeister, *Mannheim 13. 1. 1731, †Breslau 23. 9. 1791; verband Formen des ausgehenden Barocks mit frühklassizist. Zügen. Ab 1765 im Dienst Friedrichs d. Gr., prägte er mit seinen Bauten das Stadtbild von Potsdam und Berlin.

Gontscharọw, Iwan Alexandrowitsch, russ. Schriftsteller, *Simbirsk 18. 6. 1812, †Sankt Petersburg 27. 9. 1891; einer der Schöpfer und Hauptvertreter des russ. realist. Romans. In »Oblomow« (1859) schildert er einen begabten, aber energielosen Menschen, der im Nichtstun (»Oblomowschtschina«) versinkt. Unter dem Hauptthema der Langeweile stehen auch seine beiden anderen Romane: »Eine alltägliche Geschichte« (1847) und »Die Schlucht« (1869).

Natalja Gontscharowa: »Frau mit Hut« (um 1912; Paris, Musée National d'Art Moderne)

Gontscharowa, Natalja Sergejewna, russ. Malerin und Bühnenbildnerin, *Ladyschkino (Gouv. Tula) 4. 6. 1881, †Paris 17. 10. 1962; entwickelte mit ihrem Mann M. F. Larionow den »Rayonismus«; seit 1914 in Paris, entwarf sie für Diaghilews »Ballets Russes« Bühnenbilder und Kostüme.

Gonzaga, italien. Fürstengeschlecht, das 1328 die Herrschaft über Mantua gewann; erhielt 1433 den Markgrafen-, 1530 den Herzogstitel und erwarb 1536 die Markgrafschaft Montferrat. Mit Francesco G. (*1466, †1519), ⚭ mit Isabella d'Este, erreichten die G. ihre polit. und kulturelle Glanzzeit. Die Hauptlinie erlosch 1627; um ihr Erbe kam es zum Mantuanischen Erbfolgekrieg (→Mantua).

Gonzaga, Aloysius von, Heiliger, →Aloysius.

González [gɔn'θalɛθ], Julio, span. Bildhauer, *Barcelona 21. 9. 1876, †Arcueil (Dép. Val-de-Marne) 27. 3. 1942; kam 1900 nach Paris, wo er sich seit 1910 der Eisenplastik zuwandte, gefördert durch P. Picasso und C. Brâncuşi. Seit 1927 überwand er den kubist. Einfluss, es entstanden chimärenähnl. Metallkonstruktionen. G. beeinflusste u. a. D. Smith und A. Caro.

González Márquez [gɔn'θalɛθ 'markɛθ], Felipe, span. Politiker, *Sevilla 5. 3. 1942; Rechtsanwalt, unter der Diktatur General F. Francos mehrfach in Haft, seit 1974 Gen.-Sekr. der »Span. Sozialist. Arbeiterpartei« (PSOE), trug als MinPräs. (1982–96) maßgeblich zur Festigung des demokrat. Systems in Spanien bei. Außenpolitisch bemühte er sich, sein Land »nach Europa zu öffnen«. 1993 erhielt er den Karlspreis der Stadt Aachen.

Goodman ['gʊdmən], **1)** Benny (Benjamin David), amerikan. Jazzmusiker (Klarinettist, Orchesterleiter), *Chicago 30. 5. 1909, †New York 13. 6. 1986; wurde mit seiner 1934 gegr. Bigband der eigtl. Träger der Swingepoche des Jazz. Hervorragender Klarinettist (auch klass. Musik).

2) Nelson, amerikan. Philosoph, *Sommerville (Mass.) 7. 8. 1906, †Boston (Mass.) 24. 11. 1998; Vertreter der analyt. Philosophie, Nominalist. An R. Carnap und E. Cassirer anknüpfend, befasst sich G. mit Fragen der Symboltheorie, v. a. auch in der Ästhetik, sowie prakt. Problemen der Induktion.

Goodwill [gʊd'wɪl, engl.] *der,* **1)** *allg.:* Wohlwollen, Gunst.

2) *Wirtschaft:* der →Firmenwert.

Goodyear ['gʊdjə:], Charles Nelson, amerikan. Chemiker, *New Haven (Conn.) 29. 12. 1800, †New York 1. 7. 1860; wurde durch Erfindung der Kautschukvulkanisation (1839) und des Hartgummis (1840) Begründer der modernen Gummi-Industrie.

Göpel, durch tier. oder menschl. Muskelkraft bewegte große Dreheinrichtung (»Tretmühle«) zum Antrieb von Arbeitsmaschinen (z. B. Wasserpumpen).

Goppel, Alfons, Politiker (CSU), *Regensburg 1. 10. 1905, †Johannesberg (bei Aschaffenburg) 24. 12. 1991; Jurist, 1958–62 Innenmin., war 1962–78 MinPräs. von Bayern; seit 1979 MdEP.

Gonzaga

*Isabella d'Este (*1474, †1539), die Tochter von Ercole I. d'Este, Herzog von Ferrara, Modena und Reggio, seit 1490 mit Francesco Gonzaga verheiratet, war eine der großen Frauen der Renaissance, die viele Literaten, Humanisten und Künstler an den Hof von Mantua zog. Sie war eine bedeutende Kunstsammlerin und ließ ihre Studierzimmer (Studioli) im Palazzo Ducale mit Gemäldezyklen unter anderem von Andrea Mantegna, Perugino, Lorenzo Costa und Correggio ausstatten. Tizian und Leonardo da Vinci porträtierten sie. Als der Markgraf in venezianische Gefangenschaft geriet (1509/10), übernahm sie die Regierung und betrieb erfolgreich seine Freilassung. Während des Sacco di Roma (1527), der Eroberung und Plünderung der Stadt durch die Truppen des späteren Kaisers Karl V., hielt sich Isabella d'Este in Rom auf. Dank ihres Einflusses und ihrer zahlreichen Verbindungen gelang es ihr, beinahe 2 000 Menschen das Leben zu retten.*

Göppingen, 1) Landkreis in Bad.-Württ., 642 km², (1996) 255 200 Einwohner.

2) Krst. von 1) in Bad.-Württ., Große Krst., an der mittleren Fils, am Fuß des Hohenstaufen, 58 100 Ew.; Maschinen-, Werkzeugbau, Spielwaren-, Textil-, Holz-, Kunststoff und Metall verarbeitende Industrie – Stadtpfarrkirche (1618; erneuert), spätgot. Oberhofenkirche (1436 ff., im 19. Jh. erweitert), Schloss (1554–59). – Um 1130 entstanden; kam 1319 an Württemberg.

Göppingen 2) Stadtwappen

Gorakhpur ['gɔ:rəkpʊə], Stadt in Uttar Pradesh, Indien, am Rapti, 490 000 Ew.; Univ.; Eisenbahnwerkstätten, Düngemittel-, Zuckerfabrik.

Goral *der* (Nemorhaedus goral), Art der Ziegen in den Gebirgswäldern Mittel- und N-Asiens, mit zottigem Haarkleid.

Goralen [zu poln. góra »Berg«], die Bergbewohner im poln. Teil der W-Karpaten (Beskiden), mit reichem Brauchtum (u. a. geschmückte Trachten).

Felipe González Márquez

Gorbach, Alfons, österr. Politiker, *Imst (Tirol) 2. 9. 1898, †Graz 31. 7. 1972; 1933–38 Landesführer der Vaterländ. Front in der Steiermark, 1938–42 und 1944–45 im KZ, war seit 1945 Mitgl. des Nationalrats, 1960–63 Bundesobmann der ÖVP und 1961–64 Bundeskanzler.

Gorbatschow, Michail Sergejewitsch, sowjet. Politiker, *Priwolnoje (Region Stawropol) 2. 3. 1931; studierte Jura, trat 1952 der KPdSU bei und wurde 1971 Mitgl. des ZK, 1978 Sekr. des ZK und 1980 Mitgl. des Politbüros; 1985–91 Gen.-Sekr. des ZK der KPdSU, 1988–90 Vors. des Präsidiums des Obersten Sowjets (Staatsoberhaupt), März 1990 bis Dez. 1991 Staatspräs. der UdSSR. – Die von ihm

Benny Goodman

1985 begonnene Reformpolitik (→Glasnost und →Perestroika) zielte auf eine grundlegende wirtsch. und gesellschaftl. Erneuerung der Sowjetunion. Außenpolitisch leitete G. eine Entspannungsdiplomatie ein, die zur Verbesserung der sowjetisch-amerikan. Beziehungen (zahlr. Gipfeltreffen, INF-Vertrag 1987) und zur Beendigung des Kalten Krieges führte. Unter ihm kam es 1988/89 zum Abzug der sowjet. Truppen aus Afghanistan. Die von G. betriebene Abkehr vom Vormachtanspruch der UdSSR innerhalb des Ostblocks ermöglichte den gesellschaftl. Umbruch in Mittel- und O-Europa 1989/91. Nach anfängl. Zögern stimmte die von ihm geführte Sowjetunion 1990 auch der Wiederherstellung der Einheit Dtl.s zu (Zwei-plus-vier-Vertrag). Insbesondere für seine Verdienste um den Abbau des Ost-West-Konflikts erhielt G. 1990 den Friedensnobelpreis.

Michail S. Gorbatschow

Mit fortschreitender Dauer seiner Perestroikapolitik, die häufig in Ansätzen stecken blieb, wuchsen die wirtsch. Probleme des Landes; es brachen immer neue, jahrzehntelang aufgestaute Nationalitätenprobleme auf (u.a. zw. Armenien und Aserbaidschan). Dieser gesamtgesellschaftl. Krise versuchte G. mit der Errichtung der Präsidialmacht zu begegnen. Dennoch konnte er die sich rasch ausbreitende Autonomiebewegung (ausgehend von den balt. Republiken) und den damit verbundenen Zerfall der Union nicht verhindern. Im Febr. 1990 verzichtete die von ihm geführte KPdSU auf ihr Machtmonopol. Ein gegen ihn gerichteter Putsch konservativer Politiker und Militärs im Aug. 1991 scheiterte am energ. Widerstand der polit. Opposition um B. Jelzin, den Präs. der Russ. Föderation. G. wurde zwar wieder ins Amt des Staatspräs. eingesetzt, musste aber starke Machtbeschränkungen und das Verbot der KPdSU hinnehmen, als deren Gen.-Sekr. er zurücktrat. Nach der Gründung der Gemeinschaft Unabhängiger Staaten (GUS) im Dez. 1991 und der damit besiegelten Auflösung der UdSSR gab er am 25. 12. 1991 auch das Präsidentenamt auf.

Michail Gorbatschow

»Wer zu spät kommt, den bestraft das Leben.«

Mit diesen Worten zitiert man den Staatspräsidenten der ehemaligen Sowjetunion, Michail Gorbatschow. Die Sentenz stammt aus der deutschen Übersetzung seiner Rede zum 40. Jahrestag der Gründung der Deutschen Demokratischen Republik am 7. 10. 1989. Im russischen Original heißt es bei wörtlicherer Übertragung, dass es »gefährlich für denjenigen wird, der nicht auf das Leben reagiert«.

📖 Ahlmann, S.: *Chronik einer Macht. M. G., eine polit. Biographie. Aufstieg u. Fall 1971–1991. Frankfurt am Main 1993.*

Gordimer ['gɔ:dɪmə], Nadine, südafrikan. Schriftstellerin engl. Sprache, *Springs 20. 11. 1923. In ihren nuancenreich gestalteten, psychologisch einfühlsamen Romanen und Erzählungen nehmen Rassismus und Apartheid eine zentrale Stellung ein; viele ihrer Werke standen auf dem Index der südafrikan. Zensur; verfasste u.a. »Der Besitzer« (R., 1974), »Burgers Tochter« (R., 1979), »Eine Stadt der Toten, eine Stadt der Lebenden« (Erz., 1984), »Ein Spiel der Natur« (R., 1987), »Die Geschichte meines Sohnes« (R., 1990), »Freitags Fußspuren« (Erz., 1996); auch literaturkrit. und polit. Essays (»Leben im Interregnum«, Ausw., 1987; »Der unbesiegbare Sommer«, Ausw., 1987). 1991 erhielt sie den Nobelpreis für Literatur.

Gordischer Knoten, der von dem legendären phryg. König Gordios geflochtene Knoten: Wer ihn löste, sollte Asien beherrschen. Alexander d. Gr. zerhieb ihn mit dem Schwert.

Gordon, 1) Aaron David, hebr. Schriftsteller und Philosoph, *Trojanow (bei Schitomir, Ukraine) 9. 6. 1856, †Deganya (am See Genezareth) 22. 2. 1922; schloss sich in Russland der jüd. Arbeiterbewegung an, zog 1904 nach Palästina und trat hier 1912 dem ersten →Kibbuz bei. Von L. N. Tolstoi beeinflusst, entwarf G. eine Konzeption der Arbeit, wonach sich eine sittl. Erlösung des Judentums durch die Rückkehr zur körperl. Arbeit vollziehen werde. G. wirkte stark auf die zionist. Arbeiterbewegung ein (»Erlösung durch Arbeit«, 1929; dt. Ausw.).

2) ['gɔ:dn], Charles George, gen. G. Pascha oder G. von Khartum, brit. General, *Woolwich (heute zu London) 28. 1. 1833, †Khartum 26. 1. 1885; unterdrückte 1863/64 in chines. Diensten den Taipingaufstand. 1874–79 stand er in brit. Diensten in Ägypten, seit 1877 als Generalgouv. des Sudan. 1884 von der brit. Reg. nach Khartum entsandt, um die ägypt. Herrschaft im Sudan gegen den →Mahdi zu behaupten, fiel er bei der Einnahme Khartums.

3) Jehuda Leib (Juda Löb), gen. Jalag, hebr. Dichter, Pädagoge und Gesellschaftskritiker, *Vilnius 7. 12. 1830, †Sankt Petersburg 16. 9. 1892; verurteilte im Sinn der jüd. →Haskala die Rückständigkeit des jüd. Traditionalismus und trat für religiöse und soziale Erneuerung des jüd. Volkes ein.

4) Johann (John), kaiserl. Oberst unter Wallenstein, †um 1650; beteiligte sich als Kommandant von Eger an der Ermordung Wallensteins (24. 2. 1634).

Gore [gɔ:], Albert (Al), amerikan. Politiker, *Washington (D. C.) 31. 3. 1948; 1977–85 Abg. im Repräsentantenhaus; wurde 1985 Senator für Tennessee, im Jan. 1993 Vizepräs. der USA (erneut seit Jan. 1997).

Gorée [gɔ're], Felseninsel am Kap Verde, gegenüber Dakar, Senegal, etwa 1000 Einwohner. –

Die kleine, 1588 von Holländern gegr., später engl., dann frz. Stadt G. war einer der bedeutendsten Sklavenumschlagplätze Westafrikas; 1902–05 Hptst. von Frz.-Westafrika. Von der UNESCO zum Weltkulturerbe erklärt.

Gorgo: Caravaggio, »Das Haupt der Gorgo Medusa« (um 1500; Florenz, Uffizien)

Göreme (byzantin. Korama), stark zerschnittenes Plateau in Inneranatolien, Türkei, nordöstlich von Nevşehir, 1400–1500 m ü. M.; bekannt wegen seiner zahlr., aus vulkan. Tuff herauspräparierten Steilwände und Erdpyramiden, in denen Wohnungen, Kirchen und Klöster angelegt (ausgehöhlt) wurden. Die einschiffigen, z. T. mit Querschiff oder als Kreuzkuppelbauten angelegten Höhlenkirchen (v. a. 9.–13. Jh., neben byzantin. auch armen. und syr. Einflüsse) mit bes. gut erhaltenen Wandmalereien in leuchtenden Farben wurden von der UNESCO zum Weltkulturerbe erklärt.

Gorgan (früher Astrabad), Stadt in Iran, etwa 40 km vor der SO-Küste des Kasp. Meeres, 162 500 Ew.; Endpunkt der transiran. Eisenbahn, Verw.- und Handelszentrum eines Agrargebietes, Teppichherstellung.

Görgey ['gørgεi], Artúr von, ungar. General, *Toporec (Zips) 30. 1. 1818, †Visegrád 21. 5. 1916; zeichnete sich im Unabhängigkeitskrieg von 1848/49 wiederholt aus, wurde 1849 Oberbefehlshaber der ungar. Armee, eroberte Budapest zurück; als die Russen den Österreichern zu Hilfe kamen, kapitulierte er bei Világos (heute Siria, Kr. Arad, Rumänien).

Gorgias von Leontinoi, grch. Sophist und Rhetor, *Leontinoi (heute Lentini, Sizilien) um 485 v. Chr., †Larissa (Thessalien) um 380 v. Chr.; kam 427 v. Chr. als Gesandter nach Athen und führte dann nach Art der sophist. Redner ein Wanderleben; lehrte voller Skepsis: 1. Es ist nichts; 2. wäre aber etwas, so würde es unerkennbar sein; 3. wäre etwas und dies zudem erkennbar, so wäre es doch nicht mitteilbar. – Er ist Hauptperson in dem nach ihm benannten platon. Dialog.

Gorgo [grch.] *die, grch. Mythos:* ein weibl. Ungeheuer mit Schlangenhaaren, dessen grauenvolles Haupt schon bei Homer erwähnt wird. Hesiod kennt drei Gorgonen: **Stheno, Euryale** und **Medusa.** Nur Medusa war sterblich; sie wurde von Perseus getötet. Alles wandelte sich bei ihrem Anblick zu Stein.

Gorgonzola [nach einem Ort in Oberitalien] *der,* vollfetter Blauschimmelkäse.

Gorilla [afrikan.] *der* (Gorilla gorilla), sehr kräftiger, muskulöser, in normaler Haltung aufrecht stehend etwa 1,25 bis 1,75 m hoher Menschenaffe in den Wäldern Äquatorialafrikas; Fell dicht, braunschwarz bis schwarz oder grauschwarz, manchmal mit rotbrauner Kopfplatte. Der Pflanzen fressende G. lebt in kleinen Gruppen. Man unterscheidet zwei Unterarten: **Flachland-G.** (**West-G., Küsten-G.,** Gorilla gorilla gorilla), nur noch in Kamerun, Äquatorialguinea, Gabun, Kongo; mit kurzer Behaarung; **Berg-G.** (**Ost-G.,** Gorilla gorilla beringei), in Zentralafrika vom O der Demokrat. Rep. Kongo bis W-Uganda, v. a. im Gebirge; Fell sehr lang und dunkel. Beide Unterarten sind durch Bejagung und Lebensraumzerstörung bedroht.

📖 MEDER, A.: *G. Ökologie u. Verhalten. Berlin u. a. 1993.* – FOSSEY, D.: *G. im Nebel. Mein Leben mit den sanften Riesen. A. d. Amerikan. Neuausg. München ⁶1995.*

Göring, Hermann, Politiker, *Rosenheim 12. 1. 1893, †(Selbstmord) Nürnberg 15. 10. 1946; 1918 Kommandeur des Jagdgeschwaders Richthofen, seit 1922 Mitgl. der NSDAP, 1923 am Hitlerputsch beteiligt, 1928–45 MdR, (Juli) 1932–45 Reichstagspräs., beteiligte sich im Jan. 1933 maßgeblich an den Verhandlungen zur Übernahme der Reichskanzlerschaft durch A. Hitler, der ihn am 30. 1. 1933 als Reichsmin. ohne Geschäftsbereich und Reichskommissar für Luftfahrt (bis April 1933) ernannte. Als MinPräs. von Preußen (April 1933 bis April 1945) und preuß. Innenmin. (April 1933 bis Mai 1934) war G. eine Schlüsselfigur beim Aufbau der nat.-soz. Gewaltherrschaft. Gestützt auf seine preuß. Machtbasis, insbesondere jedoch auf die ihm unterstehende Gestapo hatte er – v. a. nach

Nadine Gordimer

Al Gore

Hermann Göring

Hermann Göring

Hermann heeßt er!

*Mit diesem Vers beginnen und enden die fünf Strophen eines Liedes, das mit dem Namen seiner Interpretin, Claire Waldoff (*1884, †1957), fest verbunden ist. Das sentimentale Lied über einen geliebten Mann namens Hermann hatte der Komponist Ludwig Mendelssohn für sie geschrieben und vertont. Es wurde eines ihrer meistgesungenen und populärsten Lieder, mit dem sie zuerst im Jahr 1914 auftrat. Während der Zeit der Naziherrschaft ist dieses Lied von einem unbekannten Verfasser um einen Spottvers vermehrt worden, der sich auf den damaligen Reichsmarschall Hermann Göring bezog. Dieser Vers lautet:*

Rechts Lametta, links Lametta,
Und der Bauch wird imma fetta,
Und in Preußen ist er Meester –
Hermann heeßt er!

dem →Reichstagsbrand – großen Anteil an der Verfolgung der innenpolit. Gegner des Nationalsozialismus (bes. der Errichtung der ersten Konzentrationslager). In der »Röhm-Affäre« leitete G. im Auftrag Hitlers die Mordaktion gegen hohe SA-Führer in Norddeutschland.

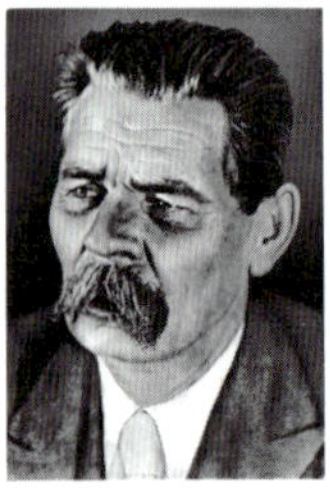
Maxim Gorki

Die Stellung G.s im Herrschaftssystem des Nationalsozialismus war gekennzeichnet durch eine starke Ämterhäufung. Als Luftfahrtminister (Mai 1934 bis März 1935) und ihr Oberbefehlshaber (März 1935 bis April 1945) baute er die Luftwaffe auf. Als Beauftragter für den Vierjahresplan (1936–39) leitete er die wirtschaftl. Seite der Aufrüstung, war 1937–38 auch Reichswirtschaftsminister. Mit seiner Ernennung zum Generalfeldmarschall (1938) wurde er zugleich in der militär. Hierarchie bes. hervorgehoben. Am 30. 8. 1939 berief ihn Hitler zum Vorsitzenden des Reichsverteidigungsrates und am 1. 9. zu seinem Nachfolger im Fall seines Todes. 1940 erhielt G. den Titel eines Reichsmarschalls.

Im Verlauf des 2. Weltkrieges nahm G.s Einfluss ständig ab, bes. nach dem Scheitern der Luftoffensive gegen Großbritannien und der dt. Niederlage bei Stalingrad. Im Juli 1941 erteilte er R. Heydrich den Auftrag, die organisator. Vorbereitungen für die »Endlösung der Judenfrage«, d.h. für die Ermordung der europ. Juden, zu treffen. Nach der Bekundung von Verhandlungsabsichten mit den westl. Alliierten (23. 4. 1945) enthob Hitler ihn aller Ämter. – Seit dem 7. 5. 1945 in amerikan. Gefangenschaft, 1946 vom Internat. Militärtribunal in Nürnberg als einer der Hauptkriegsverbrecher zum Tode verurteilt, entzog er sich der Hinrichtung durch Selbstmord.

📖 MARTENS, S.: *H. G. »Erster Paladin des Führers« u. »Zweiter Mann im Reich«. Paderborn 1985.* – KUBE, A.: *Pour le mérite u. Hakenkreuz, H. G. im Dritten Reich. München ²1987.*

Arshile Gorky: »Agonie« (1947; New York, Museum of Modern Art)

Gorizia, italien. Name für →Görz.

Gorki [nach Maxim Gorki], 1932–90 Name von →Nischni Nowgorod.

Gorki [russ. »der Bittere«], Maxim, eigtl. Alexei Maximowitsch Peschkow, russ. Schriftsteller, *Nischni Nowgorod 28. 3. 1868, †Moskau 18. 6. 1936. Früh verwaist wuchs G. fast ohne Schulbildung auf und durchwanderte auf Arbeitssuche weite Teile Russlands, wobei er schon früh mit Revolutionären in Berührung kam. Nach romantisierenden Anfängen (»Tschelkasch«, 1894) brachten ihm Werke aus dem Vagabundenmilieu (»Nachtasyl«, Dr., 1902) Weltgeltung. Nach der Revolution von 1905 (»Das Lied vom Sturmvogel«, 1901) verhaftet, lebte G. 1906–13 auf Capri. Als bewusster Marxist (Freundschaft mit Lenin) schrieb G. mit »Mutter« (1907) den ersten Roman des russ. revolutionären Proletariats, geriet nach der Oktoberrevolution aber wegen des Terrors und der Verfolgung von Kulturschaffenden in Konflikt mit Lenin (»Unzeitgemäße Gedanken über Kultur und Revolution«, 1917/18) und ging wieder nach Italien. Nach seiner erneuten Rückkehr (1931; Reisen in die UdSSR 1928, 1929) verkündete G. 1934 als Vors. des sowjet. Schriftstellerverbandes die Doktrin vom sozialist. Realismus, als dessen erster Klassiker er gilt. Viele Romane und Dramen behandeln den Verfall der russ. bürgerl. Gesellschaft in den Jahrzehnten vor der Revolution (»Foma Gordejew«, 1899; »Das Werk der Artamonows«, 1925). Bed. ist auch seine autobiograph. Trilogie (»Meine Kindheit«, 1913–14; »Unter fremden Menschen«, 1915/1916; »Meine Universitäten«, 1923).

📖 LUDWIG, N.: *M. G. Leben u. Werk. Neuausg. Berlin 1984.* – GOURFINKEL, N.: *M. G. A. d. Frz. Reinbek 37.–39. Tsd. 1991.* – KNIGGE, A.: *Maksim Gor'kij. Das literar. Werk. München 1994.* – KJETSAA, G.: *M. G. Eine Biographie. A. d. Norweg. Hildesheim 1996.*

Gorky ['gɔːkɪ], Arshile, eigtl. Vosdanig Adoian, amerikan. Maler armen. Herkunft, *Hayotz Dzore (Türkisch-Armenien) 15. 4. 1904, †(Selbstmord) Sherman (Conn.) 21. 7. 1948; übersiedelte 1920 in die USA. Mit seiner spontanen, biomorph-abstrakten Malerei gilt er als Mitbegründer des abstrakten Expressionismus in den USA.

Gorleben, Gemeinde im Landkr. Lüchow-Dannenberg, Ndsachs., an der Elbe, 630 Ew. – Der Salzstock bei G. wird, derzeit im Schachtbau, im Hinblick auf die (stark umstrittene) Eignung für die →Endlagerung radioaktiver Brennstoffe untersucht. Seit 1983 ist bei G. ein Zwischenlager für konditionierte schwach radioaktive Abfälle in Betrieb, seit 1995 ein Trockenlager für die Zwischenlagerung von ausgedienten Brennelementen und hoch radioaktiven Abfällen in CASTOR-Behältern, deren Transport von massiven Protesten von Kernkraftgegnern begleitet wird.

Gorlice [gɔr'litsɛ], Stadt in der Wwschaft Nowy Sącz, in Galizien, Polen, 30 000 Ew.; Erdölraffinerie, Bau von Erdölbohrausrüstungen und Haushaltsgeräten u. a. Industrie. – Im 1. Weltkrieg führte der Durchbruch dt.-österr. Truppen bei G.-Tarnów (Anfang Mai 1915) zum Fall der russ. Front in Galizien.

Görlitz, kreisfreie Stadt im RegBez. Dresden, Sachsen, am linken Ufer der Görlitzer (Lausitzer) Neiße, wo diese den O-Rand der Lausitzer Platte durchbricht die östlichste Stadt Dtl.s, 65 500 Ew.; Zentrum der Euro-Region Neiße; Sitz des Bischofs der Evang. Kirche der schles. Oberlausitz und kath. Bischofssitz; FH für Technik, Wirtschaft und Sozialwesen, FH für Kirchenmusik, Europ. Bildungs- und Informationszentrum; städt. Kunstsammlungen, Naturkundemuseum, Landesmuseum Schlesien, Theater; Waggon- und Maschinenbau, Holzverarbeitung, Ziegelei; Grenzübergang für den Straßen- und Eisenbahnverkehr nach Polen. – Bed. Bauwerke, u. a. spätgot. Peter-und-Paul-Kirche, Oberkirche (ehem. Franziskanerklosterkirche mit got. Chor und spätgot. Langhaus), spätgotisch auch die Frauen- und Nikolaikirche; Kaisertrutz (1490 ff., Vorwerk des Reichenbacher Tors; mit stadtgeschichtl. Abteilung der Städt. Kunstsamml.), Bauensemble des »Hl. Grabes« (1481–1504); Rathaus (14.–16. Jh.); zahlr. Bürgerhäuser aus Renaissance und Barock, z. T. mit Lauben; Kaufhaus (1912/13) mit Jugendstilausstattung. Heute ist G. durch die poln. Grenze zerschnitten. Aus den östl. Stadtteilen entstand die Stadt **Zgorzelec** in der poln. Wwschaft Jelenia Góra (Hirschberg), 36 000 Ew.; Maschinenbau, Papier-, Nahrungsmittelind. – 1071 Ersterwähnung einer slaw. Siedlung, 1210–20 als dt. Stadt gegr., 1303 Stadtrechtsbestätigung; im 14./15. Jh. blühende Tuchmacherei; kam 1635/48 von Böhmen an Kursachsen, 1815 an Preußen.

Görlitzer Neiße, → Neiße.

Gorlowka (ukrain. Horliwka), Industriestadt in der Ukraine, Steinkohlenzentrum im Donezbecken, 327 000 Ew.; Bergbau, Bergbaumaschinenbau, Lebensmittel-, chem., Holzindustrie.

Gorm der Alte, dän. König, * um 860, † um 940; gewann um 920 in Dänemark die Alleinherrschaft, eroberte Haithabu, verlor aber das Gebiet zw. Eider und Schlei an König Heinrich I. Die beiden Grabhügel bei Jelling sind nach ihm und seiner Frau benannt.

Gornergletscher, zweitgrößter Gletscher der Alpen, an der Nordabdachung des Monte-Rosa-Massivs im Talkessel von Zermatt, Wallis, Schweiz, von etwa 3 400 bis 2 000 m ü. M., 69 km², groß, 14 km lang. Von Zermatt führt die **Gornergratbahn** (Zahnradbahn) auf den **Gornergrat** (3 131 m ü. M.), von dort Seilbahn auf das Stockhorn (bis 3 403 m ü. M., Gipfel 3 532 m ü. M.).

Gorno-Altaiisches Autonomes Gebiet, → Altai (Republik).

Gorno-Altaisk, Hptst. der Rep. Altai innerhalb der Russ. Föderation, 48 000 Ew.; Möbel-, Nahrungsmittelind., Elektrogerätebau.

Gorno-Badachschan, → Bergbadachschan.

Görres, Johann Joseph von (seit 1839), Publizist, * Koblenz 25. 1. 1776, † München 29. 1. 1848; anfangs Anhänger der Frz. Revolution und einer rhein. Republik. 1806–08 war er Privatdozent in Heidelberg, wo er an der romant. »Zeitung für Einsiedler« mitarbeitete und 1807 »Die teutschen Volksbücher« herausgab. Als Hg. des »Rhein. Merkur« (1814–16) kämpfte er leidenschaftlich gegen den frz. Kaiser, für eine freiheitl. Verfassung und für ein geeinigtes dt. Reich in »föderalist. Sinne«. Neben E. M. Arndt der bedeutendste Publizist der Freiheitskriege, geriet G. später in Ggs. zur Politik der Restauration (Verbot des liberalen »Rhein. Merkur« durch die preuß. Reg., 1816; Flucht vor einem Haftbefehl wegen der Schrift »Teutschland und die Revolution«, 1819). Seit 1827 Prof. für Gesch. in München, wurde er zum Mittelpunkt eines Kreises kath. Gelehrter und gründete die »Histor.-Polit. Blätter« (1838 ff.). Anlässlich des Kölner Kirchenstreits griff er 1837 in seinem »Athanasius« die preuß. Politik scharf an.

Görlitz
Stadtwappen

Johann Joseph von Görres
(Ausschnitt aus einem Ölgemälde, 1838)

📖 *J. G. (1776–1848). Leben u. Werk im Urteil seiner Zeit, hg. v.* H. RAAB. *Paderborn u. a. 1985.*

Görres-Gesellschaft zur Pflege der Wissenschaft, 1876 anlässlich des 100. Geburtstages von J. von Görres von kath. Forschern und Publizisten in Koblenz gegr. Vereinigung zur Förderung der wiss. Arbeit dt. Katholiken.

Gortschakow, Alexander Michailowitsch Fürst, russ. Politiker, * Haapsalu (Estland) 15. 6. 1798, † Baden-Baden 11. 3. 1883; war 1856–82 Außenmin., seit 1867 Reichskanzler. G. versuchte, die durch die Niederlage im Krimkrieg (1853/54–56) erschütterte Position Russlands in SO-Europa wiederherzustellen; er unterstützte zunächst die Politik Bismarcks, suchte später die russisch-frz. Beziehungen zu verbessern.

Gortyn, antike Stadt im S von Kreta. Hier wurde 1884 bei Ausgrabungen die in Steinblöcke gemeißelte Inschrift des »Rechts von G.« (5. Jh. v. Chr.) gefunden, die für die Erkenntnis des grch. Rechts von großer Bedeutung ist; sie betrifft Sklaven-, Familien-, Erb- und Strafrecht. BILD S. 362

Görz (italien. Gorizia), **1)** Provinz in Friaul-Julisch-Venetien, Italien, 466 km², (1995) 137 900 Einwohner.

Görz 2)
Stadtwappen

2) Hptst. der Provinz G., Italien, links des Isonzo (slowen. Grenze), 37 900 Ew.; Erzbischofssitz; Obst- und Weinhandel, Textil-, Papier- und Möbelind.; Fremdenverkehr. – Als das dt. Geschlecht der Grafen von G., die Meinhardiner, die im 13./14. Jh. auch Tirol und Kärnten besaßen, 1500 ausstarb, fiel ihr Land an die Habsburger. Die **Grafschaft G. und Gradisca** (seit 1754) war auch nach 1815 österr. Kronland, seit 1849 zus. mit Istrien und Triest verwaltet; 1919 kam G. an Italien, 1947 das östl. Hinterland an Jugoslawien (heute zu Slowenien).

Gọrze [frz. gɔrz], Gemeinde im frz. Dép. Moselle, bei Metz. Die ehem. Benediktinerabtei, 749 gegr., war im 10. Jh. Zentrum der Gorzer Klosterreform (lothring. Reform), der sich rd. 170 Benediktinerklöster anschlossen; 1572 säkularisiert.

Gorzów Wielkopolski [ˈgɔʒuf vjɛlkɔˈpɔlski], Stadt in Polen, → Landsberg an der Warthe.

Georg Joachim Göschen
(Ausschnitt aus einer Lithographie, um 1795)

Gọsau, Hochtal im oberösterr. Salzkammergut, am Fuß des Dachsteins, durchflossen vom **G.-Bach,** der zur Energieerzeugung aufgestaut ist **(Vorderer** und **Hinterer G.-See).** Hauptort: **Gosau,** 767 m ü. M., 1900 Ew., Fremdenverkehr, Seilbahn auf die Zwieselalm.

Gösch [niederländ.] *die* (Bugflagge), kleine, an Sonn- und Feiertagen im Hafen am Bugspriet gesetzte Flagge, meist gleich der Nationalflagge oder der Oberecke der Kriegsflagge, oft auch von besonderer Zeichnung.

Göschen, Georg Joachim, Verleger, getauft Bremen 22. 4. 1752, † Hohnstädt (heute zu Grimma) 5. 4. 1828; gründete 1785 in Leipzig die **G. J. Göschen'sche Verlagsbuchhandlung;** einer der bed. Verleger dt. Klassik (Gesamtausgaben von Goethe, Wieland, Schiller, Iffland, Klopstock u. a.). Der Verlag G., bes. bekannt durch die »Sammlung Göschen« (gemeinverständl. Darstellungen aus allen Wissensgebieten), ging mit anderen 1919 in der Firma »Walter de Gruyter & Co.« auf.

Göschenen, Gemeinde im Kt. Uri, Schweiz, 1106 m ü. M., 550 Ew.; 4 km nördlich von Andermatt, am Ausgang des **Göschener Tals** (mit

Goslar 2): Die mittelalterliche Kaiserpfalz wurde 1867–79 restauriert

Gortyn: Einer der Steinblöcke mit dem eingemeißelten »Recht von Gortyn« (5. Jh. v. Chr.)

1956–62 erbautem Stausee **Göscheneralp** 1,3 km^2) ins Reußtal; Kraftwerk; Schöllenenbahn nach Andermatt; N-Eingang des Sankt-Gotthard-Straßen- und Eisenbahntunnels.

Gọse [nach einem Fluss bei Goslar] *die,* obergäriges Weißbier aus Gersten- und Weizenmalz, aber wenig Hopfen.

Gọslar, 1) Landkreis im RegBez. Braunschweig, Ndsachs., 965 km^2, (1996) 160 800 Einwohner.

2) Krst. von 1) in Ndsachs., am N-Rand des Harzes, 46 000 Ew.; Museen; Hütten-, Metall verarbeitende, chem., Kunststoff verarbeitende, Papier-, Glas-, Textil-, Nahrungsmittelind.; der Erzbergbau in dem die Stadt überragenden Rammelsberg wurde 1988 eingestellt. – Die Kaiserpfalz (11./12. Jh.) gehört zu den ältesten erhaltenen Profanbauten Dtl.s, sie wurde 1867–79 restauriert; durch eine Galerie mit der Doppelkapelle St. Ulrich (12. Jh.) verbunden. Aus späterer Zeit stammen das Rathaus (15. Jh.), die »Kaiserworth« (1494), ehem. Gildehaus der Gewandschneider (heute Hotel), und viele Fachwerkhäuser, u. a. »Brusttuch« (1526), Bäckergildehaus und Siemenshaus (1693). Bed. Sakralbauten: u. a. Frankenberg- (um 1130/50 begonnen), Markt- (um 1160/70 begonnen), Jakobi- (Kern 11. Jh.; im 15./16. Jh. umgebaut), Neuwerkkirche (1220/30 vollendet). Die Bergwerksanlagen am Rammelsberg und die histor. Altstadt wurden von der UNESCO zum Weltkulturerbe erklärt. – Um 922 unter König Heinrich I. erstmals erwähnt; 1100 Stadtrecht; bis 1250 bevorzugte Kaiserpfalz, bes. der Ottonen und Salier, Tagungsort von Reichsversammlungen. 10./12. sowie 15./16. Jh. bed. Silbererzbergbau (Rammelsberg); Gründungsmitgl. der Hanse, wurde 1340 Reichsstadt, wirtsch. Blüte im Spät-MA. (bis zum Verlust des Rammelsberges, 1552, an Braunschweig). G. kam 1802/03 an Preußen, 1815 an Hannover, 1866 wieder an Preußen, 1941 an Braunschweig.

Gospel [engl. »Evangelium«] *das* oder *der,* religiöse Liedform der schwarzen Nordamerikaner, die sich in Anlehnung an die Negrospirituals (→Spiritual) des 19. Jh. und unter dem Einfluss des Jazz seit den 1920er-Jahren entwickelte. Der G. wird solistisch und chorisch dargeboten, wobei die für die afroamerikan. Volksmusik und den Jazz typ. Ruf-Antwort-Muster eine bed. Rolle spielen. Die Stilmerkmale des G. wurden v. a. für den Hardbop und den Soul einflussreich.

Gosport ['gɔspɔ:t], Hafenstadt in der engl. Cty. Hampshire, am Ärmelkanal, gegenüber von Portsmouth, 77300 Ew.; Marinestützpunkt, Leichtindustrie.

Gossaert ['xɔsa:rt], Jan, gen. Mabuse, fläm. Maler, *Maubeuge um 1478, †Breda (?) 1532; begleitete Philipp von Burgund nach Rom, war nach seiner Rückkehr am burgund. Hof tätig (Ausschmückung von Schloss Souburg bei Middelburg, um 1515). In seinen mytholog. Bildern, Madonnenbildern und Porträts vereint er altniederländ. und italien. Tradition; Wegbereiter des Romanismus.

Gossau, Bezirkshauptort im Kanton St. Gallen, Schweiz, 16300 Ew.; Motorradmuseum; Textil-, Maschinen-, Nahrungsmittel-, Holzindustrie.

Gossec [gɔ'sɛk], François-Joseph, frz. Komponist, *Vergnies (Hennegau) 17. 1. 1734, †Passy (heute zu Paris) 16. 2. 1829; wurde populär durch seine Revolutionsmusik (Märsche, Hymnen), schuf daneben Opern, Ballette, Sinfonien (Nachfolge der Mannheimer Schule).

Gossen, Hermann Heinrich, Volkswirtschaftler, *Düren 7. 9. 1810, †Köln 13. 2. 1858. Seine subjektive Wertlehre fand erst in der späteren Grenznutzenschule unter der Bez. →gossensche Gesetze Verbreitung. – *Werk:* Entwicklung der Gesetze des menschl. Verkehrs und der daraus fließenden Regeln für menschl. Handeln (1854).

Gossensaß (italien. Colle Isarco), Sommerfrische und Wintersportplatz in der Prov. Bozen, Südtirol, Italien, Teil der Gem. Brenner, am S-Fuß des Brenners, 1098 m ü. M., 1700 Ew.; früher Bergbauzentrum.

gossensche Gesetze, auf Vorschlag von F. von Wieser nach H. H. Gossen benannte Regeln: 1) Nach dem Gesetz der Bedürfnissättigung nimmt der →Grenznutzen eines Gutes mit wachsender verfügbarer Menge ab; 2) entsprechend dem Gesetz vom Ausgleich der Grenznutzen ist das Maximum an Bedürfnisbefriedigung erreicht, wenn die Grenznutzen der zuletzt beschafften Teilmengen der Güter gleich sind.

Gosset ['gɔsɪt], William Sealy, brit. Statistiker, *Canterbury 13. 6. 1876, †Beaconsfield (Cty. Buckinghamshire) 16. 10. 1937; schrieb unter dem Pseud. **Student** und entdeckte 1907/08 die Student- oder →t-Verteilung. »Studentisierung« ist die nach G. benannte Normierung statist. Maßzahlen.

Jan Gossaert: Bildnis eines jungen Mädchens (undatiert; London, National Gallery)

Gossypol *das,* aus der Baumwollpflanze (lat. gossypium) gewonnener gelber, schwach giftiger Farbstoff, chemisch ein Polyphenol. G. hemmt die für den Stoffwechsel und die Spermiogenese wichtige Lactatdehydrogenase. Die Anwendung als empfängnisverhütendes Mittel für den Mann wird untersucht.

Götaälv [jø:ta'ɛlv] *der,* wasserreichster Fluss Schwedens, 93 km (zus. mit Klarälv 720 km) lang, entfließt dem Vänersee, bildet im Oberlauf einige Wasserfälle (Trollhättafälle, von einem Kanal umgangen; nur zeitweise für den Fremdenverkehr in Betrieb) und mündet bei Göteborg in das Kattegat.

Götakanal ['jø:ta-], Kanal in S-Schweden (195 km lang, mit Seenstrecken 387 km), verbindet die

Götakanal: Schleusentreppe mit sieben Schleusenkammern in Östergötland

Gotha 2): Renaissancerathaus am Hauptmarkt (1567-77)

Ostsee mit Väner- und Vättersee und über den Götaälv und Trollhättakanal mit der Nordsee.

Gotha 2)
Stadtwappen

Götaland [ˈjøːta-; »Land der Gauten«] (Götarike), die volkreichste der histor. Großlandschaften Schwedens, umfasst den S Schwedens von Schonen bis Dalsland, Väster- und Östergötland und die Ostseeinseln Öland und Gotland.

Gotama (Gautama), Beiname des → Buddha.

Göteborg [jøːteˈbɔrj] (dt. früher Gotenburg), Stadt in Schweden, unweit der Mündung des Götaälv in das Kattegat, 437300 Ew.; Hptst. des Län **G. und Bohus** (5141 km², 1995: 764600 Ew.); luther. Bischofssitz; Univ. (1891 gegr.) mit ozeanograph. Institut, Königl. Ges. der Wiss. (gegr. 1778), TH (1829), Fachhochschulen, Forschungsinstitute für Schiffbau und Nahrungsmittelkonservierung; Theater, Museen. G. ist der größte Ausfuhrhafen Skandinaviens; Schiff-, Maschinen-, Fahrzeugbau; Eisen-, Stahl-, Textil- und Bekleidungsind., zwei Erdölraffinerien; internat. Flughafen.; Fährverbindung mit Frederikshavn und Kiel. – G. wurde 1619 von Gustav II. Adolf gegründet und erhielt 1621 Stadtrecht. 1731 verlegte die schwed. Ostindienkompanie ihren Sitz nach G., das während der Kontinentalsperre (1806) Hauptumschlagplatz für brit. Waren im Ostseehandel war.

Göteborg
Stadtwappen

Goten (lat. Gutones, Gothones, Gothi), das Hauptvolk der Ostgermanen; stammte aus S-Skandinavien (S-Schweden und wohl Gotland); siedelte um Christi Geburt an der unteren Weichsel. Die G., die unter der Herrschaft von Königen standen, wanderten Ende des 2. Jh. zur nördl. Schwarzmeerküste und fielen im 3. Jh. auf dem Balkan und in Kleinasien ein. Nach 270 besetzten sie die röm. Prov. Dakien (Rumänien); Ende des 3. Jh. Spaltung in die westlich von Dnjestr und Pruth siedelnden → Westgoten und die östlich davon herrschenden → Ostgoten, die beide später wieder abwanderten. Reste von G. hielten sich auf der Krim bis ins 16. Jh. **(Krimgoten).**

📖 PALOL, P. DE u. RIPOLL, G.: *Die G. Geschichte u. Kunst in Westeuropa. A. d. Span. Stuttgart u. a. 1990.* – WOLFRAM, H.: *Die G. München ³1990.*

Gotenhafen, 1939–45 Name der poln. Stadt → Gdynia.

Gotha, Kurzbez. für **Gotha**ische Genealog. Taschenbücher.

Gotha, 1) Landkreis in Thür., (1990) 936 km² und (1996) 138700 Einwohner.

2) Krst. von 1) in Thür., im nördl. Vorland des Thüringer Waldes, 51000 Ew.; Forschungs- und Landesbibliothek G.; Staatsarchiv, Naturkundemuseum, Kartographiemuseum; Theater; geographisch-kartograph. Verlag; chem., Nahrungsmittelind., Metallverarbeitung. – Bauten: aus dem MA. die Kirche des Augustinerklosters (gegr. 1258, neu erbaut 1366, 1676–80 erweitert) und die Margarethenkirche (1494 ff.); ehem. Residenzschloss Friedenstein (1643–55; Museum) mit Kirche und »Ekhoftheater« (1683, Umbau 1774/75) mit der ältesten erhaltenen Bühnentechnik Dtl.s, Münzkabinett; Sommersitz Schloss Friedrichsthal (1708–11) mit Orangeriegebäuden (1747–74), Renaissancerathaus (1567–77). – 775 (Schenkung Karls d. Gr. an das Kloster Hersfeld) erstmals, 1180/89 als Stadt genannt, kam 1247 an die Markgrafen von Meißen (Wettiner), seit 1485 ernestinisch, seit 1572 zum Herzogtum Sachsen-Coburg; ab 1640 Residenz des Fürstentums Sachsen-G. (1681–1825 Sachsen-G.-Altenburg; 1826–1918 Sachsen-Coburg und G.); kam 1920 zu Thüringen. – Am 27. 2. 1526 (ratifiziert am 2. 5. in Torgau) wurde in G. ein Bündnis evang. Reichsstände geschlossen **(G.-Torgauer Bündnis).**

Gothe, Eosander von, Baumeister, → Eosander.

Gothic Novel [ˈgɔθɪk ˈnɔvl; engl. »got. Roman«], die gegen Ende des 18. Jh. entstandene engl. Variante des Schauerromans; charakteristisch sind der unheimlich-fantast. Schauplatz des Geschehens und die realist. Gestaltung des Dämonischen, Irrationalen und Grotesken; Hauptvertreter: H. Walpole (»Schloß Otranto«, 1765), Ann Radcliffe (»Udolpho's Geheimnisse«, 1794), M. G. Lewis (»Der Mönch«, 1796), Mary W. Shelley (»Frankenstein«, 1818).

Gothofredus, Dionysius, eigtl. Denis Godefroy, frz. Jurist, * Paris 17. 10. 1549, † Straßburg 7. 9. 1622; Prof. in Basel, Straßburg und Heidelberg; Herausgeber der ersten krit. Gesamtausgabe des »Corpus Iuris Civilis« (Genf 1583).

Gotik, Stilepoche der mittelalterl. Kunst in Europa nach der Romanik, zugleich der selbstständigste Stil des Abendlands nach der Antike. Die G. entstand etwa ab 1140 in N-Frankreich (Île-de-

France) und verbreitete sich über W-, Mittel- und (mit Einschränkungen) S-Europa, abgewandelt durch die Eigenart der einzelnen Länder. Um 1420 wurde sie, zunächst in Italien, von der Renaissance abgelöst. Die Begriffsbestimmung G. geht urspr. auf die Baukunst zurück (got. Kathedralbau); der Begriff war in der Renaissance (G. Vasari) abwertend gebraucht worden. Eine positive, bis heute gültige Sicht und Wertung gelang erst der dt. Romantik. Die Abfolge der Stilstufen wird mit **früh-, hoch-** und **spätgotisch** bezeichnet.

In der *Baukunst* steigerte ein neues Raumgefühl den Kirchenbau zu mächtiger Höhe; der Innenraum wurde als Raumeinheit und nicht mehr als Summe von Einzelräumen empfunden. Der Chor ist oft durch einen Chorumgang mit Kapellenkranz erweitert. Ein dreiteiliger Laufgang, das →Triforium, durchbricht in der Hoch-G. die Wand zw. Bogenstellungen und Fenstern, während in der Früh-G. die aus der Romanik übernommenen Emporen noch eine wesentl. Rolle spielen. Dem Streben des Bauwerks in die Höhe dient im Innern das Kreuzrippengewölbe: Die Kreuzrippe trägt das Gewölbe und leitet den Gewölbedruck zu den Pfeilern, die durch das nach außen verlegte Strebewerk von Strebebögen und Strebepfeilern gestützt werden. Im Kirchenraum verschmelzen die Pfeiler mit den die Rippen aufnehmenden Diensten zu Bündelpfeilern. Der Spitzbogen, dessen Seitenschub wesentlich geringer ist, ließ nun eine stärker vertikale und durchbrochene Gliederung zu. Die nun geringere Mauerstärke erlaubt zw. den Strebepfeilern hohe, farbige Glasfenster, deren Zwickel mit oft kunstvollem Maßwerk gefüllt sind. Im Außenbau wird die Westfassade durch reiche Gliederung und durch mächtig emporstrebende Türme betont. Fialen krönen die Strebepfeiler, Kreuzblumen die mit Krabben geschmückten Türme. Ein wichtiges Schmuck- und Gliederungselement der G. ist das Maßwerk, das sich in den Bogenzwickeln großer Fenster und in Fensterrosen, an Brüstungen, Wimpergen, Portalen und Wandflächen findet. Die Bauten der Früh-G. (Sens, Senlis, Noyon, Laon, Paris) und der Hoch-G. (Chartres, Soissons, Reims, Amiens) ließen einen nach Höhe und Tiefe gegliederten Raum entstehen, dessen einzelne Teile vom Beschauer nacheinander erlebt werden. Klöster, Schlösser, Burgen, später auch Rat- und Bürgerhäuser übernahmen die Formen der kirchl. Baukunst. Erst in der G. begann die Stadt ein architekton. Ganzes zu werden.

Die hervorragendsten Bauten der frz. G. sind die Kathedralen von Laon, Bourges, Paris (Notre-Dame), Chartres, Reims und Amiens. In England entwickelte sich die G. zu einem durch reiche Schmuckformen gekennzeichneten Stil (Salisbury, Westminster-Abbey in London). Der dt. Früh-G. gehören St. Elisabeth in Marburg und die Liebfrauenkirche in Trier an, der Hoch-G. das Straßburger Münster und der Kölner Dom. Die dt. Spät-G. entwickelte die Hallenkirche zum bevorzugten Raumtypus. Zu Höhepunkten der Spät-G. gehören die Bauten, die unter Beteiligung der Parler (Heiligkreuzkirche in Schwäbisch Gmünd, Veitsdom in Prag), H. Stetheimers d. Ä. (St. Martin in Landshut), Ulrichs von Ensingen (Münster in Ulm) und M. Gertheners (Turm des Doms in Frankfurt am Main) entstanden. Sonderformen der G. entstanden auch in Italien und Spanien. Charakteristisch für den N Europas ist die **Backstein-G.** (→Backsteinbau).

Gotik

*Die Bezeichnung »gotisch«, heute wertneutral als Name für einen Baustil verwendet, hatte ursprünglich die Nebenbedeutung »barbarisch« und »roh«. Der mittelalterliche Stil wurde im Italien der Renaissance von dem bedeutenden Maler, Baumeister und Kunstschriftsteller Giorgio Vasari (*1511, †1574) auf die Goten (einen Stamm der Germanen) zurückgeführt; damit verband sich die Vorstellung von einer – im Unterschied zur »erhabenen« klassischen Antike – »barbarischen« Kunst. Erst in der Zeit der Romantik wurde (im Zusammenhang mit einem neu erwachten Verständnis für die Bedeutung von Geschichte) das Interesse am Mittelalter und an der Gotik wieder belebt. Ein Beispiel dafür ist etwa das Lebenswerk des Kunstgelehrten und -sammlers Sulpiz Boisserée (*1783, †1854), der sich für die Vollendung des Kölner Doms einsetzte, der, 1248 begonnen, 1842–80 endgültig fertig gestellt wurde.*

Gotik

Die gotische Kathedrale, ein Abbild des himmlischen Jerusalem?

Immer wieder wird behauptet, jede gotische Kathedrale sei ein konkret gemeintes Abbild des himmlischen Jerusalem: Sie symbolisiere nicht nur die Himmelsstadt, sondern stelle sie bildhaft, also anschaulich, dar. Demnach sei die Gotik vor allem deswegen entstanden, weil die Architekten oder die Auftraggeber die in der Apokalypse vorgegebenen Visionen »bauend beim Wort genommen« hätten. Die Kriterien, die diese These stützen sollen (die Interpretation der Glasfenster als selbstleuchtende, edelsteinartige Wände, der »schwebende« Charakter der Gewölbe, die Zahlensymbolik), halten aber weder einer einwandfreien Architekturanalyse stand noch einer Überprüfung des religionsgeschichtlichen, politischen, sozialen und ökonomischen Umfeldes, in dem sich das »Baufieber« des 12. und 13. Jahrhunderts ausbreitete. Nur die Kathedrale Notre-Dame in Reims bildet, bedingt durch ihre besondere historische Rolle als Krönungskirche der französischen Könige, eine Ausnahme: Die Stirnseiten ihrer Strebepfeiler verwandeln sich in Baldachine, in denen riesige Engel stehen – eine Illustration der Bibelstellen, die die auf den Stadtmauern und in den Toren der Himmelsstadt stehenden Wächter oder Engel erwähnen.

Gotik

| 1

| 2

| 3

| 4

| 5

| **1** Westfassade der Kathedrale Notre-Dame in Paris (im 2. Viertel des 13. Jh. vollendet) | **2** Die große Fensterrose der Westfassade des Straßburger Münsters (um 1280) | **3** Grabplatte des Peter von Aspelt im Mainzer Dom (nach 1320) | **4** Simone Martini, »Verkündigung«, Ausschnitt (1333; Florenz, Uffizien) | **5** Meister des Marienlebens, »Geburt Mariä« aus der Ursulakirche in Köln (um 1460–65; München, Alte Pinakothek)

In der *Bildhauerkunst* wurde die Ausbildung der Säulenportale die Voraussetzung für die Entstehung der aus dem Zusammenhang der Mauer herausgelösten, um eine eigene Körperachse gerundeten got. Gewändefigur.

Wie in der Baukunst war Frankreich auch in der Bildhauerei führend (Chartres, um 1145; Senlis, um 1170). Die Hauptwerke der Blütezeit wurden für die Querhausportale in Chartres und die Kathedralen von Reims, Paris und Amiens geschaffen.

Das 13. Jh. war die große Zeit der Plastik auch in Dtl., wo in stauf. Zeit die Bildwerke des südl. Querschiffs in Straßburg und des Bamberger Doms, in der 2. Hälfte die Stifterfiguren und Lettnerreliefs des Naumburger Doms entstanden. Der die menschl. Gestalt immer mehr entkörperlichenden Hoch-G. des 14. Jh. gehören die Pfeilerfiguren des Kölner Domchors an. In Italien schuf N. Pisano erstmals im got. Sinn gestaltete Gewandfiguren (Pisa, Kanzel im Baptisterium, 1260); die Statuen seines Sohnes G. Pisano für die Dome von

Siena und Pisa sind Meisterwerke mittelalterl. Skulptur. In der 2. Hälfte des 14. Jh. findet ein neuer Wirklichkeitssinn seinen Ausdruck, am stärksten in den Bildwerken P. Parlers in Prag und C. Sluters in Dijon. Seit 1380 verbreitete sich von Prag, Avignon und Burgund aus der **Internat. Stil,** auch →Schöner Stil gen.; es war die letzte einheitl. Formensprache des MA. Einen eigenen Typus verkörpern die →Schönen Madonnen. Gleichzeitig mit dem Aufkommen der dt. Mystik entstand eine Gruppe von Holzskulpturen, die Andachtsbilder, die ihren Höhepunkt im 14./15. Jh. erlebten. Die Spät-G. brachte die reichste Fülle an Holzbildwerken bes. für Flügelaltäre in Dtl. hervor (T. Riemenschneider, V. Stoß). Der spätgot. →Schreinaltar vereinigt als eine Art »Gesamtkunstwerk« Architektur, Plastik und Malerei.

Der *Malerei,* die in der Zeit der Romanik die Kirchenwände mit Fresken bedeckt hatte, boten die auf karge Reste beschränkten Flächen des got. Kirchenraums keine Aufgaben mehr. An ihre Stelle trat die →Glasmalerei. Nur wo die Gotik, wie in Italien, die Wandflächen wahrte, hatte das Fresko noch Raum. Dort schuf →Giotto einen neuen monumentalen Stil, der bis in die Renaissance fortwirkte. Der reinste Vertreter der in Italien als Dolce stil nuovo bezeichneten Gotik war Simone Martini. Der Kirchenbau im N hingegen verwies die Malerei weitgehend auf die Altäre, die so zu Wegbereitern des Tafelbildes wurden, das seit der 2. Hälfte des 14. Jh. nördlich der Alpen den Vorrang gewann. In den Niederlanden schufen R. van der Weyden und die Brüder van Eyck bed. Werke, in Dtl. traten u. a. A. Dürer und M. Grünewald hervor. Die →Buchmalerei erlebte eine neue Blüte; v. a. Psalterien wurden als private Andachtsbücher kostbar ausgestaltet. Unter Philipp dem Guten erlebten Burgund und die Niederlande einen Höhepunkt der Miniaturmalerei (Stundenbuch des Herzogs von Berry).

Im *Kunsthandwerk* der Zeit bilden Höhepunkte die kostbaren Werke der Goldschmiedekunst (Schreine, Monstranzen, Reliquiare), Kleinkunstwerke aus Elfenbein, Bildwirkereien (Apokalypse von Angers), Stickereien auf Klerikergewändern, schmiedeeiserne Beschläge.

Musik: Eine Epoche »Musik der G.« oder »got. Musik« ist nach musikal. Gesichtspunkten nicht zu fixieren. Gleichzeitig mit den Stilabschnitten in der bildenden Kunst entwickelten sich um 1200 die Notre-Dame-Schule mit dem Hauptmeister →Perotinus, im 13. Jh. die →Ars antiqua und im 14. Jh. die →Ars nova.

📖 GRODECKI, L.: *G. A. d. Italien. Stuttgart 1986.* – *Triumph der G. 1260–1380, bearb. v.* A. ERLANDE-BRANDENBURG. *A. d. Frz. München 1988.* – JAXTHEIMER, B.: *Stilkunde G. Die Baukunst. Neuausg. Eltville am Rhein 1990.* – *Das Zeitalter der G., hg. v.* H. SCHAUMBERGER. *Wien 1991.* – NUSSBAUM, N.: *Dt. Kirchenbaukunst der G. Darmstadt* ²*1994.* – CAMILLE, M.: *Die Kunst der G. Höfe, Klöster, Kathedralen. A. d. Engl. Köln 1996.*

Gotik: Innenraum der Oberkirche der Sainte-Chapelle in Paris (1241–48)

gotische Schrift, Sammelbez. für versch. Schriften: 1) Die erste g. S. wurde für die Bibelübersetzung des westgot. Bischofs →Wulfila auf der Grundlage v. a. der grch. Unziale gebildet. Sie ist im →Codex argenteus erhalten. 2) Vom Ende

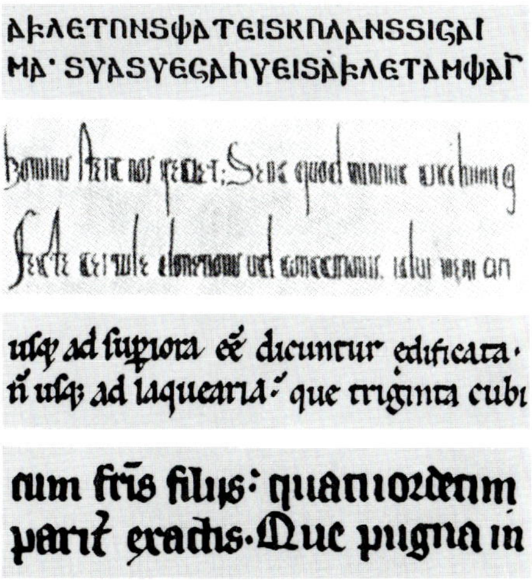

gotische Schrift (von oben): erste gotische Schrift im Codex argenteus; westgotische Schrift; gotische Minuskel; Textura in einer Handschrift aus dem 14. Jahrhundert

des 7. bis Ende des 11. Jh. wurde im christl. Spanien die **westgot. Schrift** gebraucht (ihre Anfänge fallen noch in die Zeit des 711 vernichteten Westgotenreiches), eine Form der lat. Minuskel mit engen Buchstaben. 3) Seit dem 12. Jh. wurde aus der karoling. Minuskel eine Schrift mit spitzbogigem Duktus, die **got. Minuskel,** gebildet, die in der strengen Form der **Textura** als Prunkschrift des 14./15. Jh. sowie für liturg. Texte (deshalb auch **Missalschrift**) verwendet wurde. Die gleichzeitig entwickelte **Notula** diente als Gebrauchsschrift. Verschmelzungen zw. Buchschrift und Kursive sind die got. Buchkursiven oder die Bastarda (→Bastardschriften). In Italien nahmen die Gotico-Antiqua und die Rotunda abgerundete Formen an. – Die ältesten Drucktypen zeigen Formen der Textura. Auf der Grundlage der Bastarda entwickelten sich auch die Druckschriften →Schwabacher und →Fraktur.

gotische Sprache, zum ostgerman. Zweig der →germanischen Sprachen gehörende Sprache; es ist die älteste in längeren Texten erhaltene und neben dem Urnordischen archaischste der german. Sprachen. Das wichtigste Denkmal ist die von Wulfila aus dem Griechischen übersetzte got. Bibel (→Codex argenteus). Die g. S. ist mit dem Volk der Goten untergegangen; nur auf der Krim hat sie sich bis ins 16. Jh. erhalten (Krimgotisch).

Gotland: Dorfkirche aus dem 13. Jahrhundert

Gotland, schwed. Insel, die größte der Ostsee, 90 km von der schwed. O-Küste entfernt, 117 km lang, bis 45 km breit, 3001 km², umfasst als Verw.-Bez. (Län) dazu die Insel Fårö (114 km²) und einige kleinere Inseln, zus. 3140 km², (1995) 58200 Ew. G. bildet ein nach O geneigtes silur. Kalk- und Mergelplateau, das mit schroffen Felswänden und isolierten Felssäulen zum Meer abfällt. Das Klima ist mild; Ackerbau, Schafzucht; Zementind.; Fremdenverkehr; einzige Stadt ist Visby. G. ist reich an Kunstwerken: zahlr. Bildsteine, Burgen, über 90 Dorfkirchen des 13. und 14. Jh. – G., durch seine Hansestadt Visby ein Zentrum des Handels mit Russland, wurde 1361 von Dänemark erobert. 1394–98 Stützpunkt der Vitalienbrüder, 1398–1408 in der Hand des Dt. Ordens, danach wieder dänisch; kam 1645 zu Schweden.

📖 Quack, U.: *G. Köln 1991.*

Gotlandium *das,* veraltet für →Silur.

Gott [ahd. got, vielleicht eigtl. »das (durch Zauberwort) angerufene Wesen«, zu einem indogerman. Verb mit der Bedeutung »anrufen«], in Inhalt und Gebrauch äußerst vielschichtiger religionsgeschichtl. und -philosoph. Terminus. In den *polytheist. Religionen* bezeichnet G. die in der jeweiligen Gemeinschaft als heilig geltenden und (kultisch) verehrten Natur-, Familien- und Stammesgottheiten, in den *monotheist. Religionen* ein als transzendent über Raum und Zeit, Leben und Tod, Welt und Geschichte »thronendes«, ihnen immanentes, sie schaffendes, erhaltendes und zerstörendes, sie lenkendes und regierendes (höchstes) Wesen, dem die Attribute absolute Macht, (Schöpfer-)Kraft, Weisheit, Güte und Zorn beigelegt werden. G. wird dabei vorgestellt als an hl. Orten, in hl. Pflanzen, Tieren oder Personen wohnend, als mytholog. Ur- und Fabelwesen, großer Urvater oder große Urmutter und – abstrahierend – als das Urprinzip allen Seins, der Erstbeweger aller Bewegung, die Allbeseeltheit allen Seins und der Anfang und das Ziel allen Geschehens. Die Gottesverehrung erfolgt in polytheist. und monotheist. Religionen in durch Tradition autorisierten Kultformen in der Verantwortung bevollmächtigter Kultdiener (Älteste, Schamanen, Priester) auf der Basis tradierten priesterl. Wissens oder geoffenbarter (ekstat.) Visionen. Im Hintergrund der vielfältigen Formen der Opferdarbringung an G. steht dabei der religionspsycholog. Mechanismus des »do ut des« (»ich gebe, damit du mir [zurück]gibst«).

Der *G.-Begriff der europ. Philosophie* wurzelt im grch. philosoph. Denken (→Geist). Er ist statisch; G. wird apersonal-ontologisch gedacht – G. »ist«: bei Heraklit das immanente Prinzip kosm. Werdens (Logos), bei Platon die Idee des Vollkommenen (und damit Guten) schlechthin, bei Aristoteles die reine Aktualität (als der unbewegte Beweger aller Bewegung). Der *christl. G.-Begriff* wurzelt in der bibl. Überlieferung. Er ist dynamisch; er wird personal-existenziell bezeugt – G. »wirkt« immer in Beziehung zu konkreten Gruppen und einzelnen Menschen. Er wirkt in der Gesch. der Menschen, die so als seine Gesch. mit ihnen qualifiziert ist. Die beiden wesentl. »Definitionen« G. im A. T. finden sich in 2. Mose 3, 14 in der Selbstoffenbarung seines Namens, hebr. Jahwe: »ich werde sein, der ich sein werde« und in 2. Mose 20, 1–7 (Gesetzgebung im Sinai); G. ist der Herr, der Heilige, der Eine, der Barmherzige, der Zornige. Der Mensch soll (und kann) sich kein Bild von ihm machen; Kenntnis von G. gewinnt er ausschl. aus dessen Selbstmitteilung. Das A.T. bezeugt G. als den G. Israels, offenbart in Gottesnamen und Gesetz, das N.T. als G. aller Menschen, offenbart in Jesus Christus. Dieser ist das alleinige Bild G. (Kol. 1, 15), nur in ihm kann der Mensch G. erkennen; in Christus ist G. Mensch (»Fleisch«) geworden (Joh. 1, 14). Die neutestamentl. Grundaussage über das Wesen G. ist in 1. Joh. 4, 8. 16 zusammengefasst: »G. ist Liebe«.

Dogmatisch wird G. in der christl. Theologie als in Schöpfung, Erlösung und Heiligung wirkender G. in der trinitar. Einheit von Vater, Sohn und Hl. Geist begriffen. Die kath. Theologie versuchte bis ins 20. Jh., G. und Gotteserfahrung v.a. mit den Mitteln des ontolog. Denkansatzes der platonisch-aristotel. Philosophie zu verstehen. Die kath. Gegenwartstheologie besinnt sich wieder stärker auf die existenziellen Aussagen der Bibel über G. (»G. hilft«, »G. ist da« usw.). Die reformator. Theologie knüpfte unmittelbar am existenziellen bibl. Gotteszeugnis an, der Offenbarung Gottes als gnädiger, den Sünder rechtfertigender G. in Kreuz und Auferstehung Jesu Christi. Nach Luther ist G. in der Natur und Gesch. verborgen und kann nicht aus ihnen erschlossen werden, dagegen offenbart er sich im paradoxen Geschehen des Leidens und Sterbens seines Sohnes am Kreuz.

Der *Atheismus des 19. Jh.* sieht G. als Selbstprojektion des Menschen (L. Feuerbach) bzw. als Ausdruck eines verkehrten Weltbewusstseins und der Protestation gegen das Elend der entfremdeten Existenz (K. Marx). Der *Existenzialismus des 20. Jh.* verzichtet auf G. und sieht den Menschen in unbegrenzter Freiheit ins (unbehauste) Sein geworfen.

📖 Božović, M.: *Der große Andere. Gotteskonzepte in der Philosophie der Neuzeit. Wien 1993.* – Kasper, W.: *Der G. Jesu Christi. Mainz ³1995.* – Küng, H.: *Existiert G.? Antwort auf die Gottesfrage der Neuzeit. Neuausg. München u. a. 1995.*

Gottebenbildlichkeit (lat. Imago Dei), auf 1. Mose 1, 26 f. basierende Aussage der theolog. Anthropologie, nach der der Mensch Ebenbild Gottes ist, »als Bild, das ihm (Gott) gleicht« geschaffen. Die G. bleibt als wesensmäßige Beziehung des Menschen zu Gott auch nach dem Sündenfall erhalten (1. Mose 9, 6). Das N.T. begreift G. als Bestimmung des Menschen, die in Jesus Christus vollkommen erfüllt ist (Kol. 3, 10 f.; Eph. 4, 24).

Gotter, Friedrich Wilhelm, Schriftsteller, * Gotha 3. 9. 1746, † ebd. 18. 3. 1797; mit H. C. Boie 1769 Begründer des »Göttinger Musenalmanach«; übertrug frz. Lustspiele und schrieb eigene Lust- und Singspiele (»Die Geisterinsel«, nach Shakespeares »Sturm«, 1797) und Lyrik.

Götterbaum (Ailanthus), Gattung der Bittereschengewächse mit zehn Arten in Indien, O-Asien und Australien. Die bekannteste Art ist der **Chines. G.** (Ailanthus altissima) mit kräftigen Zweigen, großen, unpaarig gefiederten Blättern und grünl. Blüten in Rispen.

Götterbild, → Gottesbild.

Götterdämmerung, in der german. Mythologie der Weltuntergang; beruht auf einer ungenauen Übersetzung von isländ. → Ragnarök (Götterverhängnis).

Gottesackerplateau [-to], → Hoher Ifen.

Gottesanbeterin

Gottesanbeterin (Mantis religiosa), südeurop. räuber. Fangheuschrecke, bis 7,5 cm lang, grün oder goldbraun. Die Vorderbeine, taschenmesserartig einklappbare Fangarme, ähneln zum Gebet erhobenen Armen.

Gottesberg (Schlesien), Stadt in Polen, → Boguszów-Gorce.

Gottesbeweise, Argumentationen, das Dasein Gottes ohne Rückgriff auf die Offenbarung allein aus Gründen der Vernunft zu beweisen. Man unterscheidet u. a. die folgenden Typen von G.: 1. Den **kosmolog. G.** (Aristoteles, Thomas von Aquin) der sich auf das Kausalprinzip stützt und aus der Bewegtheit alles endl. Seienden auf einen unbewegten Beweger, aus der Kette von Ursachen und Wirkungen auf eine erste Wirkursache schließt. 2. Den **ontolog. G.,** der den Begriff »Gott«, wie er im menschl. Bewusstsein vorfindbar ist, analysiert: Gott sei das, worüber hinaus nichts Vollkommeneres gedacht werden könne; da in Wirklichkeit zu existieren vollkommener sei als nur in Gedanken zu existieren, müsse Gott wirk-

Friedrich Wilhelm Gotter
(Ausschnitt aus einem Kupferstich, 1790)

lich sein (Anselm von Canterbury, R. Descartes). 3. Den **teleolog. G.** (so bei Augustinus), der sich auf das Finalitätsprinzip stützt: Der Mensch sei auf ein absolutes Ziel bzw. Gut hin orientiert; so müsse dieses Ziel existieren. 4. Den **noolog. G.,** der annimmt, dass die Vernunft in ihrer Intention immer das Unendliche als das Wahre und Gute voraussetze, im Denken damit ein Weg zu Gott gegeben sei (Augustinus, R. Descartes, G. W. Leibniz). 5. Den **moral. G.** (I. Kant), der aus dem Vorhandensein einer moral. Weltordnung auf Gott als den Garanten des sittl. Ausgleichs von Tugend und Glück schließt; Gott könne also nicht rational bewiesen, sondern müsse als Möglichkeitsbedingung sittl. Handelns postuliert werden. Für die kath. Theologie gehören die G. zur natürl. oder Vernunfterkenntnis Gottes, die den übernatürl. oder Offenbarungsglauben an Gott vorbereitet, in der evang. Theologie spielen sie nur noch eine histor. Rolle.

Gottesgnadentum

Von Gottes Gnaden

Im 1. Korintherbrief (15, 10) bezeugt Paulus, dass er das, was er ist, göttlicher Gnade verdankt: »Aber von Gottes Gnade bin ich, was ich bin«. Die Abhängigkeit des Menschen von der Gnade Gottes wird damit zum Ausdruck gebracht. Seit dem frühen Mittelalter legten geistliche und weltliche Herrscher ihrem Titel eine Formel bei, die den Herrschaftsanspruch auf die Teilhabe an der göttlichen Gnade, das so genannte Gottesgnadentum, begründete. Sie lautete bei den geistlichen Herrschern »Dei gratia«, bei den weltlichen Herrschern seit der Zeit der Karolinger „von Gottes Gnaden«.

Gottesbild (Götterbild), gemalte oder plast. Darstellung von Gottheiten, in denen menschl. Gottesvorstellungen ihren bildhaften (verdinglichten) Ausdruck finden; die G. beruhen auf dem Verlangen, das den menschl. Sinnen Verborgene, sichtbar und für den Gebrauch in Kultus, Meditation und Anbetung verfügbar zu machen. G. waren in den meisten Religionen des Altertums üblich (z.B. in Ägypten, Mesopotamien, Griechenland und Rom). Versch. Religionen, die urspr. G. ablehnten (die Lehre Zarathustras, Shintoismus), gingen später zu Götterdarstellungen über. Oft kannten die Religionen auch Abstufungen in der Bewertung ihrer G. unter religionspädagog. Gesichtspunkt. Bis heute sind v.a. Hinduismus und Buddhismus bes. bilderfreundlich. Der jüd. Prophetismus verwarf jede Gottesdarstellung, auch der Islam, der diese Haltung übernahm, lehnt ein Gottesbild und Bildszenen in der Moschee ab.

Gottesdienst, allg. Bez. für die versch. Formen der Gottesverehrung (→Kultus); im christlichen Sprachgebrauch hauptsächlich Bez. der liturgisch ausgeformten gemeinschaftl. Gottesverehrung mit den Elementen Anrufung, Lob und Danksagung Gottes, Lesung und Predigt des Wortes Gottes, Bekenntnis des Glaubens an Gott und Feier der Eucharistie (des Abendmahls).

Gottesfriede (lat. Pax Dei), der befristete Waffenstillstand zw. kämpfenden Gruppen zu den Zeiten religiöser Kultfeiern (z.B. der olymp. Spiele in Griechenland); im MA. ein durch die Kirche unter Androhung von Kirchenstrafen gebotener Schutz für bestimmte Personen (z.B. Geistliche, Frauen, Waisen, Pilger) und Orte (Kirchen, Klöster). Zu dem G. trat der »Waffenstillstand Gottes« (lat. Treuga Dei), der die Fehden an bestimmten Tagen (z.B. den christl. Hauptfesten) untersagte. Seit dem 12. Jh. wurde der G. durch den →Landfrieden abgelöst.

Gottesgebärerin (Gottesmutter), Anrede für Maria, die Mutter Jesu Christi; theolog. Bez. für den besonderen Charakter der Mutterschaft Marias, insofern sie nicht nur Mutter des Menschen Jesu, sondern seiner ganzen gottmenschl. Einheit ist.

Gottesgericht, das →Gottesurteil.

Gottesgnadenkraut, →Gnadenkraut.

Gottesgnadentum, auf die Verbindung von antiken, german. und christl. Vorstellungen zurückgehende, theologisch auf Röm. 13, 1 fußende Bez. der abendländ. Reichsideologie für die göttl. Legitimation und Beauftragung des christlichabendländ. Herrschers; seit der Karolingerzeit wurde dem Herrschertitel die Formel (»von Gottes Gnaden«, lat. Dei gratia) beigefügt.

Gotteskindschaft, *Religionsgeschichte:* Bez. für das (Verwandtschafts-)Verhältnis der Götter untereinander oder zw. den Göttern und ausgewählten Menschen (Heroen); im christl. Sprachgebrauch zentraler Begriff des N.T. zur Beschreibung des Gottesverhältnisses des durch Jesus Christus mit Gott versöhnten Menschen (Röm. 8, 14–17; Gal. 4, 6–7).

Gottesmutter, die →Gottesgebärerin.

Gottesstaat, eine Herrschaftsform, →Theokratie, →Hierokratie.

Gottesurteil (Gottesgericht, ags. Ordal), ein Urteil in Rechtsstreitigkeiten oder über Schuld und Unschuld durch ein angenommenes Zeichen Gottes. Die G. beruhen auf dem Glauben, dass der Unschuldige in einer Probe, die er zu bestehen hat, von der Gottheit geschützt wird. Das G. wurde als prozessuales Beweismittel benutzt, wenn der Beweis durch Zeugen versagte; dem Beschuldigten stand die Reinigung von dem Schuldvorwurf durch G. offen. Arten sind u.a.: die Entscheidung durch das Los **(Losordal);** die **Feuerprobe,** bei der der Beschuldigte z.B. über glühende Pflugscharen schreiten musste; die **Wasserprobe:** Blieb der gefesselt ins Wasser Geworfene oben, so gilt er

Gottesurteil: Darstellung der Wasserprobe auf einer Miniatur (um 1250)

als schuldig, da das reine Wasser ihn nicht aufnehmen wollte; der **Probebissen:** Schuldig war, wer z.B. vergiftetes Brot wieder von sich geben musste, in christl. Umbildung die **Abendmahlsprobe,** wobei der Genuss des Abendmahls für den Schuldigen Krankheit oder Tod zur Folge haben sollte. Im weltlichen Recht kam der Zweikampf **(Kampfordal)** zuerst in den Städten und v.a. durch die Rezeption des römischen Rechts außer Übung. – Die G. wurden 1215 vom 4. Laterankonzil verboten; die Wasserprobe behauptete sich jedoch in den Hexenprozessen bis ins 17. Jh. hinein.

Gottfried von Bouillon [- - bu'jɔ̃], Herzog von Niederlothringen (1089), *um 1060, †Jerusalem 18. 7. 1100; war einer der Führer im 1. Kreuzzug; nach der Erstürmung Jerusalems (1099), an der er entscheidend beteiligt war, übernahm er die Regentschaft des Kreuzfahrerstaats als »Vogt des Hl. Grabes«.

Gottfried von Straßburg, mhd. Dichter des frühen 13. Jh., neben Hartmann von Aue und Wolfram von Eschenbach der dritte der großen höf. Epiker der Stauferzeit, schrieb um 1210 in Anlehnung an Thomas d'Angleterre das unvollendet gebliebene höf. Versepos »Tristan und Isold«. Das Werk wurde von Ulrich von Türheim (um 1230/35) und Heinrich von Freiberg (um 1290) ergänzt. Über G.v.S. selbst ist fast nichts bekannt, spätere Überlieferungen seines Namens mit dem Titel »Meister« lassen auf eine gelehrte Ausbildung schließen. In seiner Dichtung wird die alle geltenden Normen übersteigende Macht der Liebe gestaltet, die in ihrer fast religiös-myst. Absolutheit die Liebenden zw. Minne und gesell-

Gottfried von Straßburg: Illustration zu dem Versepos »Tristan und Isolde« aus einer Handschrift des 13. Jh. (München, Bayerische Staatsbibliothek)

Göttingen 2): Der Gänselieselbrunnen auf dem Markt (1901), links das Rathaus (1369-1444, 1883-1912 restauriert)

schaftl. Ehre zugrunde richtet. Der Stil des Werkes ist elegant, spielerisch, anmutig, melodisch; geistvolle Wort- und Klangwiederholungen, souveräne Handhabung der rhetor. Mittel zeichnen das Epos aus.

📖 WEBER, G. *u.* HOFFMANN, W.: *G. v. S. Stuttgart* ^{5}*1981.*

Göttingen 2) Stadtwappen

gottgläubig, 1936–45 im Dt. Reich offizielle Religionsbez. auf Personalbogen für Personen, »die sich von den anerkannten Religionsgemeinschaften abgewandt haben, jedoch nicht glaubenslos sind«; vor 1933 v.a. Selbstbez. freireligiöser, nicht konfessionsgebundener Gemeinschaften.

Gotthardbahn, die Eisenbahnstrecke Luzern–Chiasso, erbaut 1872–82, seit 1922 elektrifiziert. Das Gotthardmassiv wird in dem 15 km langen **Gotthardtunnel** Göschenen–Airolo in über 1150 m Höhe durchfahren.

Gotthard Kettler, erster Herzog von Kurland, *Eggeringhausen (heute zu Borchen, Kr. Paderborn) 1517, †Mitau 17. 5. 1587; usurpierte 1559 das Amt des Landmeisters des Dt. Ordens in Livland, schloss 1559 einen Schutzvertrag mit Polen gegen Russland, unterwarf sich 1561 dem poln. König. Zum Luthertum übergetreten, löste er 1562 den livländ. Ordensstaat auf und erhielt das neu geschaffene prot. Herzogtum Kurland als poln. Lehen.

Jeremias Gotthelf (Ausschnitt aus einem Stahlstich)

Gotthardmassiv, Gebirgsmassiv in den Alpen, in der Zentralschweiz, Quellgebiet von Rhone, Rhein, Reuß, Aare und Tessin, erreicht im W-Teil mit dem Pizzo Rotondo 3192 m ü. M., im O-Teil mit dem Pizzo Centrale 3001 m ü. M., dazw. liegt der Pass Sankt Gotthard (ÜBERSICHT, →Alpenstraßen) mit dem Gotthard-Straßentunnel. Das G. wird ferner von der →Gotthardbahn durchfahren.

Gotthelf, Jeremias, eigtl. Albert Bitzius, schweizer. Erzähler, *Murten 4. 10. 1797, †Lützelflüh (Kt. Bern) 22. 10. 1854; aus Altberner Patrizierfamilie, seit 1832 Pfarrer in Lützelflüh. Schauplatz seiner Werke, die ihn zu einem der großen Realisten machen, ist fast ausschl. die Berner Bauernwelt. Seine Romane, v.a. »Der Bauern-Spiegel oder Lebensgeschichte des Jeremias Gotthelf« (1837), »Wie Uli der Knecht glücklich wird« (1841, Neufassung 1846 u. d. T. »Uli der Knecht« mit der Fortsetzung »Uli der Pächter« 1849), »Wie Anne Bäbi Jowäger haushaltet...« (2 Tle., 1843/44), »Zeitgeist und Berner Geist« (2 Tle., 1852) und »Erlebnisse eines Schuldenbauers« (1854) enthalten massive Zeitkritik aus konservativem Blickwinkel, wesentlich ist aber ihr eindrucksvolles Menschenbild. Unter seinen Erzählungen ragen heraus: »Die schwarze Spinne« (1842), »Elsi, die seltsame Magd« (1843), »Das Erdbeeri Mareili« (1851), daneben humorist. Erzählungen voller Realistik (»Wie Joggeli eine Frau sucht«, 1841, »Wie Christen eine Frau gewinnt«, 1845, »Michels Brautschau«, 1849).

📖 FEHR, K.: *J. G. (Albert Bitzius). Stuttgart* ^{2}*1985.*

Göttingen, 1) Landkreis im RegBez. Braunschweig, Ndsachs., 1117 km^2, (1996) 266600 Einwohner.

2) Krst. von 1) in Ndsachs., an der Leine, 126300 Ew.; Georg-August-Univ. (gegr. 1734), Institute der Max-Planck-Gesellschaft, Akademie der Wiss., FH, Inst. für den wiss. Film, Institute der Dt. Forschungsanstalt für Luft- und Raumfahrt, Ibero-Amerikan. Inst. für Wirtschaftsforschung; zwei Theater, Goethe-Institut, Völkerkundemuseum; opt. und feinmechan., chem., pharmazeut., Elektro- u.a. Ind., graf. Gewerbe, Verlage. – Bemerkenswert in der an Fachwerk reichen Altstadt sind u.a. die im 14. Jh. gotisch umgebaute Johanniskirche, die gotische Jacobikirche (14./15. Jh.) und das Rathaus (Kernbau um 1270, erweitert 1369–1444, 1883–1912 restauriert), davor der Gänselieselbrunnen (1901). – 953 als **Gutingi** erstmals erwähnt, vermutlich um 1200 Stadtrecht; gehörte seit 1235 zum welf. Herzogtum Braunschweig-Lüneburg, seit 1286 zum Fürstentum G.; 1351–1572 Mitgl. der Hanse; fiel 1584 an Braunschweig-Wolfenbüttel, 1635 an Calenberg (das nachmalige Kurfürstentum Hannover). Die 1734 gegründete Univ. wurde nach 1815 zur Hochburg liberalen Gedankenguts (→Göttinger Sieben) und war Wirkungsstätte bed. Gelehrter (u.a. J. und W. Grimm, G. G. Gervinus, A. von Haller, G. C. Lichtenberg, C. F. Gauß, F. Wöhler; im 20. Jh. u.a. M. Born, W. Heisenberg).

Göttinger Hain (Göttinger Dichterbund, Hainbund), eine Vereinigung von überwiegend norddt. Göttinger Studenten, gegr. 1772. Ihr Vorbild war F. G. Klopstock, dessen Ode »Der Hügel und der Hain« dem grch. Parnass den nordischgerman. Götter- und Bardenhain gegenüberstellt. Zum G. H. gehörten u.a. die Grafen F. L. und C. zu

Stolberg-Stolberg, H. C. Boie, J. H. Voß, L. Hölty, K. F. Cramer und J. A. Leisewitz. Gepflegt wurde empfindsam-innige, antirationalist., schlichte, volksliednahe Lyrik und, durch die Brüder Stolberg-Stolberg, die klass.-antike Odenform. Auch G. A. Bürger und M. Claudius standen dem Bund nahe. Organ des G. H. war der von H. C. Boie geleitete »Göttinger Musenalmanach« (1770–1804). Ab 1775 löste sich der G. H. allmählich auf (Abschluss der Studien der Mitgl.).

🕮 *Der G. H., hg. v.* A. KELLETAT. *Stuttgart 1967.*

Göttinger Sieben, die Göttinger Professoren Wilhelm Eduard Albrecht (*1800, †1876), F. C. Dahlmann, H. von Ewald (*1803, †1875), G. Gervinus, J. und W. Grimm und W. Weber, die von König Ernst August von Hannover am 14. 12. 1837 amtsenthoben wurden, weil sie gegen die Aufhebung des Staatsgrundgesetzes des Königreichs Hannover von 1833 protestiert hatten. Der Schritt der G. S. wurde als Zeichen des Wiederauflebens der liberalen Bewegung in Dtl. stark beachtet. Albrecht, Dahlmann, Gervinus und J. Grimm wurden 1848 in die Frankfurter Nationalversammlung gewählt.

Gott-ist-tot-Theologie, zusammenfassende Bez. für theolog. (bzw. atheist.) Versuche, den Gottesbegriff aus seinen myth. und metaphys. Bindungen zu lösen und vor dem Hintergrund der polit. und sozialen Realitäten und der subjektiven Betroffenheit des Menschen neu zu verstehen; geht v. a. auf das Buch »The death of God« (1961) des amerikan. ref. Theologen G. Vahanian zurück.

Göttliche Komödile, Die (italien. Divina Commedia), Hauptwerk von →Dante Alighieri.

göttliches Recht, in der kath. Theologie Bez. für das Recht, das unmittelbar von Gott allein gesetzt ist, gegliedert in das natürl. g. R. (→Naturrecht) und das positive g. R. (→Kirchenrecht).

Gottorp (Gottorf), europ. Dynastie, eine Seitenlinie des in Dänemark regierenden Hauses Oldenburg (Stammvater: Herzog Adolf I. [*1526, †1586]); benannt nach ihrer Residenz, Schloss Gottorf in Schleswig (erbaut nach 1161; Umbau im 16./17. Jh.); stellte 1544–1773 die Herzöge von Schleswig und Holstein. Eine Seitenlinie regierte 1751–1818 in Schweden, das Haus Romanow-Holstein-G. 1762–1917 in Russland (→Romanow).

Gottsched, 1) Johann Christoph, Gelehrter und Schriftsteller, *Juditten (heute zu Königsberg) 2. 2. 1700, †Leipzig 12. 12. 1766; ⚭ mit 2); seit 1724 in Leipzig, 1730 dort Prof.; Kritiker und Spracherzieher, Reformer und geistiger Führer der Frühaufklärung (Anhänger von C. Wolff). In seinem »Versuch einer Crit. Dichtkunst vor die Deutschen« (1730) erstrebte er eine Reform der dt. Literatur, u. a. des dt. Dramas im Sinne des frz. Klassizismus. Als Erster entwarf er ein geschlossenes poetolog. Regelsystem; oberste Prinzipien waren u. a. die drei Einheiten im Drama, Naturnachahmung und gesunde Vernunft sowie Klarheit des Stils. Als Beispiel für die Schaubühne verfasste er das Trauerspiel »Der sterbende Cato« (erschienen 1732). G. gab auch moral. Wochenschriften (»Die vernünftigen Tadlerinnen«, 1725/26) heraus. Sein Dogmatismus (u. a. Ablehnung Shakespeares, Miltons, Klopstocks) führte zu einer heftigen literar. Kontroverse über das Wunderbare mit den Schweizern J. J. Bodmer und J. J. Breitinger und durch ein neues Geschichtsbewusstsein und den aufkommenden Irrationalismus zu einer Fehde mit Klopstock, Herder und Lessing. Sein größtes Verdienst erwarb sich G. um das dt. Theater; er sorgte für deklamator. Ausbildung der Schauspieler und wirkte mit Karoline Neuber für das soziale Ansehen des Standes. G. trat auch als Übersetzer hervor.

🕮 FREIER, H.: *Krit. Poetik. Legitimation u. Kritik der Poetik in G.s Dichtkunst. Stuttgart 1973.*

Johann Christoph Gottsched (Ausschnitt aus einem Gemälde, 1744) und **Luise Adelgunde Viktorie Gottsched** (Nachstich eines Kupferstichs, 1744)

2) Luise Adelgunde Viktorie, geb. Kulmus, gen. Gottschedin, Schriftstellerin, *Danzig 11. 4. 1713, †Leipzig 26. 6. 1762; erste Frau von 1); übersetzte und bearbeitete frz. Stücke, verfasste aber auch selbst Lustspiele nach frz. Vorbild: »Die Pietisterey im Fischbein-Rocke ...« (1736), »Das Testament« (1745).

Gottschee, Stadt in Slowenien, →Kočevje.

Gottwald, Klement, tschechoslowak. Politiker, *Dědice (Mähren) 23. 11. 1896, †Prag 14. 3. 1953; Tischler, 1929–45 Gen.-Sekr., 1945–53 Vors. der KP, gründete in der UdSSR die »Nat. Front«, die 1945 die Reg. in der ČSR übernahm. 1945/46 stellv. MinPräs., 1946–48 MinPräs., 1948–53 (nach dem von ihm geführten Staatsstreich) Staatspräsident. In enger Anlehnung an Stalin schaltete er innerparteil. Kritiker seiner Partei aus (u. a. Schauprozess gegen R. Slánský).

Klement Gottwald

Gottwaldov [nach K. Gottwald], 1949–89 Name von →Zlín.

Göttweig, um 1074 gegründete Benediktinerabtei im Bez. Krems, NÖ, über dem rechten Donauufer. Nach einem Brand (1718) Neubau nach

Göttweig: Teil der dreiteiligen, über drei Geschosse reichende Kaiserstiege (1738)

Plänen J. L. von Hildebrandts (nicht vollendet); bed. sind Altmannsaal (1734), Kaiserstiege (1738) und die Kirche (Fassade 1750–56) im Mittelpunkt der Gesamtanlage.

Götz, Johann Nikolaus, Schriftsteller, *Worms 9. 7. 1721, †Winterburg (Kr. Bad Kreuznach) 4. 11. 1781; gab 1746 eine metr. Übersetzung der »Anakreontea« heraus, an die die dt. →Anakreontiker anknüpften.

Götze [mhd. götz »Heiligenbild«, bei Luther »falscher Gott«], polemisch-abwertende Bez. für einen Gott fremder Religionen (und sein Bild), auch für Menschen und Dinge, denen eine übertriebene Verehrung zuteil wird.

Götz von Berlichingen, →Berlichingen, Götz von.

Gouachemalerei [gu'a:ʃ-, frz.] (Guaschmalerei), Malerei mit deckenden Wasserfarben **(Gouachefarben),** im Unterschied zur lasierenden →Aquarellmalerei. Die Farben, die nach dem Trocknen aufhellen, werden meist auf getönte Malgründe aufgetragen. In der Wirkung ist die G. dem Pastell ähnlich. Bereits in der ägypt. Kultur bekannt, wurde die Technik im MA. in der Miniaturmalerei gebräuchlich. Die G. war bes. im 18. Jh. in der Schweiz, in Italien und Frankreich beliebt. Im 19./20. Jh. benutzten u. a. A. von Menzel, M. Liebermann und M. Slevogt die G., die seither bes. für Entwürfe von Postern, Kostümen und Bühnenbildern sowie für Illustrationen verwendet wird.

Samuel Abraham Goudsmit

Glenn Gould

Gouda ['xɔu̯da:], Stadt in der Prov. Südholland, Niederlande, 70 400 Ew.; Pfeifen-, Tonwaren- und Kerzenmuseum; Kerzen-, Kunstkeramik-, Konserven- u. a. Ind.; bekannt durch Herstellung und Handel des **G.-Käses.** – Spätgot. Basilika Grote Kerk (Sint-Janskerk; 1485 ff.) und Rathaus (1448 bis 1450). – Stadtrecht seit 1272.

Goudsmit ['xɔu̯tsmɪt], Samuel Abraham, amerikan. Physiker niederländ. Herkunft, *Den Haag 11. 7. 1902, †Reno (Nev.) 4. 12. 1978; arbeitete v. a. über die Feinstruktur von Atomspektren, postulierte zusammen mit G. E. Uhlenbeck den Elektronenspin; leitete 1944 ein Geheimunternehmen zur Auskundschaftung des dt. Atombombenprojekts.

Gouges [gu:ʒ], Olympe de, eigtl. Marie O. Aubry, frz. Rechtsphilosophin und Schriftstellerin, *Montauban 7. 5. 1748, †(hingerichtet) Paris 3. 11. 1793; verfasste neben Theaterstücken, Romanen u. a. 1791 in Analogie zur Menschenrechtserklärung von 1789 die »Déclaration des droits de la femme et de la citoyenne« (»Erklärung der Rechte der Frau und Bürgerin«), in der sie völlige Gleichberechtigung der Geschlechter forderte. Das Revolutionstribunal verurteilte sie wegen »Anschlags auf die Souveränität« zum Tod auf der Guillotine.

Goujon [gu'ʒɔ̃], Jean, frz. Bildhauer und Baumeister, *in der Normandie (?) um 1510, †Bologna zw. 1564 und 1569; zählt neben den Baumeistern P. Lescot und P. Delorme zu den Wegbereitern des frz. Klassizismus; seine Bildwerke sind von erlesener Eleganz der Linienführung, v. a. schlanke Frauengestalten. Zu seinen Hauptwerken (alle im Louvre) gehören die Nymphenreliefs der Fontaine des Innocents (1548/49) sowie vier Karyatiden einer Musikempore des Louvre (1551).

Gould [gu:ld], **1)** Benjamin Apthorp, amerikan. Astronom, *Boston (Mass.) 27. 9. 1824, †Cambridge (Mass.) 26. 11. 1896; leitete die erste telegraf.

Gouda: Das spätgotische Rathaus auf dem Marktplatz (1448–50)

Längenmessung (1861) zw. Amerika und Europa; erster Direktor des von ihm ab 1868 errichteten Observatoriums in Córdoba (Argentinien), erstellte umfassende Sternkataloge.

2) Glenn, kanad. Pianist, *Toronto 25. 9. 1932, †ebd. 4. 10. 1982; berühmt durch seine eigenwilligen Interpretationen der Klavierwerke J. S. Bachs und L. van Beethovens.

3) Morton, amerikan. Komponist, *Richmond Hill (N. Y.) 10. 12. 1913, †Orlando (Fla.) 21. 2. 1996; schrieb u. a. Musicals (»Billion dollar baby«, 1945), Ballette (»Fiesta«, 1957), zahlr. Orchesterwerke, Konzerte für Klavier, für Violine sowie Film- und Fernsehmusik.

Gounod [gu'no:], Charles, frz. Komponist, *Saint-Cloud (Dép. Hauts-de-Seine) 17. 6. 1818, †ebd. 18. 10. 1893; Meister der lyr. Oper (»Faust«, 1859; in Dtl. als »Margarethe«; »Romeo und Julia«, 1867), schrieb ferner ein Requiem, Messen, Oratorien, Kantaten und Orchesterwerke.

Gourmand [gur'mã, frz.] *der,* Schlemmer.

Gourmet [gur'me:, frz.] *der,* Feinschmecker.

Gournia ['gu-], minoische Siedlung, → Gurnia.

Gouvernante [gu-, frz.] *die,* im 18. und 19. Jh. Hauslehrerin, Erzieherin der Töchter aus vornehmem Haus.

Gouvernement [guvɛrn(ə)'mã, frz.] *das,* Abk. **Gouv.,** 1) Regierung, Statthalterschaft; 2) Verwaltungsbezirk.

Gouverneur [guvɛr'nø:r, frz.] *der,* **1)** Statthalter, oberster Verwaltungsbeamter eines Gliedstaats (USA), einer Provinz oder einer Kolonie (→ Generalgouverneur).

2) in Großbritannien und den USA die Leiter der Zentralnotenbanken.

3) oberster Befehlshaber einer Festung.

Gower ['gaʊə], John, engl. Dichter, *Kent um 1330, †Southwark (heute zu London) 1408; Zeitgenosse G. Chaucers, schrieb neben Satiren die didaktisch aufbereitete Erzählsammlung »Confessio amantis« (um 1390; dt. »Beichte des Liebenden«).

Goya y Lucientes ['goja i lu'θientes], Francisco José de, span. Maler, Radierer und Lithograph, *Fuendetodos (Prov. Saragossa) 30. 3. 1746, †Bordeaux 16. 4. 1828; seit 1789 Hofmaler in Madrid. Infolge einer schweren Erkrankung (1792) verlor G. y L. sein Gehör; 1819 zog er sich in sein Landhaus (Quinta del sordo, »Haus des Tauben«) in der Nähe von Madrid zurück, hier entstand 1821–23 der spukhafte Zyklus der »Pinturas negras« (heute im Prado). Dem bedrückenden polit. Klima unter der Regierung von Ferdinand VII. entzog er sich 1824 durch die Emigration nach Bordeaux. In seiner Frühzeit lieferte er für die Teppichmanufaktur in Madrid Entwurfkartons, die heitere Szenen aus dem span. Volksleben schildern. Den Höhepunkt seiner höf. Bildnismalerei stellen die Porträts der königl. Familie um 1800 dar. Er löste sich von der konventionellen Porträtmalerei und charakterisierte die Dargestellten mit schonungsloser Offenheit. Die engagierte Anteilnahme an Zeitereignissen führte zu einer unverhüllten, ausdrucksgeladenen Darstellung. Der immer freier und kühner werdende Stil seiner Malerei erzielte bereits impressionist. Wirkungen. In seiner Spätzeit malte er düstere Bilder von hintergründiger, spukhafter Fantastik. Seine Radier- und Aquatintafolgen, seine Zeichnungen und Lithographien reflektieren kritisch soziale, kirchl. und polit. Missstände der Zeit.

Zu den Meisterwerken zählen u. a. 38 Teppichkartons (seit 1776; Madrid, Prado), Fresken in der Ermita de San Antonio de la Florida in Madrid (1798); »Die bekleidete Maja« und »Die nackte Maja« (beide 1797, Madrid, Prado); »Karl IV. und seine Familie« (1800; Madrid Prado); »Die Erschießung der Aufständischen am 3. Mai 1808« (1814, ebd.) sowie die Radier- und Aquatintafolgen: »Los Caprichos« (Einfälle, 80 Blätter, 1797/98), »La Tauromaqia« (Stierkampf, 40 Blätter, 1815/16), »Los desastres de la guerra« (Der Schrecken des

Jean Goujon: Nymphe und Genius an der Fontaine des Innocents (1549; Paris, Louvre)

Charles Gounod

Goya

Seinen ersten Ruhm erwarb Goya mit Bildern des bunten spanischen Volkslebens, die als Vorlagen für die königliche Teppichweberei dienten. 1774–90 schuf er heitere Szenen unbeschwerter Lebensfreude. Doch der Kontakt mit den Vertretern der Aufklärung, die kritisch die starre, von Kirche und Hof dominierte spanische Gesellschaft analysierten, ließ ihm diese Art des Malens fragwürdig werden.

Zur Zeit der Französischen Revolution geriet er als Hofmaler zwischen die Fronten; seine Freunde wurden von Häschern des Königs gehetzt und ermordet. Diese Erfahrung, schwere Krankheit, in deren Folge er taub wurde, und persönliche Krisen führten dazu, dass sich Goya zunehmend mit den düsteren Seiten der menschlichen Existenz auseinander setzte. Die Dummheit der Welt, die Schrecken des Krieges, existenzielle Ängste und soziale Ungerechtigkeit waren fortan seine Themen, die er in aufwühlend expressiver Bildsprache gestaltete. Seine letzte Schaffensphase brachte dämonische, an Albträume gemahnende Visionen hervor, doch gleichzeitig entstanden positive, schlichte Darstellungen der einfachen Dinge des Lebens.

Francisco José de Goya y Lucientes: (von links): »Die Erschießung der Aufständischen am 3. Mai 1808 in Madrid« (1814; Madrid, Prado); »Der Koloß«, auch »Die Panik« (um 1808-12; Madrid, Prado)

Krieges, 82 Blätter, um 1808–1814), »Proverbios« oder »Disparates« (22 Blätter, zw. 1816 und 1824).

📖 *Goya. Die phantast. Visionen. Zeichnungen u. Gemälde aus dem Prado-Museum, bearb. v.* J. GUILLAUD *u.* M. GUILLAUD. *A. d. Frz. u. Span. Stuttgart 1988. – Francisco de Goya. Radierungen nach Velazquez, los Caprichos, los Desastres de la Guerra, la Tauromaquia, los Disparates, bearb. v.* E. GÄSSLER, *Ausst.-Kat. Stadtmuseum Oldenburg 1990.* – HELD, J.: *Francisco de Goya mit Selbstzeugnissen u. Bilddokumenten. Reinbek 23.–24. Tsd. 1995.*

Carlo Gozzi (Ausschnitt aus einem Kupferstich, 1772)

Goyen, 1) ['goıən], Charles William, amerikan. Schriftsteller, *Trinity (Tex.) 24. 4. 1915, †Los Angeles (Calif.) 30. 8. 1983; gestaltet in seinem von persönl. (Kindheits-)Erfahrungen geprägten Werk in lyr. Sprache eine oft ins Fantastische entrückte Welt: »Haus aus Hauch« (1950), »Im fernsten Land« (1955), »Savata« (1963).

2) ['xo:jə], Jan van, holländ. Maler, *Leiden 13. 1. 1596, †Den Haag 27. 4. 1656; ab 1618 Meister in Leiden, ab 1631 in Den Haag ansässig. Stimmungsvolle Dünen sowie Fluss- und Weidelandschaften, außerdem Ansichten niederländ. Städte in nahezu monochromer Gestaltung.

Goytisọlo, Juan, span. Schriftsteller, *Barcelona 5. 1. 1931; schreibt zeit- und gesellschaftskrit. Romane: »Die Falschspieler« (1954), »Trauer im Paradies« (1955), »Identitätszeichen« (1966), »Johann ohne Land« (1975), »Landschaften nach der Schlacht« (1982), »Die Marx-Saga« (1993); Memoiren: »Jagdverbot« (1985); auch Essayist.

Gozo ['gəʊtsəʊ, engl.] (maltes. Ghaudex, italien. Gozzo), Insel im Mittelmeer, Teil Maltas, 67 km² groß, mit der Insel Comino (2,6 km²) 27500 Ew.; Hauptort: Victoria.

Gozzi ['gɔtsi], **1)** Carlo Graf, italien. Schriftsteller, *Venedig 13. 12. 1720, †ebd. 4. 4. 1806; Bruder von 2); verteidigte gegenüber C. Goldoni die Commedia dell' Arte, für die er zehn Märchenspiele (»Fiabe«, 1772) schrieb, so »König Hirsch« (UA 1762; Oper von H. W. Henze, 1956), »Turandot« (UA 1762, bearbeitet von Schiller 1802, als Oper von F. Busoni 1917, von G. Puccini 1926). Theatergeschichtlich aufschlussreich sind seine Memoiren (»Nichtsnutzige Erinnerungen«, 3 Bde., 1797).

📖 FELDMANN, H.: *Die Fiabe C. G.s. Köln 1971.*

2) Gasparo Graf, italien. Schriftsteller, *Venedig 4. 12. 1713, †Padua 25. 12. 1786; Bruder von 1); Theaterleiter und Zensor; Hg. der »Gazzetta veneta« (1760/61) und des »Osservatore veneto« (1761/62), Zeitschriften nach dem Vorbild von J. Addisons »Spectator«, in denen er Tagesereignisse mit moralisch-erzieher. Absicht kommentierte.

Gozzoli ['gɔttsoli], Benozzo, eigtl. B. di Lese di Sandro, italien. Maler, *Florenz 1420, †Pistoia 4. 10. 1497; Schüler und Gehilfe des Fra Angelico; schuf bes. Fresken in bunter, realist. Vielfalt, durchsetzt mit zeitgenöss. Elementen (»Zug der Hl. Drei Könige durch eine Gebirgslandschaft«, Florenz, Palazzo Medici-Riccardi, Kapelle, 1459–61).

GPS [Abk. für engl. **g**lobal **p**ositioning **s**ystem »globales Ortungssystem«], Satellitennavigationssystem für zivile und militär. Zwecke, bestehend aus 24 Navstar-Satelliten, die sich auf exakt vermessenen Kreisbahnen in etwa 20000 km Höhe befinden und fortlaufend Positionssignale senden. Mithilfe eines Rechners, der über eine kleine Antenne die Zeitdaten der GPS-Satelliten empfängt, kann aus vier bis meist acht Satellitensignalen die eigene Position errechnet werden. Die Signale wurden vom Betreiber (Pentagon) im zivilen Bereich so kodiert, dass die Messgenauigkeit bei ±100 m liegt. Mit der Verfeinerung von GPS zum DGPS (**D**ifferential-GPS) können Fehler stark verringert werden. GPS und DGPS werden zur Navigation von Schiffen, Flugzeugen und Kraftfahrzeugen eingesetzt.

GPU, russ. Abk. für Staatl. Polit. Verwaltung, die 1922 aus der →Tscheka hervorgegangene polit. Geheimpolizei der Sowjetunion; wurde 1934 dem Volkskommissariat für Inneres (→NKWD) unterstellt. Die Funktion der GPU wurde seit 1954 vom →KGB wahrgenommen.

gr, Einheitenzeichen für →Grain.

Graaf-Follikel [nach dem niederländ. Anatomen Reinier de Graaf, *1641, †1673], →Eierstock.

Graal-Müritz, Ostseebad im Landkr. Bad Doberan, Meckl.-Vorp., in waldreicher Umgebung, 3 700 Einwohner.

Grab, Bestattungsstätte, die sich unter, auf oder über der Erdoberfläche befinden kann; im Allg. auf Friedhöfen bzw. in Nekropolen. Als Gedenkstätten werden die Gräber meist mit G.-Steinen, G.-Kreuzen oder G.-Platten ausgestattet. Auch das G. selbst kann als G.-Denkmal gestaltet sein, entweder als Sarkophag oder als Bauwerk, das das eigentl. G. beherbergt. Gräber sind eine wichtige Quelle zur Erforschung von Sozialstruktur und Religion in Vor- und Frühgesch. Ihr Typus ist z. T. namengebend für Kulturen (z. B. Hügelgräberkultur, Urnenfeldkultur). Auch für die Kulturgeschichte der Neuzeit geben Gräber wichtige Aufschlüsse. (→Felsengräber, →Friedhof, →Grabmal, →Hügelgräber, →Megalithgräber, →Nekropole). – *Recht:* →Störung der Totenruhe.

Grabar, Igor Emmanuilowitsch, russ. Maler und Kunsthistoriker, *Budapest 25. 3. 1871, †Moskau 16. 5. 1960; war 1913–25 Direktor der Tretjakow-Galerie in Moskau; malte v. a. akademisch-realist. Porträts sowjet. Amtsträger; er war Mitinitiator der sowjet. Denkmalpflege; zahlr. kunstgeschichtl. Arbeiten.

Grabbau, →Grabmal.

Grabbe, Christian Dietrich, Dichter, *Detmold 11. 12. 1801, †ebd. 12. 9. 1836; Militärauditeur (Kriegsgerichtsrat); verfiel zunehmend dem Alkoholismus, schied 1834 aus dem Dienst aus; neben G. Büchner wichtiger Wegbereiter des modernen dt. Dramas, z. T. überkommene Formen sprengend. In seinen Dramen wird Geschichte in kraftvoller und desillusionist. Weise vergegenwärtigt (»Herzog Theodor von Gothland«, gedruckt 1827; »Don Juan und Faust«, 1829; »Napoleon oder Die hundert Tage«, 1831; »Hannibal«, 1835; »Die Hermannsschlacht«, gedruckt 1838). Das Lustspiel »Scherz, Satire, Ironie und tiefere Bedeutung« (gedruckt 1827) trägt satir., grotesk-fantast. Züge.

Christian Dietrich Grabbe (Kreidezeichnung, 1836)

📖 Ziegler, K.: *G.s Leben u. Charakter. Hamburg 1855, Nachdr. Horn 1984.*

Grabbeigabe (Totengabe), einem Toten ins Grab mitgegebener Gegenstand aus dem profanen oder kult. Bereich. G. sind schon in Gräbern der mittelpaläolith. Neandertaler bekannt. Außer Speisebeigaben ist häufig der persönl. Besitz an Schmuck und Bewaffnung beigegeben, auch Geräte jeder Art. Bes. reich mit Beigaben ausgestat-

Jan van Goyen: »Dorf am Fluß« (1636; München, Alte Pinakothek)

tete Gräber ermöglichen Aussagen über Sozialstruktur und alltägl. Leben in vor- und frühgeschichtl. Zeit.

Grabdenkmal, →Grabmal.

Graben, 1) *allg.:* natürl. oder künstl. Einschnitt in den Boden.

2) *Geologie:* (G.-Bruch) zw. zwei stehen gebliebenen oder gehobenen Schollen **(Horst)** an Verwerfungen abgesunkener Streifen der Erdkruste, bisweilen unter dem Meeresspiegel, z.B. Jordan-G. am Grund des Toten Meeres (bis 829 m u. M.). →Rift, →Tiefseegraben.

3) *Militärwesen:* Anlage vor Verteidigungsstellung, Burg, Schloss, Stadt, Festung als Annäherungshindernis oder zum Anbringen von Annäherungshindernissen (→Schützengraben).

Grabfeld (Grabfeldgau), fruchtbare Muschelkalklandschaft am Oberlauf der Fränk. Saale, zw. der südl. Rhön und den Haßbergen, in Thüringen und Bayern.

Grabfüßer (Zahnschnecken, Scaphopoda), den Muscheln nahe stehende Klasse der Weichtiere mit vorstreckbarem zylindr. Grabfuß, mit dessen Hilfe sie in Schlamm- und Sandböden der Meere graben. Als Nahrung dienen sandbewohnende Einzeller, die mit klebrigen Fangfäden erbeutet werden.

Grabmal (Grabdenkmal), Gedenk- und Erinnerungsmal an der Beisetzungsstelle eines Toten, z.T. architektonisch gestaltet **(Grabbau).** Die Anfänge liegen in der Altsteinzeit; von der Mittelsteinzeit sind in Mittel- und N-Europa hölzerne Grabpfähle belegt, seit der Jungsteinzeit steinerne Grabstelen und →Menhire, die mitunter bereits menschl. Züge tragen (Menhirstatuen). In Ägypten war seit Beginn des Alten Reichs die →Pyramide die Form des Königs-G., die →Mastaba des Privat-G., im Neuen Reich versteckt angelegte →Felsengräber, die auch in Vorderasien verbreitet waren. In Griechenland entwickelte sich das G. vom Erdhügel (tymbos) zu steinernem, geschmücktem »Grabtisch« und Grabstele mit Reliefbild. Im etrusk. Raum kamen im 7. Jh. v. Chr. monumentale Tumulusgräber (→Hügelgrab) auf. In Rom wurden die Rundmonumente (Tempel, Statuen, Reliefs) zu gewölbten Rundbauten umgestaltet. Einen Höhepunkt bildeten das Augustus-Mausoleum und die Engelsburg in Rom sowie das G. Theoderichs d. Gr. in Ravenna. Charakteristisch für die frühchristl. Zeit ist die Beisetzung in →Katakomben.

Im MA. wurden, abgesehen von außerhalb der Kirche aufgestellten, mit Kreuz und Namen versehenen **Memoriensteinen** für Laien, im Wesentlichen folgende Formen ausgebildet: die in den Boden der Kirche eingelassene, später meist denkmalhaft vor die Wand gestellte **Grabplatte** aus Stein oder Bronze; die frei stehende, über dem Bodengrab errichtete **Tumba** (im Spät-MA. mit Baldachin); das **Wandnischengrab,** das aus einer Tumba in architekton., Nischen bildendem Rahmen besteht; das **Epitaph,** ein Relief oder Tafelbild an der Kirchenwand ohne Verbindung mit der Grabstätte, stellt den Toten, meist in kleiner Gestalt, anbetend vor Christus, Maria und Heiligen, dar. Erst im 11. Jh. erhielt die Grabplatte figürl. Darstellungen. Seit dem 14. Jh. und bes. im Spät-MA. erscheinen an den Wänden der Tumben Klagegestalten. Das Wandnischengrab wurde in Spanien, Frankreich und Italien ausgebildet. Während in Dtl. das Epitaph entwickelt wurde, blieb Italien auch in der Renaissance beim Wandnischengrab, das durch Michelangelo seinen klass. Höhepunkt erreichte (Medici-Gräber, Florenz). In den G. des Barock verband sich das Bedürfnis nach Repräsentation mit der Vorliebe der Zeit zu allegor. Darstellungen. Seit Ende des 18. Jh. überwog die Ausstattung von Friedhofsgräbern, Grabbauten standen neben einfachen Gedenksteinen und Kreuzen. Im 20. Jh. fungieren G. auch als Mahnmale.

Im islam. Bereich entstanden seit dem 9. Jh. Memorialbauten mit dem Grab des Kalifen oder Herrschers, oft ganze Nekropolen; später gelangte der asiat. Grabturm (Gumbad) in den islam. Raum. Seit dem 12. Jh. wurde das G. auch mit anderen religiösen Einrichtungen (Moschee, Medrese) verbunden. – In Indien entwickelte sich aus dem ursprüngl. Bestattungshügel der →Stupa zum zentralen Kultsymbol; in indoislam. Zeit entstanden Mausoleen und Grabmoscheen. – In China bestanden Grabbauten seit etwa 200 n. Chr. aus einem Verband unterird. Grabkammern; spätere Mausoleen wurden nach dem Vorbild der kaiserl. Paläste angelegt.

Grabmann, Martin, Philosoph und kath. Theologe, * Winterzhofen (heute zu Berching, Kr. Neumarkt i. d. OPf.) 5. 1. 1875, † Eichstätt 9. 1. 1949; vertrat als Neuscholastiker ein thomist. Weltbild; führend in der Forschung zu Thomas von Aquin und zur mittelalterl. Philosophie.

Grabow [-bo], Stadt im Landkr. Ludwigslust, Meckl.-Vorp., an der Elde (Hafen), 7200 Ew.; Museum. – Got. St.-Georgs-Kirche, Fachwerkhäuser, barockes Rathaus. – Im 13. Jh. gegründet.

Grabowsky [-ki], Adolf, Politikwissenschaftler, * Berlin 31. 8. 1880, † Arlesheim (bei Basel) 23. 8. 1969; gründete 1907 mit R. Schmidt die »Ztschr. für Politik«.

Werke: Wege ins neue Dtl. (1919); Demokratie und Diktatur (1949); Raum, Staat und Gesch., Grundlegung der Geopolitik (1960).

Grabschändung, →Störung der Totenruhe.

Grabstichel, 1) *Astronomie:* (lat. Caelum) Sternbild des Südhimmels.

2) *Fertigungstechnik:* aus gehärtetem Stahl bestehendes Werkzeug des Kupferstechers.

Grabstock, unten abgeflachter Holzstab, von Jäger- und Sammlervölkern zum Ausgraben von Wurzeln u.a., von Ackerbauern zur Bodenbearbeitung benutzt; Vorläufer des Spatens.

Grabtuch Christi, nach Mk. 15, 46 das Leichentuch Christi; seit dem MA. Gegenstand religiöser Verehrung; unter den 40 vermeintl. G. C. ist das Turiner Grabtuch das berühmteste.

Grabwespen (Sphegidae), Familie der Hautflügler (Stechwespen) mit meist schwarzgelb oder schwarz-rotbraun geringeltem Körper. Das Weibchen gräbt eine Bodenröhre, trägt durch einen Stich gelähmte Insekten oder Spinnen als Futtervorrat hinein und legt ein Ei dazu. Zu den G. gehören u.a. Sandwespen, Bienenwolf, Töpferwespen.

Gracchen ['graxən], zwei Brüder aus dem röm. plebejischen Geschlecht der Sempronier. Die Sozialreformer **Tiberius Sempronius Gracchus,** *162 v.Chr., †(ermordet) 133, Volkstribun 133, und **Gaius Sempronius Gracchus,** *153 v.Chr., †121, Volkstribun 123 und 122, erstrebten u.a. Aufteilung des Großgrundbesitzes, Neuverteilung des staatl. Ackerlandes an besitzlose Bauern, Ansiedlung röm. Bürger in geschlossenen Kolonien in Italien und außerhalb Italiens. Ihr reformer. Wirken leitete die Epoche der röm. Bürgerkriege ein. Sie waren die Söhne der →Cornelia.

Gracht [niederländ.] *die,* Kanal in niederländ. Städten.

Gracián y Morales [gra'θian i -], Baltasar, span. Schriftsteller und Philosoph, *Belmonte de Calatayud (Prov. Saragossa) 8. 1. 1601, †Tarazona de Aragón (Prov. Saragossa) 6. 12. 1658; seit 1619 Jesuit; Moralphilosoph skept. Richtung. In dem allegorisch-satir. Roman »Criticon oder Über die allg. Laster des Menschen« (3 Tle., 1651–57) unternahm er eine krit. Deutung des Menschen und seiner Umwelt; das durch A. Schopenhauers Übersetzung (1862) berühmt gewordene »Hand-Orakel« (1647) ist eine Art Brevier der Lebensweisheit. G.y M. war Hauptträger des →Konzeptismus.

📖 HIDALGO-SERNA, E.: *Das ingeniöse Denken bei Baltasar Gracián. München 1985.* – PETSCHE, K.: *Baltasar Gracián. Eisenstadt [2]1987.*

Gracia Patricia, geb. Grace Kelly, Fürstin von Monaco, *Philadelphia (Pa.) 12. 11. 1929, †(Autounfall) Monte Carlo 14. 9. 1982; amerikan. Filmschauspielerin; spielte u.a. in den Filmen »Zwölf Uhr mittags«, 1952; »Über den Dächern von Nizza«, 1955; »Die oberen Zehntausend«, 1956; heiratete 1956 Fürst Rainier III. von Monaco.

Gracq [grak], Julien, eigtl. Louis Poirier, frz. Schriftsteller, *Saint-Florent-le-Vieil (Dép. Maine-et-Loire) 27. 7. 1910; schildert das Hereinbrechen irrationaler Mächte in das Leben der Menschen. Romane: »Das Ufer der Syrten« (1951), »Ein Balkon im Wald« (1958). Essays: »Entdeckungen« (1961).

grad, Formelzeichen für →**Grad**ient.

Grad [lat. gradus »Rang«, »Stufe«], **1)** *Geometrie:* Einheitenzeichen °, eine gesetzl. Einheit des ebenen Winkels (früher auch **Alt-G.** gen.), definiert als der 90ste Teil des rechten Winkels oder durch $1° = (\pi/180)$ rad (→Radiant).

2) *graf. Technik:* →Schriftgrad.

3) *Karthographie:* Längen- und Breitengrad (→Gradnetz, →Gradmessung).

4) *Mathematik:* die höchste Potenz, in der eine Variable in einer Gleichung bzw. in einem Polynom auftritt.

5) *Physik:* →Grad Celsius, →Grad Fahrenheit, →Grad Reaumur, auch →Kelvin.

grad., Abk. für **grad**uiert, 1964–80 verliehener akadem. Grad, der in Verbindung mit einer näheren Bez. der Fachrichtung seit 1964 von Absolventen der staatlich anerkannten Ingenieurschulen bzw. der an ihrer Stelle 1968–80 eingerichteten FH oder Gesamthochschulen (bestimmte Studiengänge) erworben wurde. Heute durch den Diplomtitel abgelöst (→Diplom).

Gradabteilung, →Gradnetz.

Gradation [lat.] *die,* **1)** *allg.:* stufenweise Steigerung.

2) *Film-* und *Videotechnik:* Maß für die Wiedergabe von Helligkeitsabstufungen.

3) *Fotografie:* die Beziehung zw. Belichtung und der in der fotograf. Schicht erzielten Schwärzung (Kontrastwiedergabe).

Grad Celsius [nach A. →Celsius], Einheitenzeichen **°C,** gesetzl. Einheit der **Celsius-Temperatur** t (ϑ). Diese ist definiert durch: $t = T - T_0$ (T thermodynam. Temperatur und T_0 thermodynam. Temperatur des Eispunktes = 273,15 K). In der **Celsius-Skala** ist ein Grad als der 100ste Teil der Temperaturdifferenz zw. Eispunkt (0 °C) und Dampfpunkt (100 °C) festgelegt.

Grade, Hans, Flugzeugkonstrukteur und Flugpionier, *Köslin (heute Koszalin) 17. 5. 1879, †Borkheide (Landkr. Potsdam-Mittelmark) 22. 10. 1946; führte 1908 als erster Deutscher einen Motorflug mit einem selbst gebauten Dreidecker aus, baute 1909 den G.-Eindecker, errichtete 1910 eine Flugschule und die G.-Fliegerwerke.

Grad Fahrenheit [nach D. G. →Fahrenheit], Einheitenzeichen **°F,** angloamerikan. Einheit der **Fahrenheit-Temperatur.** In der **Fahrenheit-Skala** beträgt der Fundamentalabstand zw. Eispunkt und Dampfpunkt 180 °F; 1 °F ist der 180ste Teil der Temperaturdifferenz zw. Eispunkt (32 °F) und Dampfpunkt (212 °F). Zusammenhang zur Celsius-Temperatur: $n°F = (5/9)(n - 32)°C$.

Gradient [lat.] *der,* **1)** *Mathematik:* Zeichen **grad,** die einem Skalarfeld $\varphi(\boldsymbol{r})$ in jedem Punkt P (Ortsvektor $\boldsymbol{r}$) zugeordnete vektorielle Feldgröße, die senkrecht auf der Niveaufläche $\varphi(\boldsymbol{r})$ = const. steht und in Richtung des stärksten Wachstums von φ weist; speziell gilt in einem kartes. Koordinatensystem mit $\boldsymbol{i}, \boldsymbol{j}, \boldsymbol{k}$ als Einheitsvektoren in Richtung der x-, y-, z-Achse:

$$\operatorname{grad}\varphi(\boldsymbol{r}) = \frac{\partial\varphi}{\partial x}\boldsymbol{i} + \frac{\partial\varphi}{\partial y}\boldsymbol{j} + \frac{\partial\varphi}{\partial z}\boldsymbol{k}.$$

2) *Meereskunde:* Maß für die räuml. Veränderlichkeit von Temperatur, Salzgehalt und Druck. Der G. ruft den **G.-Strom** hervor, der durch Winddrift u.a. Einflüsse modifiziert werden kann.

3) *Meteorologie:* Maß für die Änderung einer atmosphär. Größe in horizontaler und/oder vertikaler Richtung.

4) *Verkehrstechnik:* Gefälle und Steigungen von Straßen, Eisenbahnengleisen, Wasserläufen.

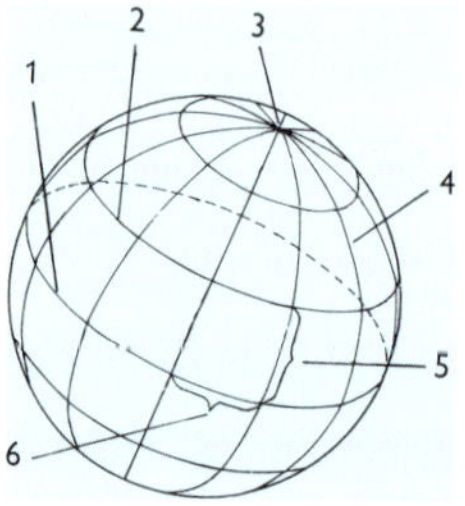

Gradnetz
der Erde; 1 Äquator, 2 ein Breitenkreis (Parallelkreis), 3 Nordpol, 4 ein Längenkreis, 5 geographische Breite (beliebig), 6 geographische Länge (beliebig)

Gradientenfaser, →Lichtleiter.

gradieren [lat.], verstärken, auf einen höheren Grad bringen, v.a. Salzsolen geringer Konzentration aus natürl. Salzvorkommen in Gradierwerken allmählich (»gradweise«) konzentrieren; gradweise abstufen; in Grade einteilen.

Gradisca d'Isonzo, Stadt in der Prov. Gorizia (Görz), Friaul-Julisch-Venetien, Italien, 6400 Ew. – Dom (16. Jh.), barocke Paläste und Bürgerhäuser. – G. wurde 1471–81 von den Venezianern als Festung gegen die Türken angelegt, kam 1521 an Österreich (1647–1717 selbstständige Grafschaft) und wurde 1754 mit →Görz zu einer gefürsteten Grafschaft vereinigt **(Görz und Gradisca).**

Graditz, Ortsteil von Torgau, Sachsen; bed. Vollblutgestüt (gegr. 1686).

Grad Kelvin, veraltet für →Kelvin.

Gradmann, Robert, Geograph und Botaniker, *Lauffen am Neckar 18. 7. 1865, †Sindelfingen 16. 9. 1950; förderte Pflanzen- und Kulturgeographie; schrieb eine grundlegende Länderkunde Süddeutschlands (2 Bde., 1931).

Gradmessung, klass. geodät. Methode zur Bestimmung der geometr. Parameter von Erdmodellen (Erdkugel, Erdellipsoid). Aus der Messung von Meridianbogenlängen (Breiten-G.) oder Parallelkreisbogenlängen (Längen-G.) und aus astronom. Ortsbestimmungen lassen sich der Erdradius oder beim Ellipsoid die große Halbachse und die Abplattung berechnen. Die erste G. wurde von Eratosthenes von Kyrene durchgeführt; die auf Triangulation beruhende G. begründete 1617 W. →Snellius.

Gradnetz, *Kartographie:* i.w.S. jedes die Oberfläche eines Planeten oder die Himmelskugel dem geograph. G. entsprechend unterteilendes Liniennetz; i.e.S. das **G. der Erde** (geograph. G.): das aus **Längenkreisen** (Meridianen) und **Breitenkreisen** (Parallelkreisen) gebildete Netz der als Kugel oder Rotationsellipsoid betrachteten Erdoberfläche. Die sich von Pol zu Pol erstreckenden Längenkreise dieses G. sind die Hälften von Großkreisen, die sich in beiden Polen schneiden; Nullmeridian ist der Meridian von Greenwich, von dem aus die **geograph. Längen** bis 180° nach O (östl. Länge, Abk. ö. L.) bzw. nach W (westl. Länge, w. L.) gezählt werden. Von den Breitenkreisen ist nur der Äquator ein Großkreis, während die parallel verlaufenden Breitenkreise polwärts immer kleiner werden; die **geograph. Breiten** werden vom Äquator aus bis 90° (Pol) nach N (nördl. Breite, n. Br.) bzw. nach S (südl. Breite, s. Br.) gezählt. Von Längen- und Breitenkreisen abgegrenzte Teile der Erdoberfläche werden als **Gradabteilungen** bezeichnet.

Grado, Stadt und Seebad in der Prov. Gorizia (Görz), Friaul-Julisch-Venetien, Italien, an der Adria, 9100 Ew.; Fischereihafen. – Baptisterium aus dem 5. Jh., ehem. Dom Sant' Eufemia (Mosaikfußböden), Basilika Santa Maria delle Grazie (6. Jh.). – G. war nach dem Langobardeneinfall Zufluchtsort des Patriarchen von Aquileja (568–607), danach Sitz eines eigenen Patriarchen (Neuaquileja), der seit dem 12. Jh. in Venedig residierte.

Grad Rankine [- 'ræŋkın; nach W. J. Rankine], Einheitenzeichen **°R** oder **°Rank,** angloamerikan. Einheit der **Rankine-Temperatur** (→Kelvin).

Grad Reaumur [- reo'myr; nach R. A. →Réaumur], Einheitenzeichen **°R,** veraltete, nicht gesetzl. Einheit der **Reaumur-Temperatur.** In der **Reaumur-Skala** beträgt der Fundamentalabstand zw. Eispunkt und Dampfpunkt 80 °R (Eispunkt 0 °R, Dampfpunkt 80 °R); die Zahl 80 leitet sich aus der Längenausdehnung des Alkohol-Wasser-Gemisches her, die Réaumur als Thermometerfüllung verwendete. 1 °R = $^5/_4$ °C.

Gradstock, der →Jakobsstab.

Graduale [mlat., zu lat. gradus »Rang, Stufe«] *das,* **1)** in der kath. Messe der Wechselgesang zw. Epistel und Evangelium.

2) seit dem 12. Jh. übl. Bez. für das liturg. Buch mit den Gesängen der Messe.

Gradualpsalmen, die →Stufenpsalmen.

Camille Graeser: Blau-Rot 3:1, 1/48 Blau bewegt (1976/78; Privatbesitz)

Graduiertenkolleg, seit 1986 eingerichtetes Doktorandenprogramm. Ausgewählte Doktoranden erhalten ein Promotionsstipendium, das u.a. durch Stiftungen finanziert wird, sowie intensive wiss. Förderung.

Gradus ad Parnassum [lat. »Stufen zum Parnass«, dem altgrch. Musensitz], ein grch. oder lat. Wörterbuch mit Angabe von Silbenlängen, synonymen Wörtern, passenden Beiwörtern, Versregeln u.Ä. als Anleitung zum Verfassen grch. oder lat. Verse.

Graecum [lat. »das Griechische«] *das,* Nachweis über Griechischkenntnisse nach entsprechender Prüfung an einem Gymnasium oder an einer Universität.

Graefe, Albrecht von, Augenarzt, *Berlin 22.5. 1828, †ebd. 20.7. 1870; Begründer der modernen Augenheilkunde, führte den Augenspiegel von H. L. F. Helmholtz in die Praxis ein, entwickelte u.a. eine operative Behandlung des grünen Stars.

Graeser, Camille Louis, schweizer. Innenarchitekt, Maler, Grafiker und Designer, *Carouge (Kt. Genf) 27.2. 1892, †Zürich 21.2. 1980; zählt zu den bedeutendsten Vertretern der konkreten Malerei in der Schweiz.

Graetz-Schaltung [nach dem Physiker Leo Graetz, *1856, †1941], zur Gleichrichtung von Wechselstrom verwendete Brückenschaltung, bei der vier Gleichrichter die Brücke bilden, an deren einem Diagonalzweig die Wechselstromquelle angeschlossen ist, während der andere Diagonalzweig den gleichgerichteten Strom führt.

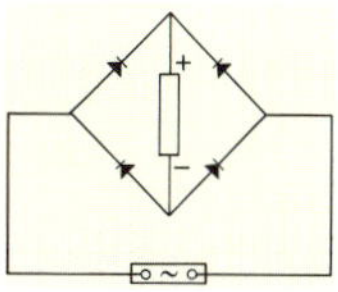

Graetz-Schaltung: Schaltbild

Graf [ahd. grafio, urspr. »königl. Beamter«] (mlat. Comes, frz. Comte, engl. Count), Adelstitel, urspr. im Fränk. Reich und bei den Angelsachsen der königl. Beamte an der Spitze des Heerbanns, der Rechtsprechung und Verwaltung einer **Grafschaft** (mlat. **Comitatus**); auch Beamter in einem bestimmten Sachbereich, z.B. Burg-, Pfalz-G.; später auch Bez. für genossenschaftl. Beauftragte (z.B. Deich-G.). Die merowingisch-frühkaroling. Grafschaftsverfassung wurde Vorbild für das gesamte Abendland. Im MA. wurden die Grafschaften zu erbl. Lehen umgebildet. Die gräfl. hohe Gerichtsbarkeit war im Hl. Röm. Reich Kern der späteren Landesherrschaften.

Graf, 1) Ferdinand, österr. Politiker, *Klagenfurt 15.6. 1907, †Wien 8.9. 1969; Jurist, 1938–40 im KZ; Mitgl. der ÖVP, baute als Min. für Landesverteidigung (1956–61) das österr. Bundesheer auf.

2) Oskar Maria, österr. Schriftsteller, *Berg (Kr. Starnberg) 22.7. 1894, †New York 28.6. 1967; gehörte zur Münchener Gruppe um K. Eisner, emigrierte 1933 nach Wien (Protestbrief »Verbrennt mich!«) und lebte seit 1938 in den USA; den frühen Gedichten »Die Revolutionäre« (1918) folgten das viel beachtete autobiograph. Zeitdokument »Wir sind Gefangene« (1927) und sozialkrit. Novellen und Romane (»Die Chronik von Flechting«, R., 1925; »Das bayer. Dekameron«, Erz., 1928; »Die Heimsuchung«, R., 1928; »Bolwieser«, R., 1931, 1964 u.d.T. »Die Ehe des Herrn Bolwieser«; »Der Abgrund«, R., 1936; »Der große Bauernspiegel«, Erz., 1962). G.s Erzählweise ist volkstümlich-realistisch, mitunter derb-humorvoll; zu seinem eigentl. Stoff fand er in Dorf- und Kleinstadtromanen, die die gesellschaftl. Realität in ihrer Rückständigkeit schildern. In den letzten Jahren des 2. Weltkrieges entstand der utop. Roman »Die Eroberung der Welt«, 1949, 1959 u.d.T. »Die Erben des Untergangs«.

Oskar Maria Graf

Oskar Maria Graf: Schattenriß (1929)

3) Stefanie (Steffi) Maria, Tennisspielerin, *Mannheim 14.6. 1969; gewann 1986 ihr erstes Grand-Prix-Turnier, 1987 bis März 1997 Weltranglistenerste; 1988 erreichte sie als dritte Spielerin in der Gesch. des Frauentennis den Grandslam, und im selben Jahr errang sie bei den Olymp. Spielen in Seoul eine Gold- (Einzel) und eine Bronzemedaille (Doppel). 1988–96 (außer 1990 und 1994) gewann sie das Dameneinzel in Wimbledon.

Steffi Graf

4) Urs, schweizer. Goldschmied, Maler, Zeichner und Kupferstecher, *Solothurn um 1485, †Basel 1527/28; schuf v.a. derbdrast. Federzeichnun-

Urs Graf: »Die Enthauptung der heiligen Barbara«, Federzeichnung (undatiert; Basel, Kunstmuseum)

gen, Kupferstiche und Holzschnitte aus dem Landsknechtsleben.

Grafenau, Stadt im Landkr. Freyung-Grafenau, Bayern, 9 000 Ew.; Luftkurort; Sitz des Nationalparkamts Bayerischer Wald; elektrotechn. Ind., Holzverarbeitung. – Stadtrecht seit 1376.

Grafenfehde, Krieg zw. Lübeck und Dänemark (1533–36), ben. nach den Grafen Christoph von Oldenburg und Johann von Hoya, die im Bund mit der Stadt Lübeck unter dem Bürgermeister J. Wullenwever den 1523 gestürzten König Christian II. wieder auf den dän. Thron heben wollten; mit schwed. Hilfe siegte 1536 jedoch der vom dän. Adel gewählte König Christian III. Lübeck verlor die Ostseeherrschaft, Norwegen, das Christian II. unterstützt hatte, seine Selbstständigkeit.

Gräfenhainichen, Stadt im Landkr. Wittenberg, am Rand der Dübener Heide, Sa.-Anh., 9 400 Ew.; Stahl- und Anlagenbau. – Im 12. Jh. entstanden, 1547 zu Meißen, 1815 zu Preußen; bis 1994 Kreisstadt.

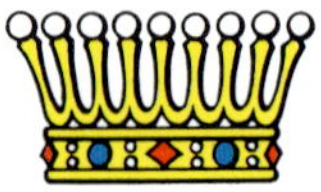

Grafenkrone

Grafenkrone, *Heraldik:* die Rangkrone der Grafen, besteht aus neun jeweils mit einer Perle verzierten Zacken (bei der G. für die reichsunmittelbaren, 1806 mediatisierten Grafen aus fünf Blättern mit einer Perle in den Zwischenräumen).

Grafenrheinfeld, Gemeinde im Landkreis Schweinfurt, Bayern, 3 300 Ew.; seit 1982 Kernkraftwerk (1275 MW).

Grafenwöhr, Stadt im Landkr. Neustadt a. d. Waldnaab, Bayern, 6 900 Ew.; Truppenübungsplatz. – Seit 1361 Stadt.

Graff, Anton, schweizer. Maler, *Winterthur 18. 11. 1736, †Dresden 22. 6. 1813; seit 1766 Hofmaler in Dresden; porträtierte neben Vertretern des Adels auch zahlreiche Persönlichkeiten des dt. Geisteslebens (G. E. Lessing, F. Schiller, C. F. Gellert, J. G. Herder).

Graffi, Arnold Martin, Pathologe, *Bistritz 19. 6. 1910; Prof. in Berlin; begründete die zytoplasmat. Mutationstheorie der Krebsentstehung; entdeckte eine Reihe von Viren, die bei bestimmten Tieren Krebs erregen, und die Übertragbarkeit der Virulenz von Tumorviren durch Nucleinsäuren.

Graffiti [italien.], 1) Bez. für Kratzputz (→Sgraffito); 2) auf Felsen, Mauern oder Wandflächen eingeritzte oder aufgekritzelte Texte und Zeichnungen, an Hauswänden oder in öffentl. Toiletten schon seit der Antike bekannt. Seit den 1970er-Jahren erschienen G., an Bussen und U-Bahnen mithilfe von aufgesprühten Farbmitteln angebracht, zunehmend als Ausdruck polit. Protests. In dieser Funktion erhielten sie auch in Europa zunehmende Bedeutung und wurden durch den als Sprayer von Zürich bekannt gewordenen Harald Naegeli (*1940) ab 1977 als künstler. Ausdrucksmöglichkeit zur Diskussion gestellt. Eine **Graffiti-Art** als neue Kunstrichtung konnte sich jedoch erst in den 80er-Jahren mit K. Haring und Jean-Michel Basquiat (*1960, †1988) etablieren.

📖 *G. Kunst auf Mauern, bearb. v.* K. D. APPUHN. *Dortmund* [5]*1988.* – SUTER, B.: *G. Rebellion der Zeichen. Frankfurt am Main* [3]*1994.*

Grafik [grch.] *die,* Teilgebiet der bildenden Kunst. Sie umfasst in erster Linie Druck-G. (→Holzschnitt, →Kupferstich, →Lithographie, →Originalgrafik), aber auch Handzeichnungen (→Zeichnung) werden ihr zugerechnet. Von der zweckfreien künstler. G. wird die Gebrauchs-G.

Graffiti: Graffito von Harald Naegeli (1981; Zürich)

(→Grafikdesign) abgesondert. – Eine techn. Sonderstellung nehmen die →Computergrafik und die →Computerkunst ein.

Grafikdesign [-dızaın, engl.] (Gebrauchsgrafik), graf. Arbeitsgebiete, die mithilfe von Schrift, Farbe und Form gezielte, von einem Auftraggeber vorgegebene Informationen in eine Bildsprache übersetzen. Verwendet werden fertige Schriften, Fotografien, chem. Verfahren, Elektronik und Laserlicht. Die **Werbegrafik** mit ihren Auftraggebern aus Handel, Industrie, Presse, Film und Fernsehen umfasst als größtes aller Gebiete Warenzeichen, Signets, Plakate, Anzeigen, Prospekte, Kataloge, Warenpackungen, Schallplattenhüllen sowie Entwürfe für Schaufenster, Messestände, Ausstellungsbauten, Lichtreklamen u.a. Die **bewegte Grafik** (Zeichentrickfilm, Computergrafik) wird v.a. im Fernsehen eingesetzt. Weitere Zweige des G. sind **Buchgrafik** (Bucheinbände, Schutzumschläge, Exlibris), **Gelegenheitsgrafik** (Einladungskarten, Kalender, Festprogramme, Glückwünsche u.a.), **amtl. Druckgrafik** (Wappen, Siegel, Geldscheine, Postwertzeichen u.a.).

Grafing b. München, Stadt im Landkr. Ebersberg, Oberbayern, 11700 Ew.; chemisch-pharmazeutisches Forschungsinstitut; Brauereigewerbe. – Ulrichskapelle (1780) mit Deckenfresko »Schlacht auf dem Lechfeld«. – 1270 erstmals als Markt erwähnt; seit 1953 Stadt.

grafische Benutzeroberfläche, *Datenverarbeitung:* Bez. für eine Art der Benutzerführung, bei der mit graf. Symbolen und einem Zeigeinstrument (z.B. Computermaus, Trackball) als Bedienungsgerät gearbeitet wird. Die Bedienung erfolgt durch die Manipulation (Anklicken) der graf. Objekte.

grafische Darstellung, →Diagramm.

grafische Datenverarbeitung, die →Computergrafik.

grafisches Gewerbe (Druckindustrie), Industriezweig, der Verfahren und Methoden zur Herstellung von Druckprodukten aller Art, einschl. der buchbinder. Weiterverarbeitung, anwendet. Durch die Einführung neuer Produktionstechniken (Foto- und Computersatz, Textverarbeitung) hat das g. G. einen bed. Strukturwandel erfahren.

grafische Technik, die Gesamtheit aller Verfahren und verwendeten Gegenstände und Anlagen des graf. Gewerbes, umfasst die Satztechnik, Reproduktionstechnik, Herstellung von Druckformen, Druckverfahren, Buchbinderei; heute zunehmend digitalisiert.

Grafschaft, der Amtsbezirk eines →Grafen.

Grafschaft Bentheim, Landkreis im RegBez. Weser-Ems, Ndsachs., 981 km², (1996) 126200 Ew.; Verw.sitz: Nordhorn.

Graham ['greıəm], **1)** Billy, eigtl. William Franklin G., amerikan. baptist. Erweckungsprediger, *Charlotte (N. C.) 7. 11. 1918; veranstaltet seit 1946 Predigtreisen in den USA und in Europa, 1992 erstmals in Russland; wegen seiner biblisch-elementaren (in den Augen seiner Kritiker »fundamentalist.«) Predigtweise bekam er den Beinamen »Maschinengewehr Gottes«.

2) Martha, amerikan. Tänzerin, Choreographin und Tanzpädagogin, *Pittsburgh (Pa.) 11. 5. 1894, †New York 1. 4. 1991; gründete 1929 eine eigene Kompanie, für die sie etwa 150 Werke schuf. Sie gilt als Hauptvertreterin des amerikan. →Moderndance.

Martha Graham

3) Thomas, brit. Chemiker, *Glasgow 21. 12. 1805, †London 16. 9. 1869; Prof. in Glasgow und London; arbeitete v.a. auf dem Gebiet der anorgan. und physikal. Chemie, Begründer der Kolloidchemie.

Thomas Graham

Grahambrot, ein nach Vorschrift des amerikan. Arztes Sylvester Graham (*1794, †1851) urspr. aus Weizenschrot ohne Gärung, heute mit Triebmittel und Salz hergestelltes Brot.

Grahamland ['greıəm-], früherer Name der →Antarktischen Halbinsel.

Grahamstown ['greıəmztaʊn], Stadt in der Prov. Ost-Kap, Rep. Südafrika, 540 m ü.M., 55000 Ew.; anglikan. Bischofssitz; Univ. (seit 1951, 1904 als College gegr.); Museen. – G. wurde 1812 als brit. Stützpunkt gegen die Xhosa gegründet. 1974 entstand zum Gedenken an die Ankunft der brit. Siedler von 1820 das Settlers National Monument (Theater und Konferenzzentrum; jährl. National Festival of Arts, größtes kulturelles Ereignis im südl. Afrika).

Grain [greın; engl., von lat. granum »Korn«] *der,* Einheitenzeichen **gr,** in Großbritannien und den USA übl. Gewichts- und Masseeinheit: 1 gr = $^1/_{7000}$ Pound = 64,7989 mg.

Grajische Alpen (frz. Alpes Grées, italien. Alpi Graie), Teil der Westalpen, in Italien und Frankreich, zw. Dora Baltea (Aostatal) und Dora Riparia, im Gran Paradiso 4061 m ü.M.

Gral [von altfrz. graal, greal] *der,* in der mittelalterl. Dichtung ein geheimnisvoller, unterschiedlich beschriebener heiliger Gegenstand, der seinem Besitzer ird. und himml. Glück verleiht, den aber nur der Reine finden kann. Der Ursprung des G.-Mythos ist unbekannt, bereits in der ältesten literar. Bearbeitung (Chrétien de Troyes, »Perceval«, unvollendet, 1181–88) ist er mit dem Sagenkreis um König Artus verbunden. Bei Chrétien ist der G. ein Kelch, bei Robert de Boron (»Die Gesch. des Hl. Gral«, um 1180) Christi Abendmahlsschüssel, in der Joseph von Arimathaia Christi Blut bei der Grablegung auffing. In Wolframs von Eschenbach »Parzival« (um 1210) ist der

G. ein Stein mit wunderbaren Kräften, aufbewahrt auf der Burg Munsalvaesche, die nur von Auserwählten gefunden wird. Ein besonderer Ritterorden dient ihm. Weitere dt. Fassungen sind »Die Krone« des Heinrich von dem Türlin (um 1220), der »Jüngere Titurel« des Dichters Albrecht von Scharfenberg (um 1270) u.a.; Opern zur Gralsthematik »Lohengrin« (1850) und »Parsifal« (1882) von Richard Wagner.

📖 LAMPO, H. *u.* KOSTER, P. P.: *Artus u. der G. A.d. Niederländ. Lizenzausg. Wiesbaden 1993.* – GODWIN, M.: *Der heilige G. A.d. Engl. Neuausg. München 1996.*

Gral: Drei Ritter der Artusrunde finden den Gral, französische Handschrift (1286; Bonn, Universitätsbibliothek)

Gralsbewegung, von Oskar Ernst Bernhardt (*1875, †1941) gegr. religiöse Gemeinschaft, nach deren Lehre Abd-ru-shin (unübersetzbare Selbstbez. Bernhardts) wie Christus eine Gottesinkarnation ist; verkündet die Gralsbotschaft, eine Offenbarungslehre, basierend auf einem myth. gefassten System des Kosmos; in Dtl. rd. 3000 Mitglieder.

Gramfärbung [nach dem dän. Pathologen H.C. Gram, *1853, †1938], wichtige diagnost. Färbung in der Bakteriologie. Das Färbeverfahren unterteilt die Bakterien aufgrund eines unterschiedl. Zellwandaufbaus in grampositiv (dunkelblau), z.B. Staphylokokken, Streptokokken, und gramnegativ (rot), z.B. Gonokokken, Meningokokken, Salmonellen.

Gramm [grch. grámma »Gewicht von $^1/_{24}$ Unze«, eigtl. »Geschriebenes«], Einheitenzeichen **g**, gesetzl. Einheit der Masse, 1 g = 0,001 kg (→Kilogramm). Früher eine der drei Basiseinheiten des CGS-Systems (→Maßsystem).

Grammarschool ['græmə sku:l], in Großbritannien und Nordirland auf die Univ. vorbereitende Schule, in der bes. klassische Studien einen wichtigen Platz einnehmen; als öffentl. Schule nur noch in Nordirland.

Grammatik [zu grch. grámma »Buchstabe«] *die* (Sprachlehre), Teildisziplin der Sprachwiss., die sich mit den sprachl. Formen und deren Funktion im Satz, mit den Gesetzmäßigkeiten und dem Bau einer Sprache beschäftigt; auch Bez. für die Ergebnisse der G.-Forschung in Form eines Buches oder einer wiss. Darstellung sowie Bez. für die Gesamtheit der Regeln einer Sprache (auch von nichtnatürl. Sprachen). Meist wird die G. eingeteilt in Phonetik (Lautlehre), Morphologie (Formen- und Wortbildungslehre) und Syntax (Satzlehre). Je nach Forschungsziel gibt es unterschiedl. G.-Typen: So beschreibt etwa die **histor. G.** eine Sprache in ihrer geschichtl. Entwicklung und Veränderung; die **deskriptive G.** stellt eine Sprache in dem Zustand dar, in dem sie zu einem bestimmten Zeitpunkt gesprochen wird (→Diachronie, →Synchronie); eine **normative G.** stellt Regeln für den richtigen Sprachgebrauch auf; in der **vergleichenden G.** werden zwei oder mehr Sprachen miteinander verglichen. – Neben der traditionellen G. gibt es u.a. folgende G.-Arten: →Dependenzgrammatik, inhaltsbezogene G. (Sprachinhaltsforschung), →generative Grammatik, Stratifikationsgrammatik.

Geschichte: Die Wiss. der G. entstand im 6./5. Jh. v. Chr. in Indien und im 5. Jh. v. Chr. in Griechenland (→Philologie), wobei sich diese Entwicklungen unabhängig voneinander vollzogen. Das älteste erhaltene Werk ist die »Techné grammatiké« des Dionysios Thrax (um 100 v. Chr.). Die grch. G. schuf die Grundlage für die grammat. Fachsprache, die in lat. Übers. heute noch gebraucht wird. – MA. und Neuzeit wurden durch die beschreibende G. des Donatus (»Ars grammatica«, 4. Jh. n. Chr.) beeinflusst. Die vergleichende G. wurde von dem Dänen R. Rask (1814) und dem Deutschen F. Bopp (1816) geschaffen, die histor. G. von J. Grimm (1819). An W. von Humboldt knüpft in neuerer Zeit L. Weisgerbers inhaltsbezogene G. an. Einen neuartigen Ansatz brachte die strukturalistische Sprachbetrachtung (→Strukturalismus).

📖 DAUSES, A.: *Grundbegriffe der G. Methoden u. Prinzipien der grammatikal. Beschreibung in Synchronie u. Diachronie. Stuttgart 1985.*

grammatischer Wechsel, vernersches Gesetz (→Verner).

Grammatom, →Mol.

Grammmolekül, →Mol.

Grammophon® [grch.] *das,* in den 1920er- und 1930er-Jahren allg. übliche Bez. für →Plattenspieler.

Grampians ['græmpjənz] (The G., Grampian Mountains), das schott. Bergland zw. dem Kaledon. Kanal im N und dem zentralschott. Flachland im S, im Ben Nevis 1343 m ü. M.; größtenteils von Heide und Moor bedeckt; Naturschutzgebiete; Fremdenverkehr mit Wintersport.

Grạmsci [-ʃi], Antonio, italien. Politiker, *Ales (Prov. Cagliari) 23. 1. 1891, †Rom 27. 4. 1937; beteiligte sich 1921 an der Gründung der italien. KP. Seit Jan. 1926 deren Gen.-Sekr., trat er für ein polit. Bündnis mit den bürgerl. Gegnern des Faschismus ein. Im Nov. 1926 wurde er verhaftet und im Juni 1928 zu 20 Jahren Gefängnis verurteilt. Seine in der Haft entstandenen politisch-philosoph. und kulturkrit. Schriften (dt. Auswahl »Philosophie der Praxis«, 1967) übten auf die geistige Atmosphäre im Nachkriegsitalien einen tiefen Einfluss aus.

Grạn, 1) *die* (slowak. Hron, ungar. Garam), Nebenfluss der Donau in der Slowakei, 284 km lang, entspringt in der Niederen Tatra und mündet unterhalb von Esztergom, Ungarn.

2) Stadt in Ungarn, →Esztergom.

Grạn (de G., G. della Torre), Daniel, österr. Maler, getauft Wien 22. 5. 1694, †Sankt Pölten 16. 4. 1757; einer der bedeutendsten Repräsentanten der barocken Freskenmalerei in Österreich.

Grạn [lat. granum »Korn«] (Grän), alte dt. Masseneinheit; als Apothekergewicht zw. 60,9 und 72,9 mg; als Edelmetall- und Juwelengewicht $^1/_{12}$ Karat bei Gold (= 16,66 mg) und $^1/_4$ Karat bei Edelsteinen und Perlen (etwa 50 mg).

Granạda [span. gra'naða], **1)** Provinz in Andalusien, 12 647 km², (1991) 790 500 Einwohner.

2) Hptst. der span. Provinz G., im Andalus. Bergland, am Zusammenfluss von Genil und Darro, 670 m ü. M., 268 700 Ew.; Erzbischofssitz; Univ. (1532 neu gegr.); Festspiele; Nahrungsmittel-, Textil-, Metall-, Maschinen-, keram. Industrie. – Bed. Bauwerke sind außer der →Alhambra die von der UNESCO ebenfalls zum Weltkulturerbe erklärte maur. Sommerresidenz Palacio del Generalife (Anfang 14. Jh.) und die Kathedrale Santa María de la Encarnación (1523 begonnen, zur bedeutendsten Renaissancekirche Spaniens ausgebaut). – G., eine iber. Gründung (Eilbyrge, röm. Illiberis, westgot. Elvira), wurde 711 von den Mauren erobert und erlebte als Hptst. eines selbstständigen maur. Königreichs seit 1238 seine Blütezeit. Mit der Einnahme G.s 1492 endete die Maurenherrschaft in Spanien.

3) Provinz-Hptst. in Nicaragua am Nicaraguasee, 88 600 Ew.; Bischofssitz; Textil-, Nahrungsmittelindustrie. – Gegr. 1523 von dem span. Eroberer F. Hernández de Córdoba.

Granados y Campiña [gra'naðɔs i kam'piɲa], Enrique, span. Komponist und Pianist, *Lérida (heute Lleida) 27. 7. 1867, †(Schiffstorpedierung) im Ärmelkanal 24. 3. 1916; bed. Vertreter der neueren nationalspan. Musik; schrieb u. a. Opern (»Goyescas«, 1916), Zarzuelas, Orchester-, Kammer- und Klaviermusik.

Granada 2): Der Innenhof des Palacio del Generalife (Anfang 14. Jh.)

Granạt [von lat. (lapis) granatus »gekörnter Edelstein«] *der,* **1)** Gruppe sehr verbreiteter gesteinsbildender Minerale der Zusammensetzung $M^{II}_3M^{III}_2[SiO_4]_3$ (M^{II} = Mg, Fe^{II}, Mn, Ca; M^{III} = Al, Fe^{III}, Cr), typ. Inselsilikate; farblos oder vielfarbig (nie blau), Härte nach Mohs 6,5–7,5, Dichte 3,5 und 4,2 g/cm³; Kristalle meist körnig-rundlich (kubisch), oft einzeln, auch als derbe bis dichte Massen. Vorkommen v. a. in metamorphen Schiefern (Glimmerschiefer) und vielfach in kalkig-dolomit. Kontaktgesteinen; sehr häufig in Seifen und Sanden angereichert. – Wegen stark wechselnder chem. Zusammensetzung und z. T. guter Mischbarkeit gibt es viele Varietäten, die wichtigsten sind **Pyrop** ($Mg_3Al_2[SiO_4]_3$, dunkelrot, **böhmischer G., Kaprubin**), **Almandin** ($Fe_3Al_2[SiO_4]_3$, rot bis braunrot, **gemeiner G.**), **Spessartin** ($Mn_3Al_2[SiO_4]_3$, orangegelb bis rot), **Grossular** ($Ca_3Al_2[SiO_4]_3$, v. a. blassgrün; Abart roter bis brauner **Hessonit**), **Uwarowit** ($Ca_3Cr_2[SiO_4]_3$, smaragdgrün), **Andradit** ($Ca_3Fe_2[SiO_4]_3$, gelbgrünlich; mit Abarten, v. a. **Schorlomit** und **Melanit,** beide schwarz, und dem durchsichtig grünen **Demantoid** und **Topazolith** mit Schmucksteinqualität).

2) svw. Nordseegarnele, →Garnelen.

Granạtapfelbaum (Granatbaum, Punica), einzige Gattung der **Granatapfelgewächse** (Punicaceae) mit zwei Arten, von denen der **Granatbaum** (G. i. e. S., Punica granatum), urspr. verbreitet von

Granada 2)
Stadtwappen

SO-Europa bis zum Himalaja, heute in den Subtropen der ganzen Welt kultiviert wird; bis 1,5 m hoher Strauch oder bis 10 m hoher Baum mit korallenroten (»granatroten«) Blüten; die Frucht (**Granatapfel,** Punischer Apfel) ist eine Scheinbeere, apfelähnlich, 1,5–12 cm breit; das Samenfleisch wird als Obst sowie zur Herstellung von Sirup **(Grenadine)** verwendet.

Granatapfelbaum: Früchte des Granatbaums

Granate [von italien. granata »Granatapfel«], urspr. mit Pulver gefüllte Kugel, die als Hand-G. von den Grenadieren geworfen wurde; seit dem 17. Jh. bezeichnet der Begriff G. die von Geschützen und Mörsern verfeuerten Geschosse.

Granatwerfer, Steilfeuerwaffe der Infanterie, heute oft auch als »Mörser« bezeichnet.

Gran Canaria, drittgrößte der Kanar. Inseln, 1532 km², 680 000 Ew.; Hptst. Las Palmas de G. C.; bed. Fremdenverkehr. Die Insel ist ein erloschener, im Pico de las Nieves 1980 m hoher Schildvulkan. Ausgedehnte Pflanzungen (Bewässerung), bes. an der N- und O-Küste: Bananen, Tomaten, Zitrusfrüchte, Getreide, Tabak; internat. Flughafen.

Grandson: Das im 13./14. Jh. mit fünf Rundtürmen erbaute Schloss am Neuenburger See

Gran Chaco [-ˈtʃako] *der,* Großlandschaft im zentralen Südamerika, eine große Ebene (rd. 800 000 km²), 100–400 m ü. M., zw. Paraguay/Paraná und den Anden; zu Argentinien, Bolivien und Paraguay gehörend. Größtenteils subtrop. Klima mit sommerl. Starkregen (Überschwemmungen); Hauptflüsse sind Río Pilcomayo und Río Bermejo. Die Parklandschaft im O geht nach N und W in Trockenwald und Dornbuschsavanne über. Der G. C. ist dünn besiedelt (**Chacoindianer,** heute meist Landarbeiter, früher Nomaden; Guaraní; auch europ. Kolonisten, u. a. Mennoniten); Gewinnung von Quebracho, Rinderhaltung, in den Randgebieten Baumwollanbau, im bolivian. Teil Erdölförderung.

Grand [grãː; frz. grand »groß«] *der,* Großspiel beim Skat, Whist und Doppelkopf.

Grand Canal d'Alsace [grãkanaldalˈzas], der → Rheinseitenkanal.

Grand Canyon [ˈgrænd ˈkænjən], eine der Schluchten, die der Colorado River in das Coloradoplateau, USA, geschnitten hat; rd. 350 km lang, bis 1800 m tief, 6–29 km breit, z. T. als **G. C. National Park** (in NW-Arizona, 4934 km², eingerichtet 1908 und 1919; UNESCO-Welterbe) unter Naturschutz. Die im G. C. aufgeschlossene Gesteinsfolge reicht vom Präkambrium bis zum Perm.

Grand Coulee Dam [ˈgrænd ˈkuːlɪ ˈdæm], Staudamm am mittleren Columbia River, im Staat Washington, USA, 168 m hoch, 1272 m lang, erbaut 1933–42; staut den Franklin-Delano-Roosevelt-See auf (11,8 Mrd. m³), der der Bewässerung, dem Hochwasserschutz und der Energiegewinnung (Kraftwerk 6494 MW) dient.

Grande [span. »groß«] *der,* erbl. Titel des höchsten span. Adels.

Grande Chartreuse [grãdʃarˈtrøːz], Gruppe der frz. Kalkalpen, zw. Chambéry im N und Grenoble im S; im O vom Isèretal begrenzt, bis 2087 m ü. M. (Chamechaude); in 997 m ü. M. das Stammkloster der → Kartäuser.

Grandeln (Granen, Gränen, Haken), *Jägersprache:* die beiden Eckzähne im Oberkiefer des Rotwildes; selten bei Reh- und Damwild.

Grande Nation [grãdnaˈsjɔ̃; frz. »Große Nation«], zuerst 1797 von Napoléon Bonaparte gebrauchte Bezeichnung für Frankreich.

Grande-Rivière [grãdriˈvjɛːr] (engl. Fort George River), Fluss in der Prov. Quebec, Kanada, 893 km lang, entspringt im Zentrum der Halbinsel Labrador, mündet in die James Bay der Hudsonbai; reich an Stromschnellen; Nutzung durch neun Kraftwerke (zus. 15 700 MW).

Grand Guignol [grãgiˈɲɔl], → Guignol.

Grandi, Dino, Graf (seit 1937), italien. Politiker, *Mordano (Prov. Bologna) 4. 6. 1895, †Bologna

Grand Canyon: In die horizontalen Schichten des Coloradoplateaus hat sich der Colorado tief eingeschnitten

21. 5. 1988; war 1929–32 Außenmin., 1932–39 Botschafter in London und 1939–43 Justizmin. In der Sitzung des Faschist. Großrates vom 25. 7. 1943 führte er den Sturz Mussolinis herbei.

Grand National Steeplechase ['grænd 'næʃnl 'sti:pltʃeɪs], *Pferdesport:* schwerstes Hindernisrennen der Welt, ausgetragen in Aintree bei Liverpool.

Grand Prix [grã'pri:, frz.] *der,* Großer Preis, bes. im Motor- und Pferdesport.

Grand Rapids ['grænd 'ræpɪdz], Stadt in Michigan, USA, an den Fällen des Grand River, 189 100 Ew.; kath. Bischofssitz; Holz-, Möbelindustrie.

Grandslam [grænd'slæm; engl., eigtl. »das Einheimsen aller Stiche« (beim Bridge und ähnl. Kartenspielen)] *der,* in bestimmten Sportarten Sieg eines Spielers in feststehenden Turnieren innerhalb eines Jahres; im *Golf:* Masters-Turnier, offene Meisterschaften der USA und Großbritanniens sowie das Turnier der Professional Golf Association; im *Tennis:* offene Meisterschaften von Australien (Melbourne), Frankreich (Paris), England (Wimbledon) und den USA (Flushing Meadow).

Grandson [grã'sɔ̃], Bezirkshauptort im Kt. Waadt, Schweiz, am Neuenburger See, 436 m ü.M., 2 300 Ew.; roman. Kirche (1146 ff.); Schloss (13. Jh.), eine große Wehranlage, mit Waffensammlung und Automobilmuseum. – Gegr. um 1200. – Bei G. besiegten die Eidgenossen am 2. 3. 1476 das Heer Karls des Kühnen.

Grandville [grã'vil], eigtl. Jean Ignace Isidore Gérard, frz. Karikaturist und Zeichner, *Nancy 15. 9. 1803, †Vanves (Dép. Hauts-de-Seine) 17. 3. 1847; wurde v.a. bekannt mit polit. und sozialen Karikaturen (»Aus dem Staats- und Familienleben der Tiere«, 2 Bde., 1842), ebenso bed. als Buchillustrator (u.a. J. de La Fontaine, J. Swift, D. Defoe).

Granger ['greɪndʒə], Stewart, eigtl. James L. Stewart, engl. Filmschauspieler, *London 6. 5. 1913, †Santa Monica (Calif.) 16. 8. 1991; spielte zunächst Liebhaberrollen, dann v.a. in amerikan. Abenteuerfilmen.

Stewart Granger

Grängesberg [grɛŋəs'bærj], Ort in Mittelschweden, 5 600 Ew.; bed. Eisenerzabbau.

Granikos *der,* antiker Name des Flusses Kocabaş çayı (108 km lang) in NW-Anatolien, der in den Golf von Erdek ins Marmarameer mündet; am G. siegte Alexander d. Gr. 334 v. Chr. über die Perser.

Granin, Daniil Alexandrowitsch, eigtl. D. A. German, russ. Schriftsteller, *Wolyn (Gebiet Kursk) 1. 1. 1919; Ingenieur, behandelt in Romanen und Erzählungen häufig Themen aus dem Leben

Grandville: »Aus dem Staats- und Familienleben der Tiere« (1842)

und der Arbeit von Wissenschaftlern und Technikern (»Bahnbrecher«, R., 1955; »Zähmung des Himmels«, R., 1962; »Der Platz für das Denkmal«, Erz., 1969; »Das Gemälde«, R., 1980; »Das Blockadebuch«, mit A. M. Adamowitsch, 1979; »Sie nannten ihn Ur«, R., 1987; »Unser werter Roman Awdejewitsch«, R., 1990).

Gransee: Das Ruppiner Tor aus der 1. Hälfte des 15. Jahrhunderts

Granit [italien., zu lat. granum »Korn«] *der,* weitest verbreitete Gruppe der Tiefengesteine. Mineralbestand: v. a. Feldspat, Quarz und meist dunkle Minerale wie Glimmer, Hornblende, Pyroxen; mittel- bis grobkörnig, meist massig. Die wichtigsten Ganggesteine granit. Schmelzen sind Apatit, G.-Porphyr und Pegmatit. Verwendet wird G. zu Rand- und Pflastersteinen, poliert u. a. zu Fassadenverkleidungen.

Cary Grant

Granit, Ragnar Arthur, finnisch-schwed. Physiologe, *Helsinki 30. 10. 1900, †Stockholm 12. 3. 1991; ab 1946 am Karolinska-Institut in Stockholm, untersuchte die mit dem Sehvorgang verbundenen physiologisch-chem. Vorgänge und erhielt dafür 1967 mit H. K. Hartline und G. Wald den Nobelpreis für Physiologie oder Medizin.

Ulysses S. Grant (zeitgenössischer Holzstich)

Granitisation (Granitisierung), Bildung granit. Gesteine durch Umwandlung vorhandener Gesteinsmassen: durch Alkalimetasomatose (→Metasomatose) oder durch →Palingenese und erneute Auskristallisation, selten durch Kristallisationsdifferenziation.

Granne, Borste an Blättchen (Spelzen) der Grasblüten, z. B. bei Gerste, Roggen.

Grannenhaare (Haupthaare, Stichelhaare, Konturhaare), zum Deckhaar zählende, über die Wollhaare hinausragende, steife, unterhalb ihrer Spitze verdickte Haare des Fells von Säugetieren.

Grannenhafer (Trisetum), Grasgattung mit knieförmigen Grannen an den Ährchen; der **Goldhafer** (Trisetum flavescens) mit grünen, später goldgelben Ährchen wächst häufig auf Gebirgswiesen.

Granodiorit, klein- bis grobkörniges saures (kieselsäurereiches) Tiefengestein mit den Hauptbestandteilen Feldspat (bes. Plagioklas), Quarz, Hornblende und Biotit; etwas dunkler als Granit.

Gran Paradiso, Gipfel der Gran-Paradiso-Gruppe in den Grajischen Alpen, Italien, 4061 m ü. M.; Nationalpark G. P. 600 km², davon 40 km² vergletschert.

Gran Sasso d'Italia, Bergstock in den Abruzzen, Italien; der Corno Grande (2912 m ü. M.) ist die höchste Erhebung der Apenninenhalbinsel, mit dem einzigen Apenninengletscher (0,06 km²).

Gransee, Stadt im Landkreis Oberhavel, Brandenburg, am gleichnamigen märk. See, 4900 Ew.; Ziegelei. – Gut erhaltene Stadtmauer (u. a. Ruppiner Tor und Pulverturm, 1. Hälfte des 15. Jh.), Pfarrkirche St. Marien (14.–16. Jh.), Reste des ehem. Franziskanerklosters (um 1300); Spitalkapelle St. Spiritus (14. Jh.). – Das vor 1250 gegr. G. erhielt 1262 Stadtrecht; war bis 1993 Kreisstadt.

Grant [grænt], **1)** Cary, eigtl. Archibald Alexander Leach, amerikan. Filmschauspieler brit. Herkunft, *Bristol 18. 1. 1904, †Davenport (Io.) 29. 11. 1986; wurde bekannt u. a. durch »Arsen und Spitzenhäubchen« (1944), »Der unsichtbare Dritte« (1959), »Charade« (1962).

2) [grɑːnt], Hugh, brit. Filmschauspieler, *London 9. 9. 1960; spielte u. a. in »Maurice« (1987), »Was vom Tage übrig blieb« (1993), »Vier Hochzeiten und ein Todesfall« (1994), »Eine sachliche Romanze« (1995) und »Neun Monate« (1995).

3) Ulysses Simpson, 18. Präs. der USA (1869–77), *Point Pleasant (Oh.) 27. 4. 1822, †Mount MacGregor (bei Schuylerville, N. Y.) 23. 7. 1885; führender General der Union im Sezessionskrieg, seit 1864 Oberbefehlshaber der Unionstruppen in Virginia; nahm dort am 9. 4. 1865 die Kapitulation der konföderierten Truppen unter General R. E. Lee entgegen; 1867/68 Kriegsminister.

Granth [Sanskrit grantha »Buch«] *der* (Adigrantha), das hl. Buch der Sikhs; der G. umfasst Lieder und Hymnen versch. Verfasser; Abschriften werden in den Tempeln der Sikhs kultisch verehrt; das Original verbrannte 1984 bei den Tempelunruhen in Amritsar.

Granula [lat.], *Zytologie:* körnchenartige Strukturen oder Einlagerungen im Zellplasma.

Granulat [zu lat. granulum »Körnchen«] *das,* rieselfähiges, in Kornform und Korngröße sehr gleichmäßiges und feines Korngemenge; Aufbereitungsform für Arznei-, Düngemittel, Kunststoffe.

Granulation [zu lat. granum »Korn«] *die,* **1)** *Astronomie:* die feinkörnige veränderl. Struktur der Sonnenoberfläche, bestehend aus den hellen **Granulen** von rd. 1 000 km Durchmesser und den dunkleren intergranulären Zwischenräumen.

2) *Goldschmiedekunst:* eine dem Filigran verwandte Technik, bei der Schmuckgegenstände durch aufgelötete Goldkügelchen verziert werden; im Altertum u. a. von den Ägyptern und Etruskern ausgeführt; erlangte im MA. und im 19. Jh. erneut Bedeutung.

3) *Medizin:* 1) Bildung von →Granulationsgewebe; 2) Bez. für Fleischwärzchen.

Granulationsgewebe, *Anatomie:* junges, gefäßreiches Bindegewebe, das Gewebedefekte (Wunden) ausfüllt, Fremdkörper und Zerfallsherde abkapselt und später in Narbengewebe übergeht.

Granulit [lat.] *der,* helles metamorphes Gestein mit schiefrig-plattigem Gefüge, feinkörnig; Mineralbestand: Kalifeldspat, Plagioklas, Quarz, Granat, Disthen, Rutil, Erzminerale, kaum Biotit.

Granulom [lat.] *das* (Granulationsgeschwulst), aus Granulationsgewebe durch überschießendes Wachstum hervorgegangene, geschwulstartige Bildung, die v. a. durch Fremdkörper oder durch Erreger mancher Infektionskrankheiten (z. B. Tuberkulose, Lepra) hervorgerufen wird **(Fremdkörper-G., entzündl. G.).** G. bilden sich auch im Kieferbereich, am häufigsten an den Wurzelspitzen marktoter Zähne als »Abwehrgewebe« bei chron. Entzündungen.

Granulometrie *die,* Methode zur Untersuchung der Größe und Form körniger Stoffe, z. B. Korngrößenanalyse durch Sedimentations- oder Siebanalyse.

Granulozyten [lat.-grch.], Gruppe weißer Blutkörperchen, →Blut.

Granulation 2): Teil eines goldenen Armbands (um 1830; Pforzheim, Schmuckmuseum)

Granville-Barker ['grænvɪl 'bɑ:kə], Harley, engl. Schauspieler, Regisseur und Schriftsteller, *London 25. 11. 1877, †Paris 31. 8. 1946; übte mit seinen Ibsen-, Shaw- und v. a. Shakespeare-Inszenierungen eine große Wirkung auf die moderne Bühnenkunst aus; schrieb »Prefaces to Shakespeare« (5 Bde., 1946–47).

Grapefruit ['greɪpfru:t, engl.] *die* (Grapefruitbaum, Citrus paradisi), fälschlich auch als Pampelmuse bezeichnete Art der Zitrusgewächse; hohe, kräftige Bäume mit weißen Blüten. Die gelben, kugeligen Früchte, die das bittere Glykosid Naringin enthalten, sind reich an Vitamin C und B_1 und werden als Obst und für Fruchtsäfte verwendet. Neuere Sorten haben ein rosafarbenes oder rötl. Fruchtfleisch (sind weniger bitter) und ebenso gefärbte Schalen. Haupterzeugerländer sind die USA (Florida) und Israel.

Graph [grch.], **1)** *der, Mathematik:* die graf. Darstellung von Relationen (insbesondere von →Funktionen) in Form von Punktmengen, bei denen bestimmte Punktpaare durch Kurven verbunden sind. – In der **Graphentheorie,** einem Teilgebiet der Kombinatorik, ist G. ein topolog. Begriff, bei dem eine Menge von Punkten (sog. **Ecken** oder **Knoten**) durch gerichtete oder ungerichtete Linien **(Kanten)** verbunden wird.

2) *das, Sprachwissenschaft:* Schriftzeichen, die kleinste (nicht bedeutungsunterscheidende) Einheit in schriftl. Äußerungen (z. B. der Buchstabe D als Majuskel oder Minuskel).

Graphem [grch.] *das, Sprachwissenschaft:* kleinste bedeutungsunterscheidende Einheit in einem System von Schriftzeichen zur Darstellung von Phonemen (→Phonem); so wird z. B. das Phonem [a:] in »Wahl« durch die G. »a« und »h« dargestellt.

graph..., ...graph, ...graphie, grapho... [zu grch. gráphein »schreiben«], Wortbildungselement in der Bedeutung Schrift, Schreiben u. Ä., z. B. Tomographie, Graphologie.

Graphit [grch.] *der,* in hexagonalen Tafeln kristallisierender reiner Kohlenstoff, schwarz bis grau, fast metallisch glänzend, sehr weich und gleitfähig. Härte nach Mohs 1, Dichte 2,26 g/cm³. Das Kristallgitter ist ein Schichtgitter, das aus übereinander liegenden Schichten von Sechserringen besteht, die sich relativ leicht gegeneinander verschieben lassen (daher »fettiges Anfühlen«, Verwendung als Schmiermittel). In den Ringen sind die Kohlenstoffatome durch Sigma- und Pibindungen verbunden. Die daran beteiligten Elektronen haben eine gewisse Beweglichkeit und bewirken die gute elektr. und Wärmeleitfähigkeit in Schichtrichtung. G. wird an Luft oberhalb von 500–600 °C langsam oxidiert. G. entsteht durch Metamorphose bituminöser und/oder kohliger Ablagerungen und aus metamorph abgespaltener Kohlensäure. Vorkommen in Pegmatiten und Lagern sowie in kristallinen Schiefern, Gneisen und Marmoren. G. wird technisch im elektr. Ofen erzeugt. Er dient u. a. zur

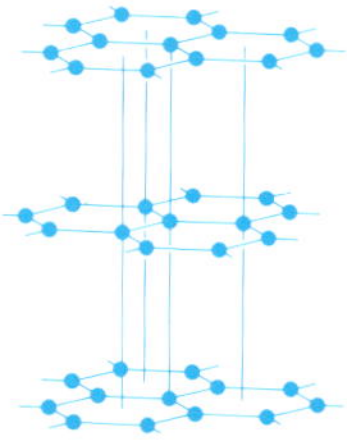

Graphit: Anordnung der Kohlenstoffatome im Kristallgitter

Herstellung von Bleistifteinlagen und Elektroden, als Schmiermittel sowie als Moderator in Kernreaktoren.

Graslilie: Astlose Graslilie (Höhe 30–70 cm)

Graphologie [grch.] *die,* die Kunst der Handschriftendeutung. Sie sucht aus der Handschrift Rückschlüsse auf die Persönlichkeit des Schreibers zu ziehen. Den Ausgangspunkt bilden Einzelmerkmale in Bezug auf Bewegung (Duktus), Form und Raum (wie Schreibdruck, Formvielfalt, Wortabstand), Rechts- oder Linksläufigkeit sowie Ganzheitsmerkmale der Bewegung (locker – gespannt, leicht – schwer) und v.a. auch Gesamtmerkmale. Die G. wird hauptsächlich zu psychodiagnost. Zwecken in der Erziehungs- und Berufsberatung, im Bereich betriebl. Personalpolitik, im klinisch-psycholog. und psychiatr. Bereich und zum Nachweis von Handschriftenfälschungen eingesetzt. Viele Psychologen weisen darauf hin, dass sich Schriftmerkmale wiss. kaum präzis erfassen lassen und dass es an empir. Untersuchungen über den Zusammenhang von Schriftmerkmalen und Persönlichkeitseigenschaften mangelt.

📖 Hargreaves, G. *u.* Wilson, P.: *Die Schrift als Ausdruck der Persönlichkeit. Ein grapholog. Handbuch von A–Z. A. d. Engl. Reinbek 1985.*

Grappa [italien., zu älter grappo »Traube«] *die,* italien. Branntwein aus Traubentrester mit 38–60 Vol.-% Alkohol; z.T. auch leicht aromatisiert.

Graptolithen [grch.], Klasse koloniebildender Meerestiere des Erdaltertums. Die 1–3 mm großen G. erscheinen als Fossilien häufig schriftähnlich oder sägeblattartig auf dem Gestein, bes. in dunklen Schiefern; Leitfossilien.

Gras, → Gräser.

Grasbaum (Xanthorrhoea), Gattung einkeimblättriger Pflanzen; Schopfbäume mit bis über 1 m langen, grasartigen Blättern in Australien und Tasmanien.

Gras

Das Gras wachsen hören

Von einem Menschen, der an den kleinsten oder auch an bloß eingebildeten Anzeichen zu erkennen glaubt, wie die Lage ist oder wie sie sich entwickelt, sagen wir mit leichtem Spott, er höre das Gras wachsen. Diese Redewendung geht auf die so genannte jüngere Edda zurück, wo es (in Karl Simrocks Übersetzung) von Heimdall, einem der zwölf Asen und Wächter der Götter heißt, dass er eine ungewöhnlich starke Sinnesschärfe habe und das Gras in der Erde und die Wolle auf den Schafen wachsen höre.

Gräser, 1) (Süßgräser, Gramineen, Gramineae, Poaceae), weltweit verbreitete Familie der Einkeimblättrigen mit rd. 8000 Arten (in Dtl. über 200 Arten) in rd. 700 Gattungen; krautige, einjährige oder ausdauernde Pflanzen; Halme in Knoten und Internodien gegliedert; Blätter schmal, spitz,

Grasbaum

parallelnervig. Die windbestäubten im Allg. zwittrigen Blüten sind in Ährchen angeordnet, von trockenhäutigen Hochblättern (Spelzen) umgeben und zu Gesamtblütenständen (Ähren, Rispen, Trauben) zusammengefasst. Die Grasfrucht (Karyopse) ist stärkereich. – Die Süß-G. sind in Savannen, Steppen, Wiesen, Dünen u.a. Formationen bestandbildend und als Nutzpflanzen für die Viehhaltung (Futter-G.) und als Getreide von größter Bedeutung.

📖 Hubbard, C. E.: *G. Beschreibung, Verbreitung, Verwendung. A. d. Engl. Stuttgart* ^{2}*1985.*

2) (Sauer-G.), die → Riedgräser.

Graseulen, Sammelbez. für Eulenschmetterlinge, deren Raupen von Gräsern leben; z.T. schädlich.

Grashof, Franz, Ingenieur, * Düsseldorf 11. 7. 1826, † Karlsruhe 26. 10. 1893; Mitbegründer des wiss. Maschinenbaus in Dtl. und des VDI (Verein Deutscher Ingenieure). Die **G.-Gedenkmünze** wird jährlich vom VDI an verdiente Vertreter der wiss. Technik verliehen.

Grashüpfer, volkstüml. Bez. für die → Heuschrecken.

Graslilie (Anthericum), Gattung der Liliengewächse mit rd. 100, meist südafrikan. Arten; ausdauernde Kräuter mit grasähnl. Blättern, blattlosem Stängel und weißen, endständigen Blütentrauben; heimisch sind die **Ästige G.** (Anthericum ramosum), Kalk liebend, sowie die geschützte **Astlose G.** (Anthericum liliago).

Grasmücken (Sylvia), Singvogelgattung in den gemäßigten Zonen Europas, Asiens und N-Afrikas. Die meisten Arten leben in dichtem Gebüsch; z.B. in Laubwäldern die **Mönchs-G.** (Sylvia atricapilla) und **Garten-G.** (Sylvia borin), in buschreichen Gärten die **Klapper-G.** (Sylvia curruca), in Gestrüpp die **Dorn-G.** (Sylvia communis).

Grasnelke (Armeria), Pflanzengattung der Familie Bleiwurzgewächse mit rd. 50 Arten; kleinstaudig, mit meist gras- oder nelkenähnl. Blättern.

Auf trockenen Standorten wächst die **Gemeine G.** (Armeria maritima) mit blassroten kopfigen Blütenständen.

Grass, Günter, Schriftsteller und Grafiker, *Danzig 16. 10. 1927; Sohn dt.-poln. Eltern; studierte Bildhauerei, lebt seit 1953 meist in Berlin. Literar. Ruf brachte ihm 1959 der Roman »Die Blechtrommel« (1979 verfilmt von Volker Schlöndorff). Hier wie in »Hundejahre« (R., 1963) und in der Novelle »Katz und Maus« (1961; später zus. als »Danziger Trilogie« bezeichnet) sowie in anderer Erzählprosa (»Das Treffen in Telgte«, 1979; »Kopfgeburten oder Die Deutschen sterben aus«, 1980; »Aus dem Tagebuch einer Schnecke«, 1972) verbinden sich detailreicher Realismus, skurrile Fantasie und scharfe Zeitsatire. Seine frühen Dramen gehören dem absurden Theater an, das Stück »Die Plebejer proben den Aufstand« (1966) setzt sich mit B. Brechts Haltung während des Arbeiteraufstands am 17. 6. 1953 auseinander. Der Roman »Der Butt« (1977) bietet mit ausgreifender Fantasie

Günter Grass als Grafiker: Umschlagzeichnung zu seinem 1986 erschienenen Roman »Die Rättin«

Weltchronik aus der »Küchenperspektive« und beschäftigt sich bes. mit der Rolle der Frau. Längere Zeit arbeitete G. fast ausschließlich als Grafiker (»Zeichnen und schreiben«, hg. von A. Dreher, 2 Bde., 1982–84; »Totes Holz«, 1990); 1986 erschien der Roman »Die Rättin«, in dem G. Motive aus früheren Werken wieder aufgreift und die Zeitkritik zur Endzeitstimmung steigert; außerdem Aufsätze und Schriften (»Widerstand lernen. Polit. Gegenreden 1980–1983«, 1984; »Schreiben nach Auschwitz. Frankfurter Poetik-Vorlesung«, 1990) und weitere Prosa (»Unkenrufe«, Erz. 1992). 1995 erschien sein Roman »Ein weites Feld«, in dem er den Klischeevorstellungen von Geschichte und Gegenwart, Ost und West, Freund und Feind entgegentritt. G. erhielt 1965 den Georg-Büchner-Preis; 1978 stiftete er den »Alfred-Döblin-Preis«.

📖 VORMWEG, H.: *G. G. mit Selbstzeugnissen u. Bilddokumenten. Reinbek 19.–20. Tsd. 1996.*

Grasse [gras], Stadt im frz. Dép. Alpes-Maritimes, 333 m ü. M., 41 300 Ew.; ein Weltzentrum der Parfümherstellung, mit Blumenkulturen. – Maler. Stadtbild, mit got. Kathedrale, ehem. Bischofspalast (beide 12./13. Jh. [1244–1790 Bischofssitz], heute Rathaus), Fragonard-Museum.

Günter Grass

Grasser, Erasmus, Bildhauer und Baumeister, *Schmidmühlen (Kr. Amberg-Sulzbach) um 1450, †München zw. 8. 4. und 1. 6. 1518; schuf 1480 für den Tanzsaal des Alten Münchner Rathauses 16 »Moriskentänzer« (10 erhalten; München, Histor. Stadtmuseum), farbig gefasste Holzfiguren in grotesk-tänzer. Bewegungen. BILD S. 392

Grassi, 1) Anton, österr. Porzellanmodelleur, *Wien 26. 6. 1755, †ebd. 31. 12. 1807; Modellmeister der Wiener Manufaktur, war mit seinen frühen Porzellangruppen im Stil des Rokoko richtungweisend für das Wiener Porzellan gegen Ende des 18. Jahrhunderts.

2) Ernesto, italien. Philosoph, *Mailand 2. 5. 1902, †München 22. 12. 1991; zuletzt Prof. in München; arbeitete v. a. zur Philosophie der Antike, der Renaissance und des italien. Humanismus (»Die Macht der Phantasie. Zur Geschichte des abendländ. Denkens«, 1979), die er, beeinflusst von der Existenzphilosophie, für die Gegenwart nutzbar zu machen suchte.

3) Giorgio, italien. Architekt, *Mailand 27. 10. 1935; Vertreter der rationalen Architektur, lieferte u. a. Entwürfe für das Studentenwohnheim in Chieti (1976–84) und für ein Museum für dt. Geschichte in Berlin (1984) im wiederhergestellten Prinz-Albrecht-Palais. 1992 baute er die Stadtbibliothek in Groningen.

4) Paolo, italien. Theaterleiter, Regisseur, Kritiker, *Mailand 30. 10. 1919, †London 14. 3. 1981; gründete 1947 mit G. Strehler das »Piccolo Teatro« in Mailand; 1977–80 Präs. der staatl. italien. Rundfunkgesellschaft RAI.

Gras|skilauf, Wettbewerb mit Kurzskiern (Rollka), an deren Lauffläche Rollelemente angebracht sind; wird auf abfallenden Wiesen in alpinen Disziplinen ausgetragen.

Graßmann, Hermann Günther, Mathematiker, Physiker und Sprachforscher, *Stettin 15. 4. 1809, †ebd. 26. 9. 1877; legte die Grundlagen zur modernen Vektor- und Tensorrechnung, befasste sich mit Optik, insbesondere mit der Farbenlehre, und der Sprachvergleichung.

Grat, 1) *Fertigungstechnik:* der dünne, scharfe Rand an einem Werkstück, der bei der Formgebung (Gießen, Stanzen u. a.) entsteht und durch Abschleifen (Entgraten) beseitigt wird.

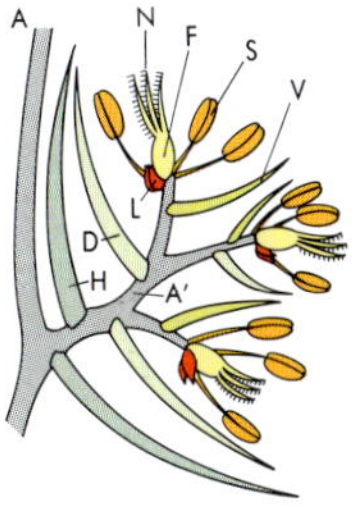

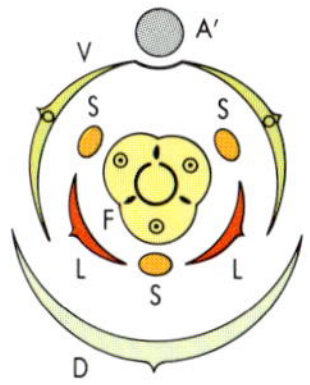

Gräser 1): schematische Darstellung des dreiblütigen Ährchens, darunter Blütendiagramm einer typischen Grasblüte; A Ährenachse, A' Ährchenachse, D Deckspelze, F Fruchtknoten, H Hüllspelze, L Lodiculae, N Narbe, S Staubgefäß, V Vorspelze

2) *Geomorphologie:* ausgeprägt scharfe Kammlinie eines Berges oder Gebirges.

Erasmus Grasser: Moriskentänzer (1480; München, Historisches Stadtmuseum)

Gräte, dünne stabförmige Verknöcherung des Bindegewebes zw. den Muskelsegmenten der Knochenfische.

Gratian, eigtl. Flavius Gratianus, röm. Kaiser (367–383), *Sirmium (heute Sremska Mitrovica, Jugoslawien) 18. 4. 359, †(ermordet) Lugdunum (heute Lyon) 25. 8. 383, Sohn Valentinians I.; 367 Augustus und Mitkaiser, seit 375 Nachfolger seines Vaters im Westreich. Unter dem Einfluss des Bischofs Ambrosius von Mailand wandte er sich dem Christentum zu und legte den Titel eines Pontifex maximus ab. Er förderte die Anhänger des Nicän. Glaubensbekenntnisses. 383 ließ ihn die Armee im Kampf gegen den Usurpator Maximus im Stich.

Graubünden
Kantonswappen

Gratian (Gratianus), italien. Theologe und Kanonist, *Ende des 11. Jh., †Bologna vor 1160; stellte um 1140 eine kommentierte Sammlung von Texten zum Kirchenrecht zusammen (»Decretum Gratiani«); er wurde damit zum »Vater der Kanonistik«.

Gratifikation [lat. »Gefälligkeit«] *die,* Sonderzuwendung, die dem Arbeitnehmer vom Arbeitgeber neben der eigtl. Arbeitsvergütung (Lohn, Gehalt) aus bestimmten Anlässen gewährt wird (Weihnachten, Firmenjubiläum). G. gelten nicht als Schenkung, sondern als Abgeltung erbrachter Arbeitsleistung. Auf den Erhalt von G. besteht grundsätzlich kein Rechtsanspruch, jedoch werden Anspruchsvoraussetzungen zunehmend in Tarifverträgen und Betriebsvereinbarungen geregelt; sie können auch arbeitsvertraglich vereinbart oder betriebl. Übung sein.

gratinieren [frz.], mit Paniermehl oder Käse bestreute Gerichte mit Kruste überbacken.

Gratisaktilen (Berichtigungsaktien, Zusatzaktien), neu ausgegebene Aktien, die den Aktionären der alten Aktien im Verhältnis ihrer Anteile am bisherigen Grundkapital ohne direkte Gegenleistung gegeben werden, z. B. zu drei alten eine neue Aktie. Die G. werden aus freien Rücklagen oder dem Reingewinn ausgegeben. Die Ausgabe von G. zulasten des Jahresgewinns (»Stockdividende«) gilt i. d. R. als einkommensteuerpflichtige Gewinnausschüttung. Der Erwerb von G., die gemäß §§ 207 ff. Aktien-Ges. ausgegeben werden (Kapitalerhöhung aus Gesellschaftsmitteln), ist nicht steuerpflichtig. In diesem Fall werden bisher offen ausgewiesene Rücklagen in Grundkapital umgewandelt. G. werden insofern nicht »umsonst« ausgegeben, da die Verringerung der ausgewiesenen Rücklagen zumindest rechnerisch zu einem ermäßigten Aktienkurs und damit zu einem Vermögensverlust für die Aktionäre führt.

Grätsche, sportl. Übung, bei der beide Beine gleichmäßig seitwärts gespreizt (gegrätscht) werden.

Grattage [gra'ta:ʒə, frz.] *die,* von Max Ernst Mitte der 1920er-Jahre entwickelte Maltechnik, bei der dick aufgetragene Farbe wieder von der Leinwand geschabt wird.

Grau [ahd. grao, eigtl. »schimmernd«, »strahlend«], Bez. für jede unbunte, d. h. keinen Farbton besitzende Körperfarbe, die zw. Weiß und Schwarz steht und sich aus diesen beiden durch opt. Mischung erzeugen lässt.

Graubner, Gotthard, Maler, Grafiker, *Erlbach (Vogtlandkreis) 13. 6. 1930; zeigt in Kissenbildern und Farbraumkörpern (wattierte Leinwände; seit 1971) die organ. Verdichtung der Farbe und die Entmaterialisierung des Raumes; schuf auch Environments.

Graubuch, ein Farbbuch, →Farbbücher.

Graubünden (Bünden, italien. Grigioni, frz. Les Grisons, bündnerroman. Grischun), mit 7105 km² der größte Kanton der Schweiz, (1996) 185 100 Ew.; Hptst. Chur. G. ist durchweg Gebirgsland. Der N-Rand gehört den Glarner Alpen an, der W der Gotthard- und der Adulagruppe, Zentrum und Osten bilden die Rät. Alpen (mit u. a. Albulaalpen,

Gratian,
römischer Kaiser: Porträt auf einer Goldmünze aus Trier (um 377; Paris, Bibliothèque Nationale)

Bernina und Silvretta). Die Haupttäler sind das Vorderrheintal und das Engadin, das durch den Malojapass mit dem Bergell, durch den Berninapass mit dem Puschlav verbunden ist. Die Bev. umfasst drei Volksgruppen: Deutschbündner (65%), z.T. auf Einwanderung von Wallisern (Walser) zurückgehend (z.T. in Sprachinseln); →Rätoromanen (17%), im Vorderrheintal mit Disentis als Kulturmittelpunkt, im Albulatal (mit Oberhalbstein) und im Engadin; Italienischbündner (11%) in den südl. Tälern. Ihre drei Sprachen haben Gleichberechtigung. – Neben Landwirtschaft und industriellem Sektor überwiegt heute der Dienstleistungsbereich. Haupterwerbsquellen sind Fremdenverkehr und Viehzucht (Almwirtschaft, auf 25% der Kantonsfläche); Holz-, Papier-, Zement-, Metall-, chem. und Lebensmittelind., Baugewerbe; mit 70 Wasserkraftwerken wichtiger Energielieferant. G. ist reich an Heilquellen (Sankt Moritz, Scuol, Tarasp-Vulpera u.a.); größte heilklimat. Kurorte sind Davos und Arosa. Die Haupttäler sind durch Pässe (u.a. Julier, Flüela, Albula und San Bernardino) sowie durch die Rhät. Bahn (Streckennetz 375 km) verbunden sind.

Geschichte: Das von Rätern bewohnte Gebiet wurde 15 v.Chr. von den Römern unterworfen und Teil der röm. Provinz Raetia Prima; es kam 536 n.Chr. zum Fränk., 843 zum Ostfränk. Reich und war später Teil des Hl. Röm. Reiches, behielt aber unter dem Bischof von Chur (deshalb früher auch »Churrätien« gen.), dem Abt von Disentis sowie verschiedenen weltl. Herren eine gewisse Unabhängigkeit. 1367 entstand gegen die Bedrohung durch die Herzöge von Österreich der Gotteshausbund, 1395 der Obere und Graue Bund, 1436 der Zehngerichtebund; die beiden Ersten verbanden sich 1497/98 mit sieben von den acht alten Orten der Eidgenossenschaft. 1512–1797 gehörten die Landschaften Bormio, Veltlin und Chiavenna zum Herrschaftsgebiet G.s. Die Reformation fand schon 1523 in G. Eingang. 1524 schlossen sich die drei Bünde staatsrechtlich zusammen. Im Dreißigjährigen Krieg suchten Österreich und Spanien die Bündner Pässe gegen Venedig und Frankreich zu behaupten. In G. befehdeten sich die prohabsburg. Partei unter Führung der Familie Planta und die profranzösische unter Führung der Salis. G. →Jenatsch konnte G. von frz. Besatzung befreien, auch gelang es 1649–52, alle Rechte Österreichs v.a. am Zehngerichtebund abzulösen. 1798 wurde G. als Kanton Rätien mit der Helvet. Rep. vereinigt und 1803 infolge der Mediationsakte der 15. Kanton der Eidgenossenschaft.

📖 METZ, P.: *Geschichte des Kantons G., 3 Bde. Chur 1989–93.* – ZELLER, W.: *Kunst u. Kultur in G. Illustrierter Führer, hg. v.* A. SCHNEIDER. *Bern u. a.* ^{3}*1993.*

Gotthard Graubner: Ohne Titel, Farbraumkörper (1983/84; Privatbesitz)

Grauburgunder (Grauer Burgunder, Ruländer, frz. Pinot gris), anspruchsvolle Rebe, Mutation des Spätburgunders mit hellen und dunklen Beeren; liefert goldfarbene, kräftige und extraktreiche, aber säurearme Weine, die früher in Dtl. meist mit Restsüße ausgebaut wurden (und als Ruländer auf den Markt kamen); heute aber oft trocken.

Graudenz, Stadt in Polen, →Grudziądz.

graue Eminenz, erstmals für den engsten Vertrauten und Berater Richelieus gebrauchte Bez. für eine im Hintergrund wirkende, aber einflussreiche polit. Persönlichkeit.

Graue Panther, Kurzbez. für Senioren-Schutz-Bund SSB »Graue Panther« e.V., 1975 gegründete, überparteil. und überkonfessionelle Organisation, die für die Interessen alter Menschen eintritt; Sitz: Wuppertal. Gründerin und Vors. ist Gertrud Unruh (*1925). 1989 kündigten die G. P. die Zusammenarbeit mit den »Grünen« auf und gründeten eine eigene Partei **»Die Grauen«** (Vors.: Gertrud Unruh).

grauer Markt, i.e.S. Absatzweg, bei dem Güter direkt beim Hersteller oder Großhändler unter

graue Eminenz

*So bezeichnet man besonders in der Politik eine einflussreiche Persönlichkeit, die nach außen kaum in Erscheinung tritt. Der Ausdruck ist eine Lehnübersetzung des französischen »l'eminence grise«, des Beinamens des französischen Kapuzinerpaters und engsten Beraters von Kardinal Richelieu, Père Joseph (*1577, †1638). Richelieu war bemüht, dem stets in der grauen Kapuzinerkutte auftretenden Pater in Rom die Kardinalswürde und damit eine Robe und den Titel Eminenz zu verschaffen, doch ohne Erfolg. Père Joseph blieb die »graue Eminenz«. Im 19. Jh. wurde in Deutschland vor allem der Diplomat Friedrich von Holstein (*1837, †1909), ein vertrauter Mitarbeiter Bismarcks, mit diesem Beinamen belegt.*

Ausschaltung des Einzelhandels gekauft werden; i.w.S. unregulierter Handel mit Waren und Dienstleistungen außerhalb des organisierten Marktes.

Grauhörnchen

grauer Star, Trübung der Augenlinse, →Katarakt.

graue Substanz, Teile des Gehirns und Rückenmarks, die vorwiegend Nervenzellen enthalten. Im Rückenmark innen liegend (außen →weiße Substanz), im Gehirn an der Oberfläche als Hirnrinde, im Inneren als Kerngebiet (Nucleus) bezeichnet.

Graufäule (Grauschimmel), durch den Pilz Botrytis cinerea verursachte Fäulnis mit grauem Schimmelrasen, bes. an Erdbeeren und halbreifen Trauben; erzeugt an ausgereiften Trauben die →Edelfäule.

Graufilter, →Neutralfilter.

Grauguss, →Gießverfahren.

Grauhaie, zwei Familien der →Haie.

Grauhörnchen (Sciurus carolinensis), dem Eichhörnchen ähnliche nordamerikan. Nagetierart; grau, ohne Ohrpinsel.

Graukeil, *Photometrie:* Vorrichtung zum definierten stetigen (meist logarithm.) Abschwächen der Intensität einer Lichtstrahlung. Der G. besteht aus zwei gegeneinander verschiebbaren, sich zu einer planparallelen Platte ergänzenden Glaskeilen, von denen der eine aus Grauglas besteht; für densitometr. Messungen an fotograf. Materialien in Form von transparenten Kopiervorlagen mit kontinuierlich oder stufenweise (Stufenkeil) zunehmenden Graudichten.

Graun, 1) Carl Heinrich, Komponist, *Wahrenbrück zw. 9. 8. 1703 und 8. 8. 1704, †Berlin 8. 8. 1759, Bruder von 2); seit 1740 Hofkapellmeister Friedrichs d. Gr. in Berlin, richtete dort die Oper ein; schuf Opern, Kirchenwerke (Passionsoratorium »Der Tod Jesu«, 1755), Konzerte und Kammermusik.

2) Johann Gottlieb, Violinist und Komponist, *Wahrenbrück zw. 28. 10. 1702 und 27. 10. 1703, †Berlin 27. 10. 1771, Bruder von 1); studierte u.a. bei G. →Tartini; seit 1732 Konzertmeister des preuß. Kronprinzen, dem späteren Friedrich d. Gr., gehört zu den hervorragenden Instrumentalkomponisten seiner Zeit; schrieb Sinfonien, Ouvertüren, Konzerte, Triosonaten und Concerti grossi.

Graupapagei (Psittacus erithacus), bis 40 cm langer Papagei des trop. Afrikas; Gefieder grau mit rotem Schwanz; sprechfähig.

Graupen, enthülste, oft zerkleinerte Gersten- oder Weizenkörner.

Graupner, Christoph, Komponist, *Kirchberg (bei Zwickau) 13. 1. 1683, †Darmstadt 10. 5. 1760; 1709–60 Hofkapellmeister in Darmstadt, schuf Kirchenkantaten, Orchesterwerke, Klaviersuiten und Opern.

Grauschimmel, →Graufäule.

Grauspießglanz, der →Antimonit.

Grauwacke, grauer, grünlich oder bräunlich grauer Sandstein mit Tonmatrix, reich an Gesteinsbruchstücken.

Grauwale (Eschrichtiidae), Familie der Bartenwale mit dem nordpazif. **Grauwal** (Eschrichtius gibosus), bis 15 m lang, bis 37 t schwer; ohne Rückenfinne. Im Herbst wandert er bis zu 10 000 km weit nach Süden.

Grauwerk, →Feh.

Gravamina [lat.], Beschwerden; im 15./16. Jh. auf Reichstagen und Konzilien als »Gravamina nationis germanicae« vorgetragene Beschwerden der dt. Nation über kirchl. Missstände.

grave [italien. »schwer«], musikal. Tempo- und Vortragsbezeichnung: schwer, ernst, feierlich, gemessen.

Graupapagei (Größe bis 40 cm)

Gravelotte [gra'vlɔt], Gemeinde in Lothringen, 12 km westlich von Metz. Die Schlachten von G. und Saint-Privat-la-Montagne (20 km nordwestlich von Metz) am 18. 8. 1870 führten zur Einschließung der frz. Armee in Metz (→Deutsch-Französischer Krieg 1870/71).

Gravenhage, 's-G. [sxra:vən'ha:xə], →Den Haag.

Graves [greɪvz], Robert, eigtl. R. von Ranke-G., engl. Schriftsteller, *Wimbledon (heute zu London) 26. 7. 1895, †Deyá (heute Deià, auf Mallorca) 7. 12. 1985, Urenkel von L. von Ranke; begann mit formschöner experimenteller Lyrik. Größten Erfolg hatte er mit seinen historischen Romanen (»Ich, Claudius, Kaiser und Gott«, 1934; »Nausikaa und ihre Freier«, 1955); schrieb auch autograph. Werke (»Strich drunter!«, 1929), Biographien, Kurzgeschichten sowie Beiträge zur Literatur und Mythologie.

Gravesend [greɪvz'end], Stadt in der engl. Cty. Kent, am südl. Ufer der Themse, 51 400 Ew.; Papier-, Zement-, Maschinen-, Gummiind.; Werften; Lotsenstation.

Grauwal (Länge bis 15 m)

Gravettien [gravɛ'tjɛ̃] *das,* Kulturgruppe der jüngeren Altsteinzeit, benannt nach dem Abri La Gravette bei Bayac im frz. Dép. Dordogne. Kennzeichnend für das G. sind die »Gravettespitzen«, schmale, zugespitzte Feuersteinklingen mit abgestumpftem Rücken, ferner weibl. Statuetten aus Elfenbein oder Stein und Reliefdarstellungen.

Graveur [gra'vø:r, frz.] *der,* Ausbildungsberuf des Handwerks; die Tätigkeit umfasst die Verzierung metallener Oberflächen mit Ornamenten, Mustern, Schriftzügen und Wappen sowie Gravierarbeiten an Druckplatten.

Gravidität [lat.] *die,* die →Schwangerschaft.

gravieren [frz.], das Einritzen von Zeichnungen, Schriftzügen, Mustern, Verzierungen auf Gegenständen aus Metall, Glas, Stein u.a. mit Gravierwerkzeugen (v.a. Grabstichel, Graviernadel; bei Glas: Schleifrädchen) oder -maschinen. Die **Gravur** kann erhaben oder vertieft sein.

Gravimetrie [lat.] *die,* **1)** *Chemie:* (Gewichtsanalyse) quantitatives chem. Analysenverfahren. Aus der zu untersuchenden Substanz wird in einer Lösung durch Fällungsreaktion ein schwer lösl. Niederschlag gebildet, dessen Masse durch Wägung **(Auswaage)** bestimmt wird.

2) *Geophysik:* die Bestimmung der Schwerkraft bzw. Fallbeschleunigung durch Schweremessungen.

Gravina di Puglia [-'puʎa], Stadt in Apulien, Prov. Bari, Italien, 40 000 Ew.; Kalksteinbrüche. – Dom, 1092 gegr.; auf einem Hügel die Ruine eines Kastells Friedrichs II.; nahebei Wohnhöhlen und Höhlenkirchen, u.a. San Michele (fünfschiffig).

Gravis [lat. »schwer«] *der,* das Akzentzeichen `, z.B. à (→Akzent).

Gravisphäre, Bereich in der Umgebung eines Himmelskörpers, in dem dessen Schwerkraft (→Gravitation) diejenige von benachbarten Himmelskörpern überwiegt.

Gravitation [zu lat. gravis »schwer«] *die* (Massenanziehung), die Anziehung, die alle Massen aufeinander ausüben. Zwei Massenpunkte der Massen m_1 und m_2, die sich im Abstand r voneinander befinden, ziehen sich gemäß dem **newtonschen G.-Gesetz** mit einer G.-Kraft F an, die in Richtung ihrer Verbindungslinien wirkt und für deren Betrag gilt:

$$F = G\frac{m_1 m_2}{r^2}.$$

Der Proportionalitätsfaktor G, die **G.-Konstante,** ist eine Naturkonstante, $G \approx 6{,}672 \cdot 10^{-11}\,\mathrm{N\,m^2\,kg^{-2}}$; sie lässt sich z.B. mit einer Drehwaage experimentell bestimmen. Das G.-Gesetz gilt auch für ausgedehnte kugelsymmetr. Körper, wenn für r der Abstand der Massenmittelpunkte verwendet wird; dies ist v.a. für die Himmelsmechanik von Bedeutung. Mithilfe des G.-Gesetzes konnten u.a. die →keplerschen Gesetze der Planetenbewegung und der freie →Fall erklärt werden. Auch die von der Erde (und von anderen Himmelskörpern) ausgeübte **Schwerkraft** ist ein Sonderfall der allg. G.

Newton deutete die G. als Fernwirkung. Der im 19. Jh. entwickelte Begriff des →Feldes erlaubte es jedoch, die G. auf das Vorhandensein von **G.-Feldern** zurückzuführen, die den Raum in der Umgebung eines Körpers erfüllen, in dem dieser auf andere Körper eine Anziehungskraft ausübt. Eine völlig neue Formulierung der G. entwickelte A. Einstein in seiner allg. Relativitätstheorie (1916).

Gravieren einer Gemme mit einer Gravierfräsmaschine

Thomas Gray (Ausschnitt aus einem zeitgenössischen Gemälde)

Danach ist die G. weniger eine Eigenschaft der Materie als des Raum-Zeit-Kontinuums: Dieses ist in seinen geometr. (metr.) Eigenschaften keineswegs gleichförmig, sondern erfährt durch die Anwesenheit von Materie innere Strukturänderungen (Raumkrümmung). Aus den Feldgleichungen des hieraus resultierenden G.-Feldes, eines Tensorfeldes, ergibt sich das →newtonsche Gravitationsgesetz als Näherungsgesetz für den Grenzfall schwacher G.-Felder sowie im Vergleich zur Lichtgeschwindigkeit kleiner Geschwindigkeiten. – Dem G.-Feld werden analog den Photonen im elektromagnet. Feld Feldquanten als Vermittler der Kraftwirkung zugeordnet, die **G.-Quanten** oder **Gravitonen,** deren experimenteller Nachweis bisher noch nicht gelungen ist. Die Darstellung aller →Wechselwirkungen einschließlich der G. in einer einheitl. Theorie **(Quanten-G., Super-G.)** ist ein grundlegendes Ziel der modernen Physik.

📖 Sexl, R. U. *u.* Urbantke, H. K.: *G. u. Kosmologie. Eine Einführung in die allgemeine Relativitätstheorie. Heidelberg u. a. 41995.*

Gravitationsaberration, →Lichtablenkung.

Gravitationsdifferenziation, die gravitative Trennung zweier Schmelzen in einem Magma durch Absinken bereits gebildeter, spezifisch schwererer Kristalle in die verbleibende Schmelze während der Kristallisationsdifferenziation (→Differenziation).

Graz Stadtwappen

Gravitationskollaps, *Astronomie:* die mehr oder weniger rasche Kontraktion kosm. Materieansammlungen aufgrund der gegenseitigen Gravitationswirkungen, bes. der Zusammenfall massereicher Sterne am Ende ihrer →Sternentwicklung.

Gravitationskonstante, →Gravitation.

Gravitationslinse, *Astronomie:* massereiches Objekt, das durch seine Gravitationswirkung Licht- oder Radiostrahlung einer entfernten Strahlungsquelle wie eine opt. Linse fokussieren und ihr Bild verzerren kann. Die aus der allg. Relativitätstheorie gefolgerte gravitative →Lichtablenkung wurde 1979 durch die Entdeckung von Quasarzwillingen, zwei scheinbar dicht benachbarten, völlig gleichen Quasaren, bestätigt. Es konnte gezeigt werden, dass es sich um zwei Bilder ein und desselben Objektes handelt, die durch eine G. hervorgerufen werden. Als solche wurde eine Galaxie zw. Quasar und Erde identifiziert.

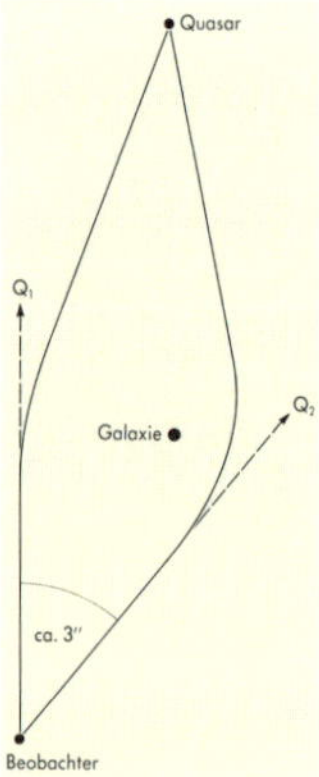

Gravitationslinse: Durch Lichtablenkung im Gravitationsfeld einer zwischen einem weit entfernten Quasar und dem Beobachter liegenden Galaxie kann der Quasar als Doppelbild (Q_1 und Q_2) erscheinen

Gravitationswellen, sich mit Lichtgeschwindigkeit fortpflanzende wellenförmige Störungen im Gravitationsfeld, die nach der allg. Relativitätstheorie durch die Bewegung von Massen entstehen. Als Quellen für nachweisbare G. kommen allerdings nur große Massen mit hohen Geschwindigkeiten infrage, z.B. Supernovae oder die Verschmelzungsprozesse Schwarzer Löcher. G. konnten direkt bisher noch nicht nachgewiesen werden, ihre Existenz kann jedoch aus der einsteinschen Gravitationstheorie und aus jüngsten astronom. Beobachtungen gefolgert werden. Hierzu gehört insbes. der als Komponente eines Doppelsternsystems 1974 entdeckte Pulsar PSR 1913+16, dessen Umlaufperiode entsprechend dem berechneten Energieverlust durch G. abnimmt.

Graviton *das,* Feldquant der →Gravitation.

Gravur *die,* →Gravieren.

Gravüre *die,* auf photomechan. Weg hergestellte Tiefdruckform und das mit dieser Form erzeugte Druckprodukt, z.B. →Heliogravüre.

Gray [greɪ; nach dem brit. Physiker L. H. Gray, *1905, †1965] *das,* Einheitenzeichen **Gy,** gesetzl. Einheit der Energiedosis (→Dosis) ionisierender Strahlung: 1 Gy = 1 J/kg.

Gray [greɪ], Thomas, engl. Dichter, *London 26. 12. 1716, †Cambridge 30. 7. 1771; war mit seiner eleg. Lyrik (»Elegie auf einem Dorfkirchhof«, 1751) und als Übersetzer altnord. und walis. Dichtungen ein Wegbereiter der Romantik.

Graz, Hptst. der Steiermark, erstreckt sich über 12 km beiderseits der Mur nach ihrem Austritt aus dem Steir. Randgebirge in das breite Grazer Becken, 353 m ü.M., mit 239 600 Ew. zweitgrößte Stadt Österreichs. G. ist Sitz aller Landesbehörden und des Bischofs von G.-Seckau, bed. Kulturzentrum mit Univ. (1586 gegr.), TU, Hochschule für Musik und darstellende Kunst, Landesmuseum (Joanneum) u.a. Museen, Opernhaus, Landestheater und auch die bedeutendste Ind.stadt der Steiermark mit Maschinenbau, elektrotechn., Metallind., Papier-, Schuh-, Glas- und Textilerzeugung sowie Großbrauereien. Im S das Messegelände, das Ind.gebiet Thondorf und der Flughafen in Thalerhof. – Bed. Kirchen, u.a. frühgot. Leechkirche (1275–93), spätgot. Dom (1438–62) mit im Wesentlichen barocker Ausstattung, Haupt- und Stadtpfarrkirche zum Hl. Blut (1519) mit Barockfassade; Mausoleum Kaiser Ferdinands II. (1614). Der Haupttrakt des sog. Landhauses (16. Jh.; jetzt Landtagsgebäude) ist ein bed. Renaissancebau mit Arkadenhof. Auf dem Schlossberg als Überreste der Burg Uhr- und Glockenturm (beide 16. Jh.). Von den Bastionen ist das sog. Paulustor (1590–1612) erhalten. In den westl. Vororten die Schlösser Eggenberg (1625–35) und Gösting (1724–28). – 1164 als Marktsiedlung (bei der Burg) erwähnt, woraus sich die Stadtsiedlung G. entwickelte (1222 Münzrecht; 1265 ummauert). Ab 1379 Residenz der leopoldin. Linie der Habsburger, unter Friedrich III. ab 1440/52 Kaiserresidenz. Seit Anfang 16. Jh. Sitz der steir. Stände. Ab 1543 zu einem Bollwerk gegen die Türken ausgebaut; 1564–1749 wieder Residenz für Innerösterreich.

Grazer Forum, →Forum Stadtpark.

Graziani, Rodolfo, italien. Marschall (1936), *Filettino 11. 8. 1882, †Rom 11. 1. 1955; 1936/37 Vizekönig von Äthiopien, 1940/41 Oberbefehlshaber in Libyen, 1943–45 Verteidigungsmin. der faschist. Republik von Salò; 1950 zu 19 Jahren Gefängnis verurteilt, kurz danach freigelassen.

Grazi|e [lat.] *die,* **1)** Anmut, Liebreiz.

2) Drei Grazi|en, bei den Römern Sinnbild jugendl. Anmut, entsprechend den grch. Chariten.

grazioso [italien.], musikal. Vortragsbezeichnung: anmutig, lieblich.

Gräzismus [lat.] *der,* eine dem Altgriechischen eigene oder nachgebildete Ausdrucksweise oder Wortfügung.

Gräzistik [lat.] *die,* Wiss. von der grch. Sprache und Kultur.

Great Basin ['greɪt 'beɪsn], →Großes Becken.

Great Britain ['greɪt 'brɪtn], engl. Name für Großbritannien.

Greater London ['greɪtə 'lʌndən], 1965 gebildetes Gebiet in S-England, 1579 km², (1995) 7,007 Mio. Ew.; umfasst 32 Stadtbezirke **(London Boroughs)** (davon 13 Inner London Boroughs) und die **City of London** (→London).

Greater Manchester ['greɪtə 'mæntʃɪstə], Metropolitan County in England, 1287 km², (1995) 2,578 Mio. Ew.; gebildet 1974 aus Teilen der Counties Cheshire, Lancashire und Yorkshire.

Great Grimsby ['greɪt 'grɪmzbɪ] (bis 30. 6. 1979 Grimsby), Hafenstadt in O-England, an der S-Küste des Humbermündungstrichters, 90700 Ew.; chem. Ind., Fischfang- und verarbeitung.

Great Plains ['greɪt 'pleɪnz] (Große Ebenen), die Hochebenen vor dem O-Abfall der Rocky Mountains in Nordamerika; dachen sich von etwa 1500 m ü. M. im W ostwärts langsam, z. T. in Schichtstufen, ab, in den USA zum Zentralen Tiefland (auf etwa 800 m ü. M.), in Kanada zum Kanad. Schild; kontinentales Klima mit geringen Niederschlägen. Der kanad. Teil ist meist mit Wald bedeckt, der niederschlagsärmere Teil in den USA wird vorwiegend von Prärie eingenommen, die im O meist ackerbaulich (Weizenanbau), im W weidewirtsch. (Rinderherden; früher Bisonherden) genutzt wird. Bodenschätze: Erdöl, Erdgas, Kohle.

Great Salt Lake ['greɪt 'sɔ:lt 'leɪk], →Großer Salzsee.

Great Valley ['greɪt 'vælɪ] (Great Appalachian Valley), breite Längstalzone in den →Appalachen der USA.

Great Yarmouth ['greɪt 'jɑ:məθ], Stadt in der engl. Cty. Norfolk, an der Nordsee, 56200 Ew.; Marktzentrum, Stützpunkt für die Erdöl- und Erdgasförderung in der Nordsee, Fischereihafen; Nahrungsmittel-, elektrotechn., Textil- u. a. Industrie.

El Greco: »Das Begräbnis des Grafen Orgaz« (1586; Toledo, Santo Tomé)

Greco, Emilio, italien. Bildhauer, *Catania 11. 10. 1913, Rom 5. 4. 1995. Seine Plastiken, v. a. von tanzenden und badenden Mädchen, zeigen einen eleganten, manieristisch beeinflussten Klassizismus.

Gréco, Juliette, frz. Chansonette und (Film-)Schauspielerin, *Montpellier 7. 2. 1927; singt Chansons nach Texten u. a. von J.-P. Sartre, R. Queneau, A. Camus, F. Mauriac (u. a. »Sous le ciel de Paris«, »Je suis comme je suis«).

Juliette Gréco

Greco, El [»der Grieche«], eigtl. Domenikos Theotokopulos, span. Maler grch. Herkunft, *Fódele bei Heraklion (Kreta) um 1541, †Toledo 6. 4. oder 7. 4. 1614; ausgebildet in Venedig, 1570 in Rom, seit 1577 in Toledo nachweisbar, wo er meist für Kirchen arbeitete. Zu seinem Frühwerk zählen »Das Begräbnis des Grafen Orgaz« (zw. 1586 und 1588, Toledo, Santo Tomé) und »Entkleidung Christi« für die Kathedrale in Toledo (1577–79). Typ. für seinen Stil ist die Anordnung des Geschehens in einem in der Tiefe unbestimmten, von

Julien Green

Graham Greene

Peter Greenaway

Licht und atmosphär. Phänomenen dramatisierten Raum und überlängte manierist. Figuren. Die religiöse Intensität ist im Spätwerk bis zu visionärer Ekstase gesteigert. Sein Werk war bis ins 20. Jh. von weit reichender Wirkung.

Weitere Werke: Martyrium des hl. Mauritius und der Thebaischen Legion (1580–82; Escorial); Bildnis des Kardinals Niño de Guevara (um 1596–1600; New York, Metropolitan Museum), Ansicht von Toledo im Wetterleuchten (um 1595–1610; ebd.); Ausstattung der Kirche des Hospitals de la Caridad in Ilescas (vollendet 1605).

📖 BACCHESCHI, E.: *El G., das Gesamtwerk. Frankfurt am Main u. a. 1979.*

Greek Revival ['gri:k rɪ'vaɪvl] *das,* klassizist. Richtung der engl. Architektur im frühen 19. Jh., die durch die engl. Erforschung des klass. Griechenland seit etwa 1750 (J. Stuart) angeregt wurde und sich an grch. Vorbildern orientierte. Ein Hauptwerk dieses Stils ist das Brit. Museum in London (1823–47). Benjamin Latrobe (*1764, †1820) vermittelte den Stil nach Nordamerika (Bank of Pennsylvania in Philadelphia, 1798–1800).

Green [gri:n], **1)** George, brit. Mathematiker und Physiker, *getauft Nottingham 14. 7. 1793, †Sneinton (heute zu Nottingham) 31. 5. 1841; begründete neben C. F. Gauß die Potenzialtheorie, führte den Begriff der Potenzialfunktion in die mathemat. Theorie der Elektrizität und des Magnetismus ein; die **greenschen Funktionen** stellen Beziehungen zw. Oberflächen- und Volumenintegralen her und spielen in der theoret. Physik, bes. bei Randwertproblemen, eine wichtige Rolle.

2) Henry, eigtl. Henry Vincent Yorke, engl. Schriftsteller, *Forthampton Court (Cty. Gloucestershire) 29. 10. 1905, †London 14. 12. 1973; schrieb poetisch-symbol. Romane, meist in Dialogform (»Blindsein«, 1926; »Dämmerung«, 1948; »Liebesspiele«, auch u. d. T. »Schwärmerei«, 1952).

3) [grin], Julien, amerikan. Schriftsteller frz. Sprache, *Paris 6. 9. 1900, †ebd. 13. 8. 1998; trat 1916 zum Katholizismus über, lebt in Paris; schilderte in seinen Romanen (»Mont-Cinère«, 1926; »Adrienne Mésurat«, 1927; »Leviathan«, 1929; »Treibgut«, 1932; »Der Geisterseher«, 1934; »Jeder Mensch in seiner Nacht«, 1960; »Von fernen Ländern«, 1987; »Dixie«, 1995) Menschen, die aus ihrer Daseinsangst in leidenschaftl. Liebe oder in eine Sphäre des Traums zu entfliehen versuchen oder in Wahnsinn und Verbrechen enden. G. schrieb außerdem Dramen, autobiograph. Schriften, Erzählungen und Tagebücher.

Greenaway ['gri:nəweɪ], Peter, brit. Filmregisseur, *Newport (Wales) 5. 4. 1942; Vertreter des neuen brit. Films, dessen Werke skurrile, böse und kom. Züge aufweisen (»Der Kontrakt des Zeichners«, 1982; »Der Bauch des Architekten«, 1987; »Der Koch, der Dieb, seine Frau und ihr Liebhaber«, 1989; »Prosperos Bücher«, 1991).

Greenback ['gri:nbæk; engl. »Grünrücken«] *der,* Papiergeld der USA mit grüner Rückseite, 1862 im Sezessionskrieg ausgegeben. Die Goldeinlösungspflicht wurde kurz nach Ausgabe aufgehoben, dadurch hohe Entwertung gegenüber dem Metallgeld. Heute umgangssprachl. Bez. für den US-Dollar.

Green Bay ['gri:n 'beɪ], Hafenstadt in Wisconsin, USA, am Michigansee, 96 500 Ew.; kath. Bischofssitz; Zweig der University of Wisconsin; Papierind., Maschinenbau, Käseherstellung.

Greenberg, 1) ['gri:nbə:g], Joseph Harold, amerikan. Anthropologe und Sprachwissenschaftler, *New York 28. 5. 1915; arbeitete u. a. über die genealog. Klassifikation der afrikan. Sprachen.

2) ['grinbɛrg], Uri Zvi, auch U. Z. Grynberg, Gruenberg, Pseud. Tur Malka, israel. Schriftsteller, *Biały Kamień (Galizien) 17. 10. 1895, †Ramat Gan 9. 5. 1981; in chassid. Tradition aufgewachsen; schrieb (überwiegend in hebräischer Sprache) über die Leiden des Judentums und die Hoffnung auf Erlösung und engagierte sich auch politisch (u. a. in der israel. rechtsnationalen Revisionist. Partei).

Greene [gri:n], **1)** Graham, engl. Schriftsteller, *Berkhamstead (Cty. Hertfordshire) 2. 10. 1904, †Vevey (Schweiz) 3. 4. 1991; trat zum Katholizismus über. G. stellt in seinen Romanen (z. T. verfilmt), mit zumeist religiöser Thematik, seine Gestalten in den Konflikt zw. Selbstverwirklichung in Sünde und kirchl. Orthodoxie; erzähltechnisch zeichnen sie sich durch spannende Handlung, knappe Sprache und beklemmend dichte Atmosphäre aus (»Am Abgrund des Lebens«, 1938; »Die Kraft und die Herrlichkeit«, 1940; »Das Herz aller Dinge«, 1948; »Der dritte Mann«, 1950; »Das Ende einer Affäre«, 1951; »Der stille Amerikaner«, 1955; »Unser Mann in Havanna«, 1958; »Ein ausgebrannter Fall«, 1961; »Die Stunde der Komödianten«, 1966; »Die Reisen mit meiner Tante«, 1969; »Der Honorarkonsul«, 1973; »Monsignore Quijote«, 1982). G. verfasste auch Dramen (»Der letzte Raum«, 1953; »Der verbindliche Liebhaber«, 1959) und autobiograph. Schriften (»Eine Art Leben«, 1971; »Fluchtwege«, 1980).

📖 SHELDEN, M.: *G. G. Eine Biographie. A. d. Engl. Göttingen 1995.*

2) Robert, engl. Schriftsteller, *Norwich 8. 7. 1558, †London 3. 9. 1592; schrieb Pamphlete mit realist. Schilderungen des Londoner Gaunermilieus und Theaterstücke, die die elisabethan. Dramatik begründeten.

Green Mountains [gri:n 'maʊntɪnz, engl. »grüne Berge«] *Pl.,* waldreicher Gebirgszug der nördl. Appalachen in Vermont, USA, im Mount Mansfield 1339 m hoch.

Greenock ['gri:nək], Hafen- und Ind.stadt in W-Schottland, am Firth of Clyde, Sitz der Local Authority Inverclyde, 50 000 Ew.; Schiff- und Maschinenbau, chem., Nahrungsmittelindustrie. Der Containerhafen von G. bildet mit dem Hafen von Glasgow den Clyde Port.

Greenpeace ['gri:npi:s; engl. »grüner Frieden«], internat. Umweltschutzorganisation, 1971 in Vancouver (Kanada) gegr., die mit gewaltfreien, direkten, oft unkonventionellen Aktionen weltweit auf Umweltverschmutzungen und -zerstörungen aufmerksam machen und zur Beseitigung ihrer Ursachen beitragen will. G. unterhält (1997) nat. Büros in 32 Staaten; ein internat. G.-Council beschließt Art und Durchführung aller Aktionen und Kampagnen. Sitz des nat. Büros in Dtl. ist Hamburg. G. hat Beobachterstatus bei der UNO.

Green River [gri:n 'rɪvə; engl. »grüner Fluss«] *der,* rechter Nebenfluss des Colorado River im W der USA, 1175 km lang.

Greensboro ['gri:nzbərə], Stadt in North Carolina, USA, 183 500 Ew.; landwirtsch.-techn. Hochschule; Marktort.

Greenspan ['gri:nspæn], Alan, amerikan. Wirtschaftsfachmann, *New York 6. 3. 1926; übernahm nach Tätigkeiten als Finanz- und Unternehmensberater wirtschaftspolit. Aufgaben, u. a. als Berater der Präs. R. Nixon und G. Ford. G. wurde v. a. für seine entschiedene Anti-Inflationspolitik bekannt. Seit 1987 ist G. Vors. der amerikan. Notenbank.

Greenwich ['grɪnɪdʒ], London Borough im O von London, am S-Ufer der Themse, 211 100 Ew.; Marineakademie, Marinemuseum. Durch die 1675 gegr. Sternwarte verläuft der →Nullmeridian. Das »Royal G. Observatory« wurde 1957 nach Herstmonceux, 1990 nach Cambridge verlegt.

Greenwich Mean Time ['grɪnɪdʒ 'mi:n 'taɪm; engl. »mittlere Greenwich-Zeit«], Abk. **GMT,** Zonenzeit (→Zeit), die der Weltzeit entspricht.

Greenwich Village ['grɪnɪdʒ 'vɪlɪdʒ], Schriftsteller- und Künstlerviertel in New York auf Manhattan.

Greer ['grɪə], Germaine, austral. Schriftstellerin und Feministin, *Melbourne 29. 1. 1939; setzte sich aus histor. Sicht mit der Unterdrückung der Frau und der weibl. Sexualität auseinander; schrieb u. a. »Der weibliche Eunuch« (1970).

Grefrath, Gemeinde im Kr. Viersen, NRW, 15 500 Ew.; Freilichtmuseum Dorenburg; Textil- und Kunststoffindustrie.

Gregg-Syndrom [nach dem austral. Augenarzt N. Gregg, *1892, †1966] (Rötelnembryopathie), Fehlbildungssyndrom (an Herz, Ohr, Auge), dessen Ursache eine Rötelninfektion ist, die während der ersten drei Schwangerschaftsmonate von der Mutter auf das Kind übertragen wird.

Grégoire, Père ['pɛ:r greg'wa:r], schweizer. Pädagoge, J. B. →Girard.

Gregor, Päpste: **1) G. I., der Große** (590–604), *Rom um 540, †ebd. 12. 3. 604; einer der großen Kirchenväter; förderte das benedikt. Mönchtum und führte eine Liturgiereform durch (→gregorianischer Gesang). Durch vorbildl. Verwaltung des Patrimonium Petri (Einrichtung einer zentralen Vermögensverwaltung) bereitete er die weltl. Macht des mittelalterl. Papsttums und den Kirchenstaat vor; Heiliger, Tag: 3. 9.

📖 RICHARDS, J.: *G. der Große. Sein Leben – seine Zeit. A. d. Engl. Graz 1983.* – RICHÉ, P.: *G. der Große. Leben u. Werk. A. d. Frz. München u. a. 1996.*

Papst Gregor I., der Große: Zeichnung aus einer Handschrift des 12. Jh. (München, Bayerische Staatsbibliothek)

2) G. II. (715–731), *Rom 668, †ebd. 11. 2. 731; verband die german. Landeskirchen enger mit Rom; unterhielt gute Beziehungen zu den Langobarden; erteilte Bonifatius den Missionsauftrag (719) und die Bischofsweihe (722); Heiliger; Tag: 11. 2.

3) G. III. (731–741), †Rom 28. 11. 741; syr. Herkunft; verurteilte im Bilderstreit 731 die Bilderfeinde. Sein Pontifikat war bestimmt von der Lösung Roms aus dem byzantin. Verband und der allmähl. Hinwendung zu den Franken; Heiliger, Tag: 28. 11.

4) G. VII. (1073–85), eigtl. Hildebrand, *Sovana (?) (heute zu Sorano, bei Grosseto) zw. 1019 und 1030, †Salerno 25. 5. 1085; Benediktiner; kämpfte gegen →Simonie und Priesterehe (gregorian. Reform) und erstrebte im →Investiturstreit, der in der Bannung Heinrichs IV. (1076) und dessen Bußgang nach Canossa (1077) seine schärfste

Zuspitzung erfuhr, die Oberhoheit der päpstl. über die weltl. Gewalt. Seine Regierung bildet den Höhepunkt im Kampf zw. Königtum und Papsttum im MA; Heiliger, Tag: 25. 5.

📖 LAUDAGE, J.: *Gregorianische Reform u. Investiturstreit. Darmstadt 1993.*

Gregor VII.

Am 24. Januar 1076 erklärte Heinrich IV. auf der Wormser Reichssynode Papst Gregor VII. für abgesetzt:

»Heinrich, nicht durch Gewalt, sondern durch Gottes weise Anordnung König, an Hildebrand, nicht mehr den Papst, sondern den falschen Mönch. Das ist der verdiente Gruß für dich, der du jeden Stand in der Kirche statt mir Ehre mit Schmach, statt mit Segen mit Fluch überhäuft hast. ... Du also, ... durch aller unserer Bischöfe und unseren eigenen Richterspruch ... verdammt, steig herab und verlass den angemaßten Stuhl des heiligen Petrus!«

5) G. IX. (1227–41), eigtl. Ugolino Graf von Segni, *Anagni (bei Frosinone) um 1170, †Rom 22. 8. 1241; förderte schon als Kardinal entschieden neue Orden (v. a. Franziskaner und Dominikaner) und kirchl. Laienbewegungen; förderte die Mission und organisierte die Inquisition. Sein Pontifikat war maßgeblich beherrscht von der Auseinandersetzung mit Kaiser Friedrich II.

6) G. XIII. (1572–85), eigtl. Ugo Buoncompagni, *Bologna 1. 1. 1502, †Rom 10. 4. 1585; förderte die innerkirchl. Reform (→katholische Reform) und die Gegenreformation sowie v. a. die Jesuiten; veranlasste eine amtl. Ausgabe des Corpus Iuris Canonici; baute das Collegium Romanum zur →Gregoriana aus; führte 1582 den gregorian. →Kalender ein.

Martin Gregor-Dellin

Gregor der Erleuchter (armen. Grigor Lusaworitsch), Missionar Armeniens im 4. Jh.; die Nachrichten über sein Leben sind legendenhaft; um 315 zum Bischof geweiht, bekehrte er den armen. König und seinen Hof.

Gregor von Nazianz, Kirchenlehrer, *Arianz bei Nazianz (Kappadokien) 330, †ebd. um 390; 380/81 Metropolit von Konstantinopel; gehört mit Basilius d. Gr. und Gregor von Nyssa zu den führenden Theologen des späten 4. Jh., die die theolog. Entscheidungen des Konzils von Konstantinopel (381) ermöglichten; Heiliger, Tag: 2. 1.

Ferdinand Gregorovius

Gregor von Nyssa, Kirchenlehrer, *Caesarea Cappadociae (heute Kayseri) um 335, †Nyssa um 394, Bruder Basilius' d. Gr.; seit 372 Bischof von Nyssa; bed. Theologe, verteidigte das Nicän. Glaubensbekenntnis und formte die Trinitätslehre entscheidend mit; Heiliger, Tag: 9. 3.

Gregor von Tours [-tu:r], Geschichtsschreiber, *Clermont (heute Clermont-Ferrand) 30. 11. 538 oder 539, †Tours 17. 11. 594; seit 573 Bischof von Tours. Seine lat. »Geschichte der Franken« ist die wichtigste Quelle für die Anfänge des Merowingerreichs; Heiliger, Tag: 17. 11.

Gregor-Dellin, Martin, Schriftsteller, *Naumburg (Saale) 3. 6. 1926, †München 23. 6. 1988; übersiedelte 1958 in die Bundesrep. Dtl. In seinem Roman »Der Kandelaber« (1962) behandelt er das Leben unter totalitärer Herrschaft, in »Jakob Haferglanz« (1963) das Schicksal eines jüd. Schülers im Dritten Reich. Weitere Romane und Erzählungen: »Föhn« (1974), »Schlabrendorf oder Die Republik« (1982). G.-D. war auch Wagner-Forscher (»Richard Wagner. Sein Leben – Sein Werk – Sein Jahrhundert«, 1980), Essayist und Kritiker.

Gregoriana *die* (lat. Pontificia Universitas G.), nach Gregor XIII. benannte päpstl. Univ. in Rom, 1551 auf Anregung von Ignatius von Loyola durch Julius III. als »Collegium Romanum« gegr. und durch Gregor XIII. zur »Universitas G.« ausgebaut.

gregorianischer Gesang [nach Papst Gregor I.] (gregorianischer Choral), der chorisch und solistisch einstimmige liturg. Gesang der röm. Kirche in den Formen Oration, Lektion, Antiphon, Responsorium, Hymnus (→Hymne) und Sequenz, die in der Liturgie von Messe (→Graduale) und Stundengebet (→Antiphonar) verwendet werden. Generell eignet den chor. Gesängen eine schlichte Melodienbildung, den solist. ein reicher melod. Verzierungsstil. – Seit dem 9. Jh. trat neben die Überlieferung der Texte die der Melodien durch linienlose →Neumen, später eine Notenschrift, mit der auf Linien der Melodienverlauf und die Notenverteilung auf Textsilben fixiert wurden. Mit der nun genaueren Definition der Melodien verloren sich die irrationalen Elemente der älteren Praxis (z. B. Verzierungen). – Nach starken Eingriffen in die seit dem MA. in röm. Quadrat- oder got. Hufnagelnotation (→Choralnotation) aufgezeichneten Melodien durch die »Editio Medicaea« (Rom 1614/15) fußt die »Editio Vaticana« (1905 und später) auf der Restaurierung des gregorianischen Gesangs.

gregorianischer Kalender [nach Papst Gregor XIII.], →Kalender.

Gregorovius, Ferdinand, Kulturhistoriker, *Neidenburg (heute Nidzica, Wwschaft Olsztyn) 19. 1. 1821, †München 1. 5. 1891; übersiedelte 1852 nach Italien. Unübertroffen ist G. in seiner künstler. Darstellung als Geschichtsschreiber und Schilderer histor. Landschaften: »Gesch. der Stadt Rom im MA.« (8 Bde., 1859–72); »Wanderjahre in Italien« (5 Bde., 1870–82; Einzeltitel z. T. auch früher); »Gesch. der Stadt Athen im MA.« (2 Bde., 1889); »Röm. Tagebücher« (1892).

Gregory ['gregərɪ], Lady Isabella Augusta, geb. Persse, ir. Schriftstellerin, *Roxborough (Cty. Galway) 5. 3. 1852, † Coole Park (Cty. Galway) 22. 5. 1932; führende Vertreterin der »kelt. Renaissance«, sammelte ir. Sagen und übersetzte gäl. Dichtungen; gründete mit W. B. Yeats 1899 das Dubliner Abbey Theatre, für das sie selbst Stücke schrieb.

Greif, Fabeltier, Mischwesen aus Löwe und Vogel, mitunter auch geflügelt; stammt ikonographisch aus dem Alten Orient; in der christl. Kunst Symbol der beiden Naturen Christi (Gott und Mensch); in der Heraldik Wappentier (u. a. Pommern, Greifswald, Rostock) oder als Schildhalter des dt. und später des kaiserl. österr. Reichswappens; heute am Wappen von Baden-Württemberg.

Greifenberg in Pommern, Stadt in Polen, → Gryfice.

Greifenhagen, Stadt in Polen, → Gryfino.

Greifensee, See im Kanton Zürich, Schweiz, 8,6 km², 34 m tief, 435 m ü. M.; Hauptzufluss ist die Aa aus dem Pfäffikersee, Abfluss die Glatt; am O-Ufer der Ort G. (5200 Ew.); am W-Ufer die unterwasserarchäolog. Station Maur-Weierwiesen mit Resten vorgeschichtl. Ufersiedlungen (Pfahlbauten der jungsteinzeitl. Horgener Kultur, um 3000 v. Chr.).

Greif: Gewandbesatz aus Ekbatana, heute Hamadan (4. Jh. v. Chr.; Chicago, University of Chicago)

Greifer, Lastaufnahmemittel an Kranen und Baggern zum Verladen von Schüttgut. Die schaufelartigen Schalen lassen sich durch Seilzug (Einseil-G., Zweiseil-G.) oder hydraul. öffnen und schließen. Für sperrige Güter werden statt Schalen Zangen (Zangen-G.) verwendet.

Greiffenberg, Catharina Regina von, geb. Freiin von Seyssenegg, * Schloss Seyssenegg (bei Amstetten) 7. 9. 1633, † Nürnberg 8. 4. 1694; gilt als bedeutendste dt. Dichterin des Barock. In ihrer Lyrik gab sie ihrer Frömmigkeit oft überschwänglich Ausdruck (»Geistliche Sonette« …, 1662).

Greiffuß, *Zoologie:* Fuß, bei dem die erste Zehe den übrigen Zehen gegenübergestellt (opponiert) werden kann, was den Fuß zum Greifen befähigt (z. B. bei Affen).

Greifschwanzaffen, Bez. für einige Kapuzineraffen, die ihren Schwanz beim Klettern zum Festhalten benutzen.

Greifswald (Hansestadt G.), kreisfreie Stadt in Meckl.-Vorp., in einer Moorniederung am Ryck, 4 km vom → Greifswalder Bodden, 60800 Ew.; Ernst-Moritz-Arndt-Univ. (gegr. 1456), Bischofssitz der Pommerschen Evang. Kirche, Verw.-, Oberverw.- und Landesverfassungsgericht, Teil-Inst. des Max-Planck-Inst. für Plasmaphysik, Technologie- und Gründerzentrum, Museen; Elektronik-, Nahrungsmittelind.; das Kernkraftwerk bei Lubmin wurde 1990 stillgelegt; Hafen. – Marien-, Jakobi- und Nikolaikirche (13./14. Jh.); got. Rathaus (14. Jh.; barock wieder aufgebaut); barockes Universitätsgebäude (1747–50); Franziskanerkloster (13. Jh.; jetzt Museum); spätgot. und Renaissancegiebelhäuser. – G. entstand um 1200 als Siedlung der Zisterzienserabtei Eldena, erhielt 1250 lüb. Stadtrecht, wurde 1281 Mitgl. der Hanse; kam 1648 an Schweden, 1815 an Preußen.

Greifswald
Stadtwappen

Greifswalder Bodden, seichte Ostseebucht zw. Rügen und dem Festland; Häfen: Greifswald, Stralsund; Seebäder: Baabe, Sellin, Lauterbach (Putbus) und Lubmin.

Greifswalder Oie [-'ɔɪ, 'ɔɪə], steilufrige, 0,6 km² große Moräneninsel 15 km südöstl. von Rügen, Leuchtturm.

Greifvögel (Falconiformes), mit rd. 290 Arten weltweit verbreitete Ordnung 14–140 cm langer, tagaktiver Vögel mit Spannweiten von 25 cm bis über 3 m; mit kurzem, hakig gekrümmtem Oberschnabel und kräftigen Beinen, deren Zehen (mit Ausnahme der Aasfresser wie Geier) starke, gekrümmte, spitze, dem Ergreifen und häufig auch dem Töten von Beutetieren dienende Krallen aufweisen. Die G. jagen i. d. R. Wirbeltiere oder Insekten. Die systemat. Gliederung der G. ist umstritten; man zählt zu ihnen u. a. die Adler, Geier, Habichte, Milane, Weihen, Bussarde und Falken. Der Bestand vieler Arten der G. ist äußerst gefährdet.

📖 Bednarek, W.: *G. Biologie, Ökologie, bestimmen, schützen. Hannover 1996.*

Josef Greindl

Greindl, Josef, Sänger (Bass), * München 23. 12. 1912, † Wien 16. 4. 1993; wurde v. a. als Wagner-Interpret bekannt.

Greisenbogen (Gerontoxon, Arcus senilis corneae), in höherem Lebensalter durch Lipid- und Kalkeinlagerungen hervorgerufener harmloser grauweißer Ring im Randbereich der Hornhaut des Auges; verursacht keine Sehstörungen.

Greisenhaupt (Cephalocereus senilis), bis 15 m hoher mexikan. Säulenkaktus mit weißem Haarschopf; beliebte Zimmerpflanze.

Greisenhaupt
(Höhe bis 15 m)

Grenada

Fläche: 344 km²
Einwohner: (1995) 92 000
Hauptstadt: Saint George's
Amtssprache: Englisch
Nationalfeiertag: 7. 2.
Währung: 1 Ostkaribischer Dollar (EC$) = 100 Cents (c)
Zeitzone: MEZ −5 Std.

Staatswappen

WG
Internationales Kfz-Kennzeichen

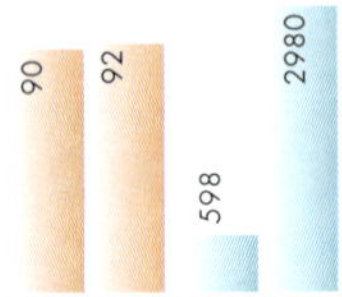

Bevölkerung (in Tausend) Bruttosozialprodukt je Ew. (in US-$)

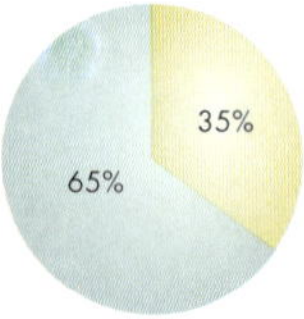

Stadt
Land
Bevölkerungsverteilung 1991

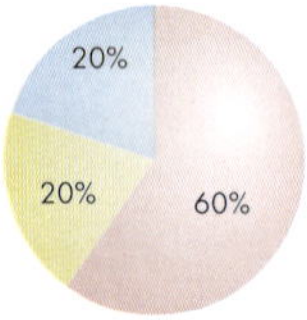

Industrie
Landwirtschaft
Dienstleistung
Bruttoinlandsprodukt 1993

Greiz, 1) Landkreis in O-Thür., 843 km², (1997) 127 200 Einwohner.

2) Krst. von 1) in Thür., im nördl. Vogtland, im Tal der Weißen Elster, 29 000 Ew.; Museen; chem., Papierind., Maschinen- und Anlagenbau. – Oberes Schloss (mittelalterl. Kern, im 16. u. 18. Jh. erneuert), Unteres Schloss (1802–09 wieder aufgebaut; Museum), barocke Stadtkirche, im engl. Park (um 1800, nach 1872 umgeformt) frühklassizist. Sommerpalais (1779–89; Bücher- und Kupferstichsammlung). – 1209 erstmals erwähnt, 1359 als Stadt genannt; unterstand den Vögten von Weida, seit 1240 dem Haus Plauen (Reuß), 1306–1918 Residenz von Reuß-Greiz (seit 1768 Reuß ältere Linie).

Gremium [lat.] *das,* Körperschaft, Ausschuss.

Grenache [grəˈnaʃ], weltweit am zweithäufigsten angepflanzte Rebsorte, wichtigste in Spanien (über 170 000 ha) und S-Frankreich; widerstandsfähig; liefert hellrote Weine mit hohem Zuckergehalt.

Grenada [grəˈneɪdə], Staat im Bereich der Westind. Inseln, umfasst die zu den Kleinen Antillen (Inseln über dem Winde) gehörende Insel G. und die südl. Grenadinen.

Staat und Recht: Nach der Verf. von 1974 ist G. eine parlamentar. Monarchie im Commonwealth. Staatsoberhaupt ist der brit. Monarch, vertreten durch den General-Gouv. Die Legislative liegt beim Zweikammerparlament, bestehend aus Senat (13 ernannte Mitgl.) und Repräsentantenhaus (15 gewählte Abg.). Exekutivorgan ist die Reg. unter Vorsitz des Premiermin. Wichtigste Parteien: Neue Nationalpartei (NNP), Nationaldemokrat. Kongress (NDC), Vereinigte Arbeiterpartei (GULP).

Landesnatur: Die Inseln gehören zum inneren, vulkan. Bogen der Ostkaribik. Die Hauptinsel G. (305 km²) ist gebirgig (Mount Saint Catherine 840 m ü. M.) mit Resten des urspr. trop. Regenwaldes. Das trop. Klima steht unter dem Einfluss des Nordostpassats, auf der Hauptinsel 1500 bis über 5 000 mm Niederschlag; Durchschnittstemperatur bei 28 °C. Größte der südl. Grenadinen sind Carriacou (32 km²), Ronde (3 km²) und Petit Martinique (2 km²).

Bevölkerung: 85 % der Bev. sind Schwarze, 11 % Mulatten, 3 % Nachfahren ind. Kontraktarbeiter, die im 19. Jh. angeworben wurden; überwiegend Katholiken; Analphabetenrate rd. 10 %.

Wirtschaft, Verkehr: Das trop. Klima begünstigt den exportorientierten Anbau von Bananen, Kakao, Kokospalmen und Muskatnüssen sowie von Zuckerrohr. Eine gleichwertige Hauptquelle der Deviseneinnahmen bildet der internat. Tourismus (v. a. Kreuzfahrtteilnehmer aus den USA). Haupthafen: Saint George's, internat. Flughafen bei Point Salines.

Geschichte: Die Insel G. wurde 1498 von Kolumbus entdeckt und Concepción genannt, 1674 wurde sie frz. Kronkolonie. Ab 1762/63 stand sie unter brit. Herrschaft, gehörte 1958–62 zur Westind. Föderation und wurde 1974 unabhängig. 1979 kam durch einen unblutigen Putsch eine Linksreg. unter M. Bishop an die Macht, die von den USA politisch und wirtsch. boykottiert wurde. Ihr blutiger Sturz (Okt. 1983) gab den USA und sieben karib. Staaten Anlass zu militär. Intervention. Seit 1984 wird das Land von demokratisch gewählten Regierungen geführt.

Grenadier [frz.] *der,* im 17. Jh. mit Handgranaten bewaffneter Soldat; später einfacher Soldat der Infanterieregimenter, bes. der Garde (→ Panzergrenadiere).

Grenadill *das,* dunkelbraunes bis schwarzviolettes, sehr hartes Holz des afrikan. Grenadillbaums; Drechselholz (für Blasinstrumente).

Grenadille (Granadille) [frz.] *die,* Frucht der → Passionsblume.

Grenadinen *Pl.* (Grenadine Islands), Inselgruppe der Kleinen Antillen, die südlichen gehören zu Grenada, die nördlichen zu Saint Vincent and the Grenadines; umfasst 8 größere und etwa 125 kleinere vulkan. Felseninseln, zus. 83 km².

Grenchen (frz. Granges), Stadt im Kt. Solothurn, Schweiz, 457 m ü. M., am Südfuß der Jurakette, am **Grenchenberg,** den ein 8,5 km langer

Bahntunnel durchquert, 16000 Ew.; Technikum; Uhrenind., Maschinen- und Fahrzeugbau.

Grenoble [grə'nɔbl], Hptst. des frz. Dép. Isère und der Dauphiné, am Zusammenfluss von Isère und Drac, 150700 Ew., die größte Stadt in den frz. Alpen; Bischofssitz; Univ. (gegr. 1339), FH, Handelshochschule, Forschungsinstitute, Kernforschungszentrum; Museen, Theater. V.a. elektrochem. und metallurg. Ind. sowie Maschinenbau, Handschuhmacherei und Zementfabrikation. – Die Altstadt ist reich an Bauwerken des MA. und der Renaissance, u.a. Kathedrale Notre-Dame (12./13. Jh.), Kirche Saint-Laurent (11./12. Jh.) mit merowing. Krypta; Justizpalast (15./16. Jh.), Rathaus (15./16. Jh.). – G. steht auf dem Boden des kelt. **Cularo,** des röm. **Gratianopolis;** seit dem 4. Jh. Bischofssitz; kam 879 zum Königreich Burgund; seit 1242 Stadt.

Grenze, *Recht:* vorgestellte Linie, die als Staats-G. die Gebiete zweier Staaten, als Verwaltungs-G. die örtl. Zuständigkeit von Behörden, als Gemeinde- oder Kreis-G. die Gebiete von kommunalen Gebietskörperschaften trennt. Der Grenzverlauf ist durch Vorschriften des Völker-, Staats- und Verw.rechts bestimmt und im Gelände durch Grenzzeichen markiert. Ein fundamentaler Grundsatz des Völkerrechts ist die wechselseitige Unverletzlichkeit der G. Die Staaten regeln bes. im Pass- und Zollrecht die Voraussetzungen für den Verkehr über ihre Grenzen. – Im Zivilrecht bestimmt die G. eines Grundstückes den Teil der Erdoberfläche, der dem Eigentümer zusteht (§905 BGB).

Grenzfälschung, die rechtswidrige Unkenntlichmachung oder Veränderung einer Grenze (bes. durch Manipulation der Markierungen) zum Nachteil eines anderen; strafbar gemäß §274 Abs. 1 Nr. 3 StGB, in *Österreich* §230 StGB, in der *Schweiz* Art. 256, 268 StGB.

Grenzfläche, Fläche zw. zwei Stoffen oder Phasen, i.e.S. zw. kondensierten Phasen; ist eine Phase ein Gas, spricht man von Oberfläche. An der G. ändern sich die physikal. Eigenschaften längs einer Strecke von molekularer Größenordnung sprunghaft; als Wirkung von Kräften treten typ. G.-Erscheinungen auf, wie Oberflächenspannung, Benetzung, Kapillarität.

grenzflächenaktiv (kapillaraktiv), Bez. für die Eigenschaft meist synthet. organ. Verbindungen wie →Tenside, sich an Grenzflächen stark anzureichern und dadurch die Grenzflächenspannung herabzusetzen. G. sind z.B. Reinigungsmittel.

Grenzflächenspannung, an der →Grenzfläche zweier Phasen auftretende Spannung, die die Grenzfläche zu verkleinern sucht. Die G. gegen eine gasförmige Phase heißt →Oberflächenspannung.

Grenada: Blick von Saint George's Carenage, dem inneren Hafen, auf die Hauptstadt der Insel

Grenzfrequenz, in der Elektrotechnik bzw. Elektronik obere und untere Frequenz, bei der die Übertragungsgröße einen bestimmten Grenzwert (z.B. den halben Wert) des durchschnittl. Durchlassbereichs erreicht hat; wichtige Kenngröße für das Übertragungsverhalten elektr. Schaltungen, Geräte oder Einrichtungen.

Grenoble Stadtwappen

Grenzgänger, Arbeitnehmer, der seinen Wohnsitz im Grenzgebiet eines Landes hat und regelmäßig in das Nachbarland zur Arbeit fährt. Die soziale und rechtl. Stellung der G. regeln meist zweiseitige Abkommen.

Grenzkohlenwasserstoffe, ältere Bez. für die →Alkane.

Grenzkosten, Kosten, die bei einer Ausweitung (Verminderung) der Produktion um eine Produkteinheit entstehen (wegfallen). G. spielen eine wichtige Rolle bei kosten- und preispolit. Überlegungen, insbesondere bei der Bestimmung von gewinnmaximalen Produktmengen.

Grenoble: Teilansicht des im 15.–16. Jh. erbauten Justizpalastes in der Altstadt

Grenzlehre, ein Messwerkzeug (→Lehre), mit dem geprüft wird, ob die Abmessungen eines Werkstückes zw. zwei vorgeschriebenen Grenzmaßen, d.h. innerhalb der zugelassenen Toleranzen, liegen.

Grenzmark Posen-Westpreußen, 1922–38 preuß. Provinz, umfasste die 1919 beim Dt. Reich verbliebenen drei nicht zusammenhängenden Teile der ehem. Provinzen Posen und Westpreußen; Hauptstadt war Schneidemühl. Die G. P.-W. wurde 1938 aufgelöst und den Provinzen Pommern, Mark Brandenburg und Schlesien zugeteilt; mit der Festlegung der →Oder-Neiße-Linie kam das Gebiet 1945 an Polen.

Grenznutzen, Nutzenzuwachs, den ein Wirtschaftssubjekt auf einem bestimmten Verbrauchsniveau bei geringfügiger Ausweitung seines Konsums erfährt. Der G. eines Gutes hängt vom individuellen Bedürfnissystem und von der Gütermenge und -qualität (→gossensche Gesetze) ab. Gemäß der subjektiven Wertlehre bestimmt der G. den Wert der Gütereinheit aus einer Menge gleichartiger Güter.

Grenznutzenschule, in den 70er-Jahren des 19. Jh. entstandene Richtung der Volkswirtschaftslehre, die der Wert- und Preistheorie eine subjektivistische Grundlage gibt und auf dem Grenznutzenbegriff aufbaut. Den Begründern der G. gemeinsam ist die Vorstellung, dass die Nutzeneinschätzung der Konsumenten Ursache und Bestimmungsgrund für Wert und Tauschwert eines Gutes ist, wobei dem Grenznutzen insofern besondere Bedeutung zukommt, als er auch den Wert der übrigen verbrauchten Einheiten bestimmt. Damit gelingt es den Vertretern der G., für die Wert- und Preisbildung von (Konsum-)Gütern und Produktionsfaktoren von einem einheitl. Erklärungsprinzip auszugehen.

Nach den Vorarbeiten von H. H. Gossen (→gossensche Gesetze) entstand die G. fast gleichzeitig um 1870 in Österreich (C. Menger), Frankreich (L. Walras) und Großbritannien (W. S. Jevons). Es entwickelten sich drei Hauptrichtungen: die **Wiener Schule** oder Österr. Schule (E. von Böhm-Bawerk, C. Menger, F. von Wieser, J. A. Schumpeter, L. von Mises), die das Grenznutzenprinzip auf die Preisbildung und gesamtwirtsch. Zusammenhänge anwendete; die angloamerikan. Schule (A. Marshall, F. Y. Edgeworth, J. B. Clark), die mit ihrer Grenzproduktivitätstheorie das Grenznutzenprinzip auf die Produktionstheorie und die Theorie der Einkommensverteilung übertrug; die **Lausanner Schule** (L. Walras, V. Pareto u. a.), die v. a. eine mathematisch exakte Darstellung lieferte. Mit Paretos Theorie der Wahlakte verbindet sich der Übergang von der Grenznutzentheorie zur modernen Nutzentheorie. – Ein Verdienst der G. ist die Einführung der Marginalanalyse in die Wirtschaftstheorie.

Grenzpolizei, Behörden und Einrichtungen des Bundes und der Länder, denen Aufgaben des Grenzschutzes (v. a. grenzpolizeiliche Kontrolle, Grenzfahndung) übertragen sind, bes. der →Bundesgrenzschutz und die G. von Bayern.

Grenzproduktivität (Grenzertrag), die Änderung der Produktionsmenge, die sich bei einer (infinitesimal kleinen) Änderung des Einsatzes eines Produktionsfaktors und Konstanz der übrigen ergibt. Mathematisch betrachtet ist die G. ein partieller Differenzialquotient der Produktionsfunktion.

Grenzproduktivitätstheorie, von J. H. von Thünen und J. B. Clark entwickelte Verteilungstheorie (→Einkommenstheorie). Grundlage ist eine Produktionsfunktion mit »klass.« Eigenschaften: positive, aber abnehmende Grenzerträge der einzelnen Produktionsfaktoren. Die **mikroökonom. Version** der G. beantwortet die Frage, welche Mengen eines Produktionsmittels in einer Unternehmung bei vollkommener Konkurrenz eingesetzt werden müssen, wenn nach dem maximalen Periodengewinn gestrebt wird: Das Wertgrenzprodukt eines Produktionsmittels (Grenzproduktivität dieses Produktionsfaktors multipliziert mit dem Preis des Endprodukts) muss gleich seinem gegebenen Preis sein. Bei der **makroökonom. Version** wird nach der Höhe des Produktionsmittelpreises selbst gefragt: Der Preis eines Produktionsmittels bestimmt sich bei gegebener Produktionsmittelausstattung der Volkswirtschaft nach dem Wertgrenzprodukt des Produktionsmittels. Die G. bietet ein einheitl. Erklärungsprinzip für alle Einkommensarten mit Ausnahme des Unternehmergewinns. Sie galt lange Zeit als die maßgebliche Theorie der Einkommensverteilung.

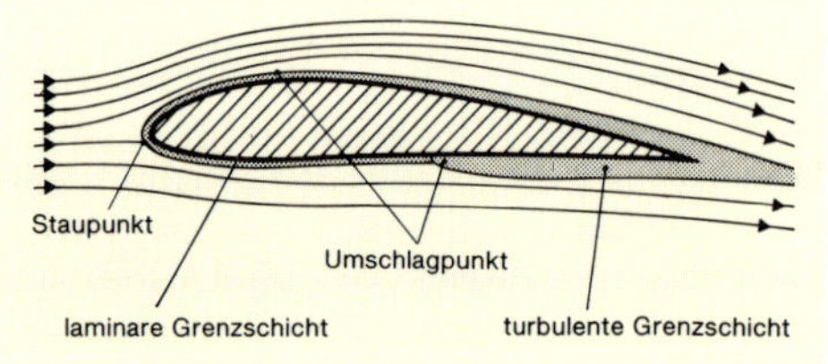

Grenzschicht: Laminar-turbulente Grenzschicht an einem Tragflügelprofil

Grenzschicht, die durch Haften von Gasen oder Flüssigkeiten an festen Körpern und von Reibungskräften gebildete eng anliegende Strömungsschicht in unmittelbarer Wandnähe, innerhalb derer der Betrag der Strömungsgeschwindigkeit vom Betrag null allmählich auf den der Außenströmung ansteigt. Die G. ist dabei umso dünner, je geringer die Zähigkeit des Fluids (Gas oder Flüssigkeit) ist. Bei der **laminaren G.** verlaufen alle Stromlinien parallel zueinander und zur Wandkontur; dagegen findet man bei einer **turbulenten G.** noch ungeordnete Querbewegungen, die den Strömungswiderstand erheblich erhöhen. Bei der Umströmung eines Körpers entsteht an seiner Oberfläche stromabwärts zunächst eine laminare G., die durch Störungen oder unter bestimmten Strömungsbedingungen (im Umschlagspunkt) in eine turbulente G. übergeht.

Grenzschichtbeeinflussung, Beeinflussung der Grenzschicht an Flugzeugtragflügeln, womit durch Vermeidung von Grenzschichtablösungen der Maximalauftrieb vergrößert (→Hochauftriebsmittel) und der Widerstand vermindert werden kann. Die Ablösung wird durch stark verzögerte und energiearme Luftteilchen in der Grenzschicht verursacht.

Grenzschutz, →Bundesgrenzschutz, →Grenzpolizei.

Grenzsituation, zentraler Begriff in der Philosophie K. Jaspers': Erfahrungen, in denen der Mensch die Grenzen seines Erkennens, Wollens und Handelns erfährt (z.B. Leiden, Schuld, Sterben) und die im Bewusstsein des Scheiterns zur Selbstwerdung des Menschen führen können und in der Gewinnung »wirklicher Existenz« die Transzendenz durchscheinen lassen.

Grenzstrahlen (Bucky-Strahlen) [nach dem Röntgenologen G. Bucky, *1880, †1963], sehr weiche →Röntgenstrahlen der Wellenlänge 0,5 bis 0,06 nm.

Grenzstrang (Truncus Sympathicus), Nervenstrang des vegetativen Nervensystems, →Sympathikus.

Grenzwert (Limes, Abk. lim), *Mathematik:* der Wert a, dem sich die Glieder einer Zahlenfolge (a_n) beliebig annähern, wenn die Gliederzahl n der Folge unbegrenzt anwächst:

$$\lim_{n \to \infty} a_n = a$$

(*gesprochen:* Limes von a_n für n gegen unendlich). Das ist der Fall, wenn es zu jeder noch so kleinen positiven Zahl $\varepsilon > 0$ eine natürl. Zahl $N(\varepsilon)$ gibt, sodass $\|a - a_n\| < -\varepsilon$ für alle $n > N(\varepsilon)$ gilt. Zum Beispiel strebt die Folge 1, $^1/_2$, $^1/_3$, $^1/_4$... für $n \to \infty$ dem G. 0 zu, sie ist **konvergent** und konvergiert gegen den G. 0, sie bildet eine **Nullfolge.** Ist kein G. vorhanden, wie bei der Folge 1, −1, 2, −2, 3, −3,..., so ist die Folge **divergent.** Analog nimmt eine reellwertige Funktion $f(x)$ an der Stelle x_0 den Grenzwert a an:

$$\lim_{x \to x_0} f(x) = a,$$

wenn für jede gegen x_0 konvergierende Folge $x_1, x_2, x_3, \ldots$ die Folge der Funktionswerte $f(x_1), f(x_2), f(x_3), \ldots$ gegen a konvergiert.

Grenzwinkel, *Optik:* →Reflexion.

Gresham ['greʃəm], Sir Thomas, engl. Finanzpolitiker, *London um 1519, †ebd. 21. 11. 1579. Das nach ihm ben. **greshamsche Gesetz** besagt, dass bei einer Doppelwährung (z.B. Gold- und Silbermünzen mit gesetzlich festgelegtem Wertverhältnis) das schlechtere Geld das gute aus dem Zahlungsumlauf verdrängt: Das wertvollere Geld wird gehortet.

Gretchenfrage, Bez. für eine Gewissensfrage, die ungern beantwortet wird (nach der von Gretchen an Faust gerichteten Frage »Nun sag, wie hast du's mit der Religion?«, Goethe, »Faust«, 1. Teil).

Gretel im Busch, Zierpflanze, →Schwarzkümmel.

Gretna Green ['gretnə 'gri:n], Dorf in Schottland, an der Grenze zu England, bekannt durch die rechtsgültigen Trauungen, bes. von Minderjährigen, die der »Schmied von G. G.«, der Friedensrichter des Ortes, früher vollzog (seit 1940 verboten).

Grétry [gre'tri], André, belg. Komponist, *Lüttich 8. 2. 1741, †Montmorency (Dép. Val-d'Oise) 24. 9. 1813; kam 1767 nach Paris, bed. Vertreter der frz. kom. Oper (u.a. »Richard Löwenherz«, 1784; »Blaubart«, 1789; »Wilhelm Tell«, 1791); schrieb auch Vokalstücke, Kirchen- und Kammermusik.

Gretschanịnow, Alexander Tichonowitsch, russ. Komponist, *Moskau 25. 10. 1864, †New York 4. 1. 1956; lebte seit 1939 in den USA (seit 1946 amerikan. Staatsbürger); Schwerpunkte seines Schaffens sind Werke für Kinder (Klavierstücke, Kinderopern) und geistl. Musik (u.a. »Missa Oecumenia«, 1939).

Grẹtschko, Andrei Antonowitsch, Marschall der Sowjetunion (seit 1955), *Golodajewka (Gebiet Rostow) 17. 10. 1903, †Moskau 26. 4. 1976; 1957–60 Oberbefehlshaber der sowjet. Landstreitkräfte und stellv. Verteidigungsmin., 1960–67 Oberbefehlshaber der Streitkräfte des Warschauer Pakts und 1967–76 Verteidigungsminister.

Greuze [grø:z], Jean-Baptiste, frz. Maler, *Tournus 21. 8. 1725, †Paris 21. 3. 1805; malte, von der literar. Mode der »Rührdichtung« angeregt, beschaul., moralisierende, damals sehr geschätzte Genrebilder und vorzügl. Porträts. BILD S. 406

Grẹven, Stadt im Kr. Steinfurt, NRW, im Münsterland, an der Ems, 33400 Ew.; Textilind.; Flughafen Münster/Osnabrück. – Spätgot. Pfarrkirche mit roman. W-Turm. – Seit 1950 Stadt.

Grevenbroich [-'bro:x], Stadt im Kr. Neuss, NRW, an der Erft; 63600 Ew.; geolog. Museum, völkerkundlich-archäolog. Museum; Aluminiumwerk, Maschinenbau, Textilind., Konservenfabrik; Großkraftwerke (nahebei Braunkohlenbergbau). – G. wurde 1311 erstmals als Stadt bezeichnet, kam 1307 zum Herzogtum Jülich, 1614/66 zu Pfalz-Neuburg (ab 1685 Kurpfalz), 1794 an Frankreich, 1815 an Preußen.

Grevenbroich
Stadtwappen

Jean-Baptiste Greuze: »Die Klagen der Uhr« (um 1775; München, Alte Pinakothek)

Grevesmühlen, Krst. des Landkreises Nordwestmecklenburg, Meckl.-Vorp., 11000 Ew.; Metall-, elektron., Holz-, Baustoffind. – Stadtbefestigung mit mehreren Wiekhäusern und drei Toren (Mitte 18. Jh.), Stadtkirche St. Nikolai (13. Jh.). – G., vor 1230 entstanden, erhielt um 1262 Stadtrecht.

Greyerz (frz. Gruyères), Bezirksort im Kt. Freiburg, Schweiz, 810 m ü. M., an der Saane oberhalb des Stausees Lac de la Gruyère (9,42 km^2), 140000 Ew.; Schaukäserei; Stadtbild unter Denkmalschutz: Schloss (12. Jh., im 15. Jh. umgestaltet; Museum), spätgot. Bürgerhäuser. Im **Greyerzer Land** (Bez. La Gruyère) im oberen Saanetal der Freiburger Voralpen Fremdenverkehr; Milchwirtschaft, Herstellung von **Greyerzer Käse.**

Greyhound ['greɪhaʊnd] *der,* glatthaariger engl. Windhund, der sehr schnell mit weit ausholenden Sprüngen laufen kann (Windhundrennen).

Gribojedow, Alexander Sergejewitsch, russ. Dramatiker und Diplomat, *Moskau 15. 1. 1795, † (Opfer eines polit. Attentats) Teheran 11. 2. 1829; schrieb die Verskomödie »Verstand schafft Leiden« (1822–24, hg. 1833), eine schonungslose Satire auf die höhere Moskauer Gesellschaft.

Griechen, 1) die seit dem Anfang des 2. Jt. v. Chr. in Griechenland eingewanderten indogerman. Stämme (→ Griechenland, Geschichte, → griechische Kultur). Die Frühgriechen hießen offenbar **Achaier** (so bei Homer). Seit etwa 700 v. Chr. wurde der Name **Hellenen** (nach der Landschaft Hellas) gebräuchlich, später auch **Panhellenen.**

2) Staatsvolk in → Griechenland und überwiegende Mehrheit der Bev. Zyperns.

Griechenland (neugrch. Ellas, altgrch. Hellas, neugrch. amtlich Elliniki Dimokratia; dt. Griechische Rep. und Hellenische Rep.), Staat in SO-Europa, grenzt im NW an Albanien und Makedonien, im N an Bulgarien, im NO an den europ. Teil der Türkei; im O liegen einige der Ägäischen Inseln dicht vor der asiat. Küste der Türkei.

Staat und Recht: Nach der im März 1986 revidierten Verf. vom 11. 6. 1975 ist G. eine parlamentar. Rep. mit präsidialen Elementen. Staatsoberhaupt ist der vom Parlament auf fünf Jahre gewählte Präsident. Er ist Oberbefehlshaber der Streitkräfte, ernennt den MinPräs. sowie auf dessen Vorschlag die übrigen Mitgl. des Kabinetts. Die Exekutive liegt bei der Reg., die durch Misstrauensvotum des Parlaments gestürzt werden kann. Höchstes Legislativorgan ist das Einkammerparlament, die Nationalversammlung (höchstens 300 Abg., für vier Jahre gewählt). Einflussreichste Parteien sind die Panhellen. Sozialist. Bewegung (PASOK), die konservativ-liberale Neue Demokratie (ND), die Partei Polit. Frühling (POLA) und die Kommunist. Partei (KKE).

Landesnatur: G. umfasst den südl. Teil der Balkanhalbinsel mit der Peloponnes. Ferner gehören zu G. die Ion. Inseln, die Inseln des Ägäischen Meeres (Sporaden, Kykladen, die der kleinasiat. Kuste vorgelagerten Inseln außer Īmroz [Imbros] und Bozca Ada [Tenedos]) sowie die südägäische Inselgruppe (u. a. Kreta und Rhodos). Der Halbinsel- und Inselstaat hat rd. 15000 km Küsten (4100 km Festlandsküsten), die meist felsig und reich an Buchten sind. Das Innere wird von Gebirge (drei Viertel der Oberfläche) und Beckenlandschaften eingenommen: Im N (W-Thrakien, Griechisch-Makedonien) finden sich hohe Gebirgszüge und fruchtbare oder versumpfte Ebenen. In NW-G. liegt Epirus, eine baumlose gebirgige Landschaft, die von Thessalien durch das Pindosgebirge (im

Greyhound: Wie alle Windhunde biegt der Greyhound (Schulterhöhe bis 76 cm) die Rute beim Stehen zwischen den Hinterbeinen nach vorne durch

Griechenland

Fläche: 131 990 km²
Einwohner: (1995) 10,451 Mio.
Hauptstadt: Athen
Verwaltungsgliederung: 13 Regionen, Mönchsrep. Athos
Amtssprache: Neugriechisch
Nationalfeiertag: 25. 3.
Währung: 1 Drachme (Dr.) = 100 Lepta
Zeitzone: MEZ +1 Std.

Smolikas 2637 m ü. M.) getrennt ist. Das Gebirgssystem setzt sich fort in den Gebirgen der Peloponnes (im Taygetos bis 2407 m ü. M.) und bis nach Kreta. Der Olymp (nördlich des thessal. Beckens) ist mit 2917 m ü. M. der höchste Berg des Landes. Erdbeben sind häufig. Die Peloponnes, die größte Halbinsel G.s, ist mit dem Festland nur durch den schmalen Isthmus von Korinth verbunden. Wardar, Struma und Maritza sind die bedeutendsten Flüsse; breite Schotterbetten sind Ausdruck der dem Niederschlagsgang angepassten unregelmäßigen Wasserführung der Flüsse.

Das Klima ist mittelmeerisch mit heißen, trockenen Sommern, nördl. Winden (→Etesien) und milden, feuchten Wintern. Es wird von S nach N merklich rauer. Die W-Seite erhält wesentlich mehr Niederschläge als der O. In den Gebirgen liegt im Winter regelmäßig Schnee. Die immergrüne mediterrane Hartlaubvegetation ist auf die Küsten und Tiefländer beschränkt. Daran schließen sich bis rd. 2000 m Höhe Laubmischwälder, in höheren Lagen auch Nadelwald an, darüber folgen alpine Matten. Schon seit der Antike wurden die ursprüngl. Wälder durch Umwandlung in Kulturland, Beweidung und Holzentnahme weitgehend zerstört; Macchie und Phrygana (eine Form der Garrigue) entstanden.

Bevölkerung: Rd. 95 % der Bev. sind Griechen, sonst Angehörige nat. Minderheiten wie Makedonier, Türken und Pomaken, Albaner, Aromunen, Sarakatsanen (griechischsprachige Bev. aromun. Herkunft), Bulgaren und Roma. Knapp 98 % der Bev. gehören der grch.-orthodoxen Kirche an; daneben kleinere Gruppen von Muslimen, Katholiken, Protestanten, armen. Christen, Juden. – Am dichtesten besiedelt sind die Becken- und Küstenlandschaften und einige Inseln. 64 % der Ew. leben in Städten, über ein Drittel der Gesamtbev. in der Region Athen-Piräus. Wichtig sind Emigration und Remigration; bereits vor 1900 hatte die Auswanderung nach Übersee begonnen; über 1 Mio. Menschen verließen seit 1945 als Auswanderer auf Dauer (v. a. in die USA, nach Australien und Kanada) und auf Zeit (Gastarbeiter) das Land. – Es besteht neunjährige Schulpflicht (7.–15. Lebensjahr). Den Pflichtschulbereich bilden Primarschule (6 Jahre) und Gymnasium (drei Jahre; Sekundarstufe I). Auf dem Gymnasium baut das Lyzeum auf (drei Jahre; Sekundarstufe II), das zur Hochschulreife führt. Univ. in Athen, Saloniki, Ioannina, Patras, Komotini, Rethymnon/Heraklion sowie in Athen eine techn. Hochschule, die Hochschule für polit. Wiss., die Hochschule für Wirtschaftswiss., die landwirtsch. Hochschule und die Kunsthochschule; Ind.hochschulen in Piräus und Saloniki.

Wirtschaft, Verkehr: Seit 1981 ist G. Vollmitgl. der EG. Bergbau und Ind. haben die Landwirtschaft aus ihrer führenden Rolle verdrängt. Nur etwa 22 % der Gesamtfläche dienen heute dem Ackerbau (davon 30 % mit Bewässerung, 20 % mit dichtem Fruchtbaumbestand); etwa 40 % werden als Weiden genutzt. Kleinbetriebe herrschen vor (70 % aller Betriebe bewirtschaften weniger als 5 ha). Wichtigste Anbauerzeugnisse sind Weizen, Gerste, Mais, Baumwolle, Zuckerrüben, Oliven, Weintrauben (für Wein, Rosinen, Korinthen und als Tafeltrauben), Tabak, Tomaten, Obst (bes. Zitrusfrüchte). Daneben hat die Viehwirtschaft, bes. auf den Bergweiden betrieben, Bedeutung für die Eigenversorgung (Rinder-, Schaf- und Ziegenhaltung). Die Forstwirtschaft ist wegen geringen Bestands (rd. 20 % der Fläche tragen Wald und Busch) unbedeutend; fast 90 % des Nutzholzbedarfs muss eingeführt werden; Harzgewinnung für die Herstellung von Retsina. Auch die Fischerei (sauerstoffarme Küstengewässer; Überfischung) kann den heim. Bedarf nicht decken.

Zu der Verarbeitung landwirtsch. Produkte (Konserven-, Textil-, Zuckerfabriken) kamen chem. Ind. (Kunstdüngererzeugung), Metallind. (Stahl- und Aluminiumerzeugung, Nickelerzverhüttung), Schiffbau und Mineralölverarbeitung. Hauptstandorte der Ind. sind der Ballungsraum Athen-Piräus, Saloniki, Patras sowie einige Mittelstädte auf Euböa und in Thessalien. – Die wichtigsten Erzeugnisse des Bergbaus sind Braunkohle,

Staatswappen

GR

Internationales Kfz-Kennzeichen

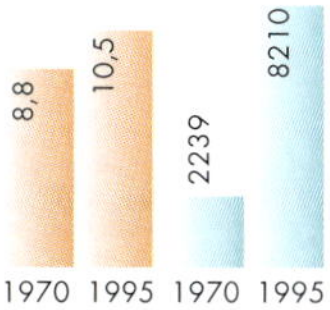

Bevölkerung (in Mio.)
Bruttosozialprodukt je Ew. (in US-$)

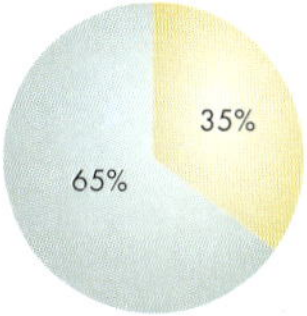

Stadt
Land
Bevölkerungsverteilung 1994

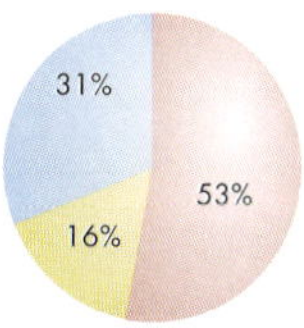

Industrie
Landwirtschaft
Dienstleistung
Bruttoinlandsprodukt 1993

Griechenland: Blick auf den Olymp (2917 m), den höchsten Berg Griechenlands

Bauxit, Magnesit; ferner Manganerze, Marmor, Perlit, Schmirgel, Bentonit, Puzzolane u.a.; Erdöl und Erdgas (bei der Insel Thasos in der nördl. Ägäis) werden seit 1981 gefördert. – Der Energiebedarf wird zu 40 % aus eigenen Quellen gedeckt, davon über 30 % aus Braunkohlebeständen.

Der Außenhandel zeigt seit langem einen beträchtlichen Einfuhrüberschuss, z.T. ausgeglichen durch Erlöse aus dem Fremdenverkehr (1994 11,4 Mio. Touristen) und durch Geldüberweisungen grch. Gastarbeiter. Importiert werden bes. Erdöl, Maschinen, Fahrzeuge sowie Nahrungsmittel, exportiert Textilien und Bekleidung, Erdölprodukte, Obst, Eisen, Stahl, Aluminium, Tabak. Haupthandelspartner: Dtl., Italien, Frankreich, Niederlande, Japan, Großbritannien, USA. – Die natürl. Gegebenheiten erschweren den Landverkehr: 2484 km Eisenbahnlinien; 38606 km Straßen, davon 8955 km Nationalstraßen. G. ist eines der bedeutendsten Schifffahrtsländer der Erde. Eine große Rolle spielen sowohl die Küstenschifffahrt als auch der Überseeverkehr (Deviseneinnahmen). Wichtigste Häfen: Piräus, Saloniki und Volos. Für die Küstenschifffahrt und den Passagierverkehr hat der Kanal von Korinth Bedeutung. Größter internat. Flughafen ist Athen (Hellenikon), weitere große Flughäfen sind Saloniki, Heraklion, Korfu, Rhodos; staatl. Flugges.: »Olympic Airways«.

Griechenland - Wirtschaft

Geschichte

Zur Vorgeschichte → Mittelmeerraum.

Frühzeit (bis etwa 800 v.Chr.): Schauplatz der grch. Geschichte i.w.S. ist der gesamte von den Griechen besiedelte Raum der Mittelmeerwelt, i.e.S. die von den Griechen »Hellas«, von den Römern »Graecia« gen. Halbinsel, die zugehörigen griechisch besiedelten Inseln und die Inseln des Ägäischen Meeres. Hier wanderten seit Beginn des 2. Jt. v.Chr. die indogerman. Stämme der Ionier, Äolier und Achaier ein und vermischten sich mit der ansässigen mediterranen Vorbev. der Karer, Leleger und Pelasger. Sie begründeten die mittelhellad. Kultur, seit etwa 1550 v.Chr. unter dem Einfluss des minoischen Kreta die myken. Kultur. Es entstanden offenbar größere Territorialherrschaften mit befestigten Zentren (Mykene, Pylos, Argos, Athen, Theben) und einer entwickelten Verwaltung. Seit 1450 v.Chr. griffen die Achaier auch nach Kreta über und machten dort der minoischen Kultur ein Ende. Im 12. Jh. vollzog sich (neuerdings angezweifelt) die Einwanderung der Dorer, die u.a. große Teile Mittel-G.s und der Peloponnes besiedelten. Gleichzeitig wurden die Äolier und Ionier z.T. nach Kleinasien abgedrängt (1. grch. Kolonisation).

Achaische Zeit (etwa 800–500 v.Chr.): Nach 800 v.Chr. begann eine neue Ausbreitung der Griechen nach O und W durch Gründung zahlr. Siedlungen in Unteritalien, Sizilien, an den Küsten des Hellesponts, Bosporus, des Schwarzen Meeres sowie in N-Afrika (2. grch. Kolonisation). Das Königtum wurde in den meisten grch. Staaten durch eine Adelsherrschaft verdrängt. Es bildete sich der Gemeindestaat der Polis mit Jahresbeamten (→ Archon), Rat (→ Bule) und Volksversammlung (Eklesia, → Ecclesia) heraus. Auf dem Festland traten Sparta und Athen immer mehr hervor. Der von zwei gemeinschaftl. regierenden Königen beherrschte spartan. Militärstaat unterwarf im 8. und 7. Jh. Messenien und sicherte sich die Vorherrschaft (Hegemonie) in der Peloponnes. In Athen standen seit der Mitte des 7. Jh. 9 Archonten an der

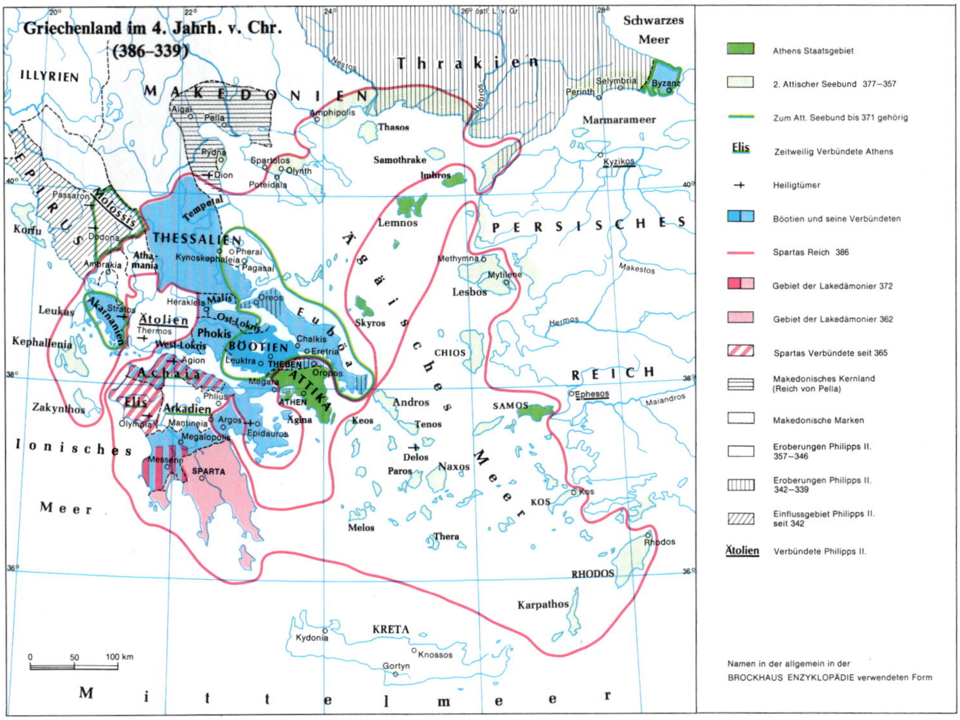

Spitze. Die erste Aufzeichnung des athen. Rechtes veranlasste um 621 Drakon. 594 wurde dieses durch die timokrat. Verf. (→Timokratie) Solons ersetzt. Dann errang Peisistratos die Macht als Alleinherrscher (Tyrann; 560–527). Kleisthenes schuf 507 v. Chr. die Grundlage der Volksherrschaft (Demokratie) in Athen.

Klassische Zeit (500–336): Die Unterstützung der aufständ. grch. Städte in Kleinasien durch Athen (→Ionischer Aufstand) hatte die →Perserkriege (500–479) zur Folge, durch die Athen zur ersten Seemacht G. emporstieg. Unter der Staatsführung des Perikles seit 461 erlangten Kunst, Dichtung und Wiss. eine hohe Blüte (perikleisches Zeitalter). Dieser Aufschwung Athens verstärkte den Gegensatz zu Sparta. Im Peloponnes. Krieg (431–404 v. Chr.) kämpften beide Staaten um die Macht in G. Der Spartaner Lysander zerstörte 405 die vorher erfolgreiche athen. Flotte bei Aigospotamoi. Athen wurde eingeschlossen und musste kapitulieren (404).

Unter der nun folgenden Vorherrschaft Spartas wurde der Kampf gegen Persien wieder aufgenommen. Sparta musste aber sein Heer aus Kleinasien zurückrufen, nachdem 395 Theben, Athen, Korinth und Argos mit pers. Unterstützung den Korinth. Krieg begonnen hatten. 387/386 handelte der Spartaner Antalkidas mit dem pers. Großkönig Artaxerxes II. die Bedingungen eines allg. Friedens aus (→Königsfriede), der den grch. Staaten Unabhängigkeit garantierte, jedoch alle grch. Städte Kleinasiens und Zyperns dem Perserkönig unterstellte. Die Art, wie Sparta seine wiederhergestellte Macht missbrauchte, führte zur Vernichtung seiner Vorherrschaft durch die Thebaner (Sieg des Epaminondas bei Leuktra 371), an die die Vorherrschaft überging, bis 362 v. Chr. Epaminondas in der Schlacht von Mantineia fiel. Die innere Zerrissenheit G. machte König Philipp II. von Ma-

Griechenland: Hügel von Mistra über dem Eurotas-Tal (Peloponnes), im Hintergrund das Taygetos-Gebirge

kedonien ein Eingreifen leicht; durch seinen Sieg bei Chaironeia (338) brachte er Theben und Athen in Abhängigkeit und sicherte die makedon. Vorherrschaft über Griechenland.

Hellenismus und Anfänge röm. Herrschaft (336–145 v. Chr. bzw. 330 n. Chr.): Nach der Ermordung Philipps II. (336) musste sein Sohn Alexander d. Gr. einen Aufstand der Griechen niederschlagen (Zerstörung Thebens 335), wurde dann mit dem schon unter seinem Vater beschlossenen Rachekrieg gegen Persien beauftragt. Alexander konnte diesen Auftrag mit der Befreiung der kleinasiat. Griechenstädte und der Zerstörung von →Persepolis erfüllen. Zugleich dehnte er seine eigene Macht über Ägypten und das ehem. Perserreich bis zum Indus aus. Nach seinem Tod (323) wurde G. in die Wirren der Diadochenzeit hineingezogen. Dem 280 gebildeten Achaiischen Bund gelang es nicht, G. von der makedon. Oberherrschaft zu befreien. Erst der Sieg der Römer über Philipp V. bei Kynoskephalai (197) beendete die Herrschaft Makedoniens und begründete die der Römer. Der Sieg der Römer über den Achaiischen Bund bei Leukopetra in der Nähe von Korinth und dessen Zerstörung (146 v. Chr.) besiegelten den Untergang der Freiheit Griechenlands.

Unter den Römern war G. politisch ohne Bedeutung, obwohl es sich durch die Gunst der Kaiser, bes. Trajans und Hadrians, bis Ende des 2. Jh. n. Chr. noch einmal zu hoher äußerer Blüte erhob. Im 3. Jh. drangen Germanenstämme in das Land ein. Die Goten erreichten um 257 seine Grenzen; während der Reg.zeit des Kaisers Gallienus verwüsteten die Heruler ganz Achaia. Das Christentum drang nur langsam vor.

Byzantin. Zeit und osman. Herrschaft (330 n. Chr. bis 1453 bzw. 1830): In byzantin. Zeit war G. eine unbedeutende Provinz des Byzantin. Reichs, die den Verwüstungen der Völkerwanderung preisgegeben und vom 6. bis 9. Jh. oft von slaw. Völkern überrannt wurde. Das flache Land verödete; die Städte verloren ihre wirtsch. Bedeutung. Seit dem 9. Jh. fielen die Araber, Bulgaren und Normannen ein. Nach der Eroberung Konstantinopels durch die Teilnehmer des 4. Kreuzzugs (1204) entstand eine Anzahl kleiner lat. Herrschaften. Lediglich das Despotat Epirus bewahrte während der »Frankenherrschaft« in G. die byzantin. Tradition. In der Peloponnes war das byzantin. Despotat Morea (oder Mistra, nach der Hauptstadt) von etwa 1260 bis zu seiner Eroberung durch die Osmanen 1460 die einzige stabile Macht. Nach der Einnahme Konstantinopels (1453) wurde auch G. von den Türken (bis 1461) erobert und blieb, angeschlossen an die Statthalterschaft Rumelien und eingeteilt in Provinzen (Sandschaks), bis 1830 Teil des Osman. Reiches. Das Land beherrschten türk. Grundherren und die →Phanarioten. Nur die Kirche und die selbstständige Gemeindeverf. hielten das grch. Nationalgefühl aufrecht.

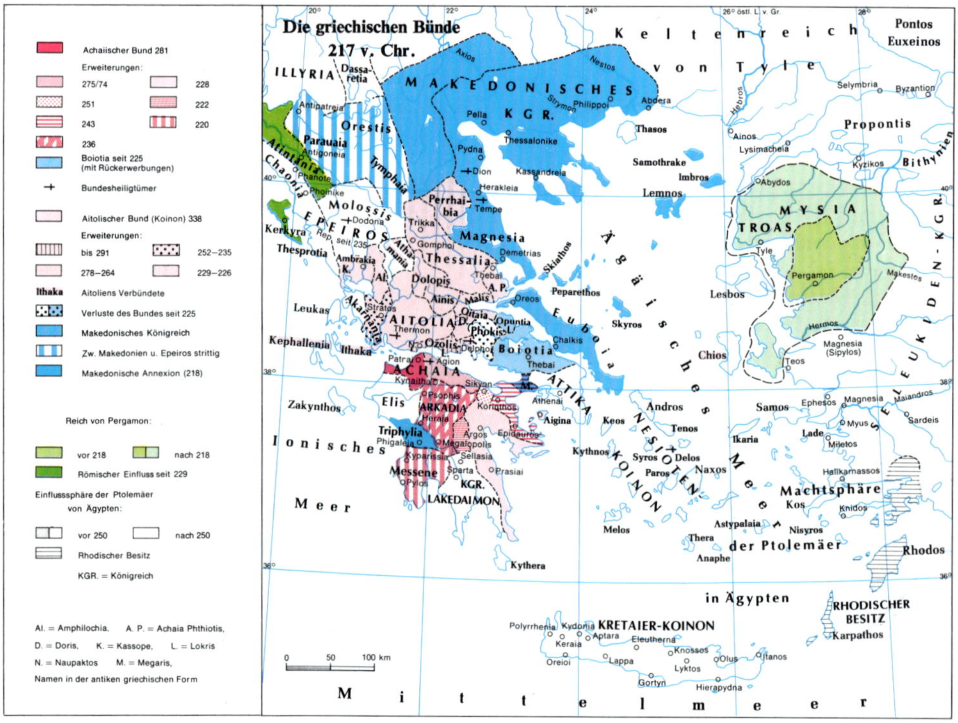

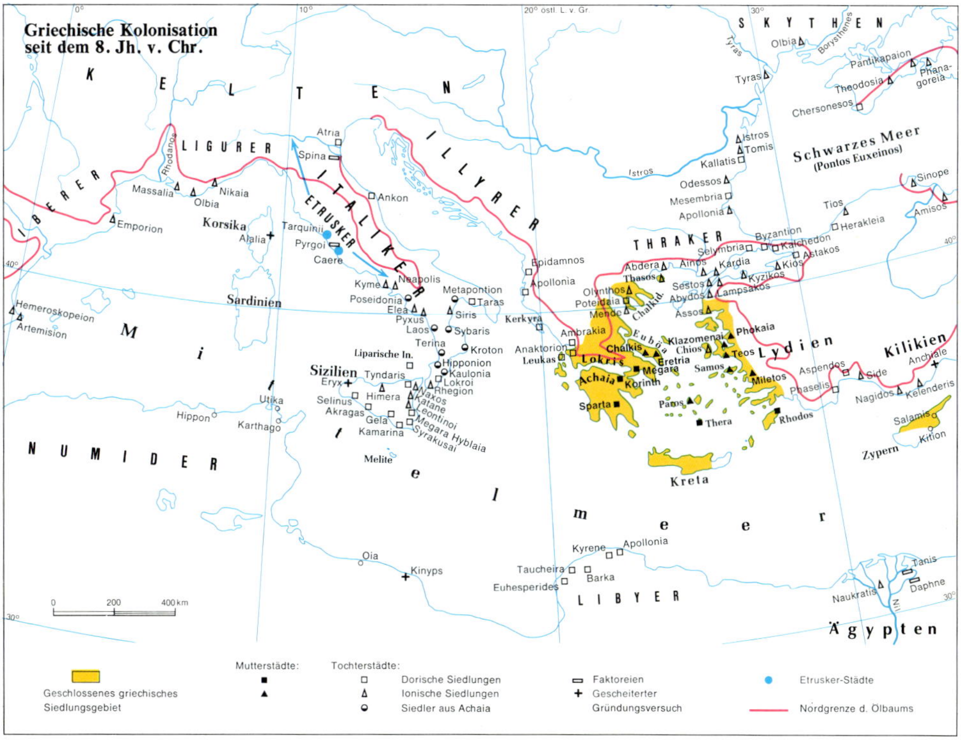

Der Machtzerfall des Osman. Reiches seit dem 17./18. Jh. (sichtbar im Widerstand der → Klephten) und die Entstehung einer neuen Schicht von Kaufleuten und Fernhändlern, die seit dem 18. Jh. zu Vermittlern des Gedankenguts der Aufklärung und der nat. Bewegungen wurde, führte Anfang des 19. Jh. zum grch. Freiheitskampf, vorbereitet durch Geheimbünde (Hetärien). Nach der erfolgreichen serb. Erhebung (1804–17) revoltierten die von Albanern und Bulgaren unterstützten Griechen gegen den Sultan; am 6. 3. 1821 rückte A. Ypsilanti im Donaufürstentum Moldau ein und rief zur Erhebung auf. Am 25. 3. (heute Nationalfeiertag) begann der allg. bewaffnete Aufstand im eigentl. G., unterstützt von griechenfreundl. Freischaren aus W-Europa (»Philhellenen«). Am 1. 1. 1822 erklärte die Nationalversammlung von Epidauros G. für unabhängig. Der Aufstand wurde nach den türk. Rückeroberungen durch Ibrahim Pascha (1826) aber erst nach dem Eingreifen von Großbritannien, Russland und Frankreich in die Kämpfe entschieden (Seeschlacht bei Navarino, 20. 10. 1827).

Der moderne griechische Staat zwischen Monarchie und Diktatur (1830–1974): Im Londoner Protokoll (3. 2. 1830) wurde G. als unabhängige Erbmonarchie anerkannt. Das Staatsgebiet bestand – bezogen auf das heutige G. – aus S- und Zentral-G. einschl. Euböa und der Kykladen. Nach der Ermordung des ersten Regenten, I. A. Graf Kapodistrias (1827 auf 7 Jahre gewählt), am 9. 10. 1831 wurde 1832 auf Betreiben der Großmächte der 17-jährige Prinz Otto von Bayern König unter der Regentschaft des Grafen J. L. von Armansperg. Die reaktionäre, von Fremden beherrschte Reg., die im Ggs. zu den Idealen des Freiheitskampfes stand, konnte in der Bevölkerung keinen Rückhalt gewinnen. 1862 wurden die Wittelsbacher vertrieben und der dän. Prinz Wilhelm (Dynastie Schleswig-Holstein-Sonderburg-Glücksburg) als Georg I. von der Nationalversammlung zum König gewählt. Die 1864 ausgearbeitete Verfassung (bis 1911 in Kraft) basierte auf dem Prinzip der Volkssouveränität und bildete die Grundlage des gegen die Machtansprüche der Krone durchgesetzten parlamentar. Regierungssystems. 1881 erhielt G. das Gebiet von Arta und den größten Teil Thessaliens.

In der Folge der Militärrevolte 1909 bildete der liberale polit. Führer der Kreter, E. Venizelos, 1910–15 die Reg. und führte 1911 eine Verfassungsreform durch. Es folgte die siegreiche Teilnahme an den Balkankriegen (1912/13); das Staatsgebiet konnte verdoppelt werden (u. a. Vereinigung von Kreta mit G.). Über die Frage des Eintritts in den 1. Weltkrieg 1915 brach ein schwerer Verfassungskonflikt zw. dem für unbedingte Neutralität eintretenden König Konstantin I. und den für das Bündnis mit der Entente plädierenden Liberalen

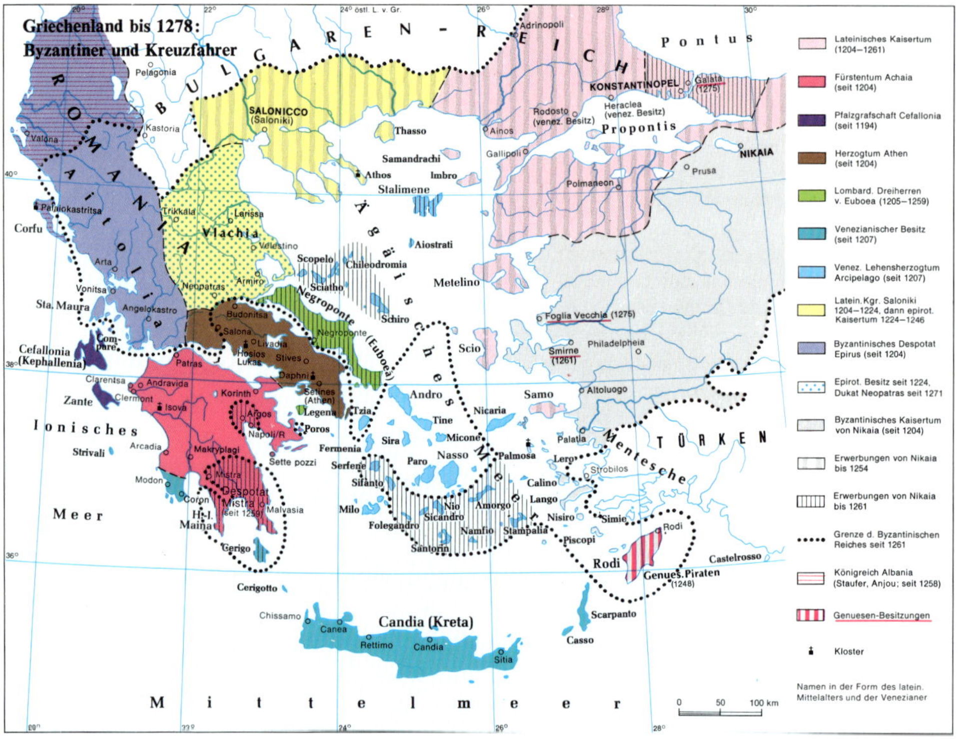

aus. Es kam unter britisch-frz. Schutz zur Bildung einer Gegenregierung durch Venizelos (1916); Konstantin I. dankte zugunsten seines Sohnes Alexander ab (1917).

Durch die Friedensschlüsse von 1919/20 (Pariser Vorortverträge) wurde G. beträchtlich vergrößert (Thrakien, Ägäische Inseln, Mandat über Ionien mit Smyrna). Nach dem Tod König Alexanders (Okt. 1920) und der Wahlniederlage Venizelos' (Nov. 1920) wurde durch Volksabstimmung Konstantin I. zurückgerufen (15. 12. 1920). Der Krieg gegen die Türkei in Kleinasien führte zur Niederlage und Vertreibung der Griechen aus Kleinasien und zum Verlust von O-Thrakien (Abkommen von Mundania, 10. 10. 1922); 1,5 Mill. grch. Flüchtlinge mussten im Austausch gegen die türk. Minderheit (600 000) in G. aufgenommen werden. Die Grenze zur Türkei wurde endgültig festgelegt. Nach der Abdankung Konstantins I. (Sept. 1922) und Georgs II. (1924) rief Venizelos die Rep. aus (25. 3. 1924). Nach fortwährenden Unruhen und Putschen (1926 Diktatur des Generals Pangalos) war Venizelos 1928–32 MinPräs.; er schloss Okt. 1930 den türkisch-grch. Freundschaftsvertrag ab. Nach erfolglosem Aufstand in Kreta (März 1935) gegen die Royalisten (MinPräs. P. Tsaldaris) musste Venizelos G. verlassen. Durch Volksabstimmung wurde die Monarchie wieder eingeführt (12. 10. 1935). Georg II. kehrte zurück; mit seiner Einwilligung errichtete MinPräs. J. Metaxas ein diktator. Regierungssystem (Aug. 1936) mit bed. sozialpolit. Neuerungen. Im April besetzte das faschist. Italien Albanien. Von dort aus versuchte es im 2. Weltkrieg (Okt. 1940 und März 1941) vergeblich, Nord-G. zu erobern. Am 6. 4. 1941 kam es zur dt.-bulgarisch-italien. Okkupation; Georg II. bildete eine Gegenreg. in London. Im Land entstand eine Widerstandsbewegung, deren mächtigste Organisation EAM/ELAS kommunistisch geführt wurde. Die Exzesse der Besatzungsmächte (Griechenpogrome, Massenerschießungen) blieben im Bewusstsein des Volkes. Im grch. Bürgerkrieg (1944–49) gelang es den Kommunisten allerdings nicht, sich zu behaupten; schließlich wurden sie mit wirtsch. und militärpolit. Hilfe der USA bezwungen (Truman-Doktrin). G. gewann im Frieden von Paris (1947) den Dodekanes. Im Sept. 1946 kehrte Georg II. nach einer Volksabstimmung zurück; nach dessen Tod bestieg sein Bruder Paul I. den Thron (1947–64). Im Okt. 1952 trat eine neue Verfassung in Kraft. G. trat der NATO (1974–80 zeitweiliger Austritt) und dem Balkanpakt bei. An der Spitze der konservativen »Hellenist. Sammlungsbewegung« (seit 1956 »Nationalradikale Union«; grch. Abk. ERE) errang Marschall A. Papagos 1952 einen hohen Wahlsieg und wurde Min.-Präs. Sein Nachfolger als Vors. der ERE und Min.-Präs. (1955–63) war K. Karamanlis. 1963 errang die

1961 gegr. Zentrumsunion die absolute Mehrheit; ihr Vors. G. Papandreu wurde MinPräs.; er geriet nach seiner Absetzung (1965) in Konflikt mit König Konstantin II. (1964 bis 1973/74). Am 21. 4. 1967 errichtete eine Gruppe konservativer Offiziere unter MinPräs. G. Papadopulos (1967–73) ein diktator. Regime (Ausnahmezustand, Massenverhaftungen und -deportationen, Gleichschaltung der Presse, KZ auf Jaros und Leros). Nach einem gescheiterten Gegenputsch (Dez. 1967) Konstantins II. ging dieser ins Exil. Am 1. 6. 1973 rief Papadopulos die Republik aus und wurde Staatspräs. (1973). Nach einem unblutigen Putsch gegen ihn (Nov. 1973) übernahm General P. Gisikis die Präsidentschaft (1973/74). Der Fehlschlag eines von Athen aus gelenkten Putsches auf → Zypern führte im Juli 1974 zum Zusammenbruch der Militärdiktatur.

Der demokrat. Staat (seit 1974): Unter MinPräs. K. Karamanlis (1974–80; Nachfolger G. Rallis, 1980/81) kehrte G. zum parlamentarisch-demokrat. System zurück; es blieb Republik (Abstimmung vom Dez. 1974). 1975 trat eine neue Verf. in Kraft. Die von Karamanlis geführte ND errang 1974 und 1977 die absolute Mehrheit, verlor diese jedoch 1981 an die PASOK, die mit A. Papandreu den MinPräs. (1981–89) stellte. Karamanlis wurde 1980 Nachfolger von Staatspräs. K. Tsatsos (1975 bis 1980). Mit Wirkung vom 1. 1. 1981 trat G. als Vollmitgl. der EG bei. Im März 1985 trat Präs. Karamanlis zurück; nach mehreren Wahlgängen wurde Ende März C. Sartzetakis (parteilos) zum neuen Präs. gewählt. Die vorgezogenen Wahlen im Juni 1985 bestätigten die PASOK-Regierung unter MinPräs. Papandreu im Amt. Ihre strikten Sparmaßnahmen lösten im Okt. 1985 schwere soziale Unruhen aus. Nach einer Reihe von Krisen beschwor 1988 ein Korruptionsvorwurf gegen Mitgl. der Regierung und die PASOK eine zehnmonatige polit. Instabilität herauf; erst nach drei Parlamentswahlen (Juni und Nov. 1989 sowie April 1990) errang die ND eine schmale regierungsfähige Mehrheit. Im Mai 1990 wurde K. Karamanlis zum zweiten Mal zum Staatspräs. gewählt. Die von der ND getragene Regierung unter K. Mitsotakis führte ein Sanierungsprogramm durch. Aus Protest gegen die sozialen Folgen dieser Politik riefen die Gewerkschaften im Spätsommer 1992 einen Generalstreik aus. Vor diesem Hintergrund errang die PASOK im Okt. 1993 einen Wahlsieg und stellte mit Papandreu, der in einem Prozess (1992) vor dem Obersten Gerichtshof vom Vorwurf der Bestechung freigesprochen worden war, erneut den MinPräs. Nach dessen Rücktritt (aus Krankheitsgründen) wurde sein Nachfolger als PASOK-Vors., K. Simitis, im Jan. 1996 Min.-Präs., nach dem Wahlsieg der PASOK im Sept. desselben Jahres wurde er im Amt bestätigt. Seit 1995 ist K. Stephanopulos Staatspräsident.

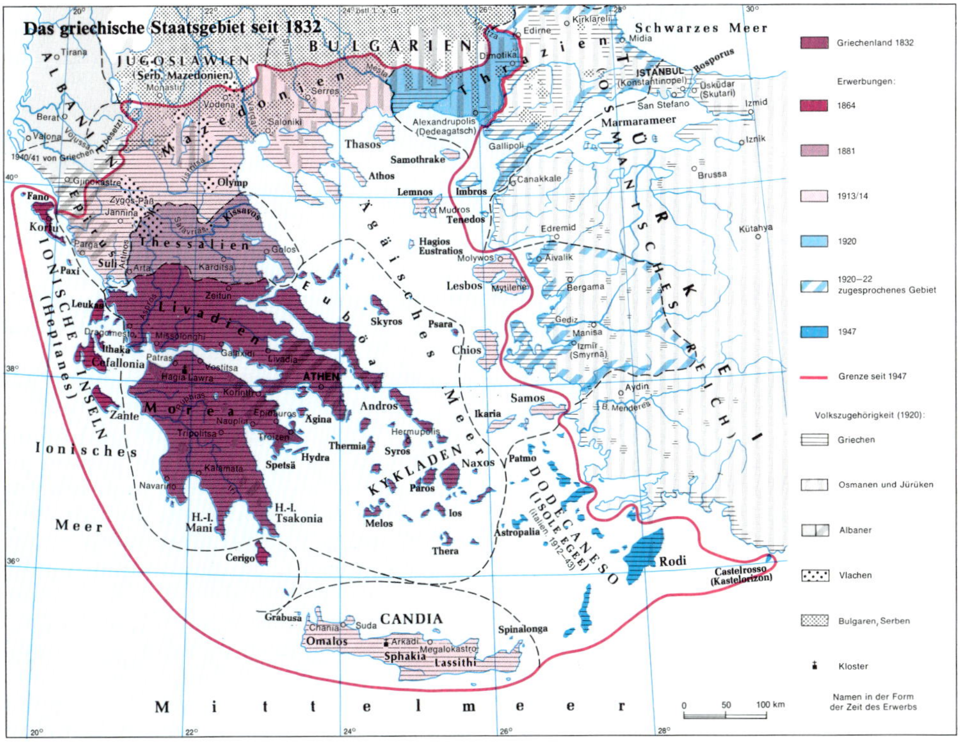

griechische Kultur: Wettlaufszene auf einer Preisamphore aus dem 6. Jh. v. Chr. (Compiègne, Musée Antoine Vivenel); musische und sportliche Wettkämpfe waren neben kultischen Handlungen wichtiger Bestandteil der großen griechischen Feste

In der Außenpolitik belasten der grch.-türk. Konflikt um Zypern sowie die Kontroverse um die Hoheitsrechte in der Ägäis die Beziehungen beider Staaten. Vor dem Hintergrund der veränderten sicherheitspolit. Lage in Europa seit Beginn der 1990er-Jahre reduzierte G., seit Nov. 1992 Mitgl. der WEU, seine Streitkräfte um 20% auf nunmehr 160 000 Mann. Am 31. 7. 1992 billigte das Parlament den Vertrag von Maastricht. Als Inhaber der EU-Präsidentschaft in der ersten Jahreshälfte 1994 bemühte sich die grch. Regierung um die Erweiterung der Gemeinschaft. Nach dem Zerfall Jugoslawiens kam es zu einem Konflikt mit der 1991 unabhängig gewordenen früheren jugoslaw. Teilrepublik Makedonien. In der Verwendung des Namens »Makedonien« und bestimmter Staatssymbole (bes. des »Sterns von Vergina«) sah Griechenland – im Blick auf eine gleichnamige Prov. – einen Angriff auf seine territoriale Integrität. Unter dem Vorsitz eines UN-Vermittlers entschärften beide Staaten im Sept. 1995 ihren Konflikt mit einem Normalisierungsvertrag.

📖 Kirsten, E. *u.* Kraiker, W.: *Griechenlandkunde, 2 Bde. Heidelberg ^{5}1967.* – Sauerwein, F.: *G. Land, Volk, Wirtschaft in Stichworten. Wien 1976.* – *G. Greece, hg. v.* K.-D. Grothusen. *Göttingen 1980.* – Gehrke, H.-J.: *Jenseits von Athen u. Sparta. Das dritte G. u. seine Staatenwelt. München 1986.* – Bockhoff, B.: *G. München 1987.* – Bengtson, H.: *Die hellenist. Weltkultur. Stuttgart 1988.* – Lienau, C.: *G. Geographie eines Staates der europ. Südperipherie. Darmstadt 1989.* – Bengtson, H.: *Grch. Geschichte. Von den Anfängen bis in die röm. Kaiserzeit. Sonderausg. München ^{8}1994.* – Weithmann, M. W.: *G. vom Frühmittelalter bis zur Gegenwart. Regensburg 1994.* – Gehrke, H.-J.: *Geschichte des Hellenismus. München ^{2}1995.* – Schuller, W.: *Grch. Geschichte. München ^{4}1995.* – *G. – Athen. Redaktion:* E. Astor. *Leipzig u. a. 1996.* – Clogg, R.: *Geschichte G.s im 19. u. 20. Jh. A. d. Engl. Köln 1997.*

griechische Kultur. Die Griechen sind in mehreren zeitl. Folgen in Griechenland eingewandert (→ Griechenland, Geschichte) und mit der vorindogerman. Bevölkerung verschmolzen. Entscheidend war die von der Landesnatur bestimmte Aufspaltung in Kleinstaaten und Talschaften. Da polit. Leben sich in engen Räumen im Personalverband vollzog, war das Heimatgefühl stets stärker als das Nationalbewusstsein, das sich nur kulturell gegen alle Fremden anderer Sprache (Barbaren) absetzte.

Die Notwendigkeit, seine Herrschaft zu behaupten, zwang Sparta zur Ausprägung eines Kriegerstaats unter der Bewahrung urtüml. Gemeinschaftsformen (Altersklassen, vormilitär. Erziehung der Jugend). Als ein anderes Extrem entwickelte sich bei den Ioniern Kleinasiens das selbstbewusste Individuum in Politik, Wirtschaft und Gesellschaft. Athen stand zw. beiden Extremen und wurde zur Heimat des seinem Stadtstaat (→ Polis) verbundenen Bürgers, der sich in seinen Entscheidungen frei, aber seinen Mitbürgern verantwortlich fühlte.

Die Kultur der Griechen war zunächst Adelskultur, der homer. Held das Vorbild jeden Mannes, Streben nach Tapferkeit, Tugend (Arete) seine Aufgabe.

Die Überschaubarkeit der Staatswesen erlaubte eine direkte Demokratie, in der die gesamte Bürgerschaft zur Volksversammlung (oft im Theater) zusammentrat. Die Meinungsbildung vollzog sich auf dem Marktplatz (Agora), wo die Männer einkauften. In der demokrat. Polis blieb der Einfluss der Frau auf das Haus beschränkt. Höhepunkt des männl. Zusammenlebens war das → Symposion. Treffpunkte der Männer waren ferner die Sporthallen (Gymnasien). In klass. Zeit wurden Gymnasion und Symposion von einer Atmosphäre des Eros beherrscht. Zu Unrecht gilt die Knabenliebe als charakterist. griechisch, ihre öffentl. Duldung war aber gesellschaftl. Selbstverständlichkeit.

Schon früh wurde Unterricht in Musik und Gymnastik, in Lesen und Schreiben und eine gründl. Anleitung zur Aneignung der Werke der großen Dichter, v. a. von Homer, erteilt. Erst als sich diese Art der Erziehung im Lauf des 5. Jh. auflöste, trat neben die Elementarlehrer (Paidagogen, oft Unfreie) ein eigener Stand berufsmäßiger Erzieher, die → Sophisten.

Von großer Bedeutung waren die panhellen. Götterfeste; das Apollonfest in Delos vereinigte die Ionier der Ägäis, und zum Zeusfest in Olympia kamen Teilnehmer aus allen hellen. Städten und Landschaften, bes. aus denen des Westens. In Delphi überwog das mittel- und nordgrch. Element beim Fest der →Amphiktyonie.

Die Festversammlung war der Ort, an dem ein Grundzug grch. Wesens höchste Erfüllung fand, die Neigung zum Wettkampf (Agon). Unter den mus. Agonen waren die vornehmsten die dramat. Agone in Athen: Die attischen Dramen wurden regelmäßig im Wettkampf dargeboten. Drei Bewerber führten nacheinander ihre Stücke auf; prämiert wurden der Dichter, der Chorege (der Träger der Kosten) und später auch Schauspieler. Die wichtigsten sportlichen Wettkämpfe waren die →Olympischen Spiele.

Die g. K. erreichte im 8. Jh. ihren ersten Höhepunkt (Homer). Im kleinasiat. Siedlungsgebiet nahm sie oriental. Einflüsse auf (u.a. phönik. Alphabet, kleinasiat. Göttergestalten). Im Zeitalter des →Hellenismus durchdrang sie in O (Alexanderzüge) und W (Rom) die gesamte antike Welt und strahlte bis ins Innere Asiens aus (Gandhara-Kunst). Von den Römern bes. seit dem 2. Jh. v. Chr. übernommen, wurde sie zu einem der prägenden Elemente des Röm. Reiches, bes. im Osten (→byzantinische Kultur). Sie vermittelte die Einbindung des Christentums in die antike Welt. Die →griechische Philosophie und die →griechische Literatur, die →griechische Kunst, Wiss., Staatsauffassung, Lebenshaltung und die grch. Mythologie (→griechische Religion und Mythologie) wurden zu einem maßgebl. geistigen Erbe des Abendlands.

📖 *Das alte Griechenland. Geschichte u. Kultur der Hellenen, bearb. v.* A. H. Borbein. *Beiträge v.* C. Boehringer *u.a. München 1995.*

griechische Kunst. Anschließend an die spätmyken. Kunst (→ägäische Kultur) entwickelte sich auf dem grch. Festland gegen Ende des 11. Jh. v. Chr. die geometr. Kunst. Aus dem 9. und 8. Jh. sind kleinplast. Arbeiten aus Ton und Bronze sowie Geräte aus Eisen und Bronze bekannt. Ende des 8. Jh. v. Chr. folgte auf den geometr. Stil die archaische Kunst mit monumentalen Werken der Skulptur und Architektur und bemalten Vasen des »erzählenden Stils« (7.–6. Jh. v. Chr.). Im 5. Jh. entfaltete sich die erste, im 4. Jh. die zweite Blüte der klass. Kunst. Nach dem Tod Alexanders d. Gr. (323) wandelte sich die klass. zur hellenist. Kunst (3.–1. Jh.). Vom Ende des 4. Jh. n. Chr. an lässt sich die g. K. von der byzantin. nicht mehr trennen (→byzantinische Kunst); zur neuzeitl. grch. Kunst →neugriechische Kunst.

Die Bezeichnung der ersten Epoche der g. K. – **geometr. Kunst** – geht auf die Linienornamentik der Tongefäße dieser Zeit zurück: Mäander, Dreieck, Raute, Kreis und Hakenkreuz sind zu waagerechten Streifen angeordnet. An die Stelle der naturhaften kretisch-myken. Formensprache trat ein mathematisch-ordnender Stilwille. Die Gefäße der **streng geometr. Stufe** (850–775 v. Chr.) sind oft ganz mit schwarzem, glänzendem Überzug versehen, aus dem nur wenige schmale Ornamentstreifen ausgespart sind (Haken- und Zinnenmäander). In der **reifgeometr. Phase** (775–750) wurden die differenzierteren Gefäßformen von Ornamenten dicht überzogen. Neben die Tierfriese trat das Menschenbild, v.a. die figurenreiche Totenklage sowie Krieger- und Wagenzüge. Der **spätgeometr. Stil** (750–700) bietet übermäßig geschwellte oder zugespitzte Formen, malerisch flimmernde Ornamente. Seit etwa 720 fanden Bildmotive des Vorderen Orients (Tiere und Fabelwesen) Aufnahme (orientalisierender Stil). – Die gleichen geometr. Stilgrundsätze wie die Tongefäße zeigen Schmuckstücke und Geräte sowie Kleinplastiken aus Metall, Elfenbein und Ton.

Baukunst

Die Baukunst entwickelte sich im 8. und 7. Jh. v. Chr. am Tempelbau, dessen Grundform die rechteckige, ihr Licht nur vom Eingang her empfangende Cella war. Die Cella erhielt eine Vorhalle mit zwei Säulen oder wurde mit einer Ringhalle von hölzernen Stützen umgeben (Peristase). Die Formen der urspr. aus Holz und Lehm errichteten Tempel wurden im späteren 7. Jh. auf Steinbauten übertragen. Die ältesten Bauten des seit Mitte des 6. Jh. ausgeprägten **dor. Stils (dor. Ordnung)** waren schwer und gedrungen (Korinth, Ägina, Korfu). Ihre Giebel wurden mit plast. Bildwerken, die Metopen (Zwischenfelder) zw. den Triglyphen (Dreischlitze) des Architravs mit Reliefs geschmückt (so in Selinunt, 540–520). Als Baustoff diente verputzter Kalkstein, später Marmor. Säulen, Gebälk und Giebel wurden in feste Proportionen zueinander gebracht. Die Baukunst der klass. Zeit klärte und verfeinerte die allmählich leichter und schlanker werdenden Formen (Zeustempel in Olympia, 470–460; Parthenon, Athen, 448–432; Poseidontempel von Sunion, um 430, und von Paestum, um 450). Im 4. Jh. v. Chr. wurde der dor. Stil nur noch selten, in hellenist. Zeit kaum noch verwendet.

Von der ion. Küste Kleinasiens ausgehend, entwickelte sich im 6. Jh. v. Chr. die fortan gültige Form des ion. Volutenkapitells und mit ihm der **ion. Stil (ion. Ordnung),** der schlanke Säulen von reich durchgebildeten Basen aufsteigen lässt, den Architrav in drei waagerechte Streifen gliedert und darüber mit einem Zahnschnittgesims schließt. In Ephesos und Samos entstanden Kolossaltempel mit doppeltem Säulenumgang (Dipteros). Der **attisch-ion. Stil** bildete eine reichere Kapitellform aus und den mit Skulpturen geschmückten, durchlaufenden Fries unter dem vorspringenden Gesims (Niketempel auf der Akropolis). Mit dem gegen Ende des 5. Jh. v. Chr. aufkommenden korinth. Kapitell, gebildet aus einem korbartigen Kern und Akanthusblättern, setzte sich im Laufe des 4. Jh. v. Chr. der **korinth. Stil (korinth. Ordnung)** durch (Lysikratesdenkmal in Athen, 334).

In der Zeit des Hellenismus verbreitete sich die grch. Baukunst bis weit in den Orient hinein. Neue Aufgaben bot der prunkvolle Ausbau der unter den Diadochen gegründeten königl. Residenzen (Pergamon, Alexandria, Antiochia). In den Städten entstanden große Marktanlagen, die Hallen, Tempel und Rathäuser umfassten, ferner Theater, Bibliotheken (Alexandria, Pergamon), Palästren und Bäder.

Bildhauerkunst

Mit dem Bau der großen Tempel in der 2. Hälfte des 7. Jh. v. Chr. entwickelte sich die monumentale Plastik des **archaischen Stils** (650–500). Götter, Verstorbene und siegreiche Kämpfer wurden als nackte Jünglingsgestalten (Kuroi) in strenger, frontal ausgerichteter Haltung, in Schrittstellung und mit anliegenden Händen dargestellt. Gleichzeitig entstanden bekleidete weibl. Figuren als Verkörperungen von Göttinnen (Göttin mit dem Granatapfel, um 580–560; Berlin, Antikensammlung), Verstorbenen und als Weihgeschenke (Koren). Neben der Freiplastik entwickelte sich die Reliefkunst der für die ersten dor. Tempel gearbeiteten Metopen und Giebelfelder.

Die **klass. Kunst** setzte mit dem **strengen Stil** (500–450) ihrer Frühzeit ein, als sich nach den Perserkriegen auch die Kunst zu neuer Blüte entfaltete. Die starre Gebundenheit des archaischen Stils wurde gesprengt, der menschl. Körper in anatomisch verstandener Bewegung erfasst. An der Wende zu dieser Entwicklung entstanden die kämpfenden Krieger der Giebel des Aphaiatempels von Ägina. Die nach ihrem Äußeren gewaltigsten erhaltenen Werke des strengen Stils sind die Giebelbildwerke und Metopen von Olympia, kostbare Zeugnisse der klass. Erzgießerkunst der »Wagenlenker von Delphi« (478–474; Delphi, Archäolog. Museum) und der »Gott aus dem Meer« von Kap Artemision (um 480 v. Chr.; Athen, Archäolog. Nationalmuseum). Die meisten Bildwerke der grch. Klassik sind nur durch röm. Kopien v. a. des 1.–3. Jh. n. Chr. bekannt. So wurden die Marmorgruppe der beiden Tyrannenmörder Harmodios und Aristogeiton (Neapel, Archäolog. Nationalmuseum) nach einer 477 v. Chr. entstandenen Bronzegruppe kopiert und der »Kasseler Apoll« nach einem vielleicht von Phidias stammenden Werk.

griechische Kunst

1

2

1 Tholos im heiligen Bezirk der Athena Pronaia in Delphi, teilweise wieder aufgebauter Rundbau aus Marmor mit Säulenumgang, ursprünglich mit einem Zeltdach versehen (4. Jh. v. Chr.) | 2 Hermes mit dem Dionysosknaben, Werk des Praxiteles, Höhe 2,15 m (um 325 v. Chr.; Olympia, Archäologisches Museum)

Im Übergang vom strengen Stil zur **hohen Klassik** des 5. Jh. v. Chr. entstanden der »Diskuswerfer« und die Athena-Marsyas-Gruppe von Myron. Die überragenden Bildhauer des Jh. waren Phidias und Polyklet. Zu den Meisterwerken des Phidias zählen die monumentalen Standbilder des Zeus in Olympia und der Athena Parthenos im Parthenon zu Athen, von denen kleine Nachbildungen eine nur ungefähre Vorstellung vermit-

| 3

| 4

| 5

| 6

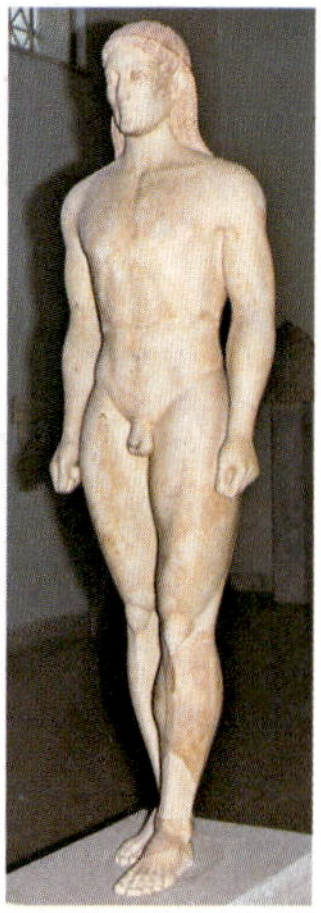

| 7

| **3** Kieselmosaik von Pella mit der Darstellung einer Hirschjagd (frühes 3. Jh. v. Chr.; Pella, Archäologisches Museum) | **4** Kopf einer im Meer bei Riace (Süditalien) gefundenen originalen Bronzestatue, Werk eines unbekannten Zeitgenossen des Bildhauers Myron (um 460 v. Chr.; Reggio di Calabria, Museo Nazionale) | **5** Kapitell im ionischen Stil mit eingerollten Voluten und reicher Ornamentik (530–510 v. Chr.; Delphi, Apollonheiligtum) | **6** Rotfigurige Amphora aus Vulci mit der Darstellung des versuchten Raubes der Leto durch Tityos; Werk des attischen Vasenmalers Phintias, Höhe des Bildes 22 cm (um 520–510; Paris, Louvre) | **7** Jünglingsgestalt des Krösus aus Anavyssos in Attika, Höhe 1,94 m (um 530–520 v. Chr.; Athen, Archäologisches Nationalmuseum)

teln; zwei 1972 vor der Küste Kalabriens bei Riace gefundene Kriegerfiguren aus Bronze sind möglicherweise Originalwerke des Phidias. Unter Leitung des Phidias, der v. a. in Athen wirkte, entstanden die Parthenonskulpturen (die Bildwerke der beiden Giebel, 92 Metopen) und der 160 m lange Fries (→ Elgin Marbles). Sein Einfluss wirkte durch Mitarbeiter und Schüler bis Ende des Jh. fort. Polyklet, in Argos tätig, entwickelte den → Kontrapost und schuf v. a. Jünglingsgestalten aus Erz (Doryphoros, Diadumenos).

In der Zeit der **späten Klassik** des 4. Jh. v. Chr. wandelte sich die heroische Auffassung in eine mehr persönl. Darstellung. Kephisodot schuf das Standbild der Friedensgöttin Eirene für den Markt in Athen, Praxiteles in meisterl. Marmorbehandlung anmutige Bildwerke wie den Apoll Sauroktonos (»Eidechsentöter«), den »Hermes mit dem

Dionysosknaben« und die Aphrodite von Knidos. Zu schlankeren Proportionen und freierer Bewegung gelangte Lysippos (Apoxyomenos). Gleichzeitig wirkten Skopas und in der 2. Hälfte des Jh. Leochares, der wie Lysippos Standbilder Alexanders d. Gr. schuf. In Athen blühte die Kunst der Grab- und Weihreliefs, durch deren Ausfuhr die att. Kunst weite Verbreitung fand.

Der Stil des Lysippos und seiner Schule leitete zur **hellenist. Kunst** über, deren Bildhauer die körperl. Bewegung und den Ausdruck bis zu barockem Pathos steigerten. Hauptwerke aus dieser Spätzeit der g. K. entstanden v. a. in Pergamon (u. a. Sockelfries des Pergamonaltars). Zu Beginn des 2. Jh. v. Chr. datiert die Nike von Samothrake, gegen Ende die Aphrodite von Melos (beide Paris, Louvre). Die letzte barocke Steigerung lässt die Laokoongruppe erkennen (wohl aus dem 1. Jh.; Rom, Vatikan. Sammlungen). Ihr nahe verwandt ist der oft kopierte »Kopf des blinden Homer«, der zu den bedeutendsten Werken der zu hoher Blüte entwickelten Bildnisplastik gehört. Im 1. Jh. v. Chr. kam gleichzeitig eine klassizist. Richtung auf, der z. B. das an klass. Vorbilder anknüpfende Bildwerk des →»Dornausziehers« zuzurechnen ist.

griechische Kunst

Hätten die an der griechischen Kunst lebhaft interessierten Römer nicht Marmorkopien der klassischen Meisterwerke aus Bronze angefertigt, wäre uns diese Kunst weitgehend verloren gegangen, da die meisten Bronzestatuen wegen ihres Materialwerts in der Spätantike eingeschmolzen worden sind. Zu den wenigen originalen Bronzestatuen der hochklassischen Zeit gehört die erst vor wenigen Jahren an der Küste Kalabriens aus dem Meer geborgene Statue eines Kriegers. Der Künstler ist nicht bekannt. In subtiler Differenzierung treten Muskeln, Sehnen und Adern hervor. Die nahezu 2 m hohe Figur hat wie eine gleichzeitig geborgene zweite Statue, zusammen meist als Krieger von Riace bezeichnet, ihren Standort im Museo Nazionale in Reggio di Calabria gefunden.

Malerei

Werke der Wand- und Tafelmalerei sind nicht erhalten. Ihre Entwicklung könnte der der grch. Plastik analog und ebenbürtig verlaufen sein. Einige Tafeln aus Ton (Metopen von Thermos, Ende des 7. Jh. v. Chr.) oder Marmor (Scheibe mit Bild des Arztes Äneas; Athen, Archäolog. Nationalmuseum) zeigen flächig kolorierte Umrisszeichnungen. Die Grabmalereien von Elmali (Lykien) und Paestum (Tomba del tuffatore) bestätigen die Vermutung, dass sich die Monumentalmalerei vor der Mitte des 5. Jh. grundsätzlich nicht von der Vasenmalerei, bes. der des rotfigurigen Stils, unterschied (→Vase).

Von den Wandbildern des Polygnot in Athen und in Delphi (um 460) ist, wie von anderen Werken der klass. Maler (Zeuxis, Apollodoros u. a.), nur der Inhalt der Darstellungen durch antike Beschreibungen bekannt. Pompejan. Fresken lassen nur Anlehnungen und Nachklänge erkennen. Am ehesten vermag die Mosaikkopie der →Alexanderschlacht den Eindruck einer spätklass. Monumentalmalerei zu vermitteln. Auch die Wand- und Tafelbilder des Apelles, des Hofmalers Alexanders d. Gr., mit denen die Malerei des Hellenismus einsetzte, sind nicht erhalten. Einen gewissen Ersatz für die verloren gegangenen Werke der hellenist. Zeit bieten die Mosaikbilder des Dioskurides von Samos. Späthellenist. Beispiele des 1. Jh. sind die Wandgemälde der Villa von Boscoreale, der Mysterienvilla von Pompeji und die →aldobrandinische Hochzeit.

Kleinkunst

Aus allen Zeiten der g. K. ist eine Fülle von Werken der Kleinplastik in Bronze und Ton (Menschen, Tiere und myth. Wesen darstellend) und der zu hoher Vollendung entwickelten Vasenmalerei (→Vase) erhalten. Einen besonderen Zweig der Terrakottaplastik bilden die Tanagrafiguren (→Tanagra). Einzigartig sind auch die grch. →Steinschneidekunst und die Münzprägung.

📖 BOARDMAN, J. *u. a.: Die g. K. Sonderausgabe München 1984. – Die Skulptur der Griechen, Beiträge v.* W. FUCHS, *Fotos v.* M. HIRMER. *München [4]1993.* – SCHEIBLER, I.: *Grch. Malerei der Antike. München 1994. – Kunst der Griechen, bearb. v.* C. LAISNÉ. *A. d. Frz. Paris 1995.*

griechische Literatur. Die g. L. umfasst die Lit. der Griechen von der archaischen bis zur byzantin. Zeit (8. Jh. v. Chr. bis 4./5. Jh. n. Chr.).

Archaische Zeit (vom 8. bis ins 5. Jh. v. Chr.): Am Beginn steht die älteste erhaltene große Dichtung: die in Hexametern verfassten Epen »Ilias« und »Odyssee« (→Homer) als Vollendung einer langen mündl. Tradition. Fahrende Sänger, bes. im ion. Kleinasien, hatten Einzelgesänge und ihren Formelschatz gepflegt und überliefert. Diese gingen in die mit vollendeter ep. Technik gestalteten homer. Epen ein. Die spätere Lit. schöpfte aus Homer oder setzte sich mit ihm auseinander. Um 700 übernahm in Böotien →Hesiod die ep. Form für die »Theogonie« und die Lehrgedichte »Werke und Tage«. Zeitgleich mit der Ablösung der Monarchie und ersten Formen demokrat. Selbstverständnisses entstand die Lyrik als Ausdruck einer wesentlich vom Individuum bestimmten Dichtung; es entfalteten sich neue Liedformen mit eigenen Versmaßen. Der alte kult. Chorgesang wurde kunstmäßig und blieb erhalten (Alkman in Sparta, Arion von Lesbos, Stesichoros auf Sizilien u. a.). Daneben gelangte das Einzellied zu hoher Vollendung (Sappho und Alkaios auf Lesbos, Ana-

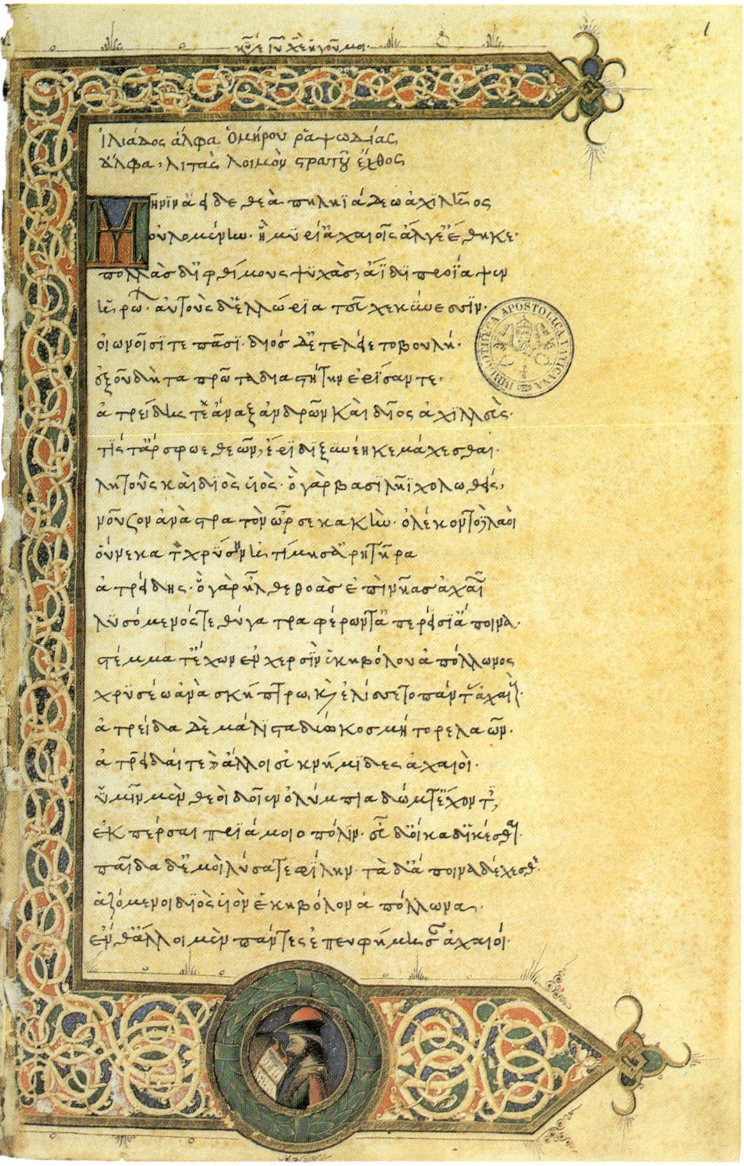

griechische Literatur: Beginn der »Ilias« des Homer in einer Handschrift aus dem 15. Jh. (Rom, Vaticana)

Aischylos (Porträt, Ende 4. Jh. v. Chr.; Kopenhagen, Ny Carlsberg Glyptotek)

Sophokles (römische Kopie nach einem griechischen Original, Ende 4. Jh. v. Chr.; Kopenhagen, Ny Carlsberg Glyptotek)

Euripides (römische Kopie nach einem griechischen Original, 5. Jh. v. Chr.; Kopenhagen, Ny Carlsberg Glyptotek)

kreon in Ionien). Mit mahnender, spottender und reflektierender Dichtung traten einzelne Persönlichkeiten hervor (Tyrtaios in Sparta, Archilochos und Hipponax in Ionien, Solon in Athen). Mitte bis Ende des 6. Jh. entstanden die ersten philosoph. Werke (Vorsokratiker), teils in Prosa (Anaximander in Milet, Heraklit in Ephesos), teils als hexametrische Lehrgedichte (Parmenides in Unteritalien, Empedokles auf Sizilien). Um 500 schrieb der Wegbereiter der grch. Historiographie, der Ethnograph, Geograph und Genealoge Hekataios von Milet.

Klass. Zeit (Anfang des 5. bis Ende des 4. Jh. v. Chr.): Das Chorlied erlebte außerhalb Athens eine Spätblüte durch Simonides, Pindar und Bakchylides; auf Sizilien entstanden die dor. Volkspossen des Epicharm. Die Klassik ist jedoch bes. durch die Leistungen der att. Schriftsteller bestimmt. Nach den Perserkriegen wurde Athen für eineinhalb Jh. Mittelpunkt der g. L. Dort erlebte die aus dem Dithyrambos hervorgegangene Tragödie im 5. Jh. durch Aischylos, Sophokles und Euripides ihre Blütezeit. Zentrales Thema der Tragödie war das Verhältnis des Menschen zu den Göttern. Eher

griechische Literatur: Blick auf das auf archaische Zeit zurückgehende, mehrfach umgebaute Dionysostheater am Südhang der Akropolis in Athen; auf den Zuschauerterrassen standen zur Zeit von Aischylos, Sophokles und Euripides Holzbänke; die aus Stein gearbeiteten Sitzreihen (rechts) für Staatsbeamte und Dionysospriester wurden im 4. Jh. v. Chr. im gesamten Zuschauerraum eingerichtet

politisch-zeitkritisch ausgerichtet war die altatt. Komödie (Eupolis, Kratinos, Aristophanes), die neben der Tragödie entstand. Mit den Geschichtswerken des Herodot über die Perserkriege, des Thukydides über den Peloponnes. Krieg und des Xenophon erreichte die Historiographie ihren Höhepunkt. Im 4. Jh. standen Theopompos von Chios und Ephoros von Kyme unter att. Einfluss. – Die polit. Verhältnisse und die gerichtl. Praxis wurden Voraussetzung für die Entwicklung der Rhetorik als Zweig der Lit. (Antiphon, Andokides, Lysias). Die Sophisten (u.a. Protagoros und Gorgias) unterwarfen in ihren Argumentationen die traditionellen religiösen, eth. und polit. Anschauungen rationaler Kritik. In der Reaktion auf sie wurden die philosoph. Werke Xenophons und Platons verfasst. Durch Isokrates und Demosthenes wurde die Rhetorik weiterausgebildet und die Form des offenen Briefes als Mittel polit. Diskussion eingeführt. Neben Zeugnissen von Briefliteratur und Herausbildung der Biographie als literar. Gattung entstand nun auch naturwiss. Lit. (Hippokrates, Theophrast). Gegen Ende des 4. Jh. erreichte die neue Komödie in Athen mit ihrer mehr allgemein menschl. Problematik einen hohen Rang (Menander, Philemon, Diphilos).

Hellenist. Zeit (vom 3. Jh. an): Athen trat literarisch zurück. Neue kulturelle Mittelpunkte wurden die Fürstenhöfe der Diadochen in Antiochia, Pella, Pergamon und bes. Alexandria; die Forschung, bes. die Fachwiss., wurde in allen Gebieten menschl. Wissens gefördert, Poesie und Gelehrsamkeit wurden verschmolzen. Schöpfer solcher Bildungspoesie waren u.a. Kallimachos, Theokrit, Apollonios von Rhodos, Aratos, Herodas. Neben den überkommenen Formen wurden Kleinformen für die hellenist. Poesie charakteristisch: so das Epyllion, das durchgefeilte Epigramm und die Darstellung realist. Szenen aus Alltag und Volksleben, die Ähnlichkeiten zum Mimus aufweisen. In der Geschichtsschreibung des Duris von Samos und später des Phylarch finden sich tragödienhafte Elemente.

Später Hellenismus und Zeit der röm. Herrschaft bis zum Beginn der Spätantike (2. Jh. v. Chr. bis 3./4. Jh. n. Chr.): Um 150 v. Chr. wurde der Einfluss Roms literarisch spürbar. In der Auseinandersetzung mit Rom erwuchsen das Geschichtswerk des Polybios, die stoische Philosophie des Panaitios und das Geschichtswerk des Philosophen Poseidonios (1. Jh. v. Chr.). Der Universalhistoriker Diodor, der Rhetor und Geschichtsschreiber Dionysios von Halikarnassos und der Geograph Strabo waren in ihren Fragestellungen stark von Rom bestimmt. In neuen staatl. Zentren wie Pergamon und Alexandria wurden philolog. und naturkundl. Studien betrieben. In Alexandria fasste der Grammatiker und Lexikograph Didymos die Ergebnisse hellenist. Gelehrsamkeit zusammen. Philon von Alexandria verband jüd. Glauben und stoische Philosophie. Flavius Josephus stellte die jüd. Geschichte als Teil der hellenistisch-röm. Welt dar.

Kaiserzeit (seit 27 v. Chr.): Gegen 100 n. Chr. sammelte und aktualisierte der platonisierende Schriftsteller Plutarch das Erbe der g. L. und harmonisierte es mit der röm. Welt. Zu den ersten Vertretern der 2. Sophistik rechnet man den Redner Dion Chrysostomos, der in seiner Rückwendung zum Erbe der grch. Klassik Plutarch vergleichbar ist. Die Philosophenschulen (Musonius, Epiktet) und Rhetorenschulen waren von großer Bedeutung. Im 2. Jh. n. Chr. trat die Fachschriftstellerei wieder stärker hervor, vertreten u. a. durch Arrian (Historiker), Galen (Mediziner, Philosoph), Ptolemaios (Astronom, Geograph), Apollonios Dyskolos (Grammatiker), Pausanias (Verfasser von Reisebeschreibungen). Eine besondere literar. Prägung lassen in dieser Zeit der Redner Älius Aristides und der vielseitige satir. Literat Lukian erkennen. Kaiser Mark Aurel verfasste platonisch-stoische Selbstbetrachtungen. In dieser und der folgenden Epoche entfaltete sich auch der grch. Roman (Chariton, Longos, Heliodor). Die Sprache der Zeit ist klassizistisch (→Attizismus). Im 3. Jh. kam es nach historiograph. Werken (u. a. Cassius Dio Cocceianus) zu einem Neuaufleben der philosoph. Lit. (Plotin). – Seit dem 3. Jh. machte sich auch der Einfluss des Christentums bemerkbar, wie umgekehrt die christlichen Schriftsteller (Origines, Klemens von Alexandria) stark von der heidnischen Bildungstradition beeinflusst sind (→frühchristliche Literatur). In den überkommenen Formen wurden im 4. Jh. innerkirchl. dogmat. Streitigkeiten ausgetragen (Gregor von Nazianz, Basilius d. Gr., Johannes Chrysostomos). Der Übergang vom heidnisch-röm. zum christlich-oström./byzantin. Staat war gleichzeitig der Beginn der →byzantinischen Literatur, an die sich die Epoche der →neugriechischen Literatur anschloss.

📖 LESKY, A.: *Geschichte der g. L. Bern u. a.* ^{3}*1971, Nachdr. ebd. 1993.* – *Neues Handbuch der Literaturwissenschaft, hg. v.* K. VON SEE *u. a., Bd. 2: G. L., bearb. v.* E. VOGT *u. a. Wiesbaden 1981.* – LESKY, A.: *Die grch. Tragödie. Stuttgart* ^{5}*1984.* – FRÄNKEL, H.: *Dichtung u. Philosophie des frühen Griechentums. München* ^{4}*1993.* – SNELL, B.: *Die Entdeckung des Geistes. Studien zur Entstehung des europ. Denkens bei den Griechen. Göttingen* ^{7}*1993.*

griechische Musik. Die g. M. des Altertums ist fast nur aus Abhandlungen antiker Schriftsteller und Philosophen sowie aus bildl. Darstellungen bekannt. Danach bestand zunächst eine untrennbare Einheit von Vers und Gesang, zu der in der Frühzeit (bis etwa Ende des 5. Jh. v. Chr.) auch Rezitation und Tanz traten. Die Chöre der grch. Tragödie sind weitgehend vom Tanz her zu verstehen. Frühestes Begleitinstrument ist die Leier. Meist viersaitig dargestellt und im Zusammenhang mit Reigentänzen bezeugt, diente sie auch dem Epossänger zur Begleitung. Die Lyra kam im 7. Jh. auf. Terpandros, der die Zahl der Saiten auf sieben vermehrte, schuf als Erster kitharod. Nomoi, d. h. mehrteilige, auf der Kithara begleitete Sologesänge. »Nomos« bezeichnet eine Weise, deren Melodieverlauf nur umrisshaft feststand und Gelegenheit zu variierender Ausführung bot. Weitere gebräuchl. Musikinstrumente waren Aulos, Phorminx, Salpinx und Syrinx. Auf der innigen Verbindung von Wort und Ton beruhte die umfassende Bedeutung, die der Musik im grch. Geistesleben zukam. Nach der musikal. Ethoslehre, deren Hauptmeister Platon und Aristoteles sind, löst die Musik mit ihren versch. Ausdrucksformen, namentlich den Tonarten, bestimmte sittl. Wirkungen aus. So galt die Musik als eines der wichtigsten

griechische Musik: Orpheus, der Sänger und Lyraspieler, musiziert vor thrakischem Publikum, Darstellung auf einem attischen Weingefäß (um 440 v. Chr.; Berlin, Antikensammlung)

griechische Musik

Musik war nach Auffassung der Griechen eine Gabe der Götter, und auch die Musikinstrumente schenkten sie auserwählten Menschen. Der mythische Sänger Orpheus, Sohn eines Flussgottes und der Muse Kalliope, erhielt seine Lyra von Apoll, dem Hermes sie hatte überlassen müssen:
Der noch jugendliche Gott hatte das Instrument erfunden, indem er eine Schildkröte tötete und ihren starken Panzer mit Saiten bezog. Aus Schabernack trieb er die Herde Apolls auseinander und stahl ihm einige Tiere. Um den erzürnten Gott zu versöhnen, überreichte er ihm die Lyra, auf der Apoll fortan seine Gesänge begleitete. Mithilfe des Göttergeschenks vermochte Orpheus Tiere zu bezaubern und die kriegerischen Thraker zu bezähmen. Die Thrakerinnen, erbost von der Ablenkung ihrer Männer durch die Macht der Musik, töteten den Sänger.
Die Sage gibt die vielfältigen Wirkungen der Musikkunst wieder, die sich also auch gegen den Menschen wenden konnte.

griechische Philosophie (von links): Phytagoras, umringt von Schülern sowie Platon (im roten Mantel) und Aristoteles, Ausschnitte aus Raffaels Fresko »Schule von Athen« (1508–11) in der Stanza della Segnatura des vatikanischen Palastes

Mittel in der Erziehung des Einzelnen und im Rahmen der staatl. Gemeinschaft.

Für Pythagoras gehörten Musik und Zahl zusammen. Die eigentl. Musiktheorie beginnt im 4. Jh. v. Chr.; ihre Fragestellungen haben die mittelalterl. Musiktheorie des Abendlands nachhaltig beeinflusst. Überliefert sind u. a. Schriften von Aristoxenos von Tarent (über Harmonik und Rhythmik), Euklid, Ptolemaios, Aristides Quintilianus. – Der Rhythmus der g. M. beruhte nicht auf betonten und unbetonten Silben, sondern auf Länge und Kürze der Silben.

Die Tonordnung basiert auf der Viertongruppe, dem Tetrachord. Aus zwei gleich gebauten Tetrachorden entstehen die Tonleitern oder Oktavausschnitte. Die Haupttonarten des diaton. Tetrachords sind die dorische: e^1 d^1 c^1 h a g f e; die phrygische: d^1 c^1 h a g f e d; die lydische: c^1 h a g f e d c. Durch die Verschiebung der Oktavausschnitte um ein Tetrachord nach oben oder unten werden zu jeder Haupttonart noch zwei Nebentonarten gebildet: hyperdorisch und hypodorisch usw. Die sich hieraus ergebenden Oktavgattungen können auch transponiert werden. Neben dem diaton. gab es noch das chromat. Tongeschlecht, das das Tetrachord in eine übermäßige Sekunde und zwei Halbtöne gliederte, und das enharmon. mit großer Terz und zwei Vierteltönen. Die Notenschrift war eine Buchstabentonschrift (Vokalform mit ion., Instrumentalform mit altdor. Zeichen), für deren Entzifferung die Erklärungen des Alypios (3.–4. Jh. n. Chr.) entscheidend sind. Etwa 40 Melodiefragmente blieben erhalten in Steininschriften (2 Apollonhymnen in Delphi von 138/128 v. Chr., ein Lied auf der Grabsäule des Seikilos aus dem 1. Jh. v. Chr.), in Papyri (Teile von Instrumentalkompositionen und Tragödien) und in Handschriften aus dem 13.–16. Jh. (Hymnen an die Muse, an Helios und an Nemesis von Mesomedes aus dem 2. Jh. n. Chr.). Über die neuzeitl. g. M. →neugriechische Musik.

📖 NEUBECKER, A. J.: *Altgrch. Musik. Eine Einführung.* *Darmstadt* ^{2}*1994.* – *Die Musik des Altertums, hg. v.* A. RIETHMÜLLER *u.* F. ZAMINER. *Sonderausg. Laaber 1996.*

griechische Philosophie. Als Begründer der g. P. und damit der Philosophie in ihrer europ.-abendländ. Gestalt gelten die **Vorsokratiker,** die das zuvor herrschende religiös-myth. Denken ablösten. Thales von Milet begründete die **ion. Schule und Tradition,** zu der Anaximander, Anaximenes und im Weiteren Leukipp und Demokrit als Vertreter der **ion. Naturphilosophie** zählen. Ihr stand die von Pythagoras begr. **italien. Schule und Tradition** gegenüber mit den Vertretern der **eleat. Philosophie,** v. a. Xenophanes, Parmenides, Zenon von Elea. Beide Richtungen fragten nach den Urgründen, Prinzipien und Elementen des Seins, nach dem Verhältnis von Werden und Sein und der Beziehung zwischen Einheit und Vielheit. Die ion. Schule erklärte die Vielheit der Dinge aus einem metaphys. Urgrund (Arche). Für Pythagoras waren die Zahlen und ihre Ordnung die Grundform allen Seins. Parmenides lehrte, dass das einheitl., unveränderl. und durch Vernunft (Logos) erkennbare Sein die wahre Wirklichkeit bilde. Heraklit, Anaxagoras und Empedokles verbanden die für die ion. Tradition charakterist. naturphilosoph. Elemente mit abstrakten Seinsprinzipien. Heraklit verstand dabei das ewige Werden, geregelt durch den Logos, das Weltgesetz, als das Wesen der Gegensatzeinheit der Wirklichkeit, Anaxagoras führte die Welt auf den erkennenden und ordnenden Geist als erstes bewegendes Prinzip zurück, Empedokles dagegen alles Geschehen auf die durch Liebe bzw. Streit verursachte Zusammensetzung bzw. Trennung der Elemente Feuer, Luft, Wasser und Erde. Im thrak. Abdera entwickelten Leukipp und Demokrit die Seinslehre der Eleaten zur Atomistik fort. Im 5. Jh. v. Chr. entstand als Bildungsbewegung die Sophistik, u. a. mit Gorgias, Protagoras, Hippias von Elis und Prodikos von Keos als ihren Repräsentanten. Dem erkenntnistheoret. Skeptizismus und Relativismus der **Sophisten** trat die **att. Philosophie** (v. a. Sokrates, Platon und Aristoteles) entgegen. Sokrates wurde zum Begründer der prakt. Philosophie. Platon und Aristoteles stellten prakt. Philosophie erstmals in den Rahmen systemat. Darstellungen. Die theoret. Philosophie gründete Platon auf den Begriff der Idee, die sich zum einzelnen Ding wie ein Urbild zum Abbild verhalte; er vertrat eine ontolog. Trennung des Reiches der Ideen von der raumzeitl. Welt. Aristoteles betonte demgegenüber die Bedeutung der konkret existierenden Einzelsubstanz; er konzipierte Theorie und Modell einer strengen, durch Beweisverfahren abgesicherten Wiss. und begründete mit der Syllogistik die Logik i. e. S. als formale Logik. Mit der sokrat., platon. bzw. aristotel. Philosophie verbunden sind die →Megarische Schule, die →Kyniker, →Kyrenaiker, die →Akademie und der →Peripatos. Die **hellenist. Philosophie** war geprägt durch religiös-kulturellen Synkretismus, Übernahme von Elementen der Mysterienreligionen, kosmopolit. Ideen und Spezialisierung der philosophisch-wiss. Forschung (Höhepunkt der grch. Mathematik, Naturwiss., insbesondere der Astronomie). Das Schicksal der g. P. nach Platon und Aristoteles war durch den Primat der prakt. Philosophie bestimmt, so in der um 306 v. Chr. von Epikur begründeten Schule des **Epikureismus,** in der von Zenon von Kition begründeten **Stoa** und in der **Skepsis** (Pyrrhon von Elis). Dagegen nahm die theoret. Philosophie in der Akademie bei Speusippos und Xenokrates, später im **Neupythagoreismus** und im **Neuplatonismus** (z. B. bei Plotin und Porphyrios) spekulative Züge an; andererseits wandte sie sich bei Euklid, Aristarchos, Eratosthenes von Kyrene, Archimedes v. a. einzelwiss. Fragestellungen zu. Die g. P. der Antike endete kalendarisch mit der Schließung der Akademie (529 n. Chr.). Die **Apologeten,** die das Christentum mit philosoph. Fragestellungen konfrontierten, schlossen an das stoische, epikureische, skept. und v. a. neuplatonische Denken an.

📖 ZELLER, E.: *Grundriß der Geschichte der neueren g. P. Neuausg. Essen 1984. – Die Philosophie der Antike, hg. v.* W. RÖD *u. a., 3 Bde. München* ^{2}*1988–95.*

griechische Philosophie

Aristoteles und die anderen griechischen Denker fragten nicht nach dem »Wie?«, sondern nach dem »Warum?«, dem Zweck, um Naturerscheinungen zu erklären. Aristoteles fasst die Natur als ein wesentlich zweckvolles Ganzes auf und vergleicht sie mit dem menschlichen Handeln: »Es folgt also, dass alle Dinge, die auf natürliche Weise entstehen und existieren, zweckhaft sind. Ferner werden in allen Handlungen, die zu einem bestimmten Zweck vorgenommen werden, die vorangehenden Schritte mit Hinsicht auf die folgenden ausgeführt, und was für bewusstes Handeln gilt, trifft auch auf die Natur zu... Jedes Handeln ist für einen bestimmten Zweck, und daher gilt dasselbe für die Natur.«

griechische Religion und Mythologie. Die grch. Religion hat ihren Ursprung in der 2. Hälfte des 2. Jt. bei den Ioniern und Achaier-Äoliern, die sich nach der Einwanderung aus dem N zu Beginn des 2. Jt. mit der mediterranen Urbevölkerung vermischt hatten.

Der Kult der auf Kreta und dem Festland bereits in vorindogerman. Zeit verehrten göttl. Wesen lebte bis weit in die histor. Zeit fort. Der Kult des Herdes geht auf die Griechen zurück (→Hestia), und auch Zeus wurde von den Griechen schon vor ihrer Einwanderung verehrt. Aus diesen Grundelementen entstand in Auseinandersetzung und Aneignung von Zügen der minoischen Religion die Religion der myken. Zeit. So ist Athene wahrscheinlich aus der Verschmelzung einer minoischen Palastgöttin mit der krieger. Schutzgöttin der myken. Herren hervorgegangen.

griechische Religion und Mythologie

Zur Aktualität der Göttersagen

Elemente der griechisch-römischen Mythologie werden in der Philosophie der Gegenwart wieder entdeckt. Heidegger greift in »Sein und Zeit« auf die so genannte »Cura-Fabel« zurück: Analog zur hellenistischen Personifizierung von Eigenschaften zu Göttern werden hier die Sorge und die Erde als eigenständig handelnde Mächte stilisiert. Erde und Sorge sind neben Zeus an der Entstehung des Menschen beteiligt und streiten sich darüber, wem der Mensch endgültig gehören soll. Sie kommen darin überein, dass sie ihr Verfügungsrecht über den Menschen aufteilen: Der Körper des Menschen gehört der Erde, zu der er nach seinem Tod übergeht; der menschliche Geist ist göttlichen Ursprungs und kehrt nach dem Tod des Menschen zu Zeus bzw. Jupiter zurück. Die menschliche Lebenszeit ist aber völlig der Sorge unterstellt; sie formt nun entscheidend das menschliche Leben.

griechische Religion und Mythologie (von links): Artemis, Apollon, Athena, Hermes, Ariadne, Dionysos, Darstellung auf einem Wasserkrug (2. Hälfte des 6. Jh.; München, Staatliche Antikensammlung und Glyptothek)

Die Hauptschöpfung der frühen myken. Religion sieht man im patriarchal. Götterstaat, für den sicher die polit. Verhältnisse jener Zeit Vorbild waren. Daneben blühte der Toten- und Ahnenkult, aus dem sich der Heroenkult entwickelte. Damals wurde der Grundstock der grch. Mythologie geschaffen, der Erzählungen von den Göttern und Heroen, die die grch. Schriftsteller später künstlerisch frei gestalteten. Hesiod hat in der »Theogonie« den Schöpfungsmythos und die Göttergenealogie festgehalten: Uranos (Himmel) und Gaia (Erde) als Eltern der 12 Titanen; zu diesen gehören Kronos und Rhea, die Eltern des Zeus und der Hera, des Poseidon und des Hades, der Demeter und der Hestia. Kinder des Zeus sind Athene, Apoll, Artemis, Hermes, Ares und Dionysos, nach Homer auch Aphrodite und Hephaistos. Herrscher über Himmel und Erde ist Zeus, über das Meer Poseidon, über die Unterwelt Hades. Von den Göttern stammen die Heroen ab (Herakles, Theseus), um die sich besondere Sagenkreise bildeten. In »Ilias« und »Odyssee«, in den »Homer. Hymnen« und in den Werken der att. Tragiker sind diese Sagenkreise überliefert.

Griechische Götter (Auswahl)

Name	*mythische Bedeutung*	*Attribut/Symbol*
Götter		
Zeus	der höchste Gott, Beherrscher der Naturgewalten	Adler, Zepter, Blitzbündel
Poseidon	Gott des Meeres	Dreizack (Symbol des Fischfangs)
Hades	Gott der Unterwelt	
Apoll	Gott des Lichts, auch Sonnengott, Gott der Dichtung und Musik, der Heilkunde, des Ackerbaus und der Viehzucht, der Weissagung, Schutzherr der Musen, Gott der Jugend	Leier, Lorbeer
Hermes	ursprünglich Natur- und Hirtengott; Götterbote, Gott des Handels, der Wege, der Wanderer und Reisenden, der Diebe, des Schlafs und Traums, Begleiter der Verstorbenen in die Unterwelt	Heroldsstab, Flügelschuhe, Reisehut
Ares	Gott des Krieges	
Dionysos	Gott der Fruchtbarkeit, des Weins und der Ekstase	Thyrsosstab (Stab mit einem Pinienzapfen)
Hephaistos	Gott des Feuers, der Schmiedekunst, auch Gott der Handwerker	
Göttinnen		
Hera	Beschützerin der Ehe und der Frauen, Geburtsgöttin	Zepter, Diadem, Pfau
Demeter	Erdgöttin, Göttin der Fruchtbarkeit	
Hestia	Göttin des Herdes und des Herdfeuers	
Athene	Schutzherrin der Helden, Göttin des Friedens und des Krieges, Schutzgöttin der Städte, des Ackerbaus, der Wissenschaften, der Künste (auch der handwerklichen Kunstfertigkeit)	Aigis, Ölbaum, Eule
Artemis	Herrin der freien Natur, Schützerin der wilden Tiere, Göttin der Jagd	Bogen, Pfeil, Köcher
Aphrodite	Göttin der Liebe und der Schönheit	Taube

Die Religion in der Blütezeit der grch. Kultur war wesentlich Kult und Religion des Stadtstaates. Sie kannte weder ein festes Dogma noch Glaubenssätze oder eth. Lehren; nur vor der Hybris warnte sie, die in dem überhebl. Wahn bestehe, sich den Göttern gleich zu dünken. Solche Frevler bestrafe die Gottheit (Nemesis). Wie es keinen einheitl., festen Gottesbegriff gab, so waren auch die einzelnen Götter in ihrem Wesen äußerst verschieden. Sie wurden konsequent anthropomorph in Gestalt und Verhalten gesehen, galten jedoch als die »Unsterblichen«, »Seligen«, »Stärkeren«, die in ihren Bereichen in die Geschicke der Menschen eingriffen. Die Natur wurde gedacht als belebt von zahlr. göttl. und halbgöttl. Wesen (Nymphen, Satyrn).

In ihrer Struktur war die grch. Religion eine Volksreligion, die primär nicht von Einzelnen, sondern von Gemeinschaften praktiziert wurde. In jeder Stadt wurden viele Götter und Heroen mit jeweils anderen Kulten und Festen verehrt. Es gab keinen einheitl., organisierten Priesterstand. Neben den großen Göttern, die lokal besondere Kultbeinamen erhalten hatten, standen die Lokalgötter und Landesheroen; von diesen hatte nur Herakles überall in Griechenland seinen Kult. In dieser Vielgestaltigkeit gab es auch Ansätze zu einer Vereinheitlichung. So wirkte schon das homer. Epos stark auf die Vorstellung, die man von den großen Göttern hatte; das Orakel des →Apoll in Delphi galt als höchste Instanz in religiösen Fragen; die großen Festspiele zu Ehren der Götter in Delphi, Olympia, Nemea und am Isthmus von Korinth versammelten Teilnehmer aus ganz Griechenland. V.a. aber waren es die Mysterien, deren Einfluss die Grenzen des Stadtstaats überschritt: Die Mysterien der Demeter, deren Hauptsitz in Eleusis war, die Mysterien des Dionysos und die Orphik gewannen vom 6. Jh. v. Chr. an bis zur hellenist. Zeit eine große Zahl von Anhängern.

Wie jede polytheist. Religion war auch die grch. Religion aufnahmebereit gegenüber fremden Gottheiten. In der Blütezeit nahmen die Griechen aus Kleinasien Kybele (die Große Mutter) und Adonis sowie Sabazios, aus Ägypten Ammon, aus Thrakien Bendis, aus Samothrake die Kabiren auf. Als die Stadtstaaten in den Diadochenreichen aufgingen, verstärkte sich der Einfluss des Orients, und nach der Einverleibung Griechenlands ins Röm. Reich wurden aus Ägypten Sarapis, Isis, Osiris, Anubis, Horus u. a. übernommen, aus Phrygien zum zweiten Mal, jetzt mit stärkerer Erhaltung der oriental. Züge, Kybele und der mit ihr verbundene Attis, syr. Gottheiten, wie Jupiter Dolichenus, die Dea Syria (Atargatis) und Sol Invictus, v. a. auch der iran. Mithras. Astrologie und Gestirnkult fanden weite Verbreitung. Die g. R. u. M. ihrerseits beeinflusste die Göttervorstellungen der Römer, die ihr Pantheon dem grch. anglichen.

📖 SIMON, E.: *Die Götter der Griechen. München ³1985.* – HUNGER, H.: *Lexikon der grch. u. röm. Mythologie. Wien ⁸1988.* – BRUIT ZAIDMAN, L. *u.* SCHMITT PANTEL, P.: *Die Religion der Griechen. A. d. Frz. München 1994.* – KERÉNYI, K.: *Die Mythologie der Griechen, 2 Bde. Neuausg. München 122.–153. Tsd. 1994.* – MUTH, R.: *Einführung in die grch. u. röm. Religion. Darmstadt 1988.*

griechische Schrift, das Alphabet der Griechen, das diese wahrscheinlich gegen Ende des 11. Jh. v. Chr. von den Phönikern übernommen haben und auf das alle modernen europ. Schriftsysteme zurückgehen; sie war die erste europ. Buchstabenschrift. Anders als das semit. Vorbild bezeichnet die g. S. nicht nur Konsonanten, sondern auch die Vokale. Die Dialektvielfalt wurde erst im Laufe des 4. Jh. v. Chr. überwunden, 403/402 wurde in Athen das ion. Alphabet (mit 24 Buchstaben) für den offiziellen Gebrauch eingeführt, das von den anderen grch. Staaten übernommen wurde. Zu diesen 24 Zeichen kamen die sog. Lesezeichen hinzu, die aber erst um 200 v. Chr. von alexandrinischen Grammatikern eingeführt wurden und seit dem 3. Jh. n. Chr. häufiger vorkamen: Spiritus asper ʽ (für [h]-Anlaut) und Spiritus lenis ʼ (für fehlendes [h]) bei vokal. oder diphthong. Anlaut, die Akzentzeichen Akut ´, Gravis `, Zirkumflex ˜ sowie Apostroph, Trema. Urspr. wurden nur Großbuchstaben (Majuskelschrift; eckig als Kapitalschrift, gerundet als Unzialschrift) verwendet. Im alltägl. Gebrauch erschien vom 2. Jh. v. Chr. an eine Kursivform, die zur Verbindung einzelner Buchstaben neigte. Im 8. Jh. n. Chr. kam die Minuskelschrift mit »Kleinbuchstaben« auf. Aus der Minuskel des 17. Jh. hat sich unter Anlehnung an die lat. die neugrch. Schreibschrift entwickelt.

📖 GARDTHANSEN, V.: *Griech. Paläographie, 2 Bde. ²1911–13, Nachdr. Leipzig 1978.* – PETERSEN, U.: *Einführung in die g. S. Hamburg 1988.*

griechisches Kaisertum, das oström. oder byzantin. Kaisertum (→ Byzantinisches Reich).

griechisches Kreuz, *christl. Symbolik:* rechtwinkliges Kreuz mit Balken gleicher Länge.

griechische Sprache, eine der ältestbezeugten indogerman. Sprachen; umfasst v. a. das im klass. Altertum bis zum 5. Jh. n. Chr. gesprochene »Altgriechisch«, das sich in der Sprache der byzantin. Zeit (»Mittelgriechisch«) und im Neugriechischen (seit dem 15. Jh.; → neugriechische Sprache) fortsetzt. Das Griechische ist durch literar. Überlieferung seit Homer bekannt. Erheblich älter sind Archivaufzeichnungen in Silbenschrift, die hauptsächlich in den Palästen von Knossos auf Kreta und von Pylos in der Peloponnes gefunden und 1952 von M. Ventris entziffert wurden. Das ältere grch. Sprachgebiet gliedert sich in versch. Dialektgebiete: 1. den ionisch-att. Zweig mit dem ion. Dialekt an der kleinasiat. Westküste, auf den Kykladen und Euböa sowie dem attischen in Athen, das sich gegen die anderen Dialekte durchsetzte; 2. die äol. Dialekte (Kleinasiatisch-Äolisch, Thessalisch, Böotisch); 3. den arkadisch-kypr. Zweig mit dem Arkadischen in der Zentralpeloponnes und dem in der kypr. Silbenschrift geschriebenen

Griechische Schrift

Name	Zahlwert	Zeichen		gebräuchliche Umschrift	
		Majuskel	Minuskel	Altgriechisch*)	Neugriechisch
Alpha	1	Α	α	a	a
Beta	2	Β	β	b	v (w)
Gamma	3	Γ	γ	g	g (j)
Delta	4	Δ	δ	d	d
Epsilon	5	Ε	ε	e	e
Zeta	7	Ζ	ζ	z	z, s
Eta	8	Η	η	ē	i
Theta	9	Θ	ϑ	th	th
Iota	10	Ι	ι	i	i
Kappa	20	Κ	κ	k	k
Lambda	30	Λ	λ	l	l
My	40	Μ	μ	m	m
Ny	50	Ν	ν	n	n
Xi	60	Ξ	ξ	x	x
Omikron	70	Ο	ο	o	o
Pi	80	Π	π	p	p
Rho	100	Ρ	ϱ	r (rh)	r
Sigma	200	Σ	σ, ς	s	s, ss
Tau	300	Τ	τ	t	t
Ypsilon	400	Υ	υ	y	y (i)
Phi	500	Φ	φ	ph	ph (f)
Chi	600	Χ	χ	ch	ch (h)
Psi	700	Ψ	ψ	ps	ps
Omega	800	Ω	ω	ō	o

*) der Längenstrich über Eta und Omega wird nur in der für die Etymologien verwendeten Transliterationen wiedergegeben. Der Buchstabenkombination γ+γ entspricht in der Umschrift ng, γ+κ=nk, γ+χ=nch, ϱ+ϱ auch ῤ+ῥ (geschrieben)=rrh, ο+υ=u (in der Transkription) und ou (in der Transliteration).

Griechische Dialekte

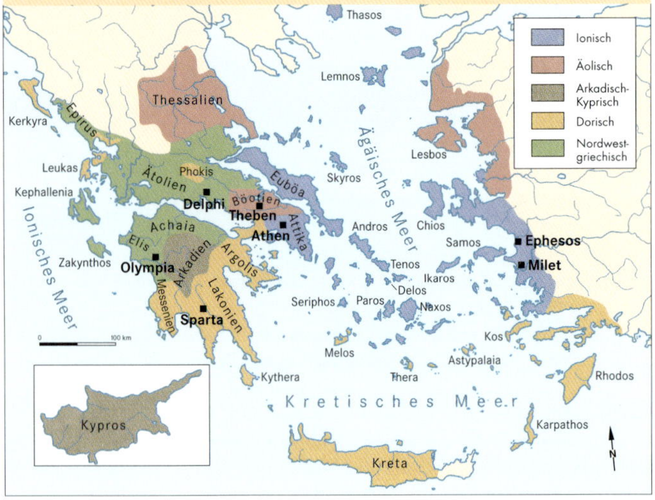

Kyprischen auf Zypern; 4. das Westgriechische mit dem Nordwestgriechischen sowie dem Dorischen, bes. als Sprache von Sparta, der Insel Kreta sowie der Kolonien auf Sizilien und in Süditalien.

Die Kluft zw. den einzelnen Dialekten wurde erst während des Hellenismus und der röm. Zeit durch die auf der Grundlage des att. Dialekts gebildete einheitl. Schrift und Umgangssprache, die Koine, überwunden. Sie wurde, zunächst Kanzleisprache der Makedonenkönige, zur Weltsprache, behielt diese Rolle auch im Röm. Reich und war in dessen östl. Hälfte die allg. Verkehrssprache, die auch für die Verbreitung des Christentums – die Schriften des N. T. sind in Koine geschrieben – von Bedeutung war. – Die wesentlichsten Charakteristika der g. S. sind ihr Archaismus im Vokalbestand (in dem der gemeinindogerman. Zustand zunächst fast unverändert erhalten ist), die Vereinfachung des alten Kasussystems (fünf statt acht Kasus), die Bewahrung altertüml. Kategorien wie Dual, Medium, Aorist und Optativ sowie die Satzverbindung durch eine Vielzahl von Partikeln. Im Wort- und Namensschatz finden sich neben geograph. Namen zahlr. Appellativa, die die Griechen aus den Sprachen der vorgrch. Bev. des ägäischen Raumes übernommen haben.

Edvard Grieg

Arthur Griffith

David W. Griffith

📖 PALMER, L. R.: *Die g. S. Grundzüge der Sprachgeschichte u. der historisch-vergleichenden Grammatik. A. d. Engl. Innsbruck 1986.* – FINK, G.: *Die g. S. Eine Einführung u. eine kurze Grammatik des Griechischen. München u. a. ²1992.*

griechisch-katholische Kirche (griechisch-unierte Kirche), i. w. S. die mit der römisch-kath. Kirche eine Kirchengemeinschaft (Union) bildenden oriental., südost- und osteurop. Kirchen des byzantin. (grch.) Ritus, i. e. S. die unierten Griechen dieses Ritus in den apostol. Exarchaten Athen und Istanbul. Die g.-k. K. haben eigene Liturgiesprachen und erkennen den Jurisdiktionsprimat des Papstes an.

griechisch-orthodoxe Kirche, die sich 1833 für eigenständig erklärende und seit 1850 vom Ökumen. Patriarchat von Konstantinopel als eigenständig anerkannte, diesem gleichwohl teilweise unterstellte orth. Kirche Griechenlands. Ihr Oberhaupt ist der »Erzbischof von Athen und ganz Griechenland«.

griechisch-römischer Ringkampf, → Ringen.

Grieg, Edvard, norweg. Komponist, *Bergen 15. 6. 1843, †ebd. 4. 9. 1907; Exponent der norweg. Musik, schuf Kompositionen von Weltgeltung; entwickelte eine im Bereich der Harmonik originale Tonsprache; bes. lyr. Klavierstücke, zahlr. Lieder, auch Chorwerke.

Werke: Klavierstücke: Lyr. Stücke; Aus Holbergs Zeit (auch für Streichorchester bearbeitet); Bauerntänze. – Orchesterwerke: 2 Suiten zu Ibsens »Peer Gynt«; Klavierkonzert a-Moll. – Kammermusik: 2 Streichquartette, 3 Violinsonaten, 1 Cellosonate.

📖 BROCK, H.: *E. G. Leipzig 1990.*

Griesbach, 1) → Bad Peterstal-Griesbach.

2) G. i. Rottal, Stadt im Landkr. Passau, Niederbayern, 441 m ü. M., 8 500 Ew.; Gerätebau. Im neu erbauten **Bad G.,** 4 km südlich des Stadtzentrums, seit 1979 Kurbetrieb mit drei Thermal-Mineralquellen. – G. wurde 1953 Stadt.

Grieshaber, HAP, eigtl. Helmut Andreas Paul G., Grafiker, *Rot an der Rot (Kr. Biberach) 15. 2. 1909, †Eningen unter Achalm (Kr. Reutlingen) 12. 5. 1981; schuf Farbholzschnitte in großflächigen, kräftigen Formen, häufig mytholog., religiösen oder polit. Inhalts. Sein Hauptwerk ist der Zyklus »Totentanz von Basel« (1966), den er in 40 Gouachen vorbereitete. Er illustrierte auch eigene und fremde Texte (u. a. von P. Neruda).

Griesheim, Stadt im Landkr. Darmstadt-Dieburg, Hessen, 23 400 Ew.; Gemüsebau; Konservenfabriken, chem. Ind., Pumpen- und Fahrzeugbau. – Seit 1965 Stadt.

Griffbrett, bei Streich- und Zupfinstrumenten ein auf den Hals aufgeleimtes Brettchen, auf das die Saiten mit den Fingern zum Verändern der Tonhöhe niedergedrückt werden.

Griffel, 1) *Botanik:* (Stylus) stielartiger Abschnitt der Fruchtblätter zw. Fruchtknoten und Narbe im Stempel der Blüten vieler Bedecktsamer; leitet die Pollenschläuche der auf der Narbe nach der Bestäubung auskeimenden Pollenkörner zu den im Fruchtknoten eingeschlossenen Eizellen.

2) *Schreibgerät:* Stift zum Schreiben auf Schiefer- oder anderen Schreibtafeln; früher aus Griffelschiefer, heute durch Pressen eines mit Leim versetzten Gemisches aus gemahlenem Schiefer und Farbträgern (Pigmenten) hergestellt.

Griffith ['grɪfɪθ], **1)** Arthur, irischer Politiker, *Dublin 31. 3. 1871, †ebd. 12. 8. 1922; Journalist, Mitbegründer der →Sinn Féin; gehörte zu den Unterzeichnern des 1921 mit der brit. Regierung abgeschlossenen Vertrags über die Errichtung des ir. Freistaates; verteidigte als 1. Premiermin. des Freistaates (1922) diesen Vertrag gegen den Widerstand der von E. de Valera geführten Opposition.

2) David Wark, amerikan. Filmregisseur ir. Herkunft, *La Grange (Ky.) 22. 1. 1875, †Los Angeles (Calif.) 23. 7. 1948; arbeitete bereits in seinen frühen Monumentalfilmen (»Birth of a nation«, 1915; »Intolerance«, 1916) mit Großaufnahmen und Montagetechnik; seine Aufnahmemethoden waren richtungweisend.

Grigioni [gri'dʒo:ni], italien. Name von →Graubünden.

Grignard [gri'ɲa:r], François Auguste Victor, frz. Chemiker, *Cherbourg 6. 5. 1871, †Lyon 13. 12. 1935; Prof. in Lyon und Nancy; erhielt für die von ihm entwickelte →Grignard-Reaktion 1912 mit P. Sabatier den Nobelpreis für Chemie.

HAP Grieshaber: »Tod und Ratsherr«, Ausschnitt aus dem »Totentanz von Basel«, Holzschnitt (1966)

Grignard-Reaktion [gri'ɲa:r-], bes. von V. Grignard entwickelte Synthese von sehr reaktionsfähigen magnesiumorgan. Verbindungen, **Grignard-Verbindungen** (allg. Formel R–Mg–X, wobei R ein Alkyl- oder Arylrest und X ein Halogen ist), die mit Aldehyden oder Ketonen zu Additionsverbindungen reagieren. Die G. ist in der präparativen organ. Chemie für viele Synthesen von Bedeutung.

Grigorọwitsch, Juri Nikolajewitsch, russ. Choreograph und Ballettdirektor, *Leningrad (heute Sankt Petersburg) 2. 1. 1927; 1964–95 Chefchoreograph und künstler. Leiter des Moskauer Bolschoi-Balletts.

Grillen (Grylloidea), Überfamilie der Geradflügler; meist bodenbewohnende, Pflanzen fressende oder räuber. Insekten mit Hörorganen an den Vorderbeinen. Die beiden Vorderflügel bilden beim Männchen die Schrillapparatur. Zu den G. i. e. S. (Gryllidae) gehören u. a. die in Erdröhren lebende, bis 26 mm lange schwarze **Feldgrille** (Gryllus campestris) sowie das in Gebäuden lebende gelbbraune kleinere **Heimchen** (Acheta domestica).

Grịllparzer, Franz, österr. Dichter, *Wien 15. 1. 1791, †ebd. 21. 1. 1872; studierte 1804–11 Philosophie und Jura in Wien; war als Beamter im Finanzministerium tätig (1856 als Hofrat pensioniert); 1818 Ernennung zum Theaterdichter des Wiener Burgtheaters. Nach frühem Erfolg geriet G. in der Märzrevolution von 1848 in Konflikt mit der Zensur; 1838 zog er sich nach dem Misserfolg von »Weh dem, der lügt« aus der Öffentlichkeit zurück. Reisen nach Frankreich, England, Italien, Griechenland und in die Türkei versöhnten ihn nicht. Erst spät erfuhr G. vielfache Ehrungen. In seinem dramat. Werk verbinden sich das Erbe des österr. Barocks, des Wiener Volkstheaters, der dt. Romantik und Klassik mit dem beginnenden

psycholog. Realismus. Durchgehend thematisiert G. den Grundkonflikt zw. Kunst und Leben. Bedeutende Frühwerke: Schicksalstragödie »Die Ahnfrau« (1817); Künstlertrauerspiel »Sappho« (1819); Trilogie »Das goldene Vließ« (1822) als Gestaltung der altgriechischen Sage von →Iason und →Medea sowie »Des Meeres und der Liebe Wellen« (1831), ferner historisch-polit. Stücke, die an die Überlieferungen der Habsburgerdynastie anknüpfen: »König Ottokars Glück und Ende« (1825); »Ein treuer Diener seines Herrn« (1830). Das dramat. Märchen »Der Traum ein Leben« (gedr. 1840) spiegelt seine Beschäftigung mit der span. Literatur (Calderón, Lope de Vega). Die beiden Werke »Ein Bruderzwist in Habsburg« und »Libussa« (beide gedr. 1872) zeigen Resignation und Ahnungen vom Verfall gesellschaftl. Ordnungen; weitere Spätwerke sind »Die Jüdin von Toledo« (gedr. 1873) und die autobiographisch getönte Erzählung »Der arme Spielmann« (1847), die zu den Meisterwerken des psycholog. Realismus des 19. Jh. zählt. G.s Gedichte sind Klagen über das Missverhältnis zw. Leben und Dichtung; außerdem Tagebücher, Selbstbiographie.

Victor Grignard

Franz Grillparzer (zeitgenössischer Stahlstich)

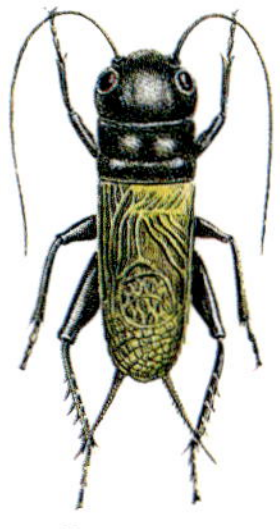

Grillen: Feldgrille (Größe bis 2,6 cm)

Hermann Grimm

Adolf Grimme

📖 SCHEIT, G.: *F. G. mit Selbstzeugnissen u. Bilddokumenten. Reinbek 9.–10. Tsd. 1994.*

Grimaldi, seit dem 12. Jh. in Genua bezeugtes Adelsgeschlecht, erlangte 1419 die Alleinherrschaft über →Monaco. Die G. nahmen 1612 den Fürstentitel an, der ihnen 1688 von Ludwig XIV. bestätigt wurde. 1731 erlosch das Haus G. im Mannesstamm; Herrschaft und Name gingen auf den Gatten der Erbtochter, J. de Goyon-Matignon, Graf von Thorigny Herzog von Valentinois (*1689, †1751), über. Unter Charles III. (*1818, †1889, Fürst seit 1856) wurde Monte Carlo gegründet. Unter Albert I. (*1848, †1922, Fürst seit 1889) wurden das Ozeanograph. Museum im Monaco (1910) und das Ozeanographische Institut in Paris (1911) eröffnet. Mit Louis II. (*1870, †1949, Fürst seit 1922) erlosch das Haus Goyon-Matignon-G. im Mannesstamm. Ihm folgte sein Enkel Rainier III., dessen Vater Graf Pierre de Polignac bei der Heirat mit der Erbtochter Louis' II. den Namen G. angenommen hatte.

Grimaldi, Francesco Maria, italien. Mathematiker, Physiker und Astronom, *Bologna 2. 4. 1618, †ebd. 28. 12. 1663; Jesuit, war Prof. an der Univ. von Bologna. Er beschrieb erstmals Beugungserscheinungen und die Spektralzerlegung des Lichts und stellte dafür eine Wellentheorie auf; gab eine Mondkarte heraus.

Grimaldigrotten, Gruppe von neun Höhlen bei Ventimiglia, Italien, nahe der frz. Grenze; berühmte Fundstätte mit Bestattungen aus der jüngeren Altsteinzeit (Skelette vom Cro-Magnon-Typ, Geräte, Statuetten, Schmuck u. a. Beigaben des Aurignacien und Moustérien).

Grimm, 1) Friedrich Melchior Baron von, Publizist und Diplomat, *Regensburg 26. 12. 1723, †Gotha 19. 12. 1807; gab in Paris von 1753–1773 alle zwei Wochen handschriftl. seine »Correspondance littéraire, philosophique et critique« heraus, die er an europ. Höfe schickte und in denen er über das geistige Leben in Frankreich berichtete.

2) Hans, Schriftsteller, *Wiesbaden 22. 3. 1875, †Lippoldsberg (heute zu Wahlsburg, Kr. Kassel) 27. 9. 1959; begründete mit den »Südafrikan. Novellen« die dt. Kolonialdichtung. In seinem Roman »Volk ohne Raum« (2 Bde., 1926), dessen Titel zum nat.-soz. Schlagwort wurde, schildert G. das Schicksal eines dt. Kolonisten.

Jacob und Wilhelm Grimm:
Radierung von Ludwig Emil Grimm (1843)

Grimma: Westgiebel und Südseite des 1442 erbauten Rathauses (1538–85 erneuert)

3) Herman, Kunst- und Literarhistoriker, *Kassel 6. 1. 1828, †Berlin 16. 6. 1901, Sohn von 6); schrieb Essays und Biographien: »Das Leben Michelangelos« (2 Bde., 1860–63), »Goethe« (2 Bde., 1877).

4) Jacob, Sprach- und Literaturwissenschaftler, *Hanau 4. 1. 1785, †Berlin 20. 9. 1863, Bruder von 5) und 6); Begründer der german. Altertumswiss., der german. Sprachwiss. und der dt. Philologie; zeitlebens eng mit seinem Bruder Wilhelm verbunden; 1830 Prof. und Bibliothekar in Göttingen; sein polit. Engagement (→Göttinger Sieben) führte zu seiner fristlosen Entlassung und Landesverweisung; seit 1841 Mitgl. der Preuß. Akademie der Wiss.; 1848 Abgeordneter der Frankfurter Nationalversammlung. Grundlage seiner wiss. Haltung ist die von F. K. von Savigny begründete histor. Betrachtungsweise und die exakte Quellen- und Detailforschung. Neben den großen Sammlungen (»Kinder- und Hausmärchen«, 2 Bde., 1812–15; »Dt. Sagen«, 2 Bde., 1816–18) begründete die 1819 erschienene »Dt. Grammatik« (»dt.« im Sinne von »german.«), die er im Folgenden erweiterte und z. T. völlig umarbeitete (bis 1837 4 Teile), seinen Ruf. Bei der Arbeit an diesem »Grundbuch der german. Philologie« entdeckte G. die Gesetzmäßigkeit des Lautwandels, des Ablautes, des Umlautes, systematisierte die Erkenntnisse bezüglich der Lautverschiebungen und erweiterte entscheidend das Wissen um die Verwandschaft der german. und indogerman. Sprachen; bed. auch seine Publikationen zur german. Rechtsgeschichte (»Dt. Rechts-Alterthümer«, 1828), Religionsgesch. (»Dt. Mythologie«, 1835) sowie seine Sammlung bäuerl.

Johann Jacob Christoffel von Grimmelshausen: Titelblatt der 1669 erschienenen authentischen Erstausgabe des »Simplicissimus«, Kupferstich; das Fabeltier, ein Zwitter aus Fisch, Vogel, Ente und Satyr, deutet auf Episoden des Romans, wobei es die Masken menschlicher Torheit zertritt

Rechtsquellen (»Weisthümer«, 7 Bde., 1840–78). Seine 1848 veröffentlichte »Geschichte der dt. Sprache« (2 Bde.) wertet auch die Sprache als Geschichtsquelle aus. 1854 ff. entstand das →»Deutsche Wörterbuch«. Hervorragende Leistungen als Herausgeber altdt., altnord., angelsächs., mlat. und lat. Werke (z. T. mit seinem Bruder Wilhelm).

📖 Seitz, G.: *Die Brüder Grimm. Leben, Werk, Zeit. Lizenzausg. Leipzig 1990.* – Gerstner, H.: *Brüder Grimm mit Selbstzeugnissen u. Bilddokumenten. Reinbek 36.–38. Tsd.,* ⁸*1994.*

5) Ludwig Emil, Radierer und Maler, *Hanau 14. 3. 1790, †Kassel 4. 4. 1863, Bruder von 4) und 6); schuf v. a. Radierungen (bes. Porträts), Bleistiftzeichnungen und Aquarelle, die auch Einblick in Leben und Arbeit seiner Brüder geben.

6) Wilhelm, Literaturwissenschaftler, *Hanau 24. 2. 1786, †Berlin 16. 12. 1859, Bruder von 4) und 5), Vater von 3); 1831 Prof. in Göttingen; als Mitgl. der Göttinger Sieben 1837 amtsenthoben, 1841 Mitgl. der Preuß. Akademie der Wiss. in Berlin; arbeitete meist mit seinem Bruder Jacob zusammen, wesentlich sein Anteil an der sprachlich meisterhaften Gestaltung der »Kinder- und Hausmärchen« (2 Bde., 1812–15). Sagenforscher und Herausgeber zahlreicher mhd. Literaturwerke sowie Mitarbeiter am →»Deutschen Wörterbuch«.

Grịmma, Krst. des Muldentalkreises, Sachsen, an der Mulde, 19 100 Ew.; Museum; Maschinen- und Anlagenbau, Flachglaswerk. – Schloss (1200 bezeugt, um 1400 und nach 1500 umgebaut), Frauenkirche (13. Jh., roman. Westbau), Rathaus (1442). – G. entstand nach 1150 als dt. Marktsiedlung (um 1200 erste urkundl. Erwähnung); mehrfach Sitz der Wettiner.

Grimmdarm, Teil des →Darms.

Grịmme, Adolf, Pädagoge und Politiker (SPD), *Goslar 31. 12. 1889, †Degerndorf a. Inn (heute zu Branneburg, Kr. Rosenheim) 27. 8. 1963; 1930–33 preuß. Kultusmin., gehörte zum Kreis der entschiedenen Schulreformer; 1942–45 in Haft; 1946–48 Kultusmin. von Ndsachs., 1948–56 Generaldirektor des Norddt. Rundfunks. Der dt. Volkshochschulverband stiftete 1961 den **Adolf-Grimme-Preis** für vorbildl. Fernsehproduktionen.

Johann Jacob Christoffel von Grimmelshausen (Kupferstich, um 1670)

Grịmmelshausen, Johann (Hans) Jacob Christoffel von, Pseud. u. a. German Schleifheim von Sulsfort, Erzähler, *Gelnhausen 12. 3. 1621, †Renchen (bei Offenburg) 17. 8. 1676. G., Sohn eines Bäckers und Gastwirts, wurde früh elternlos und ge-

riet 1635 in die Kriegswirren, die er als Trossbube und Soldat erlebte. 1667 wurde er Schultheiß in Renchen; konvertierte zum kath. Bekenntnis. Sein Hauptwerk ist der Roman in fünf Büchern »Der Abentheuerliche Simplicissimus Teutsch« in z. T. mit Dialekt durchsetzter Sprache (1669, noch 1669 erschien eine 2. Auflage und die »Continuatio des

Grimmelshausen

Johann (Hans) Jacob Christoffel von Grimmelshausen, der Dichter des Dreißigjährigen Krieges, verfasste auch die so genannten Simplizianischen Schriften, darunter »Der seltzame Springinsfeld« (1670). Ein kriegsversehrter ehemaliger Soldat blickt auf sein Leben zurück:

»Vor Zeiten nannt man mich
den tollen Springinsfeld,
Da ich noch jung und frisch
mich tummelt in der Welt,
Zu werden reich und groß
durch Krieg und Kriegeswaffen,
Oder wenn das
nit glückt, soldatisch
einzuschlafen...
Ich wurd des Glückes Ball,
musst wie das Glück umwälzen,
Mich lassen richten zu,
dass ich nun brauch ein Stelzen,
Stelz jetzt vor Bauern Tür,
im Land von Haus zu Haus,
Bitt den ums Brot,
den ich so oft jagt aus!
Und zeig der ganzen Welt
durch mein armselig Leben,
Dass teils Soldaten jung
alte Bettler abgeben.«

abentheuerl. Simplicissimi...« als 6. Buch). Die in der Ichform erzählte Lebensgeschichte eines jugendl. Abenteurers ist das bedeutendste literar. Dokument der Barockzeit und realist. Darstellung der Zeit- und Sittengeschichte; sie steht u.a. in der Tradition des span. Schelmenromans und der volkstüml. Schwank- und Sagenliteratur. Sein Mittel satir. Erzählens ist die Perspektive eines »tumben Toren«, der Erfahrungen mit der Welt macht, die sich im Dreißigjährigen Krieg in ihrem Elementarzustand zeigt. Unbeständigkeit und Wahn der Welt sowie die Hoffnung auf Erlösung im Jenseits sind das ständig variierte Thema auch der Simplizian. Schriften »Trutz Simplex: oder Ausführl. und wunderseltzsame Lebens-Beschreibung Der Ertzbetrügerin und Landstörtzerin Courasche« (1670), »Der seltzame Springinsfeld« (1670), »Das wunderbarl. Vogel-Nest« (1672) u.a.

📖 MEID, V.: *G. Epoche, Werk, Wirkung. München 1984.* – HOHOFF, C.: *J.J. C. von G. mit Selbstzeugnissen u. Bilddokumenten. Reinbek 17.–18. Tsd. 1995.*

Ólafur Ragnar Grímsson

Grimmen, Krst. des Kreises Nordvorpommern, Meckl.-Vorp., an der Trebel, 12700 Ew.; Parkettfabrik, Bekleidungsind., Milchzuckerwerk. – Frühgot. Marienkirche (um 1280), spätgot. Rathaus (14.Jh.); von der Stadtbefestigung sind drei spätgot. Stadttore erhalten. – Seit 1267 Stadt.

Grimsby ['grımzbı], Stadt in England, → Great Grimsby.

Grimsel *die,* Pass im Berner Oberland, → Alpenstraßen (ÜBERSICHT).

Grímsson, Ólafur Ragnar, isländ. Politiker, *Ísafjördur 14.5.1943; 1973–91 Prof. für Politikwissenschaft an der Universität von Island; 1980–83 Fraktionsvorsitzender der sozialistischen Volksallianz im isländ. Parlament, 1987–95 deren Vorsitzender; 1988–91 Finanzmin., 1996 Staatspräsident.

Grind, 1) der → Schorf.

2) Bez. für versch. Pflanzenkrankheiten, z.B. Kartoffelschorf und Mauke (G. des Weinstocks) mit Wucherungen der Rinde.

Grindelwald, Fremdenverkehrsort im Berner Oberland, Schweiz, 1040 m ü.M., am Fuß des Wetterhorns und des Eigers, 3600 Ew.; Schmalspurbahn von Interlaken, Zahnradbahn über die Kleine Scheidegg nach Lauterbrunnen, Gondelbahn (6,25 km lang) auf den Männlichen (2219 m ü.M.) und (Einseilumlaufbahn, 5,22 km lang) auf die First (2168 m ü.M.) sowie Kabinenseilbahn aufs Pfingstegg; vor dem **Unteren G.-Gletscher** (22 km^2) tiefe Gletscherschlucht, im Oberen G.-Gletscher (10 km^2) künstl. Eisgrotte.

Gringo [span.] *der,* in Südamerika abwertende Bez. für jemanden, der nicht roman. Herkunft ist.

Gringoire [grɛ̃'gwa:r] (Gringore), Pierre, frz. Dichter, *Thury-Harcourt (Dép. Calvados) um 1475, †in Lothringen um 1538; verfasste krit. Zeitgedichte, Satiren, Bühnenstücke.

Grinzing, seit 1890 Stadtteil von → Wien.

grippaler Infekt, Sammelbez. für versch., durch v.a. Viren verursachte fieberhafte Allgemeinerkrankungen, meist mit Beteiligung der oberen Luftwege.

Grippe [frz., zu gripper »greifen«] (Influenza, Virusgrippe), sehr ansteckende akute Infektionskrankheit des Menschen, die epidemisch und zeitweise auch als Pandemie weltweit auftritt. Hervorgerufen durch Influenzaviren, von denen mehrere Typen bekannt sind (z.B. Typ A_1, A_2, B), wird die G. v.a. durch Tröpfcheninfektion verbreitet; Eintrittspforten sind die Schleimhäute der oberen Luftwege. Der Erreger A_2 (Asia) ruft die asiat. G. hervor, eine Variante ist der Erreger der Hongkong-G. Kennzeichen der G. sind plötzl. Beginn mit erhebl. Krankheitsgefühl, Frösteln, hohem Fieber, Kopf- und Gliederschmerzen, Heiserkeit und trockenem, schmerzhaftem Husten, mitunter treten auch Leibschmerzen und starke Durchfälle **(Darm-G.)** auf. Häufige Komplikationen sind bakterielle Lungenentzündung, Herz- und Kreislaufversagen und Entzündungen der Nasennebenhöhlen. Die *Behandlung* umfasst v.a. die Anwendung Fieber senkender und entzündungshemmender Arzneimittel. Die vorbeugende G.-Impfung muss jährlich wiederholt werden, da der Schutz auf wenige Monate begrenzt ist.

📖 GLENN, J.: *G. u. Erkältungen. A.d. Amerikan. München 1990.* – DORSTEWITZ, H.: *Erkältung u. G. natürlich behandeln. Neuausg. München 1995.*

Gripsholm, durch Gustav Wasa 1537ff. als königl. Lustschloss erbaute Wasserburg am Mälarsee, Schweden, bei Mariefred; heute histor. Museum, beherbergt die größte Porträtsamml. Schwedens sowie ein Theater (1781).

Griqualand ['grıkwəlænd], zwei Landschaften in der Rep. Südafrika, benannt nach dem Volk der **Griqua** (Hottentotten-Mischlinge), die sich zu Beginn des 19.Jh. in der Trockensavanne nördl. des mittleren Oranje angesiedelt hatten. – **G. West** ist eine Steppenhochfläche nördlich vom mittleren Oranje; an ihrem Ostrand liegen Kimberley (Diamanten) und Postmasburg (Manganerz); Hauptort ist Griquatown. – **G. East** liegt am südl. Abfall der Drakensberge, Prov. Natal; reiches Farmgebiet; Hauptort ist Kokstadt.

Gris, Juan, eigtl. José Victoriano González Pérez, span. Maler und Grafiker, *Madrid 23.3.1887, †Paris 11.5.1927; übersiedelte nach Paris, trat in Verbindung mit Picasso und G. Braque und gehörte um 1911/12 zur Gruppe der Kubisten; kombinierte ab 1913 die illusionist. Perspektive mit der Simultanansichtigkeit des Gegenständlichen unter Einbeziehung der Technik der Collage und wurde

Gripsholm: Das Wasserschloss aus dem 16. Jh. beherbergt heute die größte Porträtsammlung Schwedens

damit zum Begründer des synthet. →Kubismus; Bühnenausstattungen u.a. für Arbeiten von T. Tzara und die Ballets Russes.

📖 *J. G., bearb. v.* C. GREEN, *Ausst.-Kat. Staatsgalerie Stuttgart. A. d. Engl. Stuttgart 1993.*

Grisaille [griˈzaːj; frz., zu gris »grau«] *die,* monochrome Malerei grau in grau, auch steinfarben oder bräunlich in feinen Helldunkelabstufungen. BILD S. 432

Grischun, bündnerromanisch für →Graubünden.

Grisli (Grislibär, Grizzly), →Bären.

Gris Nez, Kap [-griˈne; frz. »graue Nase«], Küstenvorsprung zw. Boulogne-sur-Mer und Calais in N-Frankreich, an der schmalsten Stelle des Ärmelkanals; 50 m hohe Kreideklippe, Leuchtturm.

Grison [griˈzɔ̃, frz.] *der,* amerikan. Raubmarder, →Marder.

Grivas, Georgios, grch. General und Politiker, *Trikomo (bei Famagusta) 23. 3. 1898, †Limassol 27. 1. 1974; kämpfte an der Spitze der grch.-zypriot. Untergrundorganisation EOKA gegen die brit. Herrschaft auf Zypern und dessen Anschluss an Griechenland. Nach der Entlassung Zyperns in die Unabhängigkeit (1960) war er 1964–67 Oberbefehlshaber der grch.-zypriot. Nationalgarde.

Griwna, russische Bez. der ukrain. Währung →Hrywnja.

Juan Gris (von links): »Stillleben mit Fruchtschale und Mandoline« (1919; Basel, Privatbesitz); »Das Frühstück« (1915; Paris, Musée d'Art Moderne)

Grisaille: Albrecht Dürer, Der heilige Cyriakus, Ausschnitt aus der oberen Hälfte des rechten Standflügels des Frankfurter Heller-Altars (1512–12; Frankfurt am Main, Städelsches Kunstinstitut)

Grizzly ['grɪzlɪ; engl. »grau«] *der* (Grizzlybär, Grisli), →Bären.

GRO, Abk. für →**G**amma **R**ay **O**bservatory.

Gröber, Gustav, Romanist, *Leipzig 4. 5. 1844, †Straßburg 6. 11. 1911; war Prof. in Zürich, Breslau, ab 1880 in Straßburg; gründete 1877 die »Zeitschrift für roman. Philologie« und 1907 die »Bibliotheca romanica«, gab den »Grundriß der roman. Philologie« (2 Bde. in 4 Teilen, 1888–1902) heraus.

grober Undank, *Recht:* →Schenkung.

grober Unfug, *Recht:* →Unfug.

Grobianismus *der,* die in der grobian. Dichtung des 15. und 16. Jh. angeprangerten unflätigen Verhaltensweisen. In S. Brants »Narrenschiff« (1494) wird »St. Grobianus« zum Schutzpatron rohen Gebarens erhoben. Die **grobian. Literatur** schließt an die Tischzuchten des späten MA. an; sie wollte durch iron. Anweisung zu unwürdigem Benehmen die allg. Vergröberung der Sitten bekämpfen. (F. →Dedekind)

Gröbming, Marktgemeinde im Bezirk Liezen, im oberen Ennstal, Obersteiermark, Österreich, 2100 Ew.; Lungenheilstätte.

Grock, eigtl. Adrian Wettach, schweizer. Artist, *Reconvilier (bei Biel) 10. 1. 1880, †Imperia (Italien) 14. 7. 1959; wurde als musikal. Clown weltberühmt, leitete seit 1951 einen eigenen Zirkus; veröffentlichte »Nit mö-ö-ö-glich. Die Memoiren des Königs der Clowns« (1956, bearb. v. E. Konstantin).

Groden *der,* deichreifes oder eingedeichtes Marschland. Ein hinter dem Hauptdeich liegender Binnen-G. wird **Koog** oder **Polder,** ein vor ihm liegender Außen-G. **Heller (Helder)** genannt.

Gröditz, Industriestadt im Landkreis Riesa-Großenhain, Sachsen, 9400 Ew.; Stahl- und Walzwerk, Zellstoff-, Möbelfabrik.

Grodk, sorb. Name für →Spremberg.

Grödner Tal (Gröden, italien. Val Gardena, ladin. Gherdëina), vom Grödner Bach durchflossene, 25 km lange Talschaft in den Südtiroler Dolomiten, Italien, umrahmt von den Geislerspitzen, der Sella- und Langkofelgruppe; die meist Ladinisch sprechende Bev. lebt von Alm- und Forstwirtschaft, Holzschnitzerei und Fremdenverkehr (Wintersport in Sankt Ulrich und Wolkenstein).

Grodno (weißruss. Hrodna), Gebietshauptstadt in Weißrussland, an der Memel, 287200 Ew.; Univ., Hochschulen; Chemiefaser-, Düngemittelwerk, Textil-, Leder-, Lebensmittelind., Maschinenbau. – Im Gebiet der Alten Burg die Untere Kirche (12. Jh.), die Obere Kirche (14./15. Jh.) und ein Schloss (1586, heute Museum); das Neue Schloss stammt aus dem 18. Jh. – Das 1183 erstmals urkundlich erwähnte G. kam im 14. Jh. zu Litauen, 1569 an Polen, 1795 an Russland, 1920 an Polen, 1945 an die UdSSR.

Groeben ['grø:], Otto Friedrich von der, brandenburg. Offizier, *Napratten (beim heutigen Lidzbark Warmiński) 16. 4. 1656 (oder 1. 4. 1657),

Grobianismus: Titelblatt der 1494 erschienenen Erstausgabe von Sebastian Brants Satire »Das Narrenschiff«, Holzschnitt von Albrecht Dürer

†Marienwerder (heute Kwidzyn) 30. 1. 1728; leitete 1682/83 eine brandenburg. Expedition an die Goldküste Afrikas (Groß-Friedrichsburg).

Groener ['grø:], Wilhelm, General und Politiker, *Ludwigsburg 22. 11. 1867, †Bornstedt (heute zu Potsdam) 3. 5. 1939; trat 1884 in die württemberg. Armee ein. Seit 1916 Generalleutnant, stand G. 1916–17 an der Spitze des für eine Steigerung von Rüstung und Kriegswirtschaft verantwortl. Kriegsamtes. Als Erster Generalquartiermeister der OHL (1918–19) leitete er den Rückmarsch und die Demobilisierung des dt. Heeres. Im Nov. 1918 trug er maßgeblich zur Abwehr eines revolutionären Umsturzes bei (→Ebert-Groener-Pakt). 1928–32 war er Reichswehrmin. Als Reichsinnenmin. (1931–32) in der Regierung Brüning setzte er das Verbot von SA und SS durch.

Groethuysen ['xru:thœjzə], Bernhard, Philosoph, *Berlin 9. 1. 1880, †Luxemburg 17. 9. 1946; Schüler W. Diltheys; wendete dessen geistesgeschichtl. Methode zur Untersuchung der Erscheinungsformen und Voraussetzungen der bürgerl. Gesellschaft an.

Grog [engl.] *der,* Getränk aus Rum (auch Weinbrand, Arrak, Whisky u. a.), heißem Wasser und Zucker.

Grock

Grogger, Paula, österr. Schriftstellerin, *Öblarn (Bez. Liezen) 12. 7. 1892, †ebd. 31. 12. 1983; schrieb im Volkstum und im Glauben ihrer Heimat wurzelnde Erzählwerke, z. T. steir. Mundart, u. a. »Das Grimmingtor« (R., 1926).

Grohmann, Will, Kunsthistoriker und -kritiker, *Bautzen 4. 12. 1887, †Berlin (West) 6. 5. 1968; gehörte durch seine publizist. Tätigkeit zu den Wegbereitern abstrakter Kunst in Dtl.; Monographien u. a. über P. Klee (1954), W. Kandinsky (1958), E. L. Kirchner (1958), H. Moore (1960).

Grohnde, Ortsteil von Emmerthal, Landkreis Hameln-Pyrmont, Ndsachs.; Kernkraftwerk an der Weser.

Marcel Gromaire: »Der Krieg« (1925; Paris, Musée d'Art Moderne de la Ville de Paris)

Groitzsch, Stadt im Landkreis Leipziger Land, Sachsen, im Ostteil der Aue der Weißen Elster, 8 600 Ew.; Schuhfabrik, Herstellung von Werkzeugen, Hartpappen, chem. Industrie. – Die Burg wurde um 1300 zerstört (Reste eines roman. Wehrturms und einer roman. Rundkapelle). – Das 1040 als Burg bezeugte G. kam 1144 an die Wettiner, die 1207 vor der Burg die regelmäßig angelegte Stadt G. gründeten.

Grolman, Karl von, preuß. General, *Berlin 30. 7. 1777, †Posen 15. 9. 1843; seit 1807 Mitgl. der Kommission für Heeresreform unter General H. von Boyen, trug 1815 als Generalquartiermeister Gneisenaus wesentlich zum preuß. Sieg über Napoleon I. bei.

Gromaire [grɔ'mɛ:r], Marcel, frz. Maler und Grafiker, *Noyelles-sur-Sambre (Dép. Nord) 24. 7. 1892, †Paris 11. 4. 1971; Vertreter eines expressiven Realismus, bes. beeinflusst von F. Léger; arbeitete mit vereinfachten, betont plast. Formen und dunklen Farben. Illustrationen (meist Radierungen) u. a. zu Werken von C. Baudelaire und W. Shakespeare;

Grog

*Der Erfinder des Grogs war der englische Admiral Edward Vernon (*1684, †1757). Von den Matrosen wurde er nur »Old Grog« genannt, da er bei jedem Wetter in einem Monstrum von Mantel an Deck erschien, der aus einem groben, »grogram« genannten Stoff bestand. 1740 erließ er den Befehl, die Rumrationen der Mannschaften mit Wasser zu verdünnen, um die überhand nehmenden Prügeleien im Suff einzudämmen. Brummig und verächtlich nannten die alten Seebären dieses Getränk »Grog«.*

Andrei Gromyko

entwarf Bildteppiche für die Gobelinmanufaktur in Aubusson.

Grömitz, Gemeinde im Kreis Ostholstein, Schlesw.-Holst., 7400 Ew.; Ostseeheilbad an der Lübecker Bucht.

Gromyko, Andrei Andrejewitsch, sowjet. Politiker, *Staryje Gromyki (bei Gomel) 18. 7. 1909, †Moskau 2. 7. 1989; war 1943–46 Botschafter in Washington, 1946–48 ständiger sowjet. Vertreter beim Sicherheitsrat der UNO und 1952–53 Botschafter in London. Als Außenmin. (1957–85) vertrat G. die außenpolit. Vorgaben der sowjet. Partei- und Staatsführung. Als Erster stellv. MinPräs. (1983–85) koordinierte er die gesamten sowjet. Außenbeziehungen. 1973–88 war er Mitgl. des Politbüros der KPdSU, 1985–88 Vors. des Präsidiums des Obersten Sowjets (Staatsoberhaupt).

Gronau (Westf.), Stadt im Kr. Borken, NRW, an der Dinkel, an der niederländ. Grenze, 43700 Ew.; bed. Textil- und Bekleidungsind., Kunststoff-, Metall verarbeitende und Elektronikind.; Urananreicherungsanlage. – 1898 Stadtrecht.

Gronchi ['groŋki], Giovanni, italien. Politiker, *Pontedera (Prov. Pisa) 10. 9. 1887, †Rom 17. 10. 1978; Wirtschaftswissenschaftler, beteiligte sich 1919 an der Gründung der kath. Volkspartei (PPI), während des 2. Weltkriegs der Democrazia Cristiana (DC), zu deren linkem Flügel er gehörte; war 1955–62 Staatspräs. und ab 1962 Senator auf Lebenszeit. Als Staatspräs. unterstützte er die Öffnung seiner Partei v. a. zu den Sozialisten und Sozialdemokraten.

Grönemeyer, Herbert, Schauspieler und Liedermacher, *Göttingen 12. 4. 1956; profilierte sich als Rocksänger; auch Filme (u. a. »Das Boot«, 1981).

Groningen ['xro:nɪŋə], **1)** nordöstl. Provinz der →Niederlande.

2) Hptst. von 1), im NO der Niederlande, 170000 Ew.; Univ. (gegr. 1614), Akademien für Baukunst und für bildende Künste, Museen; Handels- und Ind.zentrum (Schiff- und Maschinenbau, chem., Elektro-, Nahrungsmittel-, Möbel-, Papier-, Gummi- u. a. Ind.); in der Nähe Erdgasförderung. Verkehrszentrum; durch den Emskanal Verbindung zum Vorhafen Delfzijl; Flughafen südlich von G. bei Eelde. – In der Altstadt der Grote Markt (mit Stadthaus, Waage, Martinskirche, Oude Rechthuis) und der Fischmarkt (mit der A-Kerk, 15. Jh.). – G., erstmals im 11. Jh. erwähnt, gehörte im MA. zum Bistum Utrecht, wurde 1282 Hansestadt und 1536 habsburgisch; 1594 durch Moritz von Oranien erobert.

Grönland
Wappen

Grönland
Flagge

Grönland [»grünes Land«] (eskimoisch Kalaallit Nunaat, dän. Grønland), größte Insel der Erde, zum arkt. Nordamerika gerechnet; autonomer Bestandteil des Königreichs Dänemark; Längserstreckung von Kap Morris Jesup im N bis Kap Farvel im S 2650 km. G. umfasst einschließlich kleiner vorgelagerter Inseln 2175600 km^2 (hiervon eisfrei nur 341700 km^2) mit (1995) 55700 Ew.; Hptst. ist Nuuk (dän. Godthåb).

Der bis zu 150 km breite eisfreie Küstensaum hat hohe Randgebirge (im O Gunnbjørns Fjeld mit 3700 m ü. M.) und tiefer gelegene, einst eisbedeckte Tal-, Seen-, Moränenlandschaften, Fjorde, z. T. auch flaches Küstenland. Das von den Rändern sanft ansteigende Inlandeis erreicht unter 67–72° n. Br. Höhen von über 3300 m (größte Eisdicke 3400 m); es ruht in einem schalenartigen, felsigen Untergrund, dessen Boden im Innern bis 250 m unter den Meeresspiegel reicht. Große, ins Meer mündende Gletscher, bes. auf der W-Seite, kalben Eisberge. Im Bereich des Inlandeises und

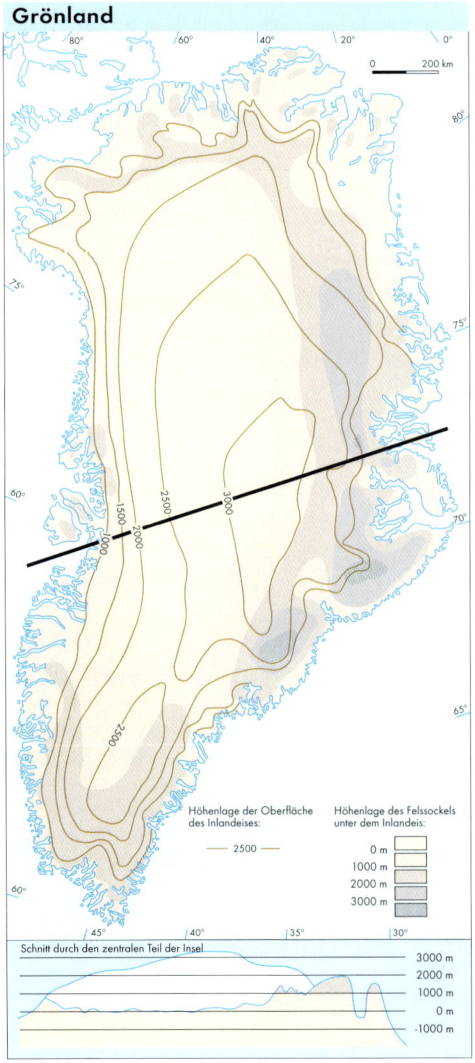

im N sind die Temperaturverhältnisse polar (Winter um −30 °C, Sommer wenig über 0 °C), mit geringen Niederschlägen. Der S hat milderes Klima (Angmagssalik: Julimittel 7,1 °C, Februar −9,1 °C, Qaqortoq: Juli 7,4 °, Februar −8,2 °C). Die bes. an der W-Küste häufig auftretenden Fallwinde bringen wärmere Luftmassen und lassen verstärkt Vegetation aufkommen. Die Tierwelt ist fast ausschließlich polar: Rentiere, Blau- und Weißfüchse, Polarhasen, im N Moschusochsen, Lemminge. Die Küstengewässer sind reich an Fischen und Robben. Die Pflanzenwelt wird vom S (bis 4 m hohe Birken und Erlen, Wacholder, Rhododendron, Kräuter, Moose, Flechten) nach N hin (Polarweiden) immer spärlicher.

Die *Bewohner* G.s, nur zum kleinen Teil noch reine Eskimo, sind meist mit Europäern vermischt (Grönländer). Amtssprachen sind Eskimoisch (Westgrönländisch) und Dänisch. Haupterwerbszweige sind Fisch- (Dorsch, Heilbutt) und Robbenfang, z. T. mit industrieller Verarbeitung, ferner Schafzucht und Bergbau (seit 1973/74 Abbau der Blei-Zink-Erze bei Maarmorilik); die urspr. bedeutenden Kryolithvorkommen bei Ivigtut sind ausgebeutet. Wichtiger Flugplatz für die Polarroute ist Kangelussuaq, Haupthafen ist Nuuk.

Geschichte: Die um 875 von dem aus Norwegen stammenden Wikinger Gunnbjørn entdeckte Insel wurde 982 von Erich dem Roten aufgesucht und G. genannt; 986 gründete er an der SW-Küste die erste Siedlung. Ab 1261 stand G. unter norweg. Oberhoheit. Seit Mitte des 14. Jh. führten das Vordringen der Eskimo und verschlechterte Lebensbedingungen (u. a. Temperaturrückgang) zum Aussterben der europ. Siedlungen. Erst nach der Landung des Missionars H. Egede (1721) kam es wieder zu einer Besiedlung durch Nordeuropäer. Bei Auflösung der dänisch-norweg. Personalunion (1814) blieb G. bei Dänemark. Der Streit um G. mit Norwegen wurde 1933 vom Haager Schiedshof zugunsten Dänemarks entschieden. Nach 1945 bauten die USA an der NW-Küste G.s Luftstützpunkte. 1951 schlossen die USA und Dänemark einen Vertrag über die gemeinsame Verteidigung der Insel. 1953 wurde G. integraler Bestandteil Dänemarks. 1979 erhielt G. Selbstverw. in wirtsch. u. a. inneren Angelegenheiten (eigenes Parlament und eigene Regierung). Nach einer Volksabstimmung 1982 schied G. 1985 aus der EG aus. – Die *Erforschung* G.s begann mit H. Egede (1721–36) und Karl Ludwig Giesecke (* 1761 oder 1775, † 1833; 1807–15) sowie mit der im 19. Jh. verstärkten Suche nach der Nordwestpassage. 1822 landete W. Scoresby als Erster an der O-Küste, die 1869–70 von der dt. Germania-und-Hansa-Expedition erforscht wurde. Erste Vorstöße ins Innere unternahmen 1883 A. E. Nordenskjöld, 1886 R. E. Peary; durchquert wurde G. erstmals 1888 von F. Nansen und O. N. Sverdrup, danach u. a. (1912–13) von A. Wegener und Johann Peter Koch (* 1870, † 1928). K. Rasmussen erforschte auf mehreren Expeditionen (seit 1902) Leben und Gesch. der Eskimo.

Grönland: Die in Grönland vorherrschende Küstenform ist die aus kleinen buckelartigen Felsinseln und Felsklippen bestehende Schärenküste; darunter Blick auf nichtvergletscherte Berge an der Nordküste, die durch fließendes Wasser abgetragen werden

🕮 Barüske, H.: *G. Kultur u. Landschaft am Polarkreis. Köln 1990.* – Braukmüller, H.: *G. – gestern u. heute. Münster 1990.*

Grönlandwal, Art der → Glattwale.

Groot [xro:t], Huigh de, → Grotius.

Groote Eylandt ['gru:t 'aɪlnd], größte Insel im Carpentariagolf, N-Australien, 2460 km², bis 183 m ü. M.; Landbesitz der Aborigines. Auf G. E.

Walter Gropius: Das Bauhaus-Archiv in Berlin wurde 1976–79 nach einem Entwurf von Walter Gropius erbaut

liegt das größte austral. Manganerzvorkommen (Abbau, Aufbereitung und Verschiffung).

Grootfontein ['grʊətfɔntɛɪn], Stadt in N-Namibia, am Rand des Otavibergiandes, 1463 m ü. M., 9000 Ew.; Zentrum eines Agrargebietes; Förderung von Kupfer- und Bleierzen; Endpunkt eines Zweiges der Otavibahn.

Walter Gropius

Grọpius, Walter, dt.-amerikan. Architekt und Industriedesigner, *Berlin 18. 5. 1883, †Boston (Mass.) 5. 7. 1969; G. war einer der faszinierendsten Vertreter der neuen, auf Zweckmäßigkeit hin entworfenen Architektur mit einer betont blockartigen, streng geometr. Bauweise. Bed. Beispiel seiner frühen Bauten ist das 1910–15 erbaute Faguswerk in Alfeld (Leine). 1919 gründete er das → Bauhaus, dessen Direktor er bis 1928 war. Für den Friedhof in Weimar entstand 1920–22 ein expressionist. Mahnmal für die Opfer des Kapp-Putsches. In den Jahren nach 1928 wirkte er als Architekt in Berlin (Siedlung »Siemensstadt«, 1929/30). Nach der Emigration (1933 nach London), lebte er ab 1937 in den USA; 1937–52 Prof. an der Harvard University, auch Gründung einer eigenen Architektenschule. Zu seinen Spätwerken gehören u. a. das Pan Am Building in New York (1958–63) und die Porzellanfabrik Rosenthal in Selb (1965–67). Nach seinen Plänen wurde das urspr. für Darmstadt geplante Bauhaus-Archiv 1976–79 postum in Berlin am Landwehr-Kanal errichtet. – *Schriften:* »Architektur. Wege zu einer opt. Kultur« (1956), »Die neue Architektur und das Bauhaus« (1965).

📖 *Der Architekt W. G., hg. v.* W. NERDINGER. *Ausst.-Kat. Bauhaus-Archiv. Berlin* ^{2}*1996.*

Gros [gro], Antoine Jean Baron (seit 1825), frz. Maler, *Paris 16. 3. 1771, †(Selbstmord) Meudon 26. 6. 1835; Schüler von J. L. David; hielt sich 1793–1801 in Italien auf, wo er den Aufstieg Napoleons I. mit großformatigen Gemälden begleitete (»Bonaparte auf der Brücke von Arcole«, 1796, Paris, Louvre).

Gros *das,* **1)** [grɔs; aus frz. grosse (douzaine) »Großdutzend«] (Groß), altes Zählmaß für 12 Dutzend oder 144 Stück.

2) [gro:; frz. »groß«, »dick«], *Militärwesen:* die Hauptmasse einer kriegsmäßig marschierenden Truppe, die der Vorhut folgt.

Groschen [von mlat. grossus (denarius) »Dick(pfennig)«], Abk. **Gr., g, 1)** urspr. dicke Silbermünze, erstmals 1266 in Tours (Frankreich), seit 1338 als **Meißner G.** (nach dem Vorbild des **Prager** oder **Böhm. G.**) in Sachsen, später auch in anderen dt. Ländern geprägt; da der Wert zeitlich und territorial schwankte, wurden häufig Angaben über die Art des G. gemacht (meißn. Währung, Guter G., Silber-G., Gulden-G. u. a.). Seit dem 16. Jh. Scheidemünze in Österreich, der Schweiz und Süd-Dtl. (Dreikreuzer), in Preußen bis 1821 der **Gute G.** (12 Pfennige = 1 G. = 1/24 Taler), 1821–73 der **Silber-G.** (12 Pfennige = 1 G. = 1/30 Taler). Sachsen führte 1840 den **Neu-G.** zu 10 Pfennigen ein. Seit Beginn der Markrechnung 1873 gelten in Dtl. allg. 10 Pfennige = 1 Groschen.

2) in Österreich seit 1945 kleinste Währungseinheit (1 G. = $^1/_{100}$ Schilling).

Grọsny, Hptst. der Rep. Tschetschenien innerhalb der Russ. Föderation, im nördl. Vorland des Großen Kaukasus, 387500 Ew.; Univ.; Erdölförderung und -verarbeitung, petrochem., Maschinenbau-, Nahrungsmittelindustrie. – Die Stadt erlitt während der russisch-tschetschen. Auseinandersetzungen 1994–96 starke Zerstörungen.

Grọß, Michael, Schwimmsportler, *Frankfurt am Main 17. 6. 1964; dreifacher Olympiasieger

Antoine Jean Gros: »Bonaparte auf der Brücke von Arcole«, Ausschnitt (1796; Paris, Louvre)

Großbritannien und Nordirland

Fläche: 244 101 km²
Einwohner: (1995) 58,4 Mio.
Hauptstadt: London
Amtssprache: Englisch
Nationalfeiertag: Offizieller Geburtstag des Monarchen
Währung: 1 Pfund Sterling (£) = 100 New Pence (p)
Zeitzone: WEZ

1984 und 1988, mehrfacher Welt- und Europameister, zahlr. Weltrekorde.

Großadmiral, 1905–45 der höchste dt. Seeoffiziersrang, dem Rang des Generalfeldmarschalls entsprechend.

Großalmerode, Stadt im Werra-Meißner-Kr., Hessen, am südöstl. Rand des Kaufunger Waldes, 354 m ü. M., 7900 Ew.; Glas- und Keramikmuseum; Tonindustrie, Herstellung von Schneiderkreide. – Nach 1560 löste die Tonindustrie das bis dahin dominierende Glasbläsergewerbe ab. – G. wurde 1755 Stadt.

Großbetschkerek, Stadt in Serbien, →Zrenjanin.

Großbritannien und Nordirland (amtlich engl. United Kingdom of Great Britain and Northern Ireland; dt. Vereinigtes Königreich Großbritannien und Nordirland), Monarchie in Nordwesteuropa, umfasst England, Wales, Schottland und Nordirland. Einzige Landesgrenze ist die Nordirlands gegen die Rep. Irland. Die brit. Kanalinseln und die Insel Man gehören staatsrechtlich nicht zum Vereinigten Königreich von G. u. N., sie unterstehen direkt der Krone.

Staat und Recht: G. u. N. kennt keine geschriebene Verfassung. Die Verf.ordnung beruht zu einem großen Teil auf ungeschriebenem Recht oder einzelnen Gesetzen: Magna Charta libertatum (1215), Petition of Right (1628), Habeas Corpus Act (1679), Bill of Rights (1689), Act of Settlement (1700), Representation of the People Acts (1832 und 1928), Parliament Acts (1911 und 1949). Daneben gelten zu Verfassungsfragen getroffene Gerichtsentscheidungen, das Gewohnheitsrecht und die Conventions, die ungeschriebenen Regeln des Verfassungsrechts.

Das Vereinigte Königreich ist eine parlamentarisch-demokrat. Erbmonarchie des Hauses Windsor. Der Monarch ist Staatsoberhaupt, Haupt des Commonwealth und weltl. Oberhaupt der anglikan. Kirche. Für ihn ist die Ehe mit einem Katholiken ausgeschlossen (über die Beseitigung dieser Regel wird diskutiert). Für die Thronfolge gilt der Vorrang des ältesten Sohnes; bei Fehlen von Söhnen ist auch weibl. Thronfolge möglich. Die polit. Mitwirkungsrechte der Krone sind begrenzt, der Monarch ist für sein Handeln nicht zur Verantwortung zu ziehen (»The King can do no wrong«). Die Krone verkörpert die Nation in ihrer histor. Kontinuität. Der Monarch hat ein umfassendes Konsultationsrecht und das Recht auf volle Akteneinsicht in die Regierungsdossiers. Die jährliche Thronrede zur Eröffnung der Parlamentssitzungen ist der Sache nach das vom Premiermin. verfasste Programm der Regierung.

Die Legislative liegt beim Parlament, das aus dem Oberhaus (House of Lords) und dem Unterhaus (House of Commons) besteht. Die unbedingte Anerkennung der Souveränität des Parlaments und seines Willens ist wesentl. Grundsatz des brit. Verfassungsrechts.

Dem Oberhaus gehören (1995) 1200 Mitgl. an, überwiegend Träger erbl. Peerswürden, ein großer Teil sind ferner von der Krone auf Vorschlag der Reg. in den Adelsstand erhobene Mitgl. auf Lebenszeit, sodann Bischöfe der anglikan. Kirche während ihrer Amtszeit u. a. Der Vors. des Oberhauses, der Lord Chancellor (Lordkanzler), ist Mitgl. des Kabinetts und administrativ für die Ernennung bestimmter Richter zuständig. Die Mitwirkungsrechte des Oberhauses an der Gesetzgebung sind begrenzt. Neben Beratungs- und Vorschlagsrechten besteht die Möglichkeit, bestimmte Gesetze für längstens ein Jahr zu blockieren.

Dem Unterhaus obliegt die eigentliche Gesetzgebungsbefugnis. Seine (1997) 659 Mitgl. werden auf max. fünf Jahre nach dem Mehrheitswahlrecht bestimmt. Die aktive Wahlberechtigung beginnt mit dem 18., die passive mit dem 21. Lebensjahr. Für anglikanische kirchl. Würdenträger, Presbyterianer, kath. Geistliche, Polizisten, Berufssoldaten, Richter und Mitgl. des Oberhauses ist die Wählbarkeit ausgeschlossen. Der Sprecher des Unterhauses als sein Vorsitzender ist zu parteipolit. Neutralität verpflichtet. Neben ihm gibt es das

Staatswappen

GB

Internationales Kfz-Kennzeichen

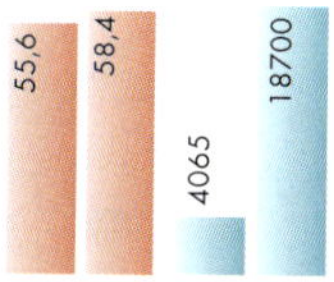

Bevölkerung (in Mio.) Bruttosozialprodukt je Ew. (in US-$)

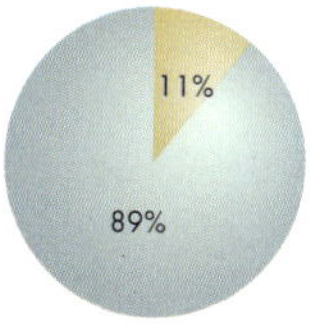

Bevölkerungsverteilung 1994

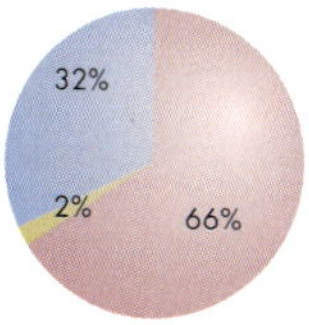

Bruttoinlandsprodukt 1993

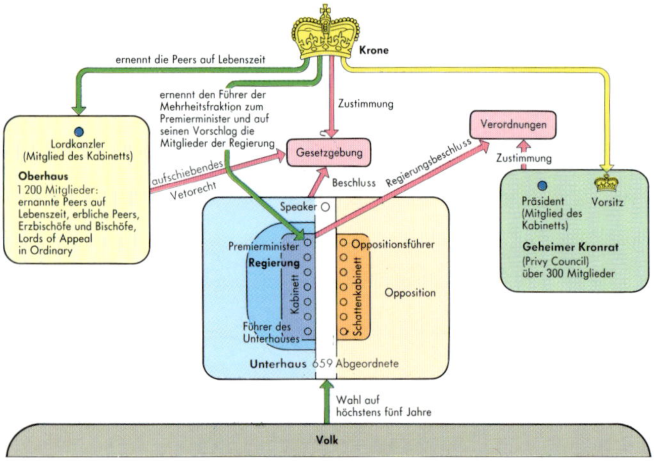

Großbritannien und Nordirland: politisches System

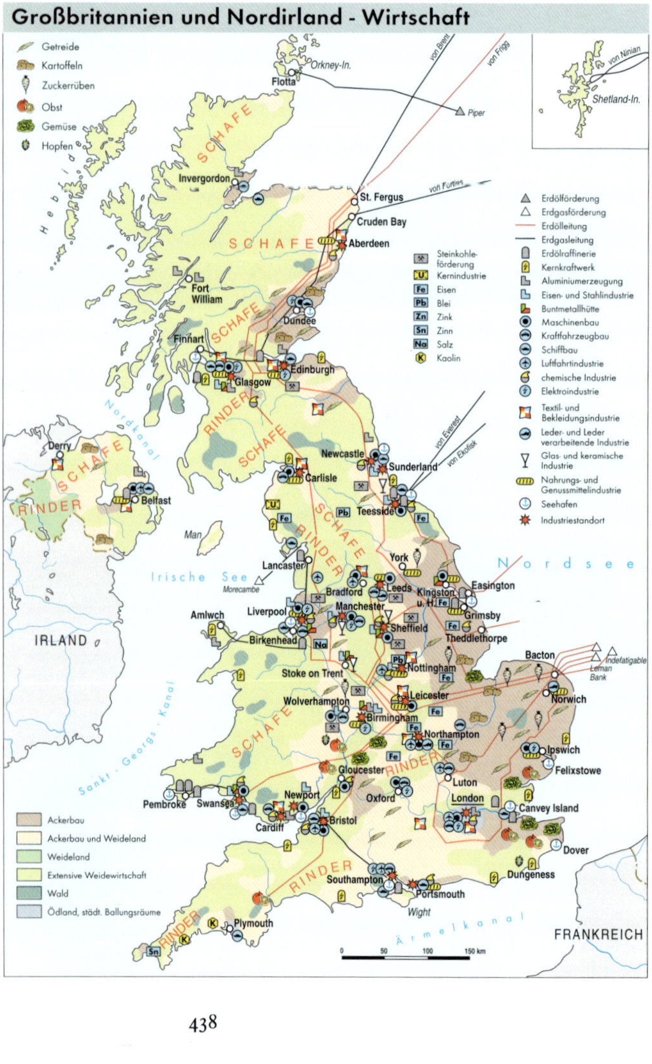

Amt des »Leaders of the House« (Führer des Hauses), ein im Kabinettsrang stehender Abg., der dafür zu sorgen hat, dass das Haus die Gesetzesvorlagen der Reg. umfassend und zügig behandelt. Hierzu arbeitet er mit den parlamentar. Geschäftsführern, den »Einpeitschern« (Whips), und der Oppositionsführung eng zusammen. Gesetze, die das Parlament beschlossen hat, werden vom Monarchen unterzeichnet und durch Eintragung im Book of Statutes zum Gesetz (Act).

Die Exekutive liegt nominell bei der Krone, tatsächlich bei der Reg. unter Vorsitz des Premierministers. Der Premiermin. und die von ihm vorgeschlagenen Min. werden vom Monarchen ernannt. Sie müssen dem Unterhaus angehören. Die Reg. i. w. S. (ministry) ist wesentlich umfangreicher als das nur etwa 20 Mitgl. umfassende Kabinett (Cabinet) als engere Reg.; zu dieser gehören neben den wichtigsten Min. der Lordchancellor, der Präs. des Geheimen Kronrates (Lord President), der Lordsiegelbewahrer und der Kanzler des Herzogtums Lancaster. Der Premiermin. bestimmt die Richtlinien der Politik; er allein bestimmt den Zeitpunkt für Neuwahlen.

Als weiteres Organ existiert der Geheime Kronrat (Privy Council). Zu seinen 330 Mitgl. zählt u. a. das Kabinett. Als Plenum tritt er nur beim Tod des Monarchen zusammen. Im Übrigen nimmt er seine Aufgaben in Ausschüssen wahr, zu denen u. a. die Billigung von Reg.verordnungen gehört.

Das Parteiensystem war – bedingt v. a. durch das Mehrheitswahlrecht – traditionell ein Zweiparteiensystem. Zw. 1931 und 1974 hatte immer eine der beiden großen Parteien (die →Konservative und Unionistische Partei und die →Labour Party) eine absolute Mehrheit im Unterhaus. Seit Anfang der 1980er-Jahre sind die Verhältnisse etwas instabiler geworden; darüber hinaus gibt es eine Bewegung zur Einführung des Verhältniswahlrechts, das die Begünstigung der großen Parteien beenden würde. Die Liberal Party ging 1981 ein Wahlbündnis mit der Social Democratic Party (SDP) ein; 1988 erfolgte die Vereinigung zu den Social and Liberal Democrats. Daneben existieren weitere kleinere Parteien von z. T. regionaler Bedeutung. In Nordirland hat sich aufgrund der histor. und polit. Sonderstellung ein eigenes Parteiensystem entwickelt, das nach konfessionellen Gesichtspunkten aufgebaut ist.

Der Verwaltungsaufbau ist dreistufig. Gesetzl. Grundlage bilden die Local Government Acts von 1972. Seit 1974 sind England und Wales sukzessive in 53 Grafschaften (Counties) und sechs Großstadtverwaltungen (Metropolitan Counties) eingeteilt worden. Die Grafschaften untergliedern sich in 369 Distrikte, von denen 36 als großstädt. Bezirke gelten (Metropolitan Districts). Unterhalb der

Großbritannien und Nordirland

1

2

3

4

5

1 Heckenlandschaften wie diese in Westsussex im Süden Englands sind für große Teile der englischen Agrarlandschaft typisch | **2** Fachwerkhäuser in Chester, Grafschaft Cheshire (Nordwestengland) | **3** Der Hafen von Lerwick auf Mainland, der größten der Shetlandinseln | **4** Hügellandschaft bei Widecombe in the Moor, Grafschaft Devon (Südwestengland) | **5** Granitfelsen von Land's End, Cornwall (Südwestengland)

Distriktebene bestehen zahlr. Gemeinden (in England etwa 10 000). Eine Sonderstellung nimmt Greater London ein, das von 32 Distrikten verwaltet wird. Schottland und Nordirland haben ähnl. Verwaltungssysteme.

Landesnatur: Der von Nordsee, Atlant. Ozean, Irischer See und Ärmelkanal umgebene Inselstaat vor der NW-Küste des europ. Festlands umfasst außer der Insel Großbritannien v.a. die Inseln Wight (im S) und Anglesey (in der Irischen See), die Scilly-Inseln (im SW), die Hebriden (im NW), die Orkney- und Shetlandinseln (im N) sowie den NO-Teil der Insel Irland. Die Hauptinsel ist durch zahlr. Buchten und Mündungstrichter gegliedert,

Großbritannien und Nordirland, Verwaltungsgliederung (1995)

Verwaltungseinheit	Fläche in km²	Ew. in 1 000	Ew. je km²	Verwaltungssitz
England	130423	48903,0	375	London
Greater London	1579	7007,1	4438	-
Metropolitan Counties				
Greater Manchester	1287	2578,3	2003	Manchester
Merseyside	655	1427,2	2179	Liverpool
South Yorkshire	1560	1303,9	836	Barnsley
Tyne and Wear	540	1131,0	2094	Newcastle upon Tyne
West Midlands	899	2637,1	2933	Birmingham
West Yorkshire	2034	2105,8	1035	Wakefield
Counties				
Avon	1346	982,3	730	Bristol
Bedfordshire	1235	545,6	442	Bedford
Berkshire	1259	783,2	622	Reading
Buckinghamshire	1883	665,8	354	Aylesbury
Cambridgeshire	3409	693,8	204	Cambridge
Cheshire	2328	978,1	420	Chester
Cleveland	583	559,2	959	Middlesborough
Cornwall and Isles of Scilly	3564	482,7	135	Truro
Cumbria	6810	490,3	72	Carlisle
Derbyshire	2631	957,8	364	Matlock
Devon	6711	1058,8	158	Exeter
Dorset	2654	678,7	256	Dorchester
Durham	2434	607,6	250	Durham
East Sussex	1795	730,8	407	Lewes
Essex	3672	1577,5	430	Chelmsford
Gloucestershire	2643	552,7	209	Gloucester
Hampshire	3780	1616,7	428	Winchester
Hereford and Worcester	3926	694,3	177	Worcester
Hertfordshire	1636	1011,2	618	Hertford
Humberside	3512	889,2	253	Beverley
Isle of Wight	381	125,1	328	Newport
Kent	3731	1551,3	416	Maidstone
Lancashire	3070	1426,0	464	Preston
Leicestershire	2553	923,0	362	Leicester
Lincolnshire	5918	611,8	103	Lincoln
Norfolk	5375	772,4	144	Norwich
Northamptonshire	2367	599,3	253	Northampton
Northumberland	5032	307,3	61	Morpeth
North Yorkshire	8312	730,6	88	Northallerton
Nottinghamshire	2161	1031,9	478	Nottingham
Oxfordshire	2608	598,4	229	Oxford
Shropshire	3490	419,9	120	Shrewsbury
Somerset	3451	481,0	139	Taunton
Staffordshire	2716	1056,4	389	Stafford
Suffolk	3797	658,8	17	Ipswich
Surrey	1679	1044,3	622	Kingston upon Thames
Warwickshire	1981	498,7	252	Warwick
West Sussex	1989	731,5	368	Chichester
Wiltshire	3479	590,6	170	Trowbridge

fast 1000 km lang, aber nur stellenweise über 500 km breit. In ihrem mittleren, südl. und östl. Teil liegt das vorwiegend hügelige und ebene England. Sein Relief weist zwei Grundstrukturen auf. Zu den Hochlanden zählen die seenreichen Cumbrian Mountains (bis 978 m ü. M.), die Cheviot Hills, das Penninische Gebirge (bis 893 m ü. M.) sowie Cornwall und Teile von Devon mit Dartmoor und Exmoor. Das eigentl. Kernland ist das aus jüngeren Schichten bestehende Schichtstufenland. Die Juraschichtstufe im N erstreckt sich von den Cotswold Hills bis zu den North York Moors, die Kreideschichtstufe umfasst die Chiltern Hills, die Lincoln Wolds und die York Wolds. Ein weiterer Schichtstufenkomplex südlich von London mit den North Downs und den South Downs steht in Zusammenhang mit der Aufwölbung des Weald. Das über 1000 m hohe Bergland von →Wales springt als breite Halbinsel nach W vor. Den Nordteil der Hauptinsel bildet das überwiegend gebirgige →Schottland, das im Hochland, den Grampians, den höchsten Gipfel von G. u. N. trägt (Ben Nevis 1343 m ü. M.). Vorwiegend von Berg- und Hügelland wird →Nordirland eingenommen, in seinem zentralen Teil liegt der größte See (396 km²) von G. u. N., der Lough Neagh. Die bedeutendsten Flüsse sind Themse, Severn, Trent und Tweed.

Das *Klima* ist ausgeprägt ozeanisch mit milden Wintern und kühlen Sommern. Beeinflusst vom Nordatlant. Strom gliedert sich Großbritannien in eine trockenwarme Osthälfte und eine feucht gemäßigte Westhälfte. Die hohe Luftfeuchtigkeit, bes. im Winter, ist Hauptursache der häufigen Nebelbildung; typisch ist ein leichter Nebel, aus dem sich aber durch den Einfluss von topograph. Lage, hoher Luftverschmutzung u. a. lokal ein dichter Nebel entwickeln kann.

Das natürl. Pflanzenkleid von G. u. N. gehört zur atlant. Region des europ. Laubwaldgebietes mit Marschen (bes. ausgedehnt in den Fens) sowie Hoch- und Niederungsmooren. Unter- und oberhalb der natürl. Waldgrenze (300–600 m je nach Lage) erstrecken sich Bergheiden, zu deren Ausbreitung der Mensch durch Waldvernichtung wesentlich beigetragen hat. Heute sind nur noch 10 % der Landfläche mit Wald bedeckt. Ein großer Teil der Agrarlandschaft wird durch Einhegungen charakterisiert (Heckenlandschaft).

Bevölkerung: Den größten Anteil an der Bev. haben Engländer (81,5 %), ferner Schotten (9,6 %), Waliser (1,9 %) und brit. Iren (4,2 %). Die Zahl der seit Kriegsende aus den Ländern des Commonwealth Eingewanderten und deren Nachkommen betrug 1991 rd. 3 Mio., rd. 5,5 % der Gesamtbev., von denen 46,8 % bereits in G. u. N. geboren sind. Die mit Abstand größten ethn. Minderheiten bilden (1991) Inder mit 841 000 Ew., Black Caribbeans mit 476 000 Ew. und Pakistaner mit 476 000 Ew. Die meisten Angehörigen von ethn. Minderheiten leben in den großen urbanen Verdichtungsräumen, insbesondere London. – Im ganzen Königreich wird heute Englisch gesprochen. Rd. 19 % der Ew. von Wales sprechen Walisisch, dagegen ist die schott. Form des Gälischen nur wenig im Gebrauch. Durch starke Wanderungsbewegungen innerhalb G.s u. N.s werden die Unterschiede in der Bev.dichte zw. Großstädten, Ind.gebieten und den ländl. Gemeinden immer größer. Eine stark verstädterte Zone hoher Bev.dichte verläuft vom Raum London in nordwestl. Richtung über die Metropolitan County West Midlands zu den Metropolitan Counties Merseyside (Liverpool) und Greater Manchester. Seit 1960 ist eine starke Bev.zunahme im Umland von Greater London zu verzeichnen. Auch die S-Küste (SW-England) verzeichnet Wanderungsgewinne, sie ist bevorzugter Wohnstandort älterer wohlhabender Bev.gruppen.

Bildung: Das Bildungswesen wurde 1944–47 neu geregelt. Es besteht allg. Schulpflicht vom 5. bis 16. Lebensjahr. Neben Primarschulen (bis 11. Lebensjahr) bestehen Sekundarschulen (vom 11. Jahr an), meist als Gesamtschulen (Comprehensive Schools), die den überwiegenden Teil der Sekundarschüler erfassen und seit 1976 Regelschule sind, in Nordirland v.a. die Grammarschools. Die altüberlieferten pädagog. Institutionen der →Public School und des →College genießen weiter hohes Ansehen. Es gibt (1995) 72 Universitäten. Die im MA. gegr. Univ. von Oxford und Cambridge sind der Ausgangspunkt des brit. Hochschulwesens, das eine Reihe traditionsreicher Univ., u.a. Saint Andrews (gegr. 1410), Glasgow (gegr. 1451, mit dem 1796 gegr. ältesten Technical College Großbritanniens), Edinburgh (gegr. 1583), Durham (gegr. 1832) und Belfast (gegr. 1845) umfasst. Eine Sonderstellung nimmt die »Open University« in London ein (Fernuniversität). Wachsende Bedeutung kommt dem außeruniversitären Bildungsbereich zu, der Einrichtungen der berufl. Erstausbildung sowie der berufl. und allg. Fortbildung umfasst. – Das Zeitungswesen wird vorwiegend von der Londoner Massenpresse beherrscht.

Religion: 57% der Bev. gehören der anglikan. Kirche, 16,1% den prot. Kirchen, 13,1% der kath. Kirche an; 0,6% der Bev. sind orth. Christen, 0,8% Juden, 1,4% Muslime, 0,4% Sikhs, 0,2% Buddhisten und 0,8% Hindus; rd. 9,5% der Bev. sind konfessionslos. In England gehört die Mehrzahl der Bev. der anglikan. (Church of England), in Schottland etwa ein Viertel der Bev. der reformierten (Church of Scotland) Staatskirche an. In Wales besteht Trennung von Kirche und Staat; stärkste Konfession sind die Presbyterianer. Die Vielzahl von Freikirchen und Sondergemeinschaften wurde in Dachorganisationen zusammengefasst. In Nordirland gehören rd. 35% der Bev. der kath., 29% der Presbyterianischen und 24% der Staatskirche (Church of Ireland) an.

Wirtschaft, Verkehr: Wirtschaftlich bestimmend ist die Ind. neben dem Dienstleistungssektor. Das Vereinigte Königreich ist ein hochindustrialisierter Staat, der Anteil der verarbeitenden Ind. am Bruttoinlandsprodukt ist seit 1978 rückläufig. Die Landwirtschaft ist von hoher Produktivität. Sie deckt rd. 75% des Bedarfs an inländisch produzierbaren Erzeugnissen. Von der landwirtsch. Nutzfläche, (1994) 18,5 Mio. ha, entfallen auf Ackerland 5,9 Mio. ha sowie 11,1 Mio. ha auf Grün- und Weideland, der Rest auf Dauerkultu-

Großbritannien und Nordirland, Verwaltungsgliederung (1995; Fortsetzung)

Verwaltungseinheit	Fläche in km²	Ew. in 1 000	Ew. je km²	Verwaltungssitz
Wales	20 779	2 916,8	140	Cardiff
Unitary Authorities				
Blaenau Gwent	109	73,2	672	Ebbw Vale
Bridgend	246	130,7	531	Bridgend
Caerphilly	278	169,9	611	Tredomen
Cardiff	140	309,4	2 210	Cardiff
Carmarthenshire	2 394	169,5	71	Carmarthen
Ceredigion	1 795	70,2	39	Ceredigion
Conwy	1 130	111,2	98	Conwy
Denbighshire	844	91,6	109	Ruthin
Flintshire	438	145,7	333	Mold
Gwynedd	2 548	118,0	46	Caernarfon
Isle of Anglesey	714	67,2	94	Llangefni
Merthyr Tydfil	111	58,7	529	Merthyr Tydfil
Monmouthshire	850	85,6	101	Cwmbran
Neath Port Talbot	442	139,6	316	Port Talbot
Newport	190	137,2	722	Newport
Pembrokeshire	1 590	113,5	71	Haverfordwest
Powys	5 196	122,3	24	Llandrindod Wells
Rhondda Cynon Taff	424	239,9	566	Clydach Vale
Swansea	378	230,6	610	Swansea
Torfaen	126	90,4	717	Pontypool
Vale of Glamorgan	335	118,8	119	Barry
Wrexham	498	123,4	249	Wrexham
Schottland	78 134[1)]	5 120,1[2)]	66	Edinburgh
Local Authorities				
Aberdeen City	186	218,2	1 173	Aberdeen
Aberdeenshire	6 318	223,6	35	Aberdeen
Angus	2 181	111,0	51	Forfar
Argyll and Bute	6 930	90,6	13	Lochgilphead
Clackmannanshire	157	48,7	310	Alloa
Dumfries and Galloway	6 439	147,9	23	Dumfries
Dundee City	65	153,7	2 365	Dundee
East Ayrshire	1 252	123,8	99	Kilmarnock
East Dunbartonshire	172	110,2	641	Kirkintilloch
East Lothian	678	85,6	126	Haddington
East Renfrewshire	173	86,8	502	Giffnock
Edinburgh, City of	262	441,6	1 685	Edinburgh
Falkirk	299	142,6	477	Falkirk
Fife	1 323	351,2	265	Glenrothes
Glasgow, City of	175	623,8	3 565	Glasgow
Highland	25 784	206,9	8	Inverness
Inverclyde	162	90,0	556	Greenock
Midlothian	356	79,9	224	Dalkeith
Moray	2 238	86,2	39	Elgin
North Ayrshire	884	139,0	157	Irvine
North Lanarkshire	474	326,8	689	Motherwell
Orkney Islands	992	19,8	20	Kirkwall
Perth and Kinross	5 311	130,5	25	Perth
Renfrewshire	261	177,0	678	Paisley
Scottish Borders	4 734	105,3	22	Newtown St Boswells
Shetland Islands	1 438	22,8	16	Lerwick
South Ayrshire	1 202	114,0	95	Ayr
South Lanarkshire	1 771	307,1	173	Hamilton
Stirling	2 196	81,6	37	Stirling
West Dunbartonshire	162	97,8	604	Dunbarton
Western Isles	3 134	29,4	9	Stornoway
West Lothian	425	146,7	345	Livingston

Großbritannien und Nordirland, Verwaltungsgliederung (1995; Fortsetzung)

Verwaltungseinheit	Fläche in km²	Ew. in 1 000	Ew. je km²	Verwaltungssitz
Nordirland	14 161[3]	1 649,0	116	Belfast
Districts				
Antrim	578	48,5	84	Antrim
Ards	381	66,7	175	Newtonards
Armagh	671	52,5	78	Armagh
Ballymena	632	57,5	91	Ballymena
Ballymoney	419	24,6	59	Ballymoney
Banbridge	446	37,3	84	Banbridge
Belfast	115	296,7	2 580	Belfast
Carrickfergus	82	34,9	426	Carrickfergus
Castlereagh	85	63,4	746	Belfast
Coleraine	486	54,1	111	Coleraine
Cookstown	622	31,3	50	Cookstown
Craigavon	379	78,1	206	Portadown
Derry	387	102,8	266	Derry
Down	649	60,7	94	Downpatrick
Dungannon	783	46,8	60	Dungannon
Fermanagh	1 877	54,7	29	Enniskillen
Larne	337	30,0	89	Larne
Limavady	586	30,9	53	Limavady
Lisburn	446	106,0	238	Hillsborough
Magherafelt	572	37,0	65	Magherafelt
Moyle	494	14,8	30	Ballycastle
Newry and Mourne	909	84,1	93	Newry
Newtonabbey	151	78,6	521	Newtonabbey
North Down	82	74,0	902	Bangor
Omagh	1 130	46,9	42	Omagh
Strabane	862	36,1	42	Strabane
Großbritannien und Nordirland	244 101[4]	58 605,4	240	London

[1] Landfläche ohne 1 692 km² Binnengewässer. – [2] Stand 1993. – [3] mit 638 km² Binnengewässern. – [4] mit 3 218 km² Binnengewässern. Abweichungen durch Rundungen.

ren. Ackerbau gibt es bes. in den östl. Teilen Mittelenglands und Schottlands (u.a. Gerste, Weizen); Zuckerrüben werden vorwiegend in O-England und Lincolnshire angebaut. Der Gartenbau (Obstanbau bes. in Kent, Gemüse in S-England) wird intensiv betrieben. Drei Fünftel der Vollerwerbsbetriebe befassen sich mit Milchwirtschaft und Viehhaltung (v.a. Rinder und Schafe); diese Betriebe sind zum größten Teil im W angesiedelt. Schweine- und Geflügelhaltung findet man dagegen im S und O des Landes. Die Zukunft vieler landwirtsch. Betriebe mit Rinderhaltung ist jedoch durch die 1985 erstmals aufgetretene Rinderseuche BSE ungewiss. G.u.N. ist waldarm, doch sind umfangreiche Aufforstungen, vorwiegend durch private Landbesitzer, im Gange. Der Holzeinschlag deckt knapp 10% des Bedarfs der Holz- und Papierindustrie. Die Fangmengen von Fisch (1994: 875 000 t) der ehem. führenden Fischereination sind eher rückläufig. Die Fischereiwirtschaft ist v.a. an der SW- und an der O-Küste zw. Humber und Moray Firth in Schottland konzentriert.

G.u.N. ist reich an Energierohstoffen. Die Steinkohle hat jedoch ihre frühere Bedeutung verloren; die wichtigsten Kohlenreviere liegen in Yorkshire, den Midlands, ferner in NO-England, S-Wales und der mittelschott. Senke. Die (seit 1975) Erdölgewinnung in der Nordsee hat stark zugenommen; 1976 wurde der Export aufgenommen; seit 1980 kann der brit. Erdölbedarf durch die einheim. Förderung gedeckt werden. Erdgas wird seit 1967 gefördert. Auch hier ist G.u.N. Selbstversorger. Weiter werden gewonnen: Bleierz, Steinsalz, Kaolin, Flussspat und Gips. Der Abbau der nicht sehr reichen Kupfer-, Zinn- (in Cornwall) und Eisenerzvorkommen wurde inzwischen eingestellt.

Die verarbeitende Ind. beschäftigt rd. 30% der Erwerbstätigen. Einige Zweige (Eisen- und Stahlind., Luftfahrzeug- und Schiffbau u.a.) wurden verstaatlicht (in jüngster Zeit z.T. wieder privatisiert). Die wichtigsten Gebiete der Eisen- und Stahlerzeugung sind Wales, Humberside, Yorkshire, N-England, Mittelschottland. Die Nichteisenmetallind. gehört zu den größten in Europa. Der Maschinenbau hat für den Export große Bedeutung. Der Flugzeug- und Fahrzeugbau (bes. Nutzfahrzeuge), mit hohem Exportanteil, ist im Raum London, Liverpool, Oxford, Mittelschottland konzentriert, der elektrotechn. und der elektron. Zweig sowie die chem. Ind., die zu den Wachstumsind. gehören, v.a. in N- und NW-England und im Raum London. Der Schiffbau ist in den Mündungsgebieten von Mersey, Clyde, Humber, Tyne, Themse und in Belfast konzentriert. Der älteste Ind.zweig, die Textil- und Bekleidungsind., hat an Bedeutung verloren. Die meisten Betriebe sind in Mittelengland lokalisiert. Bedeutend ist die Nahrungs- und Genussmittelindustrie. Wachsende Bedeutung als Energieträger haben Erdöl und Erdgas aus der Nordsee sowie die Kernkraft. In der Nuklearindustrie sind mehr als 100 000 Beschäftigte tätig. Elektr. Energie wurde (1994) zu 70,2% in Wärmekraftwerken, zu 27% in Kernkraftwerken und zu 2,8% in Wasserkraftwerken und sonstigen Anlagen erzeugt. Wirtsch. Bedeutung haben außerdem die Zement- und Baustoff-, keram. und Glasind. sowie der Fremdenverkehr. 1995 besuchten 23,6 Mio. Auslandsgäste Großbritannien; die meisten kommen aus den

Großbritannien

Warum gibt es in England Linksverkehr?

Im Mittelalter hielten sich die Reiter im Allgemeinen an die linke Straßenseite, um einem eventuell entgegenkommenden Angreifer gegenüber gewappnet zu sein, denn so konnten sie mit der rechten Hand ein Schwert, eine Lanze oder – in späteren Zeiten – eine Pistole führen.
Diese Angewohnheit haben die Engländer zwar nicht beibehalten, aber sie sehen bis heute keinen Anlass, am Linksverkehr etwas zu ändern.

USA, Frankreich und Deutschland. Hauptanziehungspunkte sind nach London die S- und SW-Küste sowie das schott. Hochland.

Außenhandel: Importiert werden v.a. Maschinenbau-, chem. und elektrotechn. Erzeugnisse, Fahrzeuge, bearbeitete Waren, Nahrungsmittel. Wichtige Ausfuhrgüter sind Maschinen, Metallwaren und Fahrzeuge, Brennstoffe, chem. Produkte, elektron. Erzeugnisse, Genussmittel, Textilien. Haupthandelspartner sind die EU-Staaten und die USA.

Das brit. Verkehrssystem ist auf den Straßenverkehr ausgerichtet; es besteht Linksverkehr. Es gibt (1994) 364967 km Straßen, davon entfallen 3168 km auf Autobahnen. – 1993 wurde die Privatisierung der seit 1947 verstaatlichten »British Rail« beschlossen; unwirtsch. Strecken wurden still gelegt. Die Streckenlänge beträgt (1994) 16542 km, davon 4970 elektrifiziert. Vom ausgedehnten Netz der Kanäle werden nur etwa 400 km gewerblich genutzt. G. u. N. besitzt eine bed. Handelsflotte. Die wichtigsten der rd. 300 Seehäfen sind London, Southampton, Milford-Haven und Medway, Dover (Personenverkehr über den Kanal), Liverpool, Manchester u.a., in Schottland Greenock, Glasgow, Grangemouth. Zw. Larne und Belfast wird der Verkehr nach Nordirland abgewickelt. Für den Personen- und Kraftverkehr mit dem europ. Festland bestehen zahlr. Fährverbindungen. Grimsby, Hull und Aberdeen sind die größten Fischereihäfen. – Die größte Luftfahrtges. ist »British Airways« (seit 1987 verstaatlicht), daneben gibt es mehrere kleine Luftverkehrsgesellschaften; die größten Flughäfen sind die Londoner Flughäfen Heathrow und Gatwick sowie Manchester, Luton (London), Glasgow, Aberdeen, Belfast u.a.

Geschichte: Entstehung der englischen Nation (bis 1066): Im 1. Jt. v.Chr. besiedelten kelt. Stämme Britannien und verschmolzen mit den Ureinwohnern. Für den Handel im Altertum wurde die Insel durch ihren Zinnreichtum wichtig. Cäsar unternahm zwei militär. Expeditionen (55 und 54 v.Chr.) nach Südengland; doch setzte die röm. Eroberung des Landes erst 43 n.Chr. unter Kaiser Claudius ein (Errichtung der Provinz Britannia). Die röm. Herrschaft, die sich weder über das nördl. Schottland (Kaledonien) noch über Irland erstreckte, hat nicht wie in Gallien die einheim. Bevölkerung romanisiert (zu Beginn des 5. Jh. Abzug fast aller röm. Truppen). Seit Mitte des 5. Jh. eroberten die in mehreren Wellen einwandernden nordwestgerman. Stämme nach und nach den Hauptteil Englands; nach der Überlieferung landeten 449 n.Chr. Jüten, Angeln und Sachsen (→Angelsachsen). Nur in Wales und Schottland hielten sich die Kelten. Es entstanden sieben Teilkönigreiche: Kent, Sussex, Essex, East Anglia, Wes-

England von 802 - 1066

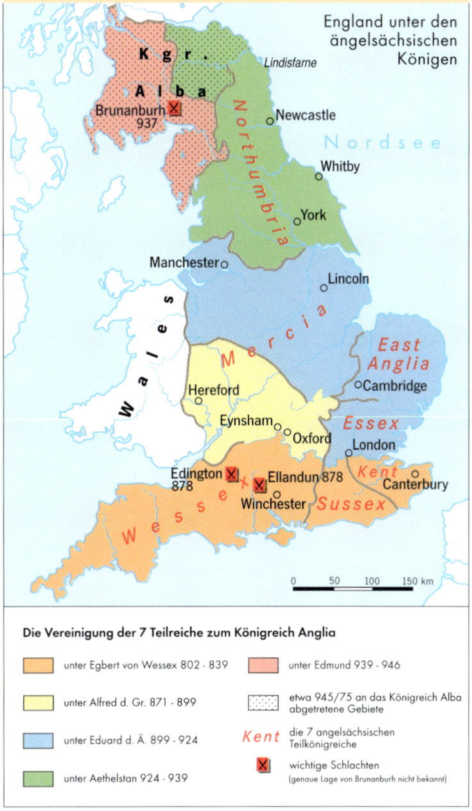

sex, Mercia und Northumbria, deren Bewohner allmählich zum angelsächs. Volk, auch unter dem Einfluss der Christianisierung, zusammenwuchsen. König Egbert von Wessex (802–39) gewann die Oberhoheit über die übrigen Kleinkönigreiche. Das Christentum wurde seit dem 7. Jh. erst von Irland, dann von Rom aus eingeführt. Im 9. und 10. Jh. fielen norweg. und dän. Wikinger ins Land ein; gegen sie kämpfte erfolgreich der volkstümlichste angelsächs. König, Alfred d. Gr. (871–99). König Aethelstan (924–39) konnte die Wikinger zurückdrängen und beherrschte fast das ganze heutige England. Er legte den Grund für ein nat. Königtum. Dem zweiten großen Wikingeransturm war das Land jedoch nicht gewachsen. Die Dänenkönige (u.a. Knut d. Gr., 1016–35) beherrschten 1016–42 ganz England. Schließlich unterwarf der Herzog der Normandie, Wilhelm der Eroberer, England durch seinen Sieg bei Hastings 1066 über den König der Angelsachsen und ließ sich in Westminster als Wilhelm I. zum König krönen.

Mittelalter (1066–1485): Die französischsprachigen normann. Eroberer bildeten nur die herrschende Oberschicht, gestalteten aber das engl.

Die Herrscher von England sowie von Großbritannien und Nordirland

angelsächsische Könige*)	
Edmund I.	939-946
Eadred (Edred)	946-955
Eadwig (Edwy)	955-957/959
Edgar	957/959-975
Eduard der Märtyrer (nur Wessex)	975-978
Aethelred II.	978-1013
Sven Gabelbart von Dänemark	1013-1014
Knut der Große	1016-1035
Edmund II. Ironside	1016
(April-November gemeinsam mit Knut)	
Harold I. Harefoot	1035/36-1040
Hardknut (Harthaknut)	1040-1042
Eduard der Bekenner	1042-1066
Harold II. Godwinson	(Januar-Oktober) 1066
(Edgar II. Aetheling)	(1066)
normannische Könige	
Wilhelm I., der Eroberer	1066-1087
Wilhelm II. Rufus	1087-1100
Heinrich I.	1100-1135
Stephan I. von Blois	1135-1154
Haus Plantagenet	
Heinrich II.	1154-1189
Richard I. Löwenherz	1189-1199
Johann I. ohne Land	1199-1216
Heinrich III.	1216-1272
Eduard I.	1272-1307
Eduard II.	1307-1327
Eduard III.	1327-1377
Richard II.	1377-1399
Haus Lancaster	
Heinrich IV.	1399-1413
Heinrich V.	1413-1422
Heinrich VI.	1422-1461
Haus York	
Eduard IV.	1461-1483
Eduard V.	1483
Richard III.	1483-1485
Haus Tudor	
Heinrich VII.	1485-1509
Heinrich VIII.	1509-1547
Eduard VI.	1547-1553
Maria I., die Katholische	1553-1558
Elisabeth I.	1558-1603
Haus Stuart	
Jakob I.	1603-1625
Karl I.	1625-1649
Commonwealth und Protektorat	
Oliver Cromwell (Protektor)	1653-1658
Richard Cromwell (Protektor)	1658-1659
Haus Stuart	
Karl II.	1660-1685
Jakob II.	1685-1688
Maria II. (bis 1694) und	
Wilhelm III. (von Oranien)	1689-1702
Anna	1702-1714
Haus Hannover	
Georg I.	1714-1727
Georg II.	1727-1760
Georg III.	1760-1820
Georg IV.	1820-1830
Wilhelm IV.	1830-1837
Viktoria	1837-1901
Haus Sachsen-Coburg-Gotha	
Eduard VII.	1901-1910
Haus Windsor	
Georg V.	1910-1936
Eduard VIII.	(Januar-Dezember) 1936
Georg VI.	1936-1952
Elisabeth II.	seit 1952

*) die Nennung von Herrschern der angelsächsischen Zeit beschränkt sich auf Könige, die über ganz England herrschten.

Staatswesen grundlegend um (Einführung des kontinentalen Lehnswesens, Schaffung einer starken königl. Zentralgewalt), bewahrten aber auch teilweise die angelsächs. Rechtstradition. Durch die Verbindung mit der Normandie ergab sich eine festländ. Eroberungspolitik. Heinrich II. (1154–89) aus dem frz.-normann. Haus Anjou-Plantagenet brachte durch Erbschaft und Heirat das gesamte westl. Frankreich in seine Hand; er begann auch 1171/72 die Unterwerfung Irlands. Aber Johann

Großbritannien und Nordirland: Heinrich VIII., Gemälde von Hans Holbein d. J. (1540; Rom, Galleria Nazionale d'Arte Antica)

ohne Land (1199–1216) verlor 1214 nach der Niederlage bei Bouvines alle frz. Besitzungen mit Ausnahme der Guyenne. Seinen Baronen musste er 1215 die →Magna Charta gewähren; sie wurde der Grundstein des engl. Verfassungsrechts. In den weiteren inneren Kämpfen des 13. Jh. bildeten sich die Grundlagen des Parlaments heraus; neben die Barone, die Peers des späteren Oberhauses, traten die Vertreter der Grafschaften und Städte (späteres Unterhaus), die zunächst nach Bedarf einberufen wurden. Um 1360 jedoch hatten sie unumgängl. Mitspracherecht erreicht.

Eduard I. (1272–1307) unterwarf 1284 Wales, vorübergehend auch das Königreich Schottland. Sein Enkel Eduard III. (1327–77) löste wegen seines Anspruchs auf die frz. Krone den →Hundertjährigen Krieg (1337/39–1453) gegen Frankreich aus. Doch der Gewinn des Friedens von Brétigny 1360 (Calais und SW-Frankreich) ging bald darauf wieder verloren. Durch den Sturz Richards II. (1377–99) gelangte eine jüngere Linie der Plantagenets, das Haus Lancaster, auf den Thron. Heinrich V. (1413–22) eroberte in neuen Kämpfen gegen Frankreich (seit 1415) dessen Hauptteil mit Paris. Der Vertrag von Troyes (1420) brachte ihm (mit der Tochter Karls VI. von Frankreich als Ehefrau) die Regentschaft und das Thronrecht für Frankreich ein. Nach seinem Tod kündigte Frankreich den Vertrag. Zur entscheidenden Wende im Hundertjährigen Krieg kam es 1429 nach dem Eingreifen →Jeanne d'Arcs; die Engländer wurden zurückgedrängt, bis der Krieg 1453 ohne Friedensschluss zu Ende ging: Außer Calais gingen alle Besitzungen in Frankreich verloren. Die bereits 1455 zw. den rivalisierenden Königshäusern Lancaster (rote Rose im Wappen) und York (weiße Rose) ausgebrochenen Thronkämpfe (»Rosenkriege«) endeten nach der Schlacht bei Bosworth 1485 (Tod Richards III. aus dem Hause York) mit der Thronbesteigung Heinrichs VII., dem Erben des Hauses Lancaster; er begründete die Dynastie Tudor.

Ausbau der königl. Machtstellung unter den Tudors (1485–1603): Die Politik des neuen Herrscherhauses wandte sich von der festländ. Eroberungspolitik ab und stärkte die Macht des Königtums gegenüber dem Parlament. Heinrich VII. (1485–1509) gründete sein Königtum auf eine starke Hausmacht, die mit der Vereinigung der Herrschaftsgebiete von York und Lancaster und der Einziehung der Güter ihrer Gegner geschaffen wurde. Sein Nachfolger Heinrich VIII. (1509–47) vollzog den Bruch mit dem Papst. Die Suprematsakte von 1534 schuf eine von Rom unabhängige Staatskirche, deren Haupt der König war; die Klöster wurden eingezogen. Indem er sich 1541 vom irischen Parlament den Titel eines Königs von Irland übertragen ließ, band er das Land endgültig an die engl. Krone. Doch erst unter der Reg. Eduards VI. (1547–53) wurde durch die Uniformitätsakte und das Allg. Gebetbuch (→ Common Prayer Book) von 1549 die eigtl. prot. Reform eingeführt. Maria I. (1553–58), mit Philipp II. von Spanien vermählt, stellte den Katholizismus wieder her. Nach ihrem Tod erneuerte ihre Halbschwester Elisabeth I. (1558–1603) durch die Uniformitätsakte von 1559 die anglikan. Kirche. Elisabeth, deren leitender Staatsmann Lord Burghley war, ließ Maria II. Stuart, die den Katholiken Englands als rechtmäßige Königin erschien (sie hatte auch den Titel »Königin von England« angenommen), 1568 gefangen setzen; hingerichtet wurde sie 1587. Im Kampf gegen Spanien errang die engl. Flotte 1588 den entscheidenden Sieg über die »Armada« und leitete damit den Aufstieg Englands als Seemacht ein. Der engl. Handel nahm durch die merkantilist. Wirtschaftspolitik einen großen Aufschwung, während in der Landwirtschaft das selbstständige Bauerntum durch die Großgrundbesitzer verdrängt wurde. Im Parlament verlagerte sich das Gewicht vom hohen Adel auf die Gentry, die aus dem Kleinadel und der städt. Oberschicht zusammenwuchs. Mit der Gründung der ersten engl. Kolonie in Nordamerika (1584) und der Bildung der Ostind. Kompanie (1600) wurde der Grundstein der engl. Kolonialmacht gelegt. Auch im Geistesleben war das Elisabethan. Zeitalter ein Höhepunkt der engl. Geschichte (Shakespeare und F. Bacon).

Der Kampf zw. Krone und Parlament unter den Stuarts (1603–1714): Auf Elisabeth folgte der Sohn Maria Stuarts, Jakob I. (1603–25); so wurde

Großbritannien und Nordirland: Elisabeth I., Gemälde von Frederico Zuccari (1575; Hatfield bei London, Hatfield House)

Schottland, wenn auch zunächst nur in Personalunion, mit England verbunden. Jakob I. und Karl I. (1625–49) strebten eine kirchl. Versöhnung mit Rom an. Dies beunruhigte die Anglikaner ebenso wie die Puritaner, daher fand der König zunehmend Widerstand im selbstbewussten Parlament. 1628 musste Karl I. die »Petition of Right« bewilligen, die Steuerauflagen ohne Zustimmung des Parlaments für gesetzwidrig erklärte; er löste aber 1629 das Parlament auf und regierte nun allein mithilfe seiner Ratgeber Lord Strafford und Erzbischof W. Laud. Ein Aufstand der kalvinist. Schotten veranlasste den König 1640 zur Einberufung des »Langen Parlaments«. 1642 brach der allg. Bürgerkrieg aus. Auf der Seite des Königs standen die Mehrheit des Adels, die meisten Bischofsstädte und die Katholiken; das Parlament stützte sich auf das Gros der Handelsstädte, bes. London. Die puritan. Parlamentspartei siegte 1644/45. Doch ihrer Hauptgruppe, den Presbyterianern, die ebenso wie vorher die Anglikaner einen Kirchenverband bewahrt wissen wollten, traten nun die Independenten als Anhänger der ungebundenen Gemeindekirche entgegen, gestützt auf das von O. Cromwell geführte Parlamentsheer. Cromwell erzwang Ende 1648 den Ausschluss der Presbyterianer aus dem Parlament, ließ im Jan. 1649 den gefangenen König hinrichten und erklärte England (unter Vermeidung des Wortes Republik) zum Commonwealth; die Erhebungen der Königstreuen in Irland und Schottland wurden blutig niedergeschlagen. Als Lord Protector (1653–58) vereinigte

Großbritannien und Nordirland: Cromwell löst das Parlament auf, zeitgenössischer Stich

Cromwell alle Macht diktatorisch in seiner Hand. Durch die →Navigationsakte von 1651 sicherte er den engl. Kaufleuten und Reedern den Handel mit den engl. Kolonien, wodurch der niederländ. Handel schwer betroffen wurde; im Seekrieg gegen Holland 1652–54 war er siegreich. Den Spaniern entriss er 1655 die westind. Insel Jamaika. Unter Cromwell wurde England zur ersten prot. Macht Europas. Bald nach seinem Tod kam es 1660 zur Restauration der Stuarts. Die Uniformitätsakte von 1662 suchte wieder die Alleinherrschaft der anglikan. Bischofskirche zu erzwingen. Karl II. (1660–85) erwarb durch einen neuen Krieg gegen Holland 1665–67 New York, das den bisherigen engl. Kolonialbesitz in Nordamerika (Virginia und Neuengland) abrundete, schloss sich dann aber der Politik Ludwigs XIV. von Frankreich an. Seinen katholikenfreundl. und absolutist. Bestrebungen stellte das Parlament die Testakte von 1673, die alle Katholiken von Staatsämtern ausschloss, und die Habeas-Corpus-Akte von 1679 zur Sicherung der persönl. Freiheit entgegen. Karls Bruder und Nachfolger Jakob II. (1685–88) war zum Katholizismus übergetreten. Im Kampf um seine Thronfolge entstanden die beiden Parteien der streng legitimist., vornehmlich den kleinen Adel vertretenden Tories und der sich mehr auf Handel, Wirtschaft und den hochadeligen Grundbesitz stützenden Whigs. Jakobs Versuch, den Katholiken wieder den Zugang zu Staatsämtern zu öffnen, führte zum Umsturz. 1688 berief das Parlament den prot. Wilhelm von Oranien, den Schwiegersohn Jakobs II. und Erbstatthalter der Niederlande, der am 5. 11. 1688 in England landete und als Wilhelm III. (1689–1702) zus. mit Maria II. (1689–94) den Thron bestieg; Jakob II. floh nach Frankreich. Infolge dieser »Glorreichen Revolution« legte das Parlament 1689 in der »Bill of Rights« Sicherungen gegen den Missbrauch der Königsgewalt fest, gleichzeitig gewährte die Toleranzakte den prot. Gruppen außerhalb der anglikan. Staatskirche volle kirchl. Freiheit. Der König vermochte sich auch in Schottland und Irland durchzusetzen.

William Pitt d. J. (Ausschnitt aus einem Gemälde des zeitgenössischen, englischen Malers John Hoppner)

Wilhelm III. wurde im Namen des »europ. Gleichgewichts« der bedeutendste Gegenspieler Ludwigs XIV. In einer Großen Allianz führte England den Span. Erbfolgekrieg (1701–1713/14) gegen Frankreich. Die erfolgreiche Kriegführung von →Marlborough wirkte sich jedoch für England nicht aus, da die 1710 an die Macht gelangten Tories das Ausscheiden Englands aus dem Krieg durchsetzten (1711). Als Gewinn blieb die Eroberung Gibraltars (1704). Auf den zuletzt allein regierenden König folgte seine Schwägerin Anna (1702–14). Die seit 1603 bestehende Personalunion zw. England und Schottland wurde 1707 durch Vereinigung der beiden Parlamente in eine Realunion umgewandelt (das Königreich hieß seitdem »Great Britain«, Großbritannien). Aufgrund der »Act of Settlement«, die 1701 zur Sicherung der prot. Thronfolge erlassen worden war, wurde das Haus Hannover Thronanwärter.

Aufstieg zur Weltmacht (1714–1815): Kurfürst Georg Ludwig von Hannover begründete als König Georg I. (1714–27) die (bis 1837 dauernde) Personalunion mit diesem zum Dt. Reich gehörenden Land; er trat mehr und mehr hinter den leitenden Ministern und dem Parlament, v. a. dem von der Gentry beherrschten Unterhaus, zurück. Trotzdem blieb die verfassungsrechtl. Stellung des Königs auch unter den Herrschern aus dem Haus Hannover gewahrt. R. Walpole, der 1721–42 an der Spitze der Regierung stand, sicherte endgültig die verfassungspolit. Ergebnisse der »Glorreichen Revolution« von 1688 und verbesserte durch neue Zoll- und Steuergesetze die Staatsfinanzen. Nach einer langen Friedenszeit trat Großbritannien in den Österreichischen Erbfolgekrieg (1740/41 bis 1748) ein, um Frankreichs Streben nach europ. Hegemonie entgegenzutreten. Im See- und Kolonialkrieg (1744–47) behielt es gegenüber Frankreich die Oberhand. Im →Siebenjährigen Krieg (1756–63) erreichte Großbritannien als Bundesgenosse Preußens Erfolge gegen Frankreich (Eroberung Kanadas) und baute seine Herrschaft in Indien aus. Der Friede von Paris (1763) war damit eine entscheidende Etappe auf dem Weg zum brit. Weltreich. Nach dem amerikan. Unabhängigkeitskrieg (1775–83) verlor es die nordamerikan. Kolonien (außer Kanada). Danach verlagerte sich der Schwerpunkt der brit. Reichspolitik nach Indien; seit 1788 ergriff es auch von Australien Besitz. –

Großbritannien und Nordirland: Admiral Horatio Nelson, Gemälde des englischen Porträtmalers Lemuel Francis Abbott (1798; London, National Portrait Gallery)

Um 1760 begann die industrielle Revolution, die Großbritannien trotz sozialer Spannungen einen wirtsch. Vorsprung in Europa sicherte.

Gegenüber der Parlamentsherrschaft hatte Georg III. (1760 bis 1820) den letzten Versuch eines persönl. Regiments unternommen. 1783 übernahm W. Pitt d. J. die polit. Führung. Von nun an lag das polit. Schwergewicht endgültig beim Parlament. Seine Reformpläne im Innern musste er zurückstellen, als er Großbritannien 1793 in den Kampf gegen Frankreich führte (→Französische Revolutionskriege, →Napoleonische Kriege, →Kontinentalsperre). Durch den Seesieg Admiral Nelsons bei Trafalgar (1805) errang Großbritannien für lange Zeit die unbestrittene Seeherrschaft; in den →Befreiungskriegen gewann Wellington zus. mit Preußen die Entscheidungsschlacht bei Waterloo (1815). Neben den bisher niederländ. Kolonien Kapland und Ceylon wurden die wichtigen Seestützpunkte Malta, die Ionischen Inseln und Helgoland britisch. Als Garant des Dt. Bundes hatte Großbritannien auch das Mitspracherecht in dt. Angelegenheiten. Während des Krieges war 1800 die volle staatsrechtl. Vereinigung mit Irland zum »Vereinigten Königreich von Großbritannien und Irland« vollzogen worden. Im Krieg mit den USA (1812–14) verteidigte Großbritannien seine Besitzungen in Kanada.

Großbritannien von 1815 bis 1914: Nach dem Wiener Kongress (1814/15) sah sich Großbritannien vor ernsten inneren Krisen. Die Industrialisierung, von einem außerordentlich raschen Bevölkerungswachstum begleitet, hatte Not und Ausbeutung der Arbeitermassen zur Folge; dazu kam die erwachende nat. Bewegung der seit langem rücksichtslos unterdrückten kath. Iren. Die seit Pitts d. J. Tod (1806) regierenden hochkonservativen Tory-Ministerien lehnten zunächst alle Reformen ab; 1829 wurde durch die Aufhebung der Testakte die Gleichstellung der Katholiken eingeführt, 1832 veränderte die Reformbill das Wahlrecht, sodass Ind.städte eine parlamentar. Vertretung erhielten und Hausbesitzer und Wohnungsmieter direktes und gleiches Wahlrecht bekamen. Die Reformbill leitete in den neuzeitl. Verfassungsstaat über und machte den bürgerl. Mittelstand zum Teilhaber der polit. Macht; aus den Whigs und Tories entstanden die liberale und die konservative Partei. In den Kolonien wurde 1833 die Sklaverei abgeschafft, während der Sklavenhandel schon seit 1807 verboten war. Der von R. Cobden geführten Freihandelsbewegung verhalf der konservative Staatsmann R. Peel mit der Aufhebung der Kornzölle 1846 zum vollen Sieg. Mit dem →Chartismus entstand erstmals eine polit. Organisation der Arbeiterbewegung, aber erst den Gewerkschaften gelang es allmählich, die wirtsch. Lage der Arbeiterschaft wesentlich zu bessern.

England, Schottland, Irland von 1485 - 1801

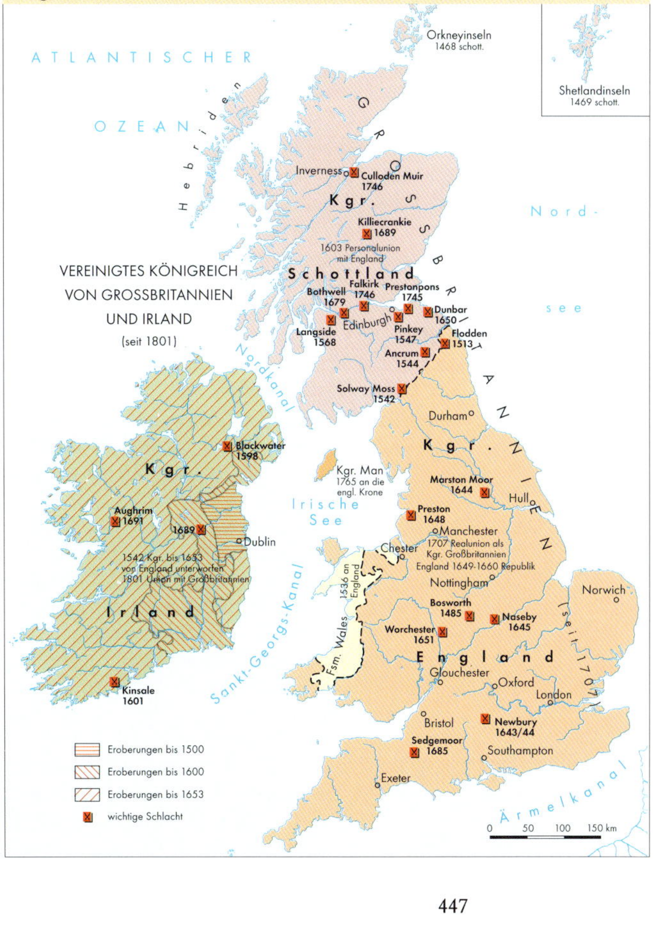

Die Außenpolitik wurde vom Ggs. zur →Heiligen Allianz bestimmt. Großbritannien unterstützte die Freiheitsbestrebungen der Völker (Abfall Mittel- und Südamerikas von Spanien und Portugal, Unabhängigkeitskampf der Griechen). Der Interessengegensatz zu Russland begann sich bereits abzuzeichnen.

Großbritannien und Nordirland: Königin Victoria und Benjamin Disraeli, kolorierte Kreidelithographie (um 1879)

Die Thronbesteigung von Königin Viktoria beendete die Personalunion zw. Großbritannien und Hannover. Viktoria (1837–1901) stellte das durch Georg III. und Georg IV. (1820–30) erschütterte Ansehen der Krone wieder her, wenn ihre polit. Macht auch durch das nun voll ausgebildete parlamentar. Regierungssystem sehr beschränkt blieb. Abwechselnd leiteten Lord Aberdeen (konservativ) und Lord Palmerston (liberal) die brit. Außenpolitik entsprechend dem nat. Machtinteresse, das sich in erster Linie auf Asien, bes. Indien, richtete. Ein großer ind. Aufstand (Sepoy-Aufstand, 1857/58) wurde niedergeschlagen. Großbritannien erwarb neue Seestützpunkte wie Singapur (1819), Aden (1839) und Hongkong (1842). Zur Erhaltung des Osman. Reichs als Bollwerk gegen das russ. Vordringen in Richtung Mittelmeer griff Großbritannien 1854 im Bunde mit Napoleon III. in den →Krimkrieg ein. Isoliert war Großbritannien hingegen, als 1864 der österr.-preuß. Krieg gegen Dänemark, für das es sich 1850 und 1852 eingesetzt hatte, ausbrach; seine diplomat. Intervention zugunsten Dänemarks blieb wirkungslos.

Exponent konservativer Politik war B. Disraeli (Premiermin. 1868, 1874–80), der seiner Partei durch die »Tory-Demokratie« zu breiter Wirksamkeit verhalf. Zur Sicherung des Seewegs nach Indien erwarb er 1875 den maßgebenden Einfluss auf den von Franzosen erbauten Sueskanal. 1876 nahm Viktoria den Titel »Kaiserin von Indien« an. Als Russland 1877/78 die Türkei besiegte, nötigte Disraeli es zu einem Verzicht auf einen großen Teil seiner Forderungen (→Berliner Kongress), während die Türkei ihm Zypern überließ. 1877 annektierte Großbritannien die Burenrep. Transvaal, gab sie aber 1881 wieder frei. Disraelis polit. Gegenspieler W. Gladstone (Premiermin. 1868–74, 1880–85, 1886, 1892–94) bewirkte innenpolit. Reformen, u.a. im Schulwesen (allg. Schulpflicht) und Heer (Abschaffung der Käuflichkeit der Offiziersstellen); dagegen scheiterte sein Versuch, Irland die parlamentar. Selbstregierung (Homerule) zu geben. 1882 ließ Gladstone Ägypten besetzen. Unter der konservativen Regierung R. Salisburys (1885–86, 1886–92) erreichte der Imperialismus, dessen entschiedenster Vertreter der Kolonialmin. J. Chamberlain war, seinen Höhepunkt. Die Briten besetzten 1885 Betschuanaland und 1889/90 Rhodesien, sicherten sich Nigeria und schufen die Kolonie Kenia, zu deren Abrundung sie 1890 im Austausch gegen Helgoland vom Dt. Reich Sansibar und Witu erwarben. Dann unterwarfen sie 1898/99 durch die Vernichtung der Mahdisten den ganzen östl. (angloägypt.) Sudan und zwangen in der →Faschodakrise die Franzosen zum Rückzug vom oberen Nil. Der Burenkrieg (1899–1902) führte zur Angliederung der beiden Burenrepubliken an Großbritanniens südafrikan. Besitz. Innerhalb des brit. Weltreichs entstanden die Dominions Kanada (1867), Australien (1901), Neuseeland (1907), Südafrikan. Union (1910). (→Britisches Reich und Commonwealth)

Die europ. Politik Salisburys hatte sich anfangs, namentlich durch das Mittelmeer- und das Balkanabkommen von 1887 mit Italien und Österreich-Ungarn, an Bismarcks Dreibundpolitik angelehnt. Aber seit den 1890er-Jahren verschlechterte sich das dt.-brit. Verhältnis: Großbritannien sah im Dt. Reich, dessen Handel einen mächtigen Aufschwung nahm, das immer stärker in die Weltpolitik eingriff und seit 1898 seine Kriegsmarine ausbaute, einen Konkurrenten. Es entschloss sich, seine jahrzehntelange »Splendid Isolation« in Europa aufzugeben. J. Chamberlain (1895 bis 1903 Kolonialmin.) suchte 1899 und 1901 wegen des kolonialpolit. Gegensatzes zu Frankreich, Großbritannien mit dem Dt. Reich und den USA in einem Bündnis zusammenzuführen. Nachdem die dt.-brit. Bündnisverhandlungen ergebnislos verlaufen waren, schloss der konservative Außenmin. Lansdowne 1902 ein Bündnis mit Japan, das sich gegen die russ. Ausdehnung in Ostasien richtete, und 1904 die von Eduard VII. (1901–10) geförderte britisch-frz. Entente cordiale (→Entente), die die kolonialpolit. Fragen regelte, seit 1906 zu militär. Besprechungen führte und es Großbritannien ermöglichte, das Schwergewicht seiner Flotte in die Nordsee zu verlegen. Durch das Abkommen von 1907 über Persien verständigte sich Großbritannien auch mit seinem alten Gegner Russland, dem Bundesgenossen Frankreichs, und so entstand die →Tripelentente. 1905 waren die Liberalen mit H. Asquith (Premiermin. 1908–16), E. Grey und R. Haldane (Kriegsmin. 1905–12) zur Reg. gelangt und blieben ein Jahrzehnt im Amt. Im Innern nahmen sie eine umfassende Sozialreform in Angriff. Der Finanzmin. D. Lloyd George schuf die Steuergesetzgebung von 1909, die die besitzenden Schichten stark belastete, und 1911 die Pflichtversicherung gegen Krankheit und Arbeitslosigkeit. Die Macht des widerstrebenden Oberhauses wurde 1911 verfassungsmäßig eingeschränkt. Mithilfe der Liberalen Partei zog die →Labour Party 1906 in das Unterhaus ein. Dagegen blieb die von den Suffragetten immer wieder gestellte Frage des Frauenwahlrechts bis 1918 ungelöst. In Irland waren die Pächter auf Kosten der engl. Großgrundbesitzer schon größtenteils zu freien Bauern aufgestiegen; Asquith brachte 1912/13 ein neues Homerule-Gesetz durch, dessen In-Kraft-Treten aber durch den 1. Weltkrieg verhindert wurde.

Der 1. Weltkrieg und seine Folgen: Aufgrund seiner Inseltradition war Großbritannien bes. unzulänglich auf einen großen Krieg vorbereitet; die brit. Flotte beschränkte sich im Wesentlichen auf die Fernblockade. Es kam nur zu einer großen Seeschlacht vor dem Skagerrak (31. 5./1. 6. 1916), die allerdings nicht bis zur Entscheidung ausgefochten wurde. Bes. nach der Erklärung des uneingeschränkten U-Boot-Kriegs (1. 2. 1917) bedrohten die dt. U-Boote die brit. Versorgung und Produktion zeitweilig empfindlich. Dank der von Haldane und Kitchener durchgeführten Heeresreform erwies sich Großbritannien zu Lande stärker als vorausgesehen. Außer den eigenen 5,7 Mio. Soldaten nahmen fast 3 Mio. Soldaten aus den Dominions und Kolonien am Krieg teil.

Im Innern führte der Druck des Kriegs im Mai 1915 durch Umbildung des liberalen Kabinetts zur ersten Koalitionsreg. der Konservativen und der Labour Party, zunächst unter dem bisherigen Premiermin. Asquith und seit Dez. 1916 unter D. Lloyd George, der mit A. J. Balfour als Außenmin. und (seit 1917) mit W. Churchill als Munitionsmin. alle Kräfte auf eine wirkungsvolle Kriegführung konzentrierte (zentrale Planungswirtschaft, Anhebung der Steuern). Die traditionelle liberale Wirtschaftsform wurde außer Kraft gesetzt, die wirtsch. Macht in Staatshand konzentriert. Schwierigkeiten traten in Irland auf, wo statt Homerule eine unabhängige ir. Rep. mit eigenem Parlament gefordert wurde. Nach Niederschlagung des Dubliner Osteraufstands (1916) kam es 1919 zur Bildung einer republikan. Reg. unter E. de Valera, zur Trennung von Nord- (Ulster) und Südirland durch den Government of Ireland Act (23. 12. 1920) und zum Friedensvertrag mit den Aufständischen, der Nordirland (Ulster) Homerule und Südirland Unabhängigkeit und Dominionstatus gewährte. Mit dem Ende des 1. Weltkriegs erreichte das Brit. Weltreich durch Übernahme Deutsch-Ostafrikas, Deutsch-Südwestafrikas, von Teilen von Kamerun und Togo, von Deutsch-Neuguinea und des Großteils der dt. Besitzungen in der Südsee sowie des Irak, Palästinas und Transjordaniens als Mandate des Völkerbunds seine bisher größte Ausdehnung. Hongkong und Singapur blieben als strateg. Positionen in Ostasien erhalten. In Ägypten wurde das brit. Protektorat 1922 beendet, doch behielt G. u. N. weiterhin eine gewisse Vorzugsstellung (Schutz des Sueskanals, Fortsetzung des angloägypt. Condominiums im Sudan). Die Balfour-Deklaration (2. 11. 1917) unterstützte die Forderung der Juden nach einer »nat. Heimstätte« in Palästina; (Trans-)Jordanien, seit 1920 Teil des brit. Völkerbundmandats über Palästina, wurde als erster Staat 1929 aus dem Mandatsverhältnis entlassen; Irak folgte 1932. Die ind. Frage erwies sich vorläufig als unlösbar, bes. seit Gandhi für die volle Selbstreg. eintrat. In der Konferenz von Washington (1921/22) musste G. u. N. den USA die gleiche Stärke der Schlachtflotte zugestehen und damit auf seinen Vorrang zur See verzichten. Durch Auslieferung eines Großteils der

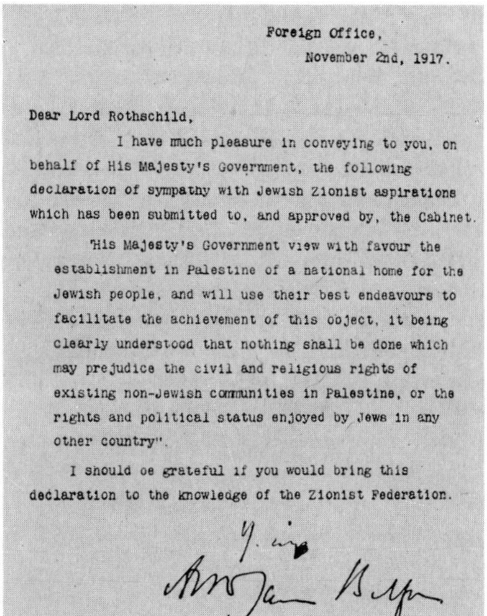

Foreign Office,
November 2nd, 1917.

Dear Lord Rothschild,

I have much pleasure in conveying to you, on behalf of His Majesty's Government, the following declaration of sympathy with Jewish Zionist aspirations which has been submitted to, and approved by, the Cabinet.

"His Majesty's Government view with favour the establishment in Palestine of a national home for the Jewish people, and will use their best endeavours to facilitate the achievement of this object, it being clearly understood that nothing shall be done which may prejudice the civil and religious rights of existing non-Jewish communities in Palestine, or the rights and political status enjoyed by Jews in any other country".

I should be grateful if you would bring this declaration to the knowledge of the Zionist Federation.

Großbritannien und Nordirland: Die Balfour-Deklaration vom 2. 11. 1917

dt. Handelsflotte sah sich G. u. N. zwar von der dt. Handelskonkurrenz befreit, doch konnte es sich von der eigenen wirtsch. Schwäche nur langsam erholen.

Zwischen den beiden Weltkriegen: Wirtsch. Schwierigkeiten, verbunden mit Massenarbeitslosigkeit (1931: 2,8 Mio.) und Streiks, bes. der Kohlearbeiter, die sich 1926 zu einem Generalstreik ausweiteten, kennzeichneten die innenpolit. Situation der 20er-Jahre. Die während des Kriegs zurückgestellten sozialen Probleme traten jetzt in den Vordergrund. Schon die Wahlen vom Dez. 1918 brachten eine Stärkung der Labour Party zulasten der Liberalen. Die von Lloyd George gebildete Koalitionsreg. zerfiel 1922. Die Konservativen unter A. Bonar Law (1922–23) und S. Baldwin (1923-24) übernahmen die Macht, während die Labour Party zur stärksten Oppositionspartei aufstieg und damit das traditionelle liberal-konservative Zweiparteiensystem endgültig sprengte. Von Jan. bis Nov. 1924 amtierte die erste, von den Liberalen unterstützte kurzfristige (Minderheits-)Regierung der Labour Party unter J. R. MacDonald. Die von ihr mit der UdSSR geschlossenen Verträge (1. 2. 1924 Anerkennung der UdSSR, 8. 8. 1924 Handelsvertrag) wurden von der zweiten Reg. Baldwin (1924–29) wieder rückgängig gemacht. Nach dem Wahlsieg von 1929 nahm das 2. Kabinett MacDonald (1929–31) am 1. 10. 1929 die Beziehungen zur UdSSR wieder auf. Die Auswirkungen der Weltwirtschaftskrise führten 1931 zur Bildung einer nat. Koalitionsreg. unter MacDonald (bis 1935), die mit Steuererhöhungen und Sparmaßnahmen, durch Pfundabwertung und Aufgabe des Goldstandards die wirtsch. Krise zu steuern suchte. Der brit. Markt wurde durch die Import-Duties-Act (29. 2. 1932) vor fremden Waren geschützt.

Winston Churchill

In seiner europ. Politik suchte G. u. N. die Entstehung eines Machtvakuums in der Mitte des Kontinents ebenso zu verhindern wie den Aufbau einer neuen Hegemonialstellung Frankreichs. Es unterstützte die auf Entspannung zw. Dtl. und Frankreich ausgerichteten Locarno-Verträge (1925) sowie die Revision der im Versailler Vertrag (1919) für Dtl. festgelegten Reparationszahlungen (Dawesplan, Youngplan). Die Londoner Flottenkonferenz (21. 1.–22. 4. 1930) führte zu einer Verständigung mit den USA über den Flottenbau. Eine bedeutsame Folgewirkung des 1. Weltkriegs war die Weiterentwicklung des British Empire zum »British Commonwealth of Nations«. Auf der Reichskonferenz von 1926 wurde den Dominions in der »Balfour-Formel« Gleichstellung mit dem Mutterland eingeräumt.

Eduard VIII. folgte 1936 seinem Vater Georg V. (1910–[20. 1.] 1936) auf den Thron, doch sah er sich wegen seiner geplanten Ehe mit der geschiedenen Amerikanerin Wallis Simpson gezwungen, am 11. 12. 1936 abzudanken; Nachfolger wurde sein Bruder Georg VI. (1936–52).

In der Außenpolitik war höchstes Ziel der zunächst von Baldwin (seit 1935) und dann von N. Chamberlain (seit 1937) als Premiermin. geleiteten Politik die Verhinderung eines neuen Weltkriegs durch Beseitigung der Spannungen zw. den Großmächten auf dem Verhandlungsweg (einschl. der Revision des Versailler Vertrages; Appeasement-Politik). Durch die expansive Politik Japans, Italiens und Dtl.s wurde diese Politik in ihren Grundfesten bedroht. Mit dem dt.-brit. Flottenabkommen (18. 6. 1935), in dem sich G. u. N. mit der dt. Seeaufrüstung bis zu 35 % der brit. Kriegsflotte einverstanden erklärte, wurde die Revision des Versailler Vertrags in international vertraglicher Form eingeleitet. Das Abkommen war ein erster Schritt auf dem Weg der Appeasement-Politik gegenüber dem nat.-soz. Dtl.: Hinnahme der Besetzung des Rheinlands (1936) und der Annexion Österreichs durch dt. Truppen (1938). Im Span. Bürgerkrieg (1936–39) verfolgte die brit. Regierung strikt eine Politik der Nichtintervention. Ihren Höhepunkt erreichte die Appeasement-Politik schließlich auf der Münchener Konferenz zw. Dtl., Italien, Frankreich sowie G. u. N. (29. 9. 1938). Erst mit der Garantie für die Unabhängigkeit Polens (31. 3. 1939) sowie Griechenlands und Rumäniens (13. 4. 1939) und Beistandserklärungen mit der Türkei (12. 5. 1939) und Polen (25. 8. 1939) begann Großbritannien der dt. Expansion entgegenzutreten. Die allg. Wehrpflicht wurde wieder eingeführt (26. 4. 1939).

2. Weltkrieg und Nachkriegszeit: Nach dem dt. Einmarsch in Polen erklärte die brit. Regierung am 3. 9. 1939 Dtl. den Krieg. Im Mai 1940 wurde Chamberlain durch W. Churchill abgelöst. Dieser bildete eine Allparteienregierung mit C. Attlee als stellv. Premiermin. In dem im Sept. 1940 einsetzenden Luftkrieg gegen England (»Schlacht um England«) konnte die brit. Luftwaffe einen deutschen Erfolg verhindern.

G. u. N. ging zwar siegreich, aber doch entscheidend geschwächt aus dem 2. →Weltkrieg hervor. Die Wirtschafts-, Finanz- und Sozialpolitik des Landes sah sich vor schwere Aufgaben gestellt. Das Brit. Reich und Commonwealth wurde von tief greifenden Veränderungen erfasst. Im Schatten der Supermächte, der USA und der UdSSR, verlor G. u. N. seine bisherige Weltmachtstellung.

Die ersten Wahlen nach Kriegsende (Juli 1945) brachten einen Sieg der Labour Party. Die neue Reg. unter Premiermin. C. R. Attlee (1945–51) und Schatzkanzler S. Cripps proklamierte eine Politik der Genügsamkeit (»austerity«), führte aber trotz wirtsch. Schwierigkeiten ein umfangreiches Reformprogramm durch: Verstaatlichung der Kohle-, Eisen- und Stahlind., der Elektrizitätswirtschaft, des Transportgewerbes, der zivilen Luftfahrt, der Bank von England sowie Einführung des unentgeltlichen staatl. Gesundheitsdienstes. Aus den Neuwahlen vom Febr. 1950 ging die Labour Party, aus den Wahlen vom Okt. 1951 die Konservative Partei mit einer schwachen Mehrheit hervor. Am 6. 2. 1952 starb König Georg VI. Ihm folgte seine älteste Tochter als Königin Elisabeth II. auf den Thron. 1955 gab Churchill, der die angloamerikan. Beziehungen gefestigt hatte, das Amt des Premiermin. zugunsten A. Edens auf, der bei den Wahlen vom 26. 5. 1955 eine überzeugende Mehrheit gewann. Eden konnte die fortschreitende Inflation nicht aufhalten und erlitt außenpolitisch (militär. Intervention in Ägypten) eine Niederlage. Im Jan. 1957 folgte ihm H. Macmillan im Amt, unter dessen Führung die Konservativen am 8. 10. 1959 einen weiteren Wahlsieg errangen. Es gelang ihm, die Beziehungen zu den USA, zu Griechenland und Zypern zu verbessern und die Zusammenarbeit innerhalb des Commonwealth zu stärken. Er nahm den Kampf gegen die Inflation und die Vormacht der Gewerkschaften im Wirtschaftsleben energisch auf. Das Oberhaus wurde durch Einführung der nichterbl. Peers (1958), einschl. weibl. Mitgl. (1963), gestärkt. Trotz Gründung der EFTA beantragte Macmillan den Beitritt seines Landes zur EWG, scheiterte jedoch wie später H. Wilson am Einspruch Frankreichs. Im Okt. 1963 trat Macmillan zurück, sein Nachfolger A. Douglas-Home erlitt bei den Wahlen 1964 eine knappe Niederlage. Die Labourregierung unter Führung Wilsons, mit überzeugender Mehrheit in den Wahlen vom 31. 3. 1966 bestätigt, verkündete die Aufgabe aller brit. Stützpunkte östlich von Sues bis 1971, beschränkte die Einwanderung aus den Commonwealthländern nach G. u. N. (Febr. 1968) und wertete das Pfund um 14,3 % ab (Nov. 1967). Aber auch durch eine rigorose Preis- und Lohnstopp-Politik sowie durch neue Steuererhöhungen gelang es ihr nicht, die durch steigende Arbeitslosenzahlen drastisch verdeutlichte labile Wirtschaftslage zu festigen. Aus den vorgezogenen Wahlen vom 18. 6. 1970 ging die Konservative Partei unter E. Heath als überlegener Sieger hervor. Auch er konnte die durch Stagnation und Inflation gekennzeichnete Wirtschaftslage nicht grundlegend ändern. Der zur Verbesserung der Beziehungen zw. Arbeitgebern und Arbeitnehmern gedachte »Industrial Relations Act« (25. 3. 1971) verschärfte die innenpolit. Lage (Bergarbeiterstreik, Energiekrise, Ausrufung des Notstands). Außenpolitisch setzte Heath den brit. Beitritt zur EG (1. 1. 1973) durch. Nach den Wahlen von 1974 bildete zunächst Wilson, 1976 J. Callaghan eine Labourregierung. Mit Anti-Inflationsprogrammen suchten beide Premiermin. der sozioökonom. Krise (ungewöhnlich hohe Inflationsrate, steigende Arbeitslosigkeit) Herr zu werden. Die wirtsch. Probleme trugen wesentlich zum Sieg der Konservativen Partei bei den Unterhauswahlen im Mai 1979 bei; Premiermin. wurde M. Thatcher. Ihre restriktive Wirtschafts- und Währungspolitik v. a. zur Verlangsamung der Inflation führte zu zahlreichen Firmenzusammenbrüchen (Aug. 1982 über 3 Mio. Arbeitslose). Die von ihr durchgesetzte Revision des Gewerkschaftsgesetzes beschränkte die Monopolstellung der Gewerkschaften und definierte das Streikrecht enger. Wichtige Erfolge in der Außenpolitik stellten die Lösung des Rhodesienkonfliktes (Dez. 1979) sowie der erfolgreich beendete Krieg mit Argentinien um die brit. Kronkolonie Falkland Islands and Dependencies dar, die nach argentin. Besetzung im Juni 1982 zurückerobert wurde. Dieser Sieg führte zum großen Erfolg der Konservativen bei den Unterhauswahlen 1983. Der fast einjährige Streik der Bergarbeitergewerkschaft NUM gegen die vorgesehene Schließung von 20 Zechen musste am 5. 3. 1985 ergebnislos abgebrochen werden. Die Reg. nutzte den Streik zu einer weiteren Schwächung der uneinigen Gewerkschaftsbewegung.

In der Nordirlandfrage, in der seit der Übernahme der direkten Herrschaft (1972) keine polit. Lösung zustande kam, unternahm die Regierung einen neuen Vorstoß zur Befriedung. G. u. N. sowie die Rep. Irland unterzeichneten im Nov. 1985 ein Abkommen, das der ir. Reg. eine konsultative Rolle in der Verwaltung Nordirlands zugestand; die Exekutivgewalt blieb bei London (außerdem Vereinbarung über eine verstärkte Zusammenarbeit bei der Bekämpfung des Terrors). Das Unterhaus sowie das ir. Parlament stimmten bis Ende Febr. 1986 mit Mehrheit dem Abkommen zu.

Außenpolitisch bemühte sich Großbritannien in engem Einvernehmen mit den USA seit Mitte der 80er-Jahre um eine schrittweise Verbesserung seiner Beziehungen zur UdSSR. Die Reg. Thatcher unterstützte die sowjetisch-amerikan. Abrüstungsverhandlungen (INF-Vertrag); das brit. Mittelstreckenpotenzial blieb jedoch bestehen. M. Thatchers starre Europapolitik, ihre ablehnende Haltung gegenüber der geplanten politisch-wirtsch. europ. Union, der sich abzeichnende Beginn einer neuen wirtsch. Rezession und innenpolit. Unruhen (Proteste der Bev. gegen eine neue Gemeindesteuer, »poll tax«) riefen Kritik an ihrer polit. Linie in der eigenen Partei hervor und bewirkten im Nov. 1990 ihre Ablösung als Premiermin. durch J. Major.

Bei den Parlamentswahlen im April 1992 behaupteten die Konservativen ihre absolute Mehrheit. Vor dem Hintergrund wachsender Kritik bes.

Elisabeth II.

Margaret Thatcher

John Major

an der Wirtschaftspolitik der Regierung (Privatisierung von Bahn, Post und Kohlebergbau) verlor die Reg. Major seit 1993 jedoch ständig an Ansehen in der Bevölkerung. Nach dem Tod von J. Smith wählte die Fraktion der Labour Party im Unterhaus 1994 Anthony (Tony) Blair zu dessen Nachfolger als Führer der Labour Party. Nach ständigen Auseinandersetzungen innerhalb der Konservativen Partei v.a. um die brit. Europapolitik schwand die parlamentar. Basis der Reg. Major immer mehr; seit Ende 1996 sah sie sich als Minderheitsreg. v.a. auf die Unterstützung nordirisch-prot. Abgeordneter angewiesen.

Nach der »Gemeinsamen Erklärung« der Premiermin. Major und Reynolds (Rep. Irland) vom 15.12.1993, die mit der Anerkennung der Sinn Féin als offiziellem Verhandlungspartner die Suche nach Frieden in Nordirland erleichtern sollte, verkündete die Sinn Féin am 31.8.1994 einen »Waffenstillstand«; diesen kündigte sie jedoch im Febr. 1996 wieder auf und verübte in der Folgezeit erneut Bombenattentate auf öffentl. Einrichtungen. Seit den Wahlen zu einem »Nordirland-Forum« kam es im Juni 1996 zu Allparteiengesprächen über die Lösung des Nordirlandproblems.

Nach langen Auseinandersetzungen mit dem rechten Flügel der Konservativen erreichte Premiermin. Major gegen die Opposition der Labour Party im Juli 1993 die Ratifizierung des Vertrages von Maastricht. Aber auch in der Folgezeit verschärfte sich unter den Konservativen der Gegensatz zw. Befürwortern des europ. Integrationsprozesses und den »Euroskeptikern«. Die Auseinandersetzungen zw. der brit. Regierung mit der EU um die Bekämpfung der →BSE-Seuche erreichten 1996 einen Höhepunkt.

Vor dem Hintergrund einer völlig veränderten Sicherheitslage in Europa reduzierte G. u. N. seine Militärpräsenz in Dtl. in den 1990er-Jahren von rd. 70000 Soldaten auf etwa 30000. – Mit einem militär. Kontingent von rd. 35000 Mann nahm G. u. N. 1991 am Krieg gegen den Irak teil. Zum 1.7.1997 übergab es seine Kronkolonie Hongkong vertragsgemäß an die VR China.

Tony Blair

Bei den Unterhauswahlen vom 1.5.1997 gewann die Labour Party mit 419 gegenüber 165 Sitzen der Konservativen Partei einen ungemein hohen Sieg. Neuer Premiermin. wurde am 6.5.1997 A.(T.) Blair.

📖 RASS, H. H.: *Großbritanien. Eine polit. Landeskunde. Neuausg. Berlin 1976.* – HILL, C.: *Von der Reformation zur industriellen Revolution. Sozial- u. Wirtschaftsgeschichte Englands 1530–1780. A. d. Engl. New York u. a. 1977.* – NIEDHART, G.: *Geschichte Englands im 19. u. 20. Jh. München 1987.* – KLUXEN, K.: *Geschichte Englands von den Anfängen bis zur Gegenwart. Stuttgart* [4]*1991.* – *Geschichte Englands, Beiträge v.* K.-F. KRIEGER *u. a., 3 Bde. München* [1–2]*1993–96.* – *G.-Ploetz. Geschichte G.s u. Irlands zum Nachschlagen, bearb. v.* C. WITZ *u. a. Freiburg im Breisgau u. a.* [3]*1993, Nachdr. ebd. 1996.* – *G. in Geschichte u. Gegenwart, hg. v.* W. D. GRUNER *u.* B.-J. WENDT. *Hamburg 1994.* – FISCHER, P. *u.* BURWELL, G. P.: *Kleines England-Lexikon. Wissenswertes über G. München* [3]*1995.* – *G. Geschichte, Politik, Wirtschaft, Gesellschaft, hg. v.* H. KASTENDIECK. *Frankfurt am Main u. a. 1995.*

Großdeutsche, Vertreter einer nationalpolit. Richtung, die die dt. Frage durch den staatl. Zusammenschluss möglichst aller (geschlossen siedelnden) Deutschen in Mitteleuropa zu lösen suchten; sie knüpften in der Frankfurter Nationalversammlung an die Tradition der Befreiungskriege und danach v.a. an die Burschenschaften an, konnten sich aber nicht durchsetzen. Politisch wurde der großdt. Gedanke danach v.a. von der deutsch-nat. Bewegung in Österreich getragen. Beim Zerfall der Donaumonarchie am Ende des 1. Weltkrieges (1918) fand die großdt. Idee ihren Ausdruck in der Weimarer und der österr. Verf., die einen Anschluss →Deutschösterreichs an das Dt. Reich vorsahen; auch die Sudetendt. votierten für einen Anschluss an Deutschland.

Großdeutsches Reich, nach dem Anschluss Österreichs (1938) zunächst informelle, später offiziell gebrauchte Bez. für das Dt. Reich.

Großdeutsche Volkspartei, frühere liberalnationale österreich. Partei, hervorgegangen aus der dt.-nat. Bewegung in Österreich-Ungarn, gegr. 1920 (Vorläufer: die Großdt. Vereinigung, gegr. 1919), vertrat als Hauptforderung den Anschluss Österreichs an das Dt. Reich. 1920–32 war sie an der Regierung beteiligt. Nach dem Verbot 1934 traten die meisten ihrer Anhänger zu den (noch illegalen) Nationalsozialisten über.

Größe, 1) *Astronomie:* Maß für die →Helligkeit eines Gestirns.

2) *Physik:* (physikal. G.) Eigenschaft eines physikal. Objekts, Vorgangs oder Zustands, die sich quantitativ erfassen (messen) lässt. Jede G. ist durch eine geeignete Messvorschrift definiert; die Messung besteht aus dem Vergleich mit →Einheiten; so ergibt sich der **Zahlenwert der G.** (früher Maßzahl). Das Produkt aus Zahlenwert und Einheit ist der **Wert der G.** Man unterscheidet →Basisgrößen und von diesen **abgeleitete Größen.** Unter einer **G.-Art** versteht man die Gesamtheit aller G. einer bestimmten Art (Dimension), z.B. sind Meter und Zentimeter G. der G.-Art Länge. Eine G. wird i.d.R. durch ein Formelzeichen dargestellt.

Große Australische Bucht, Bucht des Ind. Ozeans vor der S-Küste Australiens mit steiler abweisender Küste vor der Nullarborebene.

Große Bank, größte der →Neufundlandbänke; ergiebiges Fischereigebiet.

Große Ebene, Küstenebene in N-China, zw. Bo Hai und unterem Jangtsekiang im Einzugsgebiet von Hai He, Hwangho und Huai He. Sie umfasst mit rd. 500000 km^2 etwa 5% der Fläche Chinas mit äußerst fruchtbaren Lössböden; in ihr leben rd. 22% der Gesamtbev. des Landes; intensive Landwirtschaft, stark industrialisiert.

Große Fatra, Gebirgszug in der Slowakei, →Fatra.

Großefehn, Gemeinde im Landkr. Aurich, Ndsachs., im zentralen ostfries. Hochmoorgebiet, 12000 Ew.; umfasst Fehndörfer und Geestorte; Metall verarbeitende und Textilindustrie.

Große Heidelberger Liederhandschrift, →Manessische Handschrift.

Große Kreisstadt, kreisangehörige Stadt in Bad.-Württ., Bayern und Sachsen mit besonderer, einem Stadtkreis angenäherter Rechtstellung; sie nimmt Aufgaben wahr, die sonst von den Landratsämtern als unterer staatl. Verw.behörde wahrgenommen werden. Diese Stellung setzt eine gewisse Einwohnerzahl und regionale Bedeutung voraus.

Große Mauer, die →Chinesische Mauer.

Große Meteorbank, untermeer. Erhebung (Guyot) im nördl. Atlantik; steigt aus etwa 5000m Tiefe bis auf 275m u. M. auf.

Großenhain, Krst. des Landkreises Riesa-Großenhain, Sachsen, an der Röder, 18000 Ew.; Maschinenbau, Gesenkschmiede, Papierindustrie. – Barocke Marienkirche (1744–48). – Bei einer seit 1205 belegten slaw. Siedlung wurde um 1200 vom Markgrafen von Meißen die Stadt angelegt.

Größenklasse, die Einheit für die Helligkeit eines Gestirns, wobei das Zeichen m hinter die Zahlenangabe (bei Dezimalstellen über dem Komma oder Punkt) hochgestellt geschrieben wird. Auch die Abk. mag für »magnitudo« **(Größe)** hinter der Zahlenangabe ist üblich. Die G.-Einteilung der **scheinbaren Helligkeit** geht zurück auf Ptolemäus, der sechs Klassen unterschied: Die hellsten Sterne wurden als Sterne 1. Größe, die lichtschwächsten als Sterne 6. Größe bezeichnet. In der Neuzeit wurde die Skala weiter unterteilt und erweitert; auch negative Werte sind zulässig. Nach N. R. Pogson (1857) gilt: Zwei Sterne, deren scheinbare Helligkeiten im Verhältnis 1:2,512 stehen, unterscheiden sich um eine G. (Abk. 1^m); damit entspricht ein Unterschied von 5 G. einem Intensitätsverhältnis von 1:100. Für den Nordhimmel wurde der Nullpunkt der Skala mithilfe des Polarsterns (G. $2^m\!,12$) festgelegt, heute benutzt man eine große Zahl von Sternen **(Polsequenz)** als Eichpunkte. Der hellste Stern, Sirius, hat die G. $-1^m\!,46$, Sterne von 6^m sind gerade noch sichtbar; mit den lichtstärksten Instrumenten sind Sterne von 23^m noch photometrisch nachweisbar. – Die **absolute Helligkeit** eines Himmelskörpers (die ebenfalls in G. gemessen wird) ist ein Maß für die →Leuchtkraft eines Sterns. Zu ihrer Kennzeichnung wird häufig statt des hochgestellten m ein hochgestelltes M verwendet.

Großenkneten, Gemeinde im Landkreis Oldenburg, Ndsachs., auf der Wildeshauser Geest, 11000 Ew.; Erdgasförderung und Erdgasaufbereitung mit Schwefelproduktion.

Größenordnung, ein meist durch aufeinander folgende Zehnerpotenzen begrenzter Zahlenbereich für die Maßzahl einer physikal. Größe, einer Anzahl o.a.; z.B. liegt der Durchmesser eines Atomkerns in der G. von 10^{-14} m.

Größensystem, System von Größenarten, um physikal. Gesetzmäßigkeiten zu beschreiben; es ist durch die Wahl der Basisgrößen und evtl. zusätzliche Festlegungen gekennzeichnet. Nach der Zahl der Basisgrößen unterscheidet man u.a. Dreiersysteme, Vierersysteme und Fünfersysteme. Grundlage des Internat. Einheitensystems ist ein Siebenersystem (ÜBERSICHT SI-Einheiten).

Alfred Grosser

Grosser [grɔ'sɛːr], Alfred, frz. Historiker, *Frankfurt am Main 1. 2. 1925; war 1955–92 Prof. für polit. Wiss. in Paris, setzt sich bes. für die dt.-frz. Verständigung ein; erhielt 1975 den Friedenspreis des Dt. Buchhandels.

Werke: In wessen Namen? (1969); Deutschlandbilanz (1970); Das Dtl. im Westen (1985); Ermordung der Menschheit. Der Genozid im Gedächtnis der Völker (1989); Mein Deutschland (1993); Une vie de Français (1997).

Großer Arber, Berg im Böhmerwald, →Arber.

Großer Bär, das Sternbild Ursa Maior (→Bär).

Großer Bärensee (engl. Great Bear Lake), buchtenreicher See in NW-Kanada, 156m ü.M., 31153 km^2, über acht Monate, oft bis Juli eisbedeckt, hat durch den **Großen Bärenfluss** Abfluss nach dem Mackenzie.

Großer Beerberg, der höchste Gipfel (982m ü.M.) des Thüringer Waldes, südlich von Oberhof.

Großer Belchen, Berg in den Vogesen, →Belchen.

Großer Feldberg, höchster Berg des Taunus, →Feldberg.

Großer Fischfluss (engl. Great Fish River), **1)** einer der Hauptflüsse der Prov. Ostkap, Rep. Südafrika, mündet in den Ind. Ozean, 600 km lang: intensiv zur Bewässerung genutzt.

2) Nebenfluss des Oranje in Namibia, im Nama- und Namaqualand, 660 km lang, vor der Mündung großartiger Cañon (BILD Afrika).

Großer Heuberg, Teil der Schwäbischen Alb, →Heuberg.

Großer Hund, ein Sternbild (→Hund).

Großer Sankt Bernhard: Passhöhe (2472 m ü. M.)

Großer Inselsberg, Berg im Thüringer Wald, →Inselsberg.

Großer Kurfürst, Beiname des Kurfürsten Friedrich Wilhelm von Brandenburg (→Friedrich).

Großer Rat, 1) Kantonsrat, Landrat, die gesetzgebende, vom Volk meist nach dem Proporzsystem gewählte Behörde (Parlament) in den schweizer. Kantonen, in denen keine →Landsgemeinde besteht.

2) (Großrat), →Faschismus.

3) →Venedig, Geschichte.

Großer Roter Fleck, *Astronomie:* ein auch mit kleinen Fernrohren sichtbarer Wirbelsturm in der Atmosphäre des →Jupiter.

Großer Salzsee (engl. Great Salt Lake), abflussloser See im nördl. Utah, USA, in einem flachen Becken im O des Großen Beckens; die mittlere Tiefe beträgt 3 m; Zufluss und Verdunstung beeinflussen die stark schwankende Wasserfläche und den unterschiedl. Salzgehalt (im südl. Teil rd. 5%, im nördl. Teil rd. 17%; bei Tiefstand bis 27%). Die mittlere Seespiegelhöhe von 1280 m ü. M. entspricht einer Fläche von 4000 km². Der G. S. ist ein Rest des pleistozänen Lake Bonneville. Seit 1959 ist der See durch einen Eisenbahndamm zweigeteilt; Gewinnung von Salz, Pottasche und Magnesium.

Großer Salzsee

Großer Sankt Bernhard (frz. Col du Grand Saint Bernard, italien. Colle del Gran San Bernardo), Alpenpass zw. Montblancgruppe und Walliser Alpen. Die 61 km lange Passstraße verbindet das Aostatal (Italien) mit dem Rhonetal (Schweiz). Der 5,8 km lange Straßentunnel verkürzt die Passstrecke um gut 10 km (ÜBERSICHT Alpenstraßen). Durch ihn wird auch die Erdölleitung Genua-Aigle (Wallis) geführt. – Der G. S. B. wird seit vorröm. Zeit benutzt, für die Römer war er eine Hauptverbindung nach Gallien. Auf der Passhöhe liegt das Hospiz der Augustinerchorherren, eine Gründung aus dem 11. Jh. (Kirche, 1678; Bibliothek, Museum), bekannt auch durch seine Hundezucht (→Bernhardiner).

Großer Senat, besonderer Spruchkörper bei den obersten Gerichtshöfen des Bundes (nicht beim Bundesverf.gericht), um innerhalb des Gerichts eine unterschiedl. Rechtsprechung der einzelnen Senate zu vermeiden. Beim Bundesgerichtshof bestehen je ein G. S. für Zivil- und Strafsachen sowie zur Vermeidung von Divergenzen zw. den G. S. die »Vereinigten G. S.« als gemeinsamer Spruchkörper aus den Großen Senaten.

Großer Sklavensee (engl. Great Slave Lake), See in N-Kanada, 156 m ü. M., 28 570 km², über 600 m tief, Hauptzufluss ist der Slave River, Ausfluss der Mackenzie.

Großer Vaterländischer Krieg, 1941 in der Sowjetunion geprägte und später dort übl. (offizielle) Bez. für den Krieg zw. der UdSSR und Dtl. 1941–45.

Großer Wagen, Teil des Sternbilds Großer Bär (→ Bär).

Größerzeichen, das Zeichen > (»größer als«), das zur abkürzenden Schreibweise bei Ungleichungen verwendet wird, z. B. 5 > 4.

Große Sandwüste (Great Sandy Desert, Canningwüste), N-Teil des westaustral. Wüstengebietes, südl. des Kimberleyplateaus; etwa 520 000 km²; Sanddünen und Salzseen.

Großes Artesisches Becken (Great Artesian Basin, auch Großes Australisches Becken), Beckenlandschaft im zentralöstl. Australien, erstreckt sich über 2 000 km von N nach S und etwa 1 500 km von O nach W, fällt von 300 m ü. M. im O auf 12 m u. M. am Eyresee ab. Weidewirtschaftsgebiet dank zahlr. (mehr als 18 000) artesischer Brunnen.

Großes Barriereriff (engl. Great Barrier Reef), längstes lebendes Korallenriff der Erde, vor der Küste von Queensland, Australien, reicht vom südl. Wendekreis bis vor die Mündung des Fly River (Neuguinea), über 2 000 km lang, über 200 000 km². 1983 wurde fast das gesamte G. B. unter Naturschutz gestellt. Die UNESCO hat das G. B. zum Weltkulturerbe erklärt. Das aus versch. Rifftypen aufgebaute Korallenriff ist eines der wichtigsten Touristenziele Australiens. Auf **Green Island** besteht ein Unterwasserobservatorium mit Museum und Aquarium. Im G. B. leben 4 000 Weichtier-, über 450 Korallen-, 1 500 Fisch-, 6 Schildkröten- und 24 Vogelarten.

Großes Becken (engl. Great Basin), abflusslose Großlandschaft in den westl. USA, zw. Sierra Nevada und Cascade Range im W und den Rocky Mountains im O, rd. 500 000 km²; unterteilt in einzelne, meist wüstenhafte Becken, die im N 1 200–1 500 m ü. M., im S unter 300 m ü. M. liegen. Im SW erstreckt sich das heiße, trockene **Death Valley**, im O liegt der **Große Salzsee**. Ackerbau ist nur bei Bewässerung möglich, große Bereiche werden für extensive Viehwirtschaft genutzt. Das ganze Gebiet ist reich an Bodenschätzen: Gold, Silber, Kupfer, Blei, Kohle. – Zu den Indianern des G. B. zählen die Shoshone, Ute und Paiute.

Große Schütt, Donauinsel in der Slowakei, → Schütt.

Große Seen (engl. Great Lakes), die fünf großen zusammenhängenden und durch den Sankt-Lorenz-Strom zum Atlantik entwässernden Seen der USA und Kanadas: Oberer See, Michigan-, Huron-, Erie-, Ontariosee; mit rd. 245 000 km² die größte Binnensüßwasserfläche der Erde.

Große Sundainseln, die Inseln Borneo, Celebes, Java und Sumatra im Malaiischen Archipel.

Großes Barriereriff: Heron Island im Süden des Korallenriffs in der Nähe des südlichen Wendekreises

Großes Walsertal, Seitental der Ill, → Walsertal.

Große Syrte *die* (Golf von Sydra), Bucht des Mittelmeeres an der Küste Nordafrikas, zw. Bengasi und Misurata in Libyen; vor der Wüstenlandschaft Syrtica.

Grosseteste ['grəʊstest], Robert, engl. Philosoph, Naturforscher und Theologe, * Stradbroke (Suffolk) um 1175, † Buckden (Buckinghamshire) 9. 10. 1253; 1214–21 Kanzler der Univ. Oxford, 1235 Bischof von Lincoln. G. wirkte durch Übersetzungen (u. a. »Nikomachische Ethik«) und Kommentare zu Aristoteles nachhaltig auf R. Bacon, Albertus Magnus, Duns Scotus u. a. ein. Lange vor Galilei und Descartes stützte sich G. in seiner Naturforschung (»Über den Regenbogen«; »Über die Farben«; »Über die Wärme der Sonne« u. a.) als Erster bewusst auf mathematisch-quantitative Methoden. Seine Naturphilosophie wird von der neuplatonischen Lichtmetaphysik getragen, mit deren Hilfe G. die Entstehung der Vielheit der Dinge aus der Einheit des Seins zu erklären suchte.

Großes Becken: Im Death Valley herrscht mit bis zu 57 °C und rd. 40 mm Niederschlägen im Jahr Wüstenklima

Grosseto, 1) Provinz im S der Toskana, Italien, 4504 km², (1995) 217100 Einwohner.

2) Hptst. von 1), in den toskan. Maremmen, 71900 Ew.; Museen; Landmaschinenbau. – In der von einer sechseckigen Befestigungsanlage umschlossenen Altstadt liegen der Dom (erbaut ab 1294, mit inkrustierter Fassade) und die got. Kirche San Francesco (13. Jh.). – Nordöstlich von G. lag die etrusk. Stadt **Rusellae.**

Großfußhühner: Das Thermometerhuhn hat an der Schnabelspitze ein Temperatursinnesorgan, das es ihm ermöglicht, die Temperatur seines Nesthaufens fast konstant auf 33 °C zu halten

Große Vereinheitlichte Theorie (engl. Grand Unified Theory, Abk. GUT), experimentell noch nicht abgesicherte Theorie, die versucht, oberhalb bestimmter Energien (rd. 10^{15} GeV) mit Ausnahme der Gravitation die Grundkräfte, d. h. die starke, schwache und elektromagnet. →Wechselwirkung, in einer einheitl. Feldtheorie zu vereinigen. Eine der Hauptaussagen der GUT ist die Instabilität von Leptonen und Quarks, aus der z. B. der Zerfall von Protonen in leichtere Teilchen folgt.

Große Victoriawüste (engl. Great Victoria Desert), abflusslose Halbwüste im südl. Australien, zw. der Nullarborebene und der Gibsonwüste, etwa 260000 km²; Dünen, Salzseen und -sümpfe.

Großfamilie, Form der →Familie, bei der mehrere Generationen oder Familien in einer Hausgemeinschaft leben.

Großforschungseinrichtungen (Arbeitsgemeinschaft der G., Abk. AGF), →Hermann von Helmholtz-Gemeinschaft Deutscher Forschungszentren.

Groß-Friedrichsburg, ehem. kurbrandenburg. Festung an der Goldküste Afrikas, im heutigen Ghana; wurde 1683 unter dem Großen Kurfürsten angelegt, 1717 an die Niederländer verkauft.

Großfürst (russ. Weliki Knjas), russ. Titel, urspr. der Fürsten von Kiew, ab 1186 bei den Fürsten von Wladimir-Susdal in Gebrauch; nach Unterwerfung der anderen russ. Fürstentümer durch Moskau nur noch von der Moskauer Herrscherfamilie geführt (»G. der ganzen Rus«); sie behielt ihn auch nach der Annahme des Zarentitels (1547) und des Kaisertitels (1721), nach 1886 Titel nicht regierender männl. Mitgl. des Kaiserhauses. – Seit dem 14. Jh. war G. auch Titel der litauischen Herrscher, nach 1569 Bestandteil des poln. Königstitels, der 1795 (3. Poln. Teilung) auf den russ. Kaiser überging. Ab 1809 führte der russ. Kaiser auch den Titel G. von Finnland. Die Habsburger führten seit 1765 den Titel eines G. von Siebenbürgen.

Großfußhühner (Megapodiidae), Familie der Hühnervögel auf den südasiat. Inseln, in Australien, Neuguinea und in O-Indonesien. Die G. verscharren ihre Eier unter aufgehäuften Pflanzenresten, um sie dort von der Gärungswärme ausbrüten zu lassen. Diese »Komposthaufen« können über 2 m hoch sein. Das **Thermometerhuhn** (Leipoa ocellata) in den Trockengebieten Südaustraliens ist oft 11 Monate im Jahr mit der Herstellung und Wartung seiner Brutanlage beschäftigt.

Großgemeinde, polit. Gemeinde, i. d. R. durch Eingemeindungen entstanden und in historisch gewachsene Ortschaften gegliedert; für diese können gemäß den Gemeindeordnungen unter Umständen eigene Ortsverwaltungen gebildet werden. Die G. ist eine eigene Körperschaft, kein Gemeindeverband.

Groß-Gerau, 1) Landkreis im RegBez. Darmstadt, Hessen, 453 km², (1996) 246300 Einwohner.

2) Krst. von 1) in Hessen, im nördl. Hess. Ried, 23200 Ew.; Metall verarbeitende, Zucker- und pharmazeut. Ind.; Obst- und Gemüsekonservenfabrik. – Fachwerkrathaus (1579). – Erhielt 1398 Stadt- und Marktrecht.

Groß-Gerau 2): Fachwerkrathaus aus dem 16. Jahrhundert

Großglockner, höchster Berg Österreichs, Hauptgipfel der →Glocknergruppe in den Hohen Tauern, 3798 m ü. M.; an den Flanken stark vergletschert (Pasterze). Die **Großglockner-Hoch-**

alpenstraße, zw. Bruck und Heiligenblut 47,8 km lang, führt aus dem →Fuscher Tal über das Fuscher Törl (2428 m ü.M.) und den Pass Hochtor (2576 m, im Tunnel 2506 m ü.M.) ins Mölltal. Abzweigungen führen zur Edelweißspitze (2571 m ü.M.) und zur Franz-Josephs-Höhe (2369 m ü.M.) über der Pasterze. BILD Pasterze

Großgriechenland (grch. Megale Hellas, lat. Magna Graecia), im Altertum Bez. für das von grch. Siedlern bewohnte südl. Italien und Sizilien.

Großgrundbesitz, →Latifundien.

Großhandel, Unternehmen, die Waren im eigenen Namen kaufen und ohne oder geringe Bearbeitung an Wiederverkäufer, Weiterverarbeiter oder gewerbl. Verbraucher absetzen. Neben der Einteilung in Branchen wird zw. G.-Betrieben unterschieden, bei denen der Schwerpunkt im Zusammenstellen eines reichhaltigen Sortiments aus einem weit verzweigten Angebot **(kollektierender G.)** oder im Verteilen von Waren an viele Abnehmer **(distribuierender G.)** liegt. – Spitzenorganisation in Dtl. ist der Bundesverband des Dt. Groß- und Außenhandels e.V.

Großherzog, Fürst im Rang zw. König und Herzog; Anrede: Königl. Hoheit. 1569 wurde der Titel G. erstmals in Italien (Erhebung des Herzogtums Florenz zum Großherzogtum Toskana) verliehen. – Den Titel erlangten im Rheinbund nach 1806 und durch den Wiener Kongress (1815) versch. dt. Fürsten; als Staatsoberhaupt führt ihn noch der G. von Luxemburg.

Großhirn, →Gehirn.

Großinquisitor, →Inquisition.

Großkanizsa [-kaniʒa], ungar. Stadt, →Nagykanizsa.

Großkreis (Orthodrome), Schnittlinie der Oberfläche einer Kugel mit einer durch ihren Mittelpunkt *M* gelegten Ebene. G. auf der Erde sind z.B. der Äquator und die Meridiane (nicht die Breitenkreise).

Großkreuz, höchste Klasse der meisten Orden.

Großmacht, Staat, der aufgrund seiner polit., militär. und wirtsch. Stärke große Macht gewann. Er besitzt die Fähigkeit, seine Ansprüche gegenüber anderen Staaten (z.B. bei Friedensschlüssen) durchzusetzen, diese in ihrer Politik zu beeinflussen und auf die Beziehungen der Staaten untereinander bestimmend einzuwirken. – Mit der Entwicklung der europ. Staatengemeinschaft in der Neuzeit entwickelten sich dort G., die meist in Konkurrenz zueinander traten; nur sie tauschten Botschafter untereinander aus. Um die Mitte des 18. Jh. hatte sich in Europa ein Kreis von 5 G. herausgebildet: die Habsburgermonarchie, Frankreich, Großbritannien, Russland, Preußen. Im 19. Jh. wurden die USA und Italien sowie Japan (als erste asiat. G.) in das System der G. einbezogen. – Nach dem 2. Weltkrieg nahmen die →Weltmächte weitgehend die Funktionen der bisherigen G. ein.

Großglockner: Blick auf den höchsten Berg der Hohen Tauern, im Vordergrund Heiligenblut mit der Pfarrkirche Sankt Vinzenz

Großmährisches Reich, westslaw. Staatsbildung in Mitteleuropa im 9. Jh., vom byzantin. Kaiser Konstantin VII. als »das große Mähren« bezeichnet. – Die Siege Karls d. Gr. über die Awaren (791–796) befreiten die Slawenstämme und schufen die Voraussetzungen für deren Einfügung in das christliche Europa. Der mähr. Fürst Mojmír I. (830–846) unterwarf 836 auch das Gebiet um Neutra. Sein Nachfolger Rastislaw konnte die fränk. Oberhoheit abschütteln. Um der fränk. Mission ein Gegengewicht zu schaffen, wandte er sich 863 an den byzantin. Kaiser Michael III., der die Slawenapostel →Kyrillos und Methodios mit der Mission in Mähren beauftragte. Da ihre Tätigkeit auch von Rom gefördert wurde, das sich hier ein von den Franken unabhängiges Missionsgebiet zu schaffen suchte, geriet Mähren in die weltpolit. Spannungen zw. Rom, Byzanz und den Franken. 870 wurde Rastislaw durch seinen Neffen Swatopluk I. an Ludwig den Deutschen ausgeliefert. Swatopluk unterwarf sich 874 freiwillig dem ostfränk. König und dehnte dafür seine Herrschaft nach NO aus, wahrscheinlich bis in das Gebiet der Wislanen an der oberen Weichsel (um Krakau) und über Böhmen. 880 wurde auf Swatopluks Bitte neben Methodios der Schwabe Wiching als Bischof von Neutra eingesetzt. Nach dem Tod des Methodios (885) setzten sich die Magyaren, von König Arnulf gegen die aufständ. Mährer zu Hilfe gerufen, um die Wende zum 10. Jh. in der Ebene zw. Donau und Theiß fest. Ein erneuter Ansturm der Magyaren brachte dem G. R. 906 das Ende.

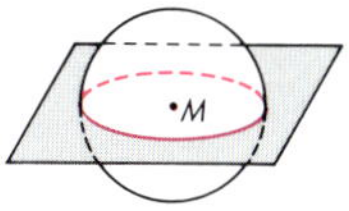

Großkreis

Grossman, David, israel. Schriftsteller, *Jerusalem 25. 1. 1954; schreibt v.a. über die jüdisch-arab. Beziehungen und die Nachwirkungen des Holocaust. Romane: »Das Lächeln des Lammes« (1983); »Stichwort: Liebe« (1986); Sachbücher: »Der gelbe Wind. Die israelisch-palästin. Tragödie« (1987); »Der geteilte Israeli« (1992).

Großtafelbau

Grossmann, Rudolf, Grafiker, *Freiburg im Breisgau 25. 1. 1882, † ebd. 28. 11. 1941; neben E. Orlik bekanntester Grafiker der 1920er-Jahre in Berlin; zahlr. Buchillustrationen und Zeichnungen von Zeitgenossen; neben Einzelblättern auch graf. Folgen, u. a. »Berliner Bilder« (1911–13).

Großmeister, 1) im →Deutschen Orden der Hochmeister.

2) *Freimaurerei:* Vorsitzender einer Großloge.

3) *kath. Ordensrecht:* in den geistl. Ritterorden der auf Lebenszeit gewählte Obere.

4) *Schach:* (Internationaler G., Abk. GM bzw. IGM) mit Ausnahme des Weltmeistertitels höchster Titel im Turnierschach; seit 1951 vom internat. Schachverband →FIDE verliehen, vorher allgemeine Bez. von Siegern bei größeren internat. Turnieren.

Großmoyeuvre [-mwa'jœvr], dt. Name der lothring. Stadt →Moyeuvre-Grande.

Großräschen, Stadt im Kr. Oberspreewald-Lausitz, Brandenburg, in der Niederlausitz, 12 400 Ew.; Braunkohlentagebau, Brikettfabrik, Glas-, Ziegel-, elektrotechn. Industrie.

Großrechner (Großcomputer, engl. Mainframe), Datenverarbeitungsanlagen mit extrem großer Rechenleistung und großem Platzbedarf (meist raumfüllend). Sie werden wie →Supercomputer v. a. in Rechenzentren verwendet.

Großrussen, älterer Name der →Russen.

Großstadt, nach Festlegung des Internat. Instituts der Statistik (1887) eine Stadt mit mehr als 100 000 Ew. Im vorindustriellen Europa hatten die großen Städte, von wenigen Ausnahmen abgesehen, weit geringere Einwohnerzahlen. Im MA. genügten 20 000, im 18. Jh. noch 50 000 Ew. als untere Großstadtgrenze. Geographisch wird die G. definiert als ausgedehnte, geschlossene Ortsform mit überregionalem Einzugsgebiet, das auch Einflussbereiche von Mittel- und Kleinstädten umschließt. Typisch ist die Ausbildung einer City (Geschäfts-, Banken-, Bürohausviertel), der Wohn- und Industrieviertel. (→Stadt, →Städtebau)

Groß Strehlitz, Stadt in Polen, →Strzelce Opolskie.

Großtafelbau, *Hochbau:* hoch industrialisierte Bauweise, bei der in einem ortsfesten Werk (Fabrik) raumgroße Deckenplatten und Wandtafeln mit eingesetzten Fenstern und Türen gebrauchsfertig hergestellt, zur Baustelle transportiert und dort nur noch zusammengesetzt werden. Der G. entwickelte sich in der UdSSR, Frankreich und Dänemark, bes. seit Mitte der 1950er-Jahre.

größter gemeinsamer Teiler, Abk. **g. g. T.,** die größte ganze positive Zahl, die zwei oder mehrere ganze Zahlen ohne Rest teilt. Beispiel: Der g. g. T. von 60 und 24 ist 12.

Großullersdorf (tschech. Velké Losiny), Kurort im Nordmähr. Gebiet der Tschech. Rep., 432 m ü. M., 2 000 Ew.; schwefelhaltige Quellen; Papierindustrie. – An der Stelle eines mittelalterl. Kastells wurde 1580–89 ein Renaissanceschloss mit dreigeschossigem Arkadenhof errichtet. – Um eine 1516 erstmals erwähnte Papiermühle entwickelte sich die Ortschaft G. zu einem Zentrum der Büttenpapierherstellung.

Groß-Umstadt, Stadt im Landkreis Darmstadt-Dieburg, Hessen, im nördl. Vorland des Odenwalds, 20 800 Ew.; Kunstharzverarbeitung, Maschinenbau; Weinbau (»Odenwälder Weininsel«). – Das Ortsbild ist durch Adelshöfe des 15.–17. Jh. geprägt; spätgot. Pfarrkirche, Renaissancerathaus. – Der Königshof Umstadt kam 766 in Besitz des Klosters Fulda; seit 1263 Stadt.

Großullersdorf: Großer Saal des 1580–89 erbauten Renaissanceschlosses

Großvenediger: Auf der stark vergletscherten Ostflanke ist der Rückzug der Gletscher gut zu erkennen

Großunternehmen, nach Anzahl der Arbeitnehmer, Höhe der Investitionen oder Größe des Umsatzes umfangreiches Unternehmen. Die Merkmale eines G. sind in den einzelnen Wirtschaftszweigen sehr verschieden und hängen von den jeweiligen histor. und volkswirtsch. Gegebenheiten ab. So ist z.B. ein Ind.unternehmen mit 1000 Beschäftigten kein G., während im Handel ein Unternehmen dieser Größenordnung als G. angesehen wird. Die wirtsch. Stärke des G. gegenüber kleineren Unternehmen liegt in der Nutzung von Rationalisierungseffekten durch Massenproduktion mit verstärktem Kapitaleinsatz, in dem stärkeren Einfluss auf die Beschaffungs- und Absatzmärkte (einschl. des Arbeits- und Kapitalmarkts) sowie in der Möglichkeit, hoch spezialisierte Fachkräfte für besondere Aufgaben einzusetzen. (→Unternehmenskonzentration)

Großvenediger, höchster Gipfel der Venedigergruppe der Hohen Tauern, Österreich, 3666 m ü.M., stark vergletschert.

Großwardein, Stadt in Rumänien, →Oradea.

Großwesir, Titel des höchsten Beamten in den islam. Staaten, bes. im Osman. Reich, wurde von der türk. Nationalversammlung 1922 abgeschafft.

Großwetterlage, die durch die mittlere Luftdruckverteilung am Boden charakterisierte Witterung über einem größeren Gebiet (etwa Europa) während eines mehrtägigen Zeitraums. Das →Wetter selbst kann während dieser Zeit wechseln, der Charakter der Witterung bleibt. Für Europa wurden 29 verschiedene G. definiert.

Grosz [grɔs], George, eigtl. Georg Ehrenfried G., Maler und Grafiker, *Berlin 26. 7. 1893, †Berlin (West) 6. 7. 1959; Mitbegründer der Berliner Dadagruppe (1918). Schuf in den 1920er-Jahren in Karikaturen und Gemälden sozialkrit. Gesellschaftssatiren; war neben O. Dix Hauptvertreter der verist. Richtung der →Neuen Sachlichkeit. Seine Porträts zeichnen sich durch psycholog. Schärfe aus; auch Illustrationen der Werke von H. Ball, B. Brecht, R. Huelsenbeck, E. Toller, H. Kesten u.a.; lebte ab 1933, in Dtl. als »entartet« verfemt und ausgebürgert (1938), in den USA (ab 1938 amerikan. Staatsbürger). Schrieb die Autobiographie »A little Yes and a big No« (1946); 1959 Rückkehr nach Berlin. BILD S. 460

📖 FISCHER, L.: *G. G. Neuausg. Reinbek 19.–21. Tsd. 1993.*

Georg Friedrich Grotefend

Grotefend, 1) Georg Friedrich, Sprachwissenschaftler, *Hann. Münden 9. 6. 1775, †Hannover 15. 12. 1853, Großvater von 2); begründete mit einer 1802 der Göttinger Ges. der Wiss. vorgelegten Abhandlung die Entzifferung der →Keilschrift.

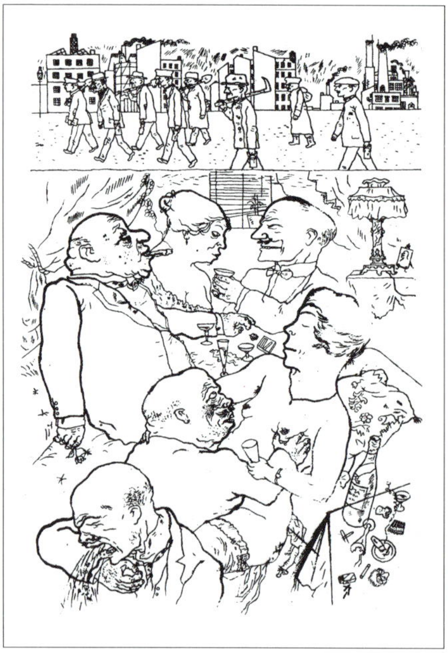

George Grosz (von oben): »Früh um 5 Uhr. Das Gesicht der herrschenden Klasse«, Federzeichnung (1921); »Stützen der Gesellschaft« (1926; Berlin, Staatliche Museen)

2) Hermann, Archivar und Historiker, *Hannover 18. 1. 1845, †Schwerin 26. 5. 1931, Enkel von 1); förderte die Entwicklung eines modernen Archivwesens und wurde durch grundlegende Beiträge zur histor. Zeitrechnung bekannt. – *Werk:* Zeitrechnung des dt. MA. und der Neuzeit (2 Bde., 1891–98).

Grọtenburg, Erhebung im Teutoburger Wald, 386 m ü. M., mit dem Hermannsdenkmal und einem vorgeschichtl. Ringwall.

grotẹsk [frz., von italien. grotta »Höhle«], willkürlich verzerrt, stark übersteigert, absonderlich übertrieben, lächerlich wirkend. (→Groteske)

Grotẹske *die,* **1)** *bildende Kunst:* Ornament mit pflanzl. Formen, Tieren und Fabelwesen, die meist auf eine durch einen Kandelaber gebildete Mittelachse bezogen sind. Raffaels Dekorationen der Loggien des Vatikan sind ein Hauptbeispiel der Verwendung der G. in der Hochrenaissance. In der dt. Renaissance wurde die G. von den Kleinmeistern viel verwendet und lebte weiter bis in den Frühbarock. Wieder aufgegriffen wurde die G. während der Gründerzeit in Dtl. (ab etwa 1870).

2) *Literatur:* Form der derbkom., drast. Darstellung, die mit bewusst karikierender Verzerrung oder satir. Übersteigerung v. a. das Paradoxe, Dämonische und Groteske herausarbeitet. Sie kann zum Mittel der Gesellschaftskritik werden. Meister der G. in der Literatur waren u. a. E. T. A. Hoffmann, C. D. Grabbe, F. Kafka, C. Morgenstern, J. Ringelnatz; E. A. Poe, N. W. Gogol, M. A. Bulgakow.

Grotẹskschriften, im 1. Drittel des 19. Jh. entstandene **Antiquablockschriften** (u. a. Gill-Grotesk, Futura, Univers) mit gleichmäßig starker Strichführung, deshalb auch **Linear-Antiqua-Schriften** genannt. Sie kennen keine →Serifen (daher auch »Sans Serif«). →Schriften.

Grọtewohl, Otto, Politiker, *Braunschweig 11. 3. 1894, †Berlin (Ost) 21. 9. 1964; Buchdrucker, seit 1920 mehrmals braunschweig. Minister, 1925–33 MdR (SPD), 1938–39 in Haft, wurde 1945 in der SBZ Vors. des Zentralausschusses der SPD. 1946 hatte er trotz einiger Vorbehalte entscheidenden Anteil am Zusammenschluss seiner Partei mit der KPD zur SED. 1946–50 war er zus. mit W. Pieck deren Vors., 1946–64 Mitgl. des Politbüros der SED, 1949–64 MinPräs. (Vors. des Ministerrats) und 1960–64 auch stellv. Vorsitzender des Staatsrats der DDR. Bild deutsche Geschichte

Grọth, Klaus, niederdt. Dichter, *Heide 24. 4. 1819, †Kiel 1. 6. 1899; urspr. Lehrer, wies u. a. durch seine Gedichtsammlung »Quickborn« (1852) in Dithmarscher Mundart, die Dorfgeschichten »Vertelln« (2 Bde., 1855–58) und die »Briefe über Hochdeutsch und Plattdeutsch« (1858) die Literaturfähigkeit der niederdt. Sprache nach.

Groteske 1): Ausschnitt aus den von Raffael entworfenen und von dessen Mitarbeiter Giovanni da Udine ausgeführten Dekorationen in den Loggien des Vatikans

Grothe, Franz, Komponist und Dirigent, *Berlin 17. 9. 1908, †Köln 12. 9. 1982; schrieb bes. Filmmusik (u.a. zu »Wir Wunderkinder«, 1958), das Musical »Das Wirtshaus im Spessart« (1977) sowie mehrere Operetten.

Grotius [niederländ. 'xro:tsiys], Hugo, eigtl. Huigh de Groot, niederländ. Rechtsgelehrter und Staatsmann, *Delft 10. 4. 1583, †Rostock 28. 8. 1645; gilt als »Vater des Völkerrechts«, weil er die Grundgedanken des klass. Völkerrechts entwickelte, die bis zum 1. Weltkrieg uneingeschränkt galten. Er wurde 1613 Ratspensionär in Rotterdam. 1618 in Zusammenhang mit dem Remonstrantenstreit (→Arminianer) zu lebenslanger Haft verurteilt, floh er nach Paris, wo er zw. 1621 und 1631 lehrte und 1625 sein Hauptwerk »De iure belli ac pacis« (dt. »Vom Recht des Krieges und des Friedens«) veröffentlichte. Bereits 1609 hatte er die Idee von der »Freiheit der Meere« in dem Werk »Mare liberum« niedergelegt. Als Gesandter Schwedens wirkte er 1635–45 in Frankreich.

Grotowski, Jerzy, poln. Regisseur, *Rzeszów 11. 8. 1933, †Pontedera 14. 1. 1999; gründete 1959 das »Theaterlaboratorium« (seit 1965 in Breslau; 1984 aufgelöst), das neue, das Körperliche betonende Erfahrungs- und Ausdrucksweisen entwickelte; G. beeinflusste damit v.a. die moderne Schauspielerausbildung.

Grottaferrata, italien. Gemeinde in Kampanien, Prov. Rom, in den Albaner Bergen, 16 400 Ew.; Weinbau. – Entstand um die über den Resten einer röm. Villa 1004 gegr. Basilianerabtei mit reicher Bibliothek (reiche Sammlung grch. Handschriften); in der Kirche Mosaiken aus roman. Zeit und Fresken von 1609/10; frühchristl. Oratorium.

Grotte [italien.] *die,* Höhle von meist geringer Tiefe; im Altertum oft Gottheiten oder Nymphen geweiht, in Renaissance und Barock oder in der Romantik meist künstlich angelegt.

Grottenolm, Schwanzlurch der Familie →Olme.

Groupe des Six [grup de'sis] (Gruppe der Six), Gruppe von sechs frz. Komponisten (D. Milhaud, A. Honegger, F. Poulenc, Germaine Tailleferre, G. Auric, L. E. Durey), die sich 1918 in Paris zusammenfanden; gemeinsam war ihnen die Ablehnung R. Wagners. Bekanntestes Gemeinschaftswerk ist das Ballett »Die Hochzeit auf dem Eiffelturm« (1921).

Groza [-z-], Petru, rumän. Politiker, *Băcia (Kr. Hunedoara) 7. 12. 1884, †Bukarest 7. 1. 1958; Rechtsanwalt, führte als MinPräs. (1945–52) einer kommunist. Regierung die Umwandlung Rumäniens in eine Volksdemokratie durch; 1952–58 Vors. des Präsidiums der Nationalversammlung (Staatsoberhaupt).

Klaus Groth: Bleistiftzeichnung (1888)

Grubenausbau, *Bergbau:* das Absichern und Offenhalten von Grubenräumen mithilfe eingebrachter Stützelemente aus Holz, Stahl, Leichtmetall, Beton, Mauerwerk oder Kombinationen davon. Der G. umfasst Verfahren zur Abstützung oder Verfestigung des den Grubenbau umgebenden Gesteins (des »Gebirges«). Die Anwendung der versch. Verfahren ist von dem Spannungszu-

Hugo Grotius: Ausschnitt aus einem Kupferstich (um 1615)

Grubenausbau (von links): ringförmiger Stahlausbau zur Sicherung eines senkrechten Schachts; bogenförmiger Stahlausbau

Edita Gruberová

Karl Gruber

stand abhängig, der sich durch die Schaffung der Grubenräume in den umgebenden Gebirgspartien entwickelt; in hartem oder zähem Gestein z. B. kann man bei wenig zerklüftetem Gebirge meist ganz auf den G. verzichten (v. a. im Erz-, Kali- und Steinsalzbergbau). In Schächten und im Normalfall auch in Hauptstrecken bzw. -querschlägen wird ein **starrer Ausbau,** z. B. mit hölzernen Bauelementen (Türstock), bogenförmigen Stahlbauelementen (Bogenausbau) oder Mauerwerk, angewendet. Da im Bereich des Abbaus stets stärkere Gebirgsbewegungen auftreten, denen ein starrer Ausbau nicht widerstehen kann, wird hier ein **formänderungsfähiger Ausbau,** z. B. mit Gelenkbögen oder hydraulisch betätigten Bauelementen, eingebracht, der während der stärksten Gebirgsdruckerscheinungen dem Druck ausweicht.

Grubenbahn, *Bergbau:* Schienenbahn in Bergwerken zum Transport von Personen und Material. Die Förderwagen werden in Zügen von Lokomotiven, durch Ketten oder Seile gezogen. Eine gleislose Technik ist die →LHD-Technik.

Grubenbewetterung (Bewetterung, Wetterführung), *Bergbau:* Gesamtheit der Einrichtungen und Maßnahmen zur planmäßigen Zufuhr von Frischluft **(Frischwetter)** zur Versorgung von Menschen und Maschinen in allen Grubenbauen, zur Verdünnung und Abfuhr **(Abwetter)** schädl. Gase (→Schlagwetter), zur Kühlung oder Erwärmung und Regelung der Feuchte der Luft (→Wetter).

Grubenbrand, *Bergbau:* meist durch Selbstentzündung von Kohle, sulfid. Erzen, Methan-Luft-Gemischen (→Schlagwetter), Kohlenstaubexplosionen u. a. entstehender Brand in Bergwerken.

Grubengas, *Chemie:* →Methan.

Grubenlampe, *Bergbau:* das →Geleucht.

Grubenottern (Lochottern, Crotalidae), Familie giftiger Schlangen mit einer paarigen Grube zw. Nasenloch und Auge als Sinnesorgan, das auf die Körperwärme der Beutetiere anspricht; z. B. →Klapperschlange, →Buschmeister, →Lanzenschlangen.

Grubenschmelz (frz. Émail champlevé), Technik der →Emailkunst.

Grubenwurm, →Hakenwürmer.

Grubenwurmkrankheit, die →Hakenwurmkrankheit.

Gruber, 1) Franz Xaver, österr. Organist, *Unterweizberg (heute zu Hochburg-Ach, Bez. Braunau am Inn) 25. 11. 1787, †Hallein 7. 6. 1863; komponierte 1818 (?) »Stille Nacht, heilige Nacht« (Text von J. Mohr).

Franz Xaver Gruber: zeitgenössischer Holzschnitt

2) Karl, österr. Politiker, *Innsbruck 3. 5. 1909, †ebd. 1. 2. 1995; Jurist, Mitgl. der ÖVP, schloss als Außenmin. (1945–53) 1946 mit Italien das **Gruber-de-Gasperi-Abkommen** (→Südtirol). 1954–57 und 1969–72 war er Botschafter in den USA, 1966–69 Staatssekretär im Bundeskanzleramt.

3) Max Ritter von (seit 1908), österr. Hygieniker, *Wien 6. 7. 1853, †Berchtesgaden 16. 9. 1927; entdeckte die →Agglutination der Bakterien durch Serum **(Gruber-Widal-Reaktion).**

Grüber, Heinrich, evang. Theologe, *Stolberg (Rhld.) 24. 6. 1891, †Berlin (West) 29. 11. 1975; leitete ab 1937 die von ihm gegr. Hilfsstelle für evang. Rassenverfolgte; deshalb 1940–43 im KZ; seit 1945 Propst in Berlin (Ost), 1949–58 Bevollmächtigter der EKD bei der Reg. der DDR.

Gruberová, Edita, österr. Sängerin (Sopran) slowak. Herkunft, *Preßburg 23. 12. 1946; seit 1970 Mitgl. der Wiener Staatsoper; trat bes. in Partien der Opern von W. A. Mozart, R. Strauss und G. Verdi hervor.

Grudziądz ['grudzjɔnts] (dt. Graudenz), Stadt in der Wwschaft Toruń (Thorn), Polen, am rechten Weichselufer, 103 700 Ew.; Landmaschinenbau, Gummi-, Schuh-, Möbel-, Tabak-, Nahrungsmittelindustrie; Weichselbrücke. – Die Stadtbefestigungen des 14. und späten 18. Jh. wurden nach starken Kriegszerstörungen z. T. rekonstruiert; barocke ehem. Jesuitenkirche mit Jesuitenkolleg, ehem. Benediktinerinnenkloster mit barocker Kirche. – G., im Schutz einer Burg des Dt. Ordens entstanden, erhielt 1291 Culm. Recht, kam 1466 an Polen, 1772 an Preußen, 1920 wieder an Polen.

Grumach, Ernst, klass. Philologe, *Tilsit 7. 11. 1902, †London 5. 10. 1967; 1949–57 Prof. an der Humboldt-Univ. Berlin (Ost); Arbeitsgebiete: kret. Schrift, antike Philosophie und Goetheforschung; Hg.: Goethe, Akademie-Ausgabe (1952 ff.); Aristoteles, Werke in dt. Übersetzung (1956 ff.).

Grumbach, Wilhelm von, fränk. Reichsritter, *Rimpar (bei Würzburg) 1. 6. 1503, †(hingerichtet) Gotha 18. 4. 1567, Schwager Florian Geyers; seine Kämpfe gegen den Würzburger Bischof Melchior von Zobel und Kurfürst August von Sachsen seit 1558 sind als **Grumbachsche Händel** bekannt. 1567 belagerte August das von G. verteidigte Gotha und ließ G. nach der Erstürmung vierteilen.

Grumbkow [-ko], Friedrich Wilhelm von, preuß. Generalfeldmarschall (seit 1737) und Politiker, *Berlin 4. 10. 1678, †ebd. 18. 3. 1739; als Vertrauter von Friedrich Wilhelm I. 1711 Mitgl. des Generalkriegskommissariats, Vizepräs. des Generaldirektoriums (1723). G. förderte die preuß. Expansion nach Westen (Jülich, Berg).

Grumiaux [gry'mjo], Arthur, belg. Violinist, *Villers-Perwin (Hennegau) 21. 3. 1921, †Brüssel 16. 10. 1986; Interpret der klass. Violinliteratur (v. a. Mozart, Beethoven, Brahms).

Grummet (Grumt, Öhmd, Emd), der getrocknete zweite Schnitt einer Wiese.

Grün, Farbempfindung, die durch Licht der Wellenlänge zw. 487 und 566 nm oder durch subtraktive Farbmischung der Grundfarben Blau und Gelb hervorgerufen wird.

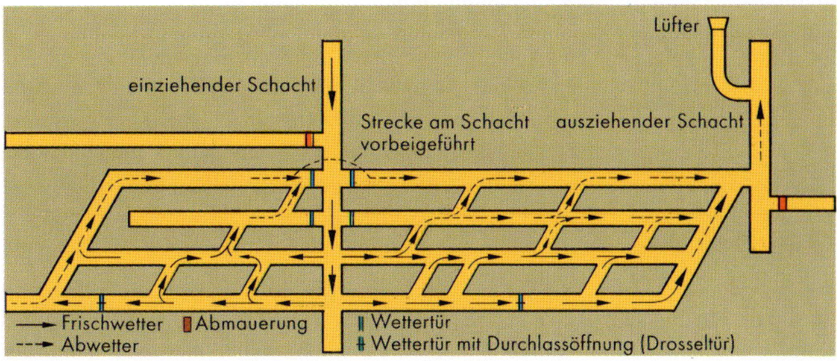

Grubenbewetterung: schematische Darstellung der Wetterwege in einer Grube; die Verteilung der Wetter wird u. a. durch Verschlussmaßnahmen (Abmauerung), Widerstandserhöhung (Wettertüren) oder Widerstandsverringerung (Zusatzventilation) geregelt

Grün, 1) Anastasius, eigtl. Anton Alexander Graf von Auersperg, österr. Schriftsteller, *Laibach (heute Ljubljana) 11. 4. 1806, †Graz 12. 9. 1876; bewirtschaftete seit 1831 seine Güter in Krain. Als Politiker vertrat er in der Frankfurter Nationalversammlung (1848) und im österr. Herrenhaus (seit 1861) die dt.-liberale Richtung. Sein lyr. Werk, bes. der Romanzenkranz um Maximilian I. »Der letzte Ritter« (1830), ist vom schwäb. Dichterkreis beeinflusst. Die anonym erschienenen »Spaziergänge eines Wiener Poeten« (1831) sind ein bed. Zeugnis der polit. Lyrik des österr. Vormärz. BILD S. 464

2) Max von der, Schriftsteller, *Bayreuth 25. 5. 1926; 1951–64 Bergmann im Ruhrgebiet, Mitbegründer der »Gruppe 61«, wurde bes. durch seine im Kohlenrevier spielenden, realist. und sozialkritisch geprägten Romane »Männer in zweifacher Nacht« (1962), »Irrlicht und Feuer« (1963) bekannt; bezog später auch unterhaltende Elemente ein (»Stellenweise Glatteis«, R., 1973, »Flächenbrand«, R., 1979); Erzählungen, Hör- und Fernsehspiele.

Grünalgen (Chlorophyceae), Klasse der Algen mit rd. 10 000 v. a. im Benthos oder Plankton des Süßwassers vorkommenden Arten. Die Grünfärbung wird durch Chlorophyll a und b in den Chloroplasten bewirkt.

Arthur Grumiaux

Max von der Grün

Friedrich Wilhelm von Grumbkow: zeitgenössischer Kupferstich

Durs Grünbein

Grünbein, Durs, Lyriker, *Dresden 9. 10. 1962. Seine Verse bestechen durch die Leichtigkeit, mit der myth. Verweise, das Vokabular der Moderne und ein gleichsam »naturgeschichtl.« Blick kombiniert werden (»Schädelbasislektion «, 1991; »Falten und Fallen«, 1994; sowie 33 Epitaphe »Den Teuren Toten«, 1994); G. erhielt 1995 den Georg-Büchner-Preis.

Grünberg, 1) Stadt im Landkreis Gießen, Hessen, im Vorderen Vogelsberg, 13 800 Ew.; Fachschulen; feinmechan. und Textilindustrie. – Landgräfliches Schloss (1578–82), Renaissancerathaus (1586–87). – Erstmals 1222 als Stadt genannt.

Grünberg 1): Das 1586/87 erbaute Renaissancerathaus

2) Grünberg in Schlesien, Stadt in Polen, →Zielona Góra.

Grünbleierz, →Pyromorphit.

Grünblindheit, Form der →Farbenfehlsichtigkeit.

Grund, 1) *allg.:* 1) Erdboden, Erdoberfläche, Boden eines Gewässers; 2) Untergrund, Hintergrund; 3) Ursache, Anlass.

2) (Malgrund) *bildende Kunst:* →Grundierung.

3) *Philosophie:* als logischer G. oder Erkenntnis-G. dasjenige Urteil, das die Gültigkeit eines anderen (die Folgerung) begründet. In ontolog. Hinsicht liegt der G. als Seins-G. (Real-G.) im Seienden selbst (→Arche); er bezeichnet den Inbegriff der Seinsbedingungen, die reale Ursache (causa) eines Geschehens oder das Motiv (psycholog. Beweggrund) einer Handlung. – Der **Satz vom zureichenden G.,** den G. W. F. Leibniz dem Satz vom Widerspruch als logisch-ontolog. Grundsatz zur Seite stellte, besagt, dass jeder Sachverhalt eine zugehörige, ermittelbare Voraussetzung besitze.

Grundanstrich, aus einem geeigneten Anstrichmittel bestehende Verbindungsschicht zw. Untergrund und späterer Anstrichschicht. Der G. kann auch als Korrosionsschutz dienen.

Grundausbildung, in der Bundeswehr der i. d. R. dreimonatige erste Abschnitt der Ausbildung des Soldaten; unterteilt in allgemein militär. (z. B. Sport, Wehrrecht, Gefechtsausbildung) und militärfachl. Ausbildung (z. B. zum Fahrer, Richtschützen).

Grund, Bad, →Bad Grund (Harz).

Grundbau, Teilgebiet des Bauingenieurwesens, das sich mit der Berechnung und Ausführung einer →Gründung und – im Zusammenhang damit – mit allen Baugrundfragen befasst. Theoret. Grundlagen sind die →Bodenmechanik sowie die Hydraulik und im Zusammenhang mit der Deponietechnik auch die Chemie und Mikrobiologie. Der Ausführung eines G.-Bauwerks gehen i. Allg. Baugrunderkundungen voraus. Die Ergebnisse werden mit erdstat. Nachweisen im **Gründungsgutachten** zusammengefasst.

Grundbegriff, *Mathematik:* Begriff, der in einem System zur Definition weiterer Begriffe benutzt wird (z. B. ein Axiom in einer axiomat. Theorie). In der traditionellen Fassung der euklid. Geometrie sind Punkt, Gerade und Ebene G. Während man bis in 19. Jh. versuchte, auch G. noch explizit zu definieren, verwendet man seit D. Hilbert undefinierte G. (implizite Definition).

Grundbesitz, im steuerl. Bewertungsrecht Oberbegriff für: 1) die wirtsch. Einheiten des land- und forstwirtsch. Vermögens (Betriebe der Land- und Forstwirtschaft), 2) die wirtsch. Einheiten des →Grundvermögens und 3) die Betriebsgrundstücke. Der G. ist Steuergegenstand der →Grundsteuer. Für den G. werden von den Finanzämtern →Einheitswerte festgesetzt.

Grundbuch, *Recht:* vom **G.-Amt** (i. d. R. das Amtsgericht) geführtes Buch (Register), in das im Interesse eines einwandfreien Rechtsverkehrs mit Grundstücken alle Beurkundungen und Tatsachen aufgenommen werden, die Rechtsverhältnisse an Grundstücken betreffen (G.-Ordnung vom 24. 3. 1897 i. d. F. v. 26. 5. 1994). Jedes Grundstück erhält im G. eine besondere Stelle **(G.-Blatt),** jedoch kann über mehrere Grundstücke desselben Eigen-

Anastasius Grün: Lithographie, 1849

tümers, die im Bezirk des gleichen G.-Amts liegen, ein gemeinschaftl. G.-Blatt geführt werden. Jedes G.-Blatt besteht aus dem Bestandsverzeichnis (→Kataster), das Angaben über das Grundstück enthält, und aus drei Abteilungen: 1) für Angaben über die Eigentumsverhältnisse, 2) für dingl. Belastungen mit Ausnahme der Grundpfandrechte und 3) für Grundpfandrechte.

Das Verfahren ist streng formalisiert. Die Einsicht in das G. ist jedem gestattet, der ein berechtigtes Interesse nachweist. Die Begründung oder Änderung dingl. Rechte an Grundstücken ist ohne Eintragung in das G. i. d. R. nicht möglich (§§ 873 ff. BGB). Eintragungen bedürfen i. d. R. eines Antrags. Anträge, die das gleiche Recht betreffen, werden in der Reihenfolge ihres Eingangs bearbeitet, wodurch Rangfolgen von Rechten entstehen, die bereits vorher durch →Vormerkung gesichert werden können. Das G. genießt öffentl. Glauben (Publizitätswirkung). Ist es unrichtig, so kann derjenige, dessen Recht nicht richtig eingetragen ist, vom fälschlich Eingetragenen Zustimmung zur Berichtigung verlangen (§ 894 BGB). – In *Österreich* gilt das Allg. G.-Gesetz vom 2. 2. 1955 sowie Sonderrecht im Burgenland, in Tirol und Vorarlberg. Das G. besteht aus Hauptbuch (mit eigener Einlage je Grundstück, bestehend aus Gutsbestands-, Eigentums- und Lastenblatt), Urkundensammlung, Mappe und Register. In der *Schweiz* gelten Art. 942–977 ZGB mit ähnl. Grundsätzen wie in Dtl.; in urbanen Gebieten ist eine Neu- und Nachvermessung im Gange.

📖 BÖHRINGER, W.: *Grundbuchrecht-Ost. Leitfaden für das Grundbuchverfahrensrecht in den neuen Bundesländern. Neuwied u. a. 1995.* – EICKMANN, D.: *Grundbuchrecht. Köln ³1995.* – LÖFFLER, H.: *G. u. Grundstücksrecht. Frankfurt am Main ⁶1996.*

Grundeigentum, das Eigentum an einem Grundstück. Es erstreckt sich auf den Raum über der Erdoberfläche und auf den Erdkörper unter der Oberfläche (§ 905 BGB). Der Grundeigentümer kann Einwirkungen nicht verbieten, die in solcher Höhe oder Tiefe vorgenommen werden, dass sie das G. nicht beeinträchtigen. Das G. unterliegt gewissen Beschränkungen, bes. aus dem Nachbarrecht, dem Baugesetzbuch, dem Landschaftsschutzrecht, dem Berg- und dem Wasserrecht, dem Grundstücksverkehrsges. (bei landwirtschaftlich genutztem G.). Zu Besonderheiten des G. in den neuen Bundesländern →Grundstück.

Grundeis, das sich auf dem Grund von Binnengewässern bildende Eis. Da es spezifisch leichter ist als Wasser, steigt es bei wachsender Masse auf. Wenn bei sehr tiefen Wintertemperaturen G. und Oberflächeneis ganz oder z. T. zusammenwachsen, kommt es zum Rückstau des nachdrängenden Wassers und oft zu Überschwemmungen.

Grundeln, Fische, →Gründlinge, →Schmerlen, →Meergrundeln.

Gründeln, Art der Nahrungssuche unter Wasser bei auf dem Wasser schwimmenden Tieren (Enten, Schwäne u. a.); dabei werden nur Oberkörper und Hals untergetaucht.

Gründelwale (Monodontidae), Familie der Zahnwale mit dem etwa 4 m langen **Weißwal** oder **Belugawal** (Delphinapterus leucas) und dem 4–5 m langen **Narwal** (Monodon monoceros), bei dem das männl. Tier im Oberkiefer einen waagerechten, 2–3 m langen, schwach gedrehten Stoßzahn (ausnahmsweise zwei) trägt.

Gründelwale: (von oben): Weißwal (Länge etwa 4 m) und Narwal (Länge 4–5 m)

Gründerjahre (Gründerzeit), i.e.S. Bez. für die Jahre vom Ende des Dt.-Frz. Krieges (1871) bis zum Beginn der großen Depression (1873), i. w. S. für die Zeit nach der Reichsgründung (etwa 1870–90). Der (bereits zeitgenöss.) Begriff veranschaulicht die Wachstumseuphorie, die im Zeichen weitgehenden Zollabbaus und der durch die frz. Kriegsentschädigung ausgelösten Geldschwemme den eigentl. Durchbruch der industriellen Revolution in Dtl. begleitete. Die rege Bautätigkeit, die sich auch in den 1890er-Jahren fortsetzte, ist dem Historismus verpflichtet.

Grunderwerbsteuer, Steuer auf den Erwerb von inländ. Grundstücken und darauf gerichtete Rechtsgeschäfte. Die Steuerpflicht wird durch Abschluss eines Kaufvertrags, hilfsweise durch die Auflassung, das Meistgebot in der Zwangsversteigerung u. a. Erwerbsvorgänge ausgelöst, nicht aber durch den Erwerb von Todes wegen. Die G. ist

Gründelwale

Der linke Zahn des männlichen Narwals entwickelt sich zu einem 2–3 m langen, schwach gedrehten Stoßzahn, der waagerecht aus dem Oberkiefer hervorragt. Mit diesem »Horn« durchwühlt der Narwal den Meeresboden, um seine Hauptnahrung, kleine Krebse, aufzustöbern. Der Narwal wird auch »Einhornwal« genannt, und man nimmt an, dass gewiefte Händler in früheren Zeiten den Fürstenhöfen immense Summen für den Erwerb von Narwalstoßzähnen abknöpften, indem sie sie als Hörner des sagenumwobenen Einhorns ausgaben.

Landessteuer, jedoch seit 1983 bundeseinheitlich geregelt (G.-Ges. vom 17. 12. 1982); der Steuersatz beträgt seit dem 1. 1. 1997 3,5% der zu erbringenden Gegenleistung. Für das Finanzamt sind beide Vertragspartner Gesamtschuldner der G. Das Aufkommen an G. betrug (1995) 6,4 Mrd. DM.

📖 Heine, K.: *G. Leitfaden für die Praxis. Freiburg im Breisgau 1996.*

Grundfarben: Prinzip der subtraktiven Farbmischung (links) aus den drei Grundfarben (rechts) für den Mehrfarbendruck Gelb, Cyan (Blau) und Magenta (Rot)

Grundfarben (Primärfarben), die in der Malerei und Drucktechnik als Ausgangsfarben einer Farbmischung verwendeten drei Farben, mit denen sich alle anderen Farben subtraktiv ermischen lassen. Die G. für den Mehrfarbendruck sind Gelb, Cyan (Blau) und Magenta (Rot).

Grundfläche, ausgezeichnete ebene Begrenzungsfläche eines Körpers, z.B. eines Kegels, Prismas oder Zylinders.

Grundgebirge (früher auch Urgebirge), allg. Bez. für ältere Gesteinskomplexe unter dem jüngeren, diskordant auflagernden **Deckgebirge;** i.d.R. aus metamorphen Gesteinen und Tiefengesteinen bestehend.

Grundgehalt, →Besoldung.

Gründgens, Gustaf, Schauspieler, Regisseur und Theaterleiter, *Düsseldorf 22. 12. 1899, †Manila 7. 10. 1963 (auf einer Reise); ⚭ 1925–28 mit Erika Mann, ⚭ 1936–46 mit Marianne Hoppe; seit 1928 in Berlin; 1934–37 Intendant, 1937–45 Generalintendant des Preuß. Staatstheaters ebd., 1947–55 Generalintendant des Düsseldorfer, 1955–63 Generalintendant des Hamburger Dt. Schauspielhauses. G. war, auch im Film, ein bed. Darsteller zwielichtiger, dämon. Charaktere (»M«, 1931; »Liebelei«, 1933; »Tanz auf dem Vulkan«, 1938; »Friedemann Bach«, 1941; »Faust«, 1960; »Das Glas Wasser«, 1960). Er schuf beispielhafte Inszenierungen u.a. des »Faust« sowie von Opern (Mozarts »Zauberflöte«, Verdis »Don Carlos«). G. schrieb »Wirklichkeit des Theaters« (1953).

📖 Goertz, H.: *G. G. mit Selbstzeugnissen u. Bilddokumenten. Reinbek 23.–24. Tsd. 1995.*

Grundgesetz, 1) (Staatsgrundgesetz) traditionell ein verfassungsrechtlich bes. bedeutsames Gesetz (keine vollständige Verfassung; z.B. das österr. Staats-G. von 1867; →Reichsgrundgesetz).

2) Abk. **GG** (G. für die Bundesrep. Dtl.), die Verf. der Bundesrep. →Deutschland. Das GG wurde auf Initiative der drei westl. Siegermächte des 2. Weltkrieges vom Parlamentarischen Rat erarbeitet, dort am 8. 5. 1949 mit 53:12 Stimmen beschlossen, am 23. 5. 1949 verkündet und trat am 24. 5. 1949 in Kraft, nachdem es von den Parlamenten der Bundesländer mit Ausnahme Bayerns gebilligt worden war. Das GG legt die staatl. Grundordnung fest, indem es die Staatsform, die Aufgaben der Verf.organe und die Rechtsstellung der Bürger regelt. Mit dem Begriff »GG« sollte vor dem Hintergrund der dt. Teilung auf den provisor. Charakter dieser Verf. für die Bundesrep. Dtl. hingewiesen werden. Im Einigungsvertrag zw. den beiden dt. Staaten (1990) wurde die Aufhebung und Änderung von Teilen des GG vereinbart, die sich durch die Wiederherstellung der Einheit Dtl. als überholt erwiesen hatten. Das GG ist in 14 Abschnitte gegliedert, denen eine Präambel vorangestellt ist. In Abschnitt I (Art. 1–19) sind die Grundrechte niedergelegt. Abschnitt II (Art. 20–37) enthält Regelungen über die Staatsform der Bundesrep. Dtl. und über das Verhältnis von Bund und Ländern. Die Verf.-Änderung vom 21. 12. 1992 hat u.a. Art. 23 und 24 neu gestaltet mit dem Ziel, die Übertragung von Hoheitsrechten auf die EU deutlicher zu legitimieren und zu begrenzen und die Mitwirkungsrechte des Bundestages und des Bundesrates als der Vertretung der Länder in der Europapolitik zu verstärken. Diese Änderung ist ebenso wie die Ermöglichung des Kommunalwahlrechts für Bürger aus den Staaten der EU (Art. 28 Abs. 1) und die Übertragung von Aufgaben auf eine europ. Zentralbank (Art. 88) im Zusammenhang mit den Verträgen von Maastricht erfolgt. Die Ab-

Gustaf Gründgens als Mephisto mit Will Quadflieg als Faust in der 1960 verfilmten »Faust I«-Inszenierung des Deutschen Schauspielhauses in Hamburg

schnitte III–VI (Art. 38–69) sind den Verf.organen Bundestag, Bundesrat, Gemeinsamer Ausschuss, Bundespräs. und Bundesreg. gewidmet. Abschnitt VII (Art. 70–82) behandelt die Zuständigkeit und das Verfahren bei der Gesetzgebung (→Gesetzgebungsverfahren) des Bundes. In den Abschnitten VIII und VIIIa (Art. 83–91b) folgen Bestimmungen über die Ausführung der Bundesgesetze, die Bundesverwaltung und die Gemeinschaftsaufgaben. Der Rechtsprechung ist Abschnitt IX (Art. 92–104) gewidmet. In Abschnitt X (Art. 104a–115) schließen sich Regelungen über das Finanzwesen, in Abschnitt Xa (Art. 115a–115l) über den Verteidigungsfall an. In Abschnitt XI (Art. 116–146) finden sich Übergangs- und Schlussbestimmungen. Das GG geht als Verf.gesetz allen anderen Rechtsnormen vor. Es kann selbst nur durch ein Gesetz geändert werden, das den Wortlaut des GG ausdrücklich ändert oder ergänzt und einer qualifizierten Mehrheit bedarf. Bestimmte elementare Verf.grundsätze dürfen auch im Wege der Verf.änderung nicht beseitigt werden (Art. 79 Abs. 3 GG).

📖 STERN, K.: *Das Staatsrecht der Bundesrep. Dtl., auf mehrere Bde. ber. München* [1–2]*1980 ff. – Das Bonner G., begr. v.* H. VON MANGOLDT, *fortgeführt v.* F. KLEIN, *auf 14 Bde. ber. München* [3]*1985 ff. – G. Kommentar, bearb. v.* T. MAUNZ *u.* G. DÜRIG, *Loseblatt-Ausg., in 4 Ordnern. München* [7]*1990 ff. – G.-Kommentar, begr. v.* I. VON MÜNCH, *hg. v.* P. KUNIG, *3 Bde. München* [3–4]*1992–95.* – KRÖGER, K.: *Einführung in die Verfassungsgeschichte der Bundesrep. Dtl. Vorgeschichte, Grundstrukturen u. Entwicklungslinien des G. München 1993.* – BADURA, P.: *Staatsrecht. Systemat. Erläuterung des G. für die Bundesrep. Dtl. München* [2]*1996. – G. Kommentar, hg. v.* M. SACHS, *bearb. v.* U. BATTIS. *München 1996.*

Grundgewebe, *Botanik:* (Parenchym) pflanzl. Dauergewebe, besteht aus lebenden, wenig differenzierten Zellen. Im G. laufen die wichtigsten Stoffwechselprozesse der Pflanze ab, außerdem gewährleistet es die Festigkeit der krautigen Pflanzenteile.

Grundhandelsgeschäft, Gewerbebetrieb, der als →Handelsgewerbe gilt, ohne dass er einer Eintragung ins Handelsregister bedarf.

Grundherrschaft, wiss. Bez. für einen Teilbereich adliger, kirchl. und königl. Herrschaft, der die europ. Agrar-, Sozial- und Verfassungsgeschichte vom Früh-MA. bis zur Bauernbefreiung des 18. und 19. Jh. entscheidend bestimmte. Die ältere G. war »Herrschaft über Land und Leute« mit der Pflicht des **Grundherrn** zu Schutz und Schirm gegenüber den **Grundholden** (meist Bauern). Diese unterstanden in unterschiedl. Abhängigkeitsverhältnissen der Gerichtsbarkeit des Grundherrn und hatten für das von ihnen bewirtschaftete Land oder auch nur für den grundherrl. Schutz

Hans Grundig: »Den Opfern des Faschismus« (1947; Dresden, Staatliche Kunstsammlungen)

Naturalabgaben bzw. Geld zu entrichten und Fronen zu leisten **(Grundlasten).** Seit dem Spät-MA. entwickelte sich die jüngere G. als »Herrschaft über Grund und Boden«. Ostmitteleurop. Ausprägung der G. war die →Gutsherrschaft.

Grundierung, 1) *bildende Kunst:* (Malgrund) auf Leinwand oder andere Bildträger aufgebrachte Beschichtung, die aus Pigmenten und Bindemitteln zusammengesetzt ist. Sie ermöglicht eine gute Haftung der Malschicht, tilgt Unebenheiten und vermag die Wirkung der Farbe zu steuern.

2) *Technik:* auf Bauelemente und Konstruktionsteile aufgetragener Grundanstrich, der v.a. zur Untergrundvorbehandlung und -verbesserung dient. Dafür werden G.-Mittel wie Korrosionsschutz-, Imprägnier- oder Absperrmittel, die eine Beeinflussung des folgenden Anstrichs durch das Untergrundmaterial verhindern, verwendet.

Grundig, 1) Hans, Grafiker und Maler, *Dresden 19. 2. 1901, †ebd. 11. 9. 1958, ⚭ mit 2); 1930 Mitbegründer der Dresdner Gruppe Asso (Assoziation revolutionärer bildender Künstler), 1940–44 im KZ Sachsenhausen interniert, 1946–48 Rektor der Hochschule für Bildende Künste in Dresden. Gestaltete sozial- und zeitkrit. Themen in einer expressiv-realist. Formensprache, deren Tiersymbolik den Faschismus entlarvt.

2) Lea, geb. Langer, Malerin und Grafikerin, *Dresden 23. 3. 1906, †ebd. 10. 10. 1977, ⚭ mit 1); ab 1930 Mitgl. der Asso in Dresden. Sie befand sich 1936 und 1938/39 in Haft und emigrierte anschließend nach Palästina. G. wurde 1950 Prof. an der Hochschule für Bildende Künste in Dresden; schuf v.a. Porträts. Sie behandelte polit. Themen und gestaltete Illustrationen zu Märchen sowie Landschaftsdarstellungen. BILD S. 468

3) Max, Unternehmer, *Nürnberg 7. 5. 1908, †Baden-Baden 8. 12. 1989; gründete 1927 in Fürth ein Rundfunkeinzelhandelsgeschäft und begann in den folgenden Jahren mit Produktion und Vertrieb von Trafos. Nach dem 2. Weltkrieg erzielte G. durch die Produktion von Radios als Selbstbaukasten (»Heinzelmann«) großen Erfolg. Hieraus entwickelte sich die größte Radiogerätefabrik Europas und G. wurde zu einem der führenden europ. Hersteller für Unterhaltungselektronik. Die Grundig Werke GmbH ging 1972 in die **Grundig AG** über, die auf ihrem Höhepunkt über 38000 Personen beschäftigte (1979) und 23 Fabriken in der Bundesrep. Dtl. und weitere Werke in Europa und Asien betrieb. Im April 1984 ging die Unternehmensführung an den niederländ. Philips-Konzern über; G. schied aus dem aktiven Management aus.

Grundkapital, Eigenkapital einer →Aktiengesellschaft.

Grundkarten, *Kartographie:* Karten und Kartenwerke, die wegen ihres Inhalts, ihrer Genauigkeit und Aktualität die Grundlage für andere Karten und Atlanten bilden oder zur Kartierung bestimmter themat. Inhalte geeignet sind. (→Karte)

Grundlagenforschung, i.e.S. die wiss. Beschäftigung mit den systemat. und methodolog. Voraussetzungen einer Wiss., bes. der Mathematik (→Formalismus, →Intuitionismus). Sie kann als krit. Untersuchung betrachtet werden. I.w.S. ist G. die auf neue Erkenntnisse gerichtete Forschung, ohne unmittelbar auf bestimmte prakt. Zwecke und Ziele hin orientiert zu sein.

Grundlasten, dauernde, vom Grundeigentümer zu tragende Lasten, einschl. der öffentl. Lasten; früher bes. auch die auf dem bäuerl. Besitz lastenden Zins-, Dienst- und Zehntverpflichtungen.

Grundlastkraftwerk, Kraftwerk hoher Leistung, das im Dauerbetrieb den Grundbedarf an Elektroenergie deckt, meist Laufwasser-, Kohlekraft- oder Kernkraftwerke; Ggs.: Spitzenlastkraftwerk.

Lea Grundig: »Arbeiterinnen« (1967; Privatbesitz)

Gründlinge (Grundeln, Gresslinge, Gobio), bis 20 cm lange Karpfenfische im Süß- und Brackwasser Eurasiens; Körper meist schlank, mit einem Paar relativ langer Oberlippenbarteln; u.a. der **Steingressling** (Gobio uranoscopus), in schnell fließenden Bächen des Donaugebietes.

Gründlinge: Steingressling (Länge bis 15 cm)

Grundlini|e, 1) *Geometrie:* (Basis) ausgezeichnete gerade Begrenzungslinie einer ebenen Figur, z.B. eines Dreiecks.

2) *Sport:* Begrenzungslinie des Spielfelds an den Schmalseiten (u.a. beim Tennis, Volleyball).

Grundlohn, tariflich festgelegtes Entgelt für die übl. Arbeitsleistung in versch. Lohnformen, unabhängig vom tatsächl. Leistungsergebnis.

Grundlsee, See im östl. Salzkammergut, Steiermark, Österreich, 709 m ü.M., 4,2 km², bis 64 m tief; entwässert durch die Traun. Am W-Ufer der Ort G. mit 1300 Ew.; Sommerfrische.

Grundmann, Herbert, Historiker, *Meerane 14.2.1902, †München 20.3.1970; wurde 1939 Prof. in Königsberg, 1944 in Münster und ab 1959 in München; war seit 1959 Präs. der Monumenta Germaniae Historica; arbeitete bes. auf dem Gebiet der Geistesgeschichte des MA. Er war auch Hg. des »Archivs für Kulturgeschichte« (1951–69) und der 8. und 9. Auflage des »Hb. der dt. Gesch.« von B. Gebhardt.

Weitere Werke: Religiöse Bewegungen im MA. (1935); Ketzergeschichte des MA. (1963); Geschichtsschreibung im MA. (1965).

Gründonnerstag, der Donnerstag vor Ostern; nach 1. Kor. 11, 23 Tag des letzten Abendmahls Jesu; vielleicht nach dem »Tag der Büßer«, eigentl. »Tag der Grünen«, benannt, d.h. derer, die durch ihre Buße wieder zu lebendigen, grünen Zweigen der Kirche werden.

Grundpfandrechte, die beschränkten dingl. Rechte →Hypothek, →Grundschuld und →Rentenschuld, die als Brief- oder Buch-G. entstehen können. Sie dienen zur Sicherung einer geldwerten Forderung und geben dem Gläubiger das Recht, sich aus dem belasteten Grundstück durch Zwangsvollstreckung zu befriedigen, wenn die Forderung nicht erfüllt wird. – Das *österr.* Recht kennt nur die Hypothek; in der *Schweiz* gibt es die Grundpfandverschreibung (entspricht der Sicherungshypothek, Art. 824 ff. ZGB), die Gült und den Schuldbrief.

Grundrechnungsarten (Grundrechenarten), Bez. für die vier Rechenarten Addition (Zusammenzählen), Subtraktion (Abziehen), Multiplikation (Malnehmen) und Division (Teilen).

Grundrechte, der Einzelperson zustehende Freiheitsrechte, die in modernen Verf. meist verbürgt sind. Teilweise handelt es sich um Rechte, die als Menschenrechte jedem Einzelnen unabhängig von staatl. Verleihung oder Anerkennung als im Kern unantastbare und unveräußerl. Rechte zustehen, teilweise sind G. Elementarrechte, deren Anerkennung und Ausgestaltung vom Willen des Verf.gebers abhängen.

In Deutschland sind die wichtigsten G. im Grundgesetz, Abschnitt I, enthalten: die Menschenwürde; die freie Entfaltung der Persönlichkeit; das Recht auf Leben und körperl. Unversehrtheit und die Freiheit der Person; der Gleichheitssatz; die Religions- einschl. der Glaubens-, Gewissens- und der Bekenntnisfreiheit; Meinungs-, Informations- und Pressefreiheit; die Versammlungsfreiheit; das Brief-, Post- und Fernmeldegeheimnis; die Freizügigkeit, die Koalitionsfreiheit einschließlich des Rechts zum Arbeitskampf u.a. Grundrechtsähnl. Verbürgungen sind auch in anderen Abschnitten enthalten, so das Widerstandsrecht, das Wahlrecht sowie die Justizgewährleistungsrechte (u.a. Anspruch auf rechtl. Gehör). Träger der G. sind natürl. Personen, jurist. Personen des Privatrechts insoweit, als sie ihrer wesensgemäß bedürfen, wobei bestimmte G. als »Menschenrechte« (z.B. die Menschenwürde) jedermann zustehen, während andere G. als »Bürgerrechte« i. Allg. nur Deutschen, im Kern jedoch auch Ausländern Schutz gewähren (z.B. Versammlungsfreiheit).

Ihrem Wesen nach sind G. Abwehrrechte des Bürgers gegen den Staat; gleichzeitig verbürgen sie aber auch das Recht auf Mitwirkung im staatl. Gemeinwesen und bilden die Grundlage für den Anspruch der G.-Träger auf Teilhabe an den staatl. Leistungssystemen im Rahmen des vernünftigerweise Möglichen.

Die G. wenden sich an alle drei Staatsgewalten und binden daher auch die gesetzgebende Gewalt. Diese darf ein G. durch Ges. grundsätzlich nur dann einschränken, wenn das G. diese Beschränkung ausdrücklich vorsieht (Gesetzesvorbehalt). In keinem Fall darf ein G. in seinem Wesensgehalt angetastet werden (Art. 19 Abs. 2). Inwieweit die Befehlswirkung der G. auch den nichtstaatl. Bereich erfasst, ist strittig; diese sog. **Drittwirkung der G.** wird überwiegend abgelehnt und nur vereinzelt, bes. im Rahmen der Koalitionsfreiheit, bejaht.

Wer bestimmte G. zum Kampf gegen die freiheitl. demokrat. Grundordnung missbraucht, verwirkt sie (Art. 18 GG). Hierüber entscheidet das Bundesverfassungsgericht. Gegen eine Verletzung der G. durch die öffentl. Gewalt kann jedermann Verf.beschwerde erheben. Außerhalb des GG finden sich G. in vielen Landesverf. Diese G. bleiben gemäß Art. 142 GG insoweit in Kraft, als sie mit dem GG übereinstimmen. G. sind u.a. auch in der Europ. Menschenrechtskonvention enthalten; sie haben jedoch keinen Verf.rang. – In *Österreich* fehlt es derzeit noch an einer umfassenden Kodifikation der G. Enthalten sind G. im Bundesverfassungs-Ges., im Staatsgrund-Ges. von 1867 und in der als österr. Verf.recht in Geltung gesetzten Europ. Menschenrechtskonvention. In der *Schweiz* sind die G. (auch **Freiheitsrechte** gen.) in der Bundesverf. und in den Kantonsverf. aufgeführt. Die Bundesverf. garantiert u.a. das Eigentum, die Handels- und Gewerbefreiheit, die Glaubens- und Gewissensfreiheit, die Kultusfreiheit, das Recht auf Ehe, die Pressefreiheit. Seit 1960 anerkennt das Bundesgericht ungeschriebene G. der Bundesverf., z.B. persönl. Freiheit, Meinungs-, Sprachen-, Versammlungsfreiheit.

Geschichte: Die G. leiten sich vom Naturrechtsgedanken der Antike, den german. Volksrechten und den Rechten der mittelalterl. Stände gegenüber der Obrigkeit her. Als Ursprung der modernen G. gelten die engl. →Magna Charta (1215), die →Petition of Right (1628), die →Habeas-Corpus-Akte (1679) und die →Bill of Rights (1689). In den USA wurden seit 1776 die G. des Einzelnen in den Verf. der Gliedstaaten und in Zusatzart. der Unionsverf. zusammengefasst. Daran lehnte sich in der Frz. Revolution die »Erklärung der Menschen- und Bürgerrechte« an (1789), das klass. Dokument der G., unter dessen Eindruck sich im 19. Jh. die verfassungsrechtliche Gewährleistung der G. in W-Europa durchsetzte. Die von der Frankfurter Nationalversammlung festgelegten »G. der Deutschen« von 1848 wurden Vorbild für die spätere dt.

Grundrechte

Alle Menschen sind von Geburt aus gleich.

Dieser Grundsatz, der als eine der Grundlagen demokratischer rechtlich-politischer Systeme angesehen werden kann, findet sich zum Beispiel in der amerikanischen Unabhängigkeitserklärung. Sie wurde von Thomas Jefferson, dem späteren dritten Präsidenten der USA, verfasst. Mit ihr sagten sich 1776 die Kolonien vom englischen Mutterland los. Bereits im ersten Satz des zweiten Absatzes heißt es: »... dass alle Menschen gleich geschaffen sind« (»... that all Men are created equal«). Auch in der französischen »Déclaration des droits de l'homme et du citoyen« (»Erklärung der Menschen- und Bürgerrechte«) aus dem Revolutionsjahr 1789 steht im Artikel 1: »Die Menschen werden frei und gleich an Rechten geboren und bleiben es« (»Les hommes naissent et demeurent libres et égaux en droits«).

Rechtsentwicklung. Die Weimarer Reichsverf. von 1919 behandelte sie im 2. Hauptteil. 1933 wurden die wichtigsten G. außer Kraft gesetzt.

📖 *Die Entwicklung der Menschen- u. Bürgerrechte von 1776 bis zur Gegenwart, hg. v.* G. COMMICHAU. *Göttingen* ⁵*1985.* – RENGELING, H.-W.: *Grundrechtsschutz in der Europ. Gemeinschaft. München 1992.* – *Staatsrecht, 3 Bde. Heidelberg* ⁶⁻¹²*1996–97.*

Grundrente, 1) (Bodenrente) auf dem Eigentum an Grund und Boden beruhendes Einkommen, das über die Verzinsung des Kaufpreises des Bodens hinaus erzielt wird; kann Rente des land- und forstwirtsch. genutzten Bodens, des Bergwerksbodens und des Baugrunds sein. Die theoret. Erklärung der G. als **Differenzialrente** stammt von D. Ricardo und J. H. von Thünen. Es werden folgende G. Arten unterschieden: **Bonitätsrente** (auf unterschiedl. Fruchtbarkeit des Bodens beruhend), **Intensitätsrente** (auf unterschiedl. Intensität der Bebauung beruhend), **Lagerrente** (auf unterschiedl. Marktferne basierend).

2) → Kriegsopferversorgung.

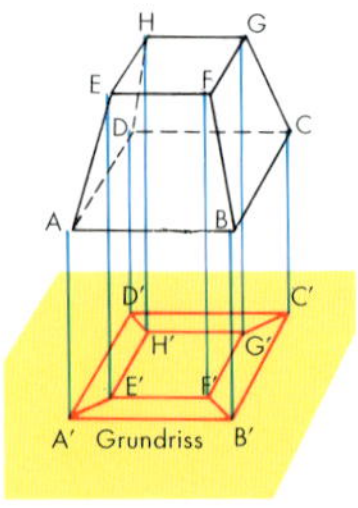

Grundriss (rote Linien) eines Pyramidenstumpfs (schwarze Linien)

Grundriss, das Bild eines Gegenstandes bei seiner senkrechten → Projektion auf eine waagerechte Ebene.

Grundschrift, *graf. Technik:* im »gemischten Satz« die Schrift, aus der der größte Teil des Textes gesetzt ist, im Unterschied zu den Neben- und Auszeichnungsschriften.

Grundschuld, ein Grundpfandrecht, das den Berechtigten befugt, aus dem Grundstück eine bestimmte Geldsumme zu fordern (§ 1191 BGB). Im Unterschied zur Hypothek ist die Wirksamkeit der G. von einer bestimmten Forderung nicht abhängig, also nicht akzessorisch. Die G. entsteht durch Einigung und Eintragung ins Grundbuch. Sie kann als **Brief-G.** oder als **Buch-G.** (Erteilung eines G.-Briefs ausgeschlossen) bestellt werden. Fallen Gläubiger- und Schuldnerstellung zusammen (bes., wenn der G.-Gläubiger keine Befriedigung mehr verlangen kann oder der Eigentümer für sich selbst eine G. bestellt hat), so entsteht eine **Eigentümer-G.** Häufigster Fall der G. ist die **Sicherungs-G.,** die zur Sicherung einer bestehenden Forderung bestellt wird (allerdings auch hier keine Akzessorietät). Die G. erlischt durch Aufhebung oder Befriedigung aus dem Grundstück.

Grundschule, gemeinsame Pflichtschule für alle Kinder ab vollendetem 6. Lebensjahr (vorzeitige Einschulung oder Rückstellung ist möglich), eingeführt 1920 (Art. 146 der Weimarer Verf.). Die G. gliedert sich in die Eingangsstufe (Klasse 1 und 2) sowie in die Grundstufe (Klasse 3 und 4). Der Übergang in die weiterführenden Schulen folgt teils nach dem 4. Schuljahr, teils nach dem Besuch einer Orientierungsstufe (Klasse 5 und 6). Die Gesamtschule beginnt nach dem 4. Schuljahr mit differenzierten Leistungskursen. – In *Österreich* bilden die Klassen 1–4 der Volksschule den Unterbau für alle weiterführenden Schulen; in der *Schweiz* umfasst die Primarstufe je nach Kanton 4 oder 6 Schuljahre.

grundständig, *Botanik:* am Sprossgrund entspringend (Blatt).

Grundsteuer, Gemeindesteuer auf den Grundbesitz (bebaute und unbebaute Grundstücke, Eigentumswohnungen). Die **G. A** wird auf Betriebe der Land- und Forstwirtschaft erhoben, die **G. B** auf den nicht landwirtsch. genutzten Grundbesitz. Steuerbefreit ist Grundbesitz der öffentl. Hand, von Religionsgemeinschaften und Grundbesitz, der mildtätigen oder gemeinnützigen Zwecken dient. Nach dem G.-Ges. vom 7. 8. 1973 ist die G. bundeseinheitlich geregelt. Die Berechnung erfolgt durch den **Steuermessbetrag,** der durch Anwendung eines Tausendsatzes **(Steuermesszahl)** auf den Einheitswert entsteht. Die Steuermesszahl liegt zw. 2,6 und 6,0. Die Gemeinde bestimmt, mit welchem Prozentsatz auf den Steuermessbetrag **(Hebesatz)** die G. erhoben wird. Das Aufkommen betrug (1995) 614 Mio. DM (G. A) und 13 100 Mio. DM (G. B). – In *Österreich* entspricht die G. weitgehend dem dt. System. In der *Schweiz* wird in zahlreichen Kantonen eine G. (Liegenschaftssteuer) erhoben, die teils den Kantonen, teils den Gemeinden zufließt.

Grundstimme, *Musik:* 1) die Bassstimme; 2) die Hauptstimme der Orgel im Unterschied zu den Hilfsstimmen und Mixturen.

Grundstoffe, 1) *Naturwissenschaften:* die → chemischen Elemente.

2) *Technik:* wichtige natürliche Rohstoffe (z. B. Stein- und Braunkohle, Erdgas, Mineralöle, Eisen- und Nichteisenerze, Kalisalze) und die aus ihnen hergestellten Rohmaterialien (z. B. Koks, Stadtgas, Teerprodukte, Eisen und Stahl, Zement), die die Ausgangsbasis für die weiterverarbeitende Industrie bilden.

Grundstück (Immobilie), **1)** im Sinne des BGB und der Grundbuchordnung ein (bebauter oder unbebauter) räumlich abgegrenzter Teil der Erdoberfläche, der im Bestandsverzeichnis eines Grundbuchblattes unter einer besonderen Nummer gebucht ist, ohne Rücksicht auf die Art seiner Nutzung. Gebäude sind wesentl. Bestandteil eines G. und können nach § 93 BGB nicht Gegenstand besonderer Rechte sein (Ausnahme Wohnungseigentum). In der DDR bildete sich ein vom G. abgesondertes Gebäudeeigentum heraus, das fortgeführt wird (Art. 233, §§ 3, 4, 8 EGBGB).

2) in den Bau- und Bodengesetzen die eine wirtsch. Einheit bildenden Bodenflächen (G. im wirtsch. Sinn, z. T. bestehend aus mehreren G. im Rechtssinn).

grundstücksgleiche Rechte, dingl. Rechte an Grundstücken, die rechtlich wie Grundstücke behandelt werden, z.B. Erbbaurecht, Wohnungseigentum.

Grundstückskaufvertrag, Kaufvertrag, durch den die Verpflichtung zur Übertragung des Eigentums an einem Grundstück begründet wird. Der gesamte Vertrag mit allen Nebenabreden bedarf einer notariellen Beurkundung (§313 BGB) und in den neuen Bundesländern der Genehmigung durch das Landratsamt bzw. die Stadtverwaltung. Ein G., durch den die Parteien vorsätzlich einen niedrigeren Kaufpreis als tatsächlich gezahlt beurkunden lassen, ist nichtig.

Grundstücksrechte, dingl. Rechte an einem Grundstück. Arten: 1) Grundeigentum; 2) grundstücksgleiche Rechte; 3) beschränkte dingliche Rechte, nämlich Dienstbarkeiten sowie Grundstücksverwertungsrechte (Grundpfandrechte), Grundstückserwerbsrechte (dingl. Vorkaufsrecht).

Grundstücksverkehr, im Sinne des Grundstücksverkehrs-Ges. vom 28. 7. 1961 die Veräußerung land- oder forstwirtsch. Grundstücke. Sie bedarf im Interesse einer gesunden Agrarstruktur der Genehmigung der nach Landesrecht zuständigen Landwirtschaftsbehörde, die nur unter engen Voraussetzungen versagt werden kann.

Grundstückswert, steuerrechtl. Begriff für den Wert eines Grundstücks im Sinne des Bewertungs-Ges. (→Einheitswert). Was die Ermittlung von Verkehrswerten von Grundstücken betrifft, kann gemäß §§ 192 ff. Baugesetzbuch durch einen selbstständigen Gutachterausschuss auf Antrag des Eigentümers und anderer Berechtigter (auch ernsthafter Kaufinteressenten) ein kostenpflichtiges Gutachten erstellt werden. Die Gutachten dienen der Erstellung von Kaufpreissammlungen, aus denen sich für ein Gemeindegebiet durchschnittliche Lagewerte (Richtwerte) ergeben. Der zu ermittelnde Verkehrswert wird durch den Preis bestimmt, der nach Sach- und Rechtslage zu erzielen wäre.

Grundstückszusammenlegung, *Grundbuchrecht:* die Zusammenlegung mehrerer selbstständiger Grundstücke; diese können als ein Grundstück ins Grundbuch eingetragen **(Vereinigung)** oder das eine Grundstück kann dem anderen zugeschrieben werden **(Zuschreibung).**

Grundstufe, 1) *Schulwesen:* die 3. und 4. Klasse der →Grundschule.

2) *Sprachwissenschaft:* der →Positiv.

Grundton, der Ton, auf dem eine Tonleiter oder ein Akkord aufgebaut ist. Der G. liegt in der Akkordgrundstellung im Bass, bei Umkehrungen in anderen Stimmen.

Grundtvig ['grondvi], Nikolaj Frederik Severin, dän. Theologe, Historiker, Pädagoge und Schriftsteller, *Udby (auf Seeland) 8. 9. 1783, †Kopenhagen 2. 9. 1872; Bischof von Seeland; bemühte sich um religiöse und nat. Erneuerung und strebte eine freie dän. Volkskirche an **(Grundtvigianismus);** gründete 1844 die erste dän. Volkshochschule; war literarisch vielfältig tätig (Predigten, geistl. Lieder, Übersetzungen von Beowulf und Snorri Sturluson).

Nikolaj Frederik Severin Grundtvig

Grundumsatz, *Medizin:* der Energieumsatz bei Muskelruhe und Nüchternheit; er kann aus der Sauerstoffaufnahme und Kohlendioxidabgabe bei der Atmung errechnet werden.

Gründung, 1) *Bauwesen:* (Fundament) Unterbau eines Bauwerks, der dessen gesamte Lasten in den Baugrund überträgt. Die G. wird nach den Lehren des →Grundbaus so ausgebildet, dass das Bauwerk keinen Schaden durch zu große **Setzungen** (lotrechte, abwärts gerichtete Bewegungen infolge Verdichtung durch Eigengewicht) und Bodenpressung, durch **Grundbruch** (Versinken der G. unter seitl. Verdrängen des Bodens), Gleiten oder Kippen erleidet. Es ist bes. darauf zu achten, dass die G. bis in tragfähige und frostsichere Schichten reicht. Der Baugrund wird als tragfähig bezeichnet, wenn bei wirtschaftlich vertretbaren Abmessungen des G.-Körpers die zulässigen Setzungen des Baugrunds nicht überschritten werden und eine ausreichende Sicherheit gegen Grundbruch besteht. Bei dynamisch beanspruchten Bauwerken, in Erdbeben- und Bergbausenkungsgebieten sowie auf unsicheren Böden (z.B. Moore, Permafrostböden) sind besondere G. notwendig (z.B. Pilz-, Paraboloid-, Schachtelfundamente).

Eine **Flach-G.** wird gewählt, wenn sich ein tragfähiger Untergrund in Oberflächennähe befindet. Diese kann aus Streifenfundamenten (z.B. unter Wänden), aus Einzelfundamenten (z.B. unter Stützen) oder in Form von Flächen-G. aus einer Platte (z.B. Grundwasserwanne) bestehen. – **Tief-G.** werden ausgeführt, wenn der tragfähige Untergrund erst in größerer Tiefe vorliegt. Hierbei werden die Kräfte außer durch die Sohlfläche auch an den Seitenflächen des G.-Körpers in den Baugrund eingeleitet. Zu den wichtigsten Konstruktionen der Tief-G. gehören Pfähle (meist aus Stahl oder Stahlbeton), Brunnen, Schlitzwände oder Senkkästen (Caissons, →Druckluftgründung) bei sehr großen Kräften, z.B. Brückenpfeilern.

2) *Wirtschaft:* rechtl., finanzielle und organisator. Errichtung eines Unternehmens entsprechend der für die einzelnen Unternehmungsformen geltenden Vorschriften.

Gründüngung, Düngungsart in Landwirtschaft und Gartenbau, bei der bevorzugt Stickstoff bindende Pflanzenarten (z.B. Lupine oder Wicke) zur Verbesserung der Bodenfruchtbarkeit angebaut und untergepflügt werden.

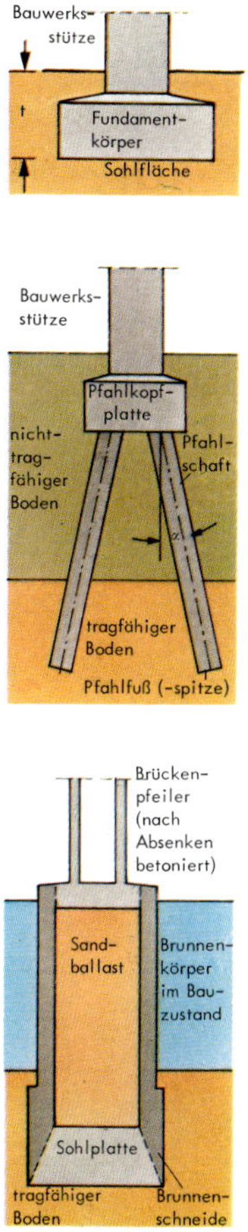

Gründung 1): von oben: Flachgründung, Tiefgründung mittels Pfählen, Tiefgründung im Wasser mittels Brunnen; t Gründungstiefe, α Pfahlneigung

Grundurteil, *Prozessrecht:* ein Zwischenurteil, das in einem Rechtsstreit ergehen kann, in dem der eingeklagte Anspruch sowohl seinem Grund (besteht überhaupt ein Anspruch?) als auch seinem Betrag nach (wenn ja, wieviel?) streitig ist. Das Gericht entscheidet im G. vorab nur über den Grund (u. a. §304 ZPO). Das G. ist mit Rechtsmitteln selbstständig anfechtbar.

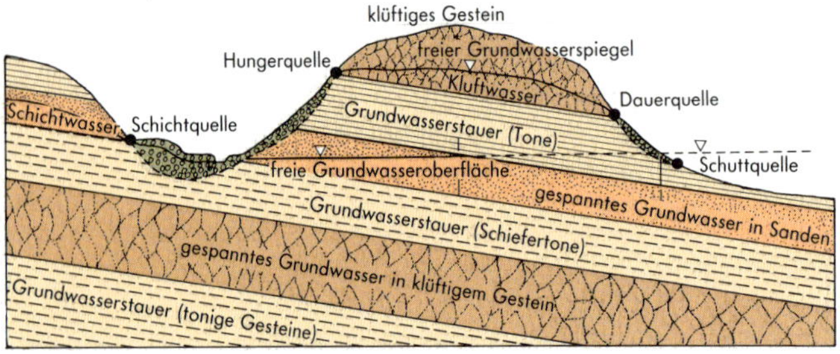

Grundwasser: schematische Darstellung der Grundwasservorkommen und Quellen

Grundvermögen, eine der Vermögensarten, die durch Einheitsbewertung u. a. für die Grundsteuer festzustellen sind. Zum G. gehören, soweit es sich nicht um land- und forstwirtsch. Vermögen oder um Betriebsgrundstücke handelt: der Grund und Boden, Gebäude, sonstige Bestandteile und das Zubehör, das Erbbaurecht sowie das Wohnungseigentum und verwandte Rechte.

Grundvertrag (Grundlagenvertrag), der Vertrag vom 21. 12. 1972 über die Grundlagen der Beziehungen zw. der Bundesrep. Dtl. und der DDR, in Kraft getreten am 21. 6. 1973; er sollte gutnachbarl. Beziehungen auf der Grundlage der Gleichberechtigung dienen. Beide Staaten erklärten einen gegenseitigen Gewaltverzicht und verpflichteten sich, Sicherheit und Zusammenarbeit in Europa sowie eine internat. Rüstungsbegrenzung und Abrüstung zu fördern. Sie bekräftigten die Unverletzlichkeit der zw. ihnen bestehenden Grenze und die uneingeschränkte Achtung ihrer territorialen Integrität. Sie versicherten ihre Bereitschaft, prakt. und humanitäre Fragen zu regeln (z. B. Verbesserung des Post- und Fernmeldeverkehrs, Schaffung von Reiseerleichterungen, Familienzusammenführung) und vereinbarten den Austausch →ständiger Vertretungen. In einem »Brief zur deutschen Einheit« an die Regierung der DDR traf die Bundesrep. Dtl. die Feststellung, dass der Vertrag nicht im Widerspruch stehe zu dem polit. Ziel der Bundesrep. Dtl., auf einen Zustand des Friedens in Europa hinzuwirken, in dem das dt. Volk in freier Selbstbestimmung seine Einheit wiedererlangt.

Grundwasser, Wasser, das durch Versickerung der Niederschläge oder aus Seen und Flüssen in den Erdboden eingedrungen ist; macht mengenmäßig den größten Teil des unterird. Wasservorkommens aus; es füllt die Hohlräume der lockeren Erde und des porösen und klüftigen Gesteins, also Klüfte, Spalten, Haarrisse, Poren, Zwischenräume in Lockergesteinen (z. B. Sand und Kies) oberhalb einer wasserundurchlässigen Schicht **(G.-Stauer),** zusammenhängend aus. Unterird. Teilstücke von sonst oberirdisch fließenden Flüssen, also v. a. Karstflüsse, werden nicht zum G. gerechnet. Lagern mehrfach durchlässige und undurchlässige Schichten übereinander, können sich mehrere **G.-Stockwerke** ausbilden, die von oben nach unten gezählt werden.

Als **G.-Oberfläche** (bei Brunnen spricht man von **G.-Spiegel**) wird die obere Grenzfläche des G. bezeichnet, die Grenze zwischen lufthaltigem und wassergesättigtem Erdboden. Der G.spiegel liegt bei stehendem G. waagerecht, bei fließendem G. ist er in Fließrichtung geneigt. Je nach Beschaffenheit des **G.-Trägers** fließt das G. mit unterschiedl. Geschwindigkeit; diese beträgt im feinen Dünensand nur 4–5 m pro Jahr, in groben Sanden aber 1–3 m pro Tag, in Kiesen 3–10 m und in Schottern bis zu 15 m pro Tag. Das G. tritt am oberen Rand der stauenden Schichten in Quellen wieder zutage, und zwar dort, wo diese Schichten die Erdoberfläche erreichen. Eine besondere Art ist das unter Druck stehende **gespannte G.,** das in artes. Brunnen zutage tritt.

Das G. ist für den Wasserbedarf der Pflanzen wichtig, heute aber auch in zunehmendem Maße für die Trinkwasserversorgung. In diesem Zusammenhang ist das **fossile G.** zu erwähnen. Hierbei handelt es sich um G., das sich in früheren erdgeschichtl. Perioden im Erdboden angesammelt hat und seitdem dort unverändert lagert.

Zu **G.-Absenkungen** kommt es durch Bergbau, Flussregulierung und Grundwasserförderung.

📖 Osterkamp, G.: *Altlasten u. G. Berlin 1991.* – Hölting, B.: *Hydrogeologie. Stuttgart* ^{5}*1995.* – *Grundwasserschutz u. Grundwasserschadensfälle, hg. v.* H. Pfaff-Schley. *Berlin u. a. 1995.*

Grundwasseranreicherung, indirekte Infiltration von Oberflächenwasser zur Stabilisierung oder Vermehrung des unterird. Wasserhaushalts sowie der Verbesserung der Wassergüte durch komplexe Einwirkung des Untergrundes.

Grundwehrdienst, →Wehrpflicht.

Grundzahl, *Mathematik:* 1) gleichbedeutend mit natürl. Zahl; 2) die Basis einer →Potenz, eines →Logarithmus, auch eines Zahlensystems, z. B. ist 2 die G. (Basis) des Dualsystems.

Grundzustand, Zustand geringster Energie eines quantenmechan. Systems, z. B. eines Atoms, Moleküls oder Atomkerns. Ggs.: angeregter Zustand (→Anregung).

Grüne, Bez. für polit. Gruppen, die die Ökologie in den Mittelpunkt ihrer Zielsetzungen stellen und – in Verbindung mit anderen Bewegungen, v.a. der Alternativ-, Frauen- und Friedensbewegung – eine grundlegende Umgestaltung der Ind.gesellschaft anstreben. Ihre unterschiedl., oft auch gegensätzl. Vorstellungen sind auf das Fernziel einer ökologisch und sozial verpflichteten Wirtschafts- und Gesellschaftsordnung ausgerichtet, die zugleich Partizipation und Selbstverwirklichung des Einzelnen gewährleisten soll. Grüne Organisationen und Parteien (u.a. Die →Grünen, Grüne Partei der Schweiz, in Österreich die Grüne Alternative) bildeten sich bes. in den europ. Ind.staaten aus Bürgerinitiativen im Zuge der Auseinandersetzungen um Umweltprobleme, die z.B. durch Verkehr, wirtsch. und militär. Anlagen, Energieerzeugung (v.a. aus Kernenergie) sowie bestimmte industrielle und landwirtsch. Produktionsmethoden entstehen.

Grüne Front, wirtschaftspolit. Bündnis u.a. zw. »Reichslandbund« und »Vereinigung der dt. Bauernvereine« (1929), umfasste bis 1933 die meisten berufsständ. Organisationen der Landwirtschaft. Die G.F. nahm Einfluss auf die Agrarpolitik (u.a. Forderung nach höheren Agrarzöllen); ging 1933 im →Reichsnährstand auf.

Grünen, Die, 1980–93 bestehende polit. Partei; hervorgegangen aus versch. regionalen Gruppen (»grüne Listen«) sowie der »Grünen Aktion Zukunft«; bekennt sich zu den Grundwerten »ökologisch – sozial – basisdemokratisch – gewaltfrei«. 1983–90 war sie im Bundestag vertreten. – Im Zuge der gewaltfreien Revolution 1989/90 entstand auch in der DDR eine **Grüne Partei,** die nach der Volkskammerwahl vom 18. 3. 1990 mit den Bürgerbewegungen das **Bündnis 90/Grüne** bildete und in dieser Verbindung nach dem 2. 12. 1990 in den ersten gesamtdt. Bundestag einzog (zus. 8 Abg.). 1990–91 schlossen sich ostdt. Landesverbände den G. an. Nach dem »Assoziierungsvertrag« vom Nov. 1992 erfolgte im Mai 1993 der Zusammenschluss von →Bündnis 90 und G. zu einer neuen polit. Partei (→Bündnis 90/Die Grünen).

📖 KLEINERT, H.: *Aufstieg und Fall der G. (1992).*

Gruner + Jahr AG & Co. (Druck- und Verlagshaus G. + J. AG & Co.), Abk. G. + J., in den Bereichen Zeitschriften und Zeitungen sowie Druckereien tätiger Unternehmensbereich der Bertelsmann AG (Mehrheitsbeteiligung seit 1973), Sitz: Hamburg/Itzehoe, gegr. 1965 durch Fusion der Verlage von Richard Gruner, John Jahr und G. Bucerius, seit 1972 AG. Bei G.+J. AG erscheinen u.a. die Ztschr. »stern«, »Brigitte«, »TV Today«, »Sandra«, Frau im Spiegel», »Eltern«, »Schöner Wohnen«, »Capital«, »Geo«, »Family Circle«, »McCalls«, »Femme Actuelle«, »Tele Loisirs« sowie u. a. die »Sächs. Zeitung« und die »Berliner Zeitung«.

grüner Star, das →Glaukom.

Grünes Gewölbe, eine der bedeutendsten Schatzkammern Europas (v.a. Goldschmiedearbeiten und Kleinplastiken), aus dem ehem. kurfürstlich sächs. Besitz, heute zu den Staatl. Kunstsammlungen Dresdens gehörend.

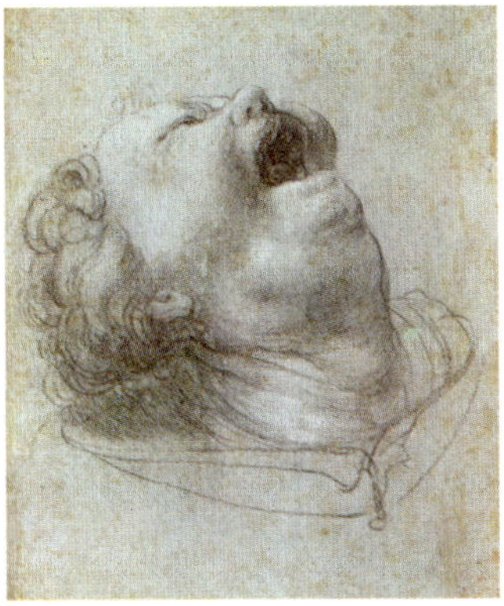

Matthias Grünewald: »Kopf eines Schreienden«, Kreidezeichnung mit Weißhöhung (um 1520; Berlin, Staatliche Museen)

Grünewald, Matthias (Mathis, Mathäus), vielleicht identisch mit Mathis Gothart, gen. Nithart (Neithard), Maler, Baumeister, Wasserbautechniker, *um 1470/80, †nach 1529 (letzte – umstrittene – Signatur). In den letzten Jahren wurden neue Hypothesen über die Identität des Malers aufgestellt. Stilkritisch gesichert ist die Begegnung mit Dürer, der italien. Renaissance und der niederländ. Kunst. Andererseits zeigt das Werk tiefe Verwurzelung in der mittelalterl. Welt, u.a. sind Einflüsse der Visionen der Mystikerin Birgitta nachweisbar (die gekrönte Maria des Isenheimer

Matthias Grünewald: »Heiliger«, Kreidezeichnung (undatiert; Wien, Albertina)

Altars). Der Bildraum ist von visionärem Licht erfüllt, mit dem sich eine leuchtende Farbigkeit verbindet. Die Gestalten sind in ihrer vollen Plastizität erfasst, Darstellungen des Leidens sind bis zum Naturalismus geführt. Zu den frühen Werken gehört die wahrscheinlich 1504 begonnene Verspottung Christi (München, Alte Pinakothek). Die Tafeln zum Frankfurter Heller-Altar dürften um 1510/11 entstanden sein (z.T. Frankfurt am Main, Städelsches Kunstinstitut; z.T. Donaueschingen, Gemäldegalerie). Zw. 1512 und 1515 darf G. im Antoniterkloster in Isenheim, Elsass, vermutet werden, wo sein Hauptwerk, der Isenheimer Altar (heute Colmar, Musée d'Unterlinden), entstand. Der Aschaffenburger Rahmen der Altartafel »Das Schneewunder« in Freiburg im Breisgau (Augustinermuseum) ist 1519 datiert, die Tafel war Teil eines Altars, zu dem als Mittelteil die »Stuppacher Madonna« (Stuppach, kath. Pfarrkirche) in Betracht kommt. Um 1520–23 entstand die Erasmus-Mauritius-Tafel (München, Alte Pinakothek). Zum Spätwerk zählen die beiden Tafeln mit der Kreuztragung und der Kreuzigung Christi (Karlsruhe, Staatl. Kunsthalle), die Beweinung Christi (Aschaffenburg, Stiftskirche) und die Hl. Katharina (Cleveland Museum of Art), vermutlich Teil eines verschollenen Marienaltars für den Mainzer Dom (1974 erworben). Nur wenige Zeichnungen sind erhalten. Es wird angenommen, dass G. auch Bildhauer gewesen ist.

📖 Reichenauer, B.: *G. Thaur u.a. 1992.* – Fraenger, W.: *Matthias G. Dresden u.a. [4]1995.* – Marquard, R.: *M. G. u. der Isenheimer Altar. Erläuterungen, Erwägungen, Deutungen. Stuttgart 1996.*

grüne Welle, Zentralschaltung (Gruppensteuerung) aufeinander folgender Verkehrsampeln eines Hauptstraßenzuges derart, dass sie den Fahrzeugen bei Einhaltung einer bestimmten Fahrgeschwindigkeit ein Durchfahren ohne Halt gestatten.

Matthias Grünewald: Der zwischen 1512 und 1516 für das Antoniterkloster in Isenheim im Elsass geschaffene Wandelaltar befindet sich heute in Colmar im Musée d'Unterlinden

Grüne Woche, jährlich in Berlin stattfindende Landwirtschaftsausstellung.

Grünfäule, 1) durch schädl. Pilze hervorgerufene grünfarbige Holzzersetzung.

2) Obstfäulnis durch Pilze.

Grüninger (Grieninger), Johannes, eigtl. J. Reynardi, Buchdrucker, *Markgröningen um 1455, †Straßburg um 1532; 1483–1531 in Straßburg tätig; verlegte bes. illustrierte Werke mit malerisch gearbeiteten Holzschnitten, wobei durch dichte Schraffuren eine dem Kupferstich ähnl. Wirkung erzielt wird (Vergilausgabe, 1502).

Grünkern, →Dinkel.

Grünknochen, Fisch, →Hornhechte.

Grünkohl, ein →Blätterkohl.

Grünland, das dauernd (Dauer-G.) oder mehrere Jahre hindurch (Wechsel-G.) als Wiese oder Weide genutzte Land; im Unterschied zum Ackerland. Ein geregelter Wasserhaushalt ist Voraussetzung für gutes Wachstum. Bes. geeignet ist das Küstenklima; natürl. Voraussetzungen bieten Flussniederungen, auch in trockenen Gebieten, wegen des hohen Grundwasserstands und das Höhenklima in Mittelgebirgslagen bis zur Vegetationsgrenze in höheren Gebirgen (Almwirtschaft). Die Pflanzen des G. bilden drei Hauptgruppen: Futtergräser, Kleearten, Kräuter (Bärenklau, Löwenzahn, Wiesenknopf u.a.). – Die frühere scharfe Abgrenzung zw. Wiesen- und Weidenutzung wird immer mehr zugunsten einer wechselnden Nutzung, die der Verbesserung der Grasnarbe und der Ertragserhöhung zugute kommt, aufgegeben. Das G. wird am besten durch einen geregelten Wechsel zw. Mähen und Beweiden (Mähweide) genutzt. Gleichmäßiges Abweiden wird durch Einteilen der Flächen in Koppeln erreicht.

Grünlilie (Chlorophytum comosum), graslilienartige Staude aus dem südl. Afrika mit langstängligen weißen Blütenähren, an denen junge Pflänzchen mit Luftwurzeln treiben.

Grünling, 1) *Botanik:* (Grünreizker) Speisepilz, →Ritterling.

2) *Zoologie:* (Grünfink, Carduelis chloris) grüngelber sperlingsgroßer Finkenvogel mit kräftigem Schnabel. BILD S. 476

Grünschiefer, schwach metamorphe Gesteine, die durch ihre Hauptbestandteile, v.a. Chlorit und Epidot, grün gefärbt sind; feinkörnig mit schiefrigem Gefüge.

Grünspan, grünes bis blaues, giftiges Gemenge von bas. Kupfer(II)-acetaten, das bei der Einwirkung von Essigsäure auf Kupfer entsteht. G. wird oft mit Patina verwechselt.

Grünstadt, Stadt im Landkreis Bad Dürkheim, Rheinl.-Pf., an der nördl. Haardt, 13 300 Ew.; Herstellung von Ton- und Schamottewaren, Druckind., Wellpappen-, Konservenfabrik; Weinbau. – Viele der zahlreichen Barockbauten wurden nach schweren Kriegszerstörungen wieder aufgebaut. – 1556 erhielt G. Marktrechte.

Grunzochse, Art der Rinder, der →Yak.

Gruppe, 1) *Chemie:* a) Bestandteil eines Moleküls, z.B. die funktionelle G.; b) →Periodensystem.

2) *Mathematik:* eine Menge von Elementen, für die eine Verknüpfung definiert ist, sodass jedem geordneten Paar von Elementen eindeutig ein 3. Element der G. zugeordnet ist. Bezüglich der Verknüpfung muss das →Assoziativgesetz gelten; in der G. muss ein neutrales Element (Einselement) und zu jedem Element ein inverses Element existieren. Erfüllt die G. außerdem das →Kommutativgesetz, so heißt sie **kommutative** oder **abelsche G.** Eine G. mit 6 Elementen **(endl. G.)** bilden z.B. die Permutationen (Vertauschungen) von 3 Elementen, eine G. mit unendlich vielen Elementen **(unendl. G.)** die durch Zusammenzählen verknüpften ganzen Zahlen $a = 0, \pm 1, \pm 2, \pm 3, \ldots$; hierbei ist die Null das neutrale Element, $-a$ das zu a inverse Element. Die **G.-Theorie** findet vielseitige Anwendungen in Algebra, Geometrie, Kristallographie, Quanten-, Elementarteilchen-, Relativitätstheorie u.a. Die G. als Grundtyp einer abstrakten algebraischen Struktur wurde erstmalig von L. Kronecker formuliert (1882).

3) *Militärwesen:* 1) aus 8–12 Mann bestehende Teileinheit unter Führung eines G.-Führers (meist Unteroffizier ohne Portepee); 2–4 G. bilden einen Zug; 2) dem Bataillon vergleichbarer Truppenverband der Luftwaffe, Teil eines →Geschwaders.

4) *Soziologie:* eine Mehrzahl von Menschen, die durch soziale Kontakte (gemeinsame Wertorientierungen, Interessen, Ziele u.Ä.) zeitlich relativ beständig miteinander verbunden sind, sodass sie eine soziale Einheit bilden. Jedes Mitgl. der G. besitzt eine mehr oder minder eindeutig abgegrenzte Stellung und Aufgabe innerhalb der G., es ist in seinem Verhalten durch bestimmte, seiner sozialen Stellung entsprechende Rollen im Rahmen eines Systems gruppenspezif. Normen festgelegt. Die Einhaltung dieser Normen unterliegt einer sozialen Kontrolle mit positiven und negativen Sanktionen. Entscheidend für die G. sind ferner das Zusammengehörigkeitsgefühl ihrer Mitgl. **(G.-Bewusstsein),** das sich in Solidarität der Eigen-G. gegenüber Fremd-G. und Kooperation (G.-Kohäsion) innerhalb der G. sowie einer besonderen Sprache (G.-Sprache oder sogar G.-Jargon) äußert. Nach der Zahl der Mitgl. werden **Groß-** (z.B. polit. Parteien) und **Klein-G.** (soziolog. G.-Begriff i.e.S.; nicht mehr als etwa 25 Personen) unterschieden; nach der Entstehung und dem Charakter der Regelungen, denen die Mitgl. unterworfen sind, **formale G.** (planmäßig geschaffen, formales Regelsystem) und **informale G.** (psycholog. G.;

spontane Beziehungen, ohne Satzungen, Gesetze u.Ä., kein formales Regelsystem); nach dem Grad der Intensität und Intimität der Beziehungen zw. **Primär-G.** (enge persönl. Beziehungen; bes. Familien, Spiel- oder Freundschafts-G.) und **Sekundär-G.** (durch bestimmte rationale Zielsetzungen organisiert). Die sozialpsycholog. Aspekte der Beziehungen und Interaktionen innerhalb und zw. G. werden im Rahmen der →Gruppendynamik erforscht. Prakt. Anwendung finden die Ergebnisse der G.-Forschung bes. in der →Gruppentherapie, →Gruppenpädagogik und bei der Zusammenstellung von Arbeitsteams (Wirtschaft, Militär).

📖 *Einführung in die Gruppensoziologie. Geschichte, Theorien, Analysen, hg. v.* B. SCHÄFERS. *Heidelberg u.a. [2]1994.* – CLAESSENS, D.: *G. u. Gruppenverbände. Neuausg. Hamburg 1995.*

Gruppe 47, eine lockere Vereinigung von Schriftstellern und Kritikern, 1947 entstanden auf Initiative von H. W. Richter, A. Andersch, W. Kolbenhoff u.a. Ihre Gemeinsamkeit bildete nicht ein literar. Programm, sondern, aus der Erfahrung des Nationalsozialismus und des 2. Weltkrieges heraus, eine in den Grundzügen übereinstimmende politisch-zeitkrit., entschieden antiautoritäre Einstellung; sie betonte, ohne ideolog. Verengungen, die Verantwortung des Schriftstellers in der Gesellschaft. Ohne streng organisiert zu sein, wurde sie durch jährl. Herbsttreffen mit gegenseitigen Vorlesungen, Kritik und Diskussionen (mit wechselnden Teilnehmern und Gästen) ein Kristallisationspunkt bedeutender dt.-sprachiger zeitgenöss. Lit. (u.a. Ilse Aichinger, Ingeborg Bachmann, H. Böll, G. Eich, H. M. Enzensberger, G. Grass, W. Hildesheimer, W. Höllerer, W. Jens, U. Johnson, H. Mayer, W. Schnurre, M. Walser, W. Weyrauch). Sie löste den Schriftsteller aus der Isolierung, sie setzte Maßstäbe des literar. Niveaus (unregelmäßige Verleihung des Literaturpreises der G. 47). Die letzte Tagung fand 1967 statt, ein nichtöffentl. Treffen bei H. W. Richter 1972; auf einer letzten

Grünling 2)

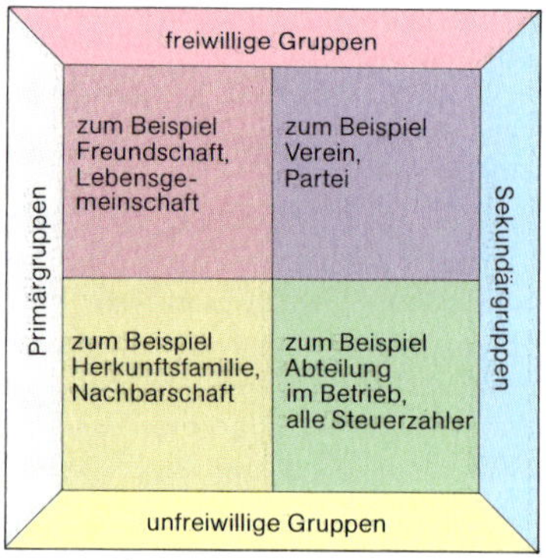

Gruppe 4): verschiedene Typen von sozialen Gruppen

Zusammenkunft in Saulgau 1977 löste sich die Gruppe auf.

Gruppe 61, 1961 in Dortmund von F. Hüster ins Leben gerufener Arbeitskreis von Schriftstellern und Publizisten mit dem Ziel der künstlerischen Auseinandersetzung mit den sozialen und menschl. Problemen der industriellen Arbeitswelt. 1971 spaltete sich der →Werkkreis Literatur der Arbeitswelt ab, 1971 gab sich die G. 61 ein neues sozialkrit. Programm. Mitgl. u.a.: M. von der Grün, G. Wallraff.

Gruppe der 15, Zusammenschluss von 15 Ländern, 1989 als Abspaltung von der Bewegung der blockfreien Staaten entstanden. Die G.d. 15 versteht sich als neues Forum der Diskussion und Annäherung der Entwicklungsländer.

Gruppe der 5, Gruppe russ. Komponisten (M. A. Balakirew, A. P. Borodin, Z. A. Kjui, M. P. Mussorgski und N. A. Rimski-Korsakow), auch **Mächtiges Häuflein** gen., die sich 1862 in Sankt Petersburg zusammenschlossen, um die Entwicklung einer nat. russ. Musik zu fördern (Einbeziehung der russ. Volksmusik, Verwendung nat. Sujets, Berücksichtigung der Eigenart der russ. Sprache).

Gruppe der 77, loser Zusammenschluss von urspr. 77 Entwicklungsländern (1995: 132); formierte sich 1964, traf sich erstmals als Vorauskonferenz zur Vorbereitung der 2. Welthandelskonferenz in Algier (UNCTAD II, 1968) und verabschiedete die **Charta von Algier** über die wirtsch. Rechte der Dritten Welt (u.a. Forderung nach Umwandlung der Weltbank in eine Entwicklungsbank, Abzweigung von jährlich 1% des Bruttosozialprodukts der Industrienationen für die Entwicklungsländer, vermehrten handelspolit. Konzessionen der kommunistisch regierten Länder). Die **Teheraner Deklaration** von 1991 unterscheidet sich vom Inhalt und Stil deutlich von vorausgegangenen Dokumenten; sie bietet eine neue Partnerschaft zw. Industrie- und Entwicklungsländern an und enthält einen umfangreichen Forderungskatalog (u.a. Zugang zu den Weltmärkten, Zugang zu billigem Kapital und Schuldenerlass, Zugang zu Technologie, bevorzugte und differenzierte Behandlung der Entwicklungsländer).

Gruppe der Six [-sis, frz.], → Groupe des Six.

Gruppenarbeit, *Pädagogik:* 1) Begriff v.a. der Sozialpädagogik für eine Form der Jugendarbeit, → Gruppenpädagogik; 2) in der Unterrichtsdidaktik auch Bez. für differenzierten Unterricht in Gruppen, → Gruppenunterricht.

Gruppenbild, Darstellung mehrerer, aus bestimmten Gründen zusammengehöriger Menschen, häufig in einem bestimmbaren Raum. Vorstufen sind Stifterbildnisse und die Darstellungen von Angehörigen geistl. Bruderschaften. Das G. war v.a. in der niederländ. Malerei des 17. Jh. verbreitet, bes. als Korporationsbild der Ärzte (Rembrandts »Anatomie des Dr. Tulp«, 1632, Den Haag, Mauritshuis), der Vorsteher von Gilden und Wohltätigkeitsinstitutionen (**Regentenstücke;** die »Staalmeesters« von Rembrandt, 1661/62, Amsterdam, Rijksmuseum, und die »Regentinnen des Altmännerhauses in Haarlem« von F. Hals, 1664) und als Darstellung der Mitgl. von Schützengilden (**Schützenstück;** die → Nachtwache von Rembrandt). Als Familienporträt, das sich im 15. Jh. aus dem Bildmotiv der Heiligen Familie entwickelte, blieb das G. bis ins 20. Jh. lebendig.

Gruppendynamik, ein von K. Lewin eingeführter Begriff zur Bez. der psychologisch erfassbaren dynam. Kräfte und Prozesse, welche die Einflüsse zw. den Mitgliedern einer überschaubaren Gruppe (Familie, Arbeitsteam, Schulklasse, Verein) kennzeichnen; daneben werden als G. auch die versch. Methoden und Techniken im pädagog. (→ Gruppenpädagogik) und therapeut. (→ Gruppentherapie) Rahmen bezeichnet, die der Verbesserung des Selbst- und Fremdverständnisses des Einzelnen, der sozialen Beziehungen sowie der Kommunikation und Kooperation dienen.

Gruppengeschwindigkeit, → Geschwindigkeit, → Welle.

Gruppenpädagogik, Teilbereich der Pädagogik, der sich mit Ergebnissen der Sozialpsychologie auseinander setzt und sie im Hinblick auf ihre Bedeutung für erzieher. Handeln befragt. Die G. befasst sich mit Erziehungsformen, die soziales Lernen zum Ziel haben und sich dabei gruppendynam. Prozesse bedienen. Die für die Umsetzung dieser Erziehungsformen entwickelten gruppendynamischen Trainingsmethoden (z.B. Verhaltenseinübung, Selbstwahrnehmung, Begegnung, themenzentriertes Lernen) haben Eingang in die psychotherapeut. Behandlung (Gruppentherapie), pädagog. Psychologie und Jugendarbeit (Gruppenarbeit) gefunden. (→ Gruppenunterricht)

Gruppenschaltung, *Elektrotechnik:* Installationsschaltung zum unabhängigen Schalten von meist zwei elektr. Stromkreisen von einer Betätigungsstelle. Es können verschiedene Schalterbauarten verwendet werden, z.B. Gruppenschalter, die es ermöglichen, jeweils abwechselnd einen Stromkreis zu- oder abzuschalten, jedoch niemals beide zusammen, oder Serienschalter, die es ermöglichen, die Stromkreise jeweils einzeln oder zusammen zu- oder abzuschalten.

Gruppensex, Geschlechtsverkehr zw. drei oder mehr Personen, häufig als Partnertausch unter zwei oder mehr (Ehe-)Paaren praktiziert. G. war früher eine Erscheinungsform bestimmter Kulte zu besonderen Festen (Bacchanale, Orgien).

Gruppenbild (von oben): Thomas de Keyser, »Anatomie des Dr. Sebastiaen Egbertsz. de Vry« (1619; Amsterdam, Rijksmuseum); John S. Copley, »Die Familie Copley« (um 1785; Washington D.C., National Gallery of Art)

Gruppentherapie (Gruppenpsychotherapie), die psychotherapeut. Behandlung innerhalb einer Gruppe. Mehrere (meist 5 oder 6) Patienten kommen regelmäßig mit dem nichtautoritär leitenden Therapeuten zusammen, um frei und spontan über ihre Probleme zu reden. Eine möglichst hemmungsfreie Aussprache soll dazu beitragen, die eigenen Probleme in Worte zu fassen, wobei psych. Spannungen abgebaut werden. Spezielle Formen der G. sind die Familien- und Paartherapie. Eine besondere Variante der G. ist das **Psychodrama:** Dabei wählen und spielen die Gruppenmitglieder bestimmte Rollen des zwischenmenschl. oder innerpsych. Lebens. – Die G. gewinnt sowohl in der psychotherapeut. Praxis als auch in der (klin.) Psychatrie zunehmend an Bedeutung.

Gruppenunterricht, Unterrichtsform, bei der die Klasse nach versch. Gesichtspunkten in Kleingruppen von drei bis acht Schülern eingeteilt wird. Das Unterrichtsziel kann mit arbeitsteiligen oder arbeitsgleichen, heterogen oder homogen zusammengesetzten Gruppen erreicht werden. Diese Sozialform des Unterrichts dient v.a. der Förderung von Kommunikation, Kooperation und Eigeninitiative der Schüler. Voraussetzung sind vorherige Einübung des Arbeitsverfahrens und gemeinsame Planung. In der Arbeitsphase des eigtl. G. hat der Lehrer nur eine moderierende Funktion, um die Eigeninitiave der Schüler nicht zu behindern, während beim Zusammentragen der Ergebnisse wieder eine stärkere Führung des Unterrichts notwendig ist. Der G. wurde bes. von der →Reformpädagogik gefördert.

Gruppenversicherung, Versicherung einer Personengruppe (Betrieb, Verein); diese ist Versicherungsnehmer.

Grus, *Geologie:* bei der physikalischen Verwitterung entstehender körnig-eckiger Gesteinsschutt in Sand- bis Feinkiesgröße. Der Vorgang heißt **Abgrusung.**

Gruša ['gruʃa], Jiří, tschech. Schriftsteller, * Pardubitz (heute Pardubice) 10. 11. 1938; behandelt in Versen und v.a. Prosa (»Mimner oder Das Tier der Trauer«, 1972; »Der 16. Fragebogen«, 1978; »Janinka«, 1984) die Bedeutung der Vergangenheit für den Einzelnen und die Gesellschaft; übersetzte

Johannes Grützke: »Der Zug der Volksvertreter«, Ausschnitt aus dem Wandrundbild an der zentralen Innenwand der Wandelhalle der Paulskirche in Frankfurt am Main (1987–90)

u.a. F. Kafka, P. Celan und R. M. Rilke. 1969 Publikationsverbot, 1977 Mitbegründer der →Charta 77, 1978 inhaftiert, verließ 1980 die Tschechoslowakei (Aberkennung der Staatsbürgerschaft); lebte seitdem in der Bundesrep. Dtl.; seit 1991 tschech. Botschafter in Deutschland.

Grušas ['gruʃas], Juozas, litauischer Schriftsteller, * Žadžiunai (Kr. Schaulen) 29. 11. 1901, † Kaunas 26. 5. 1986; gehört als Romancier und Dramatiker zu den Exponenten der litauischen Literatur; war auch als Dramaturg tätig.

Grusi (Grussi, Gurunsi), Stammesgruppe zw. Schwarzem und Weißem Volta in Burkina Faso und Ghana. Die G. treiben Feldbau und Viehhaltung, wohnen in Kegeldachhäusern; konnten ihre voltaisch-altnigrit. Kultur und Religion bewahren.

Grusini|en, russ. Bez. für Georgien.

Grusinische Heerstraße, →Georgische Heerstraße.

Gruß, Worte und Gebärden bei Begegnungen, Ankunft oder Abschied. Die ursprüngl. G.-Gebärden drückten Friedfertigkeit, Unterwerfung unter den Begrüßten oder Verehrung des Göttlichen aus, am augenfälligsten in der →Proskynese. Die Römer grüßten Vertraute mit Händedruck und Umarmung. In german. Zeit gehörten zum G. das Ablegen der Waffen und das Anbieten von Geschenken. Die schon früh in ganz Europa verbreitete Sitte des Kniefalls vereinfachte sich zur Verbeugung. Die heutigen G.-Gebärden stammen aus der mittelalterl. Kultur: Aufstehen, Verneigen, Handschlag, Knicks, Umarmung, Kuss. Das Hutabnehmen kam im 15. Jh. auf, wurde allg. aber erst seit dem 17. Jh. üblich.

Gruß

Zunächst hatten alle Formen des Grüßens, wie Winken, Händeschütteln usw., ursprünglich auch den Sinn, dem Gegenüber zu zeigen, dass man auf den Gebrauch einer Waffe verzichtete. Die spezielle Handbewegung der Militärs stammt wahrscheinlich aus den Zeiten der alten Rittersleut. Begegneten sie sich in voller Rüstung, so klappten sie zur freundlichen Begrüßung das Visier ihres Helmes hoch. Vielleicht geht darauf auch die Sitte des Hütehebens zurück.

Alte **Grußformeln** sind: arabisch: Es-selam aleikum (»Friede sei mit Euch«), altgriechisch: Chaire (»Freue dich«), römisch: beim Begegnen: Ave (»Sei willkommen«), beim Gehen: Vale (»Bleibe gesund«), beim Begegnen und Abschied: Salve (»Befinde Dich wohl«), althebräisch: Schalom lekha (»Friede sei mit Dir«), christlich: Pax vobiscum (»Friede sei mit Euch«). – Der **militär. G.** wird durch Anlegen der rechten Hand an die Kopfbedeckung erwiesen. Grußpflicht besteht in der Bundeswehr z. B. gegenüber dem Bundespräs., dem Bundeskanzler, dem Verteidigungsmin., gegenüber Generalen und Admiralen der NATO-Staaten sowie den unmittelbaren Vorgesetzten, ferner beim Hissen der Bundesflagge sowie beim Vortragen von Nationalhymnen.

Grụ̈ssau, Ort in Polen, → Krzeszów.

Grützbeutel, das → Atherom.

Grütze, *Lebensmittel:* grob gemahlenes, enthülstes Getreide (meist Hafer, Hirse, Gerste, Buchweizen), das mit Wasser, Milch oder Fleischbrühe gekocht wird.

Grụ̈tzke, Johannes, Maler und Grafiker, *Berlin 30. 9. 1937; Vertreter eines kritisch-iron. Realismus, der sich kunstgeschichtl. Zitate sowie manierist. und barocker Stilmuster bedient. Sein 33 m langes Wandbild »Der Zug der Volksvertreter« wurde 1991 in der Paulskirche (Frankfurt am Main) montiert.

Gruyères [gry'jɛːr], Gemeinde in der Schweiz, → Greyerz.

Gryfice [gri'fitsɛ] (dt. Greifenberg in Pommern), Stadt in der Wwschaft Szczecin (Stettin), Polen, 17 000 Ew.; Zuckerfabrik, Holzindustrie. – Vom Wohlstand im späten MA. zeugen die Stadttore und die Marienkirche (14. Jh.). – G., 1262 als Stadt mit lüb. Recht gegr., kam 1648 an Brandenburg, 1945 zu Polen.

Gryfino [gri'finɔ] (dt. Greifenhagen), Stadt in der Wwschaft Szczecin (Stettin), Polen, 20 000 Ew.; Holz-, Bekleidungsindustrie. – G., 1254 als Stadt gegr., wurde 1653 schwedisch, kam 1679 zu Brandenburg, 1945 zu Polen.

Grynberg, Uri Zwi → Greenberg, Uri Zwi.

Gryphius, Andreas, eigtl. A. Greif, Dichter, *Glogau (heute Głogów) 2. 10. 1616, †ebd. 16. 7. 1664; besaß aufgrund einer vorzügl. Ausbildung (u. a. Gymnasium in Danzig) hervorragende Kenntnisse der klass. und neuen Sprachen; seit seinem 15. Lebensjahr als Privatlehrer tätig; 1638–45 Studium und Lehre an der Univ. Leiden, 1644–47 Bildungsreisen nach Italien und Frankreich, ab 1650 Syndikus der Stände des Fürstentums Glogau. G. gilt als der bedeutendste Lyriker und Dramatiker des dt. Barock, der zugleich auf lat. und volkssprachl. Traditionen zurückgriff; unter dem Eindruck des Dreißigjährigen Krieges wurde er zum Verkünder eines barocken Lebensgefühls von der Nichtigkeit und Vergänglichkeit alles Irdischen (»Vanitas«), zu dem das religiöse Erleben der göttl. Allmacht in einem Spannungsverhältnis steht. Dies kommt bes. in den Oden und Sonetten zum Ausdruck (»Sonn- und Feyrtagssonette«, 1639; »Oden«, 1643). Seine Trauerspiele knüpfen an das Jesuitendrama an: Die Helden bewähren sich gegenüber Verlockungen und Verfolgungen. Der von ihm geschaffene barocke Typus des Trauerspiels verwendet nach frz. Vorbild den Alexandriner (»Leo Armenius«, 1650; »Catharina von Georgien«, 1657; »Cardenio und Celinde«, 1657; »Grossmüthiger Rechts-Gelehrter oder Aemilius Paulus Papinianus«, 1659). In derben und volks-

Andreas Gryphius (Ausschnitt aus einem zeitgenössischen Kupferstich)

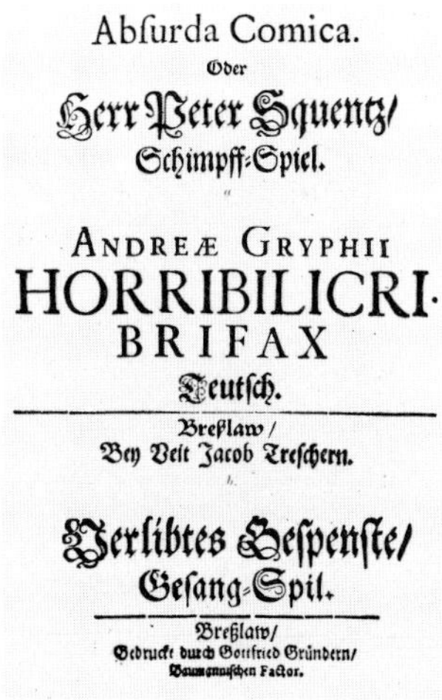

Abſurda Comica.
Oder
Herr Peter Squentz/
Schimpff-Spiel.

ANDREÆ GRYPHII
HORRIBILICRI-
BRIFAX
Teutſch.

Breßlaw /
Bey Veit Jacob Treſchern.

Verlibtes Geſpenſte/
Geſang-Spil.

Breßlaw/
Gedruckt durch Gottfried Gründern/
Baumannischen Factor.

Andreas Gryphius: Szenenentwurf des zeitgenössischen Kupferstechers Johannes Using zum Trauerspiel »Catharina von Georgien«, rechts daneben die Titelseite einer in den 1660er-Jahren erschienenen Ausgabe von »Absurda Comica oder Herr Peter Squentz«, »Horribilicribrifax« und »Verlibtes Gespenste«

Bernhard Grzimek

Tatjana Gsovsky

tüml. Lustspielen verspottete G. zeitgenöss. Torheiten (»Absurda Comica oder Herr Peter Squentz«, 1657/58; »Horribilicribrifax«, 1663).

MANNACK, E.: *A. G. Stuttgart* ²*1986.*

Grzesinski [kʃe-], Albert, Politiker und Gewerkschafter, *Treptow an der Tollense (heute Altentreptow) 28. 7. 1879, †New York 31. 12. 1947; Mitgl. der SPD, bemühte sich als Leiter des preuß. Landespolizeiamtes (1922–24), Polizei-Präs. von Berlin (1925–26 und 1930–32) und Innen-Min. des Landes Preußen (1926–30) um die Demokratisierung der preuß. Verw. und Schutzpolizei; war heftigen Angriffen der polit. Rechten ausgesetzt. Im Zuge des Staatsstreichs der Reichs-Reg. unter F. von Papen gegen die preuß. Landes-Reg. (»Preußenputsch«) 1932 abgesetzt. Seit 1933 war er einer der führenden Politiker der sozialdemokrat. Emigration; schrieb: »Inside Germany« (1939).

Grzimek ['gʒi:mɛk], **1)** Bernhard, Tierarzt, *Neisse (heute Nysa) 24. 4. 1909, †Frankfurt am Main 13. 3. 1987; 1945–74 Direktor des Zoolog. Gartens Frankfurt am Main, 1964–68 Präs. des Dt. Naturschutzringes; setzte sich bes. für die Erhaltung der frei lebenden Tiere ein.

Werke: Wir Tiere sind ja gar nicht so! (1941); Kein Platz für wilde Tiere (1954); Serengeti darf nicht sterben (1959); Einsatz für Afrika (1980); Tiere, mein Leben. Erlebnisse und Forschungen aus fünf Jahrzehnten (1984). – Hg.: Das Tier (seit 1960); G.s Tierleben, 16 Bde. (1967–74); G.s Enzyklopädie der Säugetiere, 5 Bde. (1987).

2) Sabine, Bildhauerin, *Rom 12. 11. 1942, Tochter von 3); lebt seit 1972 freischaffend in Berlin, Hauptthema ihrer Darstellungen ist die menschl. Gestalt in ihrer Sensibilität und Größe; auch collagierte Reliefs, Zeichnungen, Druckgrafik und Malerei.

3) Waldemar, Bildhauer, *Rastenburg (heute Kętrzyn) 5. 12. 1918, †Berlin (West) 26. 5. 1984, Vater von 2); vertrat einen expressiv gesteigerten Traditionalismus. Im Mittelpunkt seines Schaffens stand die menschl. Figur, v.a. als Aktdarstellung; seit 1960 konzentrierte er sich auf dynam. Gestaltungen stürzender, fliehender, bedrängter Körper, u.a. Skulpturengruppe für die Gedenkstätte KZ Sachsenhausen (1959/60).

Waldemar Grzimek: »Träumende« (1962; Mannheim, Kunsthalle)

G-Schlüssel (Violinschlüssel), Notenschlüssel auf der 2. Linie, mit der Schlüsselnote g¹. (→Schlüssel)

GSF-Forschungszentrum für Umwelt und Gesundheit GmbH, Abk. **GSF,** Oberschleißheim (Neuherberg), 1960 gegr. als Gesellschaft für Strahlenforschung mbH (Gesellschafter: Bundesrep. Dtl. und Freistaat Bayern), Mitglied der →Hermann von Helmholtz-Gemeinschaft Deutscher Forschungszentren; wissenschaftl. Schwerpunkte sind Wirkungsforschung (Aufklärung von Mechanismen, die der schädigenden Wirkung von Chemikalien und Strahlung zugrunde liegen), Umweltforschung (Erfassung und Bewertung von Schadstoffbelastungen im gesamten Stoffkreislauf des Ökosystems) und Gesundheitsforschung (Bewertung der Belastung des Menschen, klinisch-experimentelle Forschung zur Verbesserung der Diagnostik und Therapie).

GSI, Abk. für die →**G**esellschaft für **S**chwer**i**onenforschung mbH.

GSM [Abk. für engl. **g**lobal **s**ystem for **m**obile communication, »globales System für mobile Kommunikation«], ein internat. Standard für digitale Funknetze, der weltweit verbreitet ist (in Dtl. beruhen die beiden D-Netze auf diesem Standard). GSM verwendet Frequenzen im 900-MHz-Band. Die derzeit im GSM vorhandenen 124 Funkkanäle sind in jeweils acht zeitversetzt arbeitende Sprechkanäle aufgeschlüsselt. Die GSM-Netze sind zellulär aufgebaut, wobei die Basisstationen jeder Zelle mit der Funkvermittlungsstelle in Kontakt stehen.

Gsovsky, Tatjana, Tänzerin, Choreographin und Tanzpädagogin russ. Herkunft, *Moskau 18. 3. 1901, †Berlin 29. 9. 1993; ab 1925 in Berlin, 1945–52 Ballettdirektorin an der Dt. Staatsoper in Berlin, 1954–66 an der Städt. (seit 1961 Dt.) Oper, daneben 1959–66 Ballettdirektorin in Frankfurt am Main; entwickelte mit ihrem 1955 gegründeten, internat. bekannten »Berliner Ballett« ein modernes Tanztheater auf klass. Grundlage. Als Choreographin bevorzugte sie literar. Stoffe von betont dramat. Gestalt (u.a. »Hamlet«, 1953; »Der rote Mantel«, 1954; »Tristan«, 1965).

GST, Abk. für →**G**esellschaft für **S**port und **T**echnik.

Gstaad, schweizer. Kurort, Ortsteil von →Saanen.

G-Sterne, Hauptreihensterne der →Spektralklasse G.

GTZ, Abk. für →Deutsche **G**esellschaft für **t**echnische **Z**usammenarbeit.

J. RIZZI